3e édition

De la supervision à la gestion des

RESSOURCES HUMAINES

À l'ère d'une GRH en transition

Dominique Lamaute
Bernard Turgeon

CHENELIÈRE
ÉDUCATION

De la supervision à la gestion des ressources humaines :
À l'ère d'une GRH en transition
(3e édition)

Dominique Lamaute, Bernard Turgeon

Édition : Mélanie Bergeron, France Vandal
Coordination : Frédérique Coulombe
Révision linguistique : Roxanne Berthold, Catherine Saguès
Correction d'épreuves : Natacha Auclair
Recherche iconographique : Katia Belkhodja
Conception graphique : Joanna Baldwin
Infographie : Isabelle Côté (Interscript)
Conception de la couverture : Joanna Baldwin
Impression : Imprimeries Transcontinental

Catalogage avant publication
de Bibliothèque et Archives nationales du Québec
et Bibliothèque et Archives Canada

Lamaute, Dominique

De la supervision à la gestion des ressources humaines : à l'ère d'une GRH en transition

3e éd.

Comprend des réf. bibliogr. et un index.

Pour les étudiants du niveau collégial.
Comprend du texte en anglais.
ISBN 978-2-7650-2450-7

1. Personnel – Direction. 2. Personnel – Direction – Problèmes et exercices. I. Turgeon, Bernard, 1944- . II. Titre.

HF5549.L35 2009 658.3 C2009-940867-8

7001, boul. Saint-Laurent
Montréal (Québec) Canada H2S 3E3
Téléphone : 514 273-1066
Télécopieur : 450 461-3834 / 1 888 460-3834
info@cheneliere.ca

ISBN 978-2-7650-2450-7

Dépôt légal : 2e trimestre 2009
Bibliothèque et Archives nationales du Québec
Bibliothèque et Archives Canada

Imprimé au Canada

2 3 4 5 ITG 13 12 11 10

Nous reconnaissons l'aide financière du gouvernement du Canada par l'entremise du Programme d'aide au développement de l'industrie de l'édition (PADIÉ) pour nos activités d'édition.

Gouvernement du Québec – Programme de crédit d'impôt pour l'édition de livres – Gestion SODEC.

Sources iconographiques

Première de couverture : © MOUSIS FRANCOIS/ CORBIS SYGMA

Quatrième de couverture : France Vandal

CORBIS : p. 45 © Jose Luis Pelaez, Inc., **p. 54** © Russ Munn, **p. 79** © Image Source, **p. 297** © Paul A. Souders

ShutterStock : p. 19 Lisa F. Young, **p. 141** Gladskikh Tatiana, **p. 192** Zsolt Nyulaszi, **p. 439** Picsfive

Big Stock Photo : p. 5 Galina Barskaya, **p. 6** Kelly Young, **p. 13** Anja Hild, **p. 16** Daniel Rodriguez, **p. 33** Hugo Maes, **p. 63** Sinan Isakovic, **p. 76** Steve Lovegrove, **p. 88** Bora Ucak, **p. 102** Lisa F. Young, **p. 148** Liudmila Sundikova, **p. 164** Richard Thomas, **p. 197** Blaine Skender, **p. 253** Cory Docken, **p. 293** LisaFX Photographic Designs, **p. 435** Natalia Bratslavsky et Kheng Guan Toh, **p. 464** Kristin Oh

iStockPhoto : p. 26 Sabrina dei Nobili, **p. 39** Carmen Martínez Banús, **p. 43** Joselito Briones, **p. 49** Darren Baker, **p. 61** Aldo Murillo, **p. 65** Chris Schmidt, **p. 71** Kutay Tanir, **p. 91** Bojan Fatur, **p. 93** Izvorinka Jankovic, **p. 118** Marcel Mooij, **p. 124** Justin Horrocks, **p. 130** Stephanie Horrocks, **p. 131** Daniel Rodriguez, **p. 143** Rich Legg, **p. 145** Sharon Dominick, **p. 156** MayerV, **p. 177** Chris Schmidt, **p. 188** Springboard, Inc., **p. 212** Sebastien Cote, **p. 214** Kelly Cline, **p. 221** Nicholas Sutcliffe, **p. 230** Chris Schmidt, **p. 248** webphotographeer, **p. 255** Chris Schmidt, **p. 260** Li Kim Goh, **p. 267** Marcin Balcerzak, **p. 287** Zsolt Nyulaszi, **p. 302** Daniel Timiraos, **p. 310** Monika Adamczyk, **p. 322** Anna Bryukhanova, **p. 328** Justin Horrocks, **p. 334** Catherine Yeulet, **p. 349** Rob Friedman, **p. 350** Brad Killer, **p. 345** Champion Photo LLC, **p. 357** Quavondo Nguyen, **p. 371** Alexander Hafemann, **p. 377** Champion Photo LLC, **p. 382** Lisa F. Young, **p. 389** Bernard MAURIN, **p. 394** Ana Abejon, **p. 400** Frances Twitty, **p. 404** Geoffrey Hammond, **p. 407** Paul Costanzo, **p. 409** Christopher O'driscoll, **p. 411** Lukasz Laska, **p. 417** Philip Dyer, **p. 428** Carmen Martínez, **p. 445** Gaetane Harvey, **p. 449** Sean Locke, **p. 455** Frances Twitty, **p. 460** Marcin Balcerzak

Dans cet ouvrage, le masculin est utilisé comme représentant des deux sexes, sans discrimination à l'égard des hommes et des femmes, et dans le seul but d'alléger le texte.

Des marques de commerce sont mentionnées ou illustrées dans cet ouvrage. L'Éditeur tient à préciser qu'il n'a reçu aucun revenu ni avantage conséquemment à la présence de ces marques. Celles-ci sont reproduites à la demande de l'auteur en vue d'appuyer le propos pédagogique ou scientifique de l'ouvrage.

Membre du CERC

Membre de l'Association nationale des éditeurs de livres

ASSOCIATION NATIONALE DES ÉDITEURS DE LIVRES

Remerciements

Nous vous présentons la troisième édition de notre ouvrage. Nous en sommes fiers et nous désirons partager cette fierté avec nos collaboratrices et collaborateurs de divers domaines qui ont rendu possible cette formidable réalisation.

Tout d'abord, nous désirons remercier les professeurs du réseau collégial qui nous ont communiqué leurs idées et prodigué de judicieux conseils :

Pascale Bédard, Cégep François-Xavier Garneau (consultante)
Marie-Sonia Gilbert, Cégep Marie-Victorin
Jacques Ostiguy, Collège de Valleyfield
Michel Paré, Cégep régional de Lanaudière
Lucie Pomerleau, Cégep de Sainte-Foy
Marco Roy, Cégep Beauce-Appalaches

Ensuite, merci à l'équipe de Chenelière Éducation pour sa constante collaboration :

Sylvain Ménard (éditeur concepteur)
France Vandal et Mélanie Bergeron (éditrices)
Katia Belkhodja (éditrice adjointe)
Frédérique Coulombe (chargée de projet)

Merci à :

Interscript (particulièrement à Isabelle Côté, infographiste)
Roxanne Berthold et Catherine Saguès (réviseures linguistiques)
Natacha Auclair (correctrice d'épreuves)

Enfin, un merci tout spécial à l'équipe des représentants de Chenelière Éducation :

Sonia Choinière
Rachel Dubois
Nancy Lachance
Michel Martin
Nadia Turgeon

À vous que nous appelons avec fierté nos partenaires, nous disons MERCI !

Dominique Lamaute
Bernard Turgeon

Avant-propos

L'univers de la gestion des ressources humaines

La gestion est considérée comme étant un processus qui intègre les fonctions de planification, d'organisation, de direction et de contrôle. Cependant, lorsque ce concept est appliqué aux ressources humaines, il revêt une triple dimension. La première a trait aux fonctions de planification et d'organisation qui renvoient à l'aspect purement technique de la gestion des ressources humaines. On parle alors d'activités propres à la planification, comme l'établissement des objectifs à atteindre et la détermination des prévisions en matière de main-d'œuvre et d'activités propres à l'organisation (par exemple, l'analyse des postes, le recrutement et la sélection du personnel). La deuxième dimension, purement humaine, fait intervenir les fonctions de direction et de contrôle, qui sont orientées vers le maintien et l'évolution de la main-d'œuvre dans l'organisation. S'intègrent à la direction des notions comme la formation, la motivation, le leadership et la communication, alors que des notions d'évaluation, de discipline et de gestion de la carrière se fondent dans le contrôle. Quant à la troisième dimension, elle renvoie au volet relationnel qui s'établit au sein de la gestion des ressources humaines, relations à travers lesquelles l'employeur doit protéger le travailleur (santé et sécurité du travailleur), le rétribuer pour sa contribution à l'atteinte des objectifs organisationnels (gestion de la rémunération), le respecter et agir de manière à lui conserver sa dignité (voir les énoncés dans la Charte québécoise des droits et libertés) et, finalement, tenter de maintenir une harmonie dans les relations liées à l'emploi, qu'elles soient individuelles ou collectives.

À l'ère d'une gestion des ressources humaines en transition

Le Service des ressources humaines a souvent dû adapter son rôle aux besoins des organisations. Longtemps considéré comme un service « support » au sein de ces dernières, son rôle premier consistait à doter l'organisation des ressources humaines nécessaires en quantité et en qualité. Cependant, d'autres rôles se sont peu à peu greffés à celui de dotation. Ainsi, à l'ère du syndicalisme caractérisé par la reconnaissance légale des syndicats, il lui revint de gérer les rapports collectifs du travail. À l'époque où la taille des organisations augmentait, il se spécialisa et endossa diverses responsabilités, dont celles qui sont liées à la protection et à la motivation des travailleurs.

Au début des années 1980, avec l'avènement de phénomènes comme la concurrence mondiale, le développement rapide des technologies de l'information et des communications, la libre circulation des biens et services et le libre mouvement des capitaux à l'échelle mondiale, les organisations qui jadis s'imposaient par leur grande taille voulurent soudainement devenir de plus en plus flexibles et le mot

« restructuration » occupa une place de choix au sein de leurs stratégies organisationnelles. Le Service des ressources humaines dut suivre le mouvement et s'octroya un nouveau rôle, celui de partenaire stratégique. Toutefois, en raison de la crise économique mondiale du début du XXIe siècle, de nombreuses organisations remettent en question la pertinence de leur propre stratégie d'affaires. Leur besoin de financement rend leur chance de survie si fragile qu'elles se tournent vers les gouvernements pour obtenir une aide financière[1], et ces derniers interviennent en endossant un rôle de bailleurs de fonds. Ainsi, non seulement ces gouvernements peuvent-ils désormais contester et réviser les stratégies corporatives de ces organisations, mais ils leurs dictent aussi de nouvelles stratégies à adopter[2] et des pratiques à observer dans certains domaines réservés jusqu'alors à la gestion des ressources humaines, dont la formation et la rémunération.

Comment la gestion des ressources humaines doit-elle alors se positionner dans ce contexte de bouleversements organisationnels ? Elle ne peut plus privilégier une approche de gestion fondée sur les pratiques universelles (*best practices*), plutôt caractéristiques du temps où les organisations étaient en pleine expansion et ne subissaient pas encore les effets de la mondialisation, mais elle doit plutôt repenser sa démarche stratégique issue du modèle de la contingence, qui tire sa pertinence de l'environnement et de la stratégie organisationnelle.

À présent, nous faisons face à une gestion des ressources humaines en pleine transition qui n'a d'autre choix que celui d'adopter un autre modèle de gestion : celui de la cohérence. Selon ce modèle, l'organisation doit définir des valeurs clés qu'elle s'engage à respecter et sur lesquelles tous ses services – y compris le Service des ressources humaines – pourront établir des assises plus solides pour les pratiques dont ils sont responsables.

1. Dans le journal *La Presse* du mercredi 4 février 2009, on pouvait lire : « General Motors et Chrysler ont reçu 13,4 milliards $US de prêts fédéraux pour rester à flot et espèrent obtenir davantage. » Voir ASSOCIATED PRESS et LA PRESSE CANADIENNE, « Ventes automobiles : pénible début d'année », *La Presse*, Cahier Affaires, le 4 février 2009, p. 6.

2. Pensons au gouvernement américain qui exige la démission du PDG de la General Motors en échange de certaines modifications au plan de sauvetage de cette entreprise. Voir Violaine BALLIVY, « Obama pousse le PDG de GM vers la sortie », *La Presse*, le 30 mars 2009, p. A7.

La structure des chapitres

Chaque chapitre respecte les mêmes règles de présentation et se compose des éléments suivants :

Structure des chapitres

Les objectifs pédagogiques
Ils assurent un apprentissage plus adéquat de la matière.

La compétence visée
C'est la compétence à atteindre par les étudiants.

La rubrique Point de mire
Elle donne un aperçu d'un ou de plusieurs sujets traités.

Les figures et les tableaux
Ils résument l'essentiel d'un contenu majeur.

Les définitions
Elles font ressortir les notions les plus importantes.

Les vignettes
Il s'agit de photos accompagnées d'un texte explicatif.

Le résumé
Il fait ressortir les points majeurs traités.

L'évaluation de la compétence
Il s'agit de questions de révision de la matière.

Les études de cas
Il s'agit de situations réelles ou fictives présentées en fin de chapitre pour favoriser l'apprentissage et vérifier le niveau de compréhension.

Le contenu de l'ouvrage

Ce livre s'adresse à une clientèle variée, soit à toute personne qui doit suivre un cours orienté vers la gestion des ressources humaines ; il mise essentiellement sur des questions d'actualité et s'appuie sur des situations réelles issues du milieu de travail.

L'ouvrage comprend quatorze chapitres. Le premier est consacré à la supervision et aux rôles du superviseur. Les treize autres présentent, de façon structurée et progressive, les éléments indispensables à la gestion des ressources humaines.

Chapitre 1 La supervision et les rôles du superviseur

Dans ce chapitre, nous définissons la supervision et précisons les nouveaux rôles du superviseur en tant que gestionnaire. Une nouvelle forme de compétence de gestion est alors proposée.

Chapitre 2 Les défis posés par la gestion de la décroissance des ressources humaines

Qu'en est-il de la gestion des ressources humaines par rapport à la réalité que vivent plusieurs gestionnaires des ressources humaines depuis plus d'une décennie, c'est-à-dire la gestion de la décroissance des effectifs ? Nous nous intéressons aux défis que les gestionnaires doivent relever et aux qualités que ces derniers doivent posséder dans un contexte de changement.

Chapitre 3 La gestion des ressources humaines et la mobilisation du personnel

Au regard de la démotivation des travailleurs dits « survivants », soit ceux qui ont « survécu » aux vagues de licenciements, nous proposons divers modèles de mobilisation du personnel visant à assurer une certaine motivation. Nous présentons aussi une nouvelle tendance en gestion des ressources humaines, à savoir la gestion par les valeurs.

Chapitre 4 L'analyse des postes et la planification des ressources humaines

Comme les données de toute analyse de postes sont l'un des fondements de la planification de la main-d'œuvre, nous détaillons l'importance que revêt la planification stratégique dans une organisation. De plus, nous illustrons la façon dont la planification des ressources humaines vient rétablir l'équilibre entre les besoins de main-d'œuvre et les postes disponibles.

Chapitre 5 L'aspect légal de l'acquisition des ressources humaines

La Charte des droits et libertés de la personne du Québec et la Loi sur les normes du travail sont deux textes fondamentaux. En partant de ces textes, nous mettons l'accent sur les pratiques discriminatoires qui sont interdites et sur le respect des normes minimales du travail auxquelles a droit tout salarié dans son milieu de travail. Nous insistons sur les nouveautés apportées par la Loi sur les normes du travail.

Chapitre 6 La dotation en ressources humaines

Après l'aspect légal, nous abordons les modalités opérationnelles d'acquisition des ressources humaines en présentant les éléments de la dotation des ressources humaines.

Chapitre 7 Le développement des compétences des ressources humaines dans l'entreprise

Les nouvelles règles du marché accroissent la pression exercée sur les entreprises, qui doivent former leurs employés. Les organisations peuvent utiliser divers programmes pour assurer le développement des compétences. Nous en présentons quelques-uns en avançant l'idée que la formation représente un investissement qui augmentera les profits des entreprises et assurera la satisfaction des employés.

Chapitre 8 L'évaluation du rendement

Nous abordons la gestion du rendement sous l'angle de deux de ses objectifs. Nous cernons les méthodes d'évaluation du rendement les plus utilisées et nous situons cette activité dans la réalité, permettant ainsi à une personne de savoir ce que l'organisation pense de son rendement.

Chapitre 9 La gestion de la rémunération

Plusieurs sujets ont une relation directe avec la rémunération. Nous définissons ce qu'il faut entendre par équité interne, externe et individuelle. Nous indiquons quel doit être l'objectif du programme de rémunération et en quoi consiste une politique de rémunération dans l'entreprise.

Chapitre 10 La discipline

En expliquant que la discipline fait partie intégrante des fonctions du superviseur, nous montrons qu'elle constitue, lorsqu'elle est bien appliquée, un outil facilitant l'atteinte des objectifs stratégiques de l'entreprise. Une section porte sur la gestion des employés difficiles.

Chapitre 11 La santé et la sécurité du travail

La prévention en milieu de travail demeure un sujet constant d'actualité. Nous nous penchons sur les droits et les obligations des salariés et des employeurs, puis sur les démarches à entreprendre en cas d'accident de travail. De plus, nous énonçons les formes d'indemnités prévues par la loi et les programmes de réadaptation offerts aux victimes de blessures et de maladies professionnelles.

Chapitre 12 Le contrat individuel de travail

Les relations individuelles du travail constituent le premier volet des relations du travail. Nous nous arrêtons sur l'encadrement légal du déroulement de ces relations en définissant notamment le contrat individuel de travail, les parties en cause et sa durée.

Chapitre 13 Les relations du travail: la formation du syndicat et son accréditation

Dans ce chapitre, la formation du syndicat et les démarches qui conduisent à son accréditation, selon les règles imposées par le Code du travail, sont approfondies.

Chapitre 14 Les relations du travail: la négociation collective

La négociation collective constitue l'essence même des relations collectives du travail. Nous décrivons les partenaires de la négociation, les règles légales qui régissent leurs rapports, les tactiques et les stratégies couramment utilisées, les autres acteurs pouvant intervenir et les moyens de pression mis à la disposition de tous.

Table des matières

Chapitre 1 La supervision et les rôles du superviseur

Cheminement d'idées

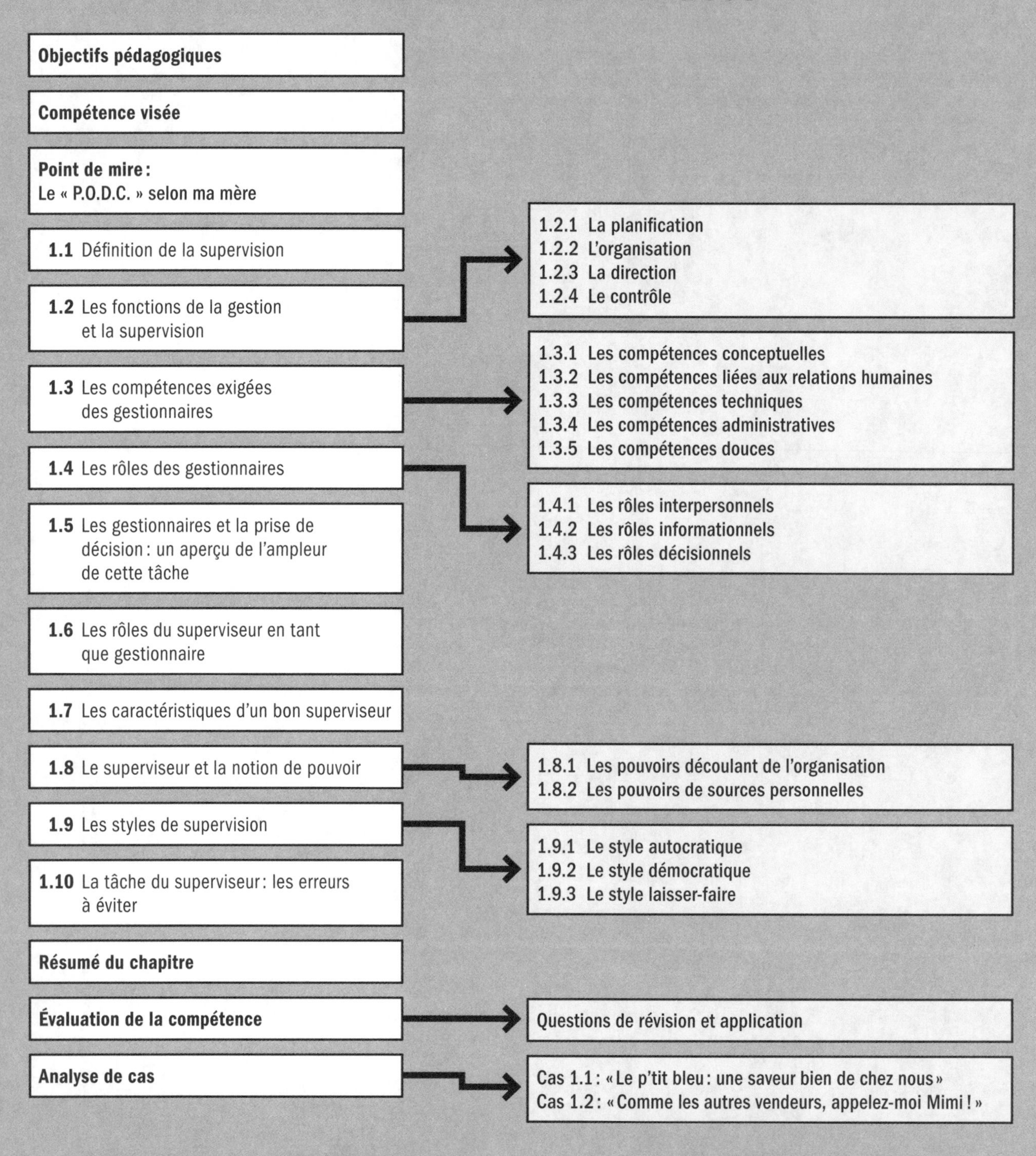

Objectifs pédagogiques

La lecture de ce chapitre devrait vous permettre :

1. de définir le concept de supervision et de le distinguer du concept de gestion ;
2. d'expliquer les fonctions de la gestion (planification, organisation, direction et contrôle) ;
3. de préciser les compétences qui sont exigées des gestionnaires ;
4. de décrire les rôles des gestionnaires dans l'organisation ;
5. de décrire les étapes de la prise de décision ;
6. de décrire les rôles du superviseur en tant que gestionnaire ;
7. de différencier les formes de pouvoir ;
8. de définir les styles de supervision ;
9. de préciser les erreurs qu'un superviseur ne doit pas commettre en tant que gestionnaire.

Compétence visée

La compétence visée dans ce chapitre est d'acquérir les aptitudes requises afin de mieux intégrer dans votre travail certains aspects du rôle de superviseur.

Point de mire

Le « P.O.D.C. » selon ma mère

Julien est un étudiant de cégep inscrit en Comptabilité et gestion. Soulignons qu'il est en train de terminer sa première année et que déjà, il pense pouvoir gérer l'entreprise familiale dès l'obtention de son D.E.C.

Or, un certain mardi soir, sa mère le voit penché sur son bureau, les yeux rivés sur la première page d'un texte qu'il lit et relit sans cesse en poussant de longs soupirs. Il semble si découragé qu'elle lui demande quel est le sujet de son texte. Il lève les yeux vers elle et lui répond :

– Ce texte porte sur le « P.O.D.C. ». Je dois le lire et demain, il me faudra expliquer ces concepts à la classe à l'aide d'un exemple.

Sa mère s'approche de lui.

– Si je me rappelle bien de mes cours de gestion, « P.O.D.C. » signifie : Planification – Organisation – Direction – Contrôle. Est-ce exact ?

Julien lui répond d'un signe positif de la tête.

– Bien, dit-elle, je vais te fournir un exemple. En tant que mère monoparentale qui doit élever quatre enfants, je sais que tous les dimanches, je dois préparer les repas de la semaine. Je dois donc planifier quel repas servir selon les jours de la semaine. Cette planification me permet de fixer des objectifs à atteindre. Ainsi, je sais pertinemment quels éléments je dois inclure dans

›

ma liste d'épicerie. Une fois mes achats réalisés, je passe à l'organisation. C'est une phase de coordination. Je détermine les tâches à effectuer et je mets à ma disposition les appareils et objets nécessaires. Rappelle-toi que, dans mon organisation, je vous demande aussi d'effectuer les tâches que je vous distribue. Les plats doivent être préparés selon le temps de cuisson déjà prévu. Ainsi, tu comprendras qu'on ne peut pas parler d'organisation sans faire cette coordination entre les tâches et les individus en vue d'atteindre des objectifs précis.

Souviens-toi, Julien, quand nous travaillons tous ensemble, je vous permets de mettre de la musique que vous aimez et de chanter à haute voix. Je vous motive en chantant et en dansant avec vous et de temps en temps, je vous donne des récompenses en vous accordant des permissions spéciales. C'est la phase de direction, c'est-à-dire la mise en œuvre de différents petits trucs servant à vous motiver et à vous inciter à accomplir vos tâches.

Comme tu le remarques souvent parce que tu me le mentionnes, je vérifie toujours le travail que vous effectuez et j'apporte des corrections au besoin. Parfois, il me faut carrément changer la manière de préparer un repas parce que le temps de cuisson ne convient plus. Toutes ces tâches font partie du contrôle. Il ne peut pas exister de contrôle si, auparavant, il n'y a pas d'objectifs fixés. Est-ce que tu as bien compris ?

Julien est émerveillé.

– Maman, dit-il, j'ai vraiment saisi toutes les nuances. Merci beaucoup.

Le lendemain matin, dans le cadre du cours de gestion des ressources humaines, Julien se tient debout devant la classe. Son tour est arrivé de présenter le « P.O.D.C. » par un exemple. Il prend la parole et dit fièrement, en arborant un léger sourire :

– Je vais vous présenter le « P.O.D.C. » selon ma mère.

Il se met à parler avec conviction, gardant ce sourire de fierté à ses lèvres.

1.1 Définition de la supervision

Dans les organisations dont la taille nécessite une structure comprenant plus d'un niveau hiérarchique, soit celles où l'on trouve des individus qui, à différents paliers hiérarchiques, dirigent et d'autres qui, placés sous leur autorité, exécutent leurs ordres, il devient difficile de dissocier les termes « gestionnaire » et « superviseur ».

Peu importe la position de ces gestionnaires dans l'organisation (vice-président, directeur, adjoint administratif, superviseur), il existe une activité qui leur revient à tous dès qu'ils dirigent du personnel. Il s'agit de la **supervision**.

Supervision
Activité dans laquelle un gestionnaire, par la position hiérarchique qu'il occupe, distribue aux employés le travail à accomplir, coordonne les tâches, adopte les mesures nécessaires afin que le travail soit exécuté efficacement, guide les employés pour qu'ils atteignent les objectifs fixés et évalue périodiquement, de façon formelle ou informelle, le rendement des employés.

La supervision peut être définie comme une activité dans laquelle un gestionnaire, par la position hiérarchique qu'il occupe, distribue aux employés le travail à accomplir, coordonne leurs tâches, adopte les mesures nécessaires afin que leur travail soit exécuté efficacement, les guide pour qu'ils atteignent les objectifs fixés et évalue périodiquement, de façon formelle ou informelle, leur rendement.

Ainsi, dans un sens large, tout gestionnaire qui exerce une telle activité peut être appelé superviseur. Dans un sens restreint, tout au long de ce chapitre, le mot « superviseur » sera réservé aux gestionnaires qui, dans l'organisation, se situent au niveau hiérarchique de commandement le moins élevé.

1.2 Les fonctions de la gestion et la supervision

Au sein d'une organisation, les quatre principales fonctions de la gestion relèvent des gestionnaires, car c'est avant tout à ces cadres qu'appartient la responsabilité de diriger l'entreprise de manière efficace et d'en assurer la rentabilité et la continuité.

La **gestion** en elle-même se définit comme un processus qui intègre la planification, l'organisation, la direction et le contrôle de différentes ressources tangibles et intangibles (humaines, financières et matérielles) nécessaires à la réalisation des objectifs fixés et au bon fonctionnement de l'entreprise, mais sous ces quatre fonctions se regroupent plusieurs activités inhérentes aux tâches mêmes des gestionnaires, lesquelles, selon le niveau hiérarchique que ces derniers occupent, varient en nombre, en intensité et en importance. Pour bien cerner comment les activités qu'elles renferment sont essentielles à l'exécution des tâches des gestionnaires, nous étudierons brièvement chacune de ces fonctions de la gestion.

Gestion
Processus qui intègre la planification, l'organisation, la direction et le contrôle de différentes ressources nécessaires au bon fonctionnement de l'entreprise.

1.2.1 La planification

La **planification** se doit d'être la première fonction de la gestion, car elle oriente toutes les activités comprises dans les trois fonctions qui la suivent. Faire de la planification, c'est fixer des objectifs à atteindre et préparer des plans de travail permettant de les réaliser. C'est se poser des questions telles que: «Vers quoi nous dirigeons-nous? Comment allons-nous nous y rendre?» C'est aussi, pour les cadres dirigeants de niveau supérieur (le président et les vice-présidents) de même que pour les cadres dirigeants de niveau fonctionnel (les directeurs de service), le fait de pouvoir élaborer une stratégie d'ensemble afin de mener l'entreprise à la réalisation de ses objectifs. C'est enfin, pour les cadres intermédiaires strictement de niveau fonctionnel (les différents adjoints aux directeurs de service), le fait d'établir, à partir de la stratégie d'ensemble, des stratégies assurant le fonctionnement et le développement de leur unité administrative respective.

Planification
Première fonction de la gestion qui consiste en l'élaboration de prévisions concernant l'avenir de l'entreprise compte tenu des forces de l'environnement externe auxquelles elle fait face. Elle consiste, de plus, en la détermination d'objectifs à atteindre et en l'élaboration des plans permettant de les réaliser.

Il serait erroné de penser que la planification est une fonction réservée aux cadres dirigeants et aux cadres intermédiaires strictement de niveau fonctionnel. En réalité, elle est une fonction globale, qui touche les cadres de tous les niveaux et qui permet de constater que même les cadres de terrain strictement de niveau exécutant[1] (les contremaîtres et les superviseurs) doivent fixer et mettre en œuvre des objectifs hebdomadaires, voire quotidiens. Par exemple, un superviseur du Service de la production peut, selon les commandes reçues et les stocks disponibles, établir un calendrier de production pour les deux prochaines semaines tout en déterminant les quantités à produire quotidiennement.

Toute opération de gestion, que ce soit dans le fonctionnement d'une entreprise ou dans la préparation d'un souper familial, comprend quatre phases: Planification, Organisation, Direction et Contrôle.

1.2.2 L'organisation

L'**organisation**, qui constitue la deuxième fonction de la gestion, révèle par son appellation même la pertinence de sa position par rapport aux autres fonctions. C'est en effet dans le contexte de cette fonction qu'il faut se poser la question: «Comment organiserons-nous nos différentes ressources afin de réaliser nos

1. Une description de chacun de ces niveaux de cadres est donnée à la figure 1.2, à la page 8.

Organisation
Deuxième fonction de la gestion, elle consiste en la coordination des différentes ressources de l'entreprise en vue de réaliser les objectifs définis.

objectifs ? » Au cours de la phase d'organisation, on doit comprendre le jeu des interactions qui s'établissent entre les individus, l'importance des tâches et des rôles à définir et celle de la création d'une structure.

Enfin, c'est aussi pendant cette phase que chaque gestionnaire doit comprendre les limites de son autorité et l'étendue de ses responsabilités.

1.2.3 La direction

La **direction** est la troisième fonction de la gestion. Elle concerne la direction des employés, qui doivent, dans leurs tâches quotidiennes, exécuter le travail qui leur est donné.

Le gestionnaire doit pouvoir motiver les employés, être à l'écoute de leurs besoins et posséder le leadership nécessaire afin d'orienter les besoins individuels et collectifs.

Au cours de cette phase, il est important pour le gestionnaire de communiquer avec ses employés, non seulement pour bien leur expliquer les objectifs à atteindre, mais aussi pour comprendre ce qu'ils ressentent et ce qu'ils vivent dans leur milieu de travail, comme le stress, l'angoisse, la satisfaction ou le bien-être. Par exemple, une superviseure de rayon dans un magasin à grande surface constate que ses caissières sont débordées et que les clients commencent à s'impatienter. De façon ponctuelle, elle demande d'ouvrir une autre caisse, dirige elle-même les clients vers cette nouvelle caisse et, en attendant qu'un employé s'y présente, elle les sert elle-même.

Dans cette optique, le gestionnaire doit exercer son autorité avec discernement afin de mener tous ses employés à la réalisation d'objectifs communs. Il doit pouvoir les motiver, être à l'écoute de leurs besoins et posséder le leadership nécessaire afin d'orienter les besoins individuels et collectifs, de même que ceux de l'organisation, vers ces objectifs à atteindre.

Direction
Troisième fonction de la gestion, elle met l'accent sur le type de relations interpersonnelles qui s'établissent dans l'organisation entre les superviseurs et leurs employés par rapport à la supervision exercée, au développement et au maintien de la communication ainsi qu'à l'exercice du leadership.

1.2.4 Le contrôle

Le **contrôle**, qui constitue aussi une fonction de la gestion, consiste en une évaluation des résultats atteints conformément aux objectifs fixés et en l'adoption éventuelle de mesures correctives. Il va de soi que la nature de l'évaluation varie en fonction de différents paramètres. Pour illustrer notre propos, nous en analyserons trois.

Le premier paramètre est la portée des objectifs dans le temps. Ainsi, des objectifs à atteindre quotidiennement nécessitent une évaluation plus constante et plus serrée que des objectifs à atteindre dans cinq ans. Le deuxième paramètre est la rigueur des normes établies. En ce qui a trait, par exemple, à la production, un contrôle de la qualité exige plus de rigueur qu'un contrôle de la quantité, car si la quantité prévue est obtenue, mais ne respecte pas la qualité exigée, le coût des rebuts peut devenir excessif. Quant au troisième paramètre, il s'agit de l'objet même de ce qui est évalué. Pour ce qui est de l'évaluation du rendement, le cadre n'est pas évalué comme le travailleur d'usine. Pour le cadre, on procède souvent à une évaluation en fonction des objectifs atteints (il est alors question de direction par objectifs), tandis que pour le travailleur d'usine, on se base sur des normes de rendement quantifiables et mesurables.

Contrôle
Quatrième fonction de la gestion, elle consiste en une évaluation des résultats obtenus conformément aux objectifs fixés et en l'adoption éventuelle de mesures correctives visant à revoir la planification en tout ou en partie.

Peu importe le paramètre qui intervient et qui influe sur la nature du contrôle, dès qu'on évalue des ressources humaines, on peut affirmer que sous la fonction « contrôle » se trouve aussi l'activité « supervision ».

La figure 1.1 permet de visualiser comment les gestionnaires, dans le contexte des fonctions de la gestion, coordonnent et transforment les différentes ressources de l'entreprise afin d'atteindre leurs objectifs. De plus, elle fait ressortir la place qu'occupe la supervision en tant qu'activité au sein de certaines de ces fonctions.

Figure 1.1 La place de la supervision dans les fonctions de la gestion et la coordination des ressources par rapport aux objectifs à atteindre

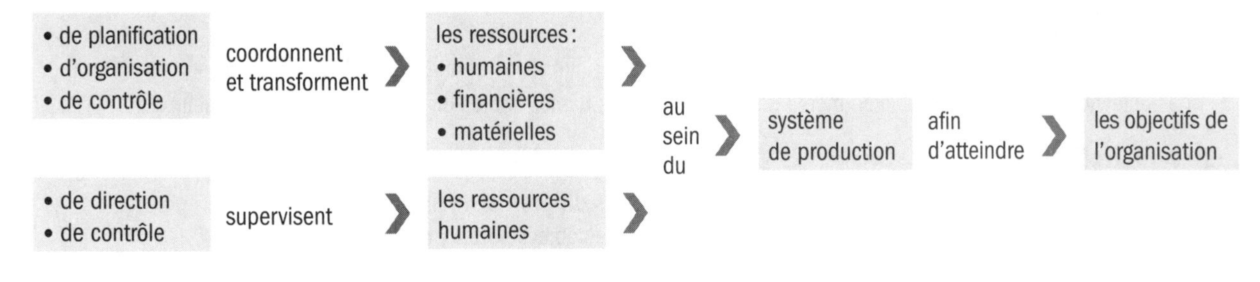

Comme nous le constatons dans la figure 1.1, dans le contexte des fonctions « planification », « organisation » et « contrôle », les gestionnaires accordent une importance égale à toutes leurs ressources (humaines, financières et matérielles), car dans la démarche entreprise afin d'atteindre les objectifs, chacun de ces types de ressources joue un rôle bien défini. Nous voyons de plus que seules les ressources humaines nécessitent une supervision directe de la part des gestionnaires. Ce fait est compréhensible étant donné que dans le milieu de travail, les individus ont parfois des comportements imprévisibles, de sorte que c'est seulement par la fonction « direction » que les gestionnaires peuvent trouver des moyens de les motiver. De même, c'est seulement par la fonction « contrôle » qu'ils peuvent, consécutivement à leur évaluation, faire des recommandations aux employés et leur fournir les outils qui leur permettront de progresser en vue d'atteindre les objectifs fixés.

1.3 Les compétences exigées des gestionnaires

Dans les moyennes et grandes organisations, il existe différents types de cadres, classés en trois catégories : les cadres supérieurs, les cadres intermédiaires et les cadres de terrain. Cette classification a l'avantage d'être simple à comprendre et à illustrer. De plus, elle permet de situer rapidement les individus dans les différentes catégories en fonction des titres qu'ils portent au sein de l'organisation.

En revanche, cette classification ne permet aucune souplesse et se veut générale pour toutes les entreprises, peu importe leur taille. Il s'agit là d'un inconvénient majeur.

Une classification des cadres devrait tenir compte des nouvelles réalités qui touchent les organisations, comme la mondialisation, la concurrence internationale, la restructuration interne, la diminution des effectifs, l'aplanissement des structures[2], la nouvelle définition des tâches des cadres dont les rôles et les fonctions ne cessent de croître et ainsi de suite. La figure 1.2 présente cette nouvelle classification.

Figure 1.2 Les cadres au sein de l'organisation : nouvelle classification

Cadres dirigeants

A De niveau supérieur (président, vice-présidents)
Ils définissent la vision de l'entreprise de même que ses orientations futures et fixent les objectifs à atteindre à long terme.

B De niveau fonctionnel (directeurs de différents services)
Ils gèrent leur service comme une mini-entreprise. Ils lui donnent une vision et une orientation et déterminent des objectifs précis à atteindre conformément aux objectifs fixés par les cadres dirigeants de niveau supérieur.

Cadres intermédiaires

Strictement de niveau fonctionnel (adjoints aux directeurs des différents services)
Ils font office d'exécutants, car ils rendent tangibles et opérationnels les objectifs fixés pour leur service.

Cadres de terrain

Strictement de niveau exécutant (contremaîtres, superviseurs)
Ils distribuent directement les tâches aux employés de production, en supervisent l'exécution, exercent un contrôle sur le niveau de production atteint et font rapport à leur supérieur immédiat.

Comme il est de la responsabilité de ces différents cadres d'atteindre les objectifs fixés, ils y parviendront efficacement selon les habiletés ou les compétences qu'ils possèdent. On distingue cinq types de compétences : les compétences conceptuelles, les compétences liées aux relations humaines, les compétences techniques, les compétences administratives et les compétences douces.

Bien qu'il soit souhaitable qu'un cadre possède toutes ces compétences, ce souhait est plutôt illusoire. La principale raison de cela tient au fait que certaines compétences sont directement rattachées à la personnalité de l'individu qui les possède (compétences liées aux relations humaines et compétences douces), qu'un autre type relève d'une aptitude particulière du cadre à être visionnaire (compétences conceptuelles), qu'un autre type est associé au dynamisme et au professionnalisme manifestés par le cadre (compétences administratives), et enfin qu'un des types a trait à la formation, à la scolarité ou à l'expérience que possède l'individu (compétences techniques). La figure 1.3 résume cette information.

2. Notez que l'aplanissement des structures qui s'est opéré dans les organisations a surtout causé l'élimination de postes qui, jadis, étaient occupés par des cadres qualifiés d'intermédiaires. Voir sur ce sujet John R. Schermerhorn Jr. et coll., *Comportement humain et organisation*, 3e édition, Saint-Laurent, ERPI, 2006, p. 10.

Figure 1.3 Les compétences de gestion et les éléments auxquels ils sont associés

Types de compétences	Éléments auxquels ils sont associés			
	Personnalité	Formation, scolarité et expérience	Aptitude à être visionnaire	Dynamisme et professionnalisme
Conceptuelles			●	
Liées aux relations humaines	●			
Techniques		●		
Administratives				●
Douces	●			

1.3.1 Les compétences conceptuelles[3]

Les compétences conceptuelles sont les habiletés qui permettent à un gestionnaire de visualiser l'entreprise dans sa globalité, de présenter différents concepts et de les développer de manière purement abstraite. Ce type de compétences permet aussi au gestionnaire d'orienter l'entreprise en établissant des stratégies, en énonçant des politiques et en examinant les conséquences possibles sur les plans financier et social d'une décision prise au nom de l'entreprise. Les compétences conceptuelles sont généralement manifestées par les cadres dirigeants tant de niveau supérieur que fonctionnel, car avant tout, soit ils dirigent et orientent l'entreprise dans son ensemble (cadres dirigeants de niveau supérieur), soit ils dirigent et orientent un service de l'entreprise (cadres dirigeants de niveau fonctionnel).

1.3.2 Les compétences liées aux relations humaines

Ce type de compétences se traduit par l'habileté que possède un gestionnaire à pouvoir accepter une double réalité. Selon la première réalité, ses pairs, de même que les travailleurs qu'il supervise, ont une personnalité et des comportements au travail qui leur sont propres ; dans le second cas, les cadres et les employés doivent travailler ensemble à la réalisation d'un objectif commun, qui consiste à assurer à l'entreprise une rentabilité à long terme.

3. Bernard Turgeon et Dominique Lamaute, *Le Management : Dimension pratique*, 2e édition, Montréal, Chenelière Éducation, 2006, p. 10-11.

Une fois qu'il a accepté ces deux réalités, le gestionnaire qui utilise ce type de compétences démontrera une ouverture dans l'établissement et le maintien d'une communication efficace avec ses pairs et ses employés. Il pourra alors témoigner d'une volonté de travailler de concert avec eux et d'entretenir des relations empreintes d'harmonie.

Les compétences liées aux relations humaines sont les compétences les plus importantes que puissent détenir les gestionnaires, car elles reflètent le type de relation qu'ils veulent avoir avec d'autres membres de l'organisation. On ne saurait nier la nécessité pour tous les cadres de posséder ces compétences étant donné qu'elles influent directement sur la qualité de la supervision qu'ils exercent.

1.3.3 Les compétences techniques

Les compétences techniques permettent aux gestionnaires de devenir un «centre de référence» pour leurs employés. Elles représentent les connaissances que les gestionnaires possèdent au sujet du travail que les employés ont à accomplir ainsi que du travail qu'ils ont à leur distribuer. Ces compétences peuvent aller de la connaissance du fonctionnement des machines de production ou de la compréhension d'un procédé particulier de fabrication jusqu'à la faculté d'expliquer les aspects techniques d'une tâche ou d'appliquer les méthodes de travail dans le respect des différentes normes et politiques de l'entreprise.

Les compétences techniques sont nécessaires tant aux cadres dirigeants de niveau fonctionnel qu'aux cadres intermédiaires strictement de niveau fonctionnel et aux cadres de terrain strictement de niveau exécutant. En effet, les cadres dirigeants de niveau fonctionnel dirigent leur service selon leur spécialisation. On s'attend, par exemple, à ce qu'un directeur des ressources humaines connaisse les principales lois du travail et puisse les appliquer au besoin. Dans le même ordre d'idées, un directeur du Service des finances devrait être en mesure d'établir un budget, d'interpréter des ratios et d'expliquer les états financiers aux futurs investisseurs ou aux créanciers de l'entreprise.

Quant aux cadres intermédiaires strictement de niveau fonctionnel, ils doivent, en fonction de leurs compétences techniques, pouvoir fournir une information pertinente à leur supérieur immédiat afin de lui permettre de prendre des décisions judicieuses.

En ce qui a trait aux cadres de terrain strictement de niveau exécutant, leurs compétences techniques se manifestent dans les nombreuses relations qu'ils entretiennent quotidiennement avec leurs employés. De même, ils appliquent ces compétences lorsqu'ils déterminent les procédés de fabrication qui seront utilisés ou lorsqu'ils expliquent des politiques ou des règles techniques. En voici trois exemples :

Exemple 1.1

Un contremaître d'usine qui reçoit un nouvel employé doit pouvoir le former directement sur les lieux de travail. Il doit aussi lui venir en aide quand ce dernier éprouve une difficulté d'ordre technique par rapport à une machine à faire fonctionner ou, de façon générale, au travail à effectuer.

Exemple 1.2

Un superviseur des ressources humaines à qui un employé syndiqué demande des précisions sur l'interprétation d'une clause de la convention collective doit pouvoir lui fournir des explications claires et précises.

Exemple 1.3

Un technicien en comptabilité et en gestion qui travaille dans un bureau-comptable doit être en mesure d'expliquer à un client qui lui en fait la demande pourquoi il a dû dresser un nouveau bilan à partir des écritures régularisées.

1.3.4 Les compétences administratives

Les compétences administratives permettent aux gestionnaires de tous les niveaux hiérarchiques de se servir de leurs compétences de façon générale afin de bien coordonner les fonctions «planification», «organisation», «direction» et «contrôle» en vue d'atteindre leurs objectifs.

Quand un gestionnaire possède des compétences administratives, il lui est possible d'organiser le travail de manière logique et structurée. Une fois ses objectifs fixés, il sait exactement comment les atteindre. En somme, il détient les compétences qu'il faut pour faire avancer les choses et pour prendre des décisions justes, au bon moment.

1.3.5 Les compétences douces

Les compétences douces sont directement liées à la personnalité des gestionnaires. Elles reflètent leurs habiletés interpersonnelles et sociales et se mesurent par différents critères, tels que le niveau de créativité, la capacité d'adaptation, le sens du leadership, le sens de l'initiative, la capacité à être autonome, l'esprit d'équipe manifesté, l'énergie déployée, le sens de l'engagement et la facilité à établir une communication efficace.

D'autres critères, plus observables dans des situations ponctuelles, permettent aussi de comprendre la portée de telles compétences. On trouve deux exemples de ces critères dans la capacité à composer avec l'ambiguïté et dans la flexibilité démontrée face à différentes situations.

En ce qui concerne la différence à établir entre les compétences liées aux relations humaines et les compétences douces, bien que ces deux compétences soient associées à la personnalité du cadre, les premières témoignent de sa capacité à communiquer, tandis que les secondes témoignent de sa capacité à être flexible, autonome, créatif, énergique et bon communicateur.

1.4 Les rôles des gestionnaires

Il n'est pas aisé de parler de façon générale des rôles des gestionnaires dans l'organisation, car selon la situation à laquelle ils sont confrontés, ils jouent souvent un rôle précis, et ce, de façon ponctuelle. Par exemple, dans un cas d'urgence où est observée une pénurie de matières premières en raison des retards répétés du fournisseur principal de l'usine, un contremaître peut, de manière ponctuelle, décider de faire appel à un autre fournisseur, mais si une telle situation ne se produit qu'une fois en trois ans, peut-on affirmer que l'esprit d'initiative qu'a démontré ce contremaître fait partie des rôles qu'il exerce habituellement dans l'exécution de ses tâches?

Le plus souvent, les rôles que les gestionnaires ont à jouer s'intègrent de façon plus courante et plus répétitive dans l'exécution de leurs tâches quotidiennes. Ainsi, dans une usine qui fabrique des explosifs, un directeur des ressources humaines qui transmet chaque semaine aux employés les nouvelles normes applicables en matière de santé et de sécurité joue un rôle de diffuseur de l'information. On comprend qu'il s'agit là d'un rôle normal qu'il remplit dans le cadre de ses fonctions quotidiennes.

La question que l'on se pose est la suivante: comment peut-on déterminer les différents rôles qui ne reviennent pas nécessairement à tous les gestionnaires d'une organisation, qui varient en importance selon leur position respective dans l'organisation et qui s'insèrent dans leurs fonctions ou encore répondent à une situation imprévue?

Henry Mintzberg[4] propose une classification selon laquelle dix rôles principaux reviennent aux gestionnaires. Il les regroupe sous trois titres: les rôles interpersonnels, les rôles informationnels et les rôles décisionnels. Le tableau 1.1 présente ces différents rôles.

Tableau 1.1 Les rôles des gestionnaires selon Mintzberg

Rôles interpersonnels	Rôles informationnels	Rôles décisionnels
› Symbole › Leader › Agent de liaison	› Observateur actif › Diffuseur › Porte-parole	› Entrepreneur › Répartiteur de ressources › Régulateur › Négociateur

1.4.1 Les rôles interpersonnels

Parmi les rôles interpersonnels, le gestionnaire peut être un symbole non seulement au sein de l'organisation, mais aussi en dehors de celle-ci. Il joue ce rôle au cours de différentes cérémonies officielles où il représente l'entreprise.

Le gestionnaire peut aussi être vu comme un leader, car en plus de motiver ses employés, il doit coordonner leurs tâches. Grâce à une communication efficace, il doit leur permettre de comprendre les objectifs de l'organisation et les guider vers leur réalisation.

---

4. Henry Mintzberg, *Le manager au quotidien: les dix rôles du cadre*, Montréal, Éditions d'Organisation/Éditions Agence d'Arc, 1984.

Le gestionnaire est, enfin, un agent de liaison. Il remplit en effet ce rôle dans les relations qu'il établit tant avec les membres de l'organisation qu'avec des personnes de l'extérieur.

1.4.2 Les rôles informationnels

Parmi les rôles informationnels, le gestionnaire peut être un observateur actif quand il cherche, examine et traite toutes sortes d'informations susceptibles d'être utiles aux membres de l'organisation.

Il joue le rôle de diffuseur lorsqu'il transmet de l'information pertinente aux membres de l'entreprise ou à des personnes qui se trouvent à l'extérieur de celle-ci.

Finalement, il agit en tant que porte-parole quand il transmet à l'extérieur de l'entreprise des renseignements faisant appel à son expertise. Ce serait le cas d'un directeur des ressources humaines d'une usine qui s'adresse aux médias afin de leur expliquer les effets d'une grève illégale sur la survie à court terme de l'usine.

1.4.3 Les rôles décisionnels

Parmi les rôles décisionnels, le gestionnaire peut être un entrepreneur quand il lance de nouveaux projets, émet des idées, examine les occasions d'affaires, en somme, lorsqu'il voit à l'expansion et à la rentabilité de l'entreprise.

Ensuite, le gestionnaire joue le rôle de répartiteur de ressources quand il distribue adéquatement les ressources humaines, financières et matérielles dont il dispose afin de s'assurer d'une bonne exécution du travail et de la réalisation des objectifs préalablement fixés.

Vient ensuite le rôle de régulateur, c'est-à-dire le rôle tampon endossé par le gestionnaire quand il gère des conflits à l'intérieur ou à l'extérieur de l'organisation et propose des solutions aux problèmes.

Finalement, le gestionnaire joue un rôle de négociateur lorsqu'il traite et négocie avec des personnes qui se trouvent à l'extérieur de l'entreprise (fournisseurs, investisseurs potentiels, créanciers, etc.) ou avec des agents internes tels que les syndicats.

Le gestionnaire joue à la fois un rôle d'observateur actif, de diffuseur de l'information à l'interne et de porte-parole de l'entreprise à l'externe.

1.5 Les gestionnaires et la prise de décision : un aperçu de l'ampleur de cette tâche

Une des principales tâches des gestionnaires consiste à prendre des décisions. Que ce soit pour régler un problème ou pour juger de la pertinence d'une occasion d'affaires, les gestionnaires doivent prendre des décisions quotidiennement.

Prise de décision
Fait d'arrêter son choix sur une option précise, laquelle permet de régler un problème ou d'apprécier une occasion d'affaires en conformité avec les objectifs et les politiques de l'organisation.

Peu importe la méthode que les gestionnaires utilisent afin de s'acquitter de cette tâche, la **prise de décision** consiste d'abord et avant tout à arrêter son choix sur une option précise, laquelle permet soit de régler un problème, soit d'apprécier une occasion d'affaires, le tout conformément aux objectifs et aux politiques de l'organisation.

Certaines décisions que prennent les gestionnaires sont dites non programmées, c'est-à-dire qu'elles ne sont pas routinières ou ne découlent d'aucune règle préalablement établie. Pour prendre de telles décisions, les gestionnaires doivent faire preuve de jugement, se baser sur leur intuition ou s'inspirer de leur propre expérience.

Par exemple, un superviseur du Service des ressources humaines reçoit une note de son meilleur technicien en informatique. Ce dernier lui annonce qu'un concurrent lui offre un meilleur salaire et qu'il est prêt à l'embaucher immédiatement. Pourtant, ce superviseur avait déjà prévu donner une promotion à son technicien, mais dans quatre mois seulement, promotion évidemment assortie d'une augmentation de salaire. S'il ne veut pas perdre son technicien, il lui faut prendre une décision tout de suite, en se fondant sur son jugement. Il s'agira d'une décision non programmée.

Pour aider le gestionnaire à prendre des décisions dites non programmées, il existe une approche très utile que l'on qualifie de rationnelle. Celle-ci s'appuie sur un processus de prise de décision dont les étapes sont regroupées en cinq phases, soit la phase de perception, la phase de dépistage, la phase de définition, la phase d'offensive et la phase opérationnelle (*voir le tableau 1.2*).

Tableau 1.2 Les phases de la prise de décision selon l'approche rationnelle

Phase	Déroulement
Phase de perception	Perception d'une occasion d'affaires ou d'un problème
Phase de dépistage	Collecte et analyse des faits pertinents relatifs à la situation
Phase de définition	Reconnaissance de l'occasion d'affaires ou du problème Définition de l'objectif à atteindre Établissement de contraintes
Phase d'offensive	Énoncé des options possibles Évaluation des options Établissement du choix
Phase opérationnelle	Communication du choix Suivi

Enfin, d'autres types de décisions, dites programmées, sont prises par les gestionnaires de façon routinière (par exemple, choisir l'heure à laquelle il faut stopper la production afin de permettre l'entretien quotidien des machines) ou à partir de règles définies (par exemple, selon la politique établie en matière de mesures disciplinaires, appliquer telle mesure si tel manquement est observé chez un travailleur).

1.6 Les rôles du superviseur en tant que gestionnaire

Même si tous les cadres d'une entreprise, peu importe leur niveau hiérarchique, doivent à un moment donné superviser leurs subalternes, il faut admettre que l'activité de supervision est principalement exécutée par les cadres de terrain strictement de niveau exécutant qui, rappelons-le, en vertu de leur position hiérarchique, établissent le lien entre la haute direction et les travailleurs.

Aux yeux des travailleurs, ces gestionnaires représentent souvent l'organisation elle-même, car ce sont eux qui planifient leur travail, le répartissent, le leur expliquent si cela s'avère nécessaire, en contrôlent le déroulement et l'évaluent. À ces gestionnaires, la haute direction demande d'assurer la production, de maintenir la qualité exigée, d'atteindre les objectifs de production fixés, de maintenir les coûts de production les plus bas possible et d'entretenir de bonnes relations interpersonnelles avec les employés. À cause de cette position unique qu'ils occupent dans l'organisation, il faut reconnaître à ces gestionnaires des rôles propres (*voir le tableau 1.3*).

Ainsi, un superviseur est appelé à jouer le rôle d'orienteur quand il doit guider et former les nouveaux employés dans l'exécution de leurs tâches. Il peut aussi jouer le rôle de modèle auprès des employés qui pourraient s'inspirer de sa façon de faire les choses pour accomplir eux-mêmes le travail demandé. En outre, il est un leader au sein d'une unité administrative, d'une usine ou d'un laboratoire lorsqu'il fait appel aux habiletés et aux compétences des travailleurs et qu'il tient compte de leurs besoins afin de les diriger avec habileté et efficacité vers la réalisation des objectifs de l'organisation.

Par ailleurs, le superviseur joue le rôle d'évaluateur lorsqu'il évalue le rendement des travailleurs, détermine les écarts de rendement et prend les mesures correctives appropriées. Il est également un préfet de discipline qui doit appliquer des mesures disciplinaires afin de sanctionner certains employés en raison de comportements jugés inadéquats par la direction. Enfin, le superviseur est un conseiller qui fait des suggestions aux employés et les aide à résoudre leurs problèmes tant personnels qu'organisationnels.

Tableau 1.3 Les rôles du superviseur

Rôles	Fonctions
Orienteur	Guide les travailleurs dans l'exécution de leurs tâches
Modèle	Inspire les travailleurs par sa façon de faire
Leader	Dirige les travailleurs selon les besoins, les habiletés et les compétences de chacun
Évaluateur	Évalue le rendement des employés
Préfet de discipline	Applique des mesures disciplinaires quand cela est nécessaire
Conseiller	Fait des suggestions aux employés

1.7 Les caractéristiques d'un bon superviseur

Les travailleurs voient souvent dans le comportement adopté par le superviseur le reflet de ce que représente à leurs yeux la haute direction de l'entreprise. Il est donc primordial pour ce gestionnaire de posséder certaines qualités ou caractéristiques qui lui permettront de bien remplir ses fonctions (*voir le tableau 1.4*).

Le superviseur doit, en plus de s'intéresser aux objectifs organisationnels à atteindre, s'intéresser aux employés, écouter leurs diverses préoccupations et toujours essayer d'améliorer leur bien-être.

Le superviseur doit faire preuve de leadership. Cela exige qu'il soit un meneur pour ses employés et non un dictateur. Il doit travailler en fonction des objectifs de l'entreprise, sans toutefois nier les besoins des travailleurs. De même, il doit manifester un esprit d'organisation, c'est-à-dire coordonner efficacement les ressources mises à sa disposition afin d'assurer le déroulement de la production sans perte de temps. Il doit aussi avoir un bon jugement. En effet, le superviseur attire le respect de ses employés lorsque les décisions qu'il prend sont justes. Il doit être en mesure d'analyser chaque situation avec objectivité, présenter des options réalistes et choisir celle qui constitue la solution la plus adéquate pour l'organisation et les employés.

Le superviseur doit démontrer de la compétence. Nous avons déjà mentionné qu'il doit posséder les compétences techniques nécessaires à l'exécution de ses tâches. Lorsqu'elles sont utilisées habilement, ces compétences lui valent le respect de ses employés. De plus, le superviseur doit se distinguer par son intégrité. Il doit distribuer le travail entre ses employés de façon équitable et il doit être honnête lorsqu'il prend des décisions qui les concernent. Il ne saurait y avoir deux poids, deux mesures. Par ailleurs, il va de soi que l'esprit d'initiative du superviseur est nécessaire dans des situations problématiques. Quand une machine cesse subitement de fonctionner et que les travailleurs se demandent quoi faire, le superviseur doit prendre des initiatives et proposer des solutions.

Tableau 1.4 Les principales caractéristiques du superviseur

Leadership	Doit être un meneur et non un dictateur
Esprit d'organisation	Doit coordonner efficacement les ressources mises à sa disposition
Jugement	Doit faire preuve d'une bonne capacité d'analyse avant de prendre une décision
Compétence	Doit posséder les compétences techniques requises par sa tâche
Intégrité	Doit être juste et équitable dans les décisions qui concernent ses employés
Sens de l'initiative	Doit faire face à des situations où il lui faut apporter des changements, réorganiser le travail, proposer de nouvelles méthodes de travail et résoudre des problèmes
Intérêt pour les employés	Doit s'intéresser véritablement à ses employés et toujours essayer d'améliorer leur bien-être

Enfin, l'intérêt pour les employés est une qualité très appréciée chez un superviseur. Celui-ci ne doit pas s'intéresser uniquement aux objectifs organisationnels à atteindre. Il doit toujours essayer d'améliorer le bien-être de ses employés. Leurs problèmes personnels de même que les difficultés qu'ils éprouvent dans leur milieu de travail doivent constituer une de ses préoccupations. Il doit savoir écouter ses employés.

1.8 Le superviseur et la notion de pouvoir

Même si le superviseur occupe une position hiérarchique qui le situe près des travailleurs, il demeure un cadre. Il n'est pas un cadre dirigeant ; il exerce plutôt des fonctions de cadre exécutant.

Du seul fait de sa position hiérarchique, il est investi de différents types de pouvoir. Certains d'entre eux lui sont attribués directement par l'organisation, d'autres proviennent de sources qui lui sont personnelles.

1.8.1 Les pouvoirs découlant de l'organisation

De l'organisation proviennent trois types de pouvoir : le pouvoir formel, le pouvoir de récompenser et le pouvoir de coercition ou de punition.

Le pouvoir formel

Issu de la structure de l'organisation, ce pouvoir augmente en intensité à mesure que la position du gestionnaire s'élève au sein de l'organisation. C'est le pouvoir du « chef ». Il confère à celui qui le détient l'autorité formelle, c'est-à-dire le droit de donner des directives et le pouvoir de les faire respecter.

Comme le pouvoir lui-même est une forme d'influence, le superviseur qui possède le pouvoir formel peut, de différentes façons, exercer une influence sur les travailleurs qui sont sous son autorité. Regardons ensemble trois de ces façons.

- **Il exerce une influence par sa présence sur les lieux de travail.**
  Pensons à la situation où l'ardeur au travail diminue à la fin de la journée. Très souvent, la seule présence du superviseur sur les lieux de travail stimulera momentanément les travailleurs.
- **Son influence se manifeste par les directives qu'il donne.**
  En vérité, le superviseur est le patron, et les directives qu'il émet lui permettent de faire avancer le travail. Si les employés exécutent les directives reçues, c'est d'abord qu'ils subissent une forme d'influence.
- **Le superviseur a une influence du fait qu'il distribue des tâches, assigne des fonctions et apporte des changements aux façons de travailler.**
  Le pouvoir formel qu'il détient lui permet d'organiser le travail, de mobiliser des équipes, de modifier ces équipes selon la quantité de travail à effectuer et d'imposer un rythme de travail favorisant la réalisation des objectifs.

Le pouvoir de récompenser

Le pouvoir de récompenser est difficile à cerner à cause du mot « récompenser » lui-même. Ce qui constitue une récompense aux yeux du superviseur peut ne pas être perçu ainsi par l'employé qui en bénéficie. Il revient donc à l'organisation de définir ce qui représente une récompense et de déterminer en vertu de quelle action elle doit être octroyée.

Exemple 1.4

On peut établir clairement que si tel niveau de production est atteint, une prime sera distribuée aux employés.

Exemple 1.5

Une politique peut stipuler que si le taux des rebuts est réduit de 4 % pendant trois semaines consécutives de travail, une journée de congé payé sera accordée à tous les travailleurs de l'usine.

Cette manière de procéder écarte non seulement tout favoritisme, mais elle évite aussi de placer le superviseur dans une position délicate quand vient le temps de récompenser les employés méritants. Cependant, une mise en garde s'impose. Dans les organisations, le superviseur n'est pas automatiquement investi du pouvoir de récompenser, et ce, pour deux raisons. D'abord, si le fait de récompenser les travailleurs de leur bon rendement ou de tout autre geste digne d'être souligné ne fait pas partie de la culture d'entreprise, le superviseur ne pourra pas, de sa propre initiative, accorder des récompenses.

Ensuite, il faut comprendre qu'aux yeux des employés, la seule récompense acceptable semble souvent être de nature pécuniaire. Même si le superviseur est témoin de « bons coups » réalisés par certains de ses employés, il ne peut pas nécessairement les récompenser par des primes ou des augmentations de salaire. Le plus souvent, il ne peut faire que des recommandations, car la décision ultime de récompenser ou non appartient à la haute direction.

Le pouvoir de coercition

Dans l'organisation, le pouvoir de coercition est défini comme le pouvoir d'infliger des punitions au moyen de mesures disciplinaires. Ainsi, du seul fait qu'il possède l'autorité hiérarchique formelle, le superviseur possède un pouvoir de coercition qu'il peut exercer selon la latitude que lui donne la haute direction. Cependant, il ne doit jamais faire une utilisation abusive de ce type de pouvoir, car la coercition comporte une triple connotation :

- **Première connotation : péjorative – elle veut que ce type de pouvoir soit « l'arme du faible ».**
  Ainsi, le superviseur dont l'autorité formelle serait mise en doute, peu respectée ou carrément ignorée par ses employés pourrait, pour tenter de rétablir la situation, utiliser la menace à l'endroit de ses employés ou prendre contre eux de sévères mesures disciplinaires. Par exemple, un superviseur dont l'autorité est défiée par ses employés à cause de l'incompétence qu'il manifeste face aux tâches qu'il doit effectuer peut sévir par des mesures disciplinaires pour tenter de rétablir son autorité.

› **Deuxième connotation : fait ressortir le caractère légitime de la coercition.** Vue sous cet angle, la coercition est acceptée par les employés comme une mesure visant à corriger chez eux un comportement déviant. Le recours au pouvoir de coercition par le superviseur devient donc circonstanciel. Aux yeux des employés, si leur superviseur applique une mesure disciplinaire, c'est l'organisation qui les punit et non pas lui directement. Par exemple, ce serait le cas de l'employé qui, durant la même semaine de travail, aurait accumulé quatre retards consécutifs de plus de dix minutes chacun. Si une politique de l'entreprise stipule que dans une telle situation, l'employé se voit soustraire de son salaire l'équivalent d'une demi-journée de travail, le superviseur ne fera qu'appliquer la punition ; il ne sera pas vu comme celui qui a pris la décision.

› **Troisième connotation : renvoie au caractère impopulaire de la coercition et la présente comme étant injuste.**
Même si un employé fautif accepte la mesure disciplinaire qui lui est imposée, selon lui, toute forme de punition demeure et demeurera toujours injuste et trop sévère à ses yeux. Par exemple, par négligence, un employé brise de la machinerie appartenant à son employeur et force un arrêt de la production pendant une durée de cinq heures. Même si c'est la première fois qu'il commet un manquement, la direction considère le caractère aggravant du manquement et lui impose une mesure disciplinaire qui prévoit une suspension de deux jours sans salaire. L'employé peut trouver cette mesure injuste alléguant que c'est la première fois qu'il fait preuve d'un comportement déviant.

1.8.2 Les pouvoirs de sources personnelles

Il existe deux types de pouvoir provenant de sources personnelles ou intrinsèques : le pouvoir d'expertise et le pouvoir charismatique.

Le pouvoir d'expertise

Le pouvoir d'expertise du superviseur découle d'une source personnelle dans la mesure où les connaissances techniques qu'il possède sont reconnues par ses pairs, ses collègues ou ses employés.

Un superviseur se doit de posséder les connaissances techniques qui lui permettront de guider ses employés, de les rassurer et de les diriger efficacement. Soulignons toutefois que le fait de détenir ces connaissances ne garantit pas automatiquement le respect de la part des employés. Encore faut-il que le superviseur sache les utiliser et les transmettre.

Un superviseur doit savoir utiliser et transmettre les connaissances techniques qu'il possède et qui lui permettent de guider, de rassurer et de diriger efficacement ses employés.

Un superviseur efficace devrait utiliser son pouvoir d'expertise en appliquant trois grandes règles : les 3 R (rassurer, renseigner, respecter), les 3 E (encourager, endosser, écouter) et les 3 D (diriger, dynamiser, défendre) (*voir le tableau 1.5, p. 20*). Une explication de ces différentes règles permettra d'en saisir la portée.

Tableau 1.5 Les règles d'application du pouvoir d'expertise par le superviseur

La règle des 3 R	La règle des 3 E	La règle des 3 D
Rassurer Le superviseur doit montrer à ses employés que lorsqu'un problème les concerne sur le plan du travail ou sur le plan personnel, on peut envisager plusieurs solutions avant de faire un choix final et que ce choix ne les désavantagera pas nécessairement.	**Encourager** Le superviseur doit non seulement aider les employés moins performants à persévérer afin d'obtenir le rendement demandé, mais aussi encourager les employés performants à maintenir et, si possible, à accroître leur rendement. Il doit sans cesse essayer de garder élevé le moral de ses employés.	**Diriger** Comme il est avant tout un cadre, le superviseur a des objectifs à atteindre. Il est de son devoir de faire comprendre à ses employés l'importance de ces objectifs. Il doit leur fournir le travail à effectuer, les soutenir au cours de son accomplissement, les encourager lorsqu'ils éprouvent des difficultés, les motiver et évaluer leur rendement. En somme, il doit les diriger.
Renseigner Une partie du pouvoir d'expertise que possède le superviseur provient de l'information qu'il détient. Il doit utiliser cette information avec discernement, c'est-à-dire la transmettre aux employés au moment opportun.	**Endosser** Le superviseur dont l'unité administrative atteint les objectifs de production fixés est satisfait de diriger une bonne équipe de travail, mais il doit aussi endosser, en certaines circonstances, le mauvais rendement qu'enregistrent ses employés. Ces derniers ne doivent pas sentir qu'ils sont les seuls à blâmer lorsque leur unité connaît des moments difficiles. Le superviseur doit se poser les questions suivantes : « Est-ce que j'ai suffisamment expliqué mes directives ? » « Avais-je prévu la bonne séquence d'exécution du travail pour mes employés ? » « Est-ce que j'ai exigé trop d'efforts de mes employés pour qu'ils atteignent les objectifs ? » « Les objectifs fixés étaient-ils réalistes ? »	**Dynamiser** Le superviseur doit insuffler l'énergie nécessaire à son équipe de travail. Il doit lui transmettre son enthousiasme, sa passion pour le travail. Avant tout, il doit être un modèle pour ses employés et non un personnage terrifiant ou encore un patron qui se contente d'assigner des tâches.
Respecter Le superviseur doit comprendre que les employés ne possèdent pas nécessairement sa compétence ni son expérience. Certains d'entre eux peuvent éprouver de la difficulté à atteindre les niveaux de rendement demandés. C'est à ce moment que le superviseur doit faire preuve de jugement et de leadership et respecter les différences entre les individus. Il doit les guider et les former pour leur permettre d'atteindre le rendement qu'on attend d'eux.	**Écouter** S'il veut manifester du leadership dans son unité de travail, le superviseur doit écouter ses employés. Il ne s'agit pas d'écouter seulement leurs doléances, mais aussi leurs conseils et leurs suggestions. Savoir écouter ses employés, n'est-ce pas d'abord et avant tout les respecter ?	**Défendre** Il peut arriver que dans un lieu de travail, malgré leurs efforts, les travailleurs ne parviennent pas à atteindre le rendement demandé. Étant donné que le superviseur est le représentant de la direction auprès des employés et le porte-parole de ces derniers auprès de la direction, c'est à lui que revient la tâche d'expliquer à ses supérieurs pourquoi un certain niveau de production n'a pas été atteint et quelles en sont les conséquences sur la production totale. Toutefois, le superviseur ne doit pas toujours mettre en cause les employés. La position hiérarchique qu'il occupe ne lui dicte pas d'avoir un parti pris pour la direction. Si ses employés sentent qu'il les appuie, ils ne contesteront pas son jugement ni son intégrité et il pourra davantage compter sur leur collaboration.

Le pouvoir charismatique

Un individu qui a du charisme est un individu capable d'attirer à lui les autres personnes et de les fasciner au point qu'elles s'y identifient. Trois réalités caractérisent ce pouvoir :

- On ne possède ce pouvoir que lorsqu'il nous est accordé par un individu ou un groupe d'individus.
- Les individus qui reconnaissent ce pouvoir à quelqu'un se soumettent à l'influence de ce dernier de façon volontaire.
- Du seul fait qu'ils se soumettent de façon volontaire à cette influence, ces individus démontrent une véritable confiance envers cette personne. Ils sont donc prêts à accomplir pour elle les actions qu'elle leur demande.

Un superviseur qui détient le pouvoir d'expertise et à qui les employés reconnaissent en plus un pouvoir charismatique possède d'emblée le pouvoir généralement reconnu au leader.

1.9 Les styles de supervision

Sachant que l'une des responsabilités du superviseur consiste à assurer la production dans le respect de divers critères (quantité, qualité, délai, coût minimal) et de différentes normes (sociales, environnementales, légales), il ne saurait s'en acquitter sans manifester son autorité à travers un ou plusieurs styles de supervision. Nous présenterons trois de ces styles : le style autocratique, le style démocratique et le style laisser-faire.

1.9.1 Le style autocratique

Le gestionnaire autocratique dirige ses employés avec une main de fer. Il commande, prend seul les décisions qui concernent son unité de travail, et ce, sans consulter ses employés. Il impose sa façon de faire et ne tient compte que de la réalisation des objectifs de l'organisation. Généralement, il ne fait pas confiance à ses employés et il le démontre par une supervision basée sur un contrôle serré de leur travail.

Toutefois, un gestionnaire dont le style dominant n'est pas le style autocratique peut, si la situation l'exige, être obligé d'adopter un tel style.

Exemple 1.6

Un superviseur du Service de la production constate que les objectifs fixés pour le mois ne seront pas atteints. Adoptant un style autocratique face à une telle situation, il décrète que, pour les deux prochaines semaines, tous les employés devront effectuer des heures supplémentaires et qu'un rapport quotidien devra lui être remis sur les niveaux de production obtenus.

1.9.2 Le style démocratique

Le gestionnaire qui fait preuve d'un style de gestion démocratique a tendance à faire confiance à ses employés. Il n'impose pas sa façon de voir ou de faire. Il discute avec les employés et les écoute. Même si, finalement, la décision lui appartient, il démontre, avant de la prendre, assez de confiance et d'ouverture à l'endroit de ses employés pour les consulter, voire les faire participer à la prise de décision. Bien qu'il vise la réalisation des objectifs de l'entreprise, il sait tenir compte des besoins de ses employés et de leur bien-être.

Notez qu'un superviseur peut démontrer un style dominant qui est démocratique, adopter le style autocratique quand une situation particulière l'exige, puis, une fois disparues les circonstances ayant donné lieu à cette situation, retourner à son style dominant.

1.9.3 Le style laisser-faire

Généralement indifférent à la qualité de la production et au bien-être des employés, le gestionnaire qui adopte le style laisser-faire renonce à assumer ses responsabilités. Il évite les situations où il devrait prendre des décisions. Il délègue ses tâches à ses employés et, par le fait même, fuit les conflits tant organisationnels qu'interpersonnels.

Cependant, un superviseur dont le style dominant n'est pas le style laisser-faire peut, selon la situation qui se présente, faire preuve d'un tel style.

Exemple 1.7

Un superviseur du Service de la production relève une amélioration du rendement de son service et prévoit un dépassement des objectifs de l'ordre de 10 %. Il décide alors d'adopter le style laisser-faire en décrétant que, pour les deux prochains vendredis, les employés finiront de travailler à midi plutôt qu'à 17 h.

Existe-t-il un style de supervision meilleur qu'un autre ? Pas vraiment. Le gestionnaire efficace est celui qui, malgré l'influence de son style dominant, sait varier les styles de supervision en fonction des situations auxquelles il fait face dans son milieu de travail.

1.10 La tâche du superviseur : les erreurs à éviter

Nous avons mentionné précédemment que le superviseur occupe une position hiérarchique qui lui permet d'établir le lien entre la direction et les travailleurs. Compte tenu de cette position spéciale, il doit éviter certains comportements qui pourraient le discréditer aux yeux de ses supérieurs ou de ses employés. Le tableau 1.6, à la page suivante, présente quelques comportements qu'un superviseur ne devrait pas adopter.

Tableau 1.6 Les erreurs dans la supervision et les conséquences possibles

Erreur	Conséquence possible
1. Démontrer une mauvaise volonté quant à la distribution du travail	Un superviseur qui ne témoigne pas de la volonté de distribuer le travail à ses employés ou qui ne possède pas les aptitudes nécessaires pour s'acquitter d'une telle tâche ne saurait susciter la confiance chez ses employés. Ses compétences de dirigeant pourraient même être remises en question par ces derniers.
2. Utiliser abusivement l'autorité formelle	Comme le superviseur représente la direction, il possède une autorité hiérarchique qu'il exerce sur ses employés. Il doit comprendre que cette autorité ne sert pas à terroriser les employés ou à les forcer à accepter son pouvoir. Il se rendra compte assez vite que toute autorité excessive peut être amoindrie par une insubordination des employés.
3. Adopter une position hiérarchique ambiguë	Il peut arriver, par le jeu d'une promotion, qu'un employé accède à un poste de superviseur. Une erreur à ne pas commettre dans son cas, c'est d'essayer de gagner la sympathie de ses anciens collègues de travail en cherchant à être encore considéré comme un membre de leur groupe. Cette tentative serait inutile, voire impossible, puisque le superviseur sera amené à prendre certaines décisions qui ne seront pas très populaires auprès des travailleurs.
4. Faire preuve d'inaptitude à servir d'exemple au travail	Le superviseur constitue souvent un modèle à suivre pour ses employés. Ces derniers s'attendent à ce qu'il soit juste, qu'il évite toute forme de favoritisme et qu'il possède surtout les compétences techniques lui permettant de les superviser. Si le superviseur est inéquitable, s'il favorise certains employés au détriment d'autres ou s'il fait preuve d'incompétence, il risque non seulement de ternir sa réputation et celle de la direction entière, mais aussi de perdre le respect de ses employés.
5. Manquer d'intérêt pour ses tâches	Les tâches du superviseur comportent trois aspects. Il y a d'abord l'aspect administratif, lié à l'exécution des activités de planification, d'organisation, de direction et de contrôle. Il y a ensuite l'aspect technique, qui renvoie aux habiletés qu'il doit posséder afin d'exécuter correctement l'ensemble de ses tâches. Il y a finalement l'aspect humain, caractérisé par les relations qu'il doit établir et maintenir avec ses employés. Si un superviseur démontre un manque d'intérêt, ne serait-ce que sous un seul de ces aspects, il ne pourra s'avérer efficace.

Résumé du chapitre

La supervision est une activité qu'accomplissent tous les gestionnaires dès qu'ils ont à diriger du personnel. Bien que les fonctions «planification», «organisation», «direction» et «contrôle» fassent aussi partie intégrante de leurs tâches, seuls la planification, l'organisation et le contrôle leur permettent d'agencer, de coordonner et de transformer les ressources (humaines, financières et matérielles) mises à leur disposition afin d'atteindre les objectifs de l'organisation. En revanche, les fonctions «direction» et «contrôle» leur permettent d'effectuer une véritable supervision de leurs ressources humaines.

Afin d'atteindre les objectifs fixés par l'organisation, les gestionnaires de tous les niveaux hiérarchiques sont appelés à jouer différents rôles (interpersonnels, informationnels et décisionnels) et à prendre de multiples décisions, lesquelles sont parfois programmées, parfois non programmées. Il va de soi qu'ils doivent posséder certaines compétences ou habiletés s'ils veulent prendre des décisions judicieuses. Il existe cinq types de compétences: les compétences conceptuelles, les compétences liées aux relations humaines, les compétences techniques, les compétences administratives et les compétences douces.

Étant donné que le superviseur est le gestionnaire le plus proche des travailleurs dans la structure organisationnelle, il doit particulièrement démontrer des compétences liées aux relations humaines et des compétences techniques. La position hiérarchique qu'il occupe lui donne des rôles précis à jouer auprès de ses employés. En outre, il doit posséder certaines qualités pour bien les diriger. Enfin, il doit éviter de commettre certaines erreurs dans l'exécution de ses tâches afin de garantir l'efficacité de sa supervision.

Évaluation de la compétence

Questions de révision et application

1. Pourquoi la supervision est-elle une activité qui relève tant de la fonction «direction» que de la fonction «contrôle»?

2. Pourquoi les compétences liées aux relations humaines influent-elles directement sur la qualité de la supervision exercée par les cadres?

3. À l'aide de trois exemples, expliquez le rôle de porte-parole qu'un gestionnaire est appelé à jouer.

4. En vertu de quelle compétence un superviseur peut-il mieux jouer le rôle de modèle auprès de ses employés? Justifiez votre réponse.

5. Pourquoi un superviseur ne possède-t-il pas automatiquement le pouvoir de récompenser?

6. En vous reportant à la rubrique Point de mire présentée au début du chapitre, répondez aux questions suivantes:

a) À quelle fonction de la gestion associe-t-on la détermination des objectifs à atteindre?

b) Pourquoi la mère de Julien dit-elle qu'il ne peut pas exister de contrôle s'il n'y a pas d'objectifs préalablement fixés?

Analyse de cas

Cas 1.1

« Le p'tit bleu : une saveur bien de chez nous »

« Père Chalifoux ! » C'est ainsi que les gens du village appellent Isidore Chalifoux, le premier employé de la compagnie Fromagerie St-Paul, là où on fabrique le fameux fromage Le p'tit bleu. Isidore Chalifoux y avait commencé à titre d'emballeur et avait gravi les échelons jusqu'à devenir superviseur de l'équipe de production de jour. Il avait fait sa marque non seulement en tant que travailleur, mais surtout parce qu'il avait suggéré à l'équipe du marketing ce slogan devenu si populaire : « Le p'tit bleu : une saveur bien de chez nous ».

Cependant, il y a de cela quinze ans, Isidore Chalifoux a pris sa retraite à l'âge de 65 ans, après 40 ans de service dans cette même entreprise. Non seulement les membres de la direction de la compagnie l'ont grandement fêté, mais ses proches du village l'ont aussi honoré.

Au printemps de l'année 2007, Lucie – la petite-fille d'Isidore Chalifoux – a terminé son baccalauréat en administration. À l'été de cette même année, grâce à l'influence de son grand-père, elle a décroché à la Fromagerie St-Paul le poste de superviseure de production – équipe de nuit. Bien que, dans l'usine, les travailleurs de production soient répartis en trois quarts de travail, soit le quart de jour, le quart de soir et le quart de nuit, Lucie a dû travailler de nuit et poursuivre la tradition instituée dans la compagnie de façon plutôt informelle, tradition que lui avait d'ailleurs expliquée le directeur des ressources humaines d'un ton sympathique :

– Tu es la p'tite dernière ! Tu n'as donc pas le choix : il te faut commencer dans l'équipe de nuit, comme tous ceux qui t'ont précédée, même si tu es la petite-fille du père Chalifoux.

Pourtant, Lucie ne s'en faisait pas. Elle se fiait aux dires de son grand-père qui mentionnait ceci à tous ceux dont il avait facilité l'embauche à l'usine de la Fromagerie St-Paul :

– Quand vous rentrez dans l'usine, c'est pour la vie ! Les conditions de travail sont bonnes et au bout de deux ans, on vous offre la possibilité d'être transférés dans une autre équipe de travail.

Cependant, les événements des quatre derniers mois ont contredit les paroles d'Isidore Chalifoux. De décembre 2007 à avril 2008, les ventes brutes de la compagnie ont chuté de 25 %. Les spécialistes du marketing ont attribué cette chute à la concurrence féroce à laquelle les entreprises américaines soumettaient la Fromagerie St-Paul. Selon les résultats d'une étude commandée par les membres de la haute direction, les bénéfices de l'entreprise continueraient à baisser de façon alarmante au cours des trois prochains trimestres. La direction de la Fromagerie St-Paul a vite réagi en adoptant une stratégie de réduction des coûts. Elle a décidé d'éliminer un quart de travail, plus précisément le quart de nuit. Tous les travailleurs ont été avertis qu'ils seraient licenciés. Un avantageux plan de retraite anticipée fut mis sur pied et offert à tous les employés des équipes de jour et de soir, les employés de nuit ne pouvant en bénéficier, puisque trop jeunes. Dix pour cent des travailleurs de l'équipe de jour ont opté pour ce type de retraite, ce qui a permis une réorganisation du travail et, ainsi, certains employés de l'équipe de nuit ont pu conserver leur emploi. Lucie a éprouvé beaucoup de peine quand elle a appris qu'elle perdrait les membres de son équipe de travail. Ces derniers l'aimaient, car ils la trouvaient compétente et ils appréciaient son style de supervision démocratique qui glissait de temps en temps vers le laisser-faire.

Brigitte G. – superviseure de l'équipe de jour au contrôle de la qualité – a donné sa démission quand elle a appris que son mari Jacques avait décidé de tirer avantage du plan de retraite anticipée afin de devancer de quatre ans les projets familiaux d'aller s'installer au Costa Rica. Le poste de superviseure de l'équipe de jour au contrôle de la qualité a donc été offert à Lucie. Elle sait qu'elle ne possède pas les qualifications requises, mais l'idée de perdre son emploi et de vivre dans la crainte de ne pas en trouver un autre à court terme ne l'intéressait pas.

Le vendredi 16 mai 2008, Lucie intègre son nouveau poste, à titre de superviseure de l'équipe de jour au contrôle de la qualité. Avant d'entrer en fonction, une certaine Estelle V. l'a mise en garde contre sa nouvelle équipe de travail. Elle lui a alors confié que le poste ne l'intéressait pas à cause des travailleurs qui composent l'équipe de jour au contrôle de la qualité. Elle les a décrits comme étant des gens prétentieux, protégés par la direction, qui les laisse travailler de façon autonome grâce à l'excellence de leur rendement. De plus, il semblerait que ces travailleurs n'écoutent que les directives concernant les objectifs à atteindre. En ce qui a trait à l'exécution de leurs tâches, ils détestent se faire dire quoi faire. Pourtant, ils craignaient Brigitte G., non seulement à cause de son style de supervision autocratique, mais aussi parce qu'elle possédait des connaissances techniques supérieures aux leurs et savait répondre à toutes leurs questions relevant du contrôle de la qualité.

À sa première journée de travail avec sa nouvelle équipe, Lucie a convié les travailleurs à une réunion à la salle à manger.

– Bonjour, dit-elle. Je suis votre superviseure. Comme vous le savez, la direction de la compagnie procède à une réorganisation du travail qui affecte toutes les équipes de travail restantes. Selon la direction, nous devons modifier nos façons d'exécuter le travail. Les nouvelles méthodes sont plus efficaces et c'est à présent celles que vous devrez suivre...

Les travailleurs l'ont écoutée sans répliquer. Ils savaient tous qu'elle était la petite-fille du père Chalifoux et par respect pour ce dernier, ils lui ont démontré une forme de politesse. Cependant, ils savaient qu'elle n'avait pas les compétences techniques requises pour les diriger. Ainsi, tout au long des deux semaines qui suivirent, ils ont continué à exécuter leurs tâches sans tenir compte des nouveaux paramètres imposés par la nouvelle organisation du travail. Ils n'obtempéraient à aucun ordre. Chose plutôt désarmante pour Lucie, le rendement de ses travailleurs demeurait supérieur à celui de toutes les autres équipes de travail. Elle sentait que son autorité était bafouée, car dès qu'elle donnait un ordre, les employés l'écoutaient parler, mais agissaient selon leur vision des choses.

Situation 1

Au bout de trois semaines, lasse de voir son autorité défiée, Lucie décide de convoquer une autre réunion avec son équipe de travail. D'entrée de jeu, elle explose :

– Je suis votre superviseure ! Je reçois mes directives de la direction et vous devez les suivre. Je vous dis quelles sont les nouvelles méthodes de travail, vous devez les respecter et les appliquer. Autrement, je devrai appliquer contre vous les mesures disciplinaires requises !

Les travailleurs l'écoutent avec respect et une fois de retour à leur poste de travail, ils reprennent le boulot selon les vieilles méthodes qu'ils connaissent.

Questions :

1. Pourquoi les travailleurs de l'équipe du contrôle de la qualité de jour se permettent-ils de diluer l'autorité de Lucie ?
2. Lucie veut utiliser son pouvoir de coercition contre les travailleurs de sa nouvelle équipe. Quelle connotation doit-on reconnaître à son pouvoir de coercition ? Expliquez votre réponse.

Situation 2

Au bout de trois semaines, lasse de voir son autorité se faire diluer, Lucie décide de convoquer une autre réunion avec son équipe de travail. D'entrée de jeu, elle dit à ses employés :

– Mes amis, je dois vous avouer que je vous supervise sans même comprendre ce que vous faites. Je vous donne des directives au sujet des nouvelles méthodes de travail et je ne les comprends même pas. Vous êtes les spécialistes au niveau du contrôle de la qualité. Moi, je vais superviser ce service pour m'assurer que les objectifs sont bien définis et surtout qu'ils sont toujours atteints. Ce que je vous demande, c'est d'essayer les nouvelles méthodes de travail comme l'exige la direction. Vous êtes suffisamment compétents pour voir si elles sont efficaces ou non. Si oui, on les adopte, sinon, on les balance à bout de bras. Je vais accepter votre décision quelle qu'elle soit, car vous êtes mes spécialistes. Cependant, si toutefois vous les rejetez et que la direction vous adresse des reproches, je vais vous défendre âprement et nos dirigeants comprendront quel type de superviseure je suis.

Les travailleurs l'écoutent avec respect et d'un geste spontané, ils se mettent à l'applaudir vigoureusement.

Questions

1. Pourquoi, face à ses nouveaux employés, Lucie décide-t-elle d'adopter un style de supervision dit de laisser-faire?
2. Si Lucie ne possède pas les connaissances requises au niveau du contrôle de la qualité, elle possède un pouvoir d'expertise en ce qui a trait à l'art de superviser. Parmi les règles des 3 R, des 3 E et des 3 D, quelles sont les deux règles qu'elle semble prête à appliquer pour ses employés? Expliquez.

Cas 1.2

« Comme les autres vendeurs, appelez-moi Mimi ! »

En janvier 2000, Marie-Micheline a été embauchée au magasin de sport RBK, de Saint-Sauveur, à titre d'adjointe au directeur. Passionnée par son travail de vendeuse, elle a fracassé tous les records de ventes. Les employés placés sous sa direction s'entendent pour dire qu'elle est dynamique et efficace et qu'ils aiment travailler sous ses ordres. Ils craignent cependant son côté autoritaire. D'ailleurs, ils se plaisent à évoquer la journée où Marie-Micheline a surpris deux de ses employés en train de blaguer avec Steven qui, tous les trois mois, quitte le siège social de Toronto des magasins de sport RBK pour aller examiner le rendement de toutes les succursales du Québec. Or, Steven est un des vice-présidents de la société, ce que Marie-Micheline ignorait.

– Cessez de bavarder! Allez travailler et, surtout, soyez efficaces!

Le vice-président a sursauté. Avec son fort accent anglais, il a répliqué:

– Est-ce vous Marie-Micheline, l'adjointe au directeur?

Marie-Micheline a répondu:

– Vous êtes un de mes employés, alors comme les autres vendeurs, appelez-moi Mimi!

Le vice-président a souri:

– C'est donc vous, Marie-Micheline... Quand j'appelle de Toronto, tous vos vendeurs me parlent en bien de vous... En passant, je ne suis pas votre employé. Au contraire, vous êtes mon employée...

Le vice-président s'est alors présenté et il a vu Mimi fondre en face de lui.

– Je sais que, dans ce magasin, on vous appelle Mimi, a-t-il continué. Même votre directeur, qui me parle souvent de vous, vous appelle ainsi, mais à Toronto, mes collègues et moi vous avons trouvé un autre surnom: Super Mimi! Continuez votre bon travail.

Gardant le sourire, Steven a dit à Marie-Micheline qu'il venait lui remettre le manteau de l'entreprise parce qu'elle avait battu le record des ventes trimestrielles parmi tous les employés du Québec. Apparemment, les « grands boss de Toronto » trouvaient cette performance exceptionnelle pour une nouvelle employée.

Après une année passée à travailler pour cette entreprise, Mimi a étonné les dirigeants de la société, ceux que tous se plaisent, justement, à appeler les « grands boss de Toronto ». En décembre 2000, quand, au siège social de Toronto, les dirigeants de tous les magasins de sport RBK ont dévoilé les résultats des ventes annuelles, c'est le magasin de Saint-Sauveur qui est arrivé en première position. Mimi a reçu une prime, en plus du manteau de l'entreprise et du trophée qui la consacrait meilleure vendeuse nationale. En vérité, il s'agissait du quatrième manteau qu'elle recevait en cadeau durant la même année, surpassant ainsi le record de trois manteaux établi par son directeur, qui avait réalisé cet exploit au bout de quatre années de service pour cette société.

En 2001, avec les projets d'agrandissement du Carrefour Laval, les dirigeants de Toronto ont décidé d'y ouvrir un magasin de sport RBK. Le nom de Mimi a commencé à circuler comme directrice éventuelle. Étant donné que l'ouverture du magasin était prévue pour le mois d'août 2002, les dirigeants ont proposé à Mimi le poste de directrice à la condition qu'elle obtienne encore pour l'année 2001 le titre de meilleure vendeuse.

Mimi ne les a pas déçus. Non seulement elle a décroché ce titre, mais elle a battu le record qu'elle avait établi l'année précédente. En août 2002, elle a effectivement obtenu le poste de directrice du magasin de sport RBK de Laval. Elle a elle-même dû embaucher les vendeurs, préparer les horaires et fournir à ses employés la formation requise.

La semaine de l'ouverture, elle a tout juste atteint les objectifs de ventes. Elle était mécontente, car elle connaissait la cause de cette situation. En effet, elle avait dû aller passer deux jours à Toronto afin de recevoir elle-même une formation, et ces deux jours tombaient durant la semaine de l'ouverture du magasin. Son adjoint, Simon, qui a une approche de vendeur moins dynamique et dont la supervision est plutôt du style laisser-faire, n'a pas incité les vendeurs à dépasser les quotas fixés.

À la fin de la deuxième semaine, la situation s'est cependant rétablie. Même si les objectifs de ventes ont été dépassés de 3000$, Mimi a dressé un bilan plutôt négatif du rendement de ses employés. Un ordre émanant de Toronto allait même dans le sens du congédiement d'un des deux employés, dont la personnalité – selon les dirigeants –, semblait incompatible avec l'esprit qu'ils veulent établir au sein de l'équipe de vente. Mimi s'est sentie déchirée et, pour la première fois, elle a compris qu'être directrice ne signifiait pas simplement motiver ses employés et atteindre des objectifs de ventes.

Questions

1. Quel est le style de supervision adopté par Mimi ?
2. Citez deux situations ou phrases du texte qui confirment ce style de supervision.

Travail

Mettez-vous à la place de Mimi et préparez et menez les entrevues de congédiement.

Renseignements sur les deux employés susceptibles d'être remerciés :

Annie est âgée de 21 ans. Elle est timide, mais sympathique. Elle possède une expérience de trois ans en tant que vendeuse dans un magasin de vente au rabais. Elle a à trois reprises été nommée employée du mois alors qu'elle y travaillait. Toutefois, au magasin de sport RBK, elle n'a encore effectué aucune vente après deux semaines de travail. Les clients trouvent cependant qu'elle a un merveilleux sourire. Elle se fait un devoir de les accueillir et de les diriger vers d'autres vendeurs. Certains clients pensent même qu'elle est l'hôtesse du magasin.

Joël, qui est âgé de 20 ans, est un bon travailleur. L'inventivité de ses étalages, tant dans la vitrine que dans le magasin, attire les clients, qui les commentent avec émerveillement, mais face aux clients, il baisse la tête et s'éloigne, préférant aller faire du rangement dans l'arrière-boutique.

Votre tâche

En tant que superviseur, préparez vos arguments afin d'annoncer à votre employé quelle décision vous devez prendre. Incitez cet employé à défendre sa position, mais n'oubliez pas que la décision vous appartient.

Chapitre 2

Les défis posés par la gestion de la décroissance des ressources humaines

Cheminement d'idées

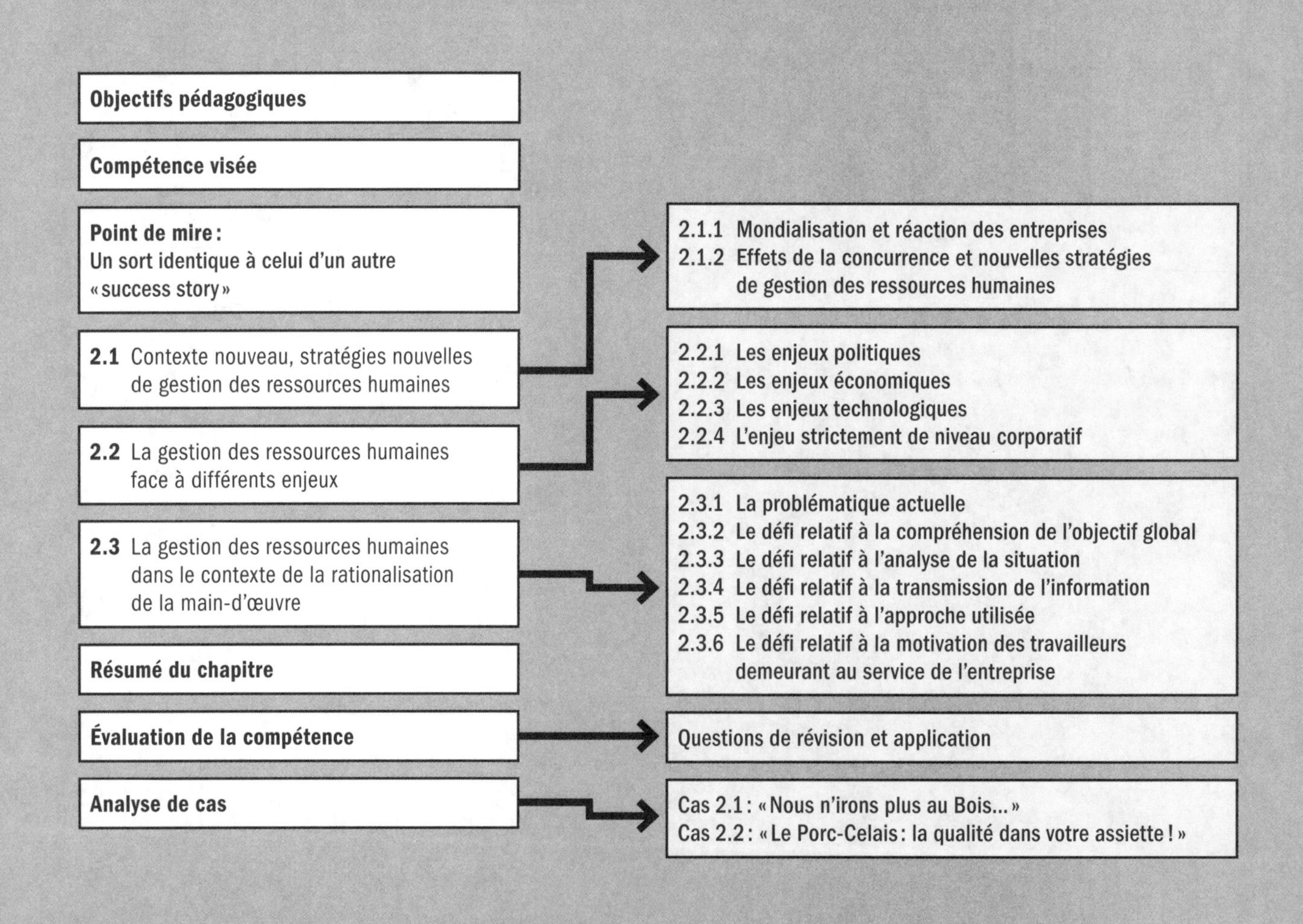

Objectifs pédagogiques

La lecture de ce chapitre devrait vous permettre :

1. de décrire les deux principales stratégies concurrentielles de gestion des ressources humaines utilisées par les entreprises dans le contexte de la mondialisation ;
2. d'énumérer les principaux enjeux qui ont exercé, au cours des dix dernières années, un effet sur la gestion des ressources humaines ;
3. d'expliquer de quelle façon ces enjeux ont exercé un effet sur la gestion des ressources humaines ;
4. de décrire les cinq grands défis qui se présentent au gestionnaire des ressources humaines dans le contexte de la rationalisation de la main-d'œuvre ;
5. de décrire les qualités exigées du gestionnaire des ressources humaines au moment de la négociation avec les employés ou le syndicat à propos des changements qui se produisent dans les postes.

Compétence visée

La compétence visée dans ce chapitre est de se donner une vision générale de certaines stratégies de gestion des ressources humaines dans un contexte de gestion de la décroissance.

Point de mire

Un sort identique à celui d'un autre « success story »

Depuis déjà quelques semaines, Suzanne Lay-Ruel lit et relit un article de journal posé sur son bureau, juste à côté de son ordinateur. Il s'agit d'un article du cahier Affaires du journal *La Presse* du jeudi 31 janvier 2008 intitulé : « Un "success story" pique du nez ». L'article raconte l'histoire d'un petit atelier d'ébénisterie de Sainte-Marie-de-Beauce qui avait été ouvert pour la fabrication de meubles et de cabinets pour un biréacteur d'affaires de la compagnie Bombardier. Lié à cette compagnie par un contrat de deux ans, l'atelier a dû fermer ses portes aux termes de ces deux ans, mais la phrase de l'article qui hante Suzanne Lay-Ruel et qu'elle ne peut s'empêcher de chuchoter sans cesse est la suivante : « Quelques dizaines de personnes perdent ainsi leur emploi[1]. »

Suzanne Lay-Ruel est la directrice des ressources humaines chez Bois-Tech inc., un atelier d'ébénisterie situé à Victoriaville. C'est une entreprise prospère qui embauche soixante-dix employés et qui, depuis les cinq dernières années, a commencé à exporter ses produits aux États-Unis. Bien que l'entreprise soit jeune – elle ne compte qu'une quinzaine d'années

›

1. Marie Tison, « "Un success story" pique du nez », *La Presse*, cahier Affaires, le 31 janvier 2008, p. 4.

d'existence –, elle a enregistré des bénéfices records au cours de ses trois derniers exercices financiers. D'ailleurs, quand les journaux locaux ont annoncé en janvier 2008 que la compagnie Bois-Tech inc. avait une fois de plus réalisé des bénéfices pour l'exercice 2006-2007, ils l'ont décrite comme étant « un "success story" bien de chez nous ».

Voici pourquoi Suzanne Lay-Ruel ressent un certain malaise. Elle ne comprend pas trop bien la situation que semble vivre la compagnie. Au début de la semaine, elle recevait un communiqué du président lui demandant d'annoncer à ses soixante-dix employés la décision de la direction de licencier quarante d'entre eux. En lisant le communiqué, elle avait tout de suite pensé à ces neuf jeunes ouvriers qu'elle venait d'embaucher il y a de cela à peine huit mois. Elle imagine déjà leur visage atterré : ils avaient insisté pour venir travailler pour cette compagnie dont les journaux de la ville vantaient chaque année la prospérité. De plus, quatre ouvriers parmi ces jeunes employés avaient décidé de venir y travailler parce qu'un de leurs parents y travaillait déjà.

Assise, le visage à présent tourné vers son ordinateur, Suzanne laisse glisser ses doigts sur son clavier et commence à écrire une lettre adressée aux employés. Elle veut leur annoncer qu'à la suite d'une décision de la direction de la compagnie de mettre en œuvre son plan de restructuration, il lui faut réduire ses coûts de main-d'œuvre et licencier du personnel. Elle cesse soudain d'écrire et ressent de l'amertume. Selon certaines rumeurs qui circulent auprès des membres du conseil d'administration, il semblerait que les dirigeants de la compagnie auraient cédé face aux pressions de certains actionnaires influents exigeant que la compagnie augmente sa rentabilité de 18 % afin que des dividendes leur soient versés au terme des deux prochains trimestres.

Suzanne Lay-Ruel croit que ces rumeurs sont fondées, mais ce qui la chagrine, c'est qu'elle sait pertinemment que dans une semaine, elle devra commencer à procéder aux licenciements.

2.1 Contexte nouveau, stratégies nouvelles de gestion des ressources humaines

Depuis près de trois décennies, les dirigeants d'entreprise sont placés devant un nouveau contexte dans lequel ils doivent faire des affaires : la mondialisation des marchés.

Il s'agit d'un vaste mouvement mondial de libéralisation des échanges et d'intégration économique qui s'est opéré, laissant peu de choix aux entreprises : soit elles s'adaptent au courant mondial, soit elles disparaissent sous l'offensive de la concurrence.

Anthony Giles et Dalil Maschino brossent un portrait de la mondialisation, non seulement en situant l'époque où elle a connu son véritable essor, mais aussi en déterminant les phénomènes qui la caractérisent. Ils constatent qu'« au cours des années 1980 et 1990 se sont produits un puissant mouvement au sein du commerce international, une explosion des investissements étrangers, un accroissement de l'importance des sociétés transnationales et une unification des marchés financiers menant à une intégration accélérée de l'économie mondiale[2] ».

2. Anthony Giles et Dalil Maschino, « L'intégration économique en Amérique du Nord et les relations industrielles », dans Rodrigue Blouin et Anthony Giles, *L'intégration économique en Amérique du Nord et les relations industrielles*, Sainte-Foy, Les Presses de l'Université Laval, 1998, p. 6.

Ces auteurs reconnaissent de plus que, parmi les facteurs qui ont contribué à l'essor de la mondialisation, il faut surtout retenir les progrès technologiques. Dans les domaines des communications, du transport et de l'information, notent-ils, ces progrès technologiques « ont facilité l'échange de l'information, des biens, des services, des capitaux et ont fait chuter leurs coûts[3] ».

C'est dans ce nouveau contexte que la gestion des ressources humaines doit être repensée à travers de nouvelles stratégies.

2.1.1 Mondialisation et réaction des entreprises

Nous empruntons à Alain Lapointe deux phrases dont le mérite est, premièrement, d'expliquer ce qui a favorisé l'émergence de ce climat de complexité et d'incertitude dans lequel la mondialisation a plongé les entreprises et, deuxièmement, d'illustrer comment ces dernières doivent réagir afin de survivre dans un tel contexte:

> Depuis quelques années, l'ouverture des marchés, l'allégement du contexte réglementaire et la rapidité des changements techno-logiques ont soumis les entreprises à un niveau de concurrence, de complexité et d'incertitude beaucoup plus élevé qu'auparavant. Si elles veulent survivre, les entreprises doivent repenser en profondeur leur organisation afin de la rendre plus flexible et plus compétitive[4].

Certaines entreprises profitent de la mondialisation pour réduire leurs coûts d'exploitation. Elles délocalisent ainsi leur production dans des pays où le coût de la main-d'œuvre est minime.

Il va de soi que, pour certaines entreprises, la mondialisation a créé des occasions d'affaires intéressantes. Pensons seulement à la possibilité qu'elles ont de délocaliser leurs usines de production aux prises avec des coûts de main-d'œuvre trop élevés et de les établir dans des pays où ces coûts sont bas. Ces entreprises réussissent ainsi à réduire leurs coûts d'exploitation et à rester compétitives sur le marché.

Cependant, chez les entreprises dont la structure financière ne permet pas d'opérer de telles délocalisations, l'envahissement de leur marché par des entreprises mondiales concurrentes suscite une réaction qui étonne, car elle semble constituer le seul remède accessible: elles procèdent à une restructuration complète de l'organisation en introduisant de nouveaux procédés de production, en éliminant certains postes hiérarchiques dans le but de ne conserver que ceux qui créent une valeur ajoutée et en réduisant leurs coûts de main-d'œuvre au moyen de **licenciements** massifs de travailleurs.

Licenciement
Interruption définitive du lien d'emploi entre un salarié et son employeur en raison d'un changement dans les besoins en main-d'œuvre de l'entreprise.

2.1.2 Effets de la concurrence et nouvelles stratégies de gestion des ressources humaines

Pour les entreprises évoluant dans le contexte de la mondialisation, les effets de la concurrence sont beaucoup plus réels qu'hypothétiques. Ainsi, on observe les effets suivants:

---

3. *Ibid.*, p. 6.

4. Alain Lapointe, « Nouvelle économie et gestion », dans Marcel Côté et Taïeb Hafsi, *Le management aujourd'hui: Une perspective nord-américaine*, Sainte-Foy, Les Presses de l'Université Laval, 2000, p. 63.

- le fractionnement du marché;
- la baisse de popularité de leur produit;
- la perte de revenus;
- l'escalade des coûts (dont les coûts de main-d'œuvre).

Les entreprises doivent contre-attaquer en mettant au point différentes stratégies concurrentielles. Celles qui nous intéressent particulièrement consistent dans les stratégies de gestion des ressources humaines. Ces stratégies prennent une grande importance du fait que les entreprises doivent continuellement les ajuster « à un environnement qui les expose à des changements technologiques rapides et à des conditions du marché qui peuvent varier en peu de temps[5] ».

Les entreprises peuvent utiliser deux stratégies concurrentielles majeures, soit la stratégie de l'adaptation « par le haut » et la stratégie de l'adaptation « par le bas[6] ».

La stratégie de l'adaptation par le haut paraît être la stratégie qui offre les perspectives les plus intéressantes aux travailleurs, car elle ne vise pas leur éviction de l'entreprise, mais elle cherche plutôt à revaloriser leur travail, à leur donner de nouvelles responsabilités et à rehausser l'importance de chaque fonction qui intervient dans le processus de travail.

Cette stratégie « met l'accent sur l'amélioration régulière de l'efficacité du processus de production, de la qualité et de l'aspect novateur des produits ainsi que sur le développement des services à la clientèle et de la rapidité du délai de livraison[7] ». La figure 2.1 expose les avantages que présente l'adoption d'une telle stratégie par la direction des ressources humaines d'une entreprise pour les travailleurs.

Figure 2.1 Les avantages de la stratégie de l'adaptation par le haut

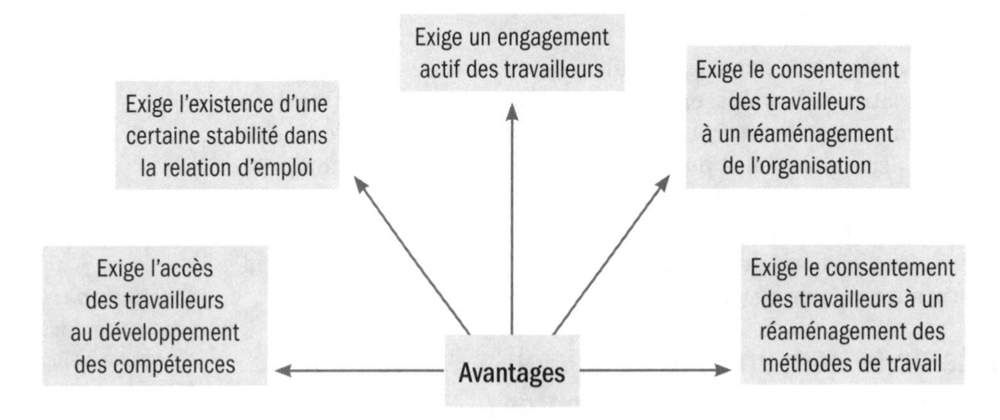

5. Anthony Giles et Dalil Maschino, « L'intégration économique en Amérique du Nord et les relations industrielles », dans Rodrigue Blouin et Anthony Giles, *L'intégration économique en Amérique du Nord et les relations industrielles*, Sainte-Foy, Les Presses de l'Université Laval, 1998, p. 25.

6. *Ibid.*

7. *Ibid.*, p. 26.

Dans le cas de la stratégie de l'adaptation par le bas, « l'amélioration des capacités concurrentielles repose sur des mesures telles que le gel ou la réduction des salaires et des avantages sociaux, l'allongement des heures de travail, des licenciements, le recours accru à des employés temporaires[8] ».

La figure 2.2 présente les effets négatifs de la stratégie de l'adaptation par le bas sur les travailleurs.

Figure 2.2 Les effets négatifs de l'adaptation par le bas

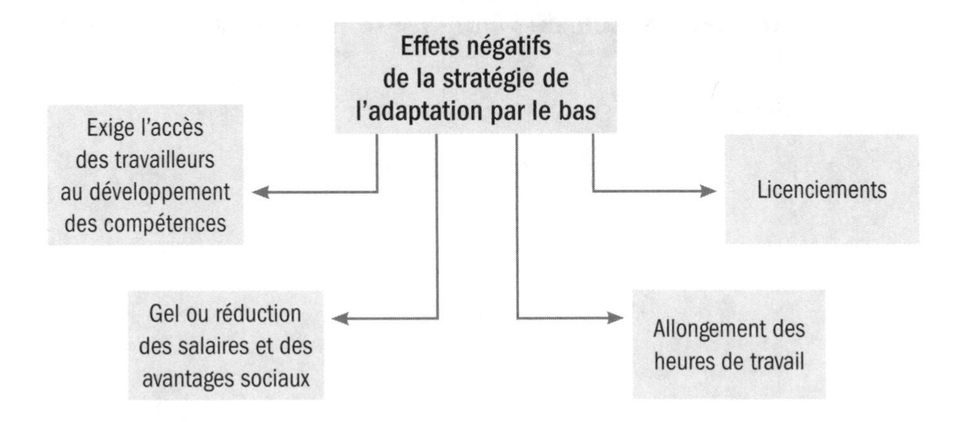

Cette stratégie, plutôt frustrante pour les travailleurs touchés par les licenciements, suscite chez eux deux réactions possibles, diamétralement opposées : de l'agressivité envers l'entreprise – agressivité qui se manifeste sous différentes formes (marches de mécontentement, boycottage des produits de l'entreprise, injures, méfaits, etc.) – ou encore une certaine forme d'indifférence selon laquelle une fois le licenciement effectué, la page est tournée et l'entreprise est reléguée aux oubliettes.

Ainsi, la direction des ressources humaines de l'entreprise qui adopte une telle stratégie doit relever un défi sérieux, celui de procéder à la gestion de la décroissance dans un contexte où les travailleurs épargnés par les licenciements doivent accepter une forme de **microcorporatisme** par lequel ils doivent partager la vision de l'entreprise, travailler de concert avec la direction afin de l'aider à intégrer les diverses méthodes de production pouvant garantir la survie de l'entreprise.

Microcorporatisme
Procédé de gestion adopté par la direction d'une entreprise menacée ou susceptible d'être menacée par la concurrence, lequel procédé accompagne une restructuration et implique une participation des travailleurs à l'implantation d'une nouvelle organisation du travail.

2.2 La gestion des ressources humaines face à différents enjeux

Depuis les deux dernières décennies, la gestion des ressources humaines fait face à différents enjeux qui influencent ses principales activités (recrutement,

8. *Ibid.*, p. 25.

sélection, formation, évaluation, rémunération). Parmi ces enjeux, nous en retenons et en analysons trois dits incontrôlables pour les organisations et un dit contrôlable. Les trois enjeux incontrôlables que nous présentons sont les enjeux politiques, économiques et technologiques. L'enjeu contrôlable sur lequel nous nous arrêtons forme ce qu'il convient d'appeler l'enjeu strictement de niveau corporatif. L'étude de cet enjeu contrôlable revêt une grande importance parce qu'elle permet de comprendre pourquoi les gestionnaires de différentes entreprises doivent intégrer la gestion de la décroissance dans leur gestion des ressources humaines (*voir la figure 2.3*).

Figure 2.3 La gestion des ressources humaines face à quatre enjeux ciblés

2.2.1 Les enjeux politiques

Dans notre société, les enjeux politiques découlent des différents rôles qu'assument nos gouvernements. Parmi ces rôles, nous retenons les rôles de législateur, d'employeur, de leader et de représentant économique et de négociateur international (*voir la figure 2.4*).

Figure 2.4 Les rôles des gouvernements au regard des enjeux politiques

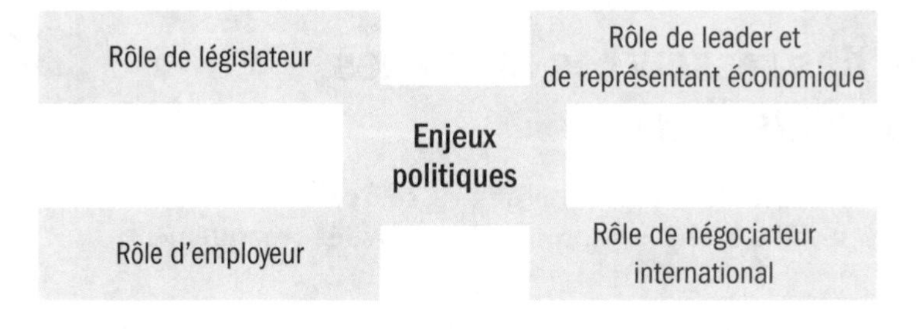

Le rôle de législateur est exercé toutes les fois qu'un des paliers de gouvernement (fédéral, provincial ou municipal) adopte des lois ou des règlements. Il va sans dire que certaines lois peuvent avoir un effet direct sur la gestion des ressources humaines.

Quant au rôle d'employeur, dans les secteurs public et parapublic, l'employeur est l'État. D'ailleurs, le seul fait qu'il peut se coiffer du double chapeau de législateur et d'employeur rend exceptionnelle toute la gestion qui s'y effectue dans les relations du travail. Par exemple, si le gouvernement veut réduire ses dépenses en vue d'atteindre le «déficit zéro», il peut, en tant qu'État-employeur, licencier un certain pourcentage de ses travailleurs. Si, toutefois, les négociations avec ses employés ou leurs représentants syndicaux ne lui permettent pas de réaliser les objectifs qu'il s'est fixés, il peut, en tant qu'État-législateur, faire voter une loi spéciale et trancher en sa faveur.

En ce qui concerne le rôle de leader et de représentant économique, les gouvernements l'exercent pour les entreprises canadiennes et québécoises à l'échelle internationale. L'objectif poursuivi est de générer des occasions d'affaires pour ces entreprises tant sur le plan national qu'international[9].

Dans les secteurs public et parapublic, l'employeur est l'État. D'ailleurs, le seul fait qu'il peut se coiffer du double chapeau de législateur et d'employeur rend exceptionnelle toute la gestion qui s'effectue dans les relations du travail.

Enfin, le rôle de négociateur international peut être illustré par l'action qu'a accomplie le gouvernement canadien dans la négociation qui a mené à la signature de l'accord de libre-échange entre le Canada, les États-Unis et le Mexique. Selon les décisions qui découlent de certains rôles que jouent nos gouvernements, il peut y avoir des retombées positives ou négatives pour les entreprises. Il va de soi que les retombées positives peuvent générer des occasions d'affaires intéressantes pour certaines d'entre elles. Considérons l'exemple suivant d'une retombée positive issue d'une action du gouvernement.

L'entreprise Twin Rivers Technologie compte investir 153 millions de dollars dans le parc industriel de Bécancour pour la construction d'une usine de broyage de graines de canola, de soya et de palme. Pour faciliter la construction et l'implantation de l'usine, le gouvernement du Québec, par la voie de son ministre du Développement économique, de l'Innovation et de l'Exportation, octroie à l'entreprise une aide financière remboursable pouvant atteindre 20 millions[10].

En revanche, les retombées négatives s'évaluent sous l'angle de menaces pour les entreprises quand, entre autres, elles se traduisent par des licenciements, des fermetures d'usines ou des baisses d'activité. L'exemple suivant illustre

9. Pensons à Mission Québec en Chine en novembre 1997. Le premier ministre du Québec était à la tête d'une délégation de 200 entrepreneurs provenant de plus de 100 entreprises. Sa mission consistait à entrer en contact avec plus de 1 500 entreprises dans quatre villes. Son objectif était la signature de contrats ayant des retombées pour les entreprises du Québec. Rappelons aussi la délégation d'entreprises canadiennes dirigée par le premier ministre du Canada (Équipe Canada), qui a effectué, en janvier 1998, un voyage de grande envergure en Amérique latine. Elle avait aussi pour objectif de décrocher des contrats.

10. Louise Plante, «Une usine de graines de 153 millions à Bécancour», *La Presse*, le 15 janvier 2008, p. A14.

comment une décision du gouvernement a eu des répercussions négatives dans le monde du textile.

Les barrières tarifaires ne protégeant plus l'industrie du textile, l'entreprise Consoltex – fabricant de rideaux et de couvre-lits – a dû fermer son usine située à Sherbrooke. Selon le journal *Les Affaires*, la disparation des derniers quotas à l'exportation pourrait se traduire, selon les estimations, à une perte de 8 000 emplois pour le Québec[11].

2.2.2 Les enjeux économiques

Selon la phase du cycle où se situe l'économie, la gestion que préconisent les dirigeants d'entreprise doit être adaptée aux éléments positifs ou négatifs que comporte chacune de ces phases[12].

Ainsi, une phase caractérisée par une baisse des taux d'intérêt peut inciter certains dirigeants d'entreprise à emprunter davantage et à investir dans les immobilisations. Pendant cette phase, il n'est pas rare de voir s'accroître les investissements et les achats de biens de consommation durables. La production augmente et un effet positif peut se faire sentir sur la gestion des ressources humaines si cette augmentation se traduit par une croissance des effectifs.

En revanche, une phase caractérisée par une augmentation des taux d'intérêt amène « les ménages et les entreprises à réviser à la baisse leurs intentions d'achat[13] ». Cette situation peut inciter certains dirigeants à baisser considérablement leur volume de production et à procéder à des **mises à pied**. On perçoit donc un effet négatif sur la gestion des ressources humaines.

Mise à pied
Interruption temporaire du lien d'emploi entre un salarié et son employeur en raison d'un changement dans les besoins en main-d'œuvre de l'entreprise.

Dans le système économique dit capitaliste, deux réalités méritent d'être soulignées à cause de l'incidence qu'elles ont sur la gestion des ressources humaines. La première réalité concerne la rentabilité des entreprises. Être rentable, voilà le premier objectif des entreprises dans une société capitaliste. La seconde réalité a trait au principe même de la libre concurrence. Pour garantir leur rentabilité dans une société de libre concurrence, les organisations doivent être compétitives et le demeurer. Les mesures visant à assurer cette rentabilité sont multiples. Parmi les mesures positives, notons le développement et la conquête de nouveaux marchés, la conception de produits ou la fusion avec une entreprise concurrente afin d'avoir une plus grande compétitivité sur le plan international.

Pour ce qui est des mesures négatives, mentionnons la fermeture de certaines divisions, l'abandon d'une ou de plusieurs lignes de produits et le licenciement massif d'employés.

Depuis plus d'une dizaine d'années, en raison de phénomènes économiques tels que la mondialisation des marchés, le libre-échange, le coût élevé de la main-d'œuvre et la vigueur de la concurrence, il y a même certaines grandes entreprises

---

11. François Normand, « Le dragon d'Asie rugit et les emplois d'ici s'envolent », *Les Affaires*, le 22 novembre 2003, p. 27.

12. Les phases du cycle économique sont la contraction, l'expansion, le creux et le sommet. Voir M. Parkin, R. Bade et L. Phaneuf, *Introduction à la macroéconomie moderne*, Montréal, Éditions du Renouveau Pédagogique, 1992, 586 p.

13. *Ibid.*, p. 157.

qui se rendent compte que leur rentabilité devient de plus en plus fragile. Elles doivent, pour préserver leur part du marché, se battre contre des concurrents nationaux ou internationaux et, dans certaines situations, contre ces deux types de concurrents à la fois. Souvent, ce combat se solde par le licenciement de nombreux travailleurs. Prenons en exemple la situation que vit le manufacturier de chariots d'épicerie et d'étagères Cari-All.

Exemple 2.1

Le 23 janvier 2008, le journal *La Presse* titrait dans sa section Affaires: «Cari-All ferme à Montréal-Est». Selon le porte-parole de l'entreprise, Cari-All a encaissé des pertes de 11 millions de dollars au cours des deux dernières années. Qui plus est, comme la rentabilité de l'entreprise a été minée par la hausse du dollar, «il lui en coûte maintenant 50% moins cher de fabriquer ses chariots dans son usine de Newton, en Caroline-du-Nord[14]». Conséquence: 200 emplois perdus. L'entreprise devra donc faire face à la gestion de la décroissance.

Exemple 2.2

Un autre exemple de l'impact des enjeux économiques sur les entreprises concerne le ralentissement économique qui frappe le transport aérien. «Selon l'Association du transport aérien international (IATA), la demande pour le trafic passager international n'a augmenté que de 4,3% en janvier 2008 par rapport à janvier 2007[15].» Le chef de la direction de l'IATA explique d'ailleurs que la crise du crédit aux États-Unis exerce un impact négatif sur le transport aérien.

2.2.3 Les enjeux technologiques

À un rythme accéléré, les entreprises vivent des changements technologiques qui révolutionnent plusieurs aspects de leurs opérations et des relations qu'elles entretiennent tant sur le plan interne (entre les services) que sur le plan externe (avec leurs fournisseurs ou leurs clients). Qu'elle concerne la prise de commandes, la prise d'inventaire, le contrôle de la facturation, les communications, l'établissement d'un système de paie ou des dossiers des employés, l'informatique joue un rôle dont l'importance ne saurait être niée par les gestionnaires. Les concepts de robotique, de réseautique, de courrier électronique et de réseau Internet font désormais partie du langage et du quotidien du monde des affaires.

L'informatique et les nouvelles technologies révolutionnent plusieurs aspects des opérations de l'entreprise et jouent maintenant un rôle primordial dans son fonctionnement global.

Cependant, les technologies de l'information et de la communication (TIC) ont la faculté de créer certains types d'emplois et d'en éliminer d'autres. La gestion des ressources humaines n'échappe pas à l'effet négatif que peuvent exercer sur elle ces nouvelles technologies. Par exemple, dans un article que signe A. McKenna dans le journal *La Presse*, on peut comprendre comment les forces technologiques ont aussi contribué à la débâcle de la station de télévision TQS. L'auteur

14. Philippe Mercure, «Cari-All ferme à Montréal-Est: 200 emplois perdus», *La Pesse*, cahier Affaires, le 23 janvier 2008, p. 6.

15. Marie Tison, «Ralentissement dans les airs», *La Presse*, cahier Affaires, le 28 février 2008, p. 5.

souligne qu'en « annonçant les causes qui ont placé TQS en si mauvaise posture financière, la direction du Mouton noir a rapidement mentionné le passage obligé à la télé HD. Ça se comprend : l'investissement exigé est important[16] ».

Non seulement les trois enjeux présentés dans cette section ont provoqué des changements dans la gestion des ressources humaines depuis plus d'une dizaine d'années, mais de plus, ils ont favorisé l'émergence d'un nouveau contexte de gestion avec lequel doivent composer les gestionnaires des ressources humaines. Il s'agit de la gestion dans un contexte de la rationalisation de la main-d'œuvre.

En ce qui concerne l'incidence de l'application de la gestion de la décroissance, elle se reflète dans les démarches que doit entreprendre le gestionnaire des ressources humaines. Il doit, entre autres, déterminer :

- les périodes auxquelles il procédera aux licenciements ;
- la manière dont il effectuera les licenciements (selon l'ancienneté, les compétences recherchées par l'organisation, les critères établis dans la convention collective lorsque cela s'applique, etc.) ;
- les postes à éliminer et les postes à réorganiser ;
- le temps qui sera consacré à l'analyse des nouveaux postes ;
- l'effet possible de la réorganisation des postes sur les salaires ;
- la formation qui devra être offerte aux employés qui conservent leur emploi dans l'entreprise ;
- les besoins réels en formation ;
- la façon d'amener les employés à accepter les nouveaux objectifs de rendement, c'est-à-dire la façon de les motiver.

2.2.4 L'enjeu strictement de niveau corporatif

Stratégie de croissance
Stratégie par laquelle les dirigeants d'une organisation se fixent des objectifs de croissance concernant les ventes à accroître, les lignes de produits à ajouter, le nombre d'employés à augmenter ou d'autres marchés à acquérir.

Stratégie de maintien
Stratégie choisie par une organisation quand elle est satisfaite de la façon dont son marché réagit face à ses produits actuels et qu'elle ne juge pas nécessaire de modifier ses projets (produit/marché).

Dans un cadre de gestion des ressources humaines, il faut entendre par « enjeu strictement de niveau corporatif » cet enjeu contrôlable issu de décisions prises par l'organisation qui, une fois mises en œuvre, exercent un impact direct sur les ressources humaines. Ces décisions découlent elles-mêmes des principales stratégies corporatives qui dictent à l'organisation comment réagir dans son environnement économique. Ainsi, une entreprise peut opter soit pour une stratégie corporative de croissance, de maintien ou de retrait. Dans les faits, une **stratégie de croissance** (*growth*) est utilisée lorsque les dirigeants d'une organisation se fixent des objectifs de croissance concernant les ventes à accroître, les lignes de produits à ajouter, le nombre d'employés à augmenter ou d'autres marchés à acquérir. De même, une **stratégie de maintien** (*stability*) est choisie par une organisation quand cette dernière est satisfaite de la façon dont son marché réagit face à ses produits actuels et qu'elle ne juge pas nécessaire de modifier ses projets (produit/marché). Cette stratégie est valable dans un environnement stable où les changements s'opèrent lentement. Finalement, une entreprise qui désire réduire ses activités pour profiter d'une occasion d'affaires générée par un autre marché ou pour faire face à une crise l'affectant dans son propre marché

16. Alain McKenna, « Et si les technos sauvaient TQS ? », *La Presse*, cahier Affaires, le 23 janvier 2008, p. 7.

peut opter pour une **stratégie de retrait** (*retrenchment*). Les trois types de stratégies de retrait les plus connus sont : 1. le revirement 2. le désinvestissement et 3. la liquidation.

Stratégie de retrait
Stratégie utilisée par une entreprise qui désire réduire ses activités pour profiter d'une occasion d'affaires générée par un autre marché ou pour faire face à une crise l'affectant dans son propre marché.

Rappelons que dans ce chapitre, nous nous intéressons à cette réalité encore présente auprès de nombreuses organisations : la gestion de la décroissance. Nous constatons d'ailleurs que cette réalité frappe de plein fouet le secteur manufacturier au Québec et en Ontario, où il est prévu que les « manufacturiers québécois et ontariens devront éliminer encore 350 000 emplois environ d'ici quatre ans pour rivaliser avec leurs concurrents occidentaux contre la montée asiatique[17] ». Ainsi, plusieurs entreprises de ce secteur auront à exercer une gestion de la décroissance.

Concernant l'impact sur les ressources humaines, il va de soi qu'une entreprise qui opte pour une stratégie de croissance met rarement en danger l'emploi de ses travailleurs et n'a pas à appliquer une gestion de la décroissance.

Voici deux exemples qui illustrent la mise en œuvre d'une stratégie de croissance exerçant un impact positif sur le plan de la gestion des ressources humaines :

- La PME Synapse électronique fabrique des thermostats électroniques dans la région de Grand-Mère, près de Shawinigan. « Fondée en 2002, l'entreprise connaît une croissance de 100 % depuis trois ans. Elle est passée de 3 à 42 employés[18]. » À l'heure actuelle, cette entreprise prépare son entrée sur le marché européen, ses dirigeants désirant aussi profiter du boom immobilier qui prévaut dans ce marché. On constate dans ce cas que la stratégie de croissance entraîne un impact positif pour la gestion des ressources humaines.
- Le 25 février 2008, Sears Canada a annoncé l'acquisition des actifs d'Excell Duct Cleaning, une compagnie spécialisée dans le nettoyage de conduits d'aération. D'ailleurs, cette compagnie gérait pour Sears un réseau de nettoyage dans les principales villes de 24 régions situées entre Vancouver et Montréal. Selon la direction de Sears, cette transaction n'affectera pas de façon négative les employés d'Excell[19]. On constate aussi dans ce cas que la stratégie de croissance entraîne un impact positif pour la gestion des ressources humaines.

Cependant, il ne faut pas croire qu'une stratégie de croissance exerce toujours un effet positif sur la gestion des ressources humaines. Il ne s'agit pas là d'une règle universelle, car une stratégie de croissance mal orchestrée peut donner lieu à des suppressions de postes et à des licenciements massifs et successifs. Prenons l'exemple de l'entreprise Abitibi Bowater. La fusion de l'entreprise québécoise Abitibi-Consolidated avec l'entreprise américaine Bowater le 29 octobre 2007 fut accompagnée de démarches déjà prévues par les dirigeants, telles que les ventes d'actifs, les frais de fermeture à supporter et des indemnités de départ à verser. Il n'a pourtant suffi que de trois mois après la fusion pour que la mise en œuvre anticipée de la stratégie de croissance ait des effets catastrophiques pour la

17. Rudy Le Cours, « Secteur manufacturier au Québec et en Ontario : 350 000 emplois seront sacrifiés », *La Presse*, cahier Affaires, le 14 février 2008, p. 1.

18. Stéphane Champagne, « Synapse version européenne », *La Presse*, cahier Affaires, le 25 février 2008, p. 3.

19. La Presse Canadienne, « Sears achète Excell Duct Cleaning », *La Presse*, cahier Affaires, le 26 février 2008, p. 6.

gestion des ressources humaines et qu'elle la dirige vers la gestion de la décroissance. En effet, le journal *La Presse* rapporte, le 29 février 2008, que les résultats de l'entreprise « sont brouillés par plusieurs éléments inhabituels dus à la fusion[20] ». Aux prises avec de sérieux ennuis financiers, l'entreprise a rappelé aux investisseurs d'oublier l'expansion et les investissements, car chez Abitibi Bowater, l'ambiance est à la coupe. De plus, sous la plume de Philippe Mercure, on peut lire que la « société avait déjà frappé un grand coup en novembre en sabrant 1 500 emplois en plus de fermer des usines, suspendre le versement de dividendes et rouvrir les conventions collectives des employés[21] ».

Toujours en ce qui concerne les stratégies corporatives, une entreprise qui met en œuvre une stratégie de maintien ne se lance généralement pas dans des vagues de licenciements. Son environnement est stable et les changements s'y opèrent lentement.

Cependant, quand une entreprise opte pour une stratégie de retrait, elle peut faire face à une gestion de la décroissance pour ses ressources humaines si toutefois ce retrait implique que l'entreprise doive réduire ses coûts, dont ceux de main-d'œuvre. Par exemple, l'entreprise Flextronics de Saint-Laurent a décidé de mettre la clé sous la porte de son usine et va licencier du même souffle 621 employés. Selon Hélène Baril du journal *La Presse*, la marque de commerce de Flextronics « est la production à **bas coût**[22], ce qui explique la délocalisation de ses activités dans des pays où le coût de la main-d'œuvre est très bas[23] ». Un autre exemple frappant de stratégie de retrait concerne la compagnie Nortel. Cet équipementier étant en difficulté, il a annoncé une nouvelle vague de suppression d'emplois. Selon Maxime Bergeron du journal *La Presse*, les activités de Nortel n'étant plus que l'ombre de ce qu'elles ont déjà été à Montréal, cette compagnie « abolira 2 100 postes et en transférera 1 000 autres vers des régions "à plus forte croissance et à **coûts moins élevés**[24]". Les coupes seront concentrées en Amérique du Nord[25] ».

2.3 La gestion des ressources humaines dans le contexte de la rationalisation de la main-d'œuvre

2.3.1 La problématique actuelle

Depuis plus de deux décennies, les gestionnaires des ressources humaines qui œuvrent au sein d'entreprises dont les dirigeants ont adopté un plan de rationalisation

20. Philippe MERCURE, « Abitibi Bowater ménacée par sa dette », *La Presse*, cahier Affaires, le 29 février 2008, p. 1.
21. *Ibid.*, p. 4.
22. Le caractère gras est de nous.
23. Hélène BARIL, « Flextronics plie bagage », *La Presse*, cahier Affaires, le 26 février 2008, p. 4.
24. Le caractère gras est de nous.
25. Maxime BERGERON, « Nouvelle purge chez Nortel », *La Presse*, cahier Affaires, le 28 février 2008, p. 1.

de la main-d'œuvre doivent assumer une responsabilité majeure qui est loin d'être appréciée de tous : procéder à des licenciements. Le caractère peu motivant de cette responsabilité provient surtout de la double dimension que revêtent ces licenciements : ils sont massifs et successifs. Cependant, une fois prise la décision de licencier du personnel, les gestionnaires des ressources humaines doivent l'appliquer. Ainsi s'opère la gestion de la décroissance.

Par **gestion de la décroissance**, nous entendons la gestion caractérisée par l'ensemble des mesures prises soit par le gestionnaire des ressources humaines, soit par tout autre cadre qui supervise des employés, non seulement afin de procéder à des licenciements commandés par la décroissance, mais aussi afin de réduire les répercussions de la baisse des effectifs sur le moral des travailleurs, sur le rendement individuel exigé et sur la réalisation des objectifs généraux liés à la mise en œuvre de la vision de l'avenir de l'entreprise.

Gestion de la décroissance
Processus par lequel le gestionnaire planifie les différentes mesures (retraites anticipées, mutations, licenciements, etc.) visant à réduire le personnel d'une unité administrative ou de l'entreprise entière, organise la mise en œuvre de ces mesures, dirige cette mise en œuvre et évalue de façon constante l'impact de ces mesures sur la motivation des travailleurs afin d'assurer la réalisation des objectifs organisationnels.

Parmi les mesures qui peuvent être adoptées, citons les suivantes :

- l'annonce aux travailleurs de l'abolition de postes ;
- le **counseling** auprès des travailleurs devant être licenciés ;
- le counseling auprès des travailleurs demeurant au service de l'entreprise ;
- l'application des licenciements correspondant à l'abolition de postes ;
- la négociation avec les travailleurs ou le syndicat au sujet de la mise en pratique des changements touchant les postes ;
- le réaménagement des postes et la présentation de nouvelles analyses les concernant ;
- l'élaboration de programmes de formation pour les travailleurs qui ne sont pas visés par l'abolition de postes.

Counseling
Appui offert à un employé qui manifeste un problème personnel ou professionnel ayant des conséquences sur son travail.

Certes, il n'existe pas de formule magique à réciter aux employés au moment de l'annonce de l'abolition de leur poste, mais cette tâche sera moins ardue pour le gestionnaire s'il peut expliquer aux employés touchés les raisons qui motivent la direction à procéder à l'abolition de ces postes. La responsabilité de la direction consiste à faire participer pleinement le gestionnaire des ressources humaines à l'élaboration du plan de rationalisation. Ce gestionnaire devra alors relever cinq grands défis. Premièrement, il devra comprendre l'objectif global du plan de rationalisation et son effet réel à court, à moyen et à long terme sur la main-d'œuvre. Deuxièmement, il devra analyser soigneusement l'ampleur des « dégâts » en ce qui concerne la suppression de postes et la perte d'effectifs. Troisièmement, il devra transmettre l'information la plus juste possible, et pour cela éviter de créer des attentes injustifiées visant à minimiser l'effet véritable de la rationalisation ou de faire souffler sur l'organisation un vent de panique en exagérant les conséquences de l'abolition des postes. Quatrièmement, il devra adopter une certaine approche afin d'annoncer la suppression de postes prévue et les licenciements qui en découlent. Finalement, il devra rassurer les

Depuis plus de deux décennies, les gestionnaires des ressources humaines qui œuvrent au sein d'entreprises dont les dirigeants ont adopté un plan de rationalisation de la main-d'œuvre doivent assumer une responsabilité majeure qui est loin d'être appréciée de tous : procéder à des licenciements.

travailleurs qui demeurent au service de l'organisation, soit les « survivants ». Il est effectivement de son devoir de les mobiliser[26] et de leur inculquer le désir de continuer dans un contexte où le personnel diminue, mais pas l'ensemble des tâches à accomplir. La figure 2.5 présente ces différents défis.

Figure 2.5 La gestion des ressources humaines dans le contexte de rationalisation de la main d'œuvre

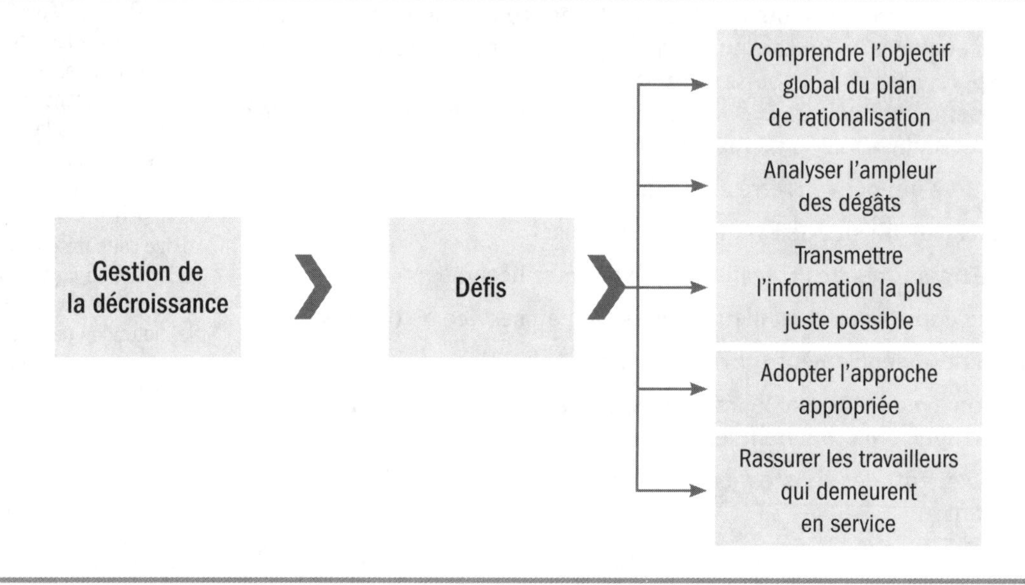

2.3.2 Le défi relatif à la compréhension de l'objectif global

Le gestionnaire des ressources humaines doit comprendre l'objectif premier qui incite la haute direction à adopter son plan de rationalisation de façon à pouvoir le communiquer aux employés. S'agit-il d'une question de survie pour l'entreprise ou, plutôt, de la volonté d'augmenter sa rentabilité ? Et cette rentabilité, est-elle légitime ou de nature purement partisane ? En somme, l'entreprise procède-t-elle à des suppressions de postes pour demeurer rentable et ainsi maintenir sa position concurrentielle dans le marché en vue d'éviter de périr (**rentabilité légitime**) ou diminue-t-elle ses coûts de main-d'œuvre en supprimant des postes simplement pour répondre aux pressions de certaines parties intéressées, dont des actionnaires, qui exigent d'elle d'être plus rentable pour s'assurer de verser des dividendes (**rentabilité de nature purement partisane**) ?

Une fois cet objectif clarifié, le gestionnaire doit tenter d'obtenir un double engagement de la haute direction :

› Garantir aux employés que la suppression de postes qui s'avère nécessaire dans un contexte précis constitue une mesure temporaire.

26. Le concept de mobilisation est expliqué au chapitre 3.

- Cesser toute suppression de postes dès que les objectifs sont atteints et que le carnet de commandes justifie qu'il faille cesser de fonctionner en mode « économie d'effectifs[27] ».

Ce double engagement peut assurer à la direction que le travail s'effectuera dans un climat dénué d'incertitude et de crainte.

2.3.3 Le défi relatif à l'analyse de la situation

Le gestionnaire des ressources humaines doit analyser l'effet de l'abolition de postes prévue et aller au-delà de la simple soustraction d'un nombre donné de postes et d'un nombre équivalent d'individus. Cette opération s'avère complexe. Dans son analyse, ce gestionnaire doit tenir compte de trois paramètres.

Le premier est la blessure psychologique causée aux employés qui perdent leur emploi. Ces derniers partent souvent avec le sentiment que l'entreprise les laisse tomber, et plus ils ont accumulé d'années de service, plus ce sentiment est fort.

Le deuxième paramètre est la présence d'un syndicat dans l'entreprise. Au cours de son analyse, le gestionnaire des ressources humaines doit prendre en considération le fait que les employés éprouvent de la réticence à renoncer à certains avantages qu'ils ont acquis et que quand un syndicat est présent dans l'entreprise, les négociations engagées afin de préserver ces « acquis » sont souvent difficiles. Avant d'entamer toute négociation avec le syndicat sur la mise en œuvre des compressions, le gestionnaire des ressources humaines doit répondre à plusieurs questions, dont celles-ci :

- Dois-je rechercher l'affrontement avec le syndicat s'il n'accepte pas le plan de rationalisation de l'entreprise ?
- Faut-il nécessairement essayer d'atteindre une situation de gagnant-perdant ?
- Dans quelle mesure le syndicat a-t-il confiance en la direction ?
- Cela favorise-t-il l'échange ou cela cause-t-il plutôt des frictions ?
- Suis-je la personne indiquée pour négocier avec le syndicat ou me faut-il une aide extérieure ?
- Le syndicat acceptera-t-il de négocier la manière d'effectuer les compressions ou voudra-t-il plutôt discuter de la nécessité même de faire de telles compressions ?
- Quelle stratégie dois-je adopter si cette dernière possibilité se présente ?

Le gestionnaire des ressources humaines doit tenir compte de trois paramètres : la blessure psychologique causée aux employés, la présence d'un syndicat dans l'entreprise et la résistance au changement.

Enfin, le troisième paramètre que le gestionnaire des ressources humaines doit considérer est la résistance au changement. Le gestionnaire doit faire face à l'amertume des « survivants ». Ces employés, qui ont vu partir certains collègues de travail, savent que ces derniers ne reviendront sûrement plus dans l'organisation. En outre, ces employés devront, dans bien des cas, subir une surcharge de travail requérant un nouvel apprentissage « sur le tas » des méthodes de travail ou une formation plus élaborée.

27. Voir à ce sujet Jean-Sébastien Trudel, « Après la tempête, il faut motiver et outiller ses troupes », *Les Affaires*, le 7 février 2004, p. 23.

2.3.4 Le défi relatif à la transmission de l'information

Un autre défi qui se présente au gestionnaire des ressources humaines est la détermination du moment où il doit avertir les travailleurs de la décision de la direction d'abolir certains postes. Il ne doit absolument pas trop retarder cette annonce, car si les rumeurs s'installent avant que l'annonce ne soit faite, elles risqueront d'engendrer un climat de tension, de méfiance et de conflit.

Dans le choix du moment de l'annonce, le gestionnaire doit éviter de commettre deux erreurs en particulier:

- Laisser s'écouler le temps et faire l'annonce des compressions le jour où elles entrent en vigueur.
- Omettre de faire l'annonce des compressions et, de façon brutale, procéder aux suppressions de postes.

L'entreprise et le gestionnaire des ressources humaines doivent faire preuve de considération pour les travailleurs et respecter leur dignité. Un exemple de manque de considération est d'ailleurs présent dans le cas suivant, rapporté par Florent Francoeur dans un article du 23 août 2003, publié dans le journal *Les Affaires* et tiré du portail de l'Ordre des conseillers en ressources humaines et en relations industrielles:

> Il y a quelques mois, pour licencier un groupe d'employés, la direction d'une entreprise du Québec a déclenché l'alarme de feu. Une fois l'opération – évacuation en cas d'incendie – terminée, elle n'a laissé entrer que ceux qui conservaient leur emploi. C'est sur le pas de la porte que les autres ont appris leur renvoi[28]...

Le seul critère à considérer dans la détermination du moment requis pour faire l'annonce des compressions est l'urgence du redressement financier de l'entreprise pour garantir sa survie ou pour l'aider à obtenir le niveau de rentabilité souhaité. Une fois ce moment déterminé, il existe un principe que le gestionnaire des ressources humaines doit respecter tout au long de la communication qu'il établit avec les travailleurs: c'est le **principe de transparence**, soit le principe en vertu duquel un individu, par la communication qu'il établit avec ses supérieurs, ses pairs ou ses employés, transmet une information pertinente, juste et vérifiable. L'information est pertinente en ce sens qu'elle arrive au moment utile. Elle est juste, c'est-à-dire qu'elle ne présente aucune équivoque. De plus, elle est vérifiable si elle s'appuie sur des données qui peuvent être contrôlées.

Principe de transparence
Principe en vertu duquel un individu, par la communication qu'il établit avec ses supérieurs, ses pairs ou ses employés, transmet une information pertinente, juste et vérifiable.

L'employé qui sera licencié désire connaître sa situation réelle et savoir pourquoi c'est lui qui est touché par une telle décision administrative. Il demande qu'on lui fournisse des faits, il tient à s'assurer que toutes les autres avenues ont été examinées et il ne veut surtout pas qu'on lui fasse de fausses promesses. Dans ce contexte, le gestionnaire des ressources humaines se doit, en tant que porte-parole de la direction, d'être franc et honnête et d'agir avec transparence.

---

28. Florent Francoeur, «Congédier en respectant la dignité de l'employé», *Les Affaires*, le 23 août 2003 (en ligne sur le Portail-RHRI au www.portail-rhri.com).

2.3.5 Le défi relatif à l'approche utilisée

Afin d'annoncer aux employés que leur poste est aboli, le gestionnaire des ressources humaines peut utiliser trois approches différentes. Il doit cependant bien analyser le climat qui règne dans l'organisation avant de faire son choix. Les approches qui s'offrent à lui sont l'approche individuelle, l'approche collective et l'approche mixte.

L'approche individuelle

Le gestionnaire des ressources humaines convoque par écrit les employés touchés par la suppression de postes et les rencontre individuellement. C'est au cours de cette rencontre qu'il leur annonce le pourquoi de la décision de la direction d'abolir leur poste. L'ambiance négative suscitée par cette annonce donne généralement lieu à des transferts d'émotions dirigés vers le gestionnaire des ressources humaines. Ainsi, ce dernier doit s'attendre de la part des employés à des réactions diverses, allant de l'agressivité à la tristesse. Il doit être compréhensif et ferme, écouter sans rien promettre. Il doit proposer des mesures d'aide seulement si un mandat en ce sens lui est confié par la direction. Enfin, son rôle étant de transmettre la décision, il doit éviter de porter sur ses épaules le poids qu'elle engendre.

L'approche collective

Le gestionnaire des ressources humaines, accompagné des membres de la direction, rencontre tous les employés de l'entreprise en même temps. Il laisse au président le soin d'exposer la situation que vit l'entreprise, sa vision de l'avenir et la décision qui a été prise concernant les emplois. Ensuite, le gestionnaire des ressources humaines indique avec précision le nombre de postes abolis, le ou les services touchés, la catégorie de travailleurs touchée et dans quelle proportion elle l'est. Suivant cette approche, tous les membres de la direction, de même que les cadres intermédiaires en cause, peuvent observer la réaction immédiate des employés, entendre les motifs de leur inquiétude et envisager le climat de travail qui risque de s'installer dans les jours qui vont suivre.

L'approche mixte

Cette approche est de loin la meilleure, car elle combine les éléments des deux précédentes. Elle débute par une rencontre de groupe, au cours de laquelle tous les cadres de l'entreprise font face aux réactions des employés. À la suite de cette démarche, le gestionnaire des ressources humaines envoie les convocations et fixe les rendez-vous pour les rencontres individuelles. Il va de soi qu'à leur arrivée au rendez-vous, les travailleurs touchés risquent d'éprouver du mécontentement, des craintes, de l'agressivité et de l'amertume et voudront poser des questions. C'est pourquoi le gestionnaire doit être prêt pour la rencontre.

Lors de toute entrevue face-à-face, le gestionnaire des ressources humaines doit démontrer certaines qualités. Il doit être crédible, c'est-à-dire qu'il doit agir avec droiture. Il doit être intègre, car il est avant tout un porte-parole de la direction. Il doit faire preuve de patience et ne pas se laisser entraîner par l'agressivité de certains individus. Il doit être humain, mais non pas naïf. Autrement dit, il faut qu'il dédramatise les licenciements, qu'il rassure les employés qui se disent victimes du système et qu'il évite de se sentir lui-même coupable d'annoncer une décision prise par la direction.

2.3.6 Le défi relatif à la motivation des travailleurs demeurant au service de l'entreprise

Un plan de restructuration qui prévoit l'abolition de certains postes et des licenciements ne saurait être acceptable aux yeux des employés qui restent au service de l'entreprise s'il ne prévoit pas de solutions visant à stabiliser l'emploi et à instaurer de nouveau une qualité de vie adéquate dans le milieu de travail. À la suite de l'annonce des licenciements, le gestionnaire doit énoncer clairement les mesures qu'il compte prendre afin de gérer les ressources humaines dans ce nouveau contexte de travail. Ce plan d'action devrait comporter les étapes suivantes :

- **Première étape :** l'établissement, de concert avec tous les gestionnaires en cause, des changements qui affectent l'organisation du travail, que ce soit en ce qui concerne le regroupement de postes, l'élargissement des tâches, l'augmentation du rythme de travail, l'introduction de nouvelles séquences d'exécution des tâches, etc.
- **Deuxième étape :** l'annonce de ces changements aux employés qui ne sont pas touchés par les licenciements ou la négociation desdits changements avec le syndicat en place.
- **Troisième étape :** la communication à la direction soit des résultats des négociations, soit des modalités de mise en œuvre des changements touchant les postes et les travailleurs.
- **Quatrième étape :** avec l'accord de la direction et en collaboration avec les gestionnaires en cause, la mise en place des changements prévus.
- **Cinquième étape :** la mise en œuvre des programmes de formation permettant d'assurer la flexibilité et la polyvalence des travailleurs.
- **Sixième étape :** le suivi ainsi que les mécanismes de correction, si cela s'avère nécessaire.

Il va de soi que les négociations entreprises par le gestionnaire des ressources humaines doivent amener les travailleurs et le syndicat à accepter la vision de l'entreprise. Les travailleurs devront par la suite faire face à certaines réalités :

- leurs tâches subiront des modifications ;
- leur qualité de vie au travail risque d'être affectée, car dans plusieurs cas, l'organisation leur demandera de faire davantage avec moins de ressources ;
- certains d'entre eux devront suivre une formation ;
- d'autres auront à assumer des responsabilités allant au-delà de l'exécution mécanique de leurs tâches.

Pour garantir le succès de l'implantation des changements qui peuvent affecter les postes, les individus ou carrément les deux, le gestionnaire des ressources humaines doit posséder des qualités exceptionnelles, notamment les suivantes.

Une grande ouverture au changement

Le gestionnaire des ressources humaines qui endosse le plan de rationalisation de la direction de l'entreprise s'engage à vivre les changements prévus et à les faire accepter par les travailleurs. Pour ce faire, il doit croire à ce plan et partager la nouvelle vision de l'entreprise. Il doit, de plus, s'attendre à adapter sa gestion aux situations nouvelles auxquelles l'entreprise fera face.

Pour garantir le succès de l'implantation des changements qui peuvent affecter les postes et les individus, le gestionnaire des ressources humaines doit posséder des qualités exceptionnelles, notamment le leadership, l'intégrité et la fermeté.

Un esprit visionnaire

Le gestionnaire doit posséder une vision claire à long terme de l'objectif que vise l'entreprise. Voilà pourquoi il doit, de concert avec la direction, participer à l'élaboration du plan d'action pour l'avenir.

Un leadership efficace

Le gestionnaire doit accepter deux réalités, à savoir, d'une part, que certains employés ont perdu leur emploi et qu'il ne peut plus compter sur eux afin d'atteindre les objectifs de l'entreprise et, d'autre part, que des employés conservent leur emploi et qu'il doit composer avec eux pour réaliser les objectifs de l'entreprise. Son rôle est donc d'établir avec ces derniers une communication franche, de les motiver et de les aider à accepter la nouvelle vision de l'entreprise.

Une crédibilité au-dessus de tout soupçon

Le gestionnaire ne doit pas voiler la réalité, mais dire les choses telles qu'elles sont. Un licenciement doit être présenté comme il est, c'est-à-dire définitif, et non comme une mise à pied.

Une intégrité totale

Le gestionnaire des ressources humaines devient un agent de changement. La direction lui accordera sa confiance et les employés feront de même s'il adopte des comportements honnêtes, s'il ne manifeste aucun parti pris, s'il est déterminé et le démontre dans sa planification et dans l'ensemble des décisions qu'il prend.

Une flexibilité dans sa gestion

Le gestionnaire doit adapter sa gestion au nouveau contexte de travail créé par la restructuration. Il doit également apprendre aux cadres de terrain à changer d'attitude envers leurs employés et à leur laisser prendre plus d'initiative dans l'exécution de leurs tâches. Il doit briser les liens hiérarchiques quand cela s'avère nécessaire et raccourcir la distance qui sépare la direction des employés.

Une fermeté réelle

Quand vient le temps de mettre en œuvre un plan d'action, le gestionnaire doit être ferme dans les décisions qu'il prend. Il ne doit pas oublier que sa gestion s'effectue dans un climat d'incertitude et de crainte pour les travailleurs et que tout recul ou toute hésitation de la direction dans l'exécution d'une décision peut être perçu par les travailleurs comme une machination visant à supprimer d'autres postes.

Une habileté à communiquer

Le gestionnaire des ressources humaines doit être un communicateur habile, car rappelons-le, il doit non seulement être sensible à l'insécurité des employés, mais aussi apaiser leurs craintes. Il doit, de plus, démontrer aux travailleurs que les efforts qui leur sont demandés vont effectivement mener à des résultats concrets.

Le tableau 2.1 résume ces principales qualités.

Tableau 2.1 Les qualités exigées du gestionnaire des ressources humaines dans le contexte de la rationalisation de la main-d'œuvre

Ouverture au changement	Doit accepter les changements et orienter sa gestion en fonction de ceux-ci
Esprit visionnaire	Doit posséder une vision à long terme des objectifs de l'organisation et de leur effet possible sur les ressources humaines
Leadership	Doit faire accepter aux travailleurs la nouvelle vision de l'entreprise et les mener vers la réalisation des nouveaux objectifs fixés
Crédibilité	Doit transmettre l'information sans laisser planer de sous-entendus
Intégrité	Doit inspirer confiance tant à la direction qu'aux employés en ce qui a trait à sa façon de communiquer et d'agir
Flexibilité	Doit adapter sa gestion au nouveau contexte de travail
Fermeté	Doit s'en tenir aux décisions prises même si elles soulèvent le mécontentement chez les travailleurs, pourvu que ces décisions s'orientent vers la nouvelle vision de l'entreprise
Habileté dans la communication	Doit être sensible à l'insécurité des travailleurs et changer leurs craintes en un espoir en la stabilisation et l'amélioration de la situation de leur emploi

Résumé du chapitre

Depuis plus de deux décennies, les organisations font face au phénomène de la mondialisation. Certaines ont pu en tirer profit, d'autres ont subi les effets négatifs de la concurrence mondiale. Dans ce dernier cas, nombre d'organisations ont eu recours à des politiques de restructuration qui se sont souvent traduites par des licenciements massifs de travailleurs.

Les gestionnaires des ressources humaines, selon la philosophie de gestion des entreprises, ont alors opté pour deux types de stratégies concurrentielles : la stratégie de l'adaptation par le haut ou par le bas. Ceux qui ont choisi cette dernière stratégie se sont alors retrouvés devant une forme de gestion à laquelle ils n'étaient pas habitués : la gestion de la décroissance des effectifs.

Nous avons présenté sous forme d'enjeux incontrôlables (enjeux politiques, économiques et technologiques) et d'enjeu contrôlable (enjeu strictement de niveau corporatif) les phénomènes qui contribuent à ces licenciements. Ces enjeux ont suscité l'émergence d'un nouveau contexte dans lequel s'effectue dorénavant la gestion des ressources humaines. Il s'agit d'un contexte de rationalisation de la main-d'œuvre. Il va de soi que, dans ces différents contextes, le rôle du gestionnaire des ressources humaines est d'une importance capitale, car ce dernier doit non seulement comprendre l'objectif global du plan de rationalisation de la main-d'œuvre présenté par la direction, mais il doit aussi l'expliquer aux travailleurs. Il doit, de plus, leur démontrer que la survie de l'entreprise ou l'accroissement de sa rentabilité, voire les deux, ne peuvent pas être assurés si la vision de l'avenir de l'entreprise n'est acceptée que par les cadres. Ce gestionnaire doit amener les travailleurs à comprendre la nécessité de partager cette vision. Il lui faut créer un climat propice à la négociation des changements dans l'organisation du travail, soit avec les travailleurs, soit avec le syndicat en place. Pour garantir le succès de ces négociations, le gestionnaire des ressources humaines doit posséder des qualités exceptionnelles, dont une grande ouverture au changement, car sans nul doute, il devra adapter sa gestion aux situations nouvelles auxquelles fera face l'organisation au sein de laquelle il œuvre.

Évaluation de la compétence

Questions de révision et application

1. Quels sont les phénomènes face auxquels sont placées les entreprises dans le contexte de la mondialisation ?

2. Quelles sont les principales stratégies concurrentielles de gestion des ressources humaines que peuvent adopter les entreprises dans le contexte de la mondialisation ?

3. Pourquoi, chez les gestionnaires des ressources humaines, le fait de procéder à des licenciements massifs et successifs constitue-t-il une tâche déplaisante ?

4. Pourquoi l'approche que doit utiliser le gestionnaire des ressources humaines afin d'annoncer aux employés (ou au syndicat) l'abolition de postes et les licenciements qui en découlent représente-t-elle un défi pour lui ?

›

5. Dans le défi posé par l'analyse de la situation, le gestionnaire des ressources humaines doit tenir compte de trois paramètres. Décrivez brièvement ces paramètres.

6. À propos du défi que constitue la transmission de l'information, quelles sont les deux erreurs que ne doit pas commettre un gestionnaire des ressources humaines dans le choix du moment de cette transmission ? Expliquez-les.

7. En ce qui concerne les changements relatifs aux postes, quelles réalités devront accepter les employés dans la situation de travail à la suite des négociations entreprises par le gestionnaire des ressources humaines avec eux ou avec le syndicat ?

8. Parmi les qualités que doit posséder un gestionnaire des ressources humaines qui entreprend des négociations sur les changements concernant les postes des travailleurs, en quoi consiste le fait d'avoir un esprit visionnaire ?

9. Reportez-vous à la rubrique Point de mire – Un sort identique à celui d'un autre « success story » – et répondez aux questions suivantes :

a) Un gestionnaire des ressources humaines fait face à différents défis quand vient le temps d'annoncer des suppressions de postes. Quels sont les deux défis auxquels Suzanne Lay-Ruel fait face dans le texte qui vous est présenté ? Justifiez votre réponse par des faits tirés du texte.

b) Pourquoi peut-on affirmer que la direction de Bois-Tech inc. veut garantir la hausse de sa rentabilité sur le dos de ses employés ?

Analyse de cas

Cas 2.1

« Nous n'irons plus au Bois... »

Depuis les 30 dernières années, les 88 ouvriers de la scierie Bois-de-l'Eau ont emprunté le même sentier qui, traversant un bois, mène directement à la scierie. Quatre cents mètres séparent le lieu de débarquement de la navette qui conduit les ouvriers à l'ouvrage, sur leur lieu de travail. Chose cocasse, dès que les ouvriers descendaient de la navette, ils traversaient le bois en chantant, en blaguant et en se taquinant. Fait intéressant, tous les matins au pas de la porte de l'usine, Jean-Luc, leur contremaître, les attendait et leur souhaitait la bienvenue en les nommant par leur prénom. L'ambiance était toujours à la fête.

Or, le lundi 28 avril 2008, tandis que les 88 ouvriers arrivaient en chantant à haute voix :

« Nous arrivons au Bois
Pour aller travailler
Pour Jean-Luc que voilà
On aime aller bosser !

(Refrain)
Entrons dans l'usine
Où on se taquine
Scions, coupons
Des morceaux de bois tout ronds[29]. »

Mais ce matin-là, à 7 h, c'est un contremaître à la mine basse qui les a accueillis. Le vendredi 25 avril 2008, la direction de l'entreprise lui avait fait part de ses intentions de supprimer 43 postes liés à la production. En

29. Sur l'air de la chanson « Nous n'irons plus au bois ».

voyant la tête qu'affichait leur contremaître, les ouvriers sont demeurés figés. Ils se sont d'abord interrogés du regard et ensuite, ils ont commencé à émettre des hypothèses sur son état de santé, sur l'état de santé de sa femme et de ses enfants, mais à aucun moment, ils n'ont pensé que le tourment de Jean-Luc était causé par une décision émanant de la direction de l'entreprise.

Ce matin-là, Jean-Luc les a salués sans mentionner leur nom. Quand ils furent tous à l'intérieur de l'usine, un dénommé Marco se tourna vers lui et lança à la blague:

– Que se passe-t-il, mon Jean-Luc? Ta femme t'a-t-elle trompé?

Le contremaître lève vers lui des yeux légèrement mouillés. Un collègue de travail de Marco s'indigne et l'invective:

– Niaiseux! Ne vois-tu pas que ce n'est pas le moment de faire des blagues de mauvais goût?

Jean-Luc prend la parole:

– Mes amis, la direction a décidé de se retirer du marché de la coupe à blanc pour ne se concentrer que sur la transformation. Vingt-huit postes d'usine seront supprimés cette semaine et quinze autres dans un mois.

Un silence lourd s'abat dans l'usine.

– Qui sera touché par ces suppressions de postes? demande un jeune ouvrier.

Jean-Luc hausse les épaules.

– J'attends d'autres nouvelles ce matin. Allez, commencez tout de même votre journée de travail.

Les ouvriers se rendent sans entrain à la machine, et cette journée-là, après leur quart de travail, les plus jeunes travailleurs, à qui la direction avait annoncé qu'il s'agissait de leur dernière journée de travail, ont traversé le bois en chantant d'une voix pleine de déception:

«Nous n'irons plus au Bois
Nos jobs sont tous coupés
Nos boss que voilà
Nous ont laissés tomber...»

Et le refrain, peu glorieux, ne mérite pas d'être répété.

Questions:

1. À quel enjeu l'entreprise fait-elle face?
2. Cet enjeu est-il contrôlable ou incontrôlable? Justifiez votre réponse. (Dans le cas où vous jugez l'enjeu contrôlable, spécifiez comment l'entreprise le vit sur le plan de la stratégie adoptée. Dans le cas où vous le jugez incontrôlable, spécifiez quelle situation le rend incontrôlable pour l'entreprise.)

Cas 2.2

«Le Porc-Celais: la qualité dans votre assiette!»

La famille Celais a quitté la France en 1952 pour venir s'établir au Québec, et plus particulièrement dans la région du Témiscouata. Xavier Celais, père de neuf enfants, a alors accepté de travailler en tant qu'éleveur de porcs à la ferme des Biron.

Il travaillait depuis deux ans dans cette ferme quand il a appris que les Biron avaient l'intention de la vendre. Comme ces derniers logeaient la famille Celais, Catherine, la femme de Xavier, a exercé une pression sur son mari pour qu'il achète la ferme. Les économies de la famille étant plutôt modestes, Xavier a obtenu un prêt auprès d'une institution financière qui lui a permis d'acquérir la ferme des Biron.

Trois ans après cette acquisition, comme les affaires étaient plus florissantes qu'il ne l'avait espéré, Xavier a fait construire un abattoir. Aidé de Catherine et de ses enfants les plus âgés, il a mis sur pied la plus grande ferme d'élevage, d'engraissement et d'abattage de porcs de la région du Témiscouata. Il a baptisé son entreprise «Le Porc-Celais, ferme familiale». Le jeu de mots était amusant, car la ferme s'approvisionnait en porcelets provenant du Nouveau-Brunswick. Ces porcelets étaient élevés, engraissés et envoyés à l'abattoir, toutes ces opérations se déroulant dans la même entreprise.

Au fil des ans, l'entreprise des Celais s'est taillé une réputation remarquable. Déjà, en 1980, l'usine d'abattage a été agrandie pour la première fois. En 1995, classée ISO 9002, l'usine était une fois de plus agrandie. Les 470 employés qui y travaillaient clamaient que, dans la ferme des Celais, il faisait bon vivre. D'ailleurs, la publicité télévisée et imprimée annonçait les produits de l'entreprise au moyen de la formule suivante: «Le Porc-Celais: la qualité dans votre assiette!»

En 1995, Xavier a passé les rênes de l'entreprise à ses trois plus jeunes enfants, les plus âgés ayant quitté la ferme depuis quelques années. Xavier désirait retourner vivre en France avec sa femme. Il laissait à ses enfants une entreprise en bonne santé, enregistrant un chiffre d'affaires annuel de l'ordre de 55 millions de dollars. La seule difficulté qu'éprouvait l'entreprise concernait son approvisionnement en eau. Pendant plusieurs années, Xavier avait tenté de faire régler ce problème par la municipalité de Notre-Dame-du-Lac, mais en vain. Les nouveaux propriétaires de l'entreprise ont aussi multiplié les démarches auprès de la municipalité, sans

jamais obtenir satisfaction. Au bout de sept ans de démarches infructueuses, les Celais ont pris la décision de déménager leur entreprise.

En mai 2002, dès que la nouvelle a paru dans le journal local et dans certains journaux régionaux, les habitants de la région ont d'abord cru qu'il s'agissait d'un canular. Le gouvernement du Nouveau-Brunswick, quant à lui, a pris la nouvelle au sérieux. Il a aussitôt offert aux Celais de venir installer leur usine dans sa province, en échange de subventions de 20 millions de dollars en exemptions de taxes, en plus des commodités dont ils pourraient tirer profit pour leur installation (choix du terrain, localisation près d'un cours d'eau, etc.).

L'offre était alléchante. Cependant, si les Celais l'acceptaient, ils étaient conscients qu'il leur faudrait licencier leurs 470 employés, dont certains avaient donné une grande partie de leur vie à l'entreprise. Qui plus est, l'entreprise Le Porc-Celais, ferme familiale, était devenue le principal employeur du Témiscouata. Les Celais se sont donné jusqu'à la fin du mois d'août avant de prendre une décision.

Pourtant, les employés commençaient à ne plus croire en l'avenir de l'entreprise, car depuis le début du mois de juin, chaque semaine, ils voyaient les propriétaires de l'entreprise s'enfermer dans leurs bureaux avec des membres du gouvernement du Nouveau-Brunswick. De plus, le carnet de commandes se réduisait graduellement et une partie de la production avait été transférée dans cette province.

En août 2002, la municipalité de Notre-Dame-du-Lac a compris que le déménagement de l'entreprise des Celais était fort probable quand les propriétaires de l'entreprise ont amorcé le licenciement de certains employés.

La réaction des travailleurs n'a pas tardé. Dès la deuxième semaine du mois, ils ont commencé à se mobiliser et à manifester contre leur employeur. Ils ont bloqué des routes, lancé des appels au boycottage des produits de l'entreprise et organisé, tous les soirs de la semaine, de bruyantes manifestations.

Questions

1. Quels sont les deux enjeux auxquels fait face l'entreprise ?
2. Comment, par une phrase tirée du texte, pouvez-vous démontrer que dans chacun des cas, vous avez identifié le bon enjeu ?
3. Dans l'éventualité où les propriétaires de l'entreprise décident de déménager au Nouveau-Brunswick et licencient tous leurs employés, quelles sont les deux réactions que ces licenciements peuvent susciter chez ces derniers ?
4. Selon vous, laquelle de ces réactions les employés de l'entreprise Le Porc-Celais, ferme familiale, ont-ils manifestée ? Expliquez votre réponse en faisant appel à une situation tirée du texte.

Chapitre 3

La gestion des ressources humaines et la mobilisation du personnel

Cheminement d'idées

Objectifs pédagogiques

Compétence visée

Point de mire : Une nouvelle approche face à la motivation au travail

3.1 Le contexte de démotivation en milieu de travail

3.2 L'apport des théories sur la motivation et la satisfaction au travail
- 3.2.1 La théorie de la hiérarchie des besoins de Maslow
- 3.2.2 La théorie des deux facteurs de Herzberg
- 3.2.3 La théorie du résultat escompté de Vroom
- 3.2.4 La théorie des objectifs de Locke et Latham

3.3 La responsabilité de l'organisation face à la motivation des travailleurs : les principes à respecter
- 3.3.1 Le principe de transparence
- 3.3.2 Le principe de définition
- 3.3.3 Le principe du dégraissage proportionnel des postes hiérarchiques
- 3.3.4 Le principe de l'assouplissement de l'autorité hiérarchique

3.4 La responsabilité du gestionnaire des ressources humaines face à la motivation des travailleurs

3.5 La responsabilité des travailleurs face à leur motivation au travail

3.6 La mobilisation des travailleurs
- 3.6.1 Le modèle de Lawler ou la théorie des quatre partages
- 3.6.2 Un autre modèle explicatif de la mobilisation

3.7 La gestion des ressources humaines dans le contexte de la stabilisation de l'emploi

3.8 Le nouveau rôle du Service des ressources humaines dans l'organisation

3.9 Une nouvelle approche en gestion des ressources humaines : la gestion par les valeurs

Résumé du chapitre

Évaluation de la compétence
- Questions de révision et application

Analyse de cas
- Cas 3.1 : « Il court, il court, le coursier »
- Cas 3.2 : Des résultats qui laissent le président perplexe

Objectifs pédagogiques

La lecture de ce chapitre devrait vous permettre :

1. d'indiquer pourquoi les théories sur la motivation et la satisfaction au travail n'apportent pas de réponses aux gestionnaires dans le contexte de la démotivation de la main-d'œuvre ;
2. d'expliquer pourquoi la catégorisation de la main-d'oeuvre par les organisations contribue à limiter le champ d'application de certaines théories de la motivation à certains travailleurs ;
3. d'expliquer quelle est la responsabilité de l'organisation face à la motivation des travailleurs dans le contexte de l'incertitude quant à l'emploi, de la suppression de postes et des licenciements ;
4. de définir les principes que doit respecter l'organisation afin d'assumer cette responsabilité dans le contexte de l'incertitude quant à l'emploi ;
5. d'expliquer quelle est la responsabilité du gestionnaire des ressources humaines face à la motivation des travailleurs ;
6. d'expliquer quelle est la responsabilité des travailleurs face à leur propre motivation au travail ;
7. d'expliquer ce qu'est la mobilisation des travailleurs ;
8. de démontrer pourquoi, dans le contexte de la stabilisation de l'emploi, le gestionnaire des ressources humaines doit changer l'ancienne mentalité des travailleurs face au travail et à l'organisation ;
9. d'expliquer pourquoi, dans la mise en œuvre d'un plan de restructuration et de rationalisation de la main-d'œuvre, il faut reconnaître le Service des ressources humaines comme un service majeur dans l'organisation ;
10. d'expliquer ce qu'est la gestion par valeurs.

Compétence visée

La compétence visée dans ce chapitre est de pouvoir appliquer des stratégies visant à motiver le personnel de votre service.

Point de mire

Une nouvelle approche face à la motivation au travail

Le visage de la gestion des ressources humaines a beaucoup changé au cours des vingt dernières années. Ce phénomène est compréhensible, car les contextes économique et social eux-mêmes ont changé. La mondialisation des marchés a grandement contribué à cette nouvelle situation. On observe que la concurrence est devenue mondiale. Les technologies de la communication ont évolué rapidement et les entreprises ont vivement ressenti le besoin de faire preuve d'une flexibilité qui leur assurerait d'affronter cette concurrence tout en demeurant rentables.

Les dirigeants d'entreprise ont alors élaboré et mis sur pied des programmes de restructuration dont les deux résultats les plus frappants ont été l'aplanissement des structures organisationnelles et les licenciements massifs et successifs.

Un contexte d'incertitude venait de naître pour plusieurs travailleurs, qui se demandaient si, même à court terme, leur emploi serait maintenu. Les milieux de travail touchés par ces licenciements se caractérisaient par un climat de démotivation. Un des grands défis auxquels faisaient face les directeurs des ressources humaines consistait à motiver les travailleurs qui, n'ayant pas perdu leur emploi, voyaient leurs tâches augmenter et les ressources pour les effectuer diminuer constamment.

L'application de certaines théories sur la motivation, lesquelles étaient jadis influentes, ne répond plus nécessairement à cette lourde commande. La raison en est fort simple : ces théories s'inscrivaient autrefois dans un contexte où la sécurité d'emploi était acquise pour les travailleurs et l'incertitude liée à l'emploi était faible, voire inexistante.

De nos jours, quand vient le temps de parler de motivation en milieu de travail, il faut comprendre que ce concept ne s'applique pas à tous les travailleurs de façon uniforme. Les stratégies d'affaires mises en œuvre par les organisations ont largement contribué à former deux catégories de main-d'œuvre au sein de celles-ci et pour garantir leur adhésion à leur vision, les dirigeants n'ont pas d'autre choix que de se tourner vers un concept nouveau : la mobilisation de la main-d'œuvre. Ce concept, mieux adapté au climat d'incertitude que vivent les travailleurs, présente un avantage majeur pour les gestionnaires : il revêt chez le travailleur une dimension affective. En effet, le travailleur mobilisé établit un lien affectif avec l'organisation et en vertu de ce lien, il est disposé à déployer pour celle-ci des efforts considérables pour atteindre les objectifs fixés.

De son côté, l'organisation ne doit pas demeurer insensible. Pour mobiliser son personnel, elle doit, tout au moins, endosser une double responsabilité :

- lui offrir des possibilités de se mobiliser ;
- lui donner des raisons de vouloir se mobiliser.

3.1 Le contexte de démotivation en milieu de travail

L'annonce de l'abolition prochaine de postes et de licenciements crée chez les travailleurs, à n'en pas douter, un climat d'inquiétude. Pour les travailleurs touchés, qui acceptent difficilement le sort que leur impose l'organisation, cette inquiétude se manifeste par un questionnement sur l'avenir qui les attend, mais pour les travailleurs dont les postes ne sont pas abolis et qui demeurent au service de l'entreprise, l'inquiétude se présente sous trois formes. Il y a l'inquiétude concernant la détérioration de la qualité de vie au travail (la perte de collègues de travail, la tension et la nervosité qu'entraîne la nouvelle situation, etc.). Il y a aussi l'inquiétude entourant l'augmentation des tâches et des exigences requises (l'augmentation des heures de travail, la modification du contenu des tâches, la formation imposée, etc.). Il y a enfin l'inquiétude générée par toute forme d'insécurité (l'emploi non garanti, la baisse de salaire, la suppression de certains avantages sociaux, etc.) (*voir le tableau 3.1*).

Tableau 3.1 Les inquiétudes générées par les mesures d'abolition de postes pour les travailleurs

Inquiétudes	Causes
Détérioration de la qualité de vie au travail	› Perte de collègues de travail › Tension et nervosité qu'entraîne la nouvelle situation
Augmentation des tâches et des exigences requises	› Augmentation des heures de travail › Modification du contenu des tâches › Formation imposée
Insécurité quant à l'emploi, au salaire et aux avantages sociaux	› Emploi non garanti › Baisse de salaire › Suppression de certains avantages sociaux

Que les gestionnaires en soient conscients ou non, ces inquiétudes sont des sources de démotivation au travail pour les travailleurs.

Il s'agit à présent de déterminer comment les gestionnaires doivent « gérer » des travailleurs dont la motivation au travail n'est plus nécessairement garantie.

3.2 L'apport des théories sur la motivation et la satisfaction au travail

Le gestionnaire des ressources humaines peut-il trouver dans les théories sur la motivation et la satisfaction au travail les éléments de réponse pouvant l'aider à redonner aux travailleurs la motivation qui permet d'orienter tous les efforts dans le même sens ?

Bien que les théories sur la motivation et la satisfaction au travail constituent un apport précieux en matière de gestion des ressources humaines, force est de constater qu'elles remettent souvent entre les mains des dirigeants, des gestionnaires des ressources humaines ou des superviseurs, la lourde responsabilité de motiver les travailleurs.

Toutefois, il est plus facile d'apprécier l'apport de ces théories dans un contexte de croissance ou de stabilité de l'emploi, contexte qui permet à la gestion des ressources humaines de favoriser le développement de programmes de motivation ou de satisfaction au travail visant le maintien de la main-d'œuvre.

Mais qu'en est-il depuis plus de deux décennies, alors que le discours de plusieurs dirigeants est centré sur la survie incertaine de leur entreprise, sur sa rentabilité non assurée, sur les compressions devenues de plus en plus nécessaires, sur l'abolition inévitable de postes et sur les licenciements massifs ?

Les principales théories sur la motivation et la satisfaction au travail fournissent-elles des pistes de solution à apporter dans un tel contexte ? Pour répondre à cette question, nous examinerons quatre de ces théories. Tout d'abord, nous verrons deux théories de contenu, c'est-à-dire des théories qui ne font qu'énumérer, définir et classifier les « forces qui incitent un individu à adopter un comportement[1] ». Il s'agit de la théorie de la hiérarchie des besoins de Maslow et de la théorie des deux facteurs de Herzberg. Ensuite, nous présenterons deux théories de processus, c'est-à-dire des théories qui « tentent d'expliquer comment les forces interagissent avec l'environnement pour amener l'individu à adopter un comportement particulier[2] ». Il s'agit de la théorie du résultat escompté de Vroom et de la théorie des objectifs de Locke et Latham.

3.2.1 La théorie de la hiérarchie des besoins de Maslow

Maslow[3] présente les besoins humains selon une hiérarchie dans laquelle les besoins fondamentaux sont à la base et les besoins secondaires, au sommet. Ces besoins étant énoncés par ordre d'importance, un des principes de la théorie de Maslow veut que les individus s'intéressent à un niveau supérieur de besoins seulement lorsque les besoins des niveaux inférieurs sont comblés. L'ordre d'apparition des besoins est le suivant : les besoins physiologiques d'abord, puis les besoins de sécurité, les besoins d'appartenance sociale, les besoins d'estime et les besoins de réalisation de soi. La figure 3.1 illustre la pyramide des besoins de Maslow.

Figure 3.1 La pyramide des besoins de Maslow

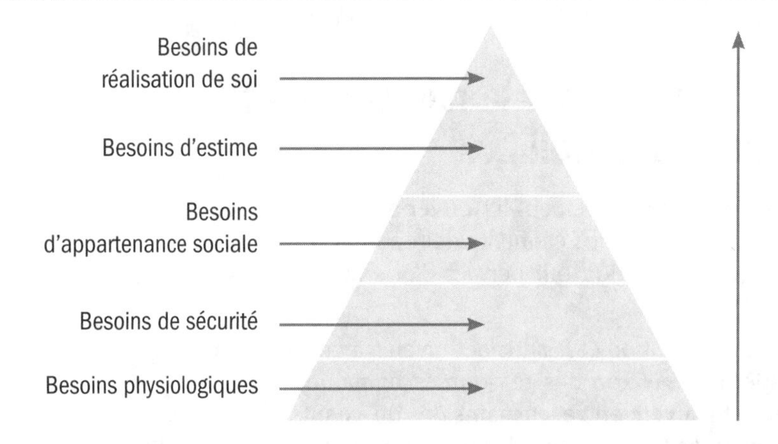

Adaptée de : A. Kinicki et Williams B.K. *Management*, Irwin/McGraw-Hill, 2006, p. 379.

1. S. L. Dolan, E. Gosselin et J. Carrière, *Psychologie du travail et comportement organisationnel*, Montréal, Gaëtan Morin/Chenelière éducation, 2007, p. 82.
2. *Ibid.*, p. 82.
3. Abraham H. Maslow, « A Theory of Human Motivation », *Psychological Review*, vol. 50, juillet 1943, p. 370-396.

Ainsi, selon la logique de cette théorie, un travailleur cherchera à satisfaire ses besoins d'estime seulement s'il entretient de bonnes relations avec ses collègues de travail et avec son supérieur immédiat, comblant ainsi ses besoins d'appartenance. Ces derniers besoins, quant à eux, ne pourront être comblés que si le travailleur bénéficie d'une sécurité salariale, d'une sécurité d'emploi et d'autres formes de sécurité venant combler ses besoins de sécurité.

Un travailleur cherchera à satisfaire ses besoins d'estime seulement après avoir comblé ses besoins d'appartenance et de sécurité.

Vu le caractère universel que revêt une telle théorie, elle ne fournit que des ingrédients aux organisations sans leur donner la recette à appliquer pour motiver les travailleurs. Il revient donc aux dirigeants d'entreprendre les actions nécessaires afin de tenter de satisfaire les différents besoins des travailleurs. Le tableau 3.2 (*p. 62*) reprend les besoins, les explique brièvement et fournit des exemples d'actions que peuvent poser les organisations pour les satisfaire.

Cependant, dans un environnement économique imprévisible, turbulent et concurrentiel où la sécurité d'emploi et la sécurité salariale ne peuvent plus être garanties aux employés, nous constatons que certaines organisations éprouvent de la difficulté à pouvoir combler ne serait-ce que les besoins physiologiques et de sécurité des travailleurs. Il devient ainsi illusoire pour les dirigeants d'entreprise de penser pouvoir combler les besoins d'appartenance, d'estime ou de réalisation de soi de leurs travailleurs s'ils mettent en péril la double sécurité que ces derniers recherchent avant tout (sécurité d'emploi et sécurité salariale).

Ainsi, nous constatons que pour motiver les travailleurs vivant dans un climat d'incertitude quant au maintien de leur emploi, la théorie de la hiérarchie des besoins de Maslow ne peut pas être d'un grand secours aux dirigeants d'entreprise (*voir le cas 3.1 à la fin du chapitre*).

3.2.2 La théorie des deux facteurs de Herzberg

Si une application stricte de la théorie de la hiérarchie des besoins de Maslow ne donne pas aux cadres de l'entreprise des indications sur les mesures à prendre afin de motiver les travailleurs autrement qu'en leur garantissant la sécurité d'emploi, dans un contexte où l'entreprise génère elle-même un climat d'incertitude chez ces derniers, qu'en est-il de la théorie des deux facteurs de Herzberg[4] ?

Selon ce théoricien, il existe des facteurs de motivation qui, dans le milieu de travail, exercent un effet positif sur le rendement des individus et représentent pour eux une source de satisfaction. En revanche, d'autres facteurs, appelés « facteurs d'hygiène » ou « facteurs d'insatisfaction », influencent le rendement de façon négative et sont donc une source d'insatisfaction au travail. Le tableau 3.3 (*p. 62*) contient des exemples de facteurs de motivation et de facteurs d'hygiène.

Selon Herzberg, les gestionnaires doivent adopter des mesures visant à réduire le plus possible les éléments négatifs qui font des facteurs d'hygiène une source d'insatisfaction au travail. Cet objectif atteint, ils peuvent ensuite se concentrer

4. F. Herzberg, B. Mausner et B. B. Snyderman, *The Motivation to Work*, New York, John Wiley and Sons, 1959.

Tableau 3.2 Les actions possibles visant à satisfaire les besoins des travailleurs

Catégorie de besoins	Exemples d'actions possibles pour les organisations
› **Besoins physiologiques** (besoins de se nourrir, de se reposer, etc.)	› Fournir des pauses › Accorder des périodes adéquates pour les repas › Fournir un salaire permettant de satisfaire les besoins de base
› **Besoins de sécurité** (besoins de sécurité pour sa personne, de sécurité salariale, de sécurité d'emploi, etc.)	› Assurer aux employés une sécurité physique en conformité avec la loi › Assurer aux employés une sécurité d'emploi › Accorder aux employés une protection salariale, par exemple en cas d'invalidité ou de maladie
› **Besoins d'appartenance sociale** (besoins d'affiliation, d'échange, d'association, etc.)	› Favoriser la formation de clubs sociaux liés à l'organisation › Organiser des fêtes pour des événements spéciaux, etc.
› **Besoins d'estime** (besoins de reconnaissance, d'autonomie, de respect, etc.)	› Organiser et mettre en œuvre des journées de « reconnaissance » › Accorder des promotions au mérite › Dire tout simplement « merci » pour le travail accompli › Faire savoir aux employés, par voie de communiqué, qu'ils ont de la valeur pour l'organisation
› **Besoins de réalisation de soi** (besoins de se surpasser, de se réaliser, de se perfectionner, etc.)	› Offrir aux employés des occasions de se perfectionner › Permettre aux employés de faire preuve d'initiative et de relever des défis au travail

Tableau 3.3 Les facteurs de motivation et les facteurs d'hygiène selon Herzberg

Facteurs de motivation	Facteurs d'hygiène ou d'insatisfaction
› Chances d'avancement	› Supervision reçue
› Reconnaissance	› Conditions physiques de travail
› Estime	› Relations interpersonnelles
› Réalisation personnelle	› Salaire et avantages sociaux
› Autonomie	› Sécurité d'emploi
› Respect au travail	› Politiques de l'entreprise
› Responsabilité accordée	› Climat général de travail

sur l'instauration dans le milieu de travail de facteurs de motivation afin d'assurer aux employés la satisfaction au travail.

Or, quand nous lisons les journaux et que nous voyons des titres tels que « HP supprimera 10 % des effectifs pour tenter d'améliorer ses résultats[5] », « 14 500

5. Agence France-Presse et La Presse, « HP supprimera 10 % des effectifs pour tenter d'améliorer ses résultats », *La Presse*, le 20 juillet 2005, cahier Affaires, p. 5.

emplois éliminés au lieu de 13000 chez IBM[6]», «Ford supprime 30000 postes en Amérique du Nord[7]» et «EMI supprime un tiers de ses effectifs[8]», nous constatons au contraire que dans le contexte économique concurrentiel actuel, les actions des organisations n'éliminent pas, mais intensifient plutôt les éléments négatifs porteurs d'insatisfaction au travail pour les travailleurs. Dans un tel contexte caractérisé par l'incertitude quant à l'emploi et par l'abolition répétée, voire massive, de postes, toute démarche des organisations visant à favoriser la présence de facteurs de motivation dans le milieu de travail ne pourra qu'être vaine, car elle est anéantie par ce climat de travail tendu causé par le gel ou la baisse des salaires et des avantages sociaux et par l'absence de sécurité d'emploi. Ainsi, dans le contexte d'incertitude que nous avons décrit, la théorie des deux facteurs de Herzberg ne peut être d'une grande utilité pour garantir la motivation et la satisfaction au travail des travailleurs.

Les gestionnaires doivent adopter des mesures visant à réduire le plus possible les éléments négatifs qui font des facteurs d'hygiène une source d'insatisfaction au travail.

Tournons-nous à présent vers les théories de processus, théories qui tiennent compte du fait que ce qui sert à motiver une personne dans un contexte donné n'est pas nécessairement approprié pour motiver une autre personne dans un autre contexte.

3.2.3 La théorie du résultat escompté de Vroom

Selon Vroom[9], l'effort que fournit un individu au travail est directement proportionnel à la récompense qu'il compte en retirer. Ainsi, si l'employé désire obtenir une promotion et que cet objectif nécessite qu'il augmente de 20 % son rendement, il sera prêt à adopter le comportement souhaité et à fournir l'effort exigé afin d'atteindre le rendement demandé. L'employé effectue alors un certain calcul. Selon les bénéfices escomptés, il fournit l'effort requis. Il s'agit donc pour lui d'une évaluation purement subjective de ce que devrait être l'effort supplémentaire à fournir pour augmenter son rendement. Selon Vroom, comme la récompense que le travailleur veut obtenir constitue un déterminant du comportement qu'il est prêt à adopter en vue de l'obtenir, il devient clair que sa motivation dépend de trois facteurs :

- les attentes, c'est-à-dire la probabilité que les efforts qu'il est prêt à déployer se traduisent par un niveau de rendement donné ;
- l'utilité, c'est-à-dire la probabilité que le rendement atteint se traduise, aux yeux de l'individu, par l'obtention de la récompense voulue ;
- la valence, c'est-à-dire la valeur que le travailleur accorde à chaque récompense possible.

---

6. Agence France-Presse, « 14 500 emplois éliminés au lieu de 13 000 chez IBM », *La Presse,* le 20 juillet 2005, p. 5.
7. François Normand, « Ford supprime 30 000 postes en Amérique du Nord », *Les Affaires,* le 28 janvier 2006, p. 29.
8. Ce qui représente une suppression de 1 500 à 2 000 emplois dans le monde. Voir Agence France-Presse, « EMI supprime un tiers de ses effectifs », *La Presse,* le 16 janvier 2008, cahier Affaires, p. 10.
9. V. H. Vroom, *Work and Motivation*, New York, John Wiley and Sons, 1964.

Ainsi, plus l'organisation offrira une variété de récompenses (prime, promotion, augmentation de salaire, journée de congé, etc.), plus elle courra la chance de voir certains de ses travailleurs fournir les efforts requis pour s'approprier la récompense voulue. Conséquemment, pour l'un, il peut s'agir de faire des heures supplémentaires pour augmenter son salaire en vue de payer ses vacances annuelles. Pour un autre, il peut s'agir d'atteindre les objectifs demandés en vue d'obtenir une promotion et un meilleur statut. Enfin, pour un troisième, il peut s'agir d'augmenter ses heures quotidiennes de travail pour bénéficier d'un vendredi de congé.

Dans notre environnement concurrentiel truffé d'imprévus où les entreprises luttent pour leur survie, les travailleurs ont-ils encore le loisir de déterminer eux-mêmes l'effort qu'ils sont prêts à déployer en vue d'atteindre le niveau de rendement souhaité? Absolument pas! Dans un tel contexte d'incertitude quant au maintien de l'emploi, ce sont les dirigeants qui déterminent non seulement quelle est l'intensité des efforts que les employés doivent fournir, mais aussi la récompense qui en découlera. Et cette « récompense », qui n'est pas une garantie, peut prendre plusieurs formes, soit la sauvegarde de l'entreprise, soit le maintien des emplois, soit un arrêt momentané des licenciements. L'application de la théorie du résultat escompté de Vroom trouve ainsi ses limites dans ce contexte.

3.2.4 La théorie des objectifs de Locke et Latham[10]

Selon le modèle de Locke et Latham, le fait pour un individu de se fixer des objectifs à atteindre a des répercussions sur son rendement. Conséquemment, plus les défis liés aux objectifs sont ambitieux, plus l'individu est motivé à les relever et à les atteindre et plus son rendement est élevé. Les principes qui découlent de ce modèle sont les suivants :

- lorsque les objectifs fixés sont ambitieux, ils entraînent un rendement plus élevé que lorsqu'ils sont modestes ;
- des objectifs clairs et précis génèrent un rendement plus élevé que des objectifs ambigus ;
- la rétroaction sur le travail accompli amène le travailleur à se fixer des objectifs toujours plus élevés et à donner un rendement requis en vue de les atteindre ;
- les objectifs fixés mènent à un rendement accru si le travailleur possède les compétences requises pour effectuer le travail demandé et s'il possède les aptitudes pour les atteindre ;
- les objectifs réalistes sont plus motivants pourvu que le travailleur participe à leur élaboration et s'engage à les atteindre.

Seulement, dans le contexte de rationalisation où les objectifs fixés par les dirigeants sont de plus en plus exigeants, ces objectifs sont-ils sources de motivation pour les travailleurs et les incitent-ils à fournir un rendement plus élevé ? Pas nécessairement. Ces objectifs exigeants peuvent occasionner des problèmes de

10. E. Locke et G. P. Latham, *A Theory of Goal Setting and Task Performance*, New-Jersey, Englewood, Cliffs, Prentice-Hall, 1990.

stress qui peuvent devenir néfastes pour les organisations, car dans les faits, les travailleurs doivent souvent fournir des efforts allant bien au-delà de leurs aptitudes et de leurs capacités. C'est ce que constate Jean-Sébastien Trudel quand il mentionne, dans son article du 7 février 2004, qu'aux États-Unis, « les rationalisations ont rendu le travail supplémentaire presque monnaie courante, au point où près de 40 % des gens travaillent au moins 50 heures par semaine[11] ». Dans un article paru en mars 2004, le même auteur souligne que parmi les quatre sources de stress dans les organisations figure la surcharge de travail[12]. Jean-François Ouellet arrive d'ailleurs à la même conclusion quand, dans son article du 3 juin 2006, il mentionne que le « stress présente certaines causes externes à l'individu : la **surcharge**[13], l'organisation du travail, l'environnement et le climat au sein de l'entreprise[14] ». Comme le souligne de plus Jean-Sébastien Trudel, la « réalité du marché exige de faire toujours plus avec moins[15] ».

C'est en traitant sa main-d'œuvre comme un « atout stratégique » et non comme une « commodité » que l'entreprise peut réussir à motiver et à favoriser la satisfaction au travail.

Ainsi, dans un contexte de suppression de postes et de réorganisation du travail, plus les objectifs sont exigeants, plus ils occasionnent une surcharge de travail pour les travailleurs et moins ils semblent atteignables, moins ils sont susceptibles de devenir une source de motivation au travail. La théorie des objectifs de Locke et Latham trouve donc aussi ses limites dans un tel contexte.

Faut-il conclure que les théories à caractère universel (théorie de la hiérarchie des besoins de Maslow, théorie des deux facteurs de Herzberg) et celles qui s'attardent à la relation existant entre les besoins et l'environnement (théorie du résultat escompté de Vroom, théorie des objectifs de Locke et Latham) doivent toutes être reléguées aux oubliettes ? Pas nécessairement. Il faut savoir nuancer. Toutes les fois que l'organisation va traiter sa main-d'œuvre comme un **« atout stratégique »**, c'est-à-dire comme un investissement lui permettant de demeurer concurrentielle, elle va déployer des efforts nécessaires afin de la motiver et de favoriser sa satisfaction au travail. Les théories alors citées trouveront leur application.

Cependant, toutes les fois que l'organisation va traiter sa main-d'œuvre comme une **« commodité »**, un bien de consommation jetable après usage ou carrément comme un coût à éliminer, elle créera un climat de travail si néfaste qu'il tracera lui-même les limites d'application des théories sur la motivation.

Il faut donc souhaiter que les dirigeants d'entreprise corrigent la situation qui, pour une catégorie de main-d'œuvre, détériore le climat de travail et, ainsi, la responsabilité de la motivation pourra mieux être partagée entre l'organisation, le gestionnaire des ressources humaines et les travailleurs eux-mêmes.

---

11. Jean-Sébastien Trudel, « Après la tempête, il faut motiver et outiller ses troupes », *Les Affaires*, le 7 février 2004, p. 23.
12. Les autres sources mentionnées sont le manque de reconnaissance, les relations avec le supérieur et le manque de participation aux décisions. Voir Jean-Sébastien Trudel, « Le stress, ennemi des travailleurs et des entreprises », *Les Affaires*, le 20 mars 2004, p. 31.
13. Le caractère gras est de nous.
14. Jean-François Ouellet, « Les diverses méthodes pour maîtriser son stress », *Les Affaires*, le 3 juin 2006, p. 35.
15. Jean-Sébastien Trudel, « Le stress, ennemi des travailleurs et des entreprises », *Les Affaires*, le 20 mars 2004, p. 31.

3.3 La responsabilité de l'organisation face à la motivation des travailleurs : les principes à respecter

Une fois les postes abolis et les licenciements effectués, les organisations qui vivent cette situation se doivent de continuer à fonctionner avec une main-d'œuvre qui s'interroge et demeure craintive pour son avenir.

Parmi les questions qui suscitent le plus d'inquiétude, il y a celles qui visent la réorganisation du travail et celles qui concernent la durée de la crise que traverse l'organisation.

En ce qui concerne la réorganisation du travail, les employés se demandent si d'autres fonctions seront intégrées à leurs tâches, si ces fonctions seront très différentes de celles qu'ils exercent déjà et s'ils posséderont les compétences pour effectuer les nouvelles tâches requises. En ce qui a trait à la durée de la crise que vit l'organisation, les employés se demandent pendant combien de temps on exigera d'eux des efforts disproportionnés, s'ils subiront d'autres mises à pied dans le cas où les objectifs de rendement ne seraient pas atteints, s'ils connaîtront d'autres baisses de salaire, etc.

Dans ce contexte, deux responsabilités majeures reviennent à l'organisation :

- apporter des réponses justes aux différentes questions que se posent les travailleurs ;
- jouer franc-jeu avec eux.

Afin de s'acquitter de sa première responsabilité, l'organisation doit respecter deux principes : le principe de transparence et le principe de définition. De même, en vue de s'acquitter de sa seconde responsabilité, elle doit respecter deux autres principes : le principe du dégraissage proportionnel des postes hiérarchiques et le principe de l'assouplissement de l'autorité hiérarchique.

3.3.1 Le principe de transparence

Comme nous l'avons souligné au chapitre 2, en vertu du principe de transparence, un individu, au cours de la communication qu'il établit avec ses supérieurs, ses pairs ou ses employés, transmet une information pertinente, juste et vérifiable.

Lorsqu'on applique ce principe à l'organisation, cette dernière doit fournir aux travailleurs, sous forme de communiqués ou de bulletins d'entreprise, toute information concernant ses activités dès qu'elles ont une incidence sur les emplois, sur les tâches, sur les salaires ou sur les avantages sociaux. En somme, il est de la responsabilité de l'organisation de mettre les travailleurs au courant de tous les projets qui risquent de modifier leurs conditions de travail à court, à moyen ou à long terme.

3.3.2 Le principe de définition

Une fois les objectifs clairement établis pour ce qui est de l'abolition de postes et des licenciements, l'organisation doit définir avec précision sa vision à court, à moyen et à long terme. C'est le **principe de définition**. Elle doit de plus indiquer les étapes qu'il faudra franchir afin de concrétiser cette vision.

Principe de définition
Principe en vertu duquel l'entreprise définit de façon précise sa vision de l'avenir et la participation de chacune des ressources à la mise en œuvre de cette vision.

3.3.3 Le principe du dégraissage proportionnel des postes hiérarchiques

En vertu du **principe du dégraissage proportionnel des postes hiérarchiques**, les organisations qui procèdent à des suppressions de postes doivent tenir compte du nombre de postes de cadres par rapport au nombre de postes de travailleurs non cadres et supprimer les postes proportionnellement. Par exemple, une entreprise de cent travailleurs qui compte un superviseur pour vingt travailleurs devra licencier deux superviseurs si elle réduit de 40 % le nombre de ses travailleurs.

Principe du dégraissage proportionnel des postes hiérarchiques
Principe en vertu duquel les organisations qui procèdent à des suppressions de postes tiennent compte du nombre de postes de cadres proportionnellement au nombre de postes de travailleurs non cadres et suppriment les postes en respectant cette proportion.

Les organisations doivent éviter que les travailleurs aient l'impression qu'ils sont les seuls à payer la note de la rationalisation de la main-d'œuvre et à encaisser les coups pour assurer la survie ou la rentabilité de l'entreprise. Une telle impression fait généralement naître un climat d'insatisfaction au travail. C'est donc du devoir de l'organisation de faire supporter le plus équitablement possible, tant par les cadres que par les employés, le poids d'une restructuration axée sur l'abolition de postes et sur des licenciements.

3.3.4 Le principe de l'assouplissement de l'autorité hiérarchique

Dans un contexte où les dirigeants demandent aux employés de produire davantage avec moins de ressources, où ceux-ci fournissent des efforts soutenus et où règne un climat d'incertitude quant à l'emploi, il ne saurait être indiqué pour ces dirigeants d'utiliser à outrance le pouvoir formel que leur confère la structure hiérarchique afin de pousser les travailleurs à atteindre les objectifs fixés. C'est là l'essence du **principe de l'assouplissement de l'autorité hiérarchique**. En effet, les efforts considérables et parfois disproportionnés demandés aux travailleurs suffisent. Le fait de les pousser davantage dans le but d'atteindre les objectifs organisationnels représenterait un excès.

Principe de l'assouplissement de l'autorité hiérarchique
Principe en vertu duquel les cadres qui supervisent des employés durant une période de réorganisation de postes doivent éviter d'utiliser de façon stricte et formelle l'autorité que leur confère la structure hiérarchique.

La seule situation qui nécessite l'utilisation d'une telle autorité est d'ordre disciplinaire. Autrement, les dirigeants doivent être patients advenant un relâchement de la production attribuable à l'essoufflement des travailleurs ; ils doivent les amener à poursuivre leurs efforts en les motivant, en les encourageant tout en leur expliquant les raisons qui justifient l'imposition d'exigences souvent trop élevées.

Dans cette conjoncture, l'organisation ne doit pas faire reposer l'ensemble de sa gestion sur des gestionnaires qui s'appuient uniquement sur leur statut et sur leur position hiérarchique pour diriger, mais elle doit miser sur des leaders qui sauront non seulement orienter les travailleurs, mais qui sauront de plus intégrer dans leur gestion tous les éléments qu'inspire une gestion mobilisatrice.

3.4 La responsabilité du gestionnaire des ressources humaines face à la motivation des travailleurs

Le gestionnaire des ressources humaines a aussi la responsabilité de motiver les travailleurs. Étant donné que ces derniers sont directement touchés par les changements issus de la restructuration, le gestionnaire des ressources humaines se doit de prendre des mesures visant à les motiver. Voici quelques exemples de la forme que ces mesures peuvent prendre.

Exemple 3.1

Instaurer une forme de gestion participative
Instaurer une gestion selon laquelle la direction permet aux employés de prendre part au processus décisionnel lorsque cela concerne leur travail et les modifications apportées aux tâches à accomplir.

Exemple 3.2

Communiquer périodiquement aux travailleurs les résultats atteints
Qu'ils soient positifs ou négatifs, cette mesure est importante, car elle permet au gestionnaire d'éliminer graduellement l'effet démotivant ressenti par les travailleurs qui vivent non seulement une période d'incertitude quant à l'avenir de leur emploi, mais aussi une période d'essoufflement causée par des efforts accrus fournis de façon soutenue et continue.

Exemple 3.3

Permettre aux travailleurs de faire des choix et d'en être responsables
Les gestionnaires doivent ainsi apprendre à faire confiance aux travailleurs dans le choix des méthodes de travail ou des outils qui rendraient leur action plus efficace.

Exemple 3.4

Permettre aux travailleurs de relever des défis, entre autres, en les responsabilisant face à leur travail
Le gestionnaire des ressources humaines et les superviseurs concernés doivent faire preuve d'une ouverture d'esprit et reconnaître les compétences particulières des travailleurs afin de miser sur leurs forces et de valoriser le travail qu'ils accomplissent.

3.5 La responsabilité des travailleurs face à leur motivation au travail

Les travailleurs ont également leur part de responsabilité face à leur motivation au travail. Cette responsabilité découle de trois phénomènes :

- **Les nouveaux défis que présente leur travail**
  Les employés doivent démontrer une volonté réelle de les relever et ne pas les regarder simplement comme des tâches supplémentaires à accomplir.

› **La formation à suivre pour répondre aux nouvelles exigences**
Ils doivent y voir un moyen d'augmenter leur flexibilité, leur polyvalence et leur potentiel et non une charge nouvelle qui ne profitera qu'à l'entreprise.

› **L'acceptation de la vision de l'entreprise**
Les travailleurs doivent orienter leurs efforts vers l'atteinte des objectifs de l'entreprise pour mieux épouser l'ensemble des idées concernant la vision de cette dernière et s'en imprégner. Ils doivent participer à la prise de décision concernant leur emploi et les autres emplois en jeu quand ils sont sollicités par la direction. De même, ils doivent accepter de participer aux différents comités formés par la direction et s'engager dans la recherche des méthodes de travail qui permettront de mieux faire le travail, de le faire plus rapidement, et ce, malgré le fait qu'il y a moins de ressources disponibles.

3.6 La mobilisation des travailleurs

Si, de prime abord, le mot « **mobilisation** » évoque une opération militaire qui consiste à « mobiliser les troupes », c'est-à-dire à les mettre sur le pied de guerre, force est de constater que, pour la gestion des ressources humaines, ce concept revêt aussi une dimension collective : on veut mobiliser les travailleurs. Mais si dans l'armée un simple ordre du général suffit à mobiliser les troupes quand l'ennemi est aux portes, on se rend compte que dans l'organisation, ce résultat n'est pas aussi automatique.

Mobilisation
Processus organisationnel mis en place pour motiver les employés.

Il faut retenir que le besoin de mobiliser les travailleurs se fait sentir dans un contexte économique particulier, caractérisé par des phénomènes tels que l'ouverture des marchés, la déréglementation, l'extrême rapidité du développement des technologies de l'information et de la communication ainsi que la présence d'une concurrence mondiale. Pour contrer cette concurrence, les dirigeants doivent réaliser que seuls des travailleurs mobilisés peuvent aider l'entreprise à survivre et à demeurer compétitive. Notons que prise dans le sens d'une « gestion mobilisatrice », la mobilisation est d'abord et avant tout « un processus organisationnel qui est mis en place pour motiver les employés[16] ».

Le défi qui revient aux gestionnaires consiste à créer chez les travailleurs un état de mobilisation qui fera en sorte que ces derniers soient disposés à fournir des efforts considérables pour l'organisation, efforts orientés vers l'augmentation de la qualité de leur travail de façon continue, vers l'alignement de leur travail sur les priorités de l'organisation et vers la coordination spontanée de leur travail avec celui de leur équipe de travail[17]. Pour parvenir à ces résultats, les gestionnaires doivent adopter un ou plusieurs modèles de mobilisation. Nous vous présentons deux de ces modèles.

---

16. Thierry Wils, Christianne Labelle, Gilles Guérin et Michel Tremblay, *Qu'est-ce que la « mobilisation » des employés ? Le point de vue des professionnels en ressources humaines*, dossier spécial présenté chez Samson Bélair/Deloitte & Touche, été 1998, p. 1.

17. *Ibid.*, p. 2.

3.6.1 Le modèle de Lawler ou la théorie des quatre partages

Pour certains auteurs[18], la mobilisation des travailleurs sera garantie si, dans ses pratiques de gestion des ressources humaines, l'organisation vise quatre séries de partages avec ses travailleurs : l'information, le savoir, le pouvoir et les récompenses (*voir la figure 3.2*).

Figure 3.2 Les partages issus d'une pratique de gestion mobilisatrice

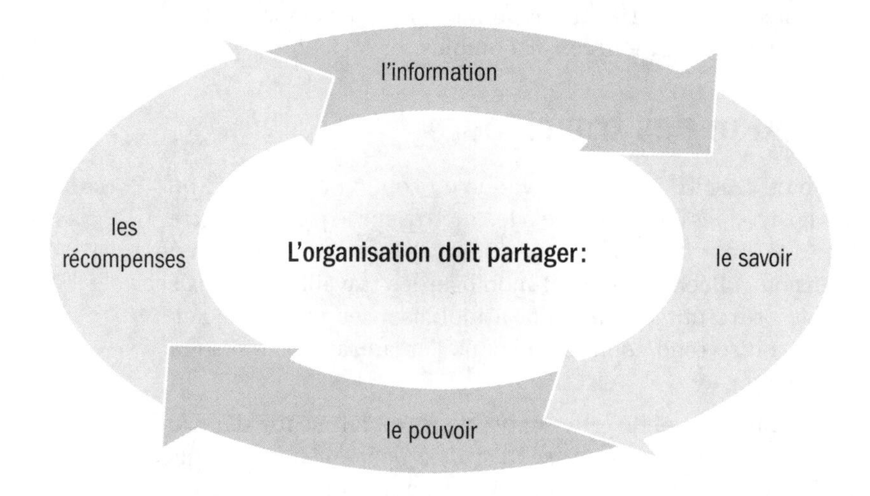

Explication du modèle

Le partage de l'information

Les gestionnaires doivent partager avec les employés toute information pertinente concernant l'organisation ou la réorganisation du travail, c'est-à-dire les nouvelles technologies mises en place, les nouveaux équipements à acquérir, les nouveaux procédés de travail à adopter et les nouveaux horaires de travail à instaurer. Cette idée s'appuie sur le fait que, lorsque les employés reçoivent les informations adéquates, ils comprennent ce que l'organisation attend réellement d'eux.

Le partage du savoir

L'organisation qui accepte de partager le savoir avec ses employés favorise leur développement personnel et met à leur disposition la formation leur permettant non seulement de se familiariser avec les nouvelles facettes de leur travail, mais aussi d'acquérir de nouvelles compétences.

18. Edward Lawler et Susan A. Mohrman, « High-Involvement Management », *Personnel*, avril 1989, p. 26-31.

Le partage du pouvoir

L'organisation qui consent à partager le pouvoir avec ses employés doit leur permettre d'influencer un certain nombre de décisions relatives à l'exécution de leur travail. Il est dans l'intérêt des gestionnaires de déléguer une partie de leur pouvoir au moyen de pratiques de participation à la prise de décision et de pratiques de responsabilisation pour mieux faire ressortir les compétences particulières des travailleurs.

Le partage des récompenses

L'organisation qui responsabilise ses employés suscitera à coup sûr leur mobilisation, pourvu que cette mobilisation soit alimentée par un système de reconnaissance basé sur des récompenses. À noter que ces récompenses ne sont pas exclusivement d'ordre financier. Par exemple, il peut s'agir de l'octroi de billets pour assister à un tournoi sportif dans la loge de l'entreprise ou du privilège d'avoir une place de stationnement de choix sur le lieu de travail pendant un certain nombre de mois, etc.

Responsabiliser ses employés suscite à coup sûr leur mobilisation, tant que celle-ci est alimentée par un système de reconnaissance basée sur les récompenses qui ne sont pas exclusivement d'ordre financier.

Une organisation qui adopte ces pratiques de mobilisation (les quatre partages) ne peut que récolter des résultats positifs quant au rendement de ses employés. Il faut cependant qu'elle soit consciente que ces pratiques doivent être utilisées à long terme. Illustrons par un exemple une façon par laquelle une organisation pourrait mettre en pratique la théorie des quatre partages.

Exemple 3.5

Le magasin à grande surface que nous appellerons Walworth vend tout un éventail de produits : des vêtements pour la famille, des meubles, des disques, des fournitures de bureau, des articles ménagers, des jouets pour enfants, des articles de sport, etc. Tous les lundis matin, le directeur rassemble les employés dans la cafétéria afin de leur transmettre le bilan des ventes de la semaine précédente et le rapport de satisfaction du Service à la clientèle.

Les employés commencent par répondre en chœur à l'appel du directeur qui crie : « Donnez-moi un W ! » Et les employés répondent : « W ! » Ensuite, le directeur crie : « Donnez-moi un A ! » Et les employés répondent : « A ! » Et ainsi de suite jusqu'à ce que cela forme le nom du magasin. Après ce rituel, le directeur fournit aux employés les informations pertinentes. Ici est appliqué le **partage de l'information**.

Par ailleurs, dans ce magasin à grande surface, chaque employé est responsable d'une section du magasin. Par exemple, le responsable des jouets pour enfants doit connaître toutes les caractéristiques des jouets, leur emplacement dans le magasin et les périodes d'approvisionnement des différents jouets. Qui plus est, il doit pouvoir fournir aux clients toute l'information nécessaire en ce qui concerne ces jouets. Cette responsabilisation témoigne du **partage du pouvoir**.

Pour s'assurer que chaque employé responsable d'une section demeure compétent dans son domaine, la direction de Walworth prévoit chaque mois des séances de formation obligatoires pour tous les employés. Les sujets de formation, qui sont variés, concernent, par exemple, les caractéristiques des produits, le service à la clientèle, la comptabilité de base ou encore la gestion d'un présentoir et d'un étalage. Cette formation correspond au **partage du savoir**.

Finalement, tous les mois de décembre, deux semaines avant Noël, la direction donne une prime aux employés, selon la performance financière de tous les magasins Walworth du Canada. Cette pratique respecte le **partage des récompenses**.

3.6.2 Un autre modèle explicatif de la mobilisation

Le modèle de la mobilisation que nous proposons tente de montrer comment un climat propice à la motivation peut être créé et maintenu dans le milieu de travail si la mobilisation des travailleurs est bien orchestrée (*voir la figure 3.3*).

Figure 3.3 Un modèle de mobilisation assurant le maintien de la motivation dans un contexte de restructuration

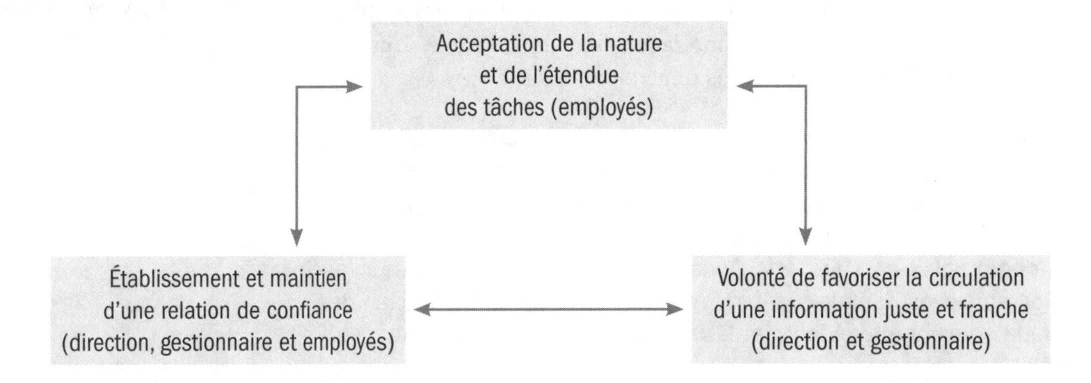

Comme nous le constatons, ce modèle présente trois éléments majeurs placés dans une relation réciproque les uns avec les autres, et chacun d'eux relève soit de la responsabilité conjointe de la direction et du gestionnaire des ressources humaines, de la responsabilité partagée de la direction, du gestionnaire des ressources humaines et des employés ou uniquement de la responsabilité des employés.

Explication du modèle

La volonté de favoriser la circulation d'une information juste et franche

La direction et le gestionnaire des ressources humaines doivent assumer cette responsabilité s'ils veulent créer et maintenir la mobilisation des travailleurs. En ce qui a trait à cette information, ils doivent, par exemple, expliquer aux travailleurs ce que l'organisation attend d'eux et pourquoi, préciser les modifications des tâches et les raisons de ces modifications, mentionner les projets qui concernent directement ou indirectement les travailleurs et de quelle manière ces derniers seront touchés. Ils doivent aussi préciser l'objectif que l'entreprise poursuit et les mesures qui seront prises afin d'y arriver, présenter périodiquement les résultats obtenus et la signification qu'il faut leur donner et, finalement, déterminer à quel moment il sera possible de ne plus exiger des travailleurs des efforts soutenus et continus.

L'établissement et le maintien d'une relation de confiance
Non seulement il faut qu'une information juste et franche circule, mais encore faut-il que les travailleurs qui la reçoivent se sentent écoutés et respectés quant aux choix qu'ils font et aux craintes qu'ils manifestent. Ils se sentiront compris et appuyés pendant les périodes d'essoufflement s'ils voient que la direction et le gestionnaire des ressources humaines leur font confiance, acceptent qu'ils fassent des erreurs, leur expliquent comment les corriger et leur permettent effectivement de les corriger. De cette façon, une relation de confiance s'établira entre la direction et les travailleurs ainsi qu'entre ces derniers et le gestionnaire des ressources humaines.

L'acceptation de la nature et de l'étendue des tâches
Si l'information transmise aux travailleurs s'avère juste et franche, s'il s'établit une véritable relation de confiance entre la direction et les travailleurs et entre le gestionnaire des ressources humaines et les travailleurs et si ces derniers constatent qu'ils ne sont pas les seuls à subir les effets de la restructuration et que tous les membres de l'organisation font des efforts importants en vue d'atteindre des objectifs communs, ils accepteront beaucoup plus facilement les changements qui seront apportés à leurs tâches. De plus, ils auront l'impression de collaborer en contribuant à la réalisation des objectifs de l'organisation.

Si la direction et le gestionnaire des ressources humaines constatent que les employés acceptent les changements dans leurs tâches et endossent réellement la vision de l'entreprise, ils seront davantage incités à faire circuler l'information: la confiance s'intensifiera alors, et ainsi de suite. Plus la relation entre les trois éléments du modèle sera étroite, plus grande sera la mobilisation au sein de l'organisation et plus grande sera la motivation des travailleurs.

3.7 La gestion des ressources humaines dans le contexte de la stabilisation de l'emploi

Si le gestionnaire des ressources humaines a réussi à faire comprendre aux travailleurs que l'objectif d'un plan de restructuration s'évalue en fonction non pas des emplois perdus, mais des emplois sauvegardés, il devra aussi leur faire comprendre que les efforts supplémentaires demandés mèneront éventuellement à des résultats concrets, mesurables et vérifiables, et que ces efforts connaîtront un jour une fin.

Cette fin se manifeste justement quand la direction informe les travailleurs que la survie de l'entreprise est assurée ou que le seuil de rentabilité souhaité est atteint et qu'à présent, la qualité de la vie au travail sera plus acceptable. Les employés apprécieront cette période de stabilité pendant laquelle la menace de l'abolition de postes et de licenciements ne planera plus sur eux.

Notez que cette période d'accalmie ne signifie pas que le gestionnaire des ressources humaines doit accepter un certain relâchement des efforts ni de la part des cadres ni de la part des travailleurs. C'est plutôt à ce moment que se pose un défi de taille pour lui : il doit briser certaines mentalités avec lesquelles il peut être appelé à composer dans le milieu de travail. Ces mentalités sont les suivantes.

- La mentalité selon laquelle certains cadres nient le potentiel et le talent réels que possèdent les travailleurs du fait que ces derniers sont des exécutants et non des dirigeants. De ce fait, ils hésitent à leur donner des responsabilités. Toute démarche du gestionnaire des ressources humaines auprès de ces cadres devrait être orientée vers l'anéantissement de cette attitude en leur faisant réaliser qu'avant tout, ils ont agréé à l'embauche de ces travailleurs.
- La mentalité selon laquelle certains travailleurs nourrissent des préjugés à l'endroit des membres de la direction ou de ses représentants qu'ils voient comme des ennemis à combattre dans le milieu de travail. Toute démarche du gestionnaire des ressources humaines auprès de ces travailleurs devrait faire naître un esprit de collaboration orienté vers l'atteinte de cet ultime objectif : garder l'entreprise compétitive et en vie.
- La mentalité selon laquelle les employés ont tendance à laisser venir une situation de crise avant de réagir et n'ont pas le réflexe de prévenir les coups durs ni d'adopter les mesures adéquates visant à les éviter ou à les combattre. Toute démarche du gestionnaire des ressources humaines doit permettre le développement d'une nouvelle culture organisationnelle inspirant les travailleurs à devenir proactifs.
- La mentalité selon laquelle dès que les employés ont le sentiment d'avoir tout donné à l'organisation, ils croient qu'ils ne lui doivent plus rien et que c'est à elle, à présent, de les récompenser pour les efforts fournis. Toute démarche du gestionnaire des ressources humaines auprès de ces travailleurs doit consister à les rééduquer pour leur faire comprendre que les objectifs divergents qui ont longtemps été à la base de nos relations du travail cadrent mal dans ce contexte économique imprévisible où même les géants d'autrefois n'ont plus cette garantie de survivre à la concurrence[19].

Enfin, le gestionnaire des ressources humaines a le devoir de rappeler aux travailleurs que dans cet environnement économique, une entreprise qui échappe à une fermeture n'est pas pour autant à l'abri de problèmes futurs. Il doit de plus les sensibiliser à cette nouvelle approche qui consiste à penser en fonction de l'avenir de l'organisation et non plus seulement en fonction du présent. Enfin, il doit leur inculquer cette nouvelle **mentalité** selon laquelle il faut utiliser de manière optimale les ressources de l'entreprise et mettre un terme au gaspillage.

---

19. Reprenons l'exemple de la maison de disques britannique EMI. Pour ceux dont le nom est inconnu, précisons que EMI est la troisième maison de disques mondiale et est l'étiquette de chanteurs et de groupes célèbres tels que Norah Jones, Robbie Williams, les Beatles et Coldplay. En janvier 2008, la maison EMI annonçait la suppression de 1 500 à 2 000 emplois dans le monde. Cette maison employait 5 500 personnes au moment de cette annonce. Voir AGENCE FRANCE-PRESSE, « EMI supprime un tiers de ses effectifs », *La Presse*, le 16 janvier 2008, cahier Affaires, p. 10.

3.8 Le nouveau rôle du Service des ressources humaines dans l'organisation

On a longtemps reconnu au Service des ressources humaines un rôle de soutien technique, selon lequel ce service apportait aux autres services de l'organisation un soutien en matière de planification des ressources humaines, de recrutement, de sélection, d'embauche, de formation, de direction et d'évaluation.

Dans le contexte de la rationalisation des ressources, le gestionnaire des ressources humaines doit préciser, conjointement avec les cadres dirigeants, l'orientation qu'adopte l'organisation en ce qui concerne:

- les changements majeurs qui se produiront au sein de l'organisation, plus particulièrement ceux qui touchent les postes et les individus;
- les effets prévus sur les ressources humaines avant, pendant et après les changements;
- les étapes à franchir afin de rendre ces changements opérationnels.

En tant que participant à la définition de la vision de l'avenir de l'entreprise, ce gestionnaire devient non seulement un concepteur de l'avenir, mais aussi un artisan du changement. Il doit savoir comment créer et maintenir, aussi bien pour les cadres de terrain strictement de niveau exécutant que pour les travailleurs, un climat de travail propice à l'acceptation des changements qui seront mis en œuvre.

Ainsi, le Service des ressources humaines devient un service crucial de l'entreprise, car dans un contexte de changement consécutif à une restructuration basée sur la suppression de postes et sur des licenciements massifs et répétés, la nouvelle gestion des ressources humaines doit orienter la culture d'entreprise vers une véritable mobilisation, laquelle peut devenir essentielle à la survie de l'entreprise.

3.9 Une nouvelle approche en gestion des ressources humaines: la gestion par les valeurs

Nous avons vu dans ce chapitre que certaines théories de la motivation au travail trouvent difficilement une application dans une ambiance où la sécurité d'emploi n'est plus garantie pour les travailleurs. Dans ce contexte d'incertitude qui persiste, les gestionnaires doivent adopter des pratiques de gestion mobilisatrices afin de motiver les employés «survivants»: ceux qui doivent fournir des efforts considérables afin de réaliser les objectifs organisationnels, sans garantie de maintenir leur emploi.

Une nouvelle approche en gestion des ressources humaines afin de mobiliser les travailleurs consiste en la gestion par les valeurs. Pour bien comprendre les implications de cette approche, nous définirons d'abord ce qu'est une valeur, ensuite ce qu'est la gestion par les valeurs.

Valeur
Normes, croyances ou convictions adoptées par une personne et qui influent sur la façon dont elle accomplit ses tâches quotidiennes.

Une **valeur** «représente des normes, croyances ou convictions adoptées par une personne, qui influent sur la façon dont elle accomplit ses tâches quotidiennes[20] ».

Par exemple, une organisation peut déterminer que les valeurs fondamentales sur lesquelles s'établit sa culture organisationnelle consistent en la confiance envers les pairs, l'équilibre travail-famille, la fidélité à la clientèle, l'honnêteté, l'intégrité, le travail d'équipe, l'esprit d'innovation, un leadership efficace et des employés responsables.

Gestion par les valeurs
Mode de gestion qui vise essentiellement à intégrer la dimension humaine à la gestion, non seulement sur le plan théorique, mais aussi sur le plan des activités quotidiennes de l'entreprise. Cette gestion s'appuie sur les valeurs.

Quant à la **gestion par les valeurs**, elle constitue un autre mode de gestion qui « vise essentiellement à intégrer la dimension humaine à la pensée managériale, non seulement à un niveau théorique, mais au niveau des activités quotidiennes de l'entreprise[21] ».

Le devoir des organisations ne se réduit pas à énumérer et à décrire les principales valeurs qu'elles veulent promouvoir, mais surtout à les respecter. Qui plus est, les principales valeurs de ces organisations doivent être comprises, acceptées et, dans la mesure du possible, partagées par les employés. Comme le soulignent Dolan et Garcia, le « partage des principales valeurs devient [...] l'élément essentiel de succès autour duquel se greffe la définition des objectifs[22] » organisationnels.

La gestion par les valeurs consiste à déterminer une certaine culture organisationnelle qui préconise, par exemple, la confiance, l'équilibre travail-famille et la responsabilité. Elle préconise l'intégration d'une dimension humaine dans le quotidien de l'entreprise.

Un autre devoir qui revient aux organisations consiste à être à l'écoute des valeurs de leurs employés. Elles doivent orienter leurs efforts vers l'intégration de ces valeurs aux leurs. Dans la mesure où ces valeurs seront communes, les organisations seront capables de conjuguer les efforts tant individuels que collectifs vers la réalisation des objectifs. Elles doivent cependant être conscientes que, pour les employés, tout effort fourni doit être reconnu ou récompensé.

Selon les auteurs qui préconisent un tel mode de gestion, les « valeurs et les croyances communes sont, sans aucun doute, la clé la plus importante pour comprendre et pour faciliter la conduite des êtres humains au travail et justifier la perception que le travail a du sens et qu'il mérite qu'on lui consacre les efforts nécessaires à son accomplissement de manière professionnelle, sans se contenter, toutefois, d'un niveau minimum acceptable[23] ».

20. Pierre G. Bergeron, *La gestion moderne : une vision globale et intégrée*, 4e édition, Boucherville, Gaëtan Morin Éditeur, 2004, p. 127.

21. Shimon L. Dolan et Salvador Garcia, *La gestion par les valeurs : une nouvelle culture pour les organisations*, Montréal, Éditions Nouvelles, 1999, p. 4.

22. *Ibid.*, p. 34.

23. *Ibid.*, p. 57.

Résumé du chapitre

Au chapitre 2, nous avons vu que, dans le contexte de la rationalisation des ressources – dont les ressources humaines – caractérisé par des licenciements massifs et parfois successifs, le gestionnaire des ressources humaines doit faire face à un nouveau type de gestion : la gestion de la décroissance. Dans ce chapitre-ci, nous avons souligné que la complexité de la pratique de cette forme de gestion s'accentue quand la démotivation s'installe parmi les travailleurs et perturbe le climat de travail dans l'organisation entière.

Un défi de taille se présente donc pour l'organisation et pour le gestionnaire des ressources humaines : celui de motiver les travailleurs qui « survivent » à ces vagues de licenciements afin de les faire participer à la vision de l'avenir de l'entreprise.

L'apport des théories sur la motivation et la satisfaction au travail, si utiles dans un contexte de croissance et de sécurité d'emploi, est difficile à apprécier pour toutes les catégories de travailleurs dans un contexte de décroissance, car le facteur de motivation le plus recherché par les travailleurs est la sécurité d'emploi, ce que les organisations touchées par les licenciements ne semblent pas pouvoir garantir.

Cependant, dans le contexte de la stabilisation de l'emploi, même si le climat d'incertitude n'est pas complètement dissipé dans l'esprit des travailleurs, les gestionnaires peuvent, au moyen de pratiques de gestion mobilisatrice, orienter les efforts des travailleurs vers la réalisation des objectifs organisationnels. Une de ces pratiques réside dans la théorie des quatre partages, soit le partage de l'information, le partage du savoir, le partage du pouvoir et le partage des récompenses. Dans la mesure où l'organisation applique sérieusement ces partages, elle progressera vers la mobilisation de ses travailleurs.

Par ailleurs, la mobilisation peut être maintenue par toute organisation soucieuse de favoriser la circulation d'une information juste et franche et désireuse d'établir et de maintenir avec ses employés une relation de confiance.

Dans ce nouveau courant de mobilisation des travailleurs s'est installée une nouvelle approche en gestion des ressources humaines : la gestion par les valeurs. Dans la mesure où l'organisation a des valeurs communes avec ses employés, elle risque de connaître du succès dans la réalisation de ses objectifs.

Évaluation de la compétence

Questions de révision et application

1. Quels types d'inquiétude les travailleurs qui demeurent au service d'une entreprise à la suite d'une série de licenciements vivent-ils ?
2. Face aux craintes et aux questions des travailleurs concernant leurs tâches, la nature de celles-ci et la durée de la crise que vit l'organisation, quelles sont les deux responsabilités majeures de l'organisation ?
3. Par l'application de quel principe une organisation peut-elle assurer ses employés qu'ils ne sont pas les seuls à faire les frais d'un plan de rationalisation de la main-d'œuvre ?

›

4. Pourquoi, dans un contexte où les dirigeants d'entreprise demandent aux travailleurs de produire davantage avec moins de ressources, le principe de l'assouplissement de l'autorité hiérarchique est-il approprié ?

5. De quels partages est-il question dans la théorie des quatre partages ?

6. Dans le contexte de la stabilisation de l'emploi, le gestionnaire des ressources humaines doit relever, entre autres défis, celui de briser une vieille mentalité. En quoi consiste celle-ci ?

7. Pourquoi le Service des ressources humaines devrait-il être perçu comme un service crucial dans une période de restructuration de l'organisation ?

8. Qu'est-ce que la gestion par les valeurs ?

9. Quand peut-on affirmer que la gestion par les valeurs est garante du succès pour une organisation ?

10. En vous reportant à la rubrique Point de mire présentée au début du chapitre, expliquez pourquoi les théories de la motivation au travail, jadis influentes dans un contexte donné, s'appliquent difficilement à toutes les catégories de travailleurs face au contexte économique actuel.

11. Toujours selon le texte de la rubrique Point de mire, pourquoi la « mobilisation » présente-t-elle un avantage majeur pour les gestionnaires ?

Analyse de cas

Cas 3.1

« Il court, il court, le coursier »

Il s'appelle Jérémie et n'a que 22 ans. Diplômé de l'institut d'hôtellerie de Montréal au cours de l'été 2007, il a voulu tenter sa chance à Québec comme aide-cuisinier, mais tout ce qu'il a pu décrocher, à la fin de janvier 2008, est un poste de coursier à l'hôtel Holiday Vacations. Il a cependant déployé un tel dynamisme que deux semaines seulement après son embauche, son supérieur immédiat lançait déjà des compliments à son endroit. Quant à ses compagnons de travail, ils l'appelaient le « petit furet ». C'est qu'il courait toujours pour servir les clients, et plus particulièrement les dames. Prestement, il leur ouvrait la portière avant qu'elles ne descendent de voiture, leur ouvrait la porte d'entrée de l'hôtel en s'inclinant, courait prendre leurs valises, mallettes et autres bagages, courait déposer leurs effets jusqu'au porte-bagage, courait à l'ascenseur pour appuyer avant elles sur le bouton de commande et le sourire qu'il affichait ne s'épuisait jamais. Le soir, après sa journée de travail, il offrait gratuitement des massages de pieds aux clientes qui fréquentaient le spa de l'hôtel. D'ailleurs, cet élan de zèle lui a bien valu une chanson composée par ses collègues :

« Il court, il court le coursier
Le coursier des jolies dames
Il est monté par ici
Et redescendra par là ! »

Au fil des semaines, le jeune homme ne recevait que des éloges, et ce, de toutes les clientes. Elles le trouvaient tout à fait mignon et charmant. D'ailleurs, la direction de l'hôtel avait appris avec satisfaction qu'il semblait que des réservations avaient été annulées auprès des hôtels concurrents de la région parce que certaines clientes voulaient voir celui qu'un journaliste de Québec avait qualifié de « jeune Casanova aux doigts agiles ». Pour la première fois de son histoire, l'hôtel affichait complet jusqu'au mois d'août 2008. Selon certains collègues chez qui l'on soupçonnait un brin de jalousie, Jérémie avait doublé son salaire hebdomadaire grâce à ses pourboires.

Au bout de trois mois, la direction de l'hôtel a voulu souligner l'apport du jeune coursier à l'augmentation de son chiffre d'affaires. Au nom de la direction, la directrice des ressources humaines lui a fait parvenir une lettre de félicitations dans laquelle elle lui indiquait qu'il avait été élu « employé du mois d'avril ». Elle lui indiquait de plus que cet honneur comportait beaucoup d'implications. Ainsi, la dernière semaine du mois d'avril lui serait consacrée : prise de photo le lundi matin par un photographe renommé de Québec, exposition de la photo la journée même dans le hall d'entrée, un « 5 à 7 » le mardi avec vins et fromages, séance de massage gratuite le mercredi matin suivie d'un déjeuner avec les membres de la direction, et réception donnée en son honneur le jeudi soir dans la salle réservée aux congrès. Un buffet serait servi lors de la réception et c'était les chefs cuisiniers de l'hôtel qui se chargeraient de préparer tous les plats offerts.

Jérémie était aux anges. Il ne portait plus à terre. De plus, dans la lettre signée par la directrice des ressources humaines, il était mentionné qu'il pouvait inviter ses parents et sa petite amie à la réception du jeudi soir.

Or, le lundi matin de la dernière semaine du mois d'avril, tandis que Jérémie grimpe dans la limousine qui le conduit au studio photo, la directrice des ressources humaines reçoit un courriel venant de Toronto, ville où se trouve le siège social de toutes les chaînes Holiday Vacations du pays. Le message est clair : les hôtels Holiday Vacations de la province de Québec étant moins rentables que ceux de l'Ontario, de l'Alberta et de la Colombie-Britannique, le siège social a décidé de supprimer 280 postes dans ses dix hôtels de la province de Québec. Bien que le siège social ait souligné l'effort remarquable de l'hôtel Holiday Vacations de Québec, il mentionne que les coupures sont générales et concernent tous les hôtels de la province, sans exception. À Québec, les vingt postes touchés se répartissent ainsi :

- sept postes d'aide-cuisinier ;
- deux postes de cuisinier ;
- sept postes d'employé de soutien ;
- deux postes de technicien ;
- deux postes de cadre.

Chez les employés de soutien, le premier nom sur la liste des employés à licencier est celui de Jérémie. Dans

le communiqué, il est bien indiqué que les licenciements doivent entrer en vigueur trois jours après la réception du courriel et qu'il n'est permis qu'aux cadres touchés de terminer la semaine. Horrifiée par cette nouvelle, la directrice des ressources humaines imprime le courriel et se précipite au bureau du directeur.

– Monsieur Pétroli ! lui lance-t-elle. Voyez ce que je viens de recevoir de Toronto. C'est disgracieux ! Le siège social ne tient même pas compte de notre chiffre d'affaires qui est à la hausse depuis les derniers mois !

Monsieur Pétroli s'empare de la lettre et la parcourt rapidement des yeux. Il la laisse tomber sur son bureau, lève les yeux vers la directrice des ressources humaines.

– Ce sont les ordres, dit-il.

– Mais tous ces postes qui sont supprimés ! Comment peut-on faire une telle offense à notre jeune coursier que nous fêtons cette semaine ?

Le directeur Pétroli lève les épaules avec indifférence et répond sans émotion dans la voix :

– Vous lui expliquerez que nous n'avons pas le choix et que la décision vient de Toronto. Annulez le « 5 à 7 » de mardi, la séance de massage et le déjeuner de mercredi. Cependant, maintenez la réception de jeudi soir, car nous lui devons bien cette dernière marque de reconnaissance. Si je me fie à la bonne vieille théorie de Maslow sur les besoins humains, j'ose croire que ce geste le motivera et l'aidera à travailler avec ardeur jusqu'à jeudi.

– Et sa photo ?

– Qu'on l'expose ! Il verra bien que la décision de le licencier ne vient pas de nous !

Questions :

1. En entendant les paroles du directeur de l'hôtel Holiday Vacations de Québec, « Si je me fie à la bonne vieille théorie de Maslow sur les besoins humains, j'ose croire que ce geste le motivera et l'aidera à travailler avec ardeur jusqu'à jeudi », pourquoi pouvons-nous dire que dans le cas du coursier, cette théorie de la motivation trouve sa limite et ne peut pas s'appliquer ?
2. Si vous étiez à la place de la directrice des ressources humaines, quelle serait votre démarche auprès de Jérémie avant de lui annoncer la nouvelle de son licenciement ?

Cas 3.2

Des résultats qui laissent le président perplexe

Deux ans après avoir procédé à une restructuration majeure, le président Barillot, de la société Barillot Transport inc., a voulu connaître le niveau de satisfaction au travail de ses employés.

Il va sans dire que les résultats de la restructuration avaient laissé aux employés un goût amer. Parmi les effets néfastes, notons les suivants :

- parmi les employés de bureau affectés aux tâches de secrétariat, cinq employés sur huit ont été licenciés ;
- parmi les employés responsables de l'entretien, sept sur seize ont été remerciés ;
- parmi les vingt employés camionneurs, seulement douze ont pu conserver leur emploi ;
- parmi les techniciens en comptabilité, deux employés sur cinq ont perdu leur emploi.

Au cours de cette restructuration s'étendant sur deux ans, le président Barillot a obligé tous les employés à effectuer en moyenne douze heures supplémentaires par semaine.

« Il faut répondre aux attentes les plus déraisonnables de nos clients, même si cela exige que nous travaillions 24 heures sur 24 ! Travaillez dur et je vous promets que vos efforts seront temporaires ! », répétait-il sans relâche à ses employés.

Selon le président, comme c'est le client qui apporte du « beurre sur le pain », il faut répondre à toutes ses exigences de façon à lui donner entière satisfaction.

Les employés ont déployé les efforts que le président a requis d'eux, mais ce qui ne devait constituer qu'une situation temporaire semblait devenir une norme de travail. Les exigences des clients étaient de plus en plus élevées et les heures supplémentaires se multipliaient.

L'atmosphère de travail dans l'entreprise est vite devenue insupportable, tant pour les cadres que pour l'ensemble des employés. La situation était encore plus alarmante entre les camionneurs et leurs contremaîtres. Leurs relations de travail s'étaient grandement détériorées, les uns et les autres échangeant continuellement des mots grossiers. De plus, phénomène qui n'avait jamais été observé, les camionneurs avaient tous utilisé, ces deux dernières années, les huit jours de congé de maladie annuels auxquels ils avaient droit.

Quant aux mécaniciens affectés à l'entretien des camions, selon une rotation bien orchestrée, ils ont tous souffert d'épuisement professionnel et ont quitté leur travail pendant des périodes de 8 à 10 semaines. La direction est certaine qu'il s'agissait de maladies simulées, mais elle a de la difficulté à démontrer ce fait.

Devant une réalité aussi catastrophique, le président Barillot a demandé à la firme de psychologues industriels Legendre et Gauthier de mener une enquête sur le niveau de satisfaction de ses employés.

Ces psychologues ont rencontré les employés et leur ont soumis un test en apparence simple, mais dont les résultats – selon eux – seraient très révélateurs. Sur une échelle graduée de 1 à 10, les employés devaient déterminer leur niveau de satisfaction quant à certains facteurs inhérents à leur milieu de travail.

Les dix facteurs de mesure de la satisfaction étaient :

- la relation avec la direction de l'entreprise ;
- l'intérêt pour la tâche ;
- l'intérêt pour les collègues ;
- le sentiment d'appartenance à l'organisation ;
- les heures de travail demandées ;
- la sécurité d'emploi ;
- les relations avec le supérieur immédiat ;
- les perspectives de carrière à long terme ;
- la confiance envers les membres de la direction ;
- la rémunération.

Après avoir analysé les réponses des employés, les psychologues ont soumis les résultats au président Barillot. Sauf pour le facteur « l'intérêt pour les collègues », qui a obtenu un score de 9/10, la moyenne des réponses pour chacun des autres facteurs se situait à 3/10. Les employés se disaient essoufflés et ils avaient le sentiment qu'on leur demanderait toujours plus d'efforts et qu'en fin de compte, ils n'en retireraient aucun bénéfice.

Devant de tels résultats, le président Barillot demeurait perplexe.

Questions

1. En vous inspirant des situations présentées dans ce cas, comment pouvez-vous expliquer que les principes suivants n'ont pas été respectés ?

a) Le principe de transparence

b) Le principe de définition

c) Le principe de dégraissage proportionnel des postes hiérarchiques

d) Le principe de l'assouplissement de l'autorité hiérarchique

2. Selon vous, quelles recommandations devraient faire les psychologues Legendre et Gauthier au président Barillot pour que le sentiment des travailleurs change ? Faites deux recommandations.

Chapitre 4

L'analyse des postes et la planification des ressources humaines

Cheminement d'idées

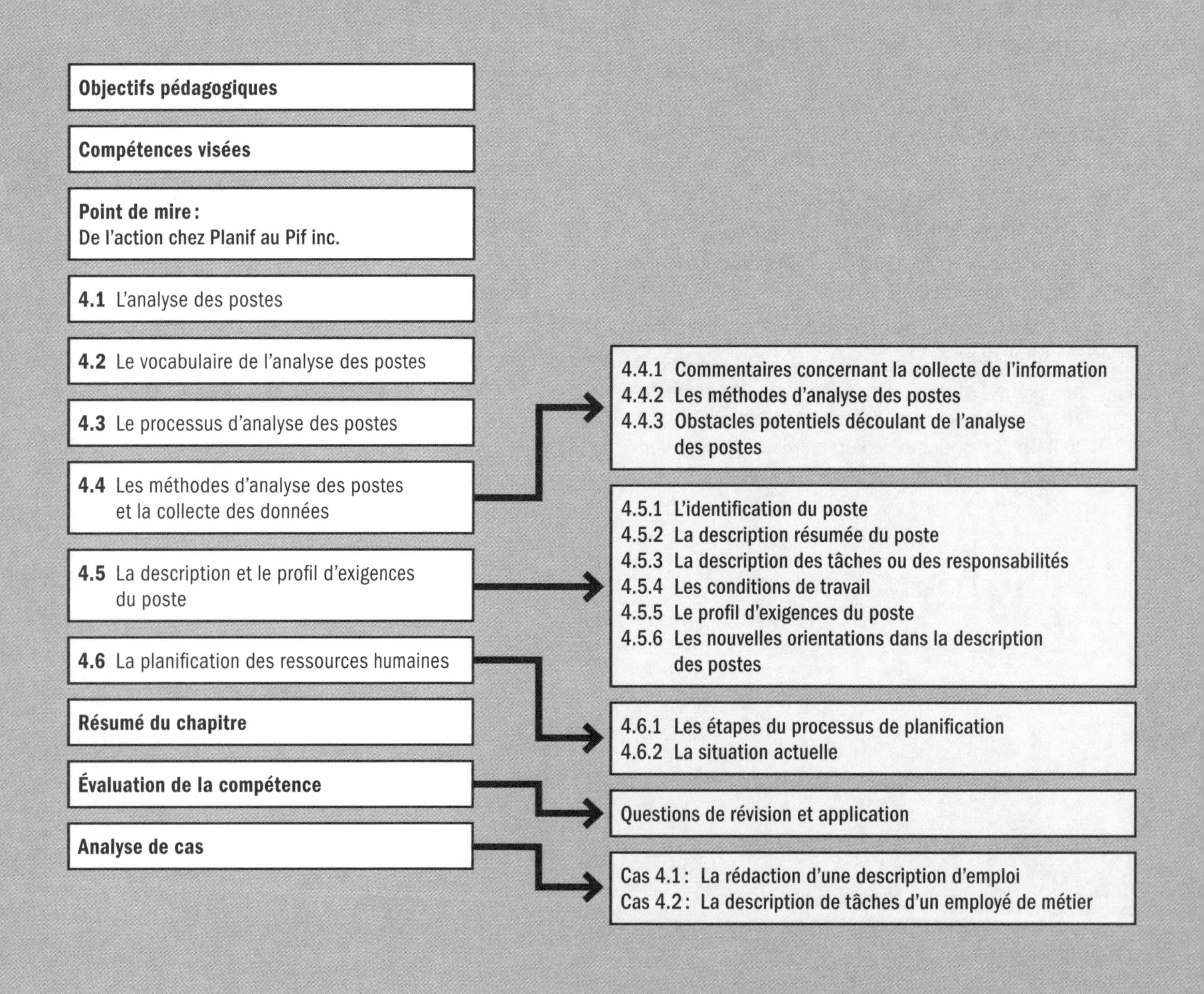

Objectifs pédagogiques

La lecture de ce chapitre devrait vous permettre :

1. d'utiliser la terminologie de l'analyse des postes ;
2. d'expliquer les buts de l'analyse des postes ;
3. de décrire l'information découlant de l'analyse des postes ;
4. d'utiliser les principales méthodes permettant de collecter l'information sur les postes ;
5. de rédiger le contenu d'une description d'emploi ;
6. de préciser le contenu du profil d'exigences du poste ;
7. de décrire diverses méthodes permettant de définir les normes de rendement ;
8. de discuter de la relation entre la planification des ressources humaines et la planification stratégique ;
9. d'expliquer les étapes du processus de planification des ressources humaines ;
10. de déterminer les facteurs qui influent sur la demande de main-d'œuvre de l'organisation ;
11. de décrire les mouvements de main-d'œuvre dans les organisations ;
12. de recommander des solutions aux problèmes de déséquilibre entre la demande et l'offre de ressources humaines.

Compétences visées

Les compétences visées dans ce chapitre sont de pouvoir :

- déterminer les tâches du poste à combler ;
- rédiger une description de tâches ;
- participer à une démarche systémique dans le cadre de la planification des ressources humaines.

Point de mire

De l'action chez Planif au Pif inc.

Mercredi dernier fut un jour heureux : Hakim Noury, le roi des représentants, venait de signer un contrat avec un nouveau client de New York. Dans un mois, la production augmenterait de 35 %. Une courte réunion des cadres fut organisée dans la salle de conférence et Jean Dumont, le président de la compagnie, félicita chaleureusement Hakim pour son succès.

›

Hier, mardi, les cadres et les superviseurs de l'entreprise ont reçu une convocation à une réunion dont voici le contenu :

« Convocation à une réunion de gestion mercredi à 9 h dans la salle de conférences :

Le but de la réunion consiste à préparer une réorganisation des structures et des activités de l'entreprise pour faire face aux exigences découlant d'un fabuleux contrat signé avec un nouveau client. Toute la structure de l'entreprise doit être repensée et chacun des postes doit être considéré comme éliminé. Nous repartirons à zéro en reclassant chacun des employés et des gestionnaires de manière à tirer le maximum des compétences individuelles. Du sang neuf sera incorporé à l'entreprise et un programme de mise à la retraite préventive sera mis sur pied afin de faciliter le départ de ceux qui ne seront pas réintégrés dans le nouvel organigramme. Je vous attends donc avec vos brillantes suggestions habituelles. »

Mercredi matin, dès le début de la réunion, le président annonce ses couleurs.

– L'entreprise, dit-il, comprend trois employés salariés de 60 et 65 ans travaillant à la production. Il y a, de plus, deux gestionnaires de tout niveau ayant atteint 55 ans. Le désir de l'entreprise est d'augmenter les employés d'usine d'environ douze personnes et les gestionnaires de trois personnes. J'ai analysé pendant toute la fin de semaine les différentes approches pour restructurer notre entreprise. (Il insiste sur le « notre ».) En ce qui concerne les services administratifs, voici mes propositions :

À la gestion des expéditions, il y a deux personnes. Je crois qu'une seule peut suffire à la tâche, quitte à ce qu'un employé du Service de la comptabilité vienne offrir un coup de main les jours de surcharge. Dans l'entrepôt, le superviseur des achats peut aussi assumer la gestion de l'entreposage, ce qui libèrerait un superviseur dans l'entrepôt.

Au Service du prix de revient, nous pourrions éliminer un commis et la tâche pourrait être confiée à un commis aux stocks.

Le laboratoire doit embaucher deux autres chimistes pour les tests de préexpédition.

Au Service des projets, quatre ingénieurs ont spécifiquement la responsabilité des projets de la région de Montréal, de Québec, de l'Est-du-Québec et de la région de Gatineau. Thierry, responsable de la région de Québec, peut aussi assumer la responsabilité de l'Est-du-Québec, ce qui libèrera Anne-Marie. Le dossier de New York lui sera confié.

Le Service du développement est composé de trois ingénieurs. Philippe sera muté de ce Service au Service du contrôle de la qualité.

À la Production, il y a quatre superviseurs et quatre contremaîtres. Les départements 1 et 3 seront fusionnés et un des contremaîtres, Jean-Pierre, sera responsable de ce service à titre de superviseur. Marc-Antoine prendra la responsabilité du nouveau quart de nuit et un nouvel employé sera embauché pour le remplacer.

Enfin, au Service de l'entretien, qui comprend deux superviseurs et un contrôleur de la planification, nous rajouterons un troisième et, peut-être, un quatrième superviseur. En effet, Germain a 62 ans et pourrait être admissible à une préretraite.

Quant à Sara McDonnell, la responsable de la gestion de ressources humaines, sa tâche sera de nous confectionner un organigramme final d'ici deux semaines.

Je crois que mon analyse est complète et tient compte de tous les aspects de notre organisation. Une fois le tout terminé, dans quelques mois, nous procéderons à la rédaction de descriptions d'emploi pour les postes des employés de la production. Mon voisin, qui est directeur de la gestion de ressources humaines dans une entreprise de taille moyenne, m'a expliqué vendredi soir que cela facilitera la répartition du travail et l'évaluation du rendement des employés. Évidemment, il gagne sa vie à remplir des papiers et à les analyser. Il m'a aussi fait mention des avantages d'une étude de planification de la main-d'œuvre, mais je ne crois pas que cela soit nécessaire dans une entreprise de notre taille et dans laquelle, compte tenu de l'ancienneté de la plupart d'entre vous, tous connaissent très bien le travail à accomplir.

Bref, tout va bien. Dans deux semaines, nous nous rencontrerons à nouveau et je vous présenterai le nouvel organigramme et les responsabilités qui vous attendent. Je compte donc sur votre habituelle collaboration et je vous invite à regarder vers l'avenir.

4.1 L'analyse des postes

Dans le contexte actuel de la concurrence internationale et de la pénurie de main-d'œuvre, les entreprises se doivent de repenser la structure organisationnelle et les principes fondamentaux sous-jacents à la **conception des postes de travail**. Il faut donc procéder à une révision de l'ensemble des programmes de gestion des ressources humaines.

Conception des postes de travail
Processus qui consiste à déterminer le contenu et les relations d'un poste de travail avec les autres postes en tenant compte des objectifs d'efficacité au niveau des aspects technologiques, organisationnels et humains.

L'analyse des postes représente l'outil idéal pour répondre à ces préoccupations, car elle a un impact significatif sur l'ensemble des programmes de gestion des ressources humaines (la dotation, la formation, l'évaluation du rendement, la discipline, etc.). Il faut constater qu'il s'agit d'une des activités de l'entreprise qui a le plus d'impact sur l'ensemble des prises de décision de gestion.

Le but[1] de l'analyse des postes consiste à collecter l'information permettant de rédiger une description de poste et un profil d'exigences du poste qui constitueront le fondement des autres activités de la gestion des ressources humaines, comme l'illustre la figure 4.1.

Figure 4.1 L'analyse des postes en tant que base des programmes de gestion des ressources humaines

Améliorer le recrutement et la sélection des candidats en favorisant une évaluation pertinente des candidatures et en éliminant les exigences superflues.

Réaliser la planification des besoins de l'entreprise en ressources humaines.

Effectuer les mutations et les promotions du personnel en tenant compte des besoins de l'entreprise.

Préciser et évaluer les éléments de l'environnement qui ont une incidence sur l'application d'un programme de santé et de sécurité au travail.

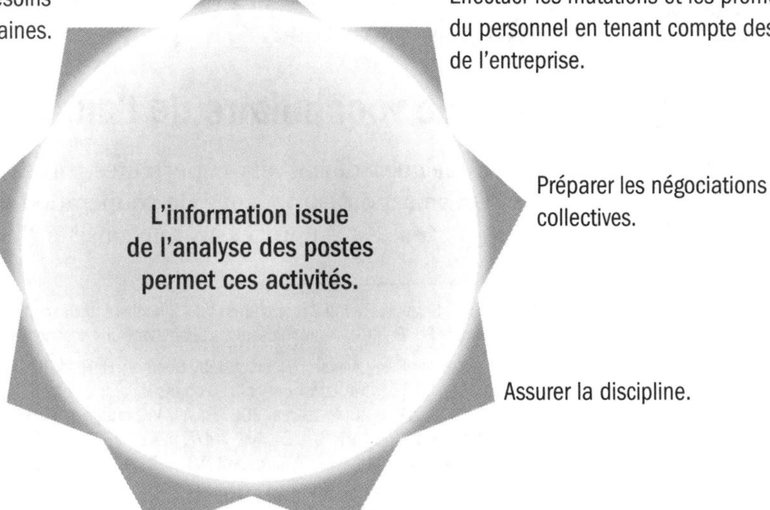

Préparer les négociations collectives.

Établir des normes de rendement qui seront utiles à l'évaluation du rendement.

Assurer la discipline.

Déterminer les besoins en formation des nouveaux employés et des employés actuels.

Établir un programme équitable de rémunération.

1. Lire à ce sujet Philip C. Grant, « What Use Is a Job Description ? », *Personnel Journal*, vol. 67, nº 2, février 1988, p. 50-55.

La mondialisation, la déréglementation du marché et les nouvelles contraintes juridiques provenant des gouvernements fédéral et provincial ainsi que la concurrence[2] vive qui en découle exigent une gestion des ressources humaines plus efficace. Pour le Québec, la croissance économique et le vieillissement de la population ajouteront un facteur supplémentaire dans les prochaines années, soit une sérieuse pénurie de main-d'œuvre[3]. Pour ce faire, le superviseur doit répondre aux questions suivantes concernant ses besoins en main-d'œuvre[4] :

› Qui détermine le contenu des emplois ? › Qui décide du nombre de postes nécessaires ? › Quels sont les liens entre les différents postes ? › Qui détermine la nature de ces liens ? › A-t-on évalué le nombre, la conception et le contenu des postes de travail en fonction de l'ensemble de l'entreprise ? › Quelles sont les exigences minimales pour chacun des postes ?	› Quels sont les critères à utiliser pour la sélection des candidats à chacun des postes ? › Sur quels éléments du poste la formation devrait-elle mettre l'accent ? › Comment doit-on mesurer le rendement du titulaire de chaque poste[5] ? › Quel salaire doit-on accorder à chacun des postes ? › En fonction d'un plan de carrière, quels sont les postes qui permettront à un employé d'évoluer dans l'entreprise ?

L'analyse des postes fournit la plupart des éléments de réponse à ces questions. La réussite de l'entreprise exige donc l'entière maîtrise de la connaissance de ses besoins en main-d'œuvre et la définition claire de ses orientations futures. Dans ce contexte, nous aborderons l'analyse des postes. Par la suite, nous examinerons la planification des ressources humaines qui découle des orientations futures de l'entreprise.

Analyse des postes
Processus qui consiste à collecter, à évaluer et à organiser les données concernant le contenu et le contexte d'un poste de travail afin d'en déterminer la finalité ainsi que les responsabilités et les exigences incombant au détenteur du poste.

4.2 Le vocabulaire de l'analyse des postes

Voici quelques définitions importantes, tirées pour l'essentiel d'un document de l'Organisation européenne de coopération économique (OECE)[6]. L'**analyse des postes**[7] est un processus qui consiste à collecter, à évaluer et à organiser

2. Susan M. Heathfield, « Job Descriptions : Why Effective Job Descriptions Make Good Business Sense », *Human Resources* 2008, http://humanresources.about.com/od/glossaryj/a/jobdescriptions.htm (consulté le 17 mars 2009).

3. Lire à ce sujet Steve Arnold, « Retiring Baby Boomers Hard To Replace », *The Hamilton Spectator*, le 24 avril 2007, Business, p. 15 ; Sylvie Lemieux et coll., « Zoom sur l'emploi en comptabilité : une profession en demande », *Les Affaires*, vol. 79, n° 20, le 19 mai 2007, p. A1-A12 ; René Vézina et coll., « Contrer le choc démographique », *Les Affaires*, vol. 79, n° 16, le 21 avril 2007, p. A1-A26 ; Pierre Picard et coll., « La relève : crise annoncée sur le marché de l'emploi », *Les Affaires*, vol. 78, n° 9, le 4 mars 2006, suppl., p. A1-A11.

4. Inspiré de Wayne F. Cascio, *Managing Human Resources : Productivity, Quality of Work Life, Profits*, 6e éd. Boston, McGraw-Hill, 2003, p. 159.

5. Voir les méthodes d'évaluation des postes au chapitre 9.

6. Agence européenne de productivité, *L'analyse des tâches : instrument de productivité*, Paris, Organisation européenne de coopération économique, 1956. Ce document est un classique de l'analyse des postes.

7. Mentionnons que les termes « tâche », « poste » et « emploi » ne sont pas des synonymes, et que les auteurs ont établi un consensus sur l'usage de ces termes. Par contre, les expressions « analyse des tâches », « analyse des postes » et « analyse des emplois » sont souvent utilisées indifféremment. Il en est de même pour les expressions « description de tâches », « description de postes » et « description d'emplois », qui correspondent à une même réalité. Dans ce chapitre, nous utiliserons les expressions « analyse des postes » et « description de postes ».

les données concernant le contenu et le contexte d'un poste de travail afin d'en déterminer la finalité ainsi que les responsabilités et les exigences incombant au détenteur du poste. Le poste comprend des tâches, des activités, des responsabilités et des devoirs. L'objectif du processus d'analyse consiste à définir les exigences requises pour occuper le poste, soit les habiletés, les compétences et les comportements permettant de satisfaire les besoins de l'organisation.

L'**étude des temps et mouvements** est une analyse de poste dont le but est d'éliminer le gaspillage d'énergie, de diminuer le contenu de travail d'un produit ou d'établir et de maintenir des standards de production. Cette étude, qui est réalisée par un ingénieur industriel, sert aussi à définir des normes de productivité et de sécurité. Bref, il s'agit d'analyser les opérations d'une tâche et de les réorganiser de façon à atteindre une plus grande efficacité.

Étude des temps et mouvements
Analyse de poste dont le but est d'éliminer le gaspillage d'énergie, de diminuer le contenu de travail d'un produit ou d'établir et de maintenir des standards de production.

Une **activité** ou une **opération** est une composante d'une tâche qui peut être observée et mesurée. C'est en fait la plus petite unité de travail représentant un effort physique ou intellectuel sans qu'il soit nécessaire de recourir à l'étude des temps et des mouvements.

Activité ou opération
Composante d'une tâche qui peut être observée et mesurée.

Exemple:

Activités ou opérations	› Ouvrir une boîte › Couper une pièce de métal › Évaluer un résultat › Acheminer l'appel

Une **tâche** consiste en un regroupement d'activités ou d'opérations demandant un effort physique ou intellectuel qui sont nécessaires pour atteindre un objectif. Répondre à un appel comprend donc plusieurs activités.

Tâche
Regroupement d'activités ou d'opérations demandant un effort physique ou intellectuel et qui sont nécessaires pour atteindre un objectif.

Composantes d'une tâche d'un téléphoniste:

Activités ou opérations	Tâche
› Appuyer sur un bouton du standard › Saluer l'interlocuteur › Nommer son service › Écouter la demande › Indiquer à l'interlocuteur qu'il le met en contact avec la personne demandée › Acheminer l'appel › Mettre fin à la conversation	› Répondre à un appel téléphonique

La tendance de l'heure consiste pour plusieurs entreprises à repenser l'organisation puisque l'accent doit être mis sur la flexibilité et la responsabilisation des employés. L'essentiel des descriptions de postes portera de plus en plus sur les compétences plutôt que sur les tâches.

Traditionnellement, la description des postes établissait les différences entre les emplois de manière précise et détaillée. Par exemple, la description du poste

Responsabilité
Obligation d'effectuer certaines tâches permettant d'atteindre un résultat.

d'un technicien en gestion des ressources humaines spécifiait qu'une des tâches consistait à « rédiger les rapports d'enquêtes et d'accidents ». Cependant, la tendance actuelle consiste à remplacer la description des postes selon les tâches et les activités par des descriptions des emplois selon les **responsabilités** et les résultats.

Une tâche consiste en un regroupement d'activités ou d'opérations demandant un effort physique ou intellectuel et qui sont nécessaires pour atteindre un objectif. Répondre à un appel comprend donc plusieurs activités.

Les exigences en matière de flexibilité nous invitent donc à rédiger des descriptions de postes *génériques*[8]. Ces dernières s'attachent plutôt aux responsabilités et aux résultats qui sont associés aux emplois. La description de poste indiquera alors que le technicien en gestion de ressources humaines a la responsabilité de « faire appliquer les méthodes de prévention par les employés, de façon à établir un milieu de travail, sain, salubre et sécuritaire[9] ».

Par exemple, « déterminer et enregistrer les documents comptables du Service des garanties » illustre une tâche, alors que « établir et maintenir un système de gestion des documents comptables » est une responsabilité.

Poste
Groupement de tâches ou de responsabilités qui requièrent les services d'une même personne.

Le **poste** consiste en un regroupement de tâches ou de responsabilités qui requièrent les services d'une même personne. Lorsqu'il y a dans un poste assez de tâches ou de responsabilités pour faire appel à une autre personne à temps plein, il y a création d'un second poste, qui regroupe les autres tâches et responsabilités. Mentionnons à titre d'exemple le poste de « représentant aux comptes commerciaux ».

Emploi
Groupe de postes dont les tâches et les responsabilités se ressemblent au point qu'une seule analyse de poste suffit.

L'**emploi** représente un groupe de postes dont les tâches et les responsabilités se ressemblent au point qu'une seule analyse de poste et une seule description de poste suffisent.

Profession
Groupe d'emplois comportant des tâches semblables ou apparentées qui exigent une qualification, des connaissances et des capacités semblables.

La **profession** représente un groupe d'emplois comportant des tâches semblables ou apparentées qui exigent une qualification, des connaissances et des capacités semblables. La profession de comptable constitue un bon exemple. Le diplômé du cégep en comptabilité peut devenir comptable dans une entreprise, l'individu qui prépare les états financiers de ses clients est un comptable, le CMA (comptable en management accrédité) est aussi un comptable et l'associé dans une société de comptabilité agit également dans la profession de comptable. Or, ces différents emplois nécessitent des connaissances et des capacités semblables, mais à divers degrés.

---

8. Brenda PAIK SUNOO, « Generic or Non-Generic Job Descriptions ? », *Personnel Journal*, février 1996, vol. 75, n° 1, p. 102.
9. Sylvie ST-ONGE et Roland THÉRIAULT, *Gestion de la rémunération*, 2e édition, Chenelière, Gaëtan Morin éditeur, Montréal, 2006, p. 164.

Exemple 4.1

Dans une entreprise, il y a deux commis. Le premier travaille au Service de la comptabilité et l'autre travaille au Service des ressources humaines. Il y a évidemment deux postes, puisque les tâches sont en nombre suffisant dans chaque cas pour occuper une personne. Il s'agit de deux postes, mais aussi de deux emplois. En effet, les exigences du poste, les tâches et les responsabilités sont en tous points différentes, de sorte qu'il faut analyser les deux postes pour définir le contenu et le contexte de chacun. Dans les mêmes services, on trouve un secrétaire de direction attaché au directeur de la comptabilité et un secrétaire de direction attaché au directeur des ressources humaines. Il s'agit toujours de deux postes, puisqu'il y a assez de travail pour occuper deux personnes, mais les deux postes sont à ce point semblables quant à leur contenu et à leurs exigences qu'il s'agit d'un seul et même emploi, soit celui de secrétaire de direction.

Ainsi, des représentants commerciaux de quatre régions différentes occupent tous l'emploi de représentant commercial: il y a quatre postes et un seul emploi. Par contre, un poste de représentant commercial au détail et un poste de représentant commercial aux institutions gouvernementales sont deux emplois différents.

4.3 Le processus d'analyse des postes

Le processus d'analyse des postes comprend trois étapes: la préparation à l'analyse, la collecte des données et l'utilisation des renseignements collectés.

Lors de la préparation à l'analyse, il est important de définir clairement les objectifs de l'analyse de postes. Il faut aussi se familiariser avec l'ensemble des éléments de l'organisation (sa structure, sa culture, l'existence d'un syndicat) et avec les emplois, puis il faut déterminer les emplois qui seront analysés.

À la seconde étape, il faut procéder à la collecte des renseignements. Cette étape implique la confection d'un outil de collecte de données adapté aux fins de l'analyse et au contexte de l'entreprise. Il faut donc que les sources de renseignements soient sélectionnées en fonction des objectifs de l'analyse. Les détenteurs des postes, leurs collègues et leurs superviseurs sont la source première. Cependant, les organismes professionnels, la *Classification nationale des professions* ou les descriptions de postes publiées dans les journaux et dans Internet constituent aussi des mines de données utiles. Il faudra sélectionner une méthode d'analyse parmi une panoplie disponible ou encore combiner certaines de ces méthodes.

La troisième étape consiste à présenter les résultats obtenus dans un format qui synthétise l'ensemble des renseignements détaillés qui se traduira par la rédaction d'une description de poste, d'un profil d'exigences, de normes de rendement et plus encore (*voir les figures 4.2, p. 90, et 4.4, p. 98*).

Figure 4.2 Le processus d'analyse des postes

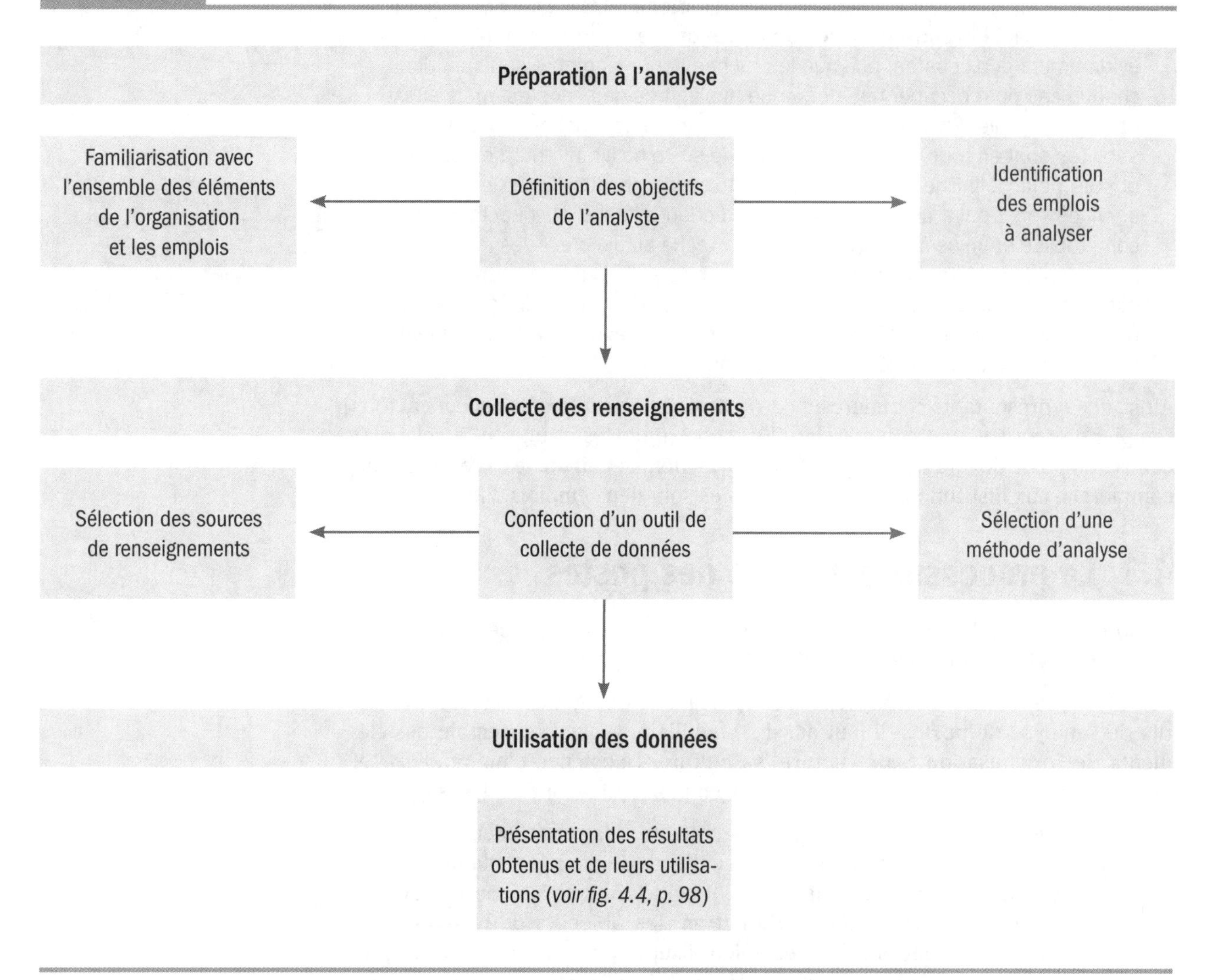

4.4 Les méthodes d'analyse des postes et la collecte des données

L'analyse des postes est un processus de collecte et de traitement de l'information relative au poste comportant deux règles fondamentales. Tout d'abord, l'analyse concerne le poste, et non le détenteur du poste. Puis, l'analyse a comme sujet le poste tel qu'il existe. Si l'on veut modifier le poste avant de le combler, ou si l'on crée un nouveau poste, il faut redéfinir les tâches et les responsabilités avant de procéder à une analyse.

4.4.1 Commentaires concernant la collecte de l'information

Sachant que l'analyse des postes consiste à collecter des données concernant le contenu et le contexte d'un poste de travail, les questions « quoi ? » et « comment ? » trouveront des réponses dans l'énumération des tâches que les employés accomplissent. Un professeur prépare ses cours, enseigne la matière, corrige les travaux des étudiants ; un représentant commercial planifie ses déplacements, prend des rendez-vous, donne des présentations : voilà des exemples de tâches. Quelles sont les tâches principales ? Quel pourcentage de son temps le titulaire d'un poste consacre-t-il à chacune de ces tâches ? Les mêmes questions se posent dans le cas des tâches secondaires. Il faut aussi connaître le mode d'exécution de ces tâches. Les méthodes prescrites pour accomplir les tâches sont-elles déjà définies, ce qui limite la responsabilité dévolue à l'employé ? Un employé peut transporter du matériel à l'aide d'un transpalette manuel, d'un gerbeur ou d'un chariot élévateur. Cela aura des répercussions sur la qualification requise, les exigences physiques, l'expérience, etc.

Il faut éviter de confondre une tâche avec ce qui en découle. Un pilote d'avion de ligne prépare son plan de vol et pilote son avion ; il n'a pas pour tâche de transporter des passagers. Ce dernier élément est le résultat des tâches qu'il accomplit.

Il faut éviter de confondre une tâche avec ce qui en découle. Ainsi, un pilote d'avion de ligne prépare son plan de vol ; il n'a pas pour tâche de transporter des passagers. Ce dernier élément est le résultat des tâches qu'il accomplit. Bien entendu, le fait que le pilote ait la responsabilité de la sécurité des passagers ajoutera aux exigences de son poste et sera pris en considération lors de l'établissement des exigences professionnelles.

Pourquoi ce poste existe-t-il ? Quels sont les objectifs à atteindre ? Un employé d'entretien ménager peut laver le plancher d'un bureau ou d'une classe, il peut aussi laver le plancher d'un bloc opératoire dans un hôpital où une procédure stricte et l'usage de produits précis et homologués sont en vigueur. Ainsi, il faut conclure que l'objectif même de la tâche aura des conséquences sur la formation de l'employé concernant les méthodes ou les produits utilisés. Dans les deux cas, la tâche est sensiblement la même, mais l'objectif ajoute dans le dernier cas des responsabilités qui modifient le poste dans son essence même.

Les implications du poste aident à définir les connaissances, les habiletés et les qualités personnelles requises, compte tenu des outils utilisés, de l'autonomie octroyée, du type de contrôle auquel le titulaire du poste est soumis et des personnes avec lesquelles il sera en relation. Il faudra par la suite traduire ces implications en exigences spécifiques de l'emploi quant à la scolarité, à la formation, à l'expérience, à la capacité d'utiliser certains outils, etc. (*voir la figure 4.3, p. 92*).

Le document 4.1 (*p. 94*) constitue une grille d'analyse d'un poste qui permet de collecter l'information concernant le « quoi », le « comment », le « pourquoi » et les « implications » du poste.

Figure 4.3 L'information issue de l'analyse des postes

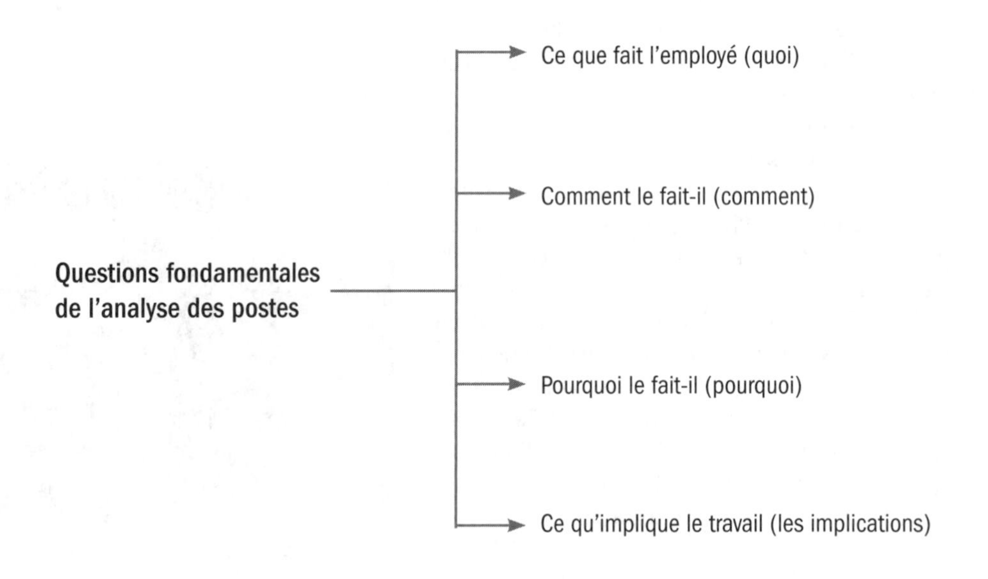

4.4.2 Les méthodes d'analyse des postes

Fidélité
Un instrument de mesure est considéré comme fidèle lorsqu'il est sans défaut ou qu'il est constant malgré des conditions pouvant donner lieu à des variations dans la performance.

Validité
Un instrument de mesure est considéré comme valide lorsqu'il mesure bien ce qu'il est censé mesurer.

Observation
Méthode par laquelle l'analyste observe directement l'employé pendant l'exécution de son travail et note chacune des tâches accomplies.

Plusieurs méthodes[10] permettent d'analyser les postes dans une organisation. La meilleure méthode représente une combinaison d'un certain nombre d'entre elles. En fait, le choix final consistera en un compromis entre le degré de **fidélité** et de **validité** associé aux différentes méthodes et le coût inhérent à chacune d'elles. Les principales méthodes sont l'observation directe et l'observation participante, l'entrevue, le relevé des activités, les incidents critiques, le questionnaire ouvert et le questionnaire structuré.

L'**observation** est la méthode utilisée pour l'analyse d'un poste où le travail est plutôt routinier, comme c'est le cas pour les postes de production. Le travailleur accomplit un certain nombre de tâches, qu'il répète périodiquement selon un cycle facilement observable. Il s'agit pour l'analyste d'observer le travailleur pendant l'exécution de son travail et de noter chacune des tâches et des activités qu'il accomplit. Pour chacune de ces tâches, l'analyste indiquera aussi le temps requis pour l'effectuer et les conditions de travail dans lesquelles le travailleur l'accomplit, comme le rythme du travail, la température de la pièce, le poids des matériaux, les risques inhérents à chaque tâche et les positions que doit adopter le travailleur.

10. Lire à ce sujet J. Markowitz, « Four Methods of Job Analysis », *Training and Development Journal*, septembre 1971, p. 112 ; Patrick M. Wright et Kenneth N. Wexley, « How To Choose the Kind of Job Analysis You Need », *Personnel*, mai 1985, p. 51-55.

L'analyste peut opter pour deux méthodes d'observation: l'observation participante et l'observation directe. Lors de l'observation participante, l'analyste occupe lui-même le poste analysé afin de faire l'expérience des exigences requises alors que l'observation directe amène l'analyste à observer, sans intervenir, un travailleur qui exécute les tâches du poste.

Par définition, l'observation limite l'information aux éléments observables. Les activités intellectuelles, telles que l'évaluation, le jugement ou l'analyse, passent alors inaperçues. Cette méthode ne peut donc servir qu'à rédiger des descriptions de postes génériques.

L'entrevue est un des outils les plus utilisés par les analystes pour collecter auprès des employés et du supérieur immédiat les renseignements pertinents quant à l'analyse d'un poste.

L'**entrevue** est l'un des outils les plus utilisés par les analystes pour collecter auprès des employés et du supérieur immédiat les renseignements pertinents quant à l'analyse d'un poste. Une fois l'entrevue terminée, l'analyste rédige une première version de son rapport, qu'il pourra soumettre au titulaire du poste et au superviseur pour une vérification finale.

Le **relevé des activités** consiste, pour l'employé, à noter dans un journal de bord à une fréquence fixe, les tâches qu'il accomplit, et ce, sur une période de quelques semaines. Cette méthode convient particulièrement aux postes routiniers, où les tâches sont courtes et répétitives. Par exemple, un caissier dans une banque indique dans son journal, toutes les quinze minutes, la tâche qu'il vient d'accomplir.

Les **incidents critiques** consistent en des comptes rendus de situations qui illustrent les comportements particuliers d'un employé. La collecte de comportements représentatifs de situations dénotant un rendement très faible ou très élevé permet d'illustrer des aspects de l'emploi qui n'apparaissent pas lors de l'observation de situations normales.

Le **questionnaire ouvert** présente un ensemble de questions ouvertes qui permet au titulaire de s'exprimer avec une certaine liberté. La grille d'analyse d'un poste (*voir le document 4.1, p. 94*) en est un exemple. La méthode du questionnaire ouvert peut être accompagnée d'un outil de référence mis au point par Ressources humaines et Développement des compétences Canada, soit la *Classification nationale des professions* (CNP)[11].

Le **questionnaire structuré** consiste en une liste de tâches ou de comportements portant sur les divers aspects du travail. La personne qui remplit ce questionnaire n'a qu'à pointer les tâches ou les comportements qui correspondent à son emploi. Elle indique aussi la fréquence ou l'importance de ceux-ci dans son travail. Le questionnaire structuré le plus couramment utilisé est le *Position Analysis Questionnaire* (PAQ)[12].

Entrevue
Rencontre par l'analyste d'un groupe de titulaires d'un même emploi en vue d'établir les renseignements pertinents et les caractéristiques du poste.

Relevé des activités
Inscription par l'employé, dans un journal de bord, à une fréquence fixe, des tâches qu'il accomplit, et ce, sur une période de quelques semaines.

Incidents critiques
Comptes rendus de situations qui illustrent les comportements particuliers d'un employé.

Questionnaire ouvert
Questionnaire comportant uniquement des questions ouvertes qui permettent à l'employé de s'exprimer avec une certaine liberté.

Questionnaire structuré
Questionnaire qui présente une liste des tâches ou des comportements liés aux différents aspects du travail.

11. Ce document de référence est principalement destiné aux conseillers en carrière, aux utilisateurs de l'information sur le marché du travail, aux agents de planification des ressources humaines, aux responsables de recherches et d'analyses sur le marché du travail et aux conseillers en réadaptation professionnelle. Il décrit la structure de classification et la description des 522 groupes professionnels de base qui constituent le marché du travail canadien. Il existe aussi deux autres systèmes généraux de classification: le O*NET *(qui remplace le Dictionary of Occupational Titles* (DOT)) aux États-Unis et la *Classification internationale type des professions* (CITP) du Bureau international du travail.

12. Voir E. J. McCormick, P. R. Jeanneret et R. C. Mecham, «A Study of Job Characteristics and Job Dimensions as Based on the Position Analysis Questionnaire (PAQ)», *Journal of Applied Psychology*, 1972, vol. 56, p. 347-368; les droits du *Position Analysis Questionnaire* (PAQ) sont détenus par la Purdue Research Foundation.

Document 4.1 Une grille d'analyse d'un poste

Nom de l'entreprise : ______________________

Questionnaire d'analyse des postes

Identification du poste

Titre du poste :		Titre du superviseur :	
Service :			
Code du poste :			

Analyse

Nom de l'analyste :	Date de l'analyse :
Vérification par :	Date de la vérification :
Révision antérieure :	

Sommaire du poste

Brève description du poste :
Objectif lié au poste :

Catégorie d'emploi

❑ Gestionnaire ❑ Professionnel ❑ Technicien

❑ Employé de bureau ❑ Opérateur ❑ Autre

Tâches

	Tâches ou responsabilités principales :	Pourcentage du temps consacré à chaque tâche :
1		%
2		%
3		%
4		%
5		%

	Autres tâches :	Pourcentage du temps consacré à chaque tâche :
1		%
2		%
3		%
4		%
5		%

Relations avec d'autres personnes

Types de personnes (collègues, employés des autres services, supérieurs, clients, fournisseurs, etc.) :	Buts :	Pourcentage du temps consacré à chaque contact :	Types de contacts (de vive voix, par écrit, par téléphone, présentation, etc.) :

Normes de rendement

Brève description d'un bon rendement dans l'exécution de ces tâches :
Description des facteurs contribuant au bon rendement dans l'exécution de ces tâches :

Formation

Description de la formation requise pour atteindre un bon rendement dans l'exécution de ces tâches :
Formation scolaire :
Formation technique ou professionnelle :
Formation particulière :

Document 4.1 Une grille d'analyse d'un poste (*suite*)

Degré de responsabilité

Degré de responsabilité découlant de ce poste concernant les éléments suivants :			
	Degré de responsabilité		
	Faible	Moyen	Élevé
Fonctionnement de l'équipement	❑	❑	❑
Protection de l'équipement	❑	❑	❑
Utilisation d'outils	❑	❑	❑
Protection des outils	❑	❑	❑
Utilisation de matériaux	❑	❑	❑
Protection des matériaux	❑	❑	❑
Sécurité personnelle	❑	❑	❑
Sécurité des autres	❑	❑	❑
Rendement au travail des autres	❑	❑	❑
Fonds et budget	❑	❑	❑
Nature et montant des budgets dont vous avez la responsabilité			

Caractéristiques physiques

Caractéristiques physiques nécessaires pour occuper ce poste :

Autres caractéristiques

Importance des caractéristiques suivantes pour occuper ce poste :			
	Degré d'importance		
	Faible	Moyen	Élevé
Vue	❑	❑	❑
Ouïe	❑	❑	❑
Parole	❑	❑	❑
Odorat	❑	❑	❑
Toucher	❑	❑	❑
Goût	❑	❑	❑
Coordination yeux-mains	❑	❑	❑
Coordination des mains	❑	❑	❑
Coordination générale	❑	❑	❑
Force physique	❑	❑	❑
Santé	❑	❑	❑
Initiative	❑	❑	❑
Ingéniosité	❑	❑	❑
Jugement	❑	❑	❑
Autre	❑	❑	❑
Autre	❑	❑	❑

Autres caractéristiques

Importance des caractéristiques suivantes pour occuper ce poste :			
	Degré d'importance		
	Faible	Moyen	Élevé
Attention	❑	❑	❑
Lecture	❑	❑	❑
Mathématiques	❑	❑	❑
Écriture	❑	❑	❑
Formation scolaire	❑	❑	❑
Autre	❑	❑	❑
Autre	❑	❑	❑

Expérience requise pour occuper ce poste

❑ Aucune expérience requise	
Expérience requise dans le poste de :	
❑ 1 mois	❑ 2 ans
❑ 3 mois	❑ 3 ans
❑ 6 mois	❑ 5 ans
❑ 1 an	

Conditions de travail

Description des conditions dans lesquelles le travail est effectué :			
	Pourcentage du temps où le titulaire du poste est soumis à ces conditions :		Pourcentage du temps où le titulaire du poste est soumis à ces conditions :
Travail à l'intérieur :	%	Monotonie :	%
Travail à l'extérieur :	%	Bruit :	%
Risques d'accident :	%	Tension nerveuse :	%
Chaleur :	%	Froid :	%
Exigences psychologiques inhabituelles liées à l'exécution du travail :			
Autres conditions inhabituelles liées à l'exécution du travail :			

Document 4.1 Une grille d'analyse d'un poste (*suite*)

Santé et sécurité

Description détaillée de tout risque pour la santé ou la sécurité lié à l'exécution du travail :
Formation nécessaire sur la sécurité :
Équipement de sécurité nécessaire lié à l'exécution du travail :

Commentaires

Autres éléments méritant d'être notés :

Commentaires du superviseur immédiat

Autres éléments méritant d'être notés :

Signature de l'analyste — Date

Vérifié par — Date

Le tableau 4.1 résume les avantages et les inconvénients que comportent les différentes méthodes d'analyse des postes et précise les domaines dans lesquels ces méthodes s'avèrent utiles.

Il existe plusieurs autres méthodes d'analyse des postes[13] : l'inventaire des éléments de travail (*Job Element Inventory*)[14], l'inventaire de l'analyse de travail (*Occupational Analysis Inventory*), dont une variation est le programme informatique *Comprehensive Occupational Data Analysis Programs* (CODAP), l'analyse des postes fondée sur les lignes directrices (*Guidelines-Oriented Job Analysis*), la méthode Hay ou l'analyse des capacités physiques (ACP)[15]. Plus précisément, pour l'analyse des postes de cadres, les deux méthodes d'analyse[16] les plus courantes sont le *Management Position Description Questionnaire* (MPDQ) et le *Supervisor Task Description Questionnaire* (STDQ).

13. Lire à ce sujet *Classification Systems Used as Basis for or Resulting from Job Analyses* (en ligne au www.hr-guide.com/data/G012.htm) et *Current Occupational Analysis Systems* (en ligne au www.nap.edu/html/occup_analysis/app_B.html) (consultés le 10 mars 2009).
14. R. J. Harvey et coll., « Dimensionality of the Job Element Inventory : A Simplified Worker-Oriented Job Analysis Questionnaire », *Journal of Applied Psychology*, 1988, vol. 73, p. 639-646.
15. Lire à ce sujet Shimon L. Dolan et coll., *La gestion des ressources humaines*, 3e éd., Montréal, Éditions du Renouveau Pédagogique, 2002, p. 140-147.
16. Lire à ce sujet B. E. Dowell et K. N. Wexley, « Development of a Work Behaviour Taxonomy for First-Line Supervisors », *Journal of Applied Psychology*, 1978, n° 63, p. 563-572 ; et W. W. Tornow et P. R. Pinto, « The Development of a Managerial Taxonomy : A System for Describing, Classifying, and Evaluation Executive Positions », *Journal of Applied Psychology*, 1976, n° 61, p. 410-418.

Tableau 4.1 Les avantages et les inconvénients des méthodes d'analyse des postes les plus utilisées selon l'objectif (utilités)

Méthodes	Avantages	Inconvénients	Utilités
Observation directe	› Permet d'acquérir une meilleure compréhension des exigences du poste › Offre une information plus crédible et plus objective lorsque celle-ci vient d'un observateur neutre que lorsqu'elle vient du titulaire du poste	› Est inutile dans le cas du travail intellectuel (par exemple, celui du pharmacien) › Ne permet pas l'observation d'activités importantes et rares (par exemple, un policier qui procède à un accouchement) › Est inefficace dans le cas des longs cycles de travail › Nécessite l'observation de plusieurs travailleurs pour l'obtention de données signifiantes	› Description de poste › Conception de tests › Élaboration d'entrevues › Définition des critères d'embauche › Modification de l'aménagement ergonomique des postes de travail
Observation participante	› Permet d'observer l'exécution des tâches et les exigences du poste	› Est difficile à utiliser si le poste exige une longue formation (par exemple, grutier) › Est difficile à utiliser si le poste comporte des risques (par exemple, opérateur de bélier mécanique)	› Conception de tests › Élaboration d'entrevues › Définition des critères d'embauche › Élaboration de programmes de formation › Élaboration de programmes d'évaluation du rendement › Modification de l'aménagement ergonomique des postes de travail
Entrevue	› Permet d'obtenir du travailleur des renseignements sur des aspects difficilement observables dans le poste › Favorise les échanges entre le titulaire du poste et l'analyste	› Exige beaucoup de temps › Présente un risque de distorsion de l'information en raison de questions ambiguës de l'intervieweur ou de réponses calculées du travailleur › Offre une information de qualité seulement s'il existe un lien de confiance entre le titulaire du poste et l'analyste	› Description de postes › Conception de tests › Élaboration d'entrevues › Définition des critères d'embauche › Élaboration de programmes de formation › Élaboration de programmes d'évaluation du rendement › Évaluation des tâches
Relevé des activités	› Permet de repérer avec précision les tâches courtes et répétitives	› Nécessite beaucoup de temps pour la compilation des tâches	› Description des postes, surtout lorsque le cycle de travail est long

4.4.3 Obstacles potentiels découlant de l'analyse des postes

Lors de l'analyse de postes, certains problèmes peuvent survenir. Certains sont le résultat de comportements humains, d'autres découlent de la méthode ou de la technique utilisée. Il peut s'agir de l'absence du soutien de la haute direction à l'exercice, de la non-participation et de l'absence de motivation des employés, de l'unicité de la source de renseignements (l'utilisation d'une seule technique de collecte de données), du peu de ressources et de temps consacrés à l'analyse, de la distorsion des données découlant d'un manque de formation des analystes et de l'insécurité face à l'utilisation des données obtenues.

4.5 La description et le profil d'exigences du poste

Description de poste
Document qui décrit les tâches ou les responsabilités, les méthodes utilisées, les conditions de travail et les exigences d'un poste.

La **description de poste** est un document dans lequel sont consignées les données collectées par l'analyse des postes. Ces données concernent les tâches, les responsabilités ou les deux, les méthodes utilisées, les conditions de travail et les exigences du poste.

Les besoins propres à chaque entreprise influent sur le style de la description, mais dans chaque cas, les quatre éléments suivants seront inclus dans la description : l'identification du poste, la description résumée du poste qui en indique les objectifs, la description des tâches ou des responsabilités, les conditions de travail et le profil d'exigences du poste. Ces catégories de renseignements correspondent à la grille d'analyse du poste (*voir le document 4.1, p. 94*), et les liens existant entre ces divers éléments sont présentés à la figure 4.4. Par ailleurs, le document 4.2 donne un exemple simplifié d'une description de poste, alors que le document 4.3 (*p. 101*) nous présente une description tiré de la *Classification nationale des professions.*

Figure 4.4 Les liens entre l'analyse du poste et la description de poste

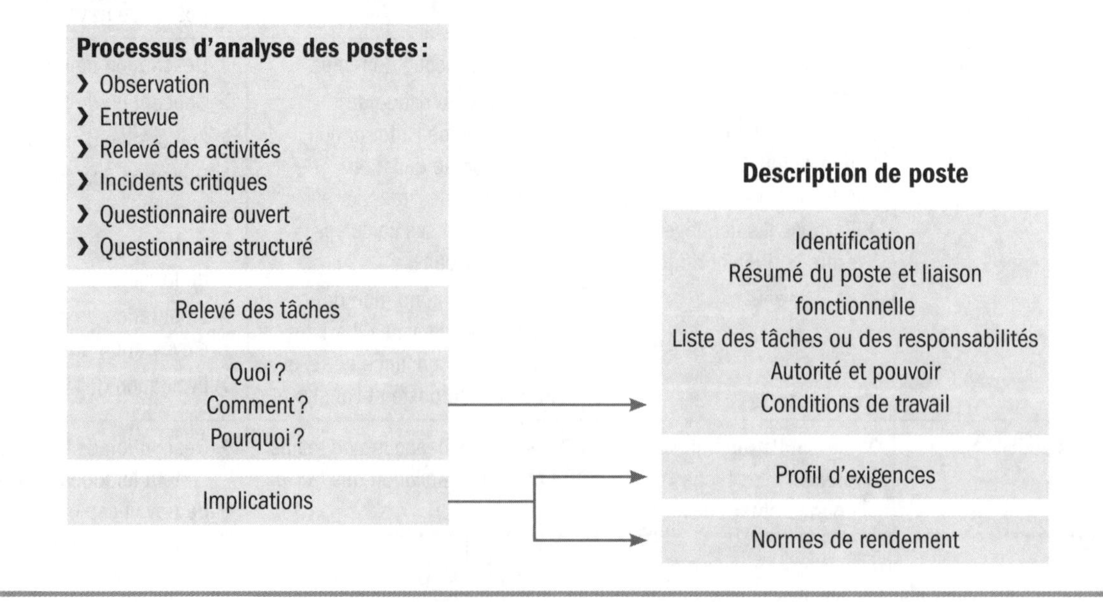

Document 4.2 Un exemple simplifié d'une description de poste

Identification du poste

Emploi :	Commis à l'expédition	Code du poste :	COM 001
Service :	Expédition	Date de rédaction :	Le 5 mai 2009
Localisation :	Entrepôt A	Titre du superviseur :	Directeur de l'entrepôt

Résumé du poste

Sous la supervision générale du directeur de l'entrepôt, il procède à l'envoi du matériel aux clients selon les directives fournies par le Service des ventes. Avec l'aide des autres commis, il ramasse sur les tablettes, à la main ou à l'aide d'un équipement mécanique, le matériel à expédier. Il emballe la commande dans les contenants prévus selon le mode d'expédition. Il prépare les documents pertinents et en conserve des copies dans des dossiers.

Résumé des tâches

		Pourcentage du temps consacré à cette tâche
1	Retire la marchandise des tablettes et l'emballe dans des contenants pour l'expédition	40 %
2	Pèse et étiquette les contenants selon le transporteur indiqué sur la demande de matériel	10 %
3	Contrôle le chargement des marchandises dans les camions	10 %
4	Prépare et remplit les documents de livraison	5 %
5	Remplit les dossiers des expéditions et les classe	5 %
6	Met à jour les dossiers d'expédition et retire les dossiers des commandes expédiées et reçues	10 %
7	Conduit le camion de la compagnie pour transporter au bureau de poste les colis expédiés	5 %
8	Participe à la prise d'inventaire mensuelle	5 %
9	Agit à titre de vérificateur pour les autres commis à l'expédition	5 %
10	Garde son lieu de travail et les aires d'expédition propres et ordonnés	5 %

Supervision reçue

Sauf en cas de problème majeur, le commis organise son travail à sa convenance en respectant les directives du Service des ventes.

Contacts

Travaille en liaison constante avec les emballeurs, les chauffeurs de camion et les autres commis de son service. Est en liaison occasionnelle avec les commis du Service des ventes.

Équipement et outils

Utilise un chariot élévateur et conduit un camion. Utilise un ordinateur pour vérifier les directives du Service des ventes.

Conditions environnementales

Local propre et chauffé. Doit marcher, grimper et soulever des poids de moins de 15 kg. Peut être exposé au froid lorsque les portes s'ouvrent pour accueillir les camions. Le titulaire du poste doit travailler un samedi par mois.

Profil d'exigences du poste

	Exigences essentielles	Exigences souhaitées
Connaissances :	5e secondaire Connaissance fonctionnelle du français et de l'anglais	Cours en gestion des stocks
Expérience :	6 mois dans un poste similaire	
Exigences intellectuelles :	Capacité d'organisation du travail Attention soutenue	
Équipement utilisé :	Chariot élévateur Camionnette	
Exigences physiques :	Travaille surtout debout Grimpe Soulève des poids de moins de 15 kg Est occasionnellement exposé au froid	

4.5.1 L'identification du poste

L'identification du poste comprend le titre du poste[17], le nom du service, le titre du poste du supérieur immédiat, la date de la rédaction du document, le numéro de code de l'emploi et le niveau hiérarchique de l'emploi (*voir le tableau 4.2*).

Tableau 4.2 Les éléments de la description de poste

Le titre[18] du poste	C'est l'appellation précise utilisée pour désigner l'emploi dans l'entreprise. Il faut assurer une certaine uniformisation pour éviter la confusion. Le titre doit être significatif[19] et illustrer le rôle du titulaire du poste, ainsi que les tâches qu'il accomplit, tout en étant le plus bref possible.
Le nom du service	Le nom du service où se trouve le poste aide à repérer le poste dans l'organigramme ; il sera utile au moment de la planification des ressources humaines.
Le titre du poste du supérieur immédiat	Cette information permet de situer le poste décrit dans la hiérarchie et de souligner son importance relative dans l'organigramme lorsque le poste décrit est un poste de gestionnaire.
La date de la rédaction du document	À l'instar de presque tous les documents administratifs, une date doit indiquer le degré d'actualité de la description du poste.
Le numéro de code de l'emploi	Ce code facilite la classification des emplois dans l'entreprise. Certaines entreprises y ajoutent le code de la *Classification nationale des professions*.
Le niveau hiérarchique de l'emploi	Le code du niveau hiérarchique de l'emploi, par exemple « commis II », est indiqué dans certains cas afin de situer de façon encore plus précise le poste et même sa position dans l'échelle salariale.

4.5.2 La description résumée du poste

La description résumée du poste, ou la définition sommaire, est une définition très brève du contenu de l'emploi. Cela permet au lecteur d'avoir en quelques phrases un aperçu de l'ensemble des tâches principales qui caractérisent cet emploi. On y trouve l'objectif du poste. Ce résumé précise aussi le lien hiérarchique qui existe entre ce poste et le supérieur immédiat.

En outre, ce résumé indique souvent le degré d'autonomie du titulaire du poste, ce qui permet d'établir la nécessité pour le titulaire du poste d'être supervisé.

---

17. Le titre du poste est un élément très important. Cependant, il existe certaines entreprises où les emplois n'ont pas de titre, où il n'y a pas d'organigramme ni de réseau formel de communication, et cela, dans le but de promouvoir l'innovation. L'implication découle de la cohésion de l'équipe. Lire à ce sujet Alan Deutschman, « The Fabric of Creativity », *Fast Company*, décembre 2004, p. 54-55 et 58-62. (Il est question dans cet article de la société W. L. Gore & Associates fabricant des vêtements Gore-Tex. Consulter le www.gore.com/en_xx/aboutus/culture/index.html.) Lire aussi, à propos d'Amazon.com, S. Caudron, « Jobs Disappear when Work Becomes More Important », *Workforce*, janvier 2000, p. 30-32, et Peter Coy, « The 21st Century Organization : the Creative Economy », *Business Week*, le 28 août 2000.
18. Afin de faciliter les comparaisons existant entre les entreprises, il est intéressant de s'inspirer, lorsque cela s'y prête, de la *Classification nationale des professions* (*voir le document 4.3, p. 101*).
19. Marie-Eve Cousineau, « *Poste gonflable, titre ronflant* », *Affaires plus*, vol. 30, nº 3, mars 2007, p. 62-66.

Document 4.3 Un exemple de description d'emploi de la *Classification nationale des professions*

Profession :	1113
Titre :	Agents/agentes en valeurs, agents/agentes en placements et courtiers/courtières

Nature du travail

Les agents en valeurs et les agents en placements achètent et vendent des actions, des obligations, des bons du Trésor, des fonds communs de placement et d'autres valeurs pour des investisseurs, des gestionnaires de régimes de retraite, des banques, des sociétés de fiducie, des compagnies d'assurances et d'autres établissements. Les courtiers achètent et vendent des actions, des obligations, des biens, des devises étrangères et d'autres valeurs à la Bourse au nom des agents en placements. Ils travaillent dans des compagnies de placements, des firmes de courtage, à la Bourse et dans d'autres établissements qui traitent des valeurs.

Conditions d'accès à l'emploi

Un diplôme d'études universitaires ou collégiales en économie, en affaires ou d'une autre discipline est habituellement exigé.
L'expérience en placements, en ventes ou dans une autre industrie connexe peut remplacer la formation postsecondaire.
La réalisation d'un programme de formation en placements et en ventes dans l'industrie, la réussite du cours en valeurs mobilières canadiennes et la réussite du *Registered Representative Manual Exam*, offert par l'Institut canadien des valeurs mobilières, sont exigées des représentants en valeurs et des courtiers.
Des cours spécialisés sont également offerts aux représentants en valeurs et aux courtiers qui veulent négocier des produits de placement précis tels que les options en valeurs mobilières et les contacts.
Un permis d'exercer, émis par la commission provinciale des valeurs mobilières de la province d'emploi, est exigé des agents en valeurs, des agents en placements et des courtiers.

Information additionnelle

L'expérience permet d'accéder à des postes de direction connexes.

Professions à ne pas confondre

Analystes financiers/analystes financières et analystes en placements (1112)
Autres agents financiers/agentes financières (1114)
Directeur/directrice du courtage financier (voir 0121 Directeurs/directrices des assurances, de l'immobilier et du courtage financier)

Fonctions principales

1	Acheter et vendre des actions, des obligations, des bons du Trésor, des fonds communs de placement et autres valeurs pour des investisseurs, des gestionnaires de régimes de retraite ou des compagnies telles que des banques, des sociétés de fiducie et des compagnies d'assurances
2	Renseigner et conseiller les clients au sujet des placements
3	Étudier les périodiques financiers, les rapports sur les actions et les obligations, les publications commerciales et d'autres documents afin de déterminer les placements intéressants pour les clients
4	Vérifier les portefeuilles de placements des clients et s'assurer que les transactions en placements sont effectuées conformément aux règlements de l'industrie
5	Acheter et vendre des actions, des obligations, des biens, des devises étrangères et d'autres valeurs, à la Bourse, au nom des agents en placements
6	Élaborer des stratégies commerciales en étudiant les informations sur les placements, en surveillant les conditions du marché du parquet de la Bourse et en communiquant avec les services commerciaux des autres entreprises en placements, les gestionnaires de régimes de retraite et les analystes financiers des firmes de placements
7	Faire des enchères et des offres d'achat ou de vente des valeurs et finaliser les détails des ventes des billets de change commerciaux

Exemples d'appellations d'emplois

Négociateur/négociatrice à la Bourse, obligations
Courtier/courtière en marchandises
Représentant/représentante à la Bourse
Négociateur/négociatrice en obligations
Courtier/courtière en valeurs mobilières
Agent/agente en valeurs
Représentant accrédité/représentante accréditée, placements
Représentant/représentante en fonds communs de placement
Superviseur/superviseure de vendeurs autorisés de valeurs

Source : Emploi Québec, *Métiers et professions*, http://imt.emploiquebec.net (consulté le 17 mars 2009).

Voici quelques exemples indiquant différents degrés allant d'une grande autonomie à une autonomie plus restreinte.

Exemples 4.2

- Sous la direction générale du conseil d'administration…
- Sous la direction du vice-président des ressources humaines…
- Sous la surveillance générale du directeur de l'usine…
- Sous la surveillance du contremaître…

4.5.3 La description des tâches ou des responsabilités

Les tâches sont hiérarchisées en fonction du temps qui leur est consacré et, surtout, de leur importance dans le poste. Par exemple, même si l'enseignement en classe ne représente que 40 % de la tâche d'un enseignant au collégial, il s'agit de son activité prioritaire.

La description des tâches (résumé des tâches) consiste à énumérer les tâches principales, secondaires et occasionnelles qui caractérisent l'emploi. L'énoncé de chaque tâche, qui est exprimé dans un paragraphe distinct, indique clairement ce que fait l'employé, comment il le fait et pourquoi il le fait. Les tâches sont hiérarchisées en fonction du temps qui leur est consacré ou de leur importance dans le poste. Par exemple, un chauffeur de camion consacre beaucoup de temps à la conduite du camion et quelques heures à la vérification de son véhicule et à des tâches administratives. Par contre, pour un professeur du collégial, même si l'enseignement en classe ne représente que 40 % de sa tâche, il s'agit de son activité prioritaire.

Voici d'ailleurs quelques règles de rédaction d'une description des tâches :

- Chaque phrase doit être concise et commencer par un verbe d'action à la troisième personne du singulier de l'indicatif présent, car on sous-entend que le sujet est le titulaire du poste.
- Les différentes tâches (ou les différents objectifs) doivent être décrites de façon à démontrer le lien qui les unit les unes aux autres.
- Le style doit être clair et précis, de manière à permettre à tous les lecteurs de comprendre ce que fait l'employé, comment il le fait et pourquoi il le fait. Les expressions telles que « faire », « exécuter » ou « effectuer » manquent de précision.
- Généralement, on adopte l'ordre chronologique des tâches, mais on peut également les décrire en commençant par les plus importantes.
- Le verbe « peut » au début de la description d'une tâche signifie que la tâche fait partie intégrante de l'emploi, mais que seulement les titulaires de certains postes les effectueront.
- L'expression « occasionnellement », par contre, signifie que tous les titulaires de postes de cet emploi accompliront cette tâche, mais uniquement de temps à autre.
- Les outils et l'équipement utilisés doivent être mentionnés avec précision. Si un secrétaire doit recourir à un ordinateur pour rédiger des rapports, il est important d'indiquer le logiciel qui sera employé.

Dans le cas de la description d'un poste de gestionnaire ou dans le cas d'une description générique (par responsabilités), l'accent est mis sur les résultats, c'est-à-dire sur l'objectif plutôt que sur l'activité. Cette tendance qui reflète la description de poste par compétences s'étend de plus en plus à tous les niveaux de postes dans l'entreprise, tel que nous l'avons déjà mentionné.

Exemple 4.3

- Gérer son unité de travail en respectant les budgets et déceler les possibilités de réduction des coûts[20].

Dans cet exemple, le verbe n'est pas utilisé à la troisième personne du singulier, car la description reflète des responsabilités et non pas seulement des tâches.

4.5.4 Les conditions de travail

Dans une description de poste, les conditions de travail décrites concernent souvent l'environnement physique; cependant, les horaires de travail, les risques concernant la santé et la sécurité du travailleur ou l'obligation de voyager sont d'autres facettes de l'emploi qu'il est important de mentionner.

4.5.5 Le profil d'exigences du poste

Le **profil d'exigences du poste**, appelé aussi «spécifications d'emploi», constitue le dernier élément qui complète la description du poste (*voir la figure 4.5*). Il présente la formation professionnelle minimale requise pour occuper le poste, ces renseignements ayant été obtenus au moment de l'analyse du poste. Cet élément peut faire l'objet d'un document séparé ou être intégré à la description du poste.

Profil d'exigences du poste
Document qui présente la formation professionnelle minimale requise pour occuper un poste.

Figure 4.5 Le profil d'exigences du poste

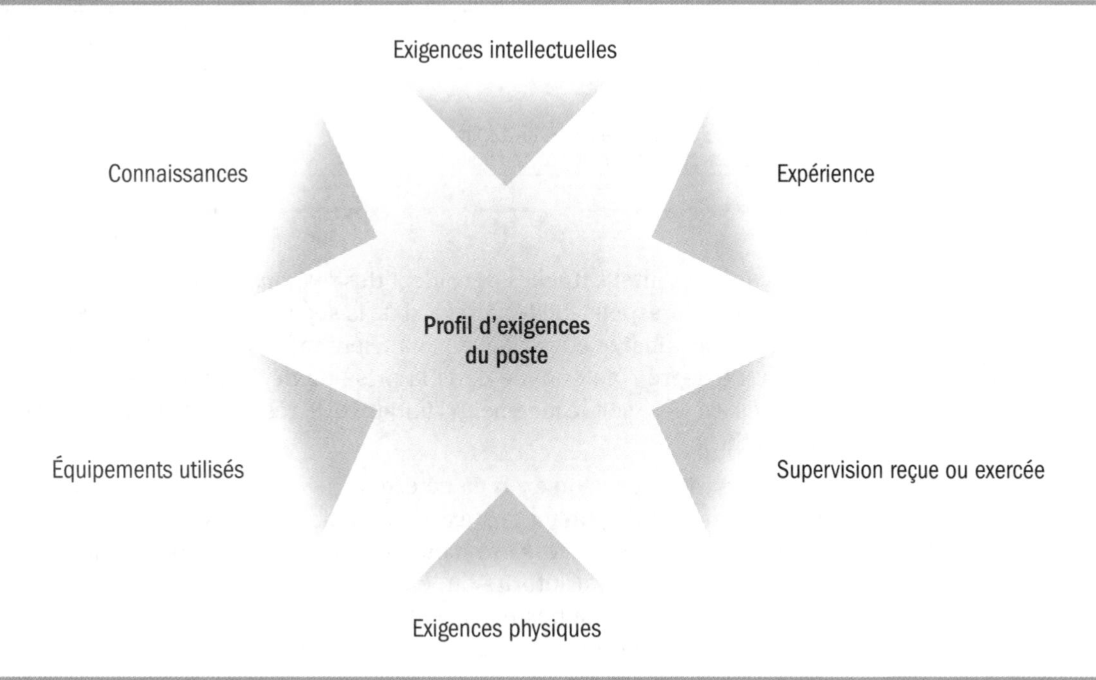

20. Sylvie St-Onge et Roland Thériault, *Gestion de la rémunération: théorie et pratique*, 2e édition, Montréal, Gaëtan Morin éditeur, Chenelière Éducation, 2006, p. 170.

Les exigences qu'on trouve le plus couramment dans un profil d'exigences du poste sont les exigences intellectuelles, la supervision reçue ou exercée, les connaissances, l'expérience, les équipements utilisés et les exigences physiques (*voir le document 4.4*).

Document 4.4 Une grille du profil d'exigences du poste

Emploi : Commis à l'expédition	Service : Expédition
Localisation : Entrepôt A	Code du poste : COM 001
Date de rédaction : Le 5 mai 2004	Titre du superviseur : Directeur de l'entrepôt

Description résumée du poste

Sous la supervision générale du directeur de l'entrepôt, il procède à l'envoi du matériel aux clients selon les directives fournies par le Service des ventes. Avec l'aide des autres commis, il ramasse sur les tablettes, à la main ou à l'aide d'un équipement mécanique, le matériel à expédier. Il emballe la commande dans les contenants prévus selon le mode d'expédition. Il prépare les documents pertinents et en conserve des copies dans des dossiers.

Profil d'exigences du poste

	Exigences essentielles	Exigences souhaitées
Connaissances :	5e secondaire Connaissance fonctionnelle du français et de l'anglais	Cours en gestion des stocks
Expérience :	6 mois dans un poste similaire	
Exigences intellectuelles :	Capacité d'organisation du travail Attention soutenue	
Équipement utilisé :	Chariot élévateur Camionnette	
Exigences physiques :	Travaille surtout debout Grimpe Soulève des poids de moins de 15 kg Est occasionnellement exposé au froid	

Les exigences intellectuelles découlent des responsabilités confiées au détenteur du poste. Les responsabilités à l'égard de la sécurité de ses collègues, du matériel et des outils ainsi que les risques financiers rattachés aux décisions sont considérés. Le degré d'autonomie dans la prise de décision a un effet direct sur les qualités exigées, soit le jugement, l'initiative, la résistance au stress et la capacité de synthèse.

La supervision reçue ou exercée détermine les caractéristiques du titulaire d'un poste. Lorsqu'il s'agit d'un poste de gestionnaire qui exerce son autorité sur ses subordonnés, il est nécessaire d'indiquer le nombre de personnes supervisées ainsi que la relation d'autorité qui existe entre le gestionnaire et ses employés. Dans la description de poste d'un employé, il est aussi important de mentionner le type de supervision reçue, car cela détermine son degré d'autonomie et d'initiative dans son travail.

Les connaissances indiquent les acquis de la formation générale ou professionnelle qui sont utilisés dans l'exécution des tâches relatives au poste. La mesure des connaissances requises est fonction de la scolarité, laquelle est exprimée soit en années, soit par un diplôme.

L'expérience fait référence au nombre d'années de travail dans un domaine précis nécessaire pour obtenir les connaissances que ne peut transmettre le réseau officiel de formation. Elle s'exprime en mois ou en années.

L'équipement utilisé correspond aux outils de travail, aux machines ou encore à tout instrument de travail que doit connaître le travailleur pour être efficace dans l'exercice de ses fonctions. Par exemple, le technicien en mélange d'encres doit maîtriser les techniques de préparation des mélanges d'encres, connaître les encres U.V. et les encres traditionnelles. Il doit aussi connaître les différents additifs.

Les exigences physiques renvoient aux capacités de manipulation de produits, d'équipements ou d'outils nécessaires à l'exécution des tâches relatives au poste. Ces capacités se mesurent selon la précision, la rapidité et l'exactitude : l'indication de la fréquence et de l'intensité est l'expression de cette mesure. Par exemple, le préposé à l'entrepôt doit empiler sur une palette pendant deux heures des caisses d'un poids de 15 kg au rythme de sept caisses à la minute.

4.5.6 Les nouvelles orientations dans la description des postes

Dans la nouvelle économie basée sur l'information et le savoir, la gestion ne peut plus demeurer statique. L'environnement impose des contraintes découlant de l'incertitude de la demande, des bouleversements technologiques et d'une nette amélioration de la qualité de la main-d'œuvre. Dans un tel contexte, les entreprises n'ont pu maintenir une structure d'autorité rigide ni une définition de postes contraignante.

Notons particulièrement l'approche multirôle des responsabilités confiées aux employés, la dilution du rôle du superviseur qui transfère des responsabilités à l'exécutant de la tâche, l'aménagement du travail en fonction de l'équipe plutôt que de l'individu et l'utilisation de plus en plus grande de la structure matricielle[21].

Par conséquent, la description de poste devient plus flexible et met l'accent sur les compétences du travailleur plutôt que sur les tâches qu'il doit accomplir. Par exemple, il faut indiquer dans la description de poste que le professeur doit connaître les nouvelles tendances dans son domaine d'enseignement, au lieu d'écrire qu'il doit suivre des cours de perfectionnement. Une telle démarche confirme l'utilité d'une approche par compétences dans la formation des futurs employés.

Une fois qu'ils ont déterminé les exigences de chacun des postes de l'entreprise, les gestionnaires détiennent l'information nécessaire pour établir le nombre de postes et les exigences requises pour chacun d'eux afin que l'entreprise atteigne le niveau d'efficacité nécessaire à la réalisation de ses objectifs. En fait, la planification des ressources humaines est une partie intégrante des objectifs stratégiques et opérationnels de l'entreprise. Elle peut porter sur l'ensemble de l'organisation ou sur certains services seulement. Il peut s'agir d'un exercice périodique (annuel) ou ponctuel, mais la planification des ressources humaines doit constituer un outil visant à aider l'entreprise à faire face à la concurrence, elle n'est jamais une fin en soi.

---

21. Dans une structure matricielle, un employé aura plusieurs superviseurs différents dans une période donnée. Lire à ce sujet Bernard Turgeon et Dominique Lamaute, *Le management*, 2e édition, Montréal, Chenelière éducation, 2006, p. 91.

4.6 La planification des ressources humaines

Planification des ressources humaines
Activité importante de la gestion des ressources humaines qui permet de prévoir les besoins en main-d'œuvre de l'entreprise et l'offre interne des ressources humaines de manière à ce que chaque unité administrative dispose des ressources humaines nécessaires à la réalisation de ses objectifs, et ce, au moment où elle en a besoin.

La **planification des ressources humaines** constitue une activité importante de la gestion des ressources humaines qui permet de prévoir les besoins en main-d'œuvre de l'entreprise et l'offre interne de ressources humaines de manière à ce que chaque unité administrative dispose des ressources humaines nécessaires à la réalisation de ses objectifs, et ce, au moment où elle en a besoin.

Les efforts consacrés à la planification des ressources humaines[22] visent d'abord la réalisation de certains objectifs tels que:

- réduire les coûts de la main-d'œuvre en maintenant un équilibre entre les besoins de l'entreprise et le niveau d'emploi;
- utiliser efficacement les ressources humaines de l'organisation;
- offrir des renseignements pertinents pour la planification des programmes de gestion des ressources humaines;
- proposer un outil de mesure des implications et des résultats des programmes et des politiques de gestion des ressources humaines;
- participer à la définition de la planification stratégique globale;
- promouvoir le rôle de la gestion des ressources humaines dans l'entreprise;
- présenter les informations nécessaires à l'établissement des plans de carrière;
- participer à la définition de la planification stratégique de l'entreprise;
- réaliser la planification des besoins de l'entreprise en ressources humaines.

La définition de la mission de l'organisation et de ses objectifs de développement est la base de la planification des ressources humaines. La définition des besoins en main-d'œuvre découle des orientations de l'entreprise. Le personnel d'une organisation constitue la ressource qui valorise toutes les autres. C'est sur elle que repose en grande partie le succès d'une organisation, car c'est elle qui en réalise les objectifs. Notons que même si la gestion des ressources humaines participe à la définition de la stratégie globale de l'entreprise, il semble de plus en plus difficile de parler de stratégie à long terme de la main-d'œuvre au sein des entreprises, alors que celles-ci, tout en poursuivant des objectifs stratégiques (à long terme), considèrent parfois la main-d'œuvre comme une ressource consommable.

4.6.1 Les étapes du processus de planification

La planification des ressources humaines peut être menée pour une seule unité administrative ou pour l'organisation tout entière. Dans ces diverses circonstances, les étapes de la planification sont sensiblement les mêmes (*voir la figure 4.6*).

Il s'agit:

- de la prise de connaissance de la mission et des objectifs de développement;
- de la détermination des prévisions de la demande interne de ressources humaines;
- de la détermination des prévisions de l'offre interne de ressources humaines;

22. Site à visiter: The Human Resource Planning Society (HRPS), au www.hrps.org (consulté le 17 mars 2009).

- de l'évaluation de l'offre externe de ressources humaines;
- de l'évaluation et de la conciliation de l'offre et de la demande de ressources humaines;
- de l'élaboration de programmes de gestion des ressources humaines qui permettront de corriger les écarts;
- de l'évaluation des programmes de gestion des ressources humaines mis en place.

Figure 4.6 Les étapes du processus de planification des ressources humaines

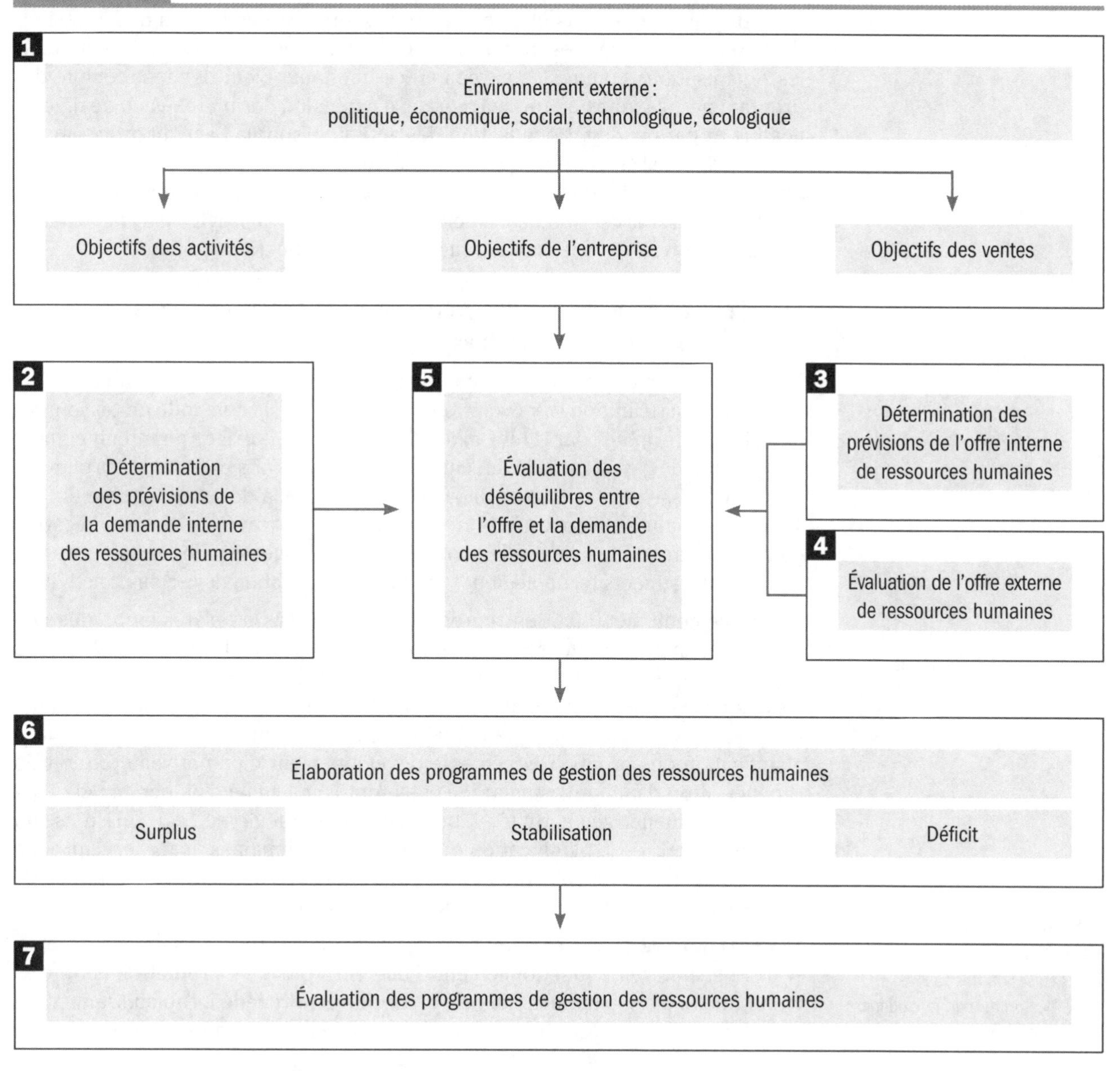

Étape 1 : La prise de connaissance de la mission et des objectifs de développement

La planification des ressources humaines n'est pas un objectif en soi : elle est plutôt un moyen d'atteindre les objectifs de l'organisation et de lui assurer une plus grande efficacité. L'ensemble des étapes de ce processus et les activités qu'elles comportent sont du ressort des gestionnaires à tous les niveaux de l'entreprise.

À partir des tendances de l'environnement politique, économique, social, technologique et écologique, de ses atouts et de ses faiblesses ainsi que de la philosophie et des objectifs de ses dirigeants, l'entreprise définit sa mission et ses objectifs de développement selon sa perception des menaces ou des occasions d'affaires du marché. Les prévisions des ventes – ou du niveau d'activité dans les organisations comme les cégeps et les hôpitaux –, qui tiennent compte des programmes d'expansion de l'entreprise, d'extension des marchés ou de diversification et parfois de rationalisation des activités, sont la base du processus de planification de l'entreprise. Cet objectif déterminera à son tour le niveau de production ou d'activité de l'organisation. Ces plans, sur lesquels s'appuie la planification des ressources humaines, permettent d'établir la prévision de la demande interne de travail dans les conditions actuelles de fonctionnement.

Étape 2 : La détermination des prévisions de la demande interne de ressources humaines

En général, le niveau d'activité constitue un indice des besoins en main-d'œuvre. Cependant, la définition des évolutions prévisibles de la demande de ressources humaines déterminée par le niveau d'activité doit être corrigée pour tenir compte de décisions de gestion au sein de l'entreprise. Ainsi, les objectifs de ventes peuvent être à la hausse sans entraîner un accroissement de la demande interne de ressources humaines à cause d'une restructuration du travail, d'une modification du comportement de la main-d'œuvre, d'un réaménagement des horaires de travail, de changements technologiques ou de l'automatisation de certaines activités.

Malgré ce contexte, il faut entreprendre un processus de planification des ressources humaines, lequel se situe au niveau supérieur de l'entreprise. Parmi les facteurs internes qui influent sur la planification de la main-d'œuvre, il y a les prévisions des ventes qui influent sur les prévisions des besoins en main-d'œuvre, mais les prévisions du coût de la main-d'œuvre ont aussi une incidence sur la planification des profits. De même, le développement d'un nouveau produit ou la pénétration d'un nouveau marché exigeront l'embauche d'un personnel qualifié pouvant mener ces activités à bien. Bref, la stratégie de l'entreprise est un élément majeur de la planification des ressources humaines, mais la réciproque n'est pas nécessairement vraie. Enfin, il faut tenir compte des programmes de réorganisation structurelle et de conception des emplois.

Restructuration du travail
Réorganisation des tâches et de la structure de fonctionnement d'une entreprise.

La **restructuration du travail**, qui consiste dans la réorganisation des tâches et de la structure de fonctionnement d'une entreprise, se produit dans un très grand nombre d'entreprises qui ont, entre autres, procédé à l'aplanissement de leur structure pyramidale en éliminant des catégories de cadres intermédiaires.

La **modification du comportement de la main-d'œuvre**, soit le changement de la façon habituelle d'agir dans une situation liée au travail, peut fausser sensiblement les prévisions de la demande interne. Il aura suffi d'une amélioration des conditions du secteur privé suivie d'une détérioration des conditions de travail du secteur public pour bouleverser toutes les prévisions et placer les gestionnaires devant une situation de pénurie grave d'infirmières expérimentées. Il faut aussi tenir compte d'une culture qui se développe dans notre société où la conciliation travail-famille[23] devient une priorité. L'aménagement d'horaires flexibles, le télétravail, la semaine de quatre jours, les congés parentaux en sont aussi d'autres exemples.

Modification du comportement de la main-d'œuvre
Changement de la façon habituelle d'agir dans une situation liée au travail.

La pyramide des âges des employés influe sur le taux de roulement et sur le niveau d'absentéisme. Ainsi, le vieillissement d'un groupe d'employés entraîne un plus grand nombre de préretraites, de congés de maladie prolongés et de congés sabbatiques.

Le taux de roulement des effectifs est le ratio entre le nombre d'employés qui quittent définitivement l'entreprise pendant une période donnée et le nombre moyen d'employés pendant cette période. On le calcule ainsi :

$$\text{Taux de roulement (\%)} = \frac{\text{Nombre de départs définitifs pendant la période}}{\text{Nombre moyen d'employés}} \times 100$$

De même, les prévisions de l'offre interne de travail peuvent être modifiées lorsqu'une large proportion des employés atteint un âge où les congés de maladie sont moins fréquents, mais plus longs à cause, habituellement, d'affections plus sérieuses qui frappent les personnes plus âgées.

À l'aide d'un ratio semblable au taux de roulement, on peut aussi calculer le taux d'absentéisme en fonction de la fréquence ou de la durée. Ainsi :

$$\text{Taux de fréquence (\%)} = \frac{\text{Nombre d'employés absents pendant la période}}{\text{Nombre moyen d'employés}} \times 100$$

$$\text{Taux de gravité (\%)} = \frac{\text{Nombre de jours d'absence pendant la période}}{\text{Nombre moyen d'employés} \times \text{Nombre de jours ouvrables pendant la période}} \times 100$$

Le **réaménagement des horaires de travail** est une technique de réorganisation du travail qui permet aux employés de travailler selon un horaire autre que l'horaire traditionnel. Les différentes formes de réaménagement sont le régime de partage du travail, l'horaire variable ou flexible et la semaine de travail compressée.

Réaménagement des horaires de travail
Technique de réorganisation du travail qui permet aux employés de travailler selon un horaire autre que l'horaire traditionnel.

Les **changements technologiques**, qui correspondent à la modification des outils utilisés pour effectuer un travail, ne font que s'accélérer depuis le début de la production de masse avec l'introduction des ordinateurs dans toutes les sphères du travail. Du fait que les succursales bancaires, les librairies, les magasins d'équipement électronique, les salles de cours et ainsi de suite font un très grand usage des ordinateurs, cela a des répercussions sur la demande de ressources humaines et les compétences requises.

Changements technologiques
Modifications des outils utilisés pour effectuer un travail.

23. Le Conseil de la famille et de l'enfance, *Famille-travail, comment conciliez-vous ? Enquête dans six entreprises*, Gouvernement du Québec, septembre 2003.

Exemple 4.4

Un préposé à la clientèle dans une succursale bancaire fera face à des temps morts et à des périodes de pointe dans une journée de travail. Si cet employé effectue son travail dans un centre d'appel, il lui sera plus facile d'étaler la demande au cours de la journée de travail, car la clientèle couvrira une étendue aussi vaste que le pays entier et six fuseaux horaires.

Automatisation de certaines activités
Remplacement par une machine d'activités auparavant effectuées par un employé.

L'**automatisation de certaines activités**, soit le remplacement d'un employé par une machine, a une influence majeure sur la demande de ressources humaines, surtout en ce qui concerne la production. La planification des ressources humaines joue un rôle primordial dans la réduction des effets négatifs de l'automatisation en permettant à l'entreprise de mettre en branle des programmes de recyclage de la main-d'œuvre.

Les méthodes de prévision

Il existe plusieurs méthodes de prévision de la demande de ressources humaines, certaines très simples, d'autres très sophistiquées, qui s'appliquent dans les grandes entreprises. Parmi les méthodes les plus simples, on trouve les prévisions directes par le jugement, la projection des tendances et l'extrapolation de séries chronologiques. Ces techniques dépassent le cadre du cours. Bien que l'offre et la demande de travail dans l'organisation s'expriment généralement en nombre, il ne faut pas négliger l'aspect qualitatif[24] de la démarche, soit le profil de chaque emploi qui a été déterminé au moment de l'analyse du poste et qui se traduit dans la description de poste. Ainsi, la grande popularité des robots dans les usines, l'automatisation et l'utilisation des ordinateurs influent sur la prévision du nombre d'employés, mais surtout les compétences dont ces derniers doivent faire preuve.

Le **plan de succession** est un outil de prévision de la demande interne de ressources humaines, mais il fournit aussi des indications quant à l'offre interne. En effet, le plan de succession présente un organigramme des postes au sein d'une unité administrative. Pour chacun des postes, on mentionne la personne qui le détient actuellement, l'âge de cette personne, son ancienneté, son potentiel et son rendement. Le potentiel représente la capacité d'un employé à évoluer dans un poste différent ou d'un niveau supérieur, alors que le rendement mesure le succès de l'employé dans son poste actuel.

Ainsi, dans le plan de succession de la figure 4.7, il semble qu'advenant le départ du président de l'entreprise, Charles Brault pourrait le remplacer. Cette promotion serait facilitée par la présence d'une relève au poste de vice-président à la production en la personne de Yannick Laurin, de l'usine B. En effet, le plan de succession laisse entrevoir que Sandra Martin est fin prête pour une promotion. Par conséquent, le départ du président impliquerait l'embauche d'un directeur de la production à l'usine B. Maintenant que l'entreprise a établi ses besoins en main-d'œuvre, c'est-à-dire la demande interne de ressources humaines, il faut, au cours de la troisième étape de la planification des ressources humaines, faire appel à deux sources, l'une interne et l'autre externe, pour connaître l'offre de ressources humaines qui permettra à l'entreprise de combler ses besoins.

24. Lecture suggérée : « Good Jobs, No Jobs », *The Globe and Mail*, le 15 janvier 1997, p. B-3.

Figure 4.7 Le plan de succession

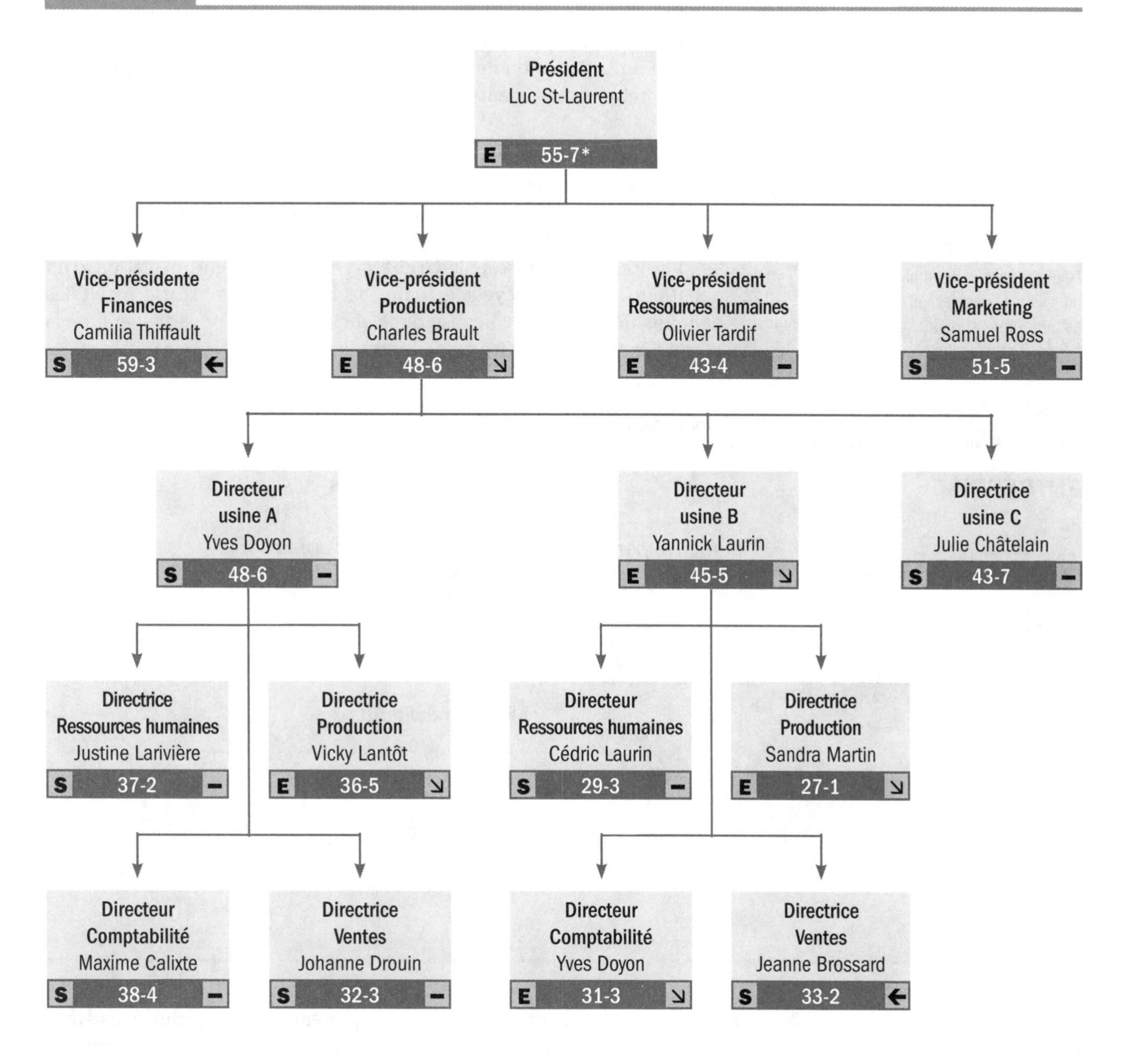

Rendement

- **E** Excellent
- **S** Satisfaisant
- **F** Faible

Potentiel

- ↘ Peut être promu
- – A besoin d'expérience
- ← Ne convient pas à ce poste

* Âge et ancienneté dans le poste. Par exemple, Luc St-Laurent a 55 ans et a cumulé sept années d'expérience auprès de l'entreprise.

Étape 3 : La détermination des prévisions de l'offre interne de ressources humaines

La détermination des prévisions de l'offre interne de ressources humaines consiste à analyser l'ensemble des personnes actuellement au service de l'entreprise et à évaluer les différents mouvements qui peuvent les toucher, comme les promotions ou les mutations.

Les mouvements du personnel dans l'organisation peuvent être classés en quatre catégories. La première catégorie concerne les mouvements verticaux, soit la promotion et la rétrogradation ; la deuxième catégorie comprend les mouvements horizontaux, soit la **mutation** et le transfert ; la troisième catégorie touche aux retraits temporaires, soit la mise à pied, l'absence en raison d'une formation, d'un congé sabbatique ou d'un recyclage ; enfin, la quatrième catégorie inclut les retraits définitifs des employés à cause du licenciement, du congédiement, de la démission, du départ involontaire ou de la retraite (*voir la figure 4.8*).

Mutation
Déplacement d'un employé vers un poste équivalent, où le salaire est identique et où les responsabilités sont similaires.

Figure 4.8 Les mouvements du personnel

ENTREPRISE

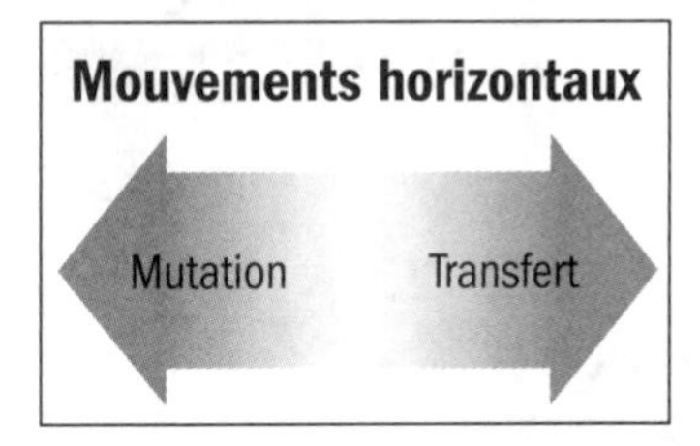

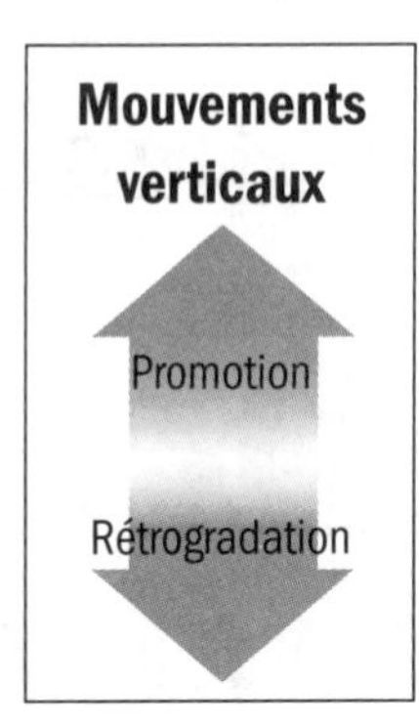

Retraits temporaires

- Mise à pied
- Absence en raison d'une formation
- Congé sabbatique
- Congé pour recyclage
- Congé parental
- Congé de maladie

Retraits définitifs

- Licenciement
- Congédiement
- Démission
- Départ involontaire
- Retraite

Transfert
Déplacement d'un employé, parfois contre son gré, vers un autre service de l'entreprise pour qu'il exerce un poste de nature identique ou d'un niveau hiérarchique supérieur.

- Les mouvements horizontaux (il s'agit de la première catégorie) consistent dans la mutation et le transfert. La mutation est le déplacement d'un employé vers un poste équivalent où le salaire est identique et où les responsabilités sont similaires. Le **transfert** est le déplacement d'un employé, parfois contre son gré, vers un autre service de l'entreprise pour qu'il exerce un poste de nature identique ou d'un niveau hiérarchique supérieur.

- Les mouvements verticaux (il s'agit de la deuxième catégorie) comprennent la promotion et la rétrogradation. La **promotion** est l'affectation d'un employé à un poste de niveau hiérarchique supérieur, où il assumera plus de responsabilités ou d'autorité et aura des conditions de travail plus intéressantes, dont généralement un salaire plus élevé et un plus grand prestige. Par ailleurs, la **rétrogradation** est le déplacement d'un employé vers un poste de niveau inférieur de la structure hiérarchique, soit parce qu'il n'a plus les compétences pour exercer les fonctions actuelles de son poste ou parce que son poste a été aboli.
- Les retraits temporaires forment la troisième catégorie. En ce qui les concerne, la **mise à pied** est la perte temporaire d'un poste à cause d'une réduction des activités au sein de l'organisation. Le processus de supplantation dans certaines entreprises permet à un employé touché par une diminution du volume de travail dans son unité de prendre le poste d'un employé d'une autre unité si cet employé a moins d'ancienneté que lui. L'employé n'est pas rémunéré pendant la période où il est mis à pied et il perd en général tous les avantages liés à l'emploi. Il est habituellement rappelé, dès la reprise des activités, selon une liste basée sur l'ancienneté des employés.

  Par ailleurs, l'**absence en raison d'une formation** est une absence temporaire de l'employé en raison de sa participation à un programme de formation en dehors de son lieu de travail habituel. Le **congé sabbatique** est une absence temporaire, avec ou sans solde, de l'employé pour des raisons personnelles. Certaines entreprises offrent à leurs employés la possibilité de répartir leur salaire de quatre années sur une période de cinq ans, la dernière année étant le congé sabbatique.

  Le **congé pour recyclage** est une absence temporaire de l'employé en raison de sa participation à un programme de recyclage. Ce congé est ordinairement plus long qu'un congé de formation, compte tenu de l'ampleur des objectifs de recyclage. Certaines entreprises accordent même à l'employé un congé d'un an ou plus pour lui permettre de terminer des études universitaires.

  Le **congé parental** consiste en une absence temporaire de l'employé en raison de la naissance ou de l'adoption d'un enfant. Le **congé de maladie** est une absence temporaire de l'employé en raison d'une incapacité d'assumer ses fonctions à la suite d'un accident ou d'une maladie.
- La quatrième catégorie concerne les retraits définitifs. Le **licenciement** est une rupture définitive du lien de travail entre l'employeur et l'employé à la suite d'une décision de l'employeur. Les causes du licenciement sont ordinairement la fermeture d'une usine ou la fusion avec une autre entreprise entraînant l'élimination de certains postes.

  Le **congédiement** est le renvoi d'un employé qui constitue une rupture unilatérale du lien d'emploi pour des motifs disciplinaires. La **démission** est le départ de l'employé en raison d'une insatisfaction liée au contenu ou au contexte du travail, lequel ne correspond plus à ses aspirations. Le départ peut aussi être consécutif à l'offre, de la part d'une autre organisation, d'un poste de travail mieux adapté aux besoins de l'employé.

Promotion
Affectation d'un employé à un poste de niveau hiérarchique supérieur.

Rétrogradation
Déplacement d'un employé vers un poste de niveau hiérarchique inférieur.

Mise à pied
Perte temporaire d'un poste à cause d'une réduction des activités au sein de l'organisation.

Absence en raison d'une formation
Absence temporaire de l'employé en raison de sa participation à un programme de formation.

Congé sabbatique
Absence temporaire, avec ou sans solde, de l'employé pour des raisons personnelles.

Congé pour recyclage
Absence temporaire de l'employé en raison de sa participation à un programme de recyclage.

Congé parental
Absence temporaire de l'employé en raison de la naissance ou de l'adoption d'un enfant.

Congé de maladie
Absence temporaire de l'employé en raison d'une incapacité d'assumer ses fonctions à la suite d'un accident ou d'une maladie.

Licenciement
Rupture définitive du lien de travail entre l'employeur et l'employé à la suite d'une décision de l'employeur.

Congédiement
Renvoi d'un employé qui constitue une rupture unilatérale du lien d'emploi pour des motifs disciplinaires.

Démission
Départ de l'employé en raison d'une insatisfaction liée au contenu ou au contexte du travail, lequel ne correspond plus à ses aspirations.

Départ involontaire
Abandon par l'employé de son poste pour des motifs personnels qui ne sont pas liés à l'emploi.

Retraite
Abandon par l'employé de son poste au terme de plusieurs années de service.

Le **départ involontaire** est l'abandon par l'employé de son poste pour des motifs personnels qui ne sont pas liés à l'emploi, tels que la maladie, un accident, le déménagement, la retraite ou le décès d'un conjoint. Finalement, la **retraite** est l'abandon par l'employé de son poste au terme de plusieurs années de service.

La connaissance de ces mouvements permet d'établir l'offre interne de ressources humaines, d'autant plus que les canaux qu'ils empruntent sont souvent régis par des conventions formelles ou informelles. Lorsqu'une convention collective s'applique, la progression est plus rigide : il faut avoir été apprenti pour pouvoir accéder à d'autres fonctions. Par conséquent, dans ces conditions, il est plus facile d'établir des prévisions de l'offre interne de ressources humaines.

Étape 4 : L'évaluation de l'offre externe de ressources humaines

L'offre externe est composée des personnes qui sont sur le marché du travail et qui ne sont pas au service de l'entreprise, auxquelles il faut ajouter les diplômés de l'année. Il s'agit des employés des autres entreprises, des chômeurs et des diplômés des divers établissements de formation. Afin de combler ses besoins en ressources humaines découlant de l'expansion de ses activités ou du départ de certains de ses employés, l'entreprise devra se tourner vers le réservoir externe de main-d'œuvre. La population active doit présenter une structure permettant d'envisager de mettre sur pied des programmes de recrutement qui seront une réussite.

Conséquemment, l'évaluation de l'offre externe s'appuie sur des études[25] qui dépassent souvent les capacités de l'entreprise. Les études fournies par les différents organismes gouvernementaux et par des organismes économiques régionaux viennent alors à la rescousse de l'employeur. Emploi Québec et Statistique Canada publient différentes prévisions de l'offre et de la demande de main-d'œuvre[26]. Cette évaluation de l'offre externe est fondamentale dans le cas de l'implantation de nouvelles usines dans une région, car la main-d'œuvre doit être disponible en quantité et en qualité.

De plus, l'entreprise doit suivre les études fournies par certains établissements, tels que l'Université Laval, qui publient régulièrement des statistiques sur le marché du travail. Plusieurs indicateurs tirés des enquêtes *Relance* font partie de l'ouvrage ministériel *Indicateurs de l'éducation*. Le volet « Marché du travail », du répertoire informatisé *Repères*, est largement constitué de traitements spéciaux des données extraites des enquêtes *Relance*. Des résultats sont intégrés dans des ouvrages produits par des éditeurs externes, comme les éditions Septembre et les éditions Jobboom, et vendus au grand public. Ils sont aussi repris dans les médias.

---

25. Exemples d'études : Claude Montmarquette et Laure Thomas, « La pénurie de travailleurs qualifiés », *Rapport de projet*, CIRANO, Montréal, février 2005 ; G. Laroche, *Changement démographique et travailleurs hautement qualifiés*, Les cahiers de CETECH, 2003.

26. Lire à ce sujet Roth Wayne, « COPS : A Presentation of Results Using a Revised Framework », *Research Paper Series T-95-3*, HRDC, en ligne au www.hrdc-drhc.gc.ca, consulté en 1995.

Par exemple, un extrait d'*Au fil des événements* indique les secteurs où les entreprises doivent entrevoir des difficultés de recrutement dans les prochaines années. Il faut, de plus, tenir compte des facteurs externes de l'entreprise, soit les développements économiques tels que l'inflation, le chômage ou les variations des taux d'intérêt, les modifications des cadres politiques telles que les lois concernant la discrimination positive, les changements concernant la technologie tels les ordinateurs et les robots dans les usines ou encore les concurrents tels que les entreprises des pays comme la Chine, l'Inde ou le Brésil.

Étape 5 : L'évaluation et la conciliation de l'offre et de la demande de ressources humaines

La cinquième étape du processus de planification des ressources humaines consiste à évaluer les écarts entre la demande et l'offre de main-d'œuvre. Pour chaque période visée par l'étude, il faut alors soustraire l'offre prévue de la demande projetée pour chacune des catégories d'emplois. Les écarts constatés formeront la base des programmes de gestion des ressources humaines de l'organisation.

Trois situations sont susceptibles de se présenter.

- Tout d'abord, l'offre interne de ressources humaines dépasse la demande de travail pour les différentes périodes étudiées. Généralement, cette situation entraîne le gel des mouvements internes de main-d'œuvre verticaux et horizontaux.
- La deuxième situation découle d'une pénurie de l'offre interne de main-d'œuvre. Un certain nombre de postes ne trouvent pas de candidats compétents et qualifiés. L'entreprise est alors dans une situation où elle ne pourra atteindre ses objectifs de ventes et de production.
- L'équilibre entre l'offre et la demande de main-d'œuvre s'avère une situation extrêmement rare. Dans ce cas, il s'agit probablement d'un équilibre quantitatif qui pourrait cacher un déséquilibre qualitatif.

Cela nous amène à analyser les catégories de déséquilibre entre l'offre et la demande de main-d'œuvre. Les écarts peuvent être de quatre ordres[27] *(voir la figure 4.9, p. 116)*. Premièrement, les déséquilibres quantitatifs découlent d'une situation où le nombre de personnes requises pour l'ensemble des emplois est différent du nombre de personnes disponibles dans l'organisation. Deuxièmement, les déséquilibres qualitatifs se manifestent quand la qualification de la main-d'œuvre disponible est supérieure ou inférieure aux besoins de l'entreprise. Habituellement, ce déséquilibre est accompagné d'un déséquilibre quantitatif. Troisièmement, les déséquilibres structurels surviennent lorsque la structure des ressources humaines de l'organisation n'est pas conforme à ses besoins. Il faut alors procéder à une réorganisation du travail.

---

27. William B. Werther, Keith Davis et Hélène Lee-Gosselin, *op. cit.*, p. 192-194.

Figure 4.9 Les catégories de déséquilibres découlant de la conciliation de l'offre et de la demande de ressources humaines

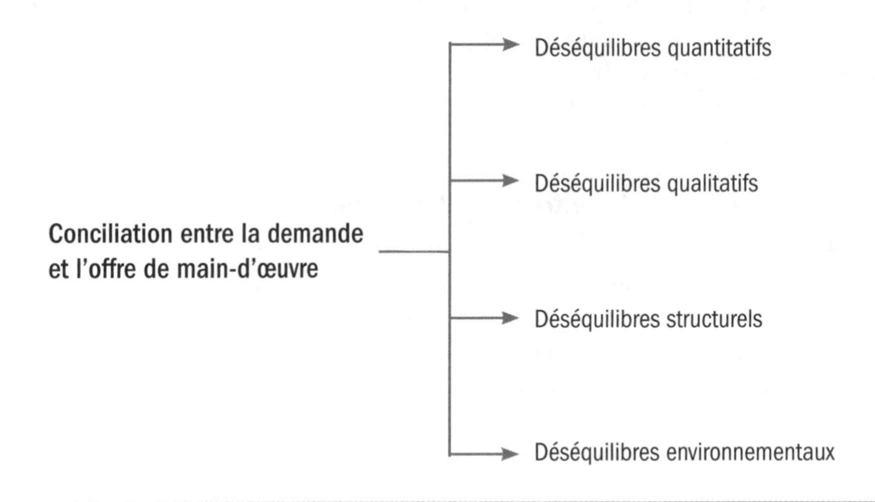

Étape 6 : L'élaboration de programmes de gestion des ressources humaines

À partir des constats d'un surplus ou d'une pénurie de main-d'œuvre, l'entreprise doit élaborer des politiques et mettre sur pied des programmes[28] de gestion des ressources humaines pour annuler ou réduire les écarts prévisibles. Le choix des programmes dépend de plusieurs facteurs, dont les principaux sont la taille de l'entreprise, l'importance du surplus ou du déficit de main-d'œuvre, la durée de cet écart et le délai avant son apparition.

Un surplus ou une pénurie de trois ou quatre personnes pourront se corriger en quelques semaines tout au plus. Le recrutement de quatre ou cinq comptables spécialisés en comptabilité de fonds constitue un défi sérieux, mais qui peut être relevé dans des délais raisonnables.

Au moment de l'évaluation de l'offre et de la demande de ressources humaines, les écarts sont mesurés pour différentes périodes. Aussi, un surplus ou une pénurie de quelques personnes pour une période relativement courte peuvent être compensés par des mesures simples et très acceptables pourvu qu'elles soient temporaires. Un manque de personnel pendant une ou deux semaines n'entraînera probablement pas l'embauche d'une main-d'œuvre supplémentaire. De même, un surplus temporaire pourra être annulé par l'affectation de la main-d'œuvre surnuméraire à des projets qui sont en attente.

Enfin, les déséquilibres environnementaux apparaissent lorsque les caractéristiques de l'organisation ne concordent pas avec les exigences des environnements politique, économique, social, technologique ou écologique.

28. Ce sujet a déjà été abordé dans Bernard TURGEON, *La pratique du management*, 1re éd., Montréal, McGraw-Hill Éditeurs, 1985, p. 244, et repris dans Marie-Thérèse MILLER et Bernard TURGEON, *op. cit.*, p. 119. Voir aussi William B. WERTHER, Keith DAVIS et Hélène LEE-GOSSELIN, *op. cit.*, p. 192-194.

Enfin, lorsque la situation laisse présager qu'un surplus ou qu'un déficit de main-d'œuvre sera important et qu'il se maintiendra longtemps si aucune initiative n'est prise pour corriger la situation, il faut réagir énergiquement, mais si l'entreprise estime que cette situation apparaîtra dans six mois, ce délai lui permettra d'envisager plusieurs solutions qui lui éviteront de se retrouver face à ce surplus ou à ce déficit.

Le surplus de ressources humaines

Dans les cas de surplus de ressources humaines, l'entreprise dispose également de différents moyens de contrer la situation. Elle peut ainsi procéder au *gel de l'embauche* de façon générale et laisser *l'attrition naturelle* diminuer l'offre interne de ressources humaines. La mesure des départs naturels se fait à l'aide du taux de roulement. Ainsi, un surplus de main-d'œuvre prévu pour le trimestre suivant pourra être éliminé sans heurts si l'entreprise ne remplace pas les employés qui la quitteront d'ici ce temps-là.

L'entreprise peut aussi procéder à la *réduction des heures supplémentaires* afin d'assurer le travail de tous les employés. Cette mesure a été préconisée depuis un certain temps, particulièrement par les centrales syndicales, pour combattre le chômage. Bien qu'elle favorise la stabilisation de l'emploi dans une entreprise, elle ne peut corriger toutes les situations. Les employés auxquels on demande d'effectuer des heures supplémentaires peuvent posséder une qualification que n'ont pas ceux qui composent le surplus de main-d'œuvre. De plus, les heures supplémentaires peuvent être intensives, mais ponctuelles. L'entreprise ne pourrait embaucher la main-d'œuvre nécessaire pour une courte période et être dans l'obligation de mettre à pied les travailleurs après quelques semaines.

Par ailleurs, l'entreprise peut effectuer des mouvements internes de personnel qui auront pour effet de réduire le surplus de l'offre de ressources humaines si celui-ci ne concerne que certaines entités de l'entreprise. Les *promotions*, les *rétrogradations*, les *transferts* et les *mutations* permettent d'équilibrer l'offre et la demande globale de main-d'œuvre à l'intérieur de l'entreprise. Lorsqu'un service fait face à un surplus de main-d'œuvre alors qu'un autre est à la recherche d'effectifs supplémentaires, il est préférable de muter un employé d'un service à l'autre plutôt que de procéder à la mise à pied d'un employé et à l'embauche d'un nouvel employé. Cela est possible, bien sûr, dans la mesure où la qualification de la personne peut assurer une mutation à l'avantage de tous, quitte à ce que l'entreprise instaure un programme de recyclage de la main-d'œuvre.

La formule du *travail à temps partagé* diminuera immédiatement l'offre interne de main-d'œuvre et permettra d'équilibrer le marché de l'emploi au sein de l'entreprise, mais le fait de réduire les heures travaillées par les employés pour les partager avec leurs collègues demeure aussi une solution temporaire. Sur une longue période, cette démarche représente surtout le «partage du chômage», car elle se traduit évidemment par une baisse proportionnelle du salaire. Les entreprises québécoises qui ont tenté des expériences dans ce sens ont connu un certain succès lorsque deux éléments avaient été intégrés dans ce programme, éléments qui ne peuvent s'appliquer à toutes les autres situations. D'abord, le partage du travail s'est fait sur une base volontaire. Ensuite, certains programmes d'aide gouvernementale ont permis d'atténuer la diminution du salaire. Ainsi, la baisse de la rémunération était moindre que la baisse du nombre d'heures travaillées. Les cas des entreprises Bell Canada et Cascades sont très révélateurs à ce sujet.

La retraite anticipée demeure une mesure intéressante si des conditions favorables sont offertes aux personnes qui abandonnent leur emploi et si ce programme se réalise sur une base volontaire.

La *retraite anticipée* demeure une mesure intéressante, si des conditions favorables sont offertes aux personnes qui abandonnent leur emploi et si ce programme se réalise sur une base volontaire. Le programme qui a été appliqué il y a quelques années dans la fonction publique est un exemple de démarche de réduction des effectifs dont le but était d'éviter des licenciements massifs. Étant donné que, au moment de licenciements, ce sont les employés ayant le moins d'ancienneté qui doivent partir, la fonction publique aurait été privée de son sang neuf. Par contre, le départ des effectifs ayant le plus d'ancienneté réduit grandement la masse salariale, car ceux qui quittent l'entreprise se trouvent au sommet de l'échelle salariale. Le programme de départs de 1997 a connu quelques ratés et certaines conséquences négatives, mais dans l'ensemble, cela correspondait à une démarche normale de réduction des effectifs selon les normes d'une saine planification des ressources humaines.

La *mise à pied* consiste à libérer temporairement les employés pour des raisons économiques lorsque l'attrition ne suffit pas.

Le *licenciement d'employés* pour motif économique représente l'outil le plus efficace et le plus rapide de réduction de l'offre interne de main-d'œuvre, mais cela doit demeurer une arme de dernier recours qu'on utilise parce que la planification des ressources humaines n'a pas été adéquate ou que les conditions environnementales de l'entreprise ne permettent pas la mise en place d'autres programmes. Les coûts sociaux et humains qu'entraîne la perte soudaine d'un emploi exigent qu'on recoure à tous les autres programmes avant d'y faire appel.

La pénurie de ressources humaines

Le Service des ressources humaines et les superviseurs disposent de plusieurs outils pour affronter diverses situations. Ainsi, dans le cas d'une pénurie de main-d'œuvre, ils peuvent adopter différentes mesures. L'entreprise peut, en cas de pénurie, effectuer des mouvements de personnel d'une unité administrative à une autre afin de répondre aux besoins pressants de cette dernière. Les *mutations*, les *promotions*, les *transferts* et même les *rétrogradations* peuvent être mis à contribution pour assurer la poursuite des objectifs de l'organisation.

Ils peuvent demander aux employés de faire des *heures supplémentaires* pour atteindre leurs objectifs de ventes ou de production. Ce recours à la main-d'œuvre déjà au service de l'entreprise est une solution très avantageuse pour l'employeur et les employés. Dans les situations d'urgence et pour des périodes relativement courtes, l'employeur a intérêt à utiliser ce moyen, car il bénéficie immédiatement des compétences d'employés déjà formés, expérimentés et qui ne nécessitent pas un encadrement supplémentaire. De plus, il n'engage aucuns frais pour le recrutement et la formation. Enfin, l'employeur économise aussi sur le paiement de primes pour les avantages sociaux légaux tels que l'assurance-emploi et le régime de rentes du Québec, car il y a généralement une limite à la cotisation de l'employeur pour chaque employé.

L'entreprise peut améliorer le rendement de l'équipement ou le remplacer par un équipement utilisant de *nouvelles technologies* qui rendra l'employé plus productif. Dans les situations où la pénurie de main-d'œuvre constatée risque de durer longtemps, il peut être intéressant pour l'entreprise d'investir dans un équipement qui permettra, avec le même nombre d'employés, d'assurer une plus grande productivité. Par exemple, la Société de transport de la Rive-Sud de Montréal a acheté des autobus articulés pouvant transporter plus de passagers que des autobus ordinaires pour répondre aux besoins de certains circuits. Avec cet équipement, la hausse de la fréquentation sur ces circuits n'a pas nécessité l'embauche de nouveaux chauffeurs.

De même, l'entreprise peut *restructurer le travail* au moyen du réaménagement des horaires de travail ou des techniques de conception des emplois[29]. La simplification du travail ou l'enrichissement des tâches ont, par une approche opposée, le même effet positif sur la productivité des employés.

L'entreprise peut aussi appliquer des programmes de *rémunération au rendement*, ce qui stimulera la productivité des employés.

Par ailleurs, la mise sur pied de programmes de formation ou de recyclage des employés est susceptible d'améliorer leur rendement. Ces programmes vont de pair avec l'implantation de nouveaux équipements ou l'introduction de nouvelles technologies.

L'entreprise peut *faire appel au marché du travail*, particulièrement lorsque la pénurie paraît permanente. La décision d'embaucher un employé, comme nous le verrons plus loin, représente une dépense énorme de ressources. Il faut donc s'assurer que le besoin en main-d'œuvre touchera une longue période et qu'aucune personne à l'intérieur de l'organisation ne peut pourvoir ce poste.

L'octroi du travail à la *sous-traitance* peut assurer la stabilité de l'emploi dans l'organisation et répondre à ses besoins immédiats. Par exemple, un cégep peut évaluer ses besoins en agents de sécurité à 22 agents pendant les sessions et à 10 pendant les congés annuels. Le recours à la sous-traitance lui permet de combler ses besoins sans avoir à faire de recrutement ou de mises à pied. La figure 4.10 (*p. 120*) résume les différents programmes dont dispose l'entreprise dans les cas de surplus et de pénurie de main-d'œuvre.

Étape 7 : L'évaluation des programmes de gestion des ressources humaines

La dernière étape de la planification des ressources humaines consiste à contrôler et à évaluer le niveau de réalisation des objectifs de la gestion des ressources humaines. Cela permet de mesurer l'efficacité du processus de planification des ressources humaines.

4.6.2 La situation actuelle

La situation économique québécoise, à l'instar de celle des grandes puissances économiques dans le monde, vit depuis un certain nombre d'années des phénomènes dont les répercussions sur la main-d'œuvre nécessitent l'adoption d'une gestion imaginative de la planification des ressources humaines. Plusieurs entreprises, comme Steinberg, les magasins Eaton, les magasins Simpson, GM (à Sainte-Thérèse) et les quincailleries Pascal, dont la place dans le paysage québécois semblait assurée pour plusieurs décennies encore, sont

29. Voir à ce sujet Richard W. Woodward et John J. Sherwood, «A Comprehensive Look at Job Design», *Personnel Journal*, août 1977, p. 386 et suivantes.

Figure 4.10 **L'élaboration de programme de gestion des ressources humaines selon l'orientation des déséquilibres**

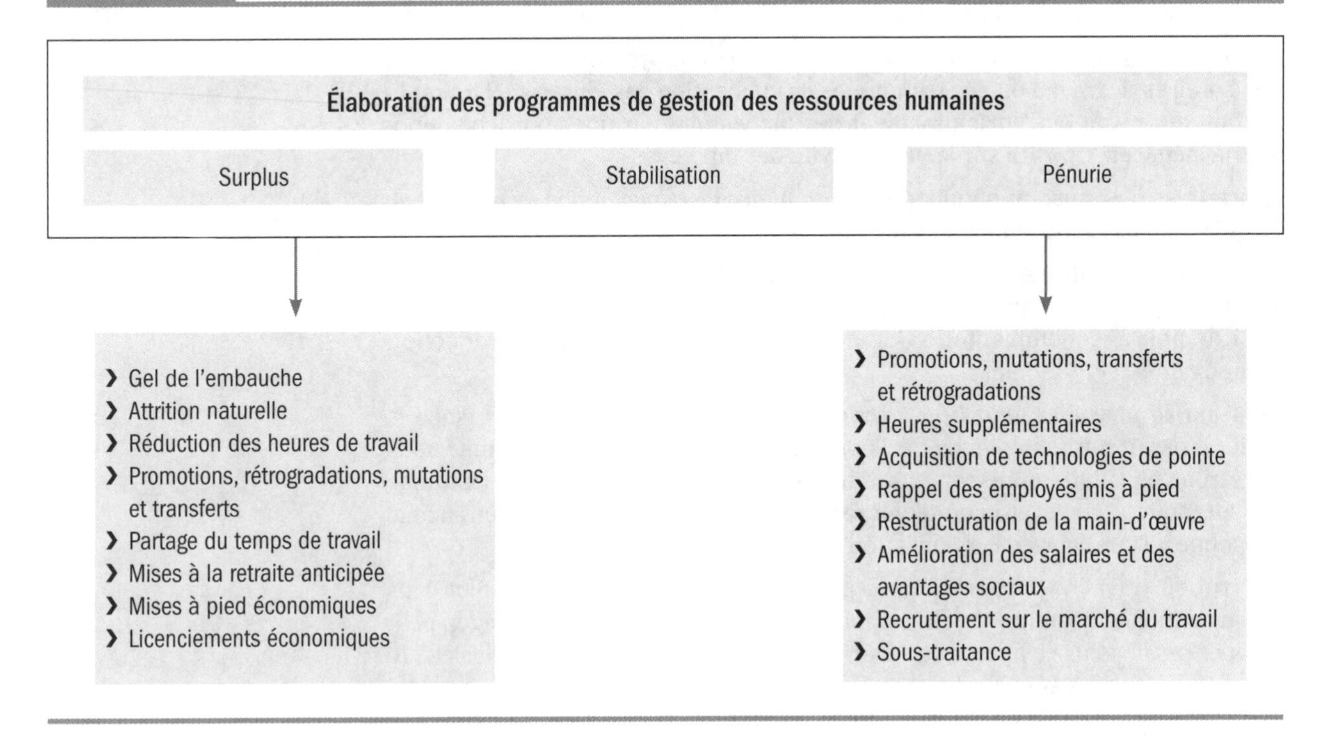

disparues du jour au lendemain. Le nombre de succursales de la bijouterie Birks a chuté dramatiquement. D'autres entreprises, telles que Mercedes et Chrysler, ont fusionné leurs activités. Dans tous ces cas, des emplois ont été éliminés.

Les points de repère permettant d'évaluer les activités de planification sont essentiellement la mesure de l'efficacité avec laquelle l'entreprise recrute et conserve les employés dont elle a besoin, avec laquelle elle gère les réductions d'effectifs en minimisant les conséquences négatives pour les employés touchés et pour elle-même et avec laquelle elle s'adapte aux changements qui se produisent continuellement dans l'environnement.

Système d'information sur les ressources humaines
Processus de collecte de données concernant les ressources humaines.

Un **système d'information sur les ressources humaines** représente l'outil idéal pour contrôler et évaluer les programmes de gestion de ressources humaines. Il s'agit alors de procéder sur une base périodique à la collecte de données concernant les ressources humaines, comme le nombre de postes comblés (ratio de remplacement), le niveau de productivité, le taux de roulement, le taux d'absentéisme, le coût de la main-d'œuvre, le nombre d'employés ayant réussi les programmes de formation ou encore le taux de griefs.

L'évaluation des programmes de gestion des ressources humaines et la mise en place de nouveaux programmes ainsi que l'ajustement des programmes actuels permettront d'améliorer l'apport de chaque employé à la réalisation des objectifs de l'entreprise.

Résumé du chapitre

La planification des ressources humaines est un processus dont la nécessité est accentuée par les modifications qualitatives et quantitatives constantes de la nature même du travail. Pour faire face aux nouvelles contraintes des marchés, l'entreprise doit apporter un soin particulier aux nouvelles exigences des emplois et à la détermination de ses besoins en main-d'œuvre. Afin d'éviter toute confusion dans l'utilisation des termes touchant à l'analyse des postes, les expressions «opération», «tâche», «poste», «emploi», «protection», etc., ont été définies.

L'analyse des postes est un processus de collecte et de traitement de l'information relative au poste. L'information collectée au moment de l'analyse des tâches concerne les tâches accomplies, les méthodes employées et les objectifs; elle est résumée dans la description de poste. Les implications de ces tâches se traduisent par un résumé des exigences pour le titulaire du poste et sont présentées dans le profil d'exigences du poste.

Plusieurs méthodes permettent de collecter l'information de l'analyse des postes, dont l'observation, l'entrevue, le relevé des activités, les incidents critiques, le questionnaire ouvert et le questionnaire structuré.

La description de poste et les profils d'exigences sont les données de base utilisées par tous les programmes de gestion des ressources humaines, de la planification de la main-d'œuvre jusqu'aux négociations collectives en passant par la formation.

Les données de l'analyse des postes sont un des fondements de la planification de la main-d'œuvre; la planification stratégique de l'entreprise fournit les autres données nécessaires pour compléter cet exercice.

La planification des ressources humaines est une activité importante de la gestion des ressources humaines, car elle permet de prévoir les besoins en main-d'œuvre de l'entreprise ainsi que l'offre interne de ressources humaines, de manière à ce que chaque unité administrative dispose des ressources humaines nécessaires à la réalisation de ses objectifs.

Ce processus implique la prise de connaissance de la mission et des objectifs de développement de l'entreprise. De là, on peut établir les prévisions de la demande interne de ressources humaines. Puis, les gestionnaires doivent successivement analyser l'offre interne de ressources humaines, évaluer l'offre externe de ressources humaines, évaluer et concilier l'offre et la demande de ressources humaines et, enfin, évaluer les programmes de gestion des ressources humaines.

La mise en œuvre de la plupart des programmes de gestion des ressources humaines est une réponse aux constatations issues de la planification de la main-d'œuvre. Les activités de restructuration des emplois et de mutations internes, les campagnes de recrutement, les programmes de formation de la main-d'œuvre, l'évaluation du rendement, la politique de rémunération et même les négociations collectives reposent sur les conclusions résultant de la planification de la main-d'œuvre.

Évaluation de la compétence

Questions de révision et application

1. Quelles sont les deux règles fondamentales de l'analyse des postes ?
2. Quelles sont les méthodes de collecte de données pour l'analyse des postes et quels sont les avantages et les inconvénients de chacune d'elles ?
3. Décrivez les éléments essentiels que l'on trouve dans la grille d'analyse d'un poste.
4. Décrivez chacune des parties de la description d'emploi et donnez un exemple.
5. Quels sont les objectifs de la description d'emploi, du profil d'exigences du poste et des normes de rendement ?
6. Décrivez les étapes du processus de planification des ressources humaines.
7. Décrivez les principaux facteurs qui influent sur la demande interne de travail.
8. Comment calcule-t-on l'absentéisme au travail ?
9. Décrivez les différents mouvements de main-d'œuvre à l'intérieur de l'entreprise.
10. Exposez cinq façons de régler le problème du surplus de main-d'œuvre.
11. Quelles sont les utilisations les plus fréquentes de l'analyse des postes ?
12. Quels sont les problèmes potentiels découlant de l'analyse des postes ?
13. Utilisez la grille d'analyse de postes (*voir le document 4.1, p. 94*) pour analyser votre dernier emploi. Une fois la grille remplie, répondez aux questions suivantes :
    - **a)** Croyez-vous que l'analyse de poste que vous venez de remplir vous permet de cerner l'essentiel de l'emploi ? Si ce n'est pas le cas, indiquez les points qui n'ont pas été abordés.
    - **b)** Quelles sont les améliorations que vous apporteriez à la grille d'analyse ?
    - **c)** Croyez-vous que votre supérieur immédiat aurait rempli la grille de la même manière ? Expliquez.
    - **d)** À partir des renseignements obtenus lors de l'analyse de poste, rédigez une description d'emploi.
14. Effectuez une analyse de poste de votre « emploi » en tant qu'étudiant. Quelles sont les tâches requises pour bien remplir l'« emploi » d'étudiant ? Quelles sont les connaissances, les habiletés et les compétences requises pour remplir ces tâches ? Rédigez une description de poste d'un étudiant.

Analyse de cas

Cas 4.1

La rédaction d'une description d'emploi

Nous avons décrit dans ce chapitre plusieurs méthodes permettant de collecter l'information sur les postes. En utilisant la grille d'analyse d'un poste (*voir le document 4.1, p. 94*) et en adoptant la méthode de l'entrevue, remplissez l'analyse du poste d'un directeur de gestion de ressources humaines ou d'un professeur de cégep. Vérifiez vos données auprès d'au moins deux professeurs. Une fois la grille d'analyse du poste remplie, utilisez les exemples des documents 4.2 (*p. 99*) et 4.3 (*p. 101*) pour rédiger la description d'emploi d'un professeur, que vous compléterez en ajoutant la grille du profil d'exigences du poste présentée au document 4.4 (*p. 104*).

Cas 4.2

La description de tâches d'un employé de métier

En utilisant les mêmes documents que pour le cas 4.1, refaites une analyse de poste, une description de poste et un profil d'exigences du poste pour un emploi de métier (électricien, plombier, soudeur, menuisier, chauffeur de camion, etc.).

Questions

Une fois l'analyse terminée, faites un parallèle entre le cas 4.1 et le cas 4.2.

1. Avez-vous utilisé les mêmes méthodes pour collecter l'information dans les deux cas ?
2. Quelles difficultés avez-vous éprouvées dans chacun des cas ?
3. Faites un parallèle entre la liste des tâches et des responsabilités de la description du poste de directeur de la gestion de ressources humaines et la liste relative à la description du poste du second exercice.
4. Comment se présente le profil d'exigences dans chacun des cas ? Quelles sont les différences entre les éléments du profil retenus dans chacun des cas ?

Exercice dans Internet

1. Deux groupes de trois à cinq étudiants sont choisis pour effectuer une recherche et présenter leurs conclusions à la classe. À la suite de cette présentation, tous les étudiants sont invités à discuter en plénière de leurs réactions face aux constatations des deux recherches suivantes :
   - **a)** Le premier groupe d'étudiants accède au site de Ressources humaines et Développement des compétences Canada (www.rhdsc.gc.ca/fr/accueil.shtml), sélectionne « Publications et ressources/Projets de recherche/Marché du travail » et analyse le sommaire du document intitulé : « Estimation et prévision des flux de retraite globaux sur le marché du travail canadien 2004 à 2015 (décembre 2005) ».
   - **b)** Le second groupe d'étudiants accède aussi au site de Ressources humaines et Développement des compétences Canada (www.rhdsc.gc.ca/fr/accueil.shtml), sélectionne « Publications et ressources/Projets de recherche/Marché du travail » et analyse les faits saillants du document intitulé : « Perspectives du marché du travail canadien pour la prochaine décennie (2006-2015) ».
   - **c)** Les deux groupes font rapport à la classe de leurs constatations en insistant sur les impacts de ces constats sur leur choix de carrière et leur perspective d'avenir.
2. Comme il a été décrit dans le chapitre, l'analyse de postes est la composante fondamentale de la gestion des ressources humaines. L'analyse de postes, y compris la préparation de descriptions de travail et des spécifications de travail, fournit les éléments nécessaires à un recrutement de qualité. Dans cet exercice, vous évaluerez si plusieurs employeurs ont conduit une analyse de postes minutieuse avant d'afficher leurs besoins en recrutement dans Internet.

Visitez la page de recherche d'emploi de Jobboom (www.jobboom.com) ou de Workpolis (www.workopolis.com). Utilisez les outils de recherche pour produire une liste des descriptions détaillées d'emplois semblables (par exemple, seulement des représentants, seulement des techniciens en comptabilité ou seulement des électriciens). Choisissez trois de ces descriptions pour effectuer des comparaisons. Cliquez sur le titre du poste offert pour obtenir la pleine description. Répondez ensuite aux questions suivantes.

Questions

1. Analysez la qualité de l'information fournie concernant les connaissances, les habiletés, les compétences, l'expérience et autres exigences pour remplir le poste.
2. Analysez la qualité de l'information fournie concernant les responsabilités liées à l'emploi. Pouvez-vous déterminer de manière précise le contenu du travail ?
3. Ces annonces sont-elles efficaces ? En vous fondant sur les notions étudiées dans le chapitre 4, comment recommanderiez-vous d'améliorer chacune d'elles pour qu'elles permettent aux personnes qualifiées de présenter leur candidature ?

Chapitre 5

L'aspect légal de l'acquisition des ressources humaines

Cheminement d'idées

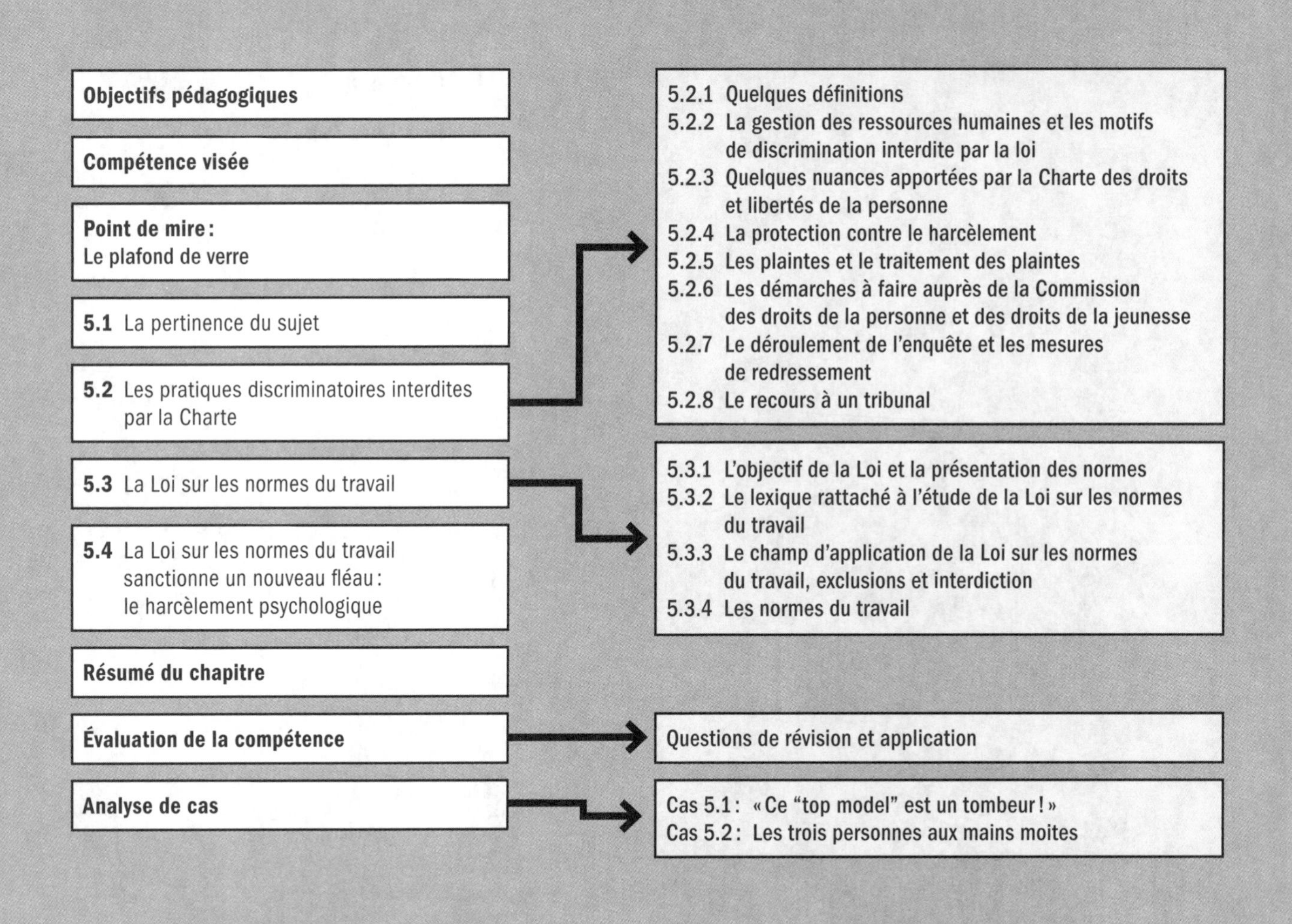

Objectifs pédagogiques

La lecture de ce chapitre devrait vous permettre :

1. de comprendre la portée de la Charte des droits et libertés de la personne ;
2. de déterminer les principaux motifs de discrimination interdite par la Charte ;
3. de préciser quels articles de la Charte interdisent toute forme de discrimination au cours du déroulement de certaines activités de gestion des ressources humaines ;
4. de distinguer les trois principales formes de discrimination ;
5. de définir le harcèlement ;
6. d'expliquer comment se manifeste le harcèlement dans le milieu de travail ;
7. de préciser la nuance qu'apporte l'article 20 de la Charte à la notion de discrimination ;
8. de préciser l'objet de la Loi sur les normes du travail ;
9. de préciser qui est assujetti à cette loi et qui ne l'est pas ;
10. de nommer les trois types de recours que prévoit la loi pour un salarié qui est lésé dans un droit reconnu par la loi.

Compétence visée

La compétence visée dans ce chapitre est de pouvoir appliquer de façon équitable les règles énoncées dans la Charte des droits et libertés de la personne et d'utiliser de façon juste les normes prévues dans la Loi sur les normes du travail.

Point de mire

Le plafond de verre

Dès 8 h 30, la salle du conseil d'administration de la société Les Tracteurs et camions Peewick inc., située à Saint-Laurent, est pleine. Tous les membres de la haute direction sont présents. L'occasion est spéciale, car pour une rare fois, le président-directeur général, Edward Peewick, offre le petit-déjeuner.

À 8 h 40, le président Peewick se lève. À sa droite, un jeune homme est assis. Ses longs cheveux, soigneusement coiffés, tranchent sur toutes ces têtes grisonnantes à l'air sérieux.

– Messieurs, commence le président en tournant la tête vers le jeune homme, je vous présente Serge, mon neveu. Je veux qu'il soit chaleureusement accueilli, car il devient aujourd'hui le plus jeune cadre dirigeant à être admis dans la salle au plafond de verre.

›

Le jeune homme se lève sous les applaudissements des autres membres de la haute direction. D'un signe de tête, il salue chacun des quatorze hommes assis autour de la grande table ovale. Il se rassoit lentement tandis que le président Peewick reprend la parole :

– Je dois cependant vous annoncer une bien fâcheuse nouvelle. Monsieur Carltridge, notre fidèle vice-président des finances, nous quitte au début du mois prochain, pour cause de maladie.

Des murmures s'élèvent dans la salle :

– Mais il était destiné à devenir le prochain président...

– Nous ne savions pas qu'il était malade...

L'étonnement se lit sur tous les visages. Monsieur Carltridge garde la tête basse.

– Pour le remplacer, le conseil d'administration a endossé mon choix, reprend le président. C'est mon neveu, Serge, qui devient le nouveau vice-président des finances.

D'autres murmures se font entendre. Le président continue à parler.

– Je sais, vous vous dites que Serge est bien jeune. Effectivement, il n'a que 24 ans, mais il a terminé premier de sa promotion de MBA dans une prestigieuse université des États-Unis. Il a décroché une bourse de 50 000 $ au concours « Jeune entrepreneur américain ». Son père, qui a été président de notre entreprise et qui est actuellement président de notre conseil d'administration, est d'avis que vous accepterez cette nomination.

La salle vibre alors sous les applaudissements des autres membres de la haute direction. Soudain, le vice-président de l'exploitation, un septuagénaire portant de petites lunettes rondes, demande la parole.

– Mais est-ce que votre jeune protégé est au courant que seuls les vice-présidents des finances ont une chance d'accéder au poste de président-directeur général et que ce poste est réservé aux hommes ?

– Je n'ai pas eu le temps de lui en parler, dit le président, mais ne vous inquiétez pas, il connaîtra assez vite les politiques et les pratiques de notre entreprise.

Le vice-président des ventes nationales désire à son tour s'adresser à l'assemblée.

– Est-ce que ce jeune homme a bien étudié les organigrammes de l'entreprise, ces organigrammes qui font notre fierté et qui tapissent les murs de la salle au plafond de verre ? Comme il sera un jour président, il doit connaître nos traditions.

– Je vais tout lui expliquer, promet Edward Peewick.

Serge jette un coup d'œil sur les murs de la salle. Effectivement, de grands tableaux accrochés aux murs présentent les différents organigrammes de l'entreprise, de ses débuts jusqu'à aujourd'hui. Il constate toutefois qu'aucune femme n'y paraît. De plus, il n'y a vu aucun individu de race noire, ni aucun Asiatique ; bref, aucun représentant d'une minorité visible. Le jeune homme lève la tête et constate que le plafond de la salle est bien en verre. Au même moment, le premier vice-président lui pose une question :

– Jeune homme, savez-vous pourquoi cette salle est appelée la salle au plafond de verre ?

– Je ne sais pas, mais je sens que notre président va se faire un devoir de me l'expliquer, maintenant que je fais partie de votre club sélect !

Un rire plus flatteur que sincère se fait entendre dans la salle, mais Serge ne rit pas. Il sait ce que signifie le plafond de verre. Déçu, il a compris que les membres de la haute direction de la société Les Tracteurs et camions Peewick inc. font comme certaines entreprises qui, à travers leurs politiques, recourent à une pratique subtile consistant à refuser aux femmes et aux minorités visibles l'accès aux postes de cadres supérieurs.

Le vice-président des ventes à l'étranger intervient :

– Alors, si je peux me permettre de poser une question à notre nouveau vice-président des finances, quelle sera votre plus grande réalisation en tant que président-directeur général ? Car, comme vous le savez, votre père avait un grand rêve : s'attaquer au marché américain. Il a réalisé son rêve et a donné à notre entreprise une place de choix aux États-Unis. Et votre oncle, notre président actuel, nourrissait le rêve d'étendre le marché de l'entreprise en séduisant, avec nos nouveaux produits, la Russie et la Chine, deux marchés qui jusqu'alors nous étaient fermés. Il y a cinq ans déjà que nous faisons des affaires en or dans ces deux pays.

Les autres vice-présidents manifestent leur fierté en entendant évoquer les succès de leur actuel président. Le jeune homme lève les yeux, regarde le plafond et répond tranquillement :

– Ma plus grande décision sera sûrement de briser le plafond de verre !

Un lourd silence envahit la salle. Serge essaie alors de se tirer d'embarras :

– Ainsi, par le trou créé, nous pourrons propulser nos produits vers des sommets inégalés.

La réponse semble plaire, comme le confirment les applaudissements qui éclatent.

5.1 La pertinence du sujet

Avant de s'engager dans le processus d'acquisition des ressources humaines – soit le recrutement, la sélection et l'embauche –, le gestionnaire des ressources humaines doit tenir compte de deux lois qui encadrent non seulement ce cycle d'acquisition, mais aussi certaines activités de la phase du maintien de la main-d'œuvre (formation, évaluation, discipline, rémunération). Il s'agit de la Charte des droits et libertés de la personne du Québec et de la Loi sur les normes du travail. La première détermine quelles sont les pratiques discriminatoires interdites au moment de l'embauche et pendant que subsistent les relations individuelles de travail. La deuxième précise quelles sont les normes minimales du travail qu'un employeur doit respecter et en deçà desquelles il ne peut contraindre les salariés à travailler.

Dans ce chapitre, nous étudierons ces deux lois ainsi que leur apport à la gestion des ressources humaines.

5.2 Les pratiques discriminatoires interdites par la Charte[1]

Au Québec, dans le milieu de travail, certaines pratiques qui s'avèrent discriminatoires sont interdites aux employeurs par l'effet de la loi. C'est d'ailleurs la Charte des droits et libertés de la personne du Québec qui énonce les motifs de discrimination prohibée.

Charte des droits et libertés de la personne : **www.cdpdj.qc.ca**

Cette section porte sur l'étude des articles de la Charte qui encadrent certains aspects de la gestion des ressources humaines (recrutement, sélection, embauche, apprentissage, formation, promotion, mutation, mise à pied, rémunération, conditions de travail) et qui précisent pour l'employeur les interdictions formelles en matière de discrimination ou de harcèlement au travail (*voir la figure 5.1*).

Figure 5.1 Les principaux motifs de discrimination interdite selon la Charte

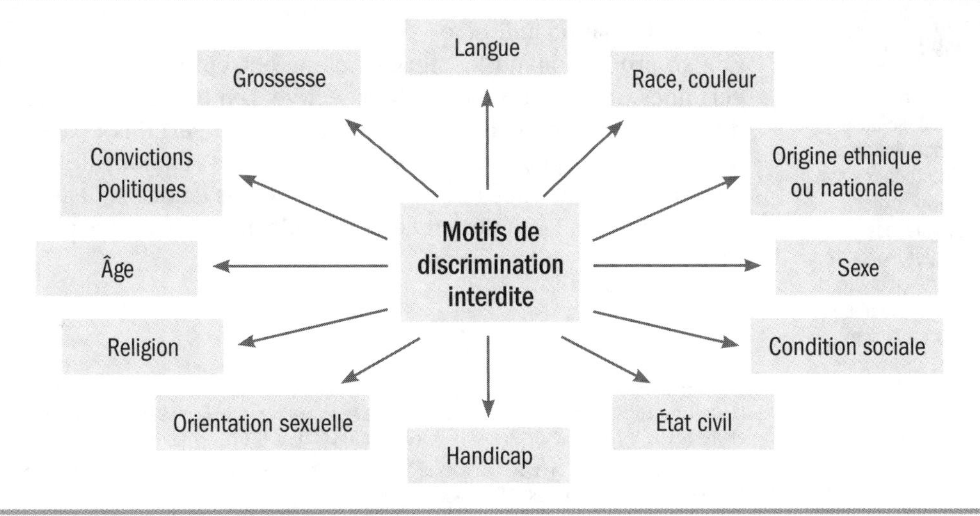

1. Dans ce texte, le terme « Charte » renvoie à la *Charte des droits et libertés de la personne du Québec*.

5.2.1 Quelques définitions

Charte des droits et libertés de la personne
Loi votée à l'Assemblée nationale du Québec qui a comme objectif d'harmoniser les rapports des citoyens entre eux et avec leurs institutions, dans le respect de la dignité humaine.

Motifs de discrimination
Caractéristiques personnelles d'un individu telles qu'elles sont définies à l'article 10 de la Charte des droits et libertés de la personne.

Discrimination
Distinction, exclusion ou préférence qui ont pour effet de détruire ou de compromettre le droit d'une personne à la reconnaissance et à l'exercice, en pleine égalité, de ses droits et libertés.

Ainsi, il y a discrimination lorsqu'un employeur se base sur une caractéristique personnelle d'un individu (comme son âge, son orientation sexuelle, son origine nationale, ses convictions politiques, son sexe, sa religion ou autre) pour lui refuser un emploi ou pour le muter, le licencier ou encore le congédier.

Afin de faciliter la lecture de cette section, nous définirons d'abord les principaux concepts que nous utilisons régulièrement.

Précisons ce qu'est la **Charte des droits et libertés de la personne**. Il s'agit d'une loi votée à l'Assemblée nationale du Québec[2] qui « a comme objectif majeur d'harmoniser les rapports des citoyens entre eux et avec leurs institutions, dans le respect de la dignité humaine[3] ». Il s'agit aussi d'une loi fondamentale, « car aucune disposition d'une autre loi ne peut être contraire à certains droits qui y sont énoncés, soit les droits fondamentaux, les droits politiques, les droits judiciaires et le droit à l'égalité[4] ».

Par **motifs de discrimination**, il faut entendre les motifs qui constituent des caractéristiques personnelles d'un individu, telles qu'elles sont définies à l'article 10 de la Charte (*voir la figure 5.1, p. 129*).

Partant du principe énoncé à l'article 10 selon lequel toute personne a droit à la reconnaissance et à l'exercice, en pleine égalité, des droits et libertés de la personne, et ce, sans distinction basée sur une de ses caractéristiques personnelles, il y a lieu de définir quand il y a discrimination.

Il y a **discrimination** lorsqu'une distinction, exclusion ou préférence a pour effet de détruire ou de compromettre le droit d'une personne à la reconnaissance et à l'exercice, en pleine égalité, des droits et libertés de la personne.

Ainsi, il y a discrimination lorsqu'un employeur se base sur une caractéristique personnelle d'un individu (comme son âge) pour lui refuser un emploi ou pour le muter, le licencier ou encore le congédier.

La loi reconnaît trois formes de discrimination :

- La discrimination directe
  Elle se produit quand une distinction, une exclusion ou une préférence détruisent ou compromettent sans subtilité ni camouflage les droits ou libertés d'une personne. Par exemple, une personne se fait refuser un emploi parce qu'elle est une femme ou parce qu'elle est physiquement handicapée.
- La discrimination indirecte
  Elle se produit quand les normes d'une entreprise ont pour effet d'exclure certaines personnes de toute perspective d'embauche. Par exemple, à cause de son sexe, une personne ne peut accéder à certains postes d'une entreprise : par exemple si, dans les entreprises, les réunions de gestion ont toujours lieu par habitude entre 17 h 30 et 19 h, les femmes qui assurent souvent la charge des enfants durant cette période de la journée ne postuleront pas à de tels postes.

2. La Charte a été adoptée le 27 juin 1975 et est entrée en vigueur le 28 juin 1976. Voir la *Charte des droits et libertés de la personne du Québec*, L.Q. 1975, c.6 ; L.R.Q., c. C-12.
3. Commission des droits de la personne et des droits de la jeunesse, *La Charte des droits et libertés de la personne du Québec... en résumé*, Québec, 1997, p. 5.
4. *Ibid.*, p. 6.

› La discrimination systémique
Elle se produit quand l'ensemble des politiques et des pratiques d'une entreprise ont pour effet d'exclure de façon disproportionnée certains individus ou encore de les empêcher de progresser au sein de l'entreprise. Par exemple, dans une organisation, une politique peut statuer que seuls les vice-présidents des finances peuvent aspirer au poste de président-directeur général et l'obtenir. Or, la pratique organisationnelle reconnue et acceptée depuis plusieurs années veut que seuls les hommes de race blanche aient accès au poste de vice-président des finances (*voir la figure 5.2 pour mieux visualiser les formes que peut prendre la discrimination*).

Figure 5.2 Les formes que peut prendre la discrimination

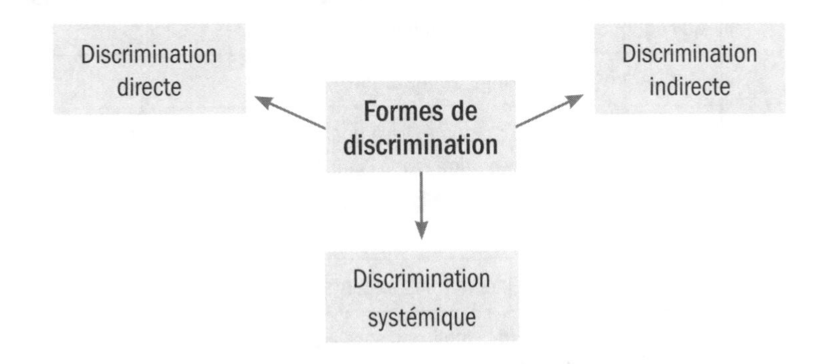

5.2.2 La gestion des ressources humaines et les motifs de discrimination interdite par la loi

Dans l'exercice d'une ou de plusieurs activités de gestion des ressources humaines, il peut arriver qu'un gestionnaire, de façon volontaire ou non, pratique une discrimination envers un individu et, de ce fait, restreigne, brime ou nie un droit ou une liberté qui lui sont reconnus par la Charte. Les différents motifs de discrimination interdite par la loi sont énoncés à l'article 10 de cette Charte (*voir le tableau 5.1, p. 132*). Il faut recourir aux articles 11, 16, 17, 18.1 et 19 pour comprendre comment l'interdiction de toute forme de discrimination est étendue à différentes activités de gestion des ressources humaines. Le tableau 5.2 (*p. 133*) montre la relation à faire entre ces articles et les activités en cause.

Certaines entreprises, à travers leurs politiques, recourent à une pratique subtile consistant à refuser aux femmes et aux minorités visibles l'accès aux postes de cadres supérieurs.

5.2.3 Quelques nuances apportées par la Charte des droits et libertés de la personne

Il convient de souligner deux nuances apportées par la Charte en matière de discrimination. La première concerne les activités de recrutement et de sélection.

À l'article 18.1, la Charte énonce qu'il n'y a pas discrimination en matière de *recrutement* dans les renseignements demandés dans un formulaire de demande d'emploi si ces renseignements sont utiles à l'application de l'article 20 de la Charte. Il en est de même en matière de *sélection* dans les renseignements recherchés au cours

Tableau 5.1 Les motifs de discrimination interdite selon la Charte

Motifs	Précisions
Âge	Quel que soit l'âge ou le groupe d'âge auquel un individu appartient, des exceptions prévues dans certaines lois peuvent ne pas être discriminatoires (par exemple, l'âge légal de vote fixé à 18 ans)
Condition sociale	Place ou position particulière occupée dans la société en raison de certains faits ou circonstances (revenu, occupation, scolarité)
Convictions politiques	Convictions fermes exprimées par l'adhésion manifeste à une idéologie politique, [...] participation à des actions d'un syndicat comme groupe de pression sociale
État civil	Célibat, mariage, divorce, adoption, appartenance à une famille monoparentale, lien quelconque de parenté ou d'alliance
Grossesse	État de grossesse, congé de maternité
Handicap	Désavantage, réel ou présumé, lié à une déficience, soit une perte, une malformation ou une anomalie d'un organe, d'une structure ou d'une fonction mentale, psychologique, physiologique ou anatomique [...] ou moyen de pallier un handicap : fauteuil roulant, chien-guide, prothèse, etc.
Langue	Toute langue parlée, incluant les accents
Orientation sexuelle	Hétérosexualité, homosexualité, transsexualité
Race, couleur, origine ethnique ou nationale	Quel que soit le pays d'origine ou la couleur de la peau
Religion	Appartenance ou non à une religion, pratique d'une religion quelconque ou pratique d'aucune religion
Sexe	Féminin ou masculin

Source : COMMISSION DES DROITS DE LA PERSONNE ET DES DROITS DE LA JEUNESSE, *La Charte des droits et libertés de la personne du Québec... en résumé*, Québec, 1997, p. 14-15.

de l'entrevue. Notons que selon l'article 20, « une distinction, exclusion ou préférence fondée sur les aptitudes ou qualités requises par un emploi [...] est réputée non discriminatoire ». Nous comprenons dès lors que le fait de porter plainte en mentionnant qu'il y a eu atteinte à un droit reconnu dans la Charte en vertu de l'article 10 n'entraîne pas, pour la victime prétendue, une réparation automatique du préjudice allégué. Ainsi, comme le souligne le Tribunal des droits de la personne, si « la maîtrise de la langue utilisée par 95 % de la clientèle d'un employeur est une aptitude ou qualité requise par l'emploi de réceptionniste[5] », cet employeur ne fait pas preuve de discrimination quant à la langue au sens de l'article 10 de la Charte s'il refuse d'embaucher une personne qui ne maîtrise pas bien la langue requise pour occuper cet emploi.

5. *Commission des droits de la personne du Québec* c. *Dupont, Desmeules et associés inc.*, [1994-06-17] T.D.P., 500-53-000001-949, (j. Brossard).

Tableau 5.2 Les activités de la gestion des ressources humaines encadrées par la Charte

Activités	Articles de la Charte	Explications
› Recrutement	11 18.1	« Nul ne peut diffuser, publier ou exposer en public un avis, un symbole ou un signe comportant discrimination ni donner une autorisation à cet effet. » « Nul ne peut, dans un formulaire de demande d'emploi [...], requérir d'une personne des renseignements sur les motifs visés dans l'article 10. »
› Sélection	18.1	« Nul ne peut, [...] lors d'une entrevue relative à un emploi, requérir d'une personne des renseignements sur les motifs visés dans l'article 10. »
› Embauche › Période d'essai › Apprentissage › Formation › Promotion › Mutation (et autres déplacements) › Imposition de mesures (administratives ou disciplinaires) › Établissement de conditions de travail	16	« Nul ne peut exercer de discrimination dans l'embauche, l'apprentissage, la durée de la période de probation, la formation professionnelle, la promotion, la mutation, le déplacement, la mise à pied, la suspension, le renvoi ou les conditions de travail d'une personne ainsi que dans l'établissement de catégories ou de classifications d'emplois. »
› Rémunération directe	19	« Tout employeur doit, sans discrimination, accorder un traitement ou un salaire égal aux membres de son personnel qui accomplissent un travail équivalent au même endroit. »

Note : En ce qui concerne les activités relatives à la formation d'un syndicat, l'énoncé de l'article 17 de la Charte est clair : « Nul ne peut exercer de discrimination dans l'admission, la jouissance d'avantages, la suspension ou l'expulsion d'une personne d'une association de salariés. »

De même, un employeur peut, dans le respect de l'article 20 de la Charte, imposer un âge minimal comme **exigence essentielle** pour accomplir un travail et s'assurer ainsi qu'un individu possède la maturité intellectuelle, affective, physique et psychologique nécessaire. C'est la décision qu'a rendue le Tribunal des droits de la personne en rejetant la plainte d'un individu qui, bien qu'ayant menti sur son âge à son employeur, prétendait, à la suite de son congédiement, avoir subi une discrimination quant à son âge[6].

Exigence essentielle
Ensemble des connaissances, des habiletés et des attitudes qui se traduisent dans des comportements observables jugés essentiels à l'exécution des tâches liées à un poste.

Un autre exemple concerne l'état civil d'une personne. Après avoir embauché une femme à un poste de secrétaire de direction, l'employeur a appris que le mari

6. *Commission des droits de la personne du Québec* c. *Ville d'Aylmer*, [1994-03-21] T.D.P., 550-53-000001-936, (j. Sheenan).

de celle-ci occupait un poste syndiqué à titre d'opérateur de monte-charge dans un des entrepôts de l'entreprise. L'employeur a donc affecté cette femme à un autre poste, alléguant que le lien de confiance essentiel entre sa secrétaire de direction et lui ne pourrait jamais s'établir. La secrétaire de direction a alors déposé une plainte pour discrimination basée sur l'état civil. Le Tribunal des droits de la personne a rejeté sa demande, concluant que, conformément à l'esprit de l'article 20 de la Charte, l'absence de lien matrimonial avec un employé syndiqué de l'entreprise était une exigence essentielle de l'emploi de secrétaire de direction postulé par la plaignante[7]. Toujours dans le respect de cet article, un employeur ne fera pas preuve de discrimination si, par exemple, il refuse un emploi à un individu ayant un handicap physique parce que ce handicap contrevient à une exigence professionnelle justifiée. C'est la décision qui est ressortie dans l'affaire Gaudreau contre la Ville de Montréal[8]. Le plaignant, victime d'arthrose dégénérative précoce au genou, s'est vu refuser un poste de sapeur-pompier à la Ville de Montréal. Il a interprété le refus de cette dernière de lui accorder ce poste comme une discrimination fondée sur son handicap physique. Évaluant les risques de chute, le Tribunal des droits de la personne a statué qu'un pompier qui peut tomber à tout moment en raison de sa condition physique problématique représente un danger grave pour lui-même, pour ses compagnons et pour le public. Le tribunal a donc conclu que le refus de la Ville d'embaucher monsieur Gaudreau était basé sur une exigence professionnelle justifiée, conformément à l'article 20 de la Charte.

D'ailleurs, afin d'éviter toute confusion au sujet de la détermination de ce qui doit constituer une exigence professionnelle justifiée, la Cour suprême du Canada propose que l'on adopte un test en trois étapes permettant de vérifier si une norme qui semble discriminatoire est une exigence professionnelle justifiée. Ainsi, «l'employeur peut justifier la norme contestée en établissant, selon la prépondérance des probabilités :

- qu'il a adopté la norme dans un but rationnellement lié à l'exécution du travail en cause ;
- qu'il a adopté la norme particulière en croyant sincèrement qu'elle était nécessaire pour réaliser ce but légitime lié au travail ;
- que la norme est raisonnablement nécessaire pour réaliser ce but légitime lié au travail[9] ».

La seconde nuance que nous voulons apporter concerne l'application du principe énoncé à l'article 19.1 ; principe en vertu duquel l'employeur doit accorder sans discrimination un traitement ou un salaire égal aux membres de son personnel qui accomplissent un travail équivalent au même endroit. Cependant, l'article 19.2 nuance en statuant qu'il y a absence de discrimination si une différence de

7. *Commission des droits de la personne* c. *Hudon & Daudelin ltée*, [1993-11-15] T.P.D., 550-53-000011-930, (j. Sheenan).

8. *Gaudreau* c. *Ville de Montréal*, [1992-06-25] T.D.P., 500-53-000003-911, (j. Rouleau).

9. L. Clément-Major, « La discrimination à l'embauche : développements récents au Québec », dans *Développements récents en droit du travail*, Barreau du Québec, Service de la formation permanente, Cowansville, Les Éditions Yvon Blais, 2003, p. 42.

traitement ou de salaire est fondée sur l'expérience, sur l'ancienneté, sur la durée du service, sur l'évaluation au mérite ou encore sur la quantité de la production ou des heures supplémentaires. Notons que l'absence de discrimination ne vaut que si l'application des critères qui viennent d'être mentionnés est commune à tous les membres du personnel qui accomplissent un travail équivalent au même endroit.

5.2.4 La protection contre le harcèlement

La Charte accorde à toute personne une protection contre le harcèlement basé sur les caractéristiques personnelles ou sur les motifs de discrimination interdite par la loi énumérés à l'article 10 (*voir le tableau 5.1, p. 132*). C'est l'article 10.1 de la Charte qui sert d'appui à cette affirmation : « Nul ne doit harceler une personne en raison de l'un des motifs visés dans l'article 10. »

Comment se manifeste le harcèlement ? Au sens de la Charte, il peut se manifester à l'endroit d'une personne ou d'un groupe de personnes, par des paroles, des actes ou des gestes à caractère vexatoire ou méprisant.

Il convient de préciser que, dans un milieu de travail, les agissements à caractère vexatoire ou méprisant qui sont à la base du harcèlement sont généralement de nature à porter atteinte à la dignité ou à l'intégrité physique ou psychologique d'une personne. C'est pourquoi, lorsque le harcèlement survient dans le cadre d'un emploi, « l'employeur peut être tenu responsable des actes commis sur les lieux de travail par son personnel ou par des tiers (clients, fournisseurs ou autres)[10] ».

En matière de gestion des ressources humaines, il est de ce fait parfaitement indiqué pour les entreprises de se doter d'une politique de prévention contre le harcèlement afin de protéger la dignité de même que l'intégrité physique et psychologique des personnes qui travaillent pour elles.

5.2.5 Les plaintes et le traitement des plaintes

Si une personne a des raisons de croire qu'elle est victime de discrimination ou de harcèlement au travail, elle peut résoudre ce problème en faisant valoir ses droits reconnus dans la Charte. En effet, l'article 74 prévoit que toute personne peut porter plainte à la Commission si elle se croit victime d'une violation des droits relevant de la compétence d'enquête de ladite Commission. De plus, cet article prévoit que plusieurs personnes peuvent se regrouper pour porter plainte si elles se croient victimes d'une telle violation.

Dans chacun des cas susmentionnés, la plainte doit être faite par écrit auprès de la Commission des droits de la personne et des droits de la jeunesse[11]. Notons que la Charte prévoit la possibilité qu'une association accréditée (un syndicat)

---

10. Commission des droits de la personne et des droits de la jeunesse, *La Charte des droits et libertés de la personne... en résumé*, Québec, 1997, p. 13.

11. Cette commission est un organisme constitué en vertu de l'article 57 de la Charte. Son mandat est d'assurer, par toutes les mesures appropriées, la promotion et le respect des principes contenus dans la Charte (art. 71).

puisse porter plainte pour le compte d'un de ses membres ou de plusieurs de ses membres victimes de discrimination ou de harcèlement au travail.

Afin de remplir son mandat consistant à assurer par toutes les mesures appropriées la promotion et le respect des principes contenus dans la Charte, la Commission doit, entre autres, recevoir les plaintes et faire enquête. Le but de l'enquête est de vérifier les allégations contenues dans la plainte et de rechercher tout fait qui soit de nature à démontrer qu'un droit reconnu par la Charte a été brimé, que ce droit brimé relève bien d'un des motifs de discrimination énumérés à l'article 10 de la Charte et que la victime présumée a subi un préjudice matériel, moral ou les deux.

Pour qu'une victime présumée ait gain de cause, elle doit passer avec succès le test des trois questions. Une réponse positive à chacune de ces questions permet à sa cause d'être entendue (*voir le tableau 5.3*).

Tableau 5.3 Le test des trois questions ouvrant droit à une enquête de la Commission

Questions	Réponses possibles
1. Un droit reconnu par la Charte a-t-il été brimé?	Oui: on passe à la deuxième question Non: l'enquête prend fin ici
2. Ce droit brimé relève-t-il bien d'un motif de discrimination énuméré à l'article 10 de la Charte?	Oui: on passe à la troisième question Non: l'enquête prend fin ici
3. La victime présumée a-t-elle subi un préjudice matériel, moral ou les deux?	Oui: la cause sera entendue Non: l'enquête prend fin ici

Notons que la Commission n'entend pas automatiquement toute cause qui lui est présentée. Elle peut refuser de faire enquête dans le cas où une plainte est frivole, vexatoire ou faite de mauvaise foi[12].

5.2.6 Les démarches à faire auprès de la Commission des droits de la personne et des droits de la jeunesse

Nous avons déjà mentionné qu'un salarié qui se croit victime d'une violation des droits qui relèvent de la compétence de la Commission en matière de discrimination ou de harcèlement peut faire, par écrit, une demande d'enquête.

L'enquêteur qui reçoit la plainte l'examine et s'assure que la Commission a la compétence pour faire enquête et que toute la documentation requise se trouve dans le dossier.

12. QUÉBEC, *Charte des droits et libertés de la personne du Québec*, L.R.Q., art. 77, al. 2, paragr. 3.

Par la suite, la partie mise en cause est informée du dépôt de la plainte et est invitée à présenter sa version des faits.

L'enquêteur doit, en cours d'enquête, rechercher des éléments de preuve qui lui permettront de déterminer l'option qu'il considère comme la plus indiquée, soit favoriser la négociation d'un règlement entre les parties, soit proposer l'arbitrage du différend ou bien soumettre à un tribunal le litige qui subsiste[13].

5.2.7 Le déroulement de l'enquête et les mesures de redressement

L'enquête menée par la Commission se déroule sur un mode *non contradictoire*, ce qui signifie qu'il n'y a ni audition formelle ni contre-interrogatoire ni confrontation des témoins.

Bien que cette enquête ne soit pas un procès, les parties ont l'occasion de faire connaître leur point de vue et, bien entendu, leur version des faits relatifs à la plainte.

C'est à la suite de l'examen du rapport de l'enquêteur et de démarches préalables que la Commission peut proposer ce qu'il convient d'appeler des « mesures de redressement ». Ces mesures peuvent être l'admission de la violation d'un droit, la cessation de l'acte reproché, l'accomplissement d'un acte compensatoire ou le paiement d'une indemnité ou de dommages exemplaires[14].

En vertu des pouvoirs qui lui sont conférés, la Commission fixe le délai pour la mise en œuvre des mesures de redressement suggérées. Si toutefois la négociation d'un règlement se révèle impossible entre les parties, la Commission leur proposera l'arbitrage.

5.2.8 Le recours à un tribunal

Pour que la Commission des droits de la personne et des droits de la jeunesse s'adresse à un tribunal, dont le Tribunal des droits de la personne, l'une ou l'autre des situations suivantes doit se produire :

- les parties refusent la négociation d'un règlement ;
- les parties refusent l'arbitrage du différend ;
- la proposition de la Commission n'a pas été mise en œuvre à sa satisfaction dans le délai imparti.

Auprès du tribunal, c'est la Commission qui agit alors au nom de la victime, et dans l'éventualité où la Commission déciderait de ne pas s'adresser au Tribunal des droits de la personne, elle doit en aviser la victime. Cette dernière peut, dans les 90 jours suivant la réception de cet avis, exercer à ses frais son propre recours devant ce tribunal.

---

13. *Ibid.*, art. 78, al. 1. Il est à noter que si l'enquêteur est d'avis que le litige ne relève pas de la compétence de la Commission ou que cette dernière ne devrait pas faire enquête, il transmettra le dossier à l'assemblée des commissaires, qui aura à prendre une décision.

14. *Ibid.*, art. 79, al. 2.

5.3 La Loi sur les normes du travail

Dans cette section, nous nous intéressons à l'étude des normes du travail et à l'étude de la loi qui les détermine[15].

5.3.1 L'objectif de la Loi et la présentation des normes

Au Québec, c'est la Loi sur les normes du travail qui fixe les conditions minimales de travail pour l'ensemble des salariés québécois. Elle pose ainsi les bases d'un régime universel de conditions de travail[16]. Cette loi traite entre autres :

- du salaire ;
- de la durée du travail ;
- des congés annuels payés ;
- des jours fériés, chômés et payés ;
- des absences pour cause de maladie ou d'accident ;
- des absences et des congés pour raisons familiales ou parentales ;
- de l'avis de cessation d'emploi ;
- de l'avis de licenciement collectif ;
- des recours pour plaintes pécuniaires ;
- des recours pour pratiques interdites ;
- du recours pour congédiement fait sans une cause juste et suffisante.

Il faut noter que les « conditions du travail établies entre l'employeur et le salarié ne doivent pas être inférieures à ce qui est prévu par les normes du travail, même s'il existe une convention collective ou un décret, sous réserve d'une dérogation permise par la loi[17] ».

L'importance de la Loi sur les normes du travail ne peut être passée sous silence parce que les normes qu'elle présente constituent un ensemble de conditions de travail minimales qui touche tous les travailleurs (syndiqués et non syndiqués).

Convention collective
Entente écrite relative aux conditions de travail conclue entre une ou plusieurs associations accréditées et un ou plusieurs employeurs ou associations d'employeurs (*Code du travail*, L.R.Q., c. C-27).

Comme les travailleurs syndiqués sont protégés par la **convention collective** en vigueur dans leur milieu de travail, le rattachement aux rapports individuels de travail de l'étude de la Loi sur les normes du travail peut se justifier du fait que ce sont les salariés dont les conditions de travail sont déterminées sur une base individuelle qui en sont les principaux bénéficiaires et que les droits conférés par cette loi s'adressent à chaque salarié, directement et individuellement[18].

---

15. Il s'agit de la *Loi sur les normes du travail*, L.R.Q., c. N.-1.1.
16. Voir Commission des normes du travail, *Les normes du travail au Québec*, Gouvernement du Québec, Québec, 2007, 19 p.
17. *Ibid.*, p. 2.
18. R.-P. Gagnon, *Le droit du travail du Québec : pratiques et théories*, 3e éd., Cowansville, Les Éditions Yvon Blais, 1996, 682 p.

5.3.2 Le lexique rattaché à l'étude de la Loi sur les normes du travail

Pour bien saisir l'essence de la Loi sur les normes du travail, il faut comprendre quelle définition se cache sous certains mots ou termes qu'elle emploie. En recourant tout à la fois à la Loi, à la mise à jour de sa codification administrative et au document explicatif issu de la Commission des normes du travail, nous définissons quelques-uns de ces termes.

- La notion de «**conjoints**» réfère aux personnes:
  - qui sont liées par un mariage ou une union civile et qui cohabitent;
  - de sexe différent ou de même sexe, qui vivent maritalement et sont les parents d'un même enfant;
  - de sexe différent ou de même sexe, qui vivent maritalement depuis au moins un an.
- La notion de «**congédiement**» renvoie à l'interruption définitive de l'emploi d'un salarié dont la conduite est mise en cause par son employeur.
- La notion de «**décret**» renvoie à un décret adopté en vertu de la Loi sur les décrets de convention collective.
- La notion de «**déplacement**» correspond à la modification des conditions de travail d'un salarié. Il peut s'agir, par exemple, de l'affectation à un autre poste ou à un autre lieu de travail, d'une réduction du nombre d'heures de travail, etc.
- La notion de «**domestique**», selon la Loi, renvoie à un salarié employé par une personne physique et dont la fonction principale est d'effectuer des travaux ménagers dans le logement de cette dernière. Cette notion comprend aussi le salarié dont la fonction principale est d'assumer la garde ou de prendre soin d'un enfant, d'un malade, d'une personne handicapée ou d'une personne âgée et d'effectuer dans le logement des travaux ménagers qui ne sont pas directement reliés aux besoins immédiats de la personne gardée.
- La notion d'«**employeur**» réfère à quiconque fait effectuer un travail par un salarié.
- La notion de «**mise à pied**» renvoie à l'interruption temporaire de l'emploi d'un salarié en raison d'un changement dans les besoins en main-d'œuvre de l'entreprise.
- La notion de «**salaire**» réfère à la rémunération en monnaie courante et aux avantages ayant une valeur pécuniaire dus pour le travail ou les services d'un salarié.
- La notion de «**salarié**» désigne une personne qui travaille pour un employeur et qui a droit à un salaire. La notion de «salarié» est étendue en outre au travailleur partie à un contrat en vertu duquel:
  - il s'oblige envers une personne à exécuter un travail déterminé dans le cadre et selon les méthodes et les moyens que cette personne détermine;
  - il s'oblige à fournir, pour l'exécution du contrat, le matériel, l'équipement, les matières premières ou la marchandise choisis par cette personne et à les utiliser de la façon qu'elle indique;

- il conserve, à titre de rémunération, le montant qui lui reste de la somme reçue, conformément au contrat après déduction des frais d'exécution de ce contrat.

- La notion de «**semaine**» représente une période de sept jours consécutifs s'étendant de minuit au début d'un jour donné à minuit à la fin du septième jour.
- La notion de «**suspension**» consiste généralement à interrompre l'emploi d'un salarié pour une période déterminée. Il s'agit d'une sanction disciplinaire. La suspension est toujours temporaire et ne rompt pas le contrat de travail.

5.3.3 Le champ d'application de la Loi sur les normes du travail, exclusions et interdiction

La Loi sur les normes du travail s'applique à chaque salarié du Québec, quel que soit l'endroit où il exécute son travail. Nuançons:

- S'il travaille à la fois au Québec et en dehors du Québec, la loi s'applique à lui à la seule condition qu'il travaille pour un employeur dont la résidence, le domicile, l'entreprise, le siège social ou le bureau se trouve au Québec.
- S'il est domicilié au Québec ou s'il y réside et qu'il exécute un travail hors du Québec, la loi s'applique à lui s'il travaille pour un employeur dont la résidence, le domicile, l'entreprise, le siège social ou le bureau se trouve au Québec.

Parmi les exclusions notoires, citons entre autres:

- Les salariés pour qui le fait d'assumer la garde ou de prendre soin d'un enfant, d'un malade, d'une personne handicapée ou d'une personne âgée, dans le logement de cette personne, constitue la fonction exclusive.
- Les salariés dont la fonction exclusive constitue à effectuer des travaux ménagers directement reliés aux besoins immédiats d'un enfant, d'un malade, d'une personne handicapée ou d'une personne âgée, et ce, dans le logement de cette personne, lorsque cette fonction est exercée de manière ponctuelle ou encore est fondée uniquement sur une relation d'entraide familiale ou d'entraide dans la communauté. À titre d'exemple, une personne qui vient en aide à un proche parent tel que son père ou sa mère, afin de lui préparer ses repas ou de lui prodiguer les soins quotidiens [...], ne sera pas assujettie à la loi.
- Les étudiants qui travaillent au cours de l'année scolaire dans un établissement choisi par une institution d'enseignement et en vertu d'un programme d'initiation au travail approuvé par le ministère de l'Éducation.
- Les cadres supérieurs. Notons cependant que la Loi sur les normes de travail permet à ces cadres de bénéficier du droit à certaines absences, entre autres pour les obligations familiales, et à certains congés, entre autres le congé pour cause de naissance ou d'adoption.

Il convient de noter que la Loi sur les normes de travail impose une interdiction formelle aux employeurs en ce qui concerne le travail des enfants. Ainsi, il est formellement interdit à un employeur:

- de faire effectuer par un enfant un travail disproportionné à ses capacités ou susceptible de compromettre son éducation ou de nuire à sa santé ou à son développement physique ou moral (article 84.2 *Lnt*);

- de faire effectuer un travail par un enfant de moins de 14 ans sans avoir, au préalable, obtenu le consentement du titulaire de l'autorité parentale sur cet enfant ou selon le cas, de son tuteur (article 84.3 *Lnt*) ;
- de faire effectuer un travail durant les heures de classe, par un enfant assujetti à l'obligation de fréquentation scolaire (article 84.4 *Lnt*). La portée de l'article 84.4 est encadrée par le principe de l'article 84.5 *Lnt* qui stipule qu'un employeur qui fait effectuer un travail par un enfant assujetti à l'obligation de fréquentation scolaire doit faire en sorte que les heures de travail soient telles que cet enfant puisse être à l'école durant les heures de classe ;
- de faire effectuer un travail par un enfant, entre 23 h, un jour donné et 6 h le lendemain (article 84.6 *Lnt*). Notons que le principe énoncé à l'article 84.6 *Lnt* ne s'applique pas s'il s'agit d'un enfant qui n'est plus assujetti à l'obligation de fréquentation scolaire ou dans le cas de la livraison de journaux ou dans tout autre cas déterminé par règlement du gouvernement.

La Loi sur les normes du travail impose une interdiction formelle aux employeurs en ce qui concerne le travail des enfants. Par exemple, il est formellement interdit à un employeur de faire effectuer par un enfant un travail susceptible de compromettre son éducation ou de nuire à sa santé ou à son développement physique ou moral.

Il convient d'énoncer le principe de l'article 84.7 *Lnt* pour mieux faire ressortir l'exception qui s'y rapporte. Selon ce principe, *un employeur qui fait effectuer un travail par un enfant doit faire en sorte que les heures de travail soient telles, compte tenu du lieu de résidence familiale de cet enfant, que celui-ci puisse être à cette résidence entre 23 h, un jour donné, et 6 h le lendemain.* L'exception prévue à ce principe vise un enfant qui n'est plus assujetti à l'obligation de fréquentation scolaire. Si tel est le cas, il va de soi que l'interdiction imposée à l'employeur en vertu de l'article 84.4 *Lnt* ne saurait être considérée.

5.3.4 Les normes du travail

Les normes du travail sur lesquelles nous portons une attention particulière sont celles qui suscitent le plus de questionnement non seulement auprès des étudiants, mais aussi auprès de plusieurs travailleurs. Ces normes sont les suivantes : le salaire, la durée du travail, les congés annuels payés, les jours fériés, chômés et payés, l'avis de cessation d'emploi ou de mise à pied, l'avis de licenciement collectif, les recours pour plaintes pécuniaires, les recours pour pratiques interdites et le recours pour congédiement sans une cause juste et suffisante.

5.3.4.1 Le salaire

Comme la Loi sur le salaire minimum[19] a été remplacée par la Loi sur les normes du travail, il est normal qu'au sein de cette dernière, une section soit réservée au salaire minimum. Avec les modifications apportées à la Loi, le législateur « confirme le droit fondamental au salaire minimum nonobstant le mode de rémunération et empêche que certains modes de rémunération, notamment à la commission ou au rendement, fassent en sorte qu'un salarié puisse toucher une rémunération inférieure au salaire minimum[20] ».

19. QUÉBEC, *Loi sur le salaire minimum*, L.R.Q., c. S-1.

20. R. M. GOYETTE, « La réforme de la Loi sur les normes du travail : les points saillants », dans *Développements récents en droit du travail*, Barreau du Québec, Service de la formation permanente, Cowansville, Les Éditions Yvon Blais, 2003, p. 79.

Notons que seuls les salariés assujettis à la Loi sur les normes du travail ont droit au salaire minimum tel qu'il est fixé par le gouvernement québécois. Ainsi, sont exclus de cette règle :

- l'étudiant employé dans un organisme à but non lucratif et à vocation sociale ou communautaire, tel un organisme de loisirs ou une colonie de vacances ;
- le stagiaire dans le cadre d'une formation professionnelle reconnue par une loi ;
- le salarié entièrement rémunéré à commission, qui travaille dans une activité à caractère commercial en dehors de l'établissement et dont les heures de travail sont incontrôlables ;
- le salarié affecté principalement à des opérations non mécanisées reliées à la cueillette de légumes de transformation[21].

La volonté du législateur de préserver pour le salarié son droit fondamental au salaire minimum se manifeste par l'adoption de mesures formelles telles que les suivantes :

- En ce qui concerne le port d'un vêtement particulier : « dans le cas où des frais pourraient être exigés du salarié pour l'achat, l'usage ou l'entretien d'un vêtement particulier, ils ne peuvent avoir pour effet que le salarié reçoive moins que le salaire minimum[22] ».
- En ce qui concerne le pourboire[23] : l'employeur a l'obligation de verser le salaire minimum au salarié à pourboire. Ainsi, en ce qui concerne le pourboire, les règles sont claires :
  - le pourboire versé directement ou indirectement par un client appartient en propre au salarié qui a rendu le service ;
  - si l'employeur perçoit le pourboire, il doit le remettre au salarié qui a rendu le service ;
  - quelle que soit la forme qu'il prenne, le pourboire ne peut devenir partie du salaire.
- En ce qui concerne l'utilisation de matériel, d'équipement, etc., si l'employeur rend obligatoire l'utilisation de matériel, d'équipement, de matières premières ou de marchandises pour l'exécution d'un contrat, il doit les fournir gratuitement au salarié payé au salaire minimum. De plus, l'employeur ne peut exiger du salarié une somme d'argent pour l'achat, l'usage ou l'entretien de ces articles si cette somme d'argent a pour effet que ce salarié reçoive moins que le salaire minimum[24].

---

21. Commission des normes du travail, *Les normes du travail au Québec*, Gouvernement du Québec, Québec, 2007, p. 4.
22. *Ibid.*, p. 5.
23. Le mot « pourboire » comprend « les frais de service ajoutés à la note du client, mais ne comprend pas les frais d'administration ajoutés à cette note ». Voir Commission des normes du travail, *Les normes c'est bon... pour tout le monde !*, section « Des précisions sur le pourboire », Québec, Gouvernement du Québec, 2003, non paginé.
24. Commission des normes du travail, *Les normes du travail au Québec*, Gouvernement du Québec, Québec, 2007, p. 5.

› En ce qui a trait à la protection du salaire, le législateur crée pour le salarié une forte *présomption* de présence au travail. Ainsi, un salarié est réputé au travail dans les cas suivants :
  - lorsqu'il est à la disposition de son employeur sur les lieux du travail et qu'il est obligé d'attendre qu'on lui donne du travail ;
  - durant le temps consacré aux pauses accordées par l'employeur ;
  - durant le temps d'un déplacement exigé par l'employeur ;
  - lors d'une période d'essai ou de formation.

« Cette présomption oblige donc un employeur à rémunérer ces périodes de temps nécessaires qu'il estime être du temps mort, c'est-à-dire non productif par opposition à du temps productif[25]. »

En ce qui concerne le pourboire, l'employeur a l'obligation de verser le salaire minimum au salarié à pourboire.

5.3.4.2 La durée du travail

La semaine normale de travail est de quarante heures (article 52 *Lnt*). L'importance de la détermination de la durée de la semaine de travail n'est pas à dédaigner, car elle « permet de déterminer à quel moment un salarié commence à effectuer des heures supplémentaires et doit être payé en conséquence[26] ». Cette norme énoncée à l'article 52 *Lnt* ne s'applique pas aux salariés suivants :

› un étudiant employé dans une colonie de vacances ou dans un organisme à but non lucratif et à vocation ou communautaire, tel un organisme de loisirs ;

› un cadre d'une entreprise ;

› un salarié qui travaille en dehors de l'établissement et dont les heures de travail sont incontrôlables ;

› un salarié affecté à la mise en conserve, à l'empaquetage et à la congélation des fruits et légumes, pendant la période des récoltes ;

› un salarié dans un établissement de pêche, de transformation ou de mise en conserve du poisson ;

› un travailleur agricole ;

› un salarié dont la fonction exclusive est d'assumer la garde ou de prendre soin d'un enfant, d'un malade, d'une personne handicapée ou d'une personne âgée, dans le logement de cette personne, y compris, le cas échéant, d'effectuer des travaux ménagers qui sont directement reliés aux besoins immédiats de cette personne, sauf si l'employeur poursuit au moyen de ce travail des fins lucratives.

---

25. R. M. Goyette, *loc. cit.*, p. 82.

26. Commission des normes du travail, *Les normes du travail au Québec*, Gouvernement du Québec, Québec, 2007, p. 6.

5.3.4.3 Les congés annuels payés

Selon la Loi sur les normes du travail, pour considérer la règle en matière de congés annuels, l'année de référence est une période de douze mois consécutifs pendant laquelle un salarié acquiert progressivement le droit au congé annuel. Cette période s'étend du 1er mai de l'année précédente au 30 avril de l'année en cours, sauf si une convention ou un décret fixent une autre date pour marquer le point de départ de cette période. Notez que la durée des congés annuels et le montant de l'indemnité varient selon le **service continu** du salarié. Ce sont les articles 67, 68 et 69 *Lnt* qui énoncent les règles en matière de congés annuels *(voir le tableau 5.4)*.

Service continu
Durée ininterrompue pendant laquelle le salarié est lié à l'employeur par un contrat de travail, même si l'exécution du travail a été interrompue sans qu'il y ait résiliation du contrat, et période pendant laquelle se succèdent des contrats à durée déterminée sans une interruption qui, dans les circonstances, permette de conclure à un non-renouvellement de contrat.

Tableau 5.4 La durée du congé annuel et l'indemnité afférente

Service continu	Durée du congé	Indemnité
Moins de 1 an (article 67 *Lnt*)	1 jour par mois de service continu, sans excéder 2 semaines	4 %
De 1 an à moins de 5 ans (article 68 *Lnt*)	2 semaines continues	4 %
5 ans et plus (article 69 *Lnt*)	3 semaines continues	6 %

Notez que la loi prévoit des circonstances où le congé non utilisé au cours de l'année de référence peut être reporté à l'année suivante. Effectivement, « si, à la fin des douze mois qui suivent la fin d'une année de référence, le salarié est absent pour cause de maladie ou d'accident ou est absent ou en congé pour raisons familiales ou parentales, l'employeur peut, à la demande du salarié, reporter à l'année suivante le congé annuel[27] ».

Il convient ici de noter que certains salariés sont exclus des dispositions relatives aux congés annuels. Parmi ces salariés, nous retrouvons :

- l'étudiant qui travaille dans une colonie de vacances ou dans un organisme à but non lucratif et à vocation sociale ou communautaire ;
- l'agent immobilier dont la rémunération est entièrement basée sur les commissions ;
- le représentant d'un courtier ou d'un conseiller en valeurs entièrement rémunéré à commission ;
- le représentant en distribution de produits et services financiers entièrement rémunéré à commission ;
- le stagiaire (dans le cadre d'un programme de formation professionnelle reconnu par une loi spécifique).

27. Québec, *Loi sur les normes du travail*, L.R.Q., art. 70.

5.3.4.4 Les jours fériés, chômés et payés

Selon la Loi sur les normes du travail, les jours suivants constituent des jours fériés, chômés et payés : le 1er janvier ; le Vendredi saint ou le lundi de Pâques (au choix de l'employeur) ; le lundi qui précède le 25 mai ; le 1er juillet ou, si cette date tombe un dimanche, le 2 juillet ; le premier lundi de septembre ; le deuxième lundi d'octobre et le 25 décembre.

La figure 5.3 présente quels sont les jours dits fériés, chômés et payés.

Figure 5.3 Les principaux jours fériés, chômés et payés

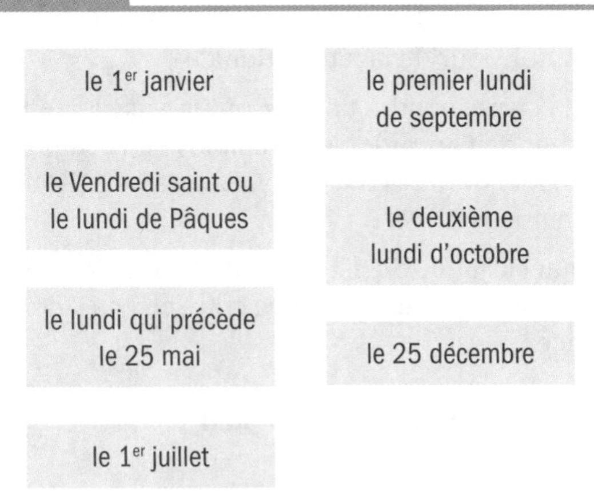

« Ah oui, ma première préoccupation est de noter les jours de congé payé. »

Parmi les innovations les plus importantes qui ont été apportées par le législateur, citons les suivantes :

- Tous les salariés assujettis à la loi deviennent admissibles à une indemnité pour chaque jour férié prévu par la loi[28].
- Pour bénéficier d'un jour férié, chômé et payé, une condition s'impose tout de même : un salarié ne doit pas s'être absenté du travail, sans l'autorisation de l'employeur ou sans une raison valable, le jour ouvrable qui précède ou qui suit ce jour[29].
- L'indemnité que l'employeur doit verser pour un jour férié et chômé est égale à 1/20 du salaire gagné au cours des quatre semaines complètes de paye précédant la semaine du congé, sans tenir compte des heures supplémentaires. Quant au salarié rémunéré en tout ou en partie à commission, son indemnité est égale à 1/60 du salaire gagné au cours des douze semaines complètes de paye précédant la semaine du congé.

La loi prévoit donc que : « Le salarié qui travaille un jour férié doit recevoir, en plus de son salaire habituel, une indemnité compensatrice ou un congé compensatoire

28. Mentionnons que les exigences combinées – soit les soixante jours de service continu et l'interdiction de s'absenter du travail sans autorisation de l'employeur ou sans raison valable, le jour ouvrable qui précède ou qui suit ce jour – ne sont plus retenues par le législateur.

29. Ce jour ouvrable précédant ou suivant le jour férié est le jour ouvrable du salarié.

payé d'une journée. Ce congé compensatoire doit être pris dans les trois semaines précédant ou suivant le jour férié[30]. »

Enfin, soulignons que la Loi sur la fête nationale ajoute un huitième jour de congé férié, chômé et payé. Il s'agit du 24 juin, fête de la Saint-Jean-Baptiste. Notez que lorsque cette date tombe un dimanche, c'est le lundi 25 juin qui devient un jour férié et chômé uniquement pour le salarié qui ne travaille pas habituellement le dimanche. Quelques particularités concernant l'octroi de ce congé méritent d'être soulignées :

- Si en raison de la nature des activités de l'entreprise, le travail ne peut être interrompu le jour de la fête nationale, le salarié a droit non seulement à son salaire habituel, mais aussi à l'indemnité ou au congé compensatoire le jour ouvrable précédant ou suivant le jour de la fête nationale.
- Si le jour de la fête nationale correspond à un jour où un salarié ne travaille pas habituellement, l'employeur doit accorder à son employé un congé compensatoire le jour ouvrable précédant ou suivant le 24 juin. Autrement, l'employeur doit lui verser l'indemnité compensatrice.
- Si le salarié est en congé annuel le jour de la fête nationale, l'employeur doit lui accorder le congé compensatoire à une date convenue entre eux ou il doit lui verser l'indemnité compensatrice.

5.3.4.5 L'avis de cessation d'emploi ou de mise à pied et le licenciement collectif

Un employeur qui désire mettre fin au contrat d'un salarié ou encore le mettre à pied pour une période de six mois ou plus doit lui donner un avis écrit (article 82 *Lnt*). Cet avis diffère en fonction du nombre d'années de service continu que le salarié a à son actif. Le tableau 5.5 fournit des précisions à ce sujet.

Tableau 5.5 Les préavis de cessation d'emploi ou de mise à pied

Années de service continu attesté	Délai de l'avis selon la loi
De 3 mois à 1 an	1 semaine
De 1 an à 5 ans	2 semaines
De 5 ans à 10 ans	4 semaines
10 ans ou plus	8 semaines

La Loi sur les normes du travail prévoit que l'employeur qui ne donne pas l'avis prévu à l'article 82 *Lnt* ou qui donne un avis dans un délai insuffisant doit verser au salarié une indemnité compensatrice équivalente à son salaire habituel, sans tenir compte des heures supplémentaires, pour une période égale à celle de la durée ou de la durée résiduaire de l'avis auquel il avait droit (article 83 *Lnt*).

30. COMMISSION DES NORMES DU TRAVAIL, *Les normes du travail au Québec*, Gouvernement du Québec, Québec, 2007, p. 10.

Notons que les catégories de salariés suivantes n'ont pas droit à l'obtention de l'avis écrit :

- le salarié qui n'a pas effectué trois mois de service continu ;
- le salarié dont le contrat pour une durée déterminée expire ;
- le salarié qui a commis une faute grave ;
- le salarié dont la fin du contrat de travail ou la mise à pied résulte d'un cas fortuit ;
- le salarié qui a été embauché pour exécuter une tâche précise à la suite de laquelle son contrat prend fin.

Cependant, s'il s'agit d'un cas de **licenciement collectif**, outre le salarié dont la fin du contrat de travail ou la mise à pied résulte d'un cas fortuit, les autres catégories de salariés qui n'ont pas droit à l'obtention de l'avis écrit ne sauraient être considérées – le cas échéant – comme des salariés visés par un licenciement collectif.

Licenciement collectif
Cessation d'emploi du fait de l'employeur, y compris une mise à pied pour une durée de six mois ou plus, qui touche au moins dix salariés d'un même établissement au cours d'une période de deux mois consécutifs.

Notons que la Loi sur les normes du travail oblige tout employeur à donner un avis au ministre de l'Emploi et de la Solidarité sociale avant de procéder à un licenciement collectif. Le délai de cet avis varie selon le nombre de salariés visés par le licenciement (*voir le tableau 5.6*).

Tableau 5.6 Le préavis de licenciement en cas de licenciement collectif

Nombre de salariés visés	Délai de l'avis
De 10 à 99 salariés	8 semaines
De 100 à 299 salariés	12 semaines
300 salariés ou plus	16 semaines

Notez que le fait de donner un avis prévu en cas de licenciement collectif ne dispense pas l'employeur de donner l'avis prévu à l'article 82 *Lnt*.

5.3.4.6 Petit clin d'œil à la Loi sur la santé et la sécurité du travail : l'exercice du droit de refus

En ce qui concerne l'octroi d'un congé hebdomadaire, le législateur statue que la période minimale de repos pour un salarié est augmentée de 24 à 32 heures consécutives.

Empruntant le concept de « *droit de refus* » à la Loi sur la santé et la sécurité du travail, la Loi sur les normes du travail introduit une nouvelle disposition qui permet à un salarié de refuser de faire des heures supplémentaires. En effet, il est permis à ce salarié d'exercer son droit de refuser de travailler quotidiennement après :

- plus de 4 heures au-delà de ses heures habituelles ou plus de 14 heures par période de 24 heures, selon la période la plus courte ;
- plus de 12 heures par période de 24 heures pour le salarié dont les heures quotidiennes de travail sont variables ou effectuées de manière non continue.

De plus, il est permis à un salarié d'exercer son droit de refus de travailler hebdomadairement après :

- plus de 50 heures, sauf s'il y a étalement des heures de travail ;

› plus de 60 heures pour un salarié qui travaille dans un endroit isolé ou qui effectue des travaux sur le territoire de la Baie-James.

Toutefois, en conformité avec la philosophie de la Loi sur la santé et la sécurité du travail (*voir le chapitre 11*), le droit de refuser de travailler ne peut être exercé :

› lorsqu'il y a un danger pour la vie, la santé ou la sécurité des travailleurs ou de la population ;

› en cas de risque de destruction ou de détérioration grave de biens meubles ou immeubles ou dans un autre cas de force majeure ;

› si ce refus va à l'encontre du code de déontologie professionnelle du salarié.

5.3.4.7 Petit clin d'œil à la famille : une norme visant la conciliation travail-famille

À travers quelques normes à caractère social ressort la volonté du législateur de favoriser la conciliation travail-famille.

À travers quelques normes à caractère social ressort la volonté du législateur de favoriser la conciliation travail-famille. Cette volonté se concrétise par des actions formelles telles que celles-ci :

› Un salarié peut s'absenter du travail, sans salaire, pendant dix journées par année pour remplir des obligations :
  - liées à la garde, à la santé ou à l'éducation de son enfant ou de l'enfant de son conjoint ;
  - liées à l'état de santé de son conjoint, de son père, de sa mère, d'un frère, d'une sœur ou de l'un de ses grands-parents[31].

› Un salarié peut s'absenter de son travail pendant une journée avec salaire et quatre journées sans salaire à l'occasion du décès ou des funérailles de son conjoint, de son enfant, de l'enfant de son conjoint, de son père, de sa mère, d'un frère ou d'une sœur.

› Un salarié peut s'absenter du travail pendant cinq journées à l'occasion de la naissance de son enfant, de l'adoption d'un enfant ou lorsque survient une interruption de grossesse à compter de la vingtième semaine de grossesse[32].

› Un salarié qui compte trois mois de service continu peut s'absenter du travail sans salaire pendant une période d'au plus douze semaines sur une période de douze mois lorsque sa présence est requise auprès de son enfant, de son conjoint, de l'enfant de son conjoint, de son père, de sa mère, d'un frère, d'une sœur ou de l'un de ses grands-parents en raison d'une grave maladie ou d'un grave accident (article 79.9 *Lnt*).

Un salarié peut s'absenter du travail pendant une journée, avec salaire, le jour de son mariage ou de son union civile. S'il s'agit du mariage ou de l'union civile de l'un de ses enfants, de son père, de sa mère, d'un frère, d'une sœur ou d'un enfant de son conjoint, le salarié a aussi droit à un congé, mais sans salaire.

5.3.4.8 Les recours prévus dans la Loi sur les normes du travail

La Loi sur les normes du travail prévoit trois types de recours : les recours pécuniaires, les recours liés à des pratiques interdites par la loi et les recours pour congédiement sans cause juste et suffisante.

31. Chose intéressante, ce congé peut être fractionné en journées et, avec le consentement de l'employeur, une journée peut aussi être fractionnée.

32. Les deux premières journées sont rémunérées si le salarié est au service de son employeur depuis plus de soixante jours. Voir COMMISSION DES NORMES DU TRAVAIL, *Loi sur les normes du travail*, art. 81.1.

Les recours pécuniaires

Lorsqu'un employeur fait défaut de payer à un salarié le salaire qui lui est dû, la Commission des normes du travail peut, pour le compte de ce salarié, réclamer à cet employeur le salaire impayé.

La Commission peut aussi agir ainsi dans le cas où un employeur fait défaut de payer d'autres avantages pécuniaires auxquels un salarié aurait droit tels que, par exemple, le paiement des heures supplémentaires, le paiement de l'indemnité de congés annuels, le paiement de l'indemnité de cessation d'emploi ou carrément le paiement d'une indemnité de jours fériés à la suite d'un calcul inexact d'une telle indemnité.

Un salarié qui croit avoir été victime d'une atteinte à un droit conféré par la Loi sur les normes du travail ou un règlement dispose d'un an pour porter plainte auprès de la Commission des normes du travail. Trois choix s'offrent à lui :

- déposer sa plainte par téléphone en communiquant avec le Service des renseignements de la Commission ;
- adresser sa plainte par écrit à la Commission ;
- se présenter à l'une des directions régionales de la Commission pour adresser sa plainte par écrit.

Les recours liés à des pratiques interdites par la Loi

La Loi prévoit des mesures de protection du salarié contre ce que l'on peut qualifier de «*sanction interdite énumérée*». En vertu de la Loi, il est formellement interdit à un employeur, de même qu'à son agent, de congédier, de suspendre ou de déplacer un salarié, d'exercer à son endroit des mesures discriminatoires ou des représailles ou de lui imposer toute autre sanction :

- à cause de l'exercice par ce salarié d'un droit résultant de la Loi sur les normes du travail ou de ses règlements ;
- parce qu'une enquête est menée par la Commission dans un établissement de l'employeur à la suite d'une plainte de ce salarié ;
- pour le motif que ce salarié a fourni des renseignements à la Commission des normes du travail ou à l'un de ses représentants sur l'application des normes du travail ou a témoigné dans une poursuite s'y rapportant ;
- pour la raison qu'une saisie-arrêt a été pratiquée à l'égard du salarié ou peut l'être ;
- pour le motif que le salarié est assujetti à la Loi facilitant le paiement des pensions alimentaires (1995, chapitre 18) ;
- pour la raison qu'une salariée est enceinte ;
- dans le but d'éluder l'application de la présente loi ou d'un règlement ;
- pour le motif que le salarié a refusé de travailler au-delà de ses heures habituelles de travail afin de remplir des obligations rattachées à la garde, à la santé ou à l'éducation de son enfant ou de l'enfant de son conjoint, ou en raison de l'état de santé de son conjoint, de son père, de sa mère, d'un frère, d'une sœur ou de l'un de ses grands-parents.

Le délai pour soumettre la plainte à la Commission des normes du travail est de 45 jours à partir de la date de la sanction interdite énumérée prise contre le salarié.

Le salarié peut adresser sa plainte par écrit à la Commission ou peut se présenter en personne à l'une de ses directions régionales. Notez que pour ces cas de sanction interdite énumérée est aussi recevable une plainte déposée à la Commission des relations du travail.

Plus encore, est illégale l'imposition d'une des sanctions interdites énumérées (congédiement, suspension, déplacement, exercice de mesures discriminatoires ou de représailles, mise à la retraite ou toute autre sanction) à un salarié pour le motif qu'il a atteint l'âge ou le nombre d'années de service à compter duquel il serait mis à la retraite. Dans ce cas, le délai dont dispose le salarié pour déposer sa plainte est de 90 jours à partir de la date du congédiement, de la suspension ou de la mise à la retraite forcée.

Les recours pour congédiement sans cause juste et suffisante

Le salarié qui croit avoir été congédié sans cause juste et suffisante peut soumettre sa plainte par écrit à la Commission des normes du travail. Le délai dont il dispose pour déposer sa plainte est de 45 jours après son congédiement. Soulignons que la Loi n'oblige plus le salarié à compter trois ans de service continu dans la même entreprise pour qu'il puisse déposer une plainte. Le législateur a effectivement modifié la norme, la période de service continu étant réduite à deux ans.

Il convient de souligner que le salarié peut adresser sa plainte de deux manières :

- en se présentant à l'une des directions régionales de la Commission des normes du travail ;
- par écrit, directement à la Commission des normes du travail.

5.4 La Loi sur les normes du travail sanctionne un nouveau fléau : le harcèlement psychologique

Harcèlement psychologique
Conduite vexatoire se manifestant soit par des comportements, des paroles, des actes ou des gestes répétés, qui sont hostiles ou non désirés, laquelle porte atteinte à la dignité ou à l'intégrité psychologique ou physique du salarié et qui entraîne, pour celui-ci, un milieu de travail néfaste.

Le principe est clair : depuis le 1er juin 2004, « tout salarié a droit à un milieu de travail exempt de **harcèlement psychologique**[33] ». Pour s'assurer que ce concept soit compris de façon uniforme par toutes les parties qui interviennent dans un milieu de travail, le législateur a pris soin de définir le harcèlement psychologique comme étant « une conduite vexatoire se manifestant soit par des comportements, des paroles, des actes ou des gestes répétés, qui sont hostiles ou non désirés, laquelle porte atteinte à la dignité ou à l'intégrité psychologique ou physique du salarié et qui entraîne, pour celui-ci, un milieu de travail néfaste » (Article 81.19 *Lnt*).

Dans cette optique, un superviseur qui, imbu de son statut, exerce son autorité de manière stricte et, de ce fait, inspire de la crainte à ses employés fait-il du harcèlement psychologique ? Le critère à considérer consiste à savoir si ce superviseur se sert de sa position d'autorité pour servir les objectifs de l'entreprise ou s'il le fait pour privilégier ses propres besoins au détriment des individus qui sont sous son autorité.

Notez que le harcèlement psychologique ne provient pas uniquement d'actions de l'employeur à l'endroit de ses employés. En effet, ce type de harcèlement peut

33. Voir Commission des normes du travail, *Les normes du travail au Québec*, Gouvernement du Québec, Québec, 2007, p. 18.

provenir d'un patron, d'un collègue et même d'un tiers. Ainsi, il devient possible de reconnaître cinq grandes catégories d'actions qui constituent du harcèlement psychologique au travail: « 1. Empêcher la victime de s'exprimer, 2. Isoler la victime, 3. Déconsidérer la victime auprès de ses collègues, 4. Discréditer la victime dans son travail et 5. Compromettre la santé de la victime[34]. »

La figure 5.4 illustre ces grandes catégories.

Afin d'éviter toute équivoque, tout individu impliqué dans un milieu de travail devrait être au courant des comportements déviants qui peuvent constituer du harcèlement psychologique. Parmi ces comportements figurent les suivants:

- menaces verbales ou écrites;
- langage abusif ou discriminatoire;
- contrôles démesurés et injustifiés;
- tentatives de discréditer une personne en faisant de fausses allégations;
- gestion par la peur;
- critiques constantes et injustifiées concernant le travail accompli;
- évaluation de la performance faussée;
- insinuations concernant tant la vie professionnelle que personnelle;
- personne traitée comme si elle était absente ou n'existait pas[35].

Figure 5.4 Les grandes catégories d'actions associées au harcèlement psychologique

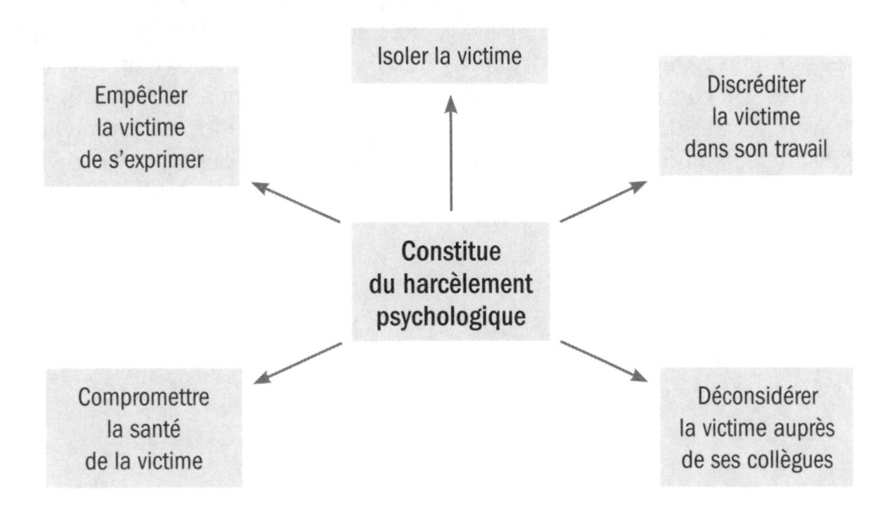

34. Reine Lafond et Jacques Provencher, *Le harcèlement psychologique : tout ce que l'employeur doit savoir*, Cowansville, Les Éditions Yvon Blais, 2004, p. 11.

35. *Ibid.*

Résumé du chapitre

Ce chapitre nous a permis de mettre en évidence l'aspect légal du processus d'acquisition des ressources humaines. Tout en gardant en tête que l'acquisition des ressources humaines de même que les relations qu'entretient un employeur avec ces ressources ne doivent pas être ternies par des actes discriminatoires ou par le harcèlement, nous avons abordé l'étude des articles de la Charte des droits et libertés de la personne qui, non seulement précisent les caractéristiques personnelles d'un individu qui constituent des motifs de discrimination interdite, mais spécifient aussi les activités de gestion des ressources humaines dans lesquelles toute forme de discrimination est interdite par la loi. Étant soucieuse de protéger la dignité et l'intégrité physique et psychologique d'une personne, la Charte émet une interdiction formelle quant à la pratique de toute forme de harcèlement contre cette personne.

Pour terminer l'étude de l'aspect légal de l'acquisition des ressources humaines, nous avons présenté les normes du travail, qui constituent l'ensemble des conditions de travail minimales auxquelles tous les salariés du Québec doivent habituellement être soumis. Un coup d'œil à la Loi sur les normes du travail permet de constater que le législateur a augmenté le nombre de catégories de travailleurs pouvant y être assujetties. Il a aussi pris des mesures formelles visant à préserver le droit fondamental du salarié au salaire minimum. Il a introduit une disposition qui permet à un salarié de refuser de faire des heures supplémentaires. Grâce à certaines mesures, il démontre un intérêt pour la conciliation travail-famille et, de plus, témoigne de souplesse dans l'application de la norme en vertu de laquelle le salarié peut prendre des vacances. Il tient également compte d'une réalité propre à notre société depuis qu'elle évolue dans le contexte de la mondialisation: le licenciement collectif. Il statue d'ailleurs à ce sujet.

De plus, lorsqu'un salarié se sent lésé dans un des droits que lui reconnaît la Charte ou la Loi sur les normes du travail, des mécanismes de recours sont prévus dans ces deux lois afin de l'aider à faire valoir ses droits. Enfin, dans le but d'enrayer un fléau qui affecte sournoisement le milieu du travail, le législateur statue en matière de harcèlement psychologique en alléguant non seulement que tout salarié a droit à un milieu de travail exempt de harcèlement psychologique, mais aussi qu'il est du devoir de l'employeur de prendre tous les moyens raisonnables pour prévenir le harcèlement psychologique et, lorsqu'une telle conduite est portée à sa connaissance, de la faire cesser.

Évaluation de la compétence

Questions de révision et application

1. Définissez la Charte des droits et libertés de la personne du Québec.
2. Qu'est-ce que la discrimination selon la Charte?
3. Quelles sont les trois formes que peut revêtir la discrimination?
4. a) Quel article de la Charte stipule qu'il est interdit de faire preuve de discrimination au moment de la sélection du personnel?
   b) Comment s'énonce cet article?
5. Comment peut se manifester le harcèlement dans le milieu de travail?
6. En quels termes la Charte interdit-elle le harcèlement?
7. À la suite de la réception d'une plainte, quel test faut-il entreprendre pour déterminer si une cause peut être entendue par la Commission des droits de la personne et des droits de la jeunesse?
8. Pourquoi dit-on que l'enquête menée par la Commission se déroule sur un mode non contradictoire?
9. Expliquez en des termes simples la notion de service continu qu'on trouve dans la Loi sur les normes du travail.
10. « Un employeur peut verser à un salarié moins que le salaire minimum si ce salarié reçoit généralement des pourboires au travail. » Cet énoncé est-il exact? Justifiez votre réponse.
11. Quels cas prévus par la Loi sur les normes du travail permettent de dire quand un salarié est réputé être au travail?
12. En énonçant une règle concernant le droit de refus de travailler, quel droit le législateur accorde-t-il aux salariés?
13. La Loi sur les normes du travail prévoit trois types de recours dont peut se prévaloir un salarié qui se sent lésé dans un de ses droits reconnus par cette loi. Quels sont ces recours?
14. Quels sont les délais à respecter par le salarié qui dépose:
    a) une plainte liée à des pratiques de l'employeur interdites selon la loi?
    b) une plainte pour congédiement sans cause juste et suffisante?
15. À la rubrique Point de mire présentée au début du chapitre, on dit que le « plafond de verre » est une pratique subtile, car elle camoufle une forme de discrimination.
    a) Quelle est cette forme de discrimination?
    b) Comment se définit cette forme de discrimination?
16. Toujours dans Point de mire, que veut dire Serge quand il mentionne que sa première réalisation en tant que président-directeur général sera de briser le plafond de verre?

Analyse de cas

Cas 5.1

« Ce "top model" est un tombeur ! »

8 h 50

C'est un jeudi matin. Assis au volant d'une ruisselante Mercedes noire, Armand de Pèsementier roule à vive allure sur le pont Jacques-Cartier en direction de Longueuil. C'est qu'à 9 h tapantes, il doit prononcer une conférence à la Chambre de commerce de cette ville auprès des gens d'affaires travaillant sur la Rive-Sud. Assise à ses côtés, Sophie G. – sa nouvelle secrétaire – jette des notes à toute vitesse dans un petit calepin. De son fort accent du Midi de la France, Armand lui lance des phrases alambiquées auxquelles elle doit donner un sens.

– Écrivez plus vite, ma p'tite, les idées me sortent de la tête à un rythme effarant ! lâche-t-il, d'un ton teinté d'une assurance désarmante.

– Je fais ce que je peux, mais voyez-vous, vous ne me laissez pas le temps de res..., commençait à dire Sophie.

Mais soudain, Armand freine brusquement et cabre vers la droite. La tête de Sophie bascule vers l'avant, son petit calepin atterrit sur le tapis, juste en avant de ses pieds. Elle pousse un cri.

– Monsieur, que se passe-t-il ?

Demeurant bouche bée, Armand fixe vers le haut, en direction d'une affiche publicitaire.

– Mais c'est scandaleux ! lance-t-il.

– Monsieur, essaie de le raisonner Sophie, vous ne pouvez pas vous arrêter en plein milieu du pont.

– Vous voyez bien que je me suis rangé.

Il descend de sa voiture. Il regarde toujours en direction de l'affiche publicitaire. Dessus, il y voit un homme athlétiquement taillé, assis sur un tabouret blanc, les jambes légèrement ouvertes. Il ne revêt qu'un slip rouge. Au-dessus de lui un message ressort clairement en noir sur fond blanc : « *Bigorneau, le slip qui se glisse dans tous les sens* ». Sophie descend aussi de la voiture, lève les yeux.

– Quel « body » ! lâche-t-elle candidement.

– Calmez vos élans, ma petite ! Savez-vous de qui il s'agit sur cette affiche ?

Sophie répond d'un signe négatif de la tête.

– C'est le président de l'exécutif syndical de notre compagnie. Il me disait la semaine dernière qu'il devait partir pour deux jours de tournage « pour activités syndicales », m'avait-il confié. Je vais lui montrer, moi, qu'on ne se moque pas de son directeur des ressources humaines !

14 h

Malgré son retard à la Chambre de commerce de Longueuil, Armand avait charmé son public. Après le banquet donné en son honneur, il retourne au bureau en compagnie de sa secrétaire. À 14 h tapantes, il s'enferme dans son bureau et prend son téléphone. Il communique directement avec le président du syndicat et lui demande de passer à son bureau. En moins de deux minutes, ce dernier frappe à sa porte.

– Entrez Jules, mais entrez donc !

Le président du syndicat entre. En refermant la porte, il aperçoit Sophie, assise sur un fauteuil situé près du gigantesque bureau du directeur des ressources humaines. Sophie aussi le remarque et rougit. Elle baisse les yeux.

– Asseyez-vous ! lance Armand à Jules.

– Je préfère rester debout !

– Comme vous voulez. De toute façon, je ne compte pas m'éterniser sur le sujet. Alors, dites-moi, vous trouvez amusant d'exhiber votre bigorneau sur le pont Jacques-Cartier ?

Jules ouvre grands les yeux.

– L'affiche est déjà parue ? C'est super !

– Ne vous emballez pas ! Les deux jours de tournage dont vous me parliez...

– Non, c'est que vous confondez. J'ai été en tournage avec les membres de l'exécutif de la CSN pour une émission qui sera diffusée sur les ondes bientôt, mais les fins de semaine, je suis mannequin et je travaille pour l'agence...

– Peu importe !

– Quel « body » ! laisse échapper Sophie.

Mais ce qu'elle croyait être un chuchotement prit plutôt l'allure d'un cri. Jules l'a entendue et lui sourit. Il se fait un silence. Armand le brise.

– Bon, j'ai reçu votre avis concernant le début des négociations. Je n'ai pas eu le temps de rassembler tous mes dossiers. Je dois voir avec ma secrétaire et je vous donnerai une prompte réponse.

Bien que Jules ait répondu d'un signe positif de la tête, il n'avait des yeux que pour Sophie.

– Bon, vous semblez beaucoup plus intéressé par ma secrétaire que par mes propos. Allez vous deux, sortez de mon bureau ! dit Armand.

Les jours passaient. Armand et sa secrétaire travaillaient de plus en plus tard le soir. Il leur fallait à tout prix monter le dossier patronal en vue des prochaines négociations collectives. Chose curieuse, trouvait le directeur des ressources humaines, depuis les vingt jours que Sophie et lui finissaient de travailler vers les 23 h 10 environ, c'est le président du syndicat qui venait chercher la jeune femme et tous deux partaient ensemble, dans la même voiture. Un vendredi soir, Armand a voulu en avoir le cœur net. Tandis que Sophie s'apprêtait à partir...

– Sophie ! ? l'interpelle-t-il. J'ai deux mots à vous dire.

– Oui, Monsieur de Pèsementier !

– Ne trouvez-vous pas étrange qu'une secrétaire qui travaille de concert avec un membre de la haute direction fréquente le président du syndicat avec lequel ce membre de la haute direction s'apprête à négocier ?

– Mais c'est d'abord et avant tout une relation amoureuse, Monsieur.

– Je vous en prie, j'en ai vu d'autres. N'oubliez pas que ce « top model » est un tombeur ! D'ailleurs, il m'a déjà fait le coup avec celle que vous remplacez et aussi avec celle qui l'a précédée. C'est d'abord la romance qui débute – ô coïncidence – au moment où les négociations collectives vont être entamées et elle prend fin quand la convention collective est signée.

Sophie cache difficilement sa tristesse.

– Mais nous vivons ensemble depuis le premier jour où nous nous sommes rencontrés dans votre bureau, avoue-t-elle d'une voix tremblante.

Armand de Pèsementier laisse tomber les bras.

– Vous connaissez à peine ce type et voilà que vous m'annoncez que l'aventure l'a emporté sur le jugement ! Écoutez, ma petite, vous mettez fin à cette relation ou il sera de mon devoir de vous remercier.

– Mais, Monsieur, Jules ne semble pas être celui que vous décrivez. Pour preuve, il m'a demandée en... mariage, balbutie-t-elle.

– Mais vous venez d'où ? Ne comprenez-vous pas son petit jeu ? Il va vous tailler en petites pièces après vous avoir fait dévoiler nos stratégies de négociations.

– Et les autres, est-ce qu'il les emmenait à Las Vegas ?

Armand ne comprend pas le sens de la question. Il fronce les sourcils. Sophie ne dit plus rien et sort tranquillement du bureau du directeur des ressources humaines.

Trois jours après, Armand apprend que sa secrétaire a épousé le président du syndicat au cours de la fin de semaine, lors d'un voyage éclair à Las Vegas.

Questions

1. Dans l'éventualité où Armand de Pèsementier congédie effectivement sa secrétaire, quel motif de congédiement doit-il alléguer ?
2. Sophie a annoncé à Jules que son patron voulait la remercier si elle continuait à le fréquenter et c'est pourquoi Jules lui a expliqué que si son patron la congédie, elle doit déposer une plainte auprès de la Commission pour cause de discrimination.
   a) Si toutefois le scénario se déroule ainsi, quel motif de discrimination interdite Sophie peut-elle alléguer ?
   b) La Commission va-t-elle lui donner gain de cause ? Expliquez.

Cas 5.2

Les trois personnes aux mains moites

Au sein de trois entreprises différentes, et au même moment, s'est produit un phénomène inusité : trois personnes se voyaient refuser un poste pour la même raison, soit celle d'avoir les mains moites !

Il y eut d'abord Viviane, conseillère principale en marketing. Lors de l'entrevue qu'elle passait en vue d'être promue au titre de directrice du marketing dans la société où elle travaille, le président de la société lui a avoué sans ambages :

– Je ne veux pas travailler avec une directrice qui a les mains moites. Elle ne serait pas crédible auprès des clients.

Je suis navré, Viviane, mais vous ne faites pas l'affaire!

Pourtant, Viviane lui avait dit qu'il s'agissait d'une maladie chez elle. Elle lui avait montré son ordonnance en précisant qu'elle avait oublié de prendre son médicament avant l'entrevue.

Ensuite, Léopold passa une entrevue en vue de devenir directeur du financement aux entreprises. Son patron ayant démissionné subitement, Léopold avait posé sa candidature. Il avait déjà exercé cette fonction par intérim à deux reprises quand son patron avait dû se rendre travailler dans la filiale européenne de la firme pour des périodes de huit et dix mois, mais au cours de l'entrevue décisive, le président de la firme lui a lancé:

– Léopold, vous avez les mains moites. C'est déplaisant. Comment ferez-vous pour bluffer devant de jeunes requins de la finance quand viendra le temps de négocier des contrats de plus de 15 millions de dollars?

Et c'en était fait de ses chances de promotion.

Finalement, Caroline, qui est âgée de 22 ans, passe une entrevue dans l'espoir d'occuper un poste d'agente de bord pour une importante compagnie aérienne. Cette jeune fille était admirée de ses amies et collègues de travail. Elle travaillait comme agente de bord pour une compagnie aérienne concurrente, mais sur appel. Pour le poste qu'elle convoitait, une chance égale d'embauche était offerte aux hommes et aux femmes.

Dans la salle où se déroulait l'entrevue, il faisait si chaud qu'elle transpirait abondamment. D'ailleurs, deux des trois responsables de l'entrevue avaient souligné qu'il faisait chaud et ils avaient enlevé leur veston. Cependant, le troisième responsable, qui avait un air coriace, avait serré la main de Caroline en fin d'entrevue et lui avait avoué sèchement:

– Vous devriez retourner chez vous faire de la popote et oublier vos chances d'être agente de bord. Vous avez les mains moites et cela m'agace particulièrement!

Questions

1. Si les trois cas étaient présentés à la Commission des droits de la personne et des droits de la jeunesse pour cause de discrimination, quels sont les trois points que la Commission devrait vérifier et comment se feraient ces vérifications? Pour répondre à cette question, faites comme si vous entrepreniez l'enquête et appliquez le test présenté au tableau 5.3 (*p. 136*).
2. Quelles sont les chances des individus de gagner leur cause? Expliquez votre réponse.

Chapitre 6 La dotation en ressources humaines

Cheminement d'idées

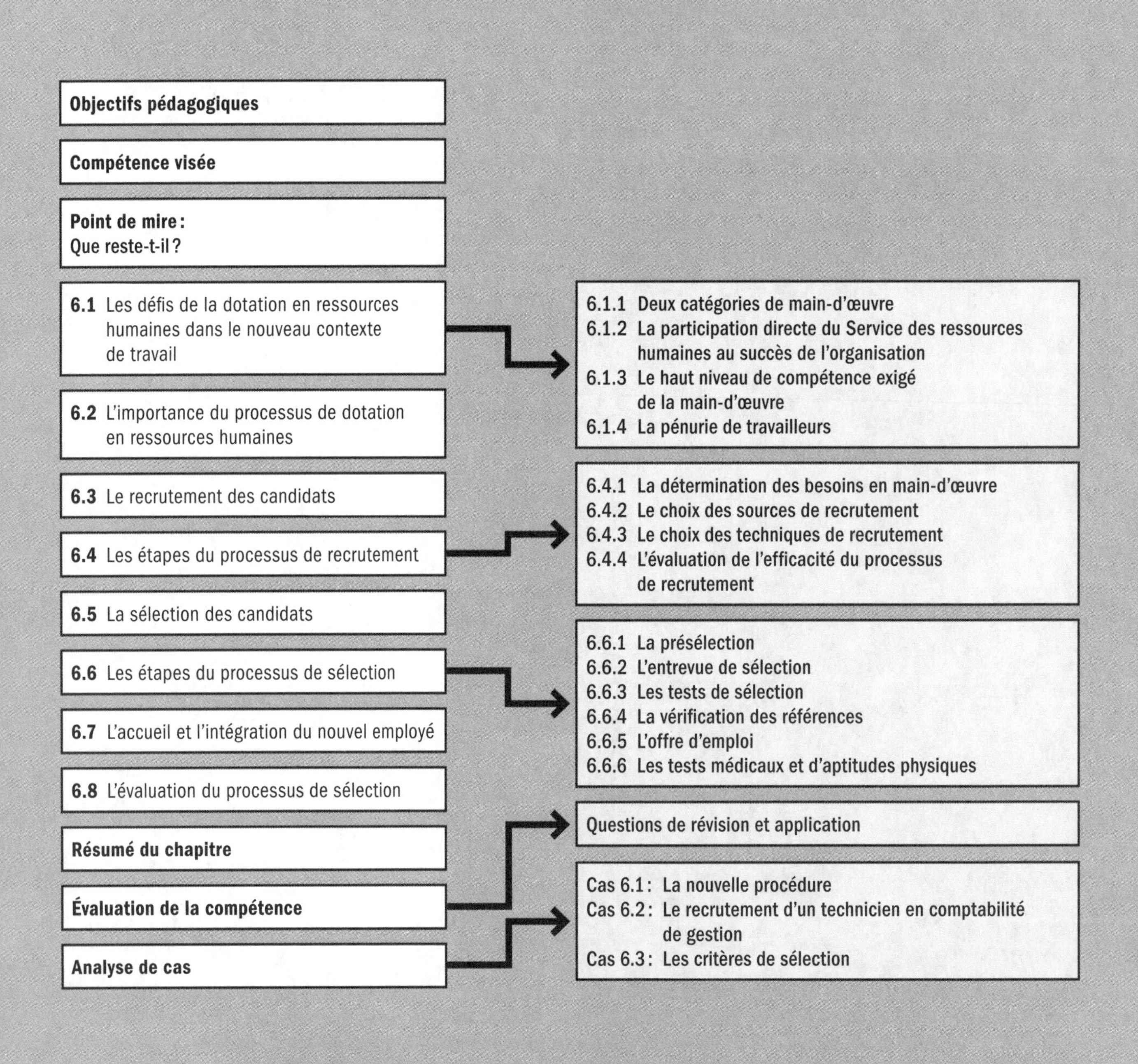

Objectifs pédagogiques

La lecture de ce chapitre devrait vous permettre:

1. de définir les concepts de recrutement et de sélection;
2. de décrire les étapes du processus de recrutement;
3. de préciser les exigences fondamentales liées à un poste;
4. d'énumérer et de décrire les sources de recrutement internes et externes;
5. de décrire le processus de sélection d'un candidat qualifié et compétent;
6. d'expliquer les étapes de l'entrevue de sélection;
7. de mesurer l'efficacité du processus de sélection.

Compétence visée

La compétence visée dans ce chapitre est de pouvoir utiliser les règles de l'embauche pour effectuer le recrutement et la sélection des ressources humaines.

Point de mire

Que reste-t-il?

Gisèle Hambaush travaille au centre de logistique de TransportAméric et est directrice de la division de répartition. Cette entreprise possède près d'un millier de camions et plus de 3000 remorques. Son service comprend quarante répartiteurs dont voici la description de poste:

Répartiteur[1]

- traite et transmet les renseignements et les instructions afin de coordonner les activités des conducteurs de véhicules et des équipes, ainsi que le mouvement du matériel à l'aide de divers appareils de communication et de régulation assistées par ordinateur;
- répartit le personnel selon les horaires écrits et les feuilles de travail ou en fonction des situations d'urgence;
- informe les chauffeurs des véhicules au sujet des problèmes de circulation et routiers reliés à la construction, aux accidents, aux embouteillages, aux conditions atmosphériques, aux restrictions de poids et de taille et à d'autres situations;
- contrôle la charge de travail du personnel et ses déplacements;
- tient les dossiers des conducteurs à jour en se servant de systèmes manuels et automatisés et veille à ce que les feuilles de présence et les bordereaux de paie soient remplis de façon exacte;
- tient à jour des registres manuels et informatisés de la distance parcourue, de la consommation de carburant, des réparations et des autres dépenses et prépare des rapports.

Ce travail est relativement stressant et une grande partie du quart de travail s'effectue au téléphone

›

1. Description du poste selon la Classification nationale des professions.

avec les différents intervenants dont, principalement, les chauffeurs. Il s'agit d'un emploi avec horaire variable comprenant des quarts de travail de nuit et des quarts de fin de semaine.

Lors de la réunion du comité de gestion du lundi matin, elle profite de la pause-café pour approcher informellement son collègue, Marc Hamion, directeur des ressources humaines.

– Salut Marc, j'aimerais te faire part d'un problème qui m'empoisonne la vie.

– Donne-moi son nom, je m'en occupe...

– En fait, ce n'est pas aussi simple. As-tu une idée du temps qu'il faut pour former un répartiteur efficace? Mes superviseurs y consacrent près de deux mois. Sauf que, des dix candidats que tu m'envoies, il n'en reste que trois à la fin de la période de formation, répondit Gisèle.

– Pourtant, je prends bien soin de sélectionner des candidats qui répondent à tes critères. De plus, je leur trace un portrait de l'emploi qui est le plus juste possible, en évitant bien sûr de les faire fuir avant de leur faire une offre d'emploi.

– Je sais pas trop. As-tu un moyen pour sélectionner des gens qui soient stables? Peux-tu vérifier dans leur curriculum vitæ leur prédisposition à changer continuellement d'emploi? Il me faut une équipe stable. Nous avons de très intéressants contrats qui seront signés bientôt et l'ajout d'une centaine de camionneurs à superviser me fait frémir si mon personnel est composé à 30 % de répartiteurs non expérimentés.

– Je vais vérifier si certains tests peuvent nous aider et ajouter certaines questions lors de la vérification des références, proposa Marc. Peut-être pourrais-je déterminer quelques prédicteurs utiles en rencontrant tes répartiteurs qui sont dans ton service depuis plus de deux ans?

– Un «prédicteur»? Est-ce un devin ou un astrologue?

– Non, c'est un peu plus sérieux, répondit Marc.

– Ouf!

– Peut-être que tes superviseurs pourraient participer au processus de sélection avant qu'une offre d'emploi ne soit présentée aux candidats?

– C'est une bonne idée, mais nous sommes déjà débordés et tu me demandes de faire une partie de ton travail.

– En fait, la sélection est autant ta responsabilité que la mienne. Ensemble, le Service de gestion des ressources humaines, tes superviseurs et certains de tes employés pourraient définir un processus qui donnerait satisfaction à tous. Je dois, moi aussi, satisfaire certains critères de performance et mon service doit être une valeur ajoutée, répliqua Marc.

– Parfait! Maintenant que suggères-tu concrètement?

6.1 Les défis de la dotation en ressources humaines dans le nouveau contexte de travail

L'évolution sans précédent du contexte de travail oblige les gestionnaires des ressources humaines à modifier leurs pratiques habituelles et à innover afin de continuer à remplir leur rôle dans les nouvelles organisations. Quatre défis[2] se présentent à eux en ce qui concerne la dotation:

- la présence de deux catégories de main-d'œuvre dans l'entreprise;
- la participation directe du Service des ressources humaines au succès de l'organisation;

2. Lire à ce sujet Hannah R. Rothstein, «Recruitment and Selection Benchmarking at the Millennium», dans Kraut et Korman, *Evolving Practices in Human Resource Management: Responses to a Changing World of Work*, San Francisco, Jossey-Bass, 1999. Pour une approche complémentaire à cette analyse, le lecteur est invité à consulter Sylvie St-Onge et coll., *Relever les défis de la gestion des ressources humaines*, 2e édition, Montréal, Gaëtan Morin Éditeur, 2004.

- le haut niveau de compétence exigé de la main-d'œuvre afin d'atteindre l'efficacité souhaitée;
- la pénurie éventuelle de travailleurs[3].

6.1.1 Deux catégories de main-d'œuvre

La main-d'œuvre au sein des organisations se doit maintenant d'être à l'image des entreprises. L'obligation pour ces dernières d'être flexibles, afin de faire face aux occasions du marché et aux menaces qu'il comporte, les amène à faire appel à deux catégories de main-d'œuvre. La première catégorie, flexible et talentueuse, est composée d'un petit noyau d'employés permanents dont les compétences cadrent avec les besoins de l'organisation. La seconde catégorie doit pourvoir les emplois atypiques[4]. Ce sont des employés qui ont à accomplir des tâches précises. Ils doivent être performants et disponibles, mais ils sont soumis aux besoins sporadiques des organisations. Il s'agit des employés contractuels, sur appel, précaires ou temporaires.

Les méthodes classiques de recrutement qui garantiront la stabilité, la longévité et la viabilité de l'organisation s'appliquent toujours dans le cas de la première catégorie. De plus, elles doivent être appuyées par des programmes de plan de carrière et de rémunération qui favorisent la loyauté et l'**engagement organisationnel** des employés du noyau permanent.

Engagement organisationnel
Degré d'énergie que déploie un employé dans une entreprise et intensité avec laquelle il adhère aux objectifs de cette entreprise.

Afin de pourvoir les emplois de la seconde catégorie, le Service des ressources humaines doit raffiner ses techniques de sélection. Il est essentiel de recruter une main-d'œuvre immédiatement opérationnelle, pour laquelle il n'y aura ni période d'essai ni période de formation et pour laquelle l'encadrement sera simplifié au maximum. Par conséquent, la marge d'erreur dans le choix des recrues s'avère quasi nulle.

6.1.2 La participation directe du Service des ressources humaines au succès de l'organisation

Le Service des ressources humaines ne représente plus seulement un service de soutien (autorité-conseil de soutien). L'acquisition d'une main-d'œuvre compétente et efficace représente pour ce service une participation directe à la stratégie de l'organisation et à son succès.

Ce constat confère au Service des ressources humaines un rôle central dans la stratégie de l'organisation, un rôle de gestionnaire des talents et un rôle d'agent de changement.

3. Lire absolument Helen Handfield-Jones et Beth Axelrod, *The War for Talent* by Ed Michaels, Boston, McKinsey & Co. Inc. 2001; Carol A. Hacker, *How to Compete in the War for Talent: A Guide to Hiring the Best*, Bradenton, DC Press, 2001.

4. Les emplois atypiques sont les emplois autres que les emplois salariés permanents et à temps plein. Nous reviendrons sur cette notion dans le chapitre 9 portant sur la rémunération. Lire à ce sujet L. F. Vosko, N. Zukewich et C. Cranford, « Le travail précaire: une nouvelle typologie de l'emploi », *L'emploi et le revenu en perspective*, nº 10, octobre 2003, p. 17-28.

6.1.3 Le haut niveau de compétence exigé de la main-d'œuvre

Les compétences exigées des travailleurs par l'organisation, qui doit être de plus en plus performante, s'avèrent toujours plus grandes. En plus de posséder les talents, les aptitudes et les connaissances convenant à l'emploi, le nouvel employé doit accepter de se soumettre à une formation continue, de continuellement s'adapter à de nouvelles tâches, de s'engager envers l'organisation, de travailler efficacement au sein d'une équipe et de collaborer avec des intervenants et des clients internes ou externes.

Les spécialistes des ressources humaines font alors face au défi consistant à évaluer ces nouvelles compétences chez les candidats. Ils doivent aussi résoudre le problème de l'appariement entre les compétences des postulants et les exigences des postes.

Le recrutement d'une main-d'œuvre qualifiée et motivée a un impact direct sur le succès de l'entreprise. De plus, l'embauche de candidats ne répondant pas au profil d'exigences défini dans la description de postes exigera un investissement supplémentaire en formation, le déploiement d'un système de communication plus élaboré et des pratiques de relations avec les employés plus sophistiquées.

6.1.4 La pénurie de travailleurs

Le nombre accru de diplômés de l'université et les taux de chômage élevés laissent croire que l'entreprise pourra compter sur un immense réservoir de candidats. Cependant, la croissance du niveau d'exigences des entreprises et le grand nombre de candidatures intéressantes rendent le recrutement encore plus difficile. Certaines spécialisations connaissent une pénurie très sérieuse de main-d'œuvre. Le départ à la retraite des baby-boomers et les besoins des entreprises québécoises laissent entrevoir un écart immense entre les besoins et l'offre de main-d'œuvre dans les prochaines années[5].

Au Québec[6], entre 2002 et 2012[7], 42 % des effectifs de la fonction publique québécoise devront être remplacés. Près du quart des employés du secteur privé partiront à la retraite, voire même jusqu'à la moitié de la main-d'œuvre dans certains secteurs ou régions. La majorité des pays industrialisés font face au vieillissement de la main-d'œuvre et ne parviennent pas à assurer la relève.

On assiste actuellement à l'avènement d'une diversité plus grande des travailleurs. En effet, les immigrants possédant des diplômes, des qualifications et une expérience provenant de l'étranger posent un défi certain aux entreprises qui doivent évaluer et reconnaître ces compétences au moment de l'embauche. Ce défi est important pour le gestionnaire des ressources humaines au moment

---

5. Lire à ce sujet Gérard Bérubé, « Danger: pénurie de main-d'œuvre », *Le Devoir*, Édition du 19 et du 20 février 2005; Sabrina Browarski, « Du baby-boom au déficit de main-d'œuvre: Pénurie de main-d'œuvre imminente au Québec », *Rapport Actions stratégiques*, The Conference Board of Canada, décembre 2007.

6. Une solution potentielle repose sur la retraite progressive. Lire à ce sujet Dominique Froment, « De la retraite anticipée à la retraite progressive », *Les Affaires*, le 8 février 2003, p. 29.

7. Gouvernement du Québec, *Le rajeunissement de la fonction publique québécoise: orientation et plan d'action*, Secrétariat du Conseil du Trésor, Sous-secrétariat au personnel de la fonction publique, 2002.

du recrutement et de la sélection, tout comme il l'est lorsque vient le temps d'intégrer et de gérer ces ressources humaines. En effet, la relève pour le Québec sera assurée en grande partie par l'intégration de cette main-d'oeuvre au marché du travail.

6.2 L'importance du processus de dotation en ressources humaines

Le processus de dotation garantit le rendement des ressources et des énergies investies dans le domaine des ressources humaines. Ce processus doit satisfaire aux exigences de la Loi sur l'équité en matière d'emploi, de la Charte des droits et libertés de la personne du Québec, de la Loi sur la protection des renseignements personnels dans le secteur privé et d'autres lois. La rigueur du processus minimisera la possibilité de contestation de la part des candidats qui pourraient invoquer la discrimination sous une forme ou une autre comme raison du rejet de leur candidature.

La structure organisationnelle et décisionnelle décentralisée, le coût de la main-d'œuvre, les contraintes syndicales, la mondialisation des marchés, la tertiarisation de l'économie, l'évolution stupéfiante des outils informatiques et de la technologie, la rationalisation de la main-d'œuvre, les normes environnementales et d'assurance qualité (ISO), entre autres facteurs, ne font qu'amplifier les difficultés de recrutement et de sélection des ressources humaines aptes à occuper les postes offerts.

Le superviseur étant la personne qui organise le travail et en permet la réalisation par l'intermédiaire de ses subordonnés, il souhaite tout particulièrement obtenir des employés qualifiés et motivés à fournir le meilleur rendement. Dans les plus grandes entreprises, les responsabilités du recrutement sont partagées entre le Service des ressources humaines et le superviseur. Il arrive même, dans les très grandes entreprises, que le superviseur ne rencontre le nouvel employé qu'au moment où celui-ci se présente pour sa première journée de travail. Dans les plus petites entreprises, la responsabilité de l'acquisition des ressources humaines représente souvent une facette importante du rôle du superviseur, ce dernier pouvant même l'assumer entièrement.

Le processus de dotation en ressources humaines comprend les activités d'analyse et de description des postes, de planification de la main-d'œuvre, de recrutement, de sélection, d'accueil et d'évaluation du processus de dotation (*voir la figure 6.1, p. 164*). Il vise principalement à faciliter la réalisation des objectifs de l'organisation. Les ressources humaines demeurent la clé de la réussite d'une organisation qui doit affronter une concurrence de plus en plus vive[8].

Dans ce chapitre, nous analyserons les différentes étapes du processus de dotation en ressources humaines en insistant sur le rôle du superviseur à partir du moment où la planification a été complétée.

---

8. Deux des manuels des plus complets sur la dotation sont celui de H. G. Heneman III et T. A. Judge, *Staffing Organizations*, Boston, McGraw-Hill, 2003 et celui d'Anne Bourhis, *Recrutement et sélection du personnel*, Montréal, Gaëtan Morin Éditeur, 2007.

Figure 6.1 Les étapes du processus de dotation en ressources humaines

Planification des besoins de main-d'œuvre

› Analyse des postes › Planification de la main-d'oeuvre	›	Recrutement	›	Sélection	›	Évaluation du processus

Recrutement
Ensemble des activités de recherche de main-d'œuvre qui consiste à informer les candidats potentiels, à l'interne ou à l'externe, qu'un poste est vacant en vue de les inciter à offrir leurs services en posant leur candidature.

Conservation
Pratique visant à retenir les employés et à développer leur sentiment d'appartenance à l'organisation.

6.3 Le recrutement des candidats

Le **recrutement**[9] est l'ensemble des activités de recherche de main-d'œuvre qui consiste à informer les candidats potentiels, à l'interne ou à l'externe, qu'un poste est vacant en vue de les inciter à offrir leurs services en posant leur candidature. Parallèlement, ce processus vise à dissuader les personnes qui ne répondent pas aux exigences du poste de présenter leur candidature.

Le recrutement représente la base du succès du processus de sélection. En effet, il paraît évident que plus le réservoir de candidatures potentiellement acceptables est grand, plus la sélection du candidat correspondant aux exigences de l'emploi sera un succès, sans être facile pour autant. Le recrutement doit aussi offrir une réponse aux besoins individuels et professionnels des candidats, car non seulement l'entreprise désire attirer les meilleurs, mais elle souhaite les maintenir en son sein le plus longtemps possible. Cela correspond à la **conservation,** une pratique visant à retenir les employés et à développer leur sentiment d'appartenance à l'organisation.

L'acquisition d'une main-d'œuvre compétente et efficace représente, pour le Service des ressources humaines, une participation directe à la stratégie de l'organisation et à son succès.

Lorsque le superviseur constate qu'un poste doit être pourvu dans son service à la suite d'une réorganisation, d'une démission, d'une promotion ou encore de la création d'un nouveau poste, il remplit une **réquisition de personnel** qu'il fait parvenir au Service des ressources humaines afin d'obtenir de son supérieur immédiat l'autorisation d'entreprendre les démarches visant à trouver un candidat qualifié et compétent.

Ainsi, le Service des ressources humaines ou le superviseur vise à pourvoir les postes définis par le programme de planification des ressources humaines élaboré par la haute direction, programme auquel le superviseur apporte souvent sa collaboration. Il met sur pied des activités propres à attirer les candidats détenant les compétences et les aptitudes déterminées par l'analyse des postes. La recherche de candidats possédant un profil précis a pour effet de réduire le nombre de candidats sous-qualifiés ou surqualifiés, ainsi que d'abaisser les coûts de formation, ce qui assure une stabilité de la main-d'œuvre à l'intérieur de l'organisation.

Réquisition de personnel
Demande de main-d'œuvre émanant du directeur de l'unité administrative et adressée au Service de recrutement de l'entreprise. Le document précise généralement les exigences liées au poste et les compétences requises de la part du candidat.

9. Lire à ce sujet Pierre Mornell, *45 méthodes efficaces pour recruter avec discernement,* Repentigny, Éditions Reynald Goulet, 2001.

Bien entendu, les activités de recrutement de l'entreprise visent aussi à respecter à la fois les normes de l'organisation en ce qui concerne les programmes d'équité, les objectifs et les politiques de la gestion des ressources humaines, de même que les lois, plus précisément la Charte des droits et libertés de la personne du Québec et la Loi sur l'équité en matière d'emploi.

Voici un site très intéressant concernant le recrutement: www.latoiledesrecruteurs.com

6.4 Les étapes du processus de recrutement

Le processus de recrutement comprend quatre étapes (*voir la figure 6.2*). Les résultats désirés à la fin du processus sont la collecte de candidatures en nombre suffisant et, surtout, la collecte de candidatures de qualité, c'est- à-dire de celles dont les caractéristiques correspondent aux exigences du poste.

Exigences liées au poste
Inventaire des habiletés indispensables ou souhaitables de l'employé pour l'exécution de ses tâches.

Figure 6.2 Les étapes du processus de recrutement

Détermination des besoins en main-d'œuvre

- Exigences liées aux postes
- Exigences liées à l'organisation
- Exigences liées à l'individu

› Choix des sources de recrutement › Choix des techniques de recrutement › Évaluation de l'efficacité de la source de recrutement

La première étape est la détermination des besoins en main-d'œuvre précisés par l'analyse des exigences fondamentales[10] liées au poste et du délai accordé pour pourvoir ce poste. Les exigences fondamentales sont de trois ordres, soit:

- les **exigences liées au poste**, qui ont été définies au moment de l'analyse du poste et qui correspondent aux connaissances et aux habiletés nécessaires à l'exécution adéquate des tâches déterminées dans la description du poste;
- les **exigences liées à l'organisation**, c'est-à-dire que les candidats doivent correspondre aux valeurs propres à la culture de l'organisation ainsi qu'être en mesure de s'adapter au style du superviseur direct;
- les **exigences liées à l'individu**[11], soient sa personnalité, ses champs d'intérêts et ses préférences.

La deuxième étape du recrutement consiste à choisir les sources de recrutement en fonction de la catégorie de main-d'œuvre recherchée, des délais

Exigences liées à l'organisation
Inventaire des conditions particulières rattachées au poste de travail dont il faut tenir compte pour que l'employé évolue normalement dans son milieu de travail.

Exigences liées à l'individu
Inventaire des traits de personnalité nécessaires ou souhaités de l'employé pour l'exécution de ses tâches.

10. Gouvernement du Canada, *Qu'entend-on par compétences essentielles?*, Ressources humaines et Développement des compétences Canada, le 16 octobre 2006 (http://srv108.services.gc.ca/french/general/Understanding_ES_f.shtml).

11. Shimon L. Dolan et Randall S. Schuler, *La gestion des ressources humaines au seuil de l'an 2000*, Montréal, Éditions du Renouveau Pédagogique, 1995.

impartis et du budget alloué. Le choix des sources de recrutement influera directement sur le choix des techniques permettant d'évaluer les candidatures et, par conséquent, les étapes de la sélection.

La troisième étape consiste à choisir les techniques qui permettront d'atteindre efficacement les sources ciblées, comme faire du recrutement parmi les employés actuels, par voie d'annonces dans les journaux ou par le recours à une agence. Selon les techniques retenues, certaines étapes s'avéreront superflues et d'autres, pertinentes. Par exemple, la vérification des références d'un candidat déjà employé par l'entreprise s'avère inutile compte tenu de l'existence d'un dossier de l'employé.

Enfin, la quatrième étape consiste à évaluer l'efficacité de la source de recrutement à l'aide de certains critères tels que le coût du recrutement pour pourvoir un poste, le taux de roulement des employés embauchés à partir de cette source (le nombre de personnes embauchées qui démissionnent durant l'année par rapport au nombre total de personnes embauchées) et le nombre de candidatures obtenues par cette source.

6.4.1 La détermination des besoins en main-d'œuvre

Les employés constituent l'âme de l'entreprise. Les futurs employés aussi : ceux qui aspirent à devenir chauffeurs de camion, concierges, vendeurs, analystes, chimistes, etc. Imaginons une organisation où tous les postes seraient occupés par des personnes parfaitement heureuses de pourvoir chacun des postes en question… Imaginons le contraire maintenant, soit une organisation où tous les postes seraient pourvus au hasard ou par favoritisme. Entre ces deux situations, songeons à une organisation où 10 % des employés n'occuperaient pas un poste correspondant à leurs compétences et à leurs intérêts.

Les exigences liées au poste

Comme nous l'avons vu au chapitre 4, la planification des ressources humaines nécessite la connaissance des exigences liées aux postes. Si l'entreprise n'a aucun profil d'exigences concernant les différents postes de sa structure, elle doit, à tout le moins, procéder à l'établissement du profil d'exigences liées au poste à pourvoir. Il ne suffit pas pour l'entreprise de préciser qu'elle est à la recherche d'un candidat travaillant, expérimenté, stable, responsable, brillant, dévoué et ayant une attitude positive !

Il y a lieu, pour le superviseur, de rédiger ou de mettre à jour une description de poste qui illustre les tâches, les responsabilités et les conditions de travail rattachées au poste. Il procédera ensuite à la description des exigences liées au poste afin d'établir les connaissances, les habiletés et les attitudes requises, voire souhaitées, pour pourvoir ce poste. Même si le poste existe déjà, il paraît avantageux de vérifier la conformité de la description de poste à la réalité présente.

Les exigences liées à l'organisation

Au moment de la détermination des besoins en main-d'œuvre, il faut aussi tenir compte des contraintes imposées par le contexte même de l'organisation, comme la pression exercée par les collègues de travail ou le style d'autorité du superviseur immédiat et par le contexte spécifique du poste à pourvoir, comme l'horaire de travail, les déplacements, le rythme de travail ou la réalisation de quotas.

Les exigences liées à l'individu

Les exigences liées à l'individu sont constituées des traits de personnalité ou des qualités nécessaires pour que l'individu s'intègre dans son nouveau milieu de travail. Il peut s'agir des qualités concernant l'établissement de relations interpersonnelles, de la capacité de travailler en équipe, de l'esprit d'initiative, du leadership et même de l'esprit d'entreprise.

Le superviseur joue un rôle important en ce qui a trait à la définition des exigences fondamentales du poste, car c'est lui qui révise la description de poste. Étant responsable des résultats de son service, il participe activement à la définition des exigences du poste et des critères de sélection.

6.4.2 Le choix des sources de recrutement

Afin de répondre aux exigences de quantité et de qualité, le responsable de la dotation doit tout d'abord choisir les sources de recrutement. Il y a deux sources, soit à l'interne, soit à l'externe, et chacune comporte des avantages et des inconvénients. La catégorie d'employés recherchés, l'urgence de la situation, la réputation de l'entreprise ou du service et la vigueur de la compétition face au recrutement des ressources humaines sont quelques-uns des facteurs qui influent sur le choix des sources de recrutement.

Le recrutement à l'interne

Lorsque le recrutement se fait à partir du réservoir organisationnel interne, le superviseur joue un rôle important, car il participe directement aux mouvements du personnel, tels que les mutations et les promotions, au moyen de l'évaluation de ses employés et des relations qu'il entretient avec les autres superviseurs. Cela permet de satisfaire certains besoins des individus déjà employés par l'entreprise.

Figure 6.3 Les avantages et les inconvénients du recrutement à l'interne

Avantages :
- Candidats déjà familiarisés avec la philosophie de l'entreprise
- Moins coûteux
- Meilleure connaissance des candidats
- Délais plus courts
- Source de motivation pour les employés

← Le recrutement interne →

Inconvénients :
- Risques d'insatisfaction chez les employés non retenus
- Nécessité de recruter pour pourvoir le poste de l'employé promu
- Absence d'idées nouvelles

Les avantages et les inconvénients du recrutement à l'interne

Les employés actuels de l'entreprise et ceux qui sont temporairement mis à pied représentent des candidats potentiels pouvant s'intégrer dans l'équipe de travail à la recherche d'un nouveau membre. Parmi eux, certains n'utilisent pas pleinement leurs capacités et d'autres souhaitent relever de nouveaux défis. Une mutation ou une promotion au sein d'une équipe peut signifier pour eux un avancement dans leur carrière. Il s'agit, pour un employé, d'une occasion d'apprendre de nouvelles tâches et d'acquérir de l'expérience. En outre, cela constitue un atout supplémentaire dans son plan de carrière. Le superviseur peut aussi jouer un rôle dans le recrutement en recommandant aux autres chefs de service des candidats prometteurs venant de son groupe d'employés.

Le recrutement à l'interne est avantageux, car il fournit des candidats qui sont généralement familiarisés avec la philosophie, les objectifs et les politiques de l'organisation (*voir la figure 6.3*). Le coût du recrutement se trouve réduit au minimum, car l'entreprise possède déjà de nombreux renseignements très fiables au sujet de ces personnes. Ce qui, d'ailleurs, réduit les délais nécessaires pour pourvoir le poste. La possibilité d'accéder à d'autres postes au sein de l'entreprise par voie de mutation ou de promotion représente une source de motivation pour les employés. Le recrutement à l'interne donne une occasion unique de récompenser un employé dont le rendement se révèle exceptionnel et qui se sent peut-être limité dans son poste actuel. Notons qu'en plus du rendement, beaucoup d'entreprises retiennent le critère de l'ancienneté pour accorder une mutation ou une promotion, surtout en raison des contraintes d'une convention collective.

Par contre, il ne faut pas négliger les inconvénients que comporte le recours au recrutement à l'interne. Ainsi, il se peut que le candidat idéal ne se trouve pas dans l'organisation. Devant le rejet de sa candidature, un employé actuel peut éprouver de la frustration et réagir négativement, au point de démissionner. Les conflits internes, les jeux d'influences et les pressions sont susceptibles d'orienter le choix du candidat. En accordant un nouveau poste à un de ses employés, l'entreprise déplace le problème de recrutement, car le superviseur qui voit un de ses employés partir pour occuper de nouvelles fonctions est à son tour dans l'obligation de pourvoir le poste vacant. Il peut arriver que la mutation ou la promotion d'un seul employé entraîne le déplacement de plusieurs autres personnes. Dans ce cas, les coûts d'adaptation et de formation peuvent s'avérer très élevés. Enfin, la décision de faire uniquement appel à des ressources internes peut limiter l'apport de nouvelles idées dans l'entreprise.

Enfin, lorsqu'une entreprise désire utiliser le recrutement à l'interne pour pourvoir les postes disponibles, elle se doit de maintenir un programme efficace de développement et de formation pour les cadres et les employés.

Le recrutement à l'externe

Généralement, les entreprises font du recrutement à partir de sources externes lorsqu'elles ne trouvent pas parmi leurs employés le candidat désiré pour pourvoir un poste. Le recrutement externe consiste à rechercher des candidats à l'extérieur de l'organisation, à les encourager à poser leur candidature et à accepter les emplois offerts. Il existe une grande variété de sources externes.

Lorsque le poste à pourvoir est inclus dans une unité syndicale, c'est-à-dire que le détenteur du poste sera syndiqué, le recours au recrutement externe risque d'être soumis à des clauses de la convention collective. Le gestionnaire des ressources humaines doit donc s'assurer du respect de ces clauses avant de faire appel à des ressources extérieures.

Les avantages et les inconvénients du recrutement à l'externe

Les principaux avantages du recrutement externe découlent de la formation et de l'expérience différentes des candidats qui permettent à l'entreprise de se renouveler (*voir la figure 6.4*). Ces candidats ne connaissent peut-être pas l'entreprise qui veut les recruter, mais ils connaissent parfois ses concurrents et leur philosophie. Enfin, les candidats de l'extérieur peuvent maîtriser des technologies nouvelles que l'entreprise n'a pas encore incorporées dans son mode de gestion ou d'exploitation.

Figure 6.4 Les avantages et les inconvénients du recrutement externe

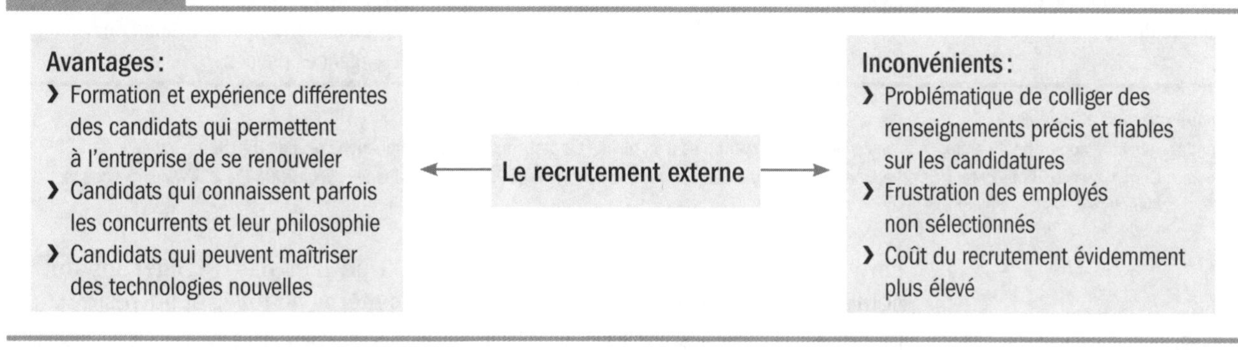

Par contre, étant donné qu'il s'avère problématique de colliger des renseignements précis et fiables sur les candidatures issues de l'extérieur, la marge d'erreur dans la sélection est plus grande. Il ne faut pas non plus négliger la frustration que peuvent ressentir les employés lorsqu'ils voient une personne de l'extérieur de l'entreprise obtenir un poste convoité. En outre, la période d'intégration d'un candidat de l'extérieur dans un poste donné est plus longue que celle d'un candidat de l'intérieur. Enfin, le coût du recrutement est évidemment plus élevé lorsque l'entreprise recherche des candidats sur le marché du travail plutôt que dans ses rangs.

6.4.3 Le choix des techniques de recrutement

À l'étape précédente, nous avons déterminé où nous pouvions aller chercher des candidats. Maintenant, il faut choisir la stratégie qui sera la plus efficace pour entrer en contact avec des candidats potentiels. Le tableau 6.1 (*p. 170*) nous révèle quelques données intéressantes à ce sujet.

Les techniques de recrutement à l'interne

Les techniques de recrutement à l'interne les plus couramment utilisées sont l'affichage de postes, l'organigramme prévisionnel, les recommandations des

Tableau 6.1 Les sources et techniques de recrutement utilisées par les entreprises[12]

Sources		Taux*	Commentaires
À l'interne : 30 %	Mutations, promotions, rotation des postes	30 % de tous les postes à pourvoir	Dans 15 % des entreprises, le taux atteint 50 %
À l'externe : 70 %	Recommandations des employés, des fournisseurs, etc.	21 % de tous les postes à pourvoir	80 % à 90 % proviennent des recommandations des employés (un tiers des recommandations se conclut par une embauche)
	Affichage et site Web de l'entreprise	18 % de tous les postes à pourvoir	
	Autres sources	31 % de tous les postes à pourvoir	
La tendance lourde dénote une croissance du recrutement direct.			Cela se traduit par une réduction équivalente de l'utilisation des agences privées.

* *Chiffres arrondis à 2 % près.*

Sondage effectué auprès de 49 entreprises américaines, employant plus d'un million de personnes et ayant embauché plus de 300 000 personnes en 2007.

Source : Gerry Crispin and Mark Mehler, *CareerXroads, 7th Annual Source of Hire Study : What 2007 Results Mean For Your 2008 Plans*, www.careerxroads.com/news/SourcesOfHire08.pdf.

employés et le rappel d'un employé, mais il ne faut pas négliger les autres sources possibles telles que les retraités, les mères au foyer et autres[13].

Affichage de postes
Procédure qui consiste à afficher les offres d'emplois sur un babillard de l'entreprise.

L'**affichage de postes** consiste à afficher les descriptions des postes à pourvoir sur un babillard[14] de l'entreprise. Cette technique de recrutement crée un climat de franchise au sein de l'organisation, car elle témoigne de la transparence de la part de la direction et fournit aux employés intéressés l'occasion de développer leurs compétences dans d'autres fonctions.

Organigramme prévisionnel
Organigramme des postes au sein d'une unité administrative. Pour chacun des postes, on mentionne la personne qui le détient actuellement, l'âge de cette personne, son ancienneté, son potentiel et son rendement.

L'**organigramme prévisionnel** ou plan de succession (*voir le chapitre 4*) et les dossiers des employés sont des sources de recrutement auxquelles l'entreprise peut faire appel si elle désire elle-même entrer en contact avec un candidat intéressant. Cette technique est plutôt réservée pour les postes de cadres dans les grandes entreprises. Par contre, lorsqu'elle souhaite que l'employé fasse les premiers pas, l'affichage de postes et les recommandations de candidats par les employés représentent des techniques fréquemment employées.

Les recommandations de candidats par les employés en place peuvent reposer sur le bouche-à-oreille, mais dans certains cas, elles peuvent s'inscrire

12. Une autre source confirme les données de cette étude pour le Canada : « Study: More Firms Say Hiring Will Be Off in 2008 », le 6 mars 2008, *Workforce Management*, www.workforce.com/archive/article/25/40/18.php?ht.
13. Adrienne Hedger, « Six Ways to Strengthen Staffing », *Workforce Management*, le 15 janvier 2007, p. 25-26, 28, 30-31.
14. L'affichage peut aussi se faire sur un babillard électronique, par courriel, par une lettre adressée à l'ensemble des employés ou dans le journal de l'entreprise.

dans un programme formel où les employés qui proposent des candidats reçoivent une récompense pécuniaire pour tout candidat embauché. Ainsi, même si les candidats proviennent de l'extérieur, la source de cette technique se trouve à l'intérieur de l'entreprise.

Celle-ci évite alors de dépenser de l'énergie et des ressources en vue de dénicher et d'attirer des candidats. L'employé effectue lui-même la démarche de prospection, il sélectionne parmi ses connaissances un candidat qui présente un profil correspondant à celui du poste offert et, surtout, il se charge de convaincre ce candidat des avantages que comporte le fait de se joindre à l'organisation[15]. De cette manière, un travail d'appariement est déjà partiellement accompli. Par contre, cette technique favorise le **népotisme** et peut représenter un risque de pratique discriminatoire interdite par la Charte des droits et libertés de la personne du Québec. En fait, toute entreprise dont le nom se termine par « et fils » ou « et fille » représente une forme de népotisme. Un employé ne recommandera qu'un proche à qui il désire procurer un avantage. La parenté – le conjoint, le frère, la sœur, l'enfant, le cousin, la cousine, le beau-frère ou la belle-sœur – figure certainement au sommet de sa liste de préférences. La main-d'œuvre de certaines usines, surtout les petites, est composée en grande partie de quelques familles. Cet état de fait crée des situations parfois difficiles pour les gestionnaires, mais présente aussi des avantages lorsque l'employé accepte de ne recommander qu'une personne en qui il a confiance et dont il sera fier.

Népotisme
Forme de corruption où des personnes profitent de leur situation pour accorder des faveurs ou des places privilégiées à leurs parents et amis, souvent sans tenir compte des capacités et de la valeur personnelle de ces derniers.

Les répertoires de compétences permettent de cerner les employés possédant les compétences requises pour pourvoir un poste. Ils émergent de l'arrivée des **systèmes d'information en ressources humaines** (par exemple, *EasyGEM, GEM-R, ProfileSoft inc., TANDEM RH*, etc.), soient des bases de données utilisées pour enregistrer, stocker, analyser et récupérer des données concernant les ressources humaines d'une organisation.

Système d'information en ressources humaines
Base de données utilisée pour enregistrer, stocker, analyser et récupérer des données concernant les ressources humaines d'une organisation.

Le **rappel d'un employé** mis à pied, licencié ou même à la retraite[16] représente une technique de recrutement à la frontière des sources internes et des sources externes. La personne rappelée pour pourvoir un poste n'appartient plus à l'organisation, mais elle possède toutes les caractéristiques des candidatures internes. En effet, elle connaît très bien l'organisation et cette dernière sait quel rendement le candidat peut fournir. De plus, le coût du recrutement est minime en comparaison de celui qu'occasionne un candidat n'ayant jamais été au service de l'entreprise.

Rappel d'un employé
Processus par lequel un employeur demande à un employé mis à pied de revenir au travail.

Les techniques de recrutement à l'externe

Le marché de la main-d'œuvre externe est vaste et diversifié. Il faut donc utiliser différentes techniques afin d'atteindre chacun des groupes cibles auprès desquels l'entreprise veut se manifester (*voir la figure 6.5, p. 172*).

15. Lire à ce sujet A. Halcrow, « Employees are your Best Recruiters », *Personnel Journal*, novembre 1988, p. 42-49 ; R. P. Vecchio, «The Impact of Referral Sources on Employee Attitudes: Evidence from a National Sample», *Journal of Management*, vol. 21, n° 5, 1995, p. 953-965. Pour les lecteurs avides de curiosité, Adam Bellow, *In Praise of Nepotism: A History of Family Enterprise from King David to George W. Bush*, New York, 2003.

16. Voir E. Miller, « Capitalizing on Older Workers », *Canadian HR Reporter*, vol. 10, n° 2, le 16 juin 1997, p. 14 ; T. Saba, G. Guérin et T. Wils, « Gérer l'étape de fin de carrière », *Gestion 2000*, février 1997, p. 165-181.

Figure 6.5 Les techniques de recrutement

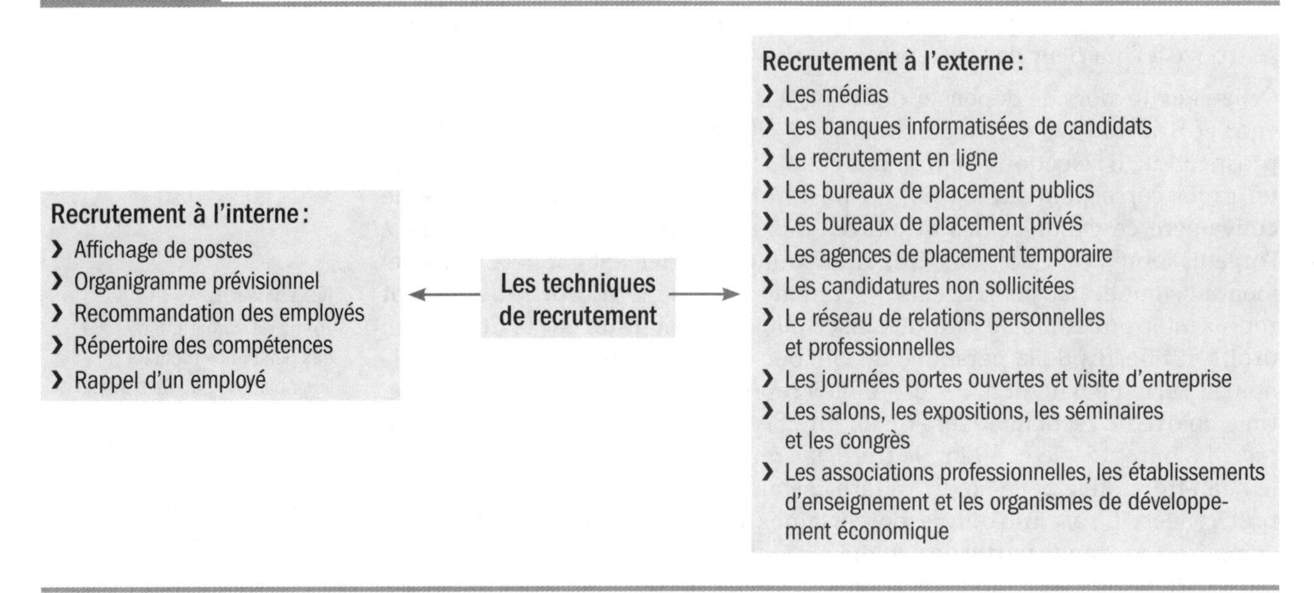

Les médias, comme les journaux (*La Presse, Les Affaires, Le Journal de Montréal, Le Soleil, Le Nouvelliste, Le Quotidien, La Tribune, Le Droit, La Voix de l'Est,* etc.), la radio et la télévision, Internet, les panneaux-réclames et toute autre forme d'affichage, sont des techniques de recrutement externe souvent utilisées pour combler des besoins urgents de l'entreprise. Toutefois, ces techniques s'avèrent en général coûteuses. Les autres médias, tels les mensuels et les magazines spécialisés, ont l'avantage d'attirer l'attention de nombreux candidats à un coût abordable pour l'entreprise. Ils constituent d'ailleurs une technique traditionnelle de recrutement externe. Les magazines spécialisés s'adressent à un groupe plus restreint de candidats potentiels, mais les lecteurs correspondent mieux à la cible si le choix du magazine est pertinent. D'ailleurs, on constate de nos jours que certaines entreprises ont tendance à transformer leurs offres d'emplois en une véritable campagne de charme…

Les banques informatisées de candidats sont produites par des entreprises spécialisées qui rendent leurs données accessibles à leurs clients, leur permettant de sélectionner une liste de candidats répondant à leurs besoins.

Chaque jour, les entreprises découvrent les avantages d'utiliser le recrutement en ligne[17] pour se faire connaître ou pour afficher, 24 heures par jour, sans limites géographiques[18], les emplois qu'elles désirent pourvoir. Là-dessus, plusieurs professionnels, scientifiques et travailleurs spécialisés diffusent depuis

17. Le recrutement en ligne est maintenant le seul moyen de transmettre un curriculum vitæ à la Société de transport de Montréal. Vous trouverez sur son site une présentation de son processus de sélection ainsi que les tests psychométriques utilisés: www.stcum.qc.ca/en-bref/listepostes.htm.

18. Voir le www.bell.workpolis.com/fr, le www.jobboom.com et surtout le www.WorkTree.com, où des millions d'emplois sont affichés.

longtemps leur curriculum vitæ[19] sur leur propre site Web. Les entreprises utilisent aussi leur site[20] pour faire connaître les offres d'emploi et permettre aux candidats de présenter leur curriculum vitæ en remplissant un formulaire à l'écran. N'oublions pas que nous sommes en présence d'une génération qui dépend d'Internet[21]. Hydro-Québec, les banques, la Fédération des caisses Desjardins, Cascades et le gouvernement du Québec représentent quelques-unes des organisations qui font appel à Internet pour leur recrutement[22].

Les **bureaux de placement publics**, aussi connus sous les noms de Service national de placement de Ressources humaines et Développement des compétences Canada[23] et de Centres locaux d'emploi (CLE)[24] du ministère de l'Emploi et de la Solidarité sociale du Québec, qui assument depuis le 1er avril 1998 la responsabilité des mesures actives, sont des services gouvernementaux mis à la disposition des demandeurs d'emploi et des entreprises. Le centre agit comme un courtier en réalisant l'appariement entre les besoins des employeurs et les demandeurs d'emploi. Ce service est gratuit.

Bureau de placement public
Réseau de centres gouvernementaux de placement et de services pour les chercheurs d'emploi et les employeurs.

Les **bureaux de placement privés** sont des agences qui effectuent le travail de recrutement de candidats pour un poste donné, généralement un poste de cadre, de professionnel ou de technicien. Parfois, ces agences effectuent une présélection et ne présentent à l'entreprise cliente qu'un ou deux candidats. Les services de ces bureaux de placement sont payés par l'entreprise et les honoraires exigés sont de l'ordre de 15 % à 30 % du salaire annuel total du candidat retenu, pour la première année.

Bureau de placement privé
Bureau privé s'occupant de recruter et de sélectionner des candidats pour un employeur, moyennant rémunération.

Les **agences de placement temporaire** offrent aux entreprises ayant des besoins à court terme des candidats compétents et qui souhaitent occuper un emploi temporaire ou à temps partiel. Pendant une surcharge de travail, la période de vacances, les congés de maladie ou la mise sur pied d'un projet spécial, l'entreprise peut combler rapidement ses besoins sans s'engager à long terme avec un employé dont elle ne requiert les services que de façon temporaire. Ainsi, pour pourvoir temporairement les postes de gardiens, de préposés à l'entretien, d'employés de bureau, d'infirmiers ou de caissiers dans une caisse populaire, par exemple, les entreprises peuvent faire appel à ces agences. Le contrat lie l'entreprise à l'agence, alors que l'employé est toujours lié à l'agence, qui lui verse sa rémunération. Il reste que, si l'employé temporaire répond aux exigences de l'entreprise, celle-ci peut toujours lui offrir un poste permanent. Dans ce cas, certaines règles s'appliquent afin de dédommager l'agence qui a recruté le candidat.

Agence de placement temporaire
Bureau de placement privé qui « loue » des employés supplémentaires aux entreprises qui en font la demande, ce qui évite à ces dernières de recruter du personnel qu'elles devront mettre à pied à court terme.

---

19. Voir « Votre CV sur Internet » : www.lerucher.com/dossiers/1200/info1.asp?from=internet_utile.
20. Voir à ce sujet Gerry Crispin et Mark Mehler, « CareerXroads 4th Annuel – Sources of Hire : CareerXroads : Staffing Strategies for a Nerworked World », *CareerXroads*, le 8 juin 2006 ; Suzanne Dansereau, « Utiliser le marketing sur le Web pour attirer les futurs employés », *Les Affaires*, vol. 79, nº 42, le 20 octobre 2007, p. 30-31.
21. Lire à ce sujet G. Paré, « La génération Internet : un nouveau profil d'employés », *Gestion*, 2002, vol. 27, nº 2, p. 47-53 ; D. Tapscott, *Growing up Digital : The Rise of the Net Generation*, New York, McGraw-Hill, 1998.
22. Il faut aussi mentionner, à titre d'exemple, *Le Cirque du Soleil* : www.cirquedusoleil.com/CirqueDuSoleil/fr/jobs/offstage/recruitsoft.htm.
23. Voir le site du gouvernement fédéral pour les offres d'emplois publics et privés : www.jobs.gc.ca/menu/home_f.htm.
24. Voir le www.mess.gouv.qc.ca/francais/spligne/cle/emploi.htm.

Candidatures non sollicitées
Personnes qui font parvenir leur curriculum vitæ ou qui se présentent aux bureaux de l'entreprise sans qu'un poste ait été annoncé.

Réseau de relations
Ensemble des relations d'affaires, des connaissances et des amis qui peuvent fournir de l'information ou mettre en contact des candidats intéressants avec des employeurs potentiels.

Les personnes qui font parvenir leur curriculum vitæ par la poste ou qui se présentent aux bureaux de l'organisation pour remettre leur curriculum vitæ ou pour remplir un formulaire de demande d'emploi entrent dans la catégorie des **candidatures non sollicitées**. Cette source de recrutement, qui exige de l'entreprise un effort d'analyse, représente un excellent moyen de se constituer une banque de candidats à un coût minime. La réputation de bon employeur[25] de certaines entreprises suscite un intérêt particulier de la part des candidats. Afin de réduire les ressources consacrées à l'analyse des curriculum vitæ, nombreuses sont les entreprises qui invitent les candidats à remplir un formulaire que l'on trouve sur leur site Web[26]. Nous aborderons plus loin cette technique de recrutement externe.

Le **réseau de relations** personnelles et professionnelles des superviseurs est une source de recrutement très économique. Il suffit au superviseur de mentionner, au moment de rencontres avec les fournisseurs, les clients ou toute autre relation d'affaires, qu'il est à la recherche de candidats correspondant à un profil précis. Lorsqu'on procède de cette manière, il arrive souvent qu'une de ces personnes ait un candidat à recommander. Cette source informelle peut s'avérer efficace, car la personne qui recommande un candidat connaît déjà l'entreprise et fort probablement le candidat en question.

Les journées portes ouvertes et les visites d'entreprises sont consacrées à des rencontres avec le public en général. Elles permettent surtout à des groupes cibles, comme les futurs diplômés, de discuter avec les membres de l'entreprise de possibilités de carrière. Certaines entreprises organisent périodiquement ces visites, tandis que d'autres le font lorsqu'elles entrevoient la signature d'un contrat important qui nécessitera l'embauche de plusieurs employés. Le superviseur doit soigneusement se préparer pour ces rencontres, car il sera l'ambassadeur de l'entreprise.

Les salons, les expositions, les séminaires et les congrès sont des occasions de rencontre avec des candidats potentiels, car ces événements réunissent des gens appartenant à un domaine ou à une industrie en particulier. Chacun des participants ou des visiteurs constitue un candidat potentiel. Les personnes déléguées par l'entreprise pour assister à ces rencontres doivent aussi assumer un rôle de recruteur.

Les associations professionnelles, les établissements d'enseignement et les organismes de développement économique – tels que l'Ordre des comptables agréés, les collèges ou les chambres de commerce – sont autant de sources fiables et très économiques pour recruter des candidats.

En plus d'entretenir des relations avec les professeurs de certains établissements d'enseignement, le superviseur peut recourir à des stages d'un mois ou d'une session, ou encore adhérer à un programme de coopération avec des

25. Richard YEREMA, « The Top 100 », *Maclean's, Special Report*, le 15 octobre 2007, p. 43-46.

26. Voici quelques sites à visiter : www.bell.workpolis.com/fr, www.hydroquebec.xca/emploi/index/shtml, www.bombardier.com.

universités. Cette source de recrutement s'avère peu coûteuse. En outre, le superviseur pourra évaluer le stagiaire pendant une longue période et, surtout, dans un contexte réel de travail. Aucune technique d'entrevue ni aucun test ne peut rivaliser avec une évaluation de cette qualité.

Les syndicats sont une source de recrutement très efficace et très économique, surtout lorsque l'entreprise cherche un employé devant posséder une carte de compétence. Dans certains milieux, il y a obligation pour l'employeur de recourir au syndicat pour recruter des employés.

6.4.4 L'évaluation de l'efficacité du processus de recrutement

Afin de mesurer l'efficacité du recrutement[27], on peut utiliser différents critères qui servent aussi à évaluer l'efficacité d'une source de recrutement ou d'une technique de recrutement en fonction de la catégorie d'emplois offerts.

Le principal critère est le nombre de candidatures pour une campagne de recrutement:

- le nombre de candidatures selon la source;
- le nombre de candidatures retenues selon la source.

Les autres critères sont:

- le délai entre le début de la recherche de candidats et la présentation des candidatures;
- le coût du recrutement pour chaque candidature;
- le coût du recrutement pour chaque poste à pourvoir et le nombre de candidatures retenues par rapport au nombre total des candidatures;
- l'adéquation entre les candidatures et les compétences énoncées pour le poste.

Le Service des ressources humaines – et cela s'applique pour chacune de ses activités – n'a de raison d'exister dans une organisation que s'il lui offre une valeur ajoutée, c'est-à-dire un service indispensable à un coût concurrentiel.

6.5 La sélection des candidats

La sélection consiste à évaluer et à choisir parmi les candidats celui que l'on considère comme qualifié, compétent et capable de fournir un rendement satisfaisant dans un poste donné. Il ne s'agit nullement de rechercher un candidat exceptionnel, mais plutôt de trouver le candidat qui convient à l'emploi offert. Par conséquent, il faut absolument que les critères de sélection utilisés soient directement liés au profil des exigences du poste établi au moment de l'analyse des tâches.

---

27. Lire à ce sujet Jac Fitz-enz et Barbara Davison, *How to Measure Human Resources Management*, 3e éd., New York, McGraw-Hill, 2001, chap. 6; Anne Bourhis, *Recrutement et sélection du personnel*, Montréal, Gaëtan Morin Éditeur, 2007, p. 539-544.

Prédicteur
Élément d'information permettant de prédire le succès d'un candidat dans un emploi donné, s'il est embauché.

Ces critères de sélection, qui sont des **prédicteurs**, décrivent des comportements observables et mesurables qui permettent de prévoir le rendement futur du candidat. Le nombre de prédicteurs retenus par l'entreprise pour sélectionner un candidat varie selon le poste, le délai pour le pourvoir, la qualité des descriptions de postes, etc.

Par contre, peu d'emplois peuvent se contenter d'un seul prédicteur, car presque tous comprennent plusieurs dimensions. Ainsi, le professeur de chimie, en plus de connaître sa matière, doit être capable de la communiquer, pouvoir écrire et parler la langue d'usage avec une grande précision, posséder l'esprit de collaboration nécessaire à la vie dans le département et plus encore. L'ensemble de ces prédicteurs permet de porter un jugement sur la qualité du candidat. Il faut donc les mesurer tous avant de prendre une décision. Cependant, certains prédicteurs sont déterminants : on doit alors les mesurer dès le début du processus de sélection afin d'éviter une dépense inutile d'énergie.

Par exemple, si la capacité de parler au moins trois langues est requise, il est inutile de vérifier les références du candidat, de le convoquer à une entrevue ou de lui faire passer des tests si, au préalable, personne n'a vérifié s'il était trilingue.

L'ordre des étapes de la sélection varie selon les postes à pourvoir[28] et, souvent, selon des critères pratiques. Les tests psychométriques entraînant un coût élevé, ils seront présentés seulement aux candidats qui ont franchi l'étape de l'entrevue. Toutefois, il aurait été fort utile à l'intervieweur d'avoir en sa possession les résultats des tests pour préparer son entrevue.

Nous verrons maintenant les étapes d'un processus de sélection. L'ordre de ces étapes peut cependant être modifié. En outre, selon les critères retenus, il faut mettre l'accent sur certaines étapes du processus de sélection, alors que d'autres étapes pourraient être omises. Pour établir sa stratégie de sélection, il importe que le comité chargé de la sélection s'interroge à savoir quels outils utiliser pour évaluer chez le candidat sa compétence selon chacun des prédicteurs. Quel outil utiliserons-nous pour évaluer la connaissance des langues de nos candidats ? La présence ou non des étapes de sélection est liée au besoin qu'a le comité d'évaluer les prédicteurs.

6.6 Les étapes du processus de sélection

La première étape du processus de sélection est la présélection, qui consiste à analyser les formulaires de demande d'emploi, les curriculum vitæ et les lettres de motivation. Ensuite, il y a l'entrevue de sélection, qui est réalisée par les responsables du Service des ressources humaines et les superviseurs. Suit la passation de tests psychométriques, qui visent à évaluer certaines caractéristiques des candidats. La vérification des références fournies par les candidats ou jointes aux formulaires suit cette étape. Ensuite, on offre l'emploi au

28. Les sites suivants fournissent des exemples d'étapes de sélection, respectivement à la Sûreté du Québec et à la Police provinciale de l'Ontario : www.surete.qc.ca/accueil/recrutement/selection.html et www.opp.ca/Recrutement/opp_000753.html (consultés le 20 mars 2009).

candidat choisi. L'étape finale consiste à lui faire passer des tests médicaux et d'aptitudes physiques (*voir la figure 6.6*). Une période d'essai peut également être prévue en lieu et place de l'offre d'emploi finale.

Figure 6.6 Les étapes du processus de sélection

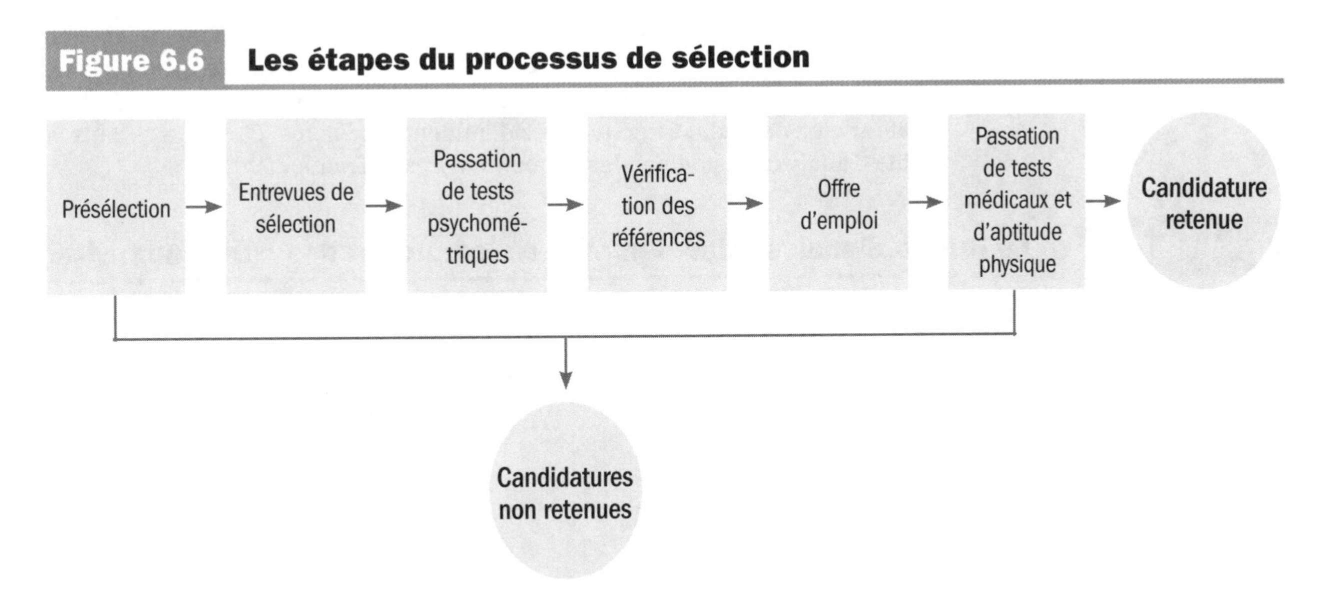

6.6.1 La présélection

Les renseignements recherchés

Le formulaire de demande d'emploi et le curriculum vitæ représentent la source première de collecte de renseignements sur le candidat. Ces renseignements concernent la situation actuelle du candidat de même que les principaux événements qui témoignent de son évolution. Dans ces documents, on trouve la formation du candidat et ses expériences qui font la preuve de sa compétence à remplir le poste. Notons que le curriculum vitæ permet au candidat de se mettre en valeur; il contient ce qu'il veut que l'entreprise sache. Quant au formulaire de demande d'emploi, il contient ce que l'entreprise veut savoir. Il n'y a pas lieu de remplacer un document par l'autre, puisque chacun a son utilité propre.

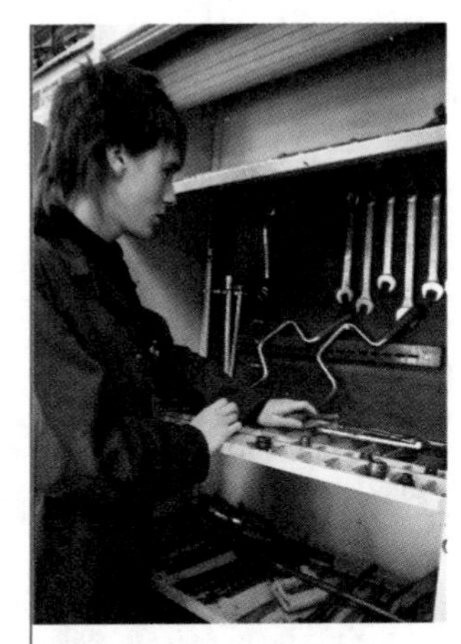
En plus d'entretenir des relations avec les enseignants de certains établissements d'enseignement, le superviseur peut recourir à des stages d'un mois ou d'une session, ou encore adhérer à un programme de coopération avec des établissements scolaires.

Les renseignements ayant trait au passé constituent en fait des prédicteurs. Ce sont des comportements, observables et mesurables, qui permettent de prévoir le rendement futur du candidat. La somme des renseignements obtenus à l'aide de ces deux documents exige – une fois, bien entendu, leur fiabilité validée – un traitement prudent afin d'éviter la surévaluation ou la sous-évaluation du candidat. Lorsque le gestionnaire utilise ces renseignements comme prédicteurs, il doit accorder à chacun d'eux un poids selon sa pertinence en tant que valeur prédictive. Ainsi, la feuille d'analyse des demandes d'emploi et des curriculum vitæ[29] comprend une liste de critères, comme la

29. À lire pour l'étudiant qui recherche un emploi : Isabelle Ducas et coll., « L'art de se vendre », *Affaires plus*, vol. 30, nº 4, avril 2007, p. 34-54 ; Nathalie Francisci, « La fin du CV ? », *Affaires plus*, vol. 29, nº 12, décembre 2006, p. 40.

scolarité, l'expérience ou l'évolution des responsabilités dans les emplois passés, qui reçoivent chacun une pondération spécifique (*voir le document 6.1*). À partir de ces résultats, on peut déterminer si le candidat répond aux exigences du poste et procéder à une première sélection des candidatures. Les critères utilisés pour faire le tri sont les compétences requises par le poste telles que déterminées lors de l'analyse de postes. Évidemment, certaines compétences requises ne peuvent être vérifiées à cette étape. Ainsi, les qualités de communicateur d'un candidat ne peuvent évidemment faire l'objet d'un critère dans la feuille d'analyse des demandes d'emploi et des curriculum vitæ.

Document 6.1 La feuille d'analyse des demandes d'emploi et des curriculum vitæ

En fonction de l'emploi offert

	Faible	Passable	Moyen	Bon	Intéressant		
Compétences	1	2	3	4	5	s. o.	n. d.
Objectifs personnels	1	2	3	4	5	s. o.	n. d.
Formation générale	1	2	3	4	5	s. o.	n. d.
Formation spécifique	1	2	3	4	5	s. o.	n. d.
Pertinence de l'expérience	1	2	3	4	5	s. o.	n. d.
Nombre d'années d'expérience	1	2	3	4	5	s. o.	n. d.
Responsabilités	1	2	3	4	5	s. o.	n. d.
Liberté d'action	1	2	3	4	5	s. o.	n. d.
Supervision reçue	1	2	3	4	5	s. o.	n. d.
Supervision exercée	1	2	3	4	5	s. o.	n. d.
Disponibilité	1	2	3	4	5	s. o.	n. d.
Évaluation globale	1	2	3	4	5	s. o.	n. d.
Candidature	Rejetée		Incertaine		Intéressante	Autre emploi	
Élément(s) à vérifier à l'entrevue:							
s. o.: sans objet n. d.: renseignement non disponible dans le curriculum vitæ							

Il est préférable, désormais, de rédiger le curriculum vitæ par compétences, c'est-à-dire de mettre en valeur l'expérience professionnelle et les résultats obtenus, plutôt que de procéder par ordre chronologique des activités professionnelles[30]. À la différence du curriculum vitæ traditionnel, qui liste les emplois par ordre chronologique et qui reflète le passé, le curriculum vitæ par compétences est tourné vers l'avenir. Il sert d'argumentaire sur ce que le candidat sait faire.

30. Voir à ce sujet le site du Service de développement d'employabilité de la Montérégie au www.sdem-semo.org.

Cette formule[31] repose sur le « contenant » (des noms représentant des actions), le « contenu » (appliqué à un objet) et le « contexte » (le lieu). Par exemple, nous écrirons « organisation (contenant) des activités de production (contenu) dans un contexte de juste à temps (contexte). » Une compétence ou une habileté acquise dans un contexte pourra ainsi être utilisée dans un autre type de travail : il s'agit de faire ressortir la compétence sous la description des tâches (*voir le document 6.2*).

Pour plus d'information concernant la rédaction d'un curriculum vitae, consulter l'annexe 1, page 199.

Le curriculum vitæ par compétences place à l'avant-scène les réalisations professionnelles du candidat. Il permet d'orienter l'entrevue de sélection en fonction de ses compétences et non du poste occupé et de ses employeurs précédents, de prendre conscience de ses forces, de relever ce qu'il souhaite faire et ce qu'il ne veut plus faire et de susciter l'intérêt de l'employeur, qui dispose de peu de temps, en lui présentant un « portrait-robot » de ses compétences.

Document 6.2 La rédaction d'un curriculum vitæ par compétences

- Faites l'inventaire des connaissances et des savoir-faire acquis, à travers les emplois occupés.
- Établissez entre eux des points communs qui serviront à brosser le portrait de vos compétences. Il s'agit ensuite de « projeter ces compétences dans ce que vous voulez faire ».
- Classez les parcours professionnels par domaine d'expérience ou par secteur d'activité : « représentation et communication », « rédaction », « administration », « organisation de projets », etc.
- Énoncez vos compétences par un nom d'action : « rédaction », « mise en place et coordination de différents comités », « conception et fabrication assistées par ordinateur », « évaluation des procédés administratifs et recommandations », « calcul des prix de revient et préparation des états financiers », etc.
- Inscrivez ensuite vos principales réalisations.
- Complétez par votre cheminement professionnel et les emplois occupés, votre formation, votre engagement social, vos loisirs et champs d'intérêt, etc.
- Rédigez le tout de manière à ce qu'il tienne sur un maximum de deux pages et demie. Il peut débuter par un sommaire qui permet de saisir votre portrait professionnel en moins de quatre lignes.

Source : Stéphane Boudriau, *Le CV par compétences : Votre portefeuille pour l'emploi,* 2e édition, Montréal, Éditions Transcontinental, *Collection* Affaires Plus, 2002.

Les règles d'utilisation des formulaires

La validité de cette méthode de présélection est reconnue depuis longtemps. Il s'agit, par exemple, de concevoir méthodiquement des formulaires de demande d'emploi en analysant les renseignements qui peuvent en découler et en vérifiant si tous les renseignements nécessaires ont été demandés.

L'analyse des demandes d'emploi et des curriculum vitæ permet, dans un premier temps, de vérifier la présentation de ces documents, en l'occurrence leur présentation matérielle, quoique dans de nombreux cas le candidat peut faire réaliser la mise en pages de son curriculum vitæ par un graphiste professionnel. Il faut surtout considérer la présentation des éléments importants, leur mise en évidence et l'absence de renseignements inutiles. Le style employé

31. Stéphane Boudriau, *Le CV par compétences : votre portefeuille pour l'emploi,* 2e éd., Montréal, Éditions Transcontinental, collection Affaires Plus, 2002.

dans la présentation du curriculum vitæ et la lettre de motivation pourra fournir à l'entreprise des indices sur l'originalité ou le conformisme du candidat ainsi que sur sa capacité d'attirer l'attention. Cependant, les compétences et la qualification du candidat sont les éléments les plus importants qu'il faut analyser dans ces documents. D'ailleurs, ce sont ces seuls points qui sont analysés lorsque le candidat expédie son curriculum vitæ par courrier électronique.

6.6.2 L'entrevue de sélection

L'entrevue de sélection est une rencontre structurée entre un candidat et un intervieweur dans le but d'échanger de l'information, d'établir si les caractéristiques et les compétences du candidat sont conformes aux exigences du poste offert et de vérifier si ce poste convient aux aspirations du candidat. Aucune méthode ne peut se substituer à l'entrevue du candidat par le superviseur. Celle-ci fournit en effet l'occasion de compiler de nombreux renseignements concernant l'expérience du candidat, son attitude et ses aspirations. Même s'il s'agit surtout d'une recherche mutuelle d'informations, l'entrevue constitue aussi une étape de l'évaluation.

Les qualités interpersonnelles, d'analyse et d'observation de l'intervieweur, et surtout sa capacité de prédire le rendement et le comportement futurs du candidat, sont la base du succès de l'entrevue de sélection. En effet, au cours de cette entrevue[32], le superviseur cherche à évaluer le candidat et à prédire son rendement et son comportement dans le poste offert. Il profite de celle-ci pour se faire une impression générale du candidat. Il doit également décrire le poste, ses exigences et les différents objectifs de l'organisation le plus objectivement possible afin de permettre au candidat de se faire une idée juste de l'emploi offert.

De son côté, le candidat doit essayer d'obtenir les renseignements dont il a besoin sur le poste offert et sur l'entreprise. Plus encore, il doit veiller à présenter une image qui fera ressortir ses caractéristiques et ses qualités pertinentes par rapport au poste à pourvoir.

Les types d'entrevues

Les entrevues peuvent être classées selon différents critères, soit le nombre d'intervieweurs, le nombre d'entrevues et les types d'entrevues. L'intervieweur, en l'occurrence le superviseur, est seul avec le candidat dans certains cas, alors que dans d'autres cas, les entrevues sont menées par deux personnes ou même un comité. Quant au nombre d'entrevues, il est très souvent limité à une seule. Certaines entreprises effectuent une entrevue de présélection, une entrevue avec le superviseur éventuel, une ou plusieurs entrevues avec d'autres cadres de l'entreprise et une entrevue avec un représentant du Service des ressources humaines ; ces différentes entrevues ne se déroulent pas nécessairement dans cet ordre.

---

32. On peut trouver des guides d'entrevues de sélection à la Commission canadienne des droits de la personne, Bureau régional du Québec, 1253, avenue McGill College, bureau 470, Montréal (Québec) H3B 2Y5. Téléphone : 514-283-5218, 1 888 643-3304, télécopieur : 514-283-5084 ou au www.chrc-ccdp.ca/publications/prevention_prevention-fr.asp.

Lorsque le poste à pourvoir implique un travail en équipe, il est important que plusieurs membres de l'équipe rencontrent le candidat, d'où l'intérêt pour les entrevues menées par un comité. Les membres du groupe peuvent aussi rencontrer individuellement le candidat et limiter leur intervention au domaine de leur expertise. La possibilité de comparer les fiches d'évaluation des entrevues à la fin de l'exercice représente une technique d'évaluation très pertinente, car elle permet d'éviter les biais personnels et les préjugés.

Les entrevues sont surtout classées selon les techniques utilisées. Ainsi, il existe deux types d'entrevues, soit l'entrevue structurée et l'entrevue non structurée. L'**entrevue structurée**[33] consiste à préparer une liste de questions précises qui seront posées à tous les candidats. Ces questions sont basées sur les données fournies par l'analyse de tâches et la description de poste. Les gestionnaires auront ainsi l'assurance que tous les aspects importants qu'ils désirent aborder dans l'entrevue seront évoqués. Cette technique facilite grandement les comparaisons entre les résultats des différents candidats.

L'entrevue structurée peut comprendre quelques questions fermées, des questions ouvertes, mais aussi des **questions de type situationnel** et des **questions de type comportemental**[34] (*voir le tableau 6.2*). Les questions de type situationnel consistent à présenter au candidat une situation à laquelle il pourrait faire face dans son emploi. Le candidat doit décrire comment il agirait dans les circonstances, quelles mesures il emploierait et les résultats anticipés. Les questions de type comportemental l'invitent surtout à décrire des expériences vécues qui mettent en évidence les qualités et les compétences essentielles dans le poste offert, les mesures qu'il a lui-même prises et les résultats obtenus. En fait, que cela soit une question de type situationnel ou une question de type comportemental, la réponse doit toujours comporter deux éléments: action et résultat.

Entrevue structurée
Entretien pendant lequel l'intervieweur utilise une série de questions précises préparées à l'avance et qui seront posées à tous les candidats.

Question de type situationnel
Question où l'intervieweur décrit une mise en situation: la réponse doit indiquer les intentions, les mesures à employer et le résultat attendu.

Question de type comportemental
Question où l'intervieweur demande au candidat de décrire une expérience qu'il a vécue et qui met en évidence une qualité ou une habileté essentielle au poste convoité.

Tableau 6.2 Des exemples de questions de type situationnel et de type comportemental

Question de type situationnel	Question de type comportemental
› Un de vos subalternes ne reconnaît pas votre autorité, car il possède plus d'expérience que vous. Comment l'aborderiez-vous? › Un client se présente et vous fait part de son insatisfaction à l'égard du service que vous lui avez rendu. Comment lui répondez-vous? › Vous travaillez à un projet d'équipe et l'un de vos collègues ne veut pas coopérer. Quelles approches utiliseriez-vous pour résoudre le problème?	› Quelle a été votre présentation à vos supérieurs la plus significative? Décrivez-la. › Décrivez un exemple où vous avez eu à respecter un échéancier très exigeant. › Décrivez une situation au cours de laquelle vous avez éprouvé des difficultés à compléter un projet selon un calendrier. › Présentez une expérience éprouvante avec un client. Quelle attitude avez-vous démontrée? › Décrivez une situation conflictuelle. Comment avez-vous réagi et quel a été le résultat?

33. N. Pettersen et A. Durivage, *L'entrevue de sélection structurée: pour améliorer la sélection du personnel*, Presses de l'Université du Québec, Sainte-Foy (Québec), 2006.

34. Lire à ce sujet M. A. McDaniel et coll., «Use of Situational Judgment Tests to Predict Job Performance: A Clarification of the Literature», *Journal of Applied Psychology*, 2001, n° 86, p. 730-740; A. P. Ellis et coll., «The Use of Impression Management Tactics in Structured Interviews: A Function of Question Type!», *Journal of Applied Psychology*, 2002, n° 87, p. 1200-1208.

Entrevue non structurée
Entretien pendant lequel l'intervieweur lance l'entrevue à l'aide de quelques questions préparées et laisse les réponses et les commentaires du candidat orienter les autres questions.

L'**entrevue non structurée** consiste, pour l'intervieweur, à lancer l'entrevue à l'aide de quelques questions préparées. Après quelques questions d'usage, l'intervieweur invite le candidat à se présenter et c'est ainsi que commence l'entrevue. Les réponses et les commentaires du candidat orienteront ses autres questions. Ce type d'entrevue, plus informel, exige une certaine expérience de la part de l'intervieweur afin de lui permettre d'atteindre ses objectifs. Il s'appuie donc sur la compétence de l'intervieweur.

En fait, un questionnaire d'entrevue utile et complet doit nous permettre de répondre aux trois questions suivantes :

› Est-ce que l'individu *veut* faire le travail ?
Il y aura donc des questions qui feront ressortir sa motivation non seulement à faire le travail, mais aussi à travailler pour l'entreprise.

› Est-ce que l'individu *peut* faire le travail ?
D'autres questions nous permettront de recueillir des renseignements concernant ses connaissances, ses compétences, ses habiletés, son expérience...

› *Comment* l'individu va-t-il faire le travail ?
Un dernier groupe de questions lui permettra de nous révéler ses méthodes de travail et les outils et technologies qu'il maîtrise.

Le déroulement de l'entrevue de sélection

L'entrevue de sélection vise principalement quatre objectifs, qui ne seront pas nécessairement atteints dans une même séance. D'abord, au cours de l'entrevue, l'employeur cherche à obtenir des renseignements relatifs au candidat : sa personnalité, ses motivations, ses compétences professionnelles et ses réalisations. Ensuite, l'entrevue offre l'occasion de répondre à toutes les interrogations du candidat. Puis, le superviseur tente d'évaluer le candidat en fonction du poste offert. Enfin, le superviseur essaie de convaincre le candidat d'accepter le poste, si sa candidature présente les caractéristiques recherchées. La réalisation de ces objectifs obéit à un processus comprenant huit étapes, lesquelles sont illustrées à la figure 6.7.

Figure 6.7 Les étapes de l'entrevue de sélection

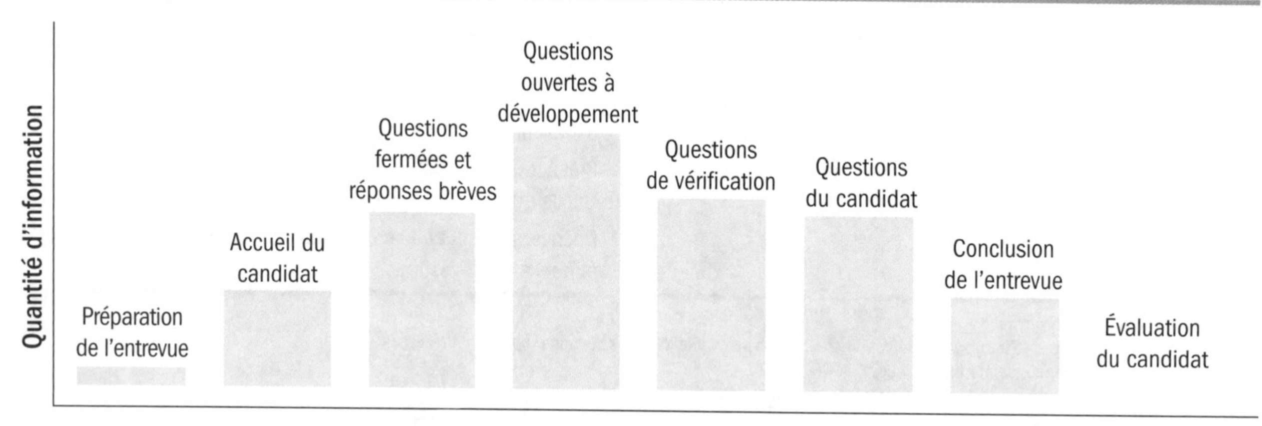

Voici les quatre questions qu'un intervieweur devrait se poser avant l'entrevue:

- Est-ce que ce travail peut être accompli d'une autre manière?
- Est-ce que, moi, je travaillerais pour cette entreprise si j'étais un candidat?
- Pourquoi un candidat voudrait-il travailler pour notre entreprise?
- Si j'embauche le prochain candidat, que suis-je prêt à faire pour que sa venue dans notre entreprise soit un succès?

Pour survivre à une entrevue de sélection, consulter le guide offert à l'annexe 2, page 200.

La première étape consiste pour le superviseur à préparer l'entrevue en concevant un guide d'entrevue pour évaluer les prédicteurs à partir de la description du poste et de ses exigences. Il doit aussi prendre connaissance du curriculum vitæ du candidat et noter les points sur lesquels il désire obtenir des éclaircissements. Il ne faut pas oublier que le candidat a fort probablement passé plusieurs heures à se renseigner sur l'entreprise, ses produits, son marché et ses états financiers. Peut-être s'est-il même préparé au rôle d'interviewé. L'intervieweur doit également aménager la salle de rencontre. Il ne doit y avoir aucun document non pertinent sur le bureau, l'éclairage doit être normal, les fauteuils doivent être confortables et, surtout, l'intimité doit être garantie.

Au moment de la deuxième étape, le superviseur accueille le candidat et crée un climat de confiance. Les premières questions sont neutres et il est facile d'y répondre. Il s'agit avant tout d'établir une communication avec le candidat en cherchant à susciter une atmosphère de relaxation. Il y a lieu, à cette étape, d'expliquer au candidat le déroulement de l'entrevue, les buts recherchés et la place qu'occupe cette entrevue dans le processus d'embauche.

Au cours de la troisième étape, l'intervieweur utilise des **questions fermées** de manière à rassurer le candidat et à lui permettre de répondre brièvement. Il doit maîtriser pleinement l'entrevue du début à la fin. À partir de cet instant, les questions sont des moyens d'inciter le candidat à communiquer les renseignements que l'intervieweur veut connaître.

Question fermée
Question qui exige une réponse brève telle que «oui», «non», «beaucoup» ou «jamais».

À la quatrième étape, l'intervieweur pose des **questions ouvertes** qui appellent des réponses plus détaillées. Des questions ouvertes telles que «Décrivez-moi…», «Pourquoi avez-vous…?», «Expliquez-moi…» ou «Parlez-moi de…» donnent la chance au candidat d'expliquer son point de vue, d'apporter des précisions sur sa formation, son expérience, ses réalisations et ses objectifs. Il importe de découvrir non seulement ce que le candidat a réalisé, mais aussi pourquoi il a entrepris telles études, pourquoi il a accepté tel emploi, pourquoi il a aimé les responsabilités qui ont été les siennes et pourquoi il veut quitter son emploi pour un poste dans l'entreprise. L'intervieweur doit alors se renseigner auprès du candidat sur les aspects suivants: «Que recherchez-vous dans notre entreprise?», «Que pouvez-vous apporter à notre entreprise?», «Comment vous définissez-vous?», «Qu'exigez-vous pour vous joindre à notre entreprise?» *(voir le tableau 6.3, p. 184)*[35]. Bien entendu, l'intervieweur doit attentivement écouter le candidat et l'évaluer.

Question ouverte
Question qui exige une certaine élaboration de la réponse. Les questions ouvertes commencent généralement par «Expliquez-moi…», «Décrivez-moi…», «Pourquoi…», «Comment…», etc.

35. Si vous cherchez, à titre de candidat, des réponses aux questions d'entrevue les plus difficiles, vous devez lire Martin Yate, *Knock'em Dead 2003*, 14e éd., Holbrook (Mass.), Adams Media Corporation, 2002; Mel Kleiman, *267 Hire Tough Interview Questions*, HTG Press, 1999.

Tableau 6.3 Des suggestions de questions ouvertes pour l'entrevue

- Décrivez une journée de travail typique dans vos fonctions actuelles.
- Dans votre emploi actuel, quelles sont les responsabilités que vous assumez avec le plus de facilité ?
- Dans votre emploi actuel, pour l'exercice de quelles responsabilités avez-vous besoin d'aide ou d'appui ?
- Quel est le problème majeur que vous avez éprouvé dans votre travail ? Comment l'avez-vous réglé ?
- Décrivez vos responsabilités et vos tâches dans votre poste actuel.
- Lorsqu'un problème vous dépasse, qui consultez-vous ?
- Qu'aimez-vous le plus dans votre poste actuel ? Qu'aimez-vous le moins ?
- Qu'avez-vous apporté de nouveau dans votre poste depuis que vous avez été embauché ?
- Vous a-t-on félicité pour une réalisation précise ? Si oui, laquelle ?
- Comment entrevoyez-vous l'emploi que nous offrons ?
- Si vous deviez être embauché, à quoi vous attaqueriez-vous immédiatement ?
- Quelle fonction aimeriez-vous occuper dans cinq ans ?
- Qu'appréciez-vous le plus dans le travail d'équipe ? Qu'appréciez-vous le moins ?
- Décrivez les comités auxquels vous avez participé.
- Quelle a été votre contribution dans ces comités ?
- Que croyez-vous trouver dans le poste offert que vous ne trouvez pas dans votre poste actuel ?
- Pourquoi avez-vous quitté chacun de vos emplois précédents ?
- Que recherchez-vous dans un emploi ?
- En quoi vos objectifs de carrière sont-ils différents de ceux que vous aviez au début de votre vie professionnelle ?
- Quelle a été votre plus grande déception sur le plan professionnel ? Comment cela a-t-il changé votre vie ?
- Si nous vous offrions l'occasion de vous inscrire à un cours avant d'accepter ce poste, lequel choisiriez-vous ?
- Quelle part de votre formation et de vos expériences vous a préparé à occuper le poste offert ?
- Quels étaient vos objectifs de carrière à la fin de votre formation ?
- Quels sont vos objectifs de carrière à long terme ?

Question de vérification
Question courte et directe dont le but est de vérifier les renseignements contenus dans le formulaire de demande d'emploi et ceux qui sont obtenus au moment de la vérification des références et de l'entrevue même.

À la cinquième étape, l'intervieweur pose des **questions de vérification**, soit des questions courtes et directes dont le but est de vérifier les renseignements contenus dans le formulaire de demande d'emploi et ceux qui sont obtenus au moment de la vérification des références et de l'entrevue même.

La sixième étape permet au candidat de poser diverses questions et de demander des renseignements sur l'organisation et le milieu de travail où il sera appelé à évoluer.

La septième étape consiste, pour l'intervieweur, à clore l'entrevue en expliquant au candidat les étapes subséquentes. Il doit alors préciser, dans la mesure du possible, la date à laquelle le candidat recevra une réponse.

L'étape finale est très exigeante, car elle nécessite de la part de l'intervieweur une bonne dose d'objectivité. Il doit en effet compiler les fiches d'évaluation des entrevues (*voir le document 6.3*), formulaires qui s'apparentent aux feuilles d'analyse des demandes d'emploi et des curriculum vitæ. Les fiches d'évaluation doivent être adaptées en fonction des critères évalués par l'outil de sélection.

Après avoir analysé les résultats et les notes prises pendant l'entrevue, le superviseur déterminera si le candidat est apte à occuper le poste.

Document 6.3 La fiche d'évaluation de l'entrevue

Nom du candidat: ____________________

Date: ____________________

Emploi: ____________________

Intervieweur: ____________________

Commentaires: ____________________

Évaluation:	Faible			Moyen				Fort		
Apparence	1	2	3	4	5	6	7	8	9	10
Intérêt pour l'emploi	1	2	3	4	5	6	7	8	9	10
Expérience de travail	1	2	3	4	5	6	7	8	9	10
Formation	1	2	3	4	5	6	7	8	9	10
Capacité	1	2	3	4	5	6	7	8	9	10
Disponibilité	1	2	3	4	5	6	7	8	9	10
Stabilité dans les emplois antérieurs	1	2	3	4	5	6	7	8	9	10

Commentaires concernant l'emploi antérieur:

____

Le supérieur immédiat dans l'emploi antérieur:

____

Le poste offert:

____

Commentaire général:

____

Suivi:

- ❑ Tests psychométriques
- ❑ Entrevue avec le supérieur immédiat
- ❑ Entrevue avec le Service des ressources humaines
- ❑ Candidature inacceptable
- ❑ Candidature à retenir pour un autre poste
- ❑ Candidature à conserver pour un poste éventuel
- ❑ Offre d'emploi

L'intervieweur doit noter[36] les réponses du candidat, de même que les impressions que ces réponses suscitent chez lui. Si l'entrevue se situe à la fin du processus de sélection, elle débouchera sur une décision d'embauche, mais elle peut être réservée si l'entreprise souhaite faire passer des tests psychométriques au candidat sélectionné, voire aux deux ou trois candidats les plus intéressants. Des notes détaillées de l'entrevue pourront éviter à l'intervieweur de faire une offre au téléphone à un candidat qui n'a pas été retenu. Imaginons la tête d'un superviseur qui voit arriver un lundi matin un autre candidat que celui qu'il a choisi ! De plus en plus d'entreprises réservent leur décision à la fin d'une période d'essai qui peut s'étendre sur plusieurs mois.

Les fiches d'évaluation doivent être conservées dans le dossier des candidatures qui n'ont pas été retenues. Si jamais un candidat déçu décidait de poursuivre l'entreprise parce qu'il n'a pas été retenu, ce document acquerrait une utilité indéniable.

Les erreurs à éviter au moment de l'entrevue de sélection

Voici quelques erreurs à éviter au moment de l'entrevue de sélection d'un candidat. D'abord, il ne faut pas choisir un candidat surqualifié pour un poste qui ne comporte pas de possibilités de promotion à court terme, sinon cet employé sera malheureux et il se sentira sous-utilisé. D'ailleurs, ce candidat ne restera pas longtemps au service de l'entreprise ; il profitera en effet de la première offre intéressante d'une autre entreprise pour quitter son emploi.

Par ailleurs, l'apparence d'une personne est un atout dans plusieurs emplois, mais il ne faut pas s'appuyer sur ce facteur pour prédire le rendement d'un candidat. Comment réagiriez-vous si vos professeurs vous évaluaient selon votre apparence ? Les meilleurs vendeurs sont-ils les plus beaux hommes et les plus belles femmes ?

Il se produit un effet de halo lorsqu'un interviewer se laisse subjuguer par une qualité remarquable d'un candidat. Cette erreur de sélection l'amène à accorder beaucoup d'importance à ce facteur et à négliger des défauts pourtant tout aussi présents. Les connaissances approfondies d'un candidat dans le domaine de l'informatique ne doivent pas faire oublier le fait qu'il n'est pas bilingue, qu'il est très timide, qu'il a de la difficulté à s'exprimer clairement, alors que l'entreprise recherche un représentant en informatique.

Le syndrome de l'*alma mater*[37] amène l'interviewer à valoriser les personnes qui possèdent le même bagage universitaire que lui ou qui sont issues du même collège ou de la même université. Il est évident que cette situation rassure l'interviewer, car il peut évaluer exactement la formation du candidat. Ce phénomène s'applique aussi lorsque l'interviewer privilégie des candidats qui ont la même origine ethnique que lui, qui viennent du même village, etc.

Au moment de l'entrevue, une sympathie peut se développer entre l'interviewer et le candidat. Généralement fondée sur des intérêts communs, cette sympathie ne doit pas influer sur l'évaluation de la qualification du candidat en

---

36. Lire à ce sujet C. H. Middendorf et T. H. Macan, « Note-Taking in the Interview : Effects on Recal and Judgments », *Journal of Applied Psychology*, n° 87, 2002, p. 293-303.

37. Expression latine par laquelle on désigne le collège ou l'université où l'on a étudié.

fonction du poste offert. Bien sûr, il est agréable de rencontrer une personne avec qui l'on peut discuter de sujets qui nous tiennent à cœur, mais ce n'est pas une raison suffisante pour l'embaucher.

Enfin, il ne faut pas non plus tomber dans le piège selon lequel le candidat qui possède la qualification pour remplir le poste, soit la scolarité, l'expérience, les habiletés physiques, etc., possède également les compétences. Un employé qualifié est capable de faire tout le travail relatif à un poste. Or, il faut aussi vérifier les compétences. Être compétent signifie être en mesure d'utiliser efficacement ses connaissances et ses habiletés pour réussir dans le poste. Il y a donc deux appariements à réaliser (*voir la figure 6.8*).

Figure 6.8 Les appariements à réaliser

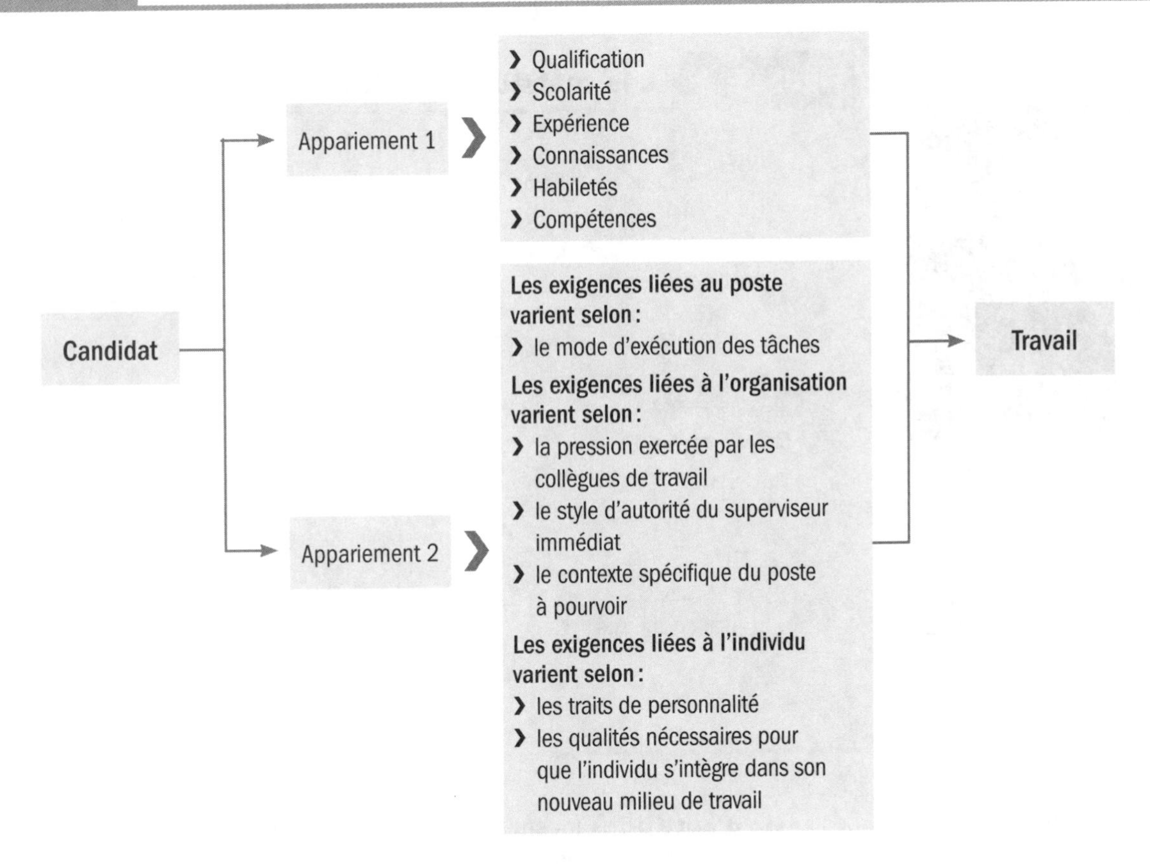

6.6.3 Les tests de sélection

Pour pourvoir un poste stratégique, certaines entreprises utilisent des **tests de sélection** visant à mesurer des aspects du candidat comme ses centres d'intérêt, ses aspirations, ses habiletés ou ses connaissances[38]. Certains postes

Tests de sélection
Épreuves qui portent sur les connaissances, les aptitudes, les compétences, les habiletés, la personnalité, les centres d'intérêt et les performances d'un candidat ou d'un employé et qui permettent d'évaluer son potentiel.

38. Lire à ce sujet E. Hoffman, *Psychological Testing at Work*, New York, McGraw-Hill, 2002.

amèneront l'entreprise à mesurer directement le rendement du candidat dans des tâches liées au poste ; il s'agit des centres d'évaluation.

Les centres d'évaluation, appelés aussi « simulations de situations de travail », consistent à réunir les candidats pour un poste donné et à les soumettre à des tests d'exécution, à des exercices de courrier, à des discussions de groupe, à des simulations de gestion et à des jeux d'entreprise. Le tout se fait sous l'oeil attentif d'observateurs, et l'exercice s'étend souvent sur trois jours consécutifs. Les centres d'évaluation, qui sont souvent utilisés par les grandes entreprises, servent surtout à sélectionner des candidats pour des promotions.

Les tests de sélection[39] auxquels on recourt le plus fréquemment sont les tests d'aptitudes, les tests psychomoteurs, les tests de compétence personnelle, les tests de compétence interpersonnelle, les tests de performance, les tests de reconnaissance et les tests de personnalité (*voir la figure 6.9*).

La sixième étape permet au candidat de poser diverses questions et de demander des renseignements sur l'organisation et le milieu de travail où il sera appelé à évoluer.

Figure 6.9 Les tests de sélection

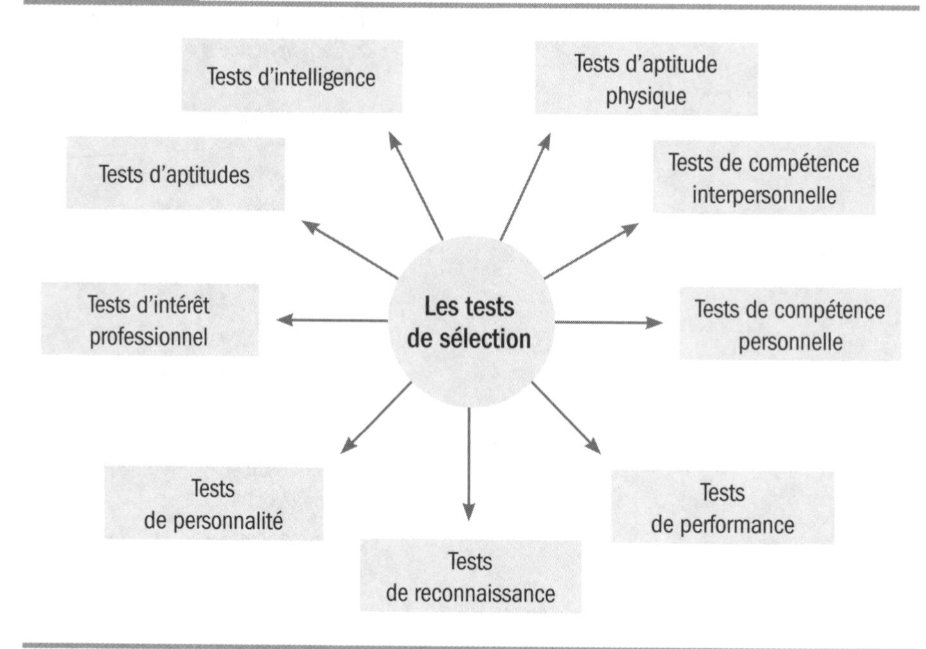

Test d'aptitudes
Test qui mesure le rendement potentiel du candidat dans un domaine précis.

Les **tests d'aptitudes** mesurent le rendement potentiel du candidat dans un domaine précis. Il s'agit de déterminer si le candidat possède les éléments de base qui lui permettront d'apprendre et d'acquérir des compétences. Mentionnons, à titre d'exemples, le *Test d'aptitude mécanique de Wiesen* le test du *Bloc de Wiggly*.

39. Pour une analyse plus poussée du sujet, nous vous référons à Anne Bourhis, *Recrutement et sélection du personnel*, Montréal, Gaëtan Morin Éditeur, 2007, chapitre 14 et à Schwind Hermann et coll., *Canadian Human Resource Management*, Toronto, McGraw-Hill, 2004, chapitre 6.

Les **tests d'intelligence ou d'habileté cognitive** évaluent les capacités intellectuelles d'une personne. Sont mesurées sa capacité d'apprentissage, l'efficacité de sa mémoire ou son aptitude à raisonner. Parmi les plus utilisés, mentionnons l'*Échelle de Standfort-Binet* et la *Batterie générale de tests d'aptitude (BGTA)*.

Test d'intelligence ou d'habileté cognitive
Test qui évalue les capacités intellectuelles d'une personne.

Les **tests d'aptitude physique**, comme le *Test de dextérité O'Connor*, mesurent la dextérité ou les habiletés de manipulation des candidats.

Test d'aptitude physique
Test qui mesure la dextérité ou les habiletés de manipulation d'un candidat.

Les **tests de compétence personnelle**, comme l'*Inventaire visuel d'intérêts professionnels* (IVIP) de Dupont, Gingras et Tétreau, qui est le plus utilisé, mesurent la capacité d'un candidat de prendre les bonnes décisions au bon moment.

Test de compétence personnelle
Test qui mesure la capacité d'un candidat à prendre les bonnes décisions au bon moment.

Les **tests de compétence interpersonnelle** mesurent la capacité d'un candidat de capter dans un groupe les perceptions, les pensées, les désirs et les humeurs des autres personnes, et ainsi de mieux s'adapter aux exigences d'une situation où interviennent des relations interpersonnelles.

Test de compétence interpersonnelle
Test qui mesure la capacité d'un candidat à capter dans un groupe les perceptions, les pensées, les désirs et les humeurs des autres personnes.

Les **tests de performance ou de connaissances** mesurent les connaissances ou la qualification d'un individu. Lorsqu'il s'avère difficile de mesurer directement la mise en application des connaissances, un test portant sur les connaissances requises dans l'emploi peut s'avérer utile. Les résultats de ces tests permettent de prévoir le rendement futur du candidat. Les examens de fin de session sont un bon exemple de tests de performance, car ils mesurent les connaissances d'un élève, et non sa capacité d'apprendre.

Test de performance ou de connaissances
Test qui mesure les connaissances ou la compétence d'un individu.

Les **tests de reconnaissance** consistent généralement à exiger la présentation d'un portfolio comprenant les réalisations du candidat. Par exemple, un graphiste pourra soumettre ses réalisations des dernières années. L'évaluateur appréciera alors ses capacités en se fondant sur ces réalisations passées.

Test de reconnaissance
Test qui consiste à exiger la présentation d'un portfolio comprenant les réalisations du candidat.

Les **tests de personnalité**, ou tests psychométriques, mesurent les caractéristiques d'un candidat. Par exemple, l'*Inventaire multiphasique de personnalité du Minnesota* évalue les préférences et la personnalité d'un individu. Ces tests ne permettent pas de distinguer les meilleurs candidats. Grâce à eux, on peut plutôt tracer le portrait d'un individu, ce qui aide à vérifier sa concordance avec les traits de personnalité recherchés chez le candidat. Bon nombre d'étudiants des écoles secondaires du Québec ont passé l'*Inventaire de préférences professionnelles de Kuder* pendant le cours secondaire, test qui permet de mesurer le degré d'intérêt pour diverses professions. La liste de ces tests comprend aussi le *Questionnaire de recherche de personnalité de Jackson (PRF)* et l'*Indicateur de types psychologiques de Myers-Briggs (MBTI)*.

Test de personnalité
Test qui mesure les caractéristiques d'un candidat.

Les **tests d'intérêt professionnel** mesurent l'intérêt des candidats pour les activités et le milieu d'une profession en particulier. Mentionnons, entre autres, l'*Inventaire de préférences professionnelles de Jackson (JVIS)* et l'*Inventaire des intérêts de Strong*.

Test d'intérêt professionnel
Test qui mesure l'intérêt des candidats pour les activités et le milieu d'une profession en particulier.

Oublions les tests n'ayant aucune valeur prédictive et ne reposant sur aucune base scientifique. Dans cette catégorie, nous retrouvons la graphologie et la morphopsychologie (étude des traits du visage).

Validité d'un test
Caractéristique d'un test qui mesure exactement ce qu'il doit mesurer.

Fidélité d'un test
Caractéristique d'un test qui concerne les résultats obtenus. Un même test qu'on fait passer à des groupes similaires doit entraîner des résultats équivalents dans tous les groupes, et ce, de façon constante.

Il importe qu'un test réponde à des critères de validité et de fidélité. On parle de la **validité d'un test**, ou d'un test ayant un degré de validité élevé, lorsque ce test mesure exactement ce qu'il doit mesurer. Par contre, un test d'intelligence qui fait appel aux connaissances d'un candidat ne mesure pas son intelligence, mais sa culture générale ou ses connaissances techniques. Quant à la **fidélité d'un test**, elle concerne les résultats obtenus. Ainsi, un même test qu'on fait passer à des groupes similaires – même moyenne d'âge, même formation, etc. – doit entraîner des résultats équivalents dans les deux groupes, et ce, de façon constante.

Enfin, il faut faire une sélection parmi les tests et n'utiliser que ceux qui permettent de mesurer spécifiquement les compétences exigées par l'emploi. C'est un outil parmi d'autres et il doit se retrouver dans l'arsenal du responsable de la sélection en complémentarité avec d'autres outils tels que l'entrevue de sélection. Il n'appartient pas au superviseur de faire passer les tests psychométriques ni d'interpréter leurs résultats. Certains cabinets de psychologues et d'autres spécialistes peuvent assumer cette responsabilité.

6.6.4 La vérification des références

Aucun gestionnaire n'aimerait découvrir que la dénomination « gérant adjoint » dans le curriculum vitæ d'un candidat signifiait en fait qu'il était commis-livreur et employé unique du propriétaire d'un petit magasin d'alimentation qui, lui, était le gérant, ou que le responsable de la paye dans une petite entreprise était en fait le commis qui calculait les heures travaillées et établissait le montant dû à chaque employé. Bien que le contenu des curriculum vitæ soit généralement conforme à la vérité, il ne faut pas oublier que certains candidats donnent une orientation favorable à leur expérience passée en exagérant, par exemple, les responsabilités qu'ils détenaient dans les postes occupés. D'autres éludent une période de leur vie professionnelle comportant trop d'éléments négatifs. Enfin, certains falsifient carrément leur curriculum vitæ[40].

La vérification[41] des références et des lettres de recommandation peut se faire avant ou après l'entrevue. Les renseignements à vérifier en priorité sont les données objectives telles que les dates, les diplômes ou les responsabilités décrites dans le formulaire, mais il est aussi intéressant d'obtenir des commentaires relativement aux attitudes et aux comportements manifestés dans les emplois précédents. L'étendue des vérifications est fonction du poste offert et de son niveau hiérarchique[42].

Il est important, également, de vérifier la scolarité des candidats. Le fait d'avoir réussi un ou deux cours dans un programme de baccalauréat ne justifie pas la mention « Études de baccalauréat en administration ». Quant aux

40. Lire à ce sujet Michel LIZOTTE, « Bien vérifier les références n'est pas un luxe », *Les Affaires*, 73, n° 9, le 3 mars 2001, p. 33 ; Bernard GAUTHIER, « Les demi-vérités dans les CV », *Les Affaires*, 72, n° 13, le 25 mars 2000, p. 25.

41. Lire à ce sujet Nathalie VALLERAND, « CV: détecteur de mensonges », *Affaires plus*, vol. 29, n° 11, novembre 2006, p. 42-44 ; Rhéaume PERREAULT, « Demandes de références : Peut-on répondre en toute quiétude ? », *Bulletin CCH*, juin 2006, vol. 8, n° 6, p. 9 ; Jacinthe TREMBLAY, « Détectives d'antécédents », *La Presse*, Carrières professions et formation, le 30 juillet 2006, p. 2.

42. Lire à ce sujet E. C. ANDLER et Herb DARA, *The Complete Reference Checking Hand Book*, New York, Amacom, 2003.

lettres de recommandation, elles sont toujours positives ; s'il y avait des lettres négatives, elles ne seraient évidemment pas jointes au curriculum vitæ. Par contre, les ex-employeurs sont une source de premier ordre pour l'obtention de données significatives.

Les règles de la Charte des droits et libertés de la personne du Québec s'appliquent aussi à cette étape. Compte tenu des répercussions légales et du risque de poursuite, de nombreux employeurs choisissent de ne transmettre que des renseignements factuels et professionnels, sans émettre d'opinion sur leur ex-employé[43]. Certaines firmes, telle InfoCheck[44], se spécialisent dans la vérification des données concernant les candidats d'une entreprise.

6.6.5 L'offre d'emploi

Le candidat est choisi[45]. Il s'agit maintenant de lui présenter l'offre d'emploi de façon formelle, par écrit si la situation n'est pas urgente. L'offre doit comprendre le titre de l'emploi, les responsabilités, la date du début de l'emploi, le salaire et les autres formes de rémunération, les conditions de travail et le délai accordé pour la réponse. Il faut s'assurer que le candidat comprenne exactement la proposition afin d'éviter toute ambiguïté subséquente.

Il se peut que le superviseur puisse négocier le salaire et la date du début de l'emploi. Peut-être devra-t-il aussi faire un travail de persuasion pour obtenir l'acceptation de l'offre par le candidat. Il ne faut surtout pas que le superviseur outrepasse son autorité en faisant au candidat choisi des promesses qu'il ne pourra tenir.

Le superviseur doit maintenant communiquer sa décision aux autres candidats en les remerciant de l'intérêt qu'ils ont manifesté pour l'entreprise, en ajoutant que leur curriculum vitæ sera conservé dans une banque de candidatures pour une période donnée. Il est préférable d'attendre que le candidat choisi se présente à son poste avant de communiquer la décision aux autres candidats, car il est possible que le candidat choisi accepte l'augmentation de salaire que son employeur actuel peut lui offrir pour le retenir.

6.6.6 Les tests médicaux et d'aptitudes physiques

Le candidat ne peut être invité à subir des tests médicaux qu'après avoir reçu une offre d'emploi formelle.

Les tests médicaux constituent la dernière étape du processus de sélection. Ces tests doivent servir à écarter les candidats dont la condition physique les empêcherait d'assumer adéquatement leurs fonctions. Afin de respecter l'esprit de la Charte des droits et libertés de la personne du Québec, il faut que

---

43. Vanessa Glass, « How to Obtain Reliable Work References », eHow, www.ehow.com/how_4487939_obtain-reliable-work-references.html (en ligne, consulté le 20 mars 2009).

44. Voir à ce sujet le www.infocheck.com/framesaboutus.html.

45. Voir S. Kuczynski, « You've Got Job Offers », *HR Magazine*, mars 1999, p. 50-58 (en ligne, consulté le 20 mars 2009).

l'évaluation de l'état de santé général et des capacités physiques soit effectuée selon les exigences directes du poste. Ainsi, les renseignements fournis par les médecins chargés de faire passer les tests au candidat doivent être liés à l'exercice du travail offert.

Toutefois, une incapacité physique du candidat ne le disqualifie pas nécessairement si des modifications peuvent être effectuées dans le poste sans en changer la nature.

6.7 L'accueil et l'intégration du nouvel employé

Accueil
Programme qui consiste à familiariser le nouvel employé avec l'organisation, sa mission, ses objectifs, ses produits, sa structure organisationnelle, les personnes-ressources, les avantages sociaux et ainsi de suite.

Chevauchant le processus d'embauche et le processus de formation, l'**accueil** du nouvel employé représente le moment où le candidat devient un membre de l'organisation. Le candidat connaît déjà les différentes exigences de son emploi, ses conditions de travail et sa rémunération. Au cours des premières journées de travail, le nouvel employé sera invité à un programme d'accueil. Sous la responsabilité du Service des ressources humaines, ce programme exige la participation du superviseur. Dans certaines entreprises, la totalité du programme repose entre les mains du superviseur.

Le programme d'accueil[46] vise à informer l'employé sur diverses facettes de l'organisation et de son emploi, soit la mission de l'organisation, ses objectifs, ses produits, sa structure organisationnelle, les personnes-ressources, les avantages sociaux et ainsi de suite. Si les ressources manquent, une feuille de contrôle énumérant les points à aborder pourra suffire. Dans bien des cas, le superviseur n'accorde pas assez d'importance à l'accueil. Les conséquences de cette négligence se traduisent de façon négative dans l'attitude du nouvel employé envers l'emploi et l'entreprise globalement. En général, les nouveaux employés abordent très positivement leur nouvel emploi ; mais si on les laisse de côté, si on oublie de les intégrer, leur attitude changera. De toute façon, les collègues de travail se chargeront d'initier le nouveau venu aux règles de l'entreprise ; ils lui décriront chacun des superviseurs et lui communiqueront leur manière de voir le travail. Alors, aussi bien le faire selon les règles en conservant un contrôle sur les notions transmises.

Chevauchant le processus d'embauche et le processus de formation, l'accueil du nouvel employé représente le moment où le candidat devient un membre de l'organisation.

Le tableau 6.4 comprend des éléments que l'on trouve dans un programme d'accueil.

6.8 L'évaluation du processus de sélection

Tous les processus et toutes les activités de l'entreprise doivent être une valeur ajoutée, sinon il faut s'interroger sur leur raison d'être. Si valeur ajoutée il y a, il faut vérifier la possibilité d'en améliorer le rendement.

46. Lire à ce sujet Marc-André Dumont, « Les banques encadrent mieux leurs nouveaux employés », *Les Affaires*, le 17 avril 2004, p. A2 ; Marie-Josée Labrosse, « Un accueil sans écueil, ça s'organise ! », *Les Affaires*, le 11 octobre 2003, p. 43.

Tableau 6.4 Un exemple de contenu d'un programme d'accueil et de formation initiale

Initiation	Entreprise
Aménagement des lieux Liste des supérieurs immédiats Collègues de travail Conseiller des employés	Historique Produits et services Mission Objectifs Structure de l'organisation Politiques Mesures disciplinaires
Informations concernant l'emploi	**Avantages sociaux**
Localisation Description Tâches importantes Procédure de sécurité Lien avec les autres emplois Critères d'évaluation du rendement Normes de production Horaire Pause-café Outils et équipement utilisés Personnes-ressources	Échelle salariale Période de paye Vacances et congés Absences Protection médicale Assurances Plan de retraite Avantages concernant la formation Plan de carrière

Afin de vérifier l'efficacité du processus de sélection[47], l'entreprise doit évaluer le temps requis pour sélectionner le candidat, le coût rattaché à la sélection, le rendement du nouvel employé sur les plans quantitatif et qualitatif et le taux de roulement de l'ensemble des nouvelles recrues. Le taux de roulement, tel que défini au chapitre 4, s'avère très utile dans cet exercice. Il peut s'agir aussi de mesurer l'efficacité et le coût des différents instruments employés. Enfin, il est utile de rappeler la nécessité de vérifier la conformité de tout le processus de sélection, des normes légales et des principes d'équité (*voir le chapitre 5*).

Pour mesurer la qualité du processus de sélection, il existe une autre technique consistant à réaliser des entrevues avec les personnes qui quittent l'entreprise, et ce, afin de connaître les motifs réels de leur départ. Le superviseur ne peut évidemment intervenir à ce stade-ci. Afin d'obtenir l'information la plus complète et la plus objective possible, il est préférable que cette entrevue soit conduite par une personne n'ayant eu aucun lien direct avec l'employé démissionnaire. Un représentant du Service des ressources humaines semble la personne la plus appropriée pour remplir ce rôle.

47. Lire à ce sujet Jac Fitz-enz et Barbara Davison, *How to Measure Human Resources Management*, 3e éd., New York, McGraw-Hill, 2001, chap. 6 ; Anne Bourhis, *Recrutement et sélection du personnel*, Montréal, Gaëtan Morin Éditeur, 2007, p. 544-549.

Résumé du chapitre

L'acquisition des ressources humaines (la dotation) comprend les activités de planification, d'analyse des postes, de recrutement des candidats, de sélection et d'embauche. Elle vise principalement à faciliter la réalisation des objectifs de l'organisation.

Le recrutement consiste à informer les candidats potentiels du fait qu'un poste est vacant en vue de les inciter à offrir leurs services en posant leur candidature. Le processus de recrutement comprend trois étapes : la première étape est la détermination des besoins en main-d'œuvre, la deuxième étape consiste à choisir les sources et les techniques de recrutement, et enfin, à la troisième étape, on évalue l'efficacité de la source de recrutement.

Afin de répondre aux exigences de quantité et de qualité, le responsable de la dotation doit recruter tant à l'interne qu'à l'externe. Les techniques de recrutement à l'interne les plus couramment utilisées sont principalement l'affichage de postes, l'organigramme prévisionnel, les recommandations des employés et le rappel d'un employé. À l'externe, les techniques sont fort variées. Il peut utiliser les médias, comme les journaux, la radio et la télévision, Internet, les panneaux-réclames et toute autre forme d'affichage, les banques informatisées de candidats produites par des entreprises spécialisées, le recrutement en ligne, les bureaux de placement publics et les bureaux de placement privés. De plus, il peut faire appel à des agences de placement temporaire, analyser les candidatures non sollicitées et utiliser son réseau de relations. Enfin, les journées portes ouvertes, les visites d'entreprises, les salons, les expositions, les séminaires et les congrès, les enseignants de certains établissements d'enseignement et les syndicats sont autant de sources qui peuvent appuyer le recruteur dans sa recherche.

Le nombre de candidatures, le délai entre le début de la recherche de candidats et la présentation des candidatures, le coût du recrutement pour chaque candidature et pour chaque poste à pourvoir ainsi que le ratio des candidatures retenues sur le total des candidatures sont des critères utilisés pour mesurer l'efficacité du recrutement.

La sélection consiste à évaluer et à choisir parmi les candidats ceux qui sont jugés qualifiés, compétents et capables de fournir un rendement satisfaisant dans un poste donné. Les principales étapes de ce processus sont la présélection, l'entrevue de sélection, la passation de tests de sélection, la vérification des références et l'offre d'emploi, de même que la passation de tests médicaux et d'aptitudes physiques, suivie très souvent par la période d'essai.

Pendant l'entrevue de sélection, on cherche à évaluer le candidat et à prédire son rendement et son comportement dans le milieu de travail. Les entrevues sont classées selon la technique utilisée. L'entrevue structurée consiste, pour l'intervieweur, à préparer une liste de questions précises qui seront posées à tous les candidats. L'entrevue non structurée consiste à lancer l'entrevue à l'aide de quelques questions préparées et à laisser les réponses et les commentaires du candidat orienter les autres questions de l'intervieweur.

L'entrevue de sélection vise principalement quatre objectifs : obtenir des renseignements à propos du candidat, répondre à toutes ses interrogations, tenter de l'évaluer en fonction du poste offert et permettre au superviseur de le convaincre d'accepter le poste, si sa candidature est retenue. Pour atteindre ces objectifs, il faut suivre les huit étapes suivantes : préparer l'entrevue en prenant connaissance de la description du poste et de ses exigences, accueillir le candidat et créer un climat de confiance et de détente, rassurer le candidat en lui permettant de répondre brièvement aux questions, poser des questions ouvertes qui appellent des réponses plus détaillées, vérifier les renseignements obtenus dans le formulaire de demande d'emploi, fournir au candidat l'occasion de demander tous les renseignements qu'il désire

›

obtenir sur l'organisation et le milieu de travail où il sera appelé à évoluer, clore l'entrevue et expliquer au candidat les étapes et les délais subséquents, en lui précisant, dans la mesure du possible, la date où il recevra une réponse et, enfin, évaluer le candidat.

Chevauchant le processus d'embauche et le processus de formation, l'accueil du nouvel employé représente la phase finale, pendant laquelle le candidat devient un membre de l'organisation.

Afin de vérifier si l'objectif du recrutement et de la sélection est atteint, l'entreprise doit évaluer le rendement du nouvel employé du point de vue de la quantité et de la qualité, et déterminer le taux de roulement de l'ensemble des nouvelles recrues.

Évaluation de la compétence

Questions de révision et application

1. Quels facteurs rendent le processus d'acquisition des ressources humaines si important ?

2. Décrivez les trois principales catégories d'exigences d'un poste de travail.

3. Qu'est-ce que le recrutement ? Quels sont les objectifs du processus de recrutement ?

4. Décrivez les principales techniques de recrutement à l'externe.

5. Quels sont les principaux critères d'évaluation de l'efficacité du recrutement ?

6. Qu'est-ce que la sélection ? Quels sont les objectifs du processus de sélection ?

7. Décrivez brièvement deux types d'entrevues de sélection.

8. Quelles sont les principales étapes de l'entrevue de sélection ?

9. Quelles sont les qualités fondamentales des tests de sélection ?

10. Décrivez brièvement cinq catégories de tests de sélection.

11. Décrivez brièvement les liens entre les activités suivantes : l'analyse de postes, la planification de la main-d'œuvre, le recrutement et la sélection.

12. À la fin de vos études, vous serez un candidat pour un poste dans une entreprise. Selon vous, quels sont les techniques de recrutement qui s'avéreraient les plus efficaces pour une entreprise qui veut que vous présentiez votre candidature ?

13. En vous reportant à la rubrique Point de mire présentée au début du chapitre, répondez aux questions suivantes :

a) Que suggéreriez-vous pour améliorer le processus de sélection et d'embauche de la compagnie TransportAméric ? Vos suggestions doivent porter sur les tests d'embauche, le mode de vérification des références ou tout autre aspect de la sélection qui améliorerait la stabilité d'emploi des répartiteurs.

b) Décrivez le rôle que les superviseurs du service pourraient jouer dans la sélection des futurs répartiteurs.

›

14. Visitez la page Web de trois grandes entreprises (Banque de Montréal, Brasserie Labatt, Air Canada, Hydro-Québec, Vidéotron, Caisses Desjardins, etc.). Cherchez les emplois s'adressant à des étudiants terminant leur DEC en techniques de comptabilité et de gestion. Faites un tableau comparatif à l'aide des différents critères suivants (à remplir par l'étudiant):

a) facilité pour trouver les emplois offerts;

b) attrait de l'entreprise;

c) qualité des informations offertes;

d) facilité pour présenter sa candidature;

e) autres.

15. Refaites le même exercice, cette fois-ci en comparant trois sites d'offres d'emplois (par exemple, CareerBuilder, Working.com, Monster, Workopolis, Jobboom, etc.).

Analyse de cas

Cas 6.1

La nouvelle procédure

Jean-Nicolas D. vient d'assister à une réunion au siège social de l'entreprise pour laquelle il travaille, à Dorval. Le vice-président des ressources humaines y a exposé la nouvelle approche de l'entreprise concernant le processus d'embauche des nouveaux employés. Jusque-là, le Service des ressources humaines avait toujours été responsable de la totalité du processus d'embauche et les directeurs de service ne voyaient les nouveaux employés qu'au moment de leur première journée de travail.

Dans ce contexte, Jean-Nicolas n'a pas été des plus attentifs aux propos du vice-président. À la pause-café, Annick F., une consœur, lui a demandé ce qu'il pensait de la nouvelle philosophie de la direction au sujet de l'embauche. Jean-Nicolas a été très surpris d'apprendre de sa collègue qu'il devrait dorénavant réaliser lui-même les entrevues de sélection. Le Service des ressources humaines effectuerait un premier tri et cinq candidats seraient recommandés au superviseur en cause.

Celui-ci devrait rencontrer les candidats et les évaluer. Ses choix, de 1 à 5, seraient envoyés au siège social, qui procéderait au choix final. Le classement des superviseurs serait généralement respecté, sauf dans des situations particulières. Jean-Nicolas regrettait de n'avoir pas été plus attentif au cours de la réunion, d'autant qu'il avait besoin à très court terme de deux nouveaux employés.

Questions

1. Comment Jean-Nicolas peut-il se préparer à ses nouvelles responsabilités?
2. Que pensez-vous de la nouvelle politique de l'entreprise concernant la sélection?
3. Quels sont les inconvénients de cette nouvelle politique?

Cas 6.2

Le recrutement d'un technicien en comptabilité de gestion

Lors de rencontres avec Julien Tousignac, directeur des finances et de l'informatique, Nicole Racine, directrice adjointe de l'embauche et de la planification, a appris de ce dernier qu'il désirait adjoindre un technicien en comptabilité de gestion à Andrée Langlois, comptable. Cette dernière est responsable de l'organisation et de la gestion des systèmes de comptabilité pour l'entreprise, de la préparation des renseignements financiers et non financiers, ainsi que de la conception et de l'application des procédés de contrôle interne.

À court terme, soit dans environ deux ans, le technicien embauché devra assumer seul les responsabilités reliées à l'application des procédés de contrôle. Voici un aperçu de la tâche du comptable. Il ne s'agit pas d'une véritable description de tâches puisque les renseignements ont été obtenus suite à une conversation avec Julien Tousignac.

Dans l'exercice de sa fonction, le technicien devra être polyvalent. La connaissance des systèmes informatisés, des nouvelles applications en technologie des communications et de l'information, des réseaux électroniques de données (Internet et EDI) et celles des bases de données financières et non financières seront des atouts importants pour lui.

Il participera à la production des états financiers mensuels et annuels et effectuera les écritures de fin de mois (régularisations, amortissements, immobilisations, frais courus, frais payés d'avance, etc.). De plus, il interviendra dans l'analyse des écarts dans les postes des états financiers (bilan et états des résultats). Il devra produire le dossier de fin d'année aux fins de vérification et devra équilibrer les comptes et enregistrer les livres comptables.

TRAVAIL

Aidez votre supérieur à recruter et à sélectionner un technicien en comptabilité qui permettra à l'entreprise de mieux gérer ses coûts.

On vous demande donc :

a) De préparer une fiche simple d'analyse du poste d'un technicien en comptabilité de gestion. (Inspirez-vous du document 4.1 (*p. 94*) ; vous pouvez modifier cette grille et l'adapter à vos besoins en éliminant des éléments non pertinents et en ajoutant des modules qui ne seraient pas mentionnés dans la grille.) Vous pouvez consulter différents documents comme *La classification nationale des professions* ou les offres d'emploi dans les journaux ou même faire une démarche auprès des employeurs de votre région.

b) De dresser un canevas d'entrevue en respectant les normes de la Charte des droits et libertés de la personne du Québec, tel que mentionné dans le chapitre 5 (questionnaire et fiche de notation) permettant de procéder à la sélection d'un technicien en comptabilité de gestion. Inspirez-vous de la fiche d'évaluation présentée dans le document 6.1 (*p. 178*) et veuillez l'adapter à vos besoins. Le questionnaire doit respecter les étapes de l'entrevue telles qu'elles sont présentées à la figure 6.6 (*p. 177*).

c) De dresser la liste des sources précises de recrutement (par exemple, lorsque que vous mentionnez un journal, il faut indiquer lequel, quel jour, quelle section, etc.). Il faut que vos sources soient précises au point où une utilisation réelle en soit possible. Il vous est aussi demandé de justifier le choix de chacune des sources proposées.

d) D'analyser les curriculum vitæ des candidats (CV de collègues de votre classe) ayant répondu à votre offre d'emploi. Vous pouvez vous confectionner une feuille d'analyse des demandes d'emploi et des curriculum vitæ semblable à celle proposée dans le document 6.1 (*p. 178*).

e) De faire une analyse critique de chacune des lettres de présentation et des curriculum vitæ : présentation, contenu, précision, établissement des liens avec le poste, pertinence des renseignements, etc.

JEU DE RÔLE

Des étudiants remplissent le rôle de chacun des candidats et une séance d'entrevues est organisée.

Un comité est constitué pour effectuer les entrevues et préparer leur rapport final à partir d'une fiche d'évaluation, telle qu'elle est présentée dans le document 6.2 (*p. 179*).

Un groupe d'étudiants remplit le rôle d'observateurs des interviewers et fait rapport de leur performance à la suite des entrevues.

Un autre groupe d'étudiants remplit le rôle d'observateurs des candidats et fait rapport de leur comportement et de leur performance à la suite des entrevues.

Cas 6.3

Les critères de sélection

Jean D. travaille au Service des commandes de la compagnie Électromatique depuis quatre ans à titre de conseiller à la clientèle, poste s'apparentant à celui de vendeur. Il a terminé sa 5e secondaire et une année de cégep en technologie du génie électrique. Il est marié depuis six mois, et sa femme lui a annoncé récemment qu'elle était enceinte. Il y a deux mois, le couple s'est acheté une jolie maison. Face à ses nouvelles responsabilités, Jean, qui veut améliorer son sort, vient de trouver un nouvel emploi comportant un salaire un peu plus élevé que celui qu'il reçoit chez Électromatique.

Malheureusement, des modifications de structure chez le nouvel employeur rendent son poste précaire, l'entreprise ne pouvant lui garantir que d'autres modifications n'entraîneront pas l'abolition du poste que l'on vient de lui offrir. Jean rencontre alors André R., directeur des ressources humaines d'Électromatique. Il lui explique qu'il désire retirer sa démission et récupérer ses fonctions. André lui répond qu'il a déjà rencontré des candidats pour pourvoir son poste, mais qu'il réfléchira à la situation pendant quelques jours.

André considère que les employés du Service des commandes accomplissent un travail stressant qui demande beaucoup de discipline de leur part. Ils exécutent souvent des tâches routinières comprenant la prise de commandes par téléphone et leur transmission au Service de la production. Ils y ajoutent quelques notes concernant les exigences du client qui, bien qu'elles ne soient généralement pas mentionnées au cours de l'appel, sont déjà compilées dans le dossier du client. C'est aussi le conseiller à la clientèle qui fait le nécessaire pour assurer la livraison de la marchandise au client une fois la commande complétée.

Le travail comportant une large part de routine, André considère que le niveau de 5e secondaire convient. De plus, il lui semble que les femmes n'aiment pas ce genre de travail à cause du climat stressant qui prévaut et des heures supplémentaires qui sont monnaie courante. Six personnes ont été embauchées depuis quatre ans, mais une seule est demeurée en fonction. André est convaincu que le poste de conseiller à la clientèle ne présente pas de grands défis et que les possibilités de promotion sont fort limitées.

Par contre, afin de se préparer pour les entrevues avec les candidats ayant sollicité le poste de conseiller à la clientèle libéré par le départ présumé de Jean, André a effectué une analyse informelle de ce poste. Il a alors constaté que Jean avait ses clients. En effet, lorsqu'ils téléphonaient pour passer une commande, plusieurs d'entre eux ne demandaient pas le Service des commandes, mais Jean. Ils s'assuraient ainsi de recevoir exactement ce qu'ils commandaient, en plus d'un service irréprochable.

Jacques L., directeur du Service des commandes, confirme même qu'en l'absence de Jean, les responsables de l'expédition communiquent directement avec lui pour vérifier les particularités de la livraison des commandes. Toujours selon lui, Jean est le meilleur employé de son service, qui comprend neuf personnes. Il tient absolument à le garder et ne voit aucun inconvénient à ce qu'il retire sa démission.

Tout semblait rentrer dans l'ordre lorsque Myriam F. a téléphoné à André pour lui faire part de son désir d'accueillir Jean dans son service. Myriam, qui est directrice des ventes, dirige une équipe de dix vendeurs chevronnés, tous diplômés du cégep en technologie du génie électrique. Deux vendeurs sont même des bacheliers en génie électrique de l'École de technologie supérieure. Bien que Jean n'ait pas obtenu son diplôme d'études collégiales, son rendement démontre son potentiel, et Myriam est convaincue qu'elle pourra en faire un excellent représentant.

La réaction de Jean est très enthousiaste lorsqu'André l'informe que non seulement il peut demeurer au sein de l'entreprise, mais qu'une promotion peut lui être offerte.

Questions

1. La compagnie Électromatique doit-elle permettre à Jean de retirer sa démission? Justifiez votre réponse.
2. Est-ce que le poste de représentant doit être offert formellement à Jean?

3. Si Jean obtient du succès dans le poste de représentant, devra-t-on, dans ces conditions, redéfinir les exigences du poste ? Pourquoi ?
4. L'expérience représente-t-elle un substitut valable des exigences de formation ?
5. Commentez la démarche adoptée par Électromatique en ce qui a trait à l'ouverture des postes, à l'établissement des exigences des emplois et au processus de sélection.
6. Quelles suggestions feriez-vous en vue d'améliorer le processus d'analyse des postes, le processus d'établissement des exigences de l'emploi et le processus de sélection ?
7. Quels commentaires feriez-vous en ce qui a trait à l'évaluation du rendement pratiquée chez Électromatique ? Commentez spontanément le processus d'évaluation, sans vous référer au chapitre portant sur l'évaluation du rendement.

ANNEXE 1 Aide à la rédaction de votre curriculum vitæ

Site	Adresse	Commentaires
Zoom placement de personnel	www.collegelasalle.com/zoom/manuels_daide_cv_entrevue.html	Présentation de deux excellents manuels : › Manuel d'aide à la rédaction du CV › Manuel d'aide pour l'entrevue d'embauche
Emploi Québec	http://emploiquebec.net/francais/index.htm	La section « Guide pratique de recherche d'emploi » est particulièrement intéressante
Handicap.ca	www.handicaps.ca/employabilite/catindex.php?id=231	Site conçu pour les personnes handicapées, mais dont les conseils s'adressent à tous
Blake, Cassels & Graydon	www.blakes.com/french/joinblakes/students/montreal/curriculum.asp	Renseignements pour ceux qui désirent se joindre à ce cabinet-conseil d'avocats, cependant, les conseils fournis peuvent être utiles à tous
Moovijob.com	www.moovijob.com/site/include/documents/resumeWritingHelp/	Astuces permettant de rendre votre CV efficace
École Polytechnique	www.polymtl.ca/sp/etudiant/index.php	Conseils aux étudiants et récents diplômés de l'École polytechnique
Cégep John Abbott	www.johnabbott.qc.ca/?4D155125-0A86-4937-9989-3FE40C063216	Pour les finissants de collèges
Procom	www.procomquebec.com/citsnewlook/fr_jr_00.htm	Divers conseils pour toutes les étapes de la recherche d'emploi
Université de Sherbrooke	www.usherbrooke.ca/cdp/emploi/cv.html	Présentation de plusieurs modèles de CV et de lettres
InfoCanada.com	http://info-canada.over-blog.com/article-11175853.html	Nombreux conseils concernant la rédaction des CV
Perspectives canadiennes	www.careerccc.org/products/cp_99_f/index.html	Préparation à la recherche d'emploi
TrouverTravail	www.trouvertravail.com/articles/cv-en-ligne.html	Comment rédiger un CV en ligne et autres conseils de recherche d'emploi

ANNEXE 2 Petit guide de survie à l'entrevue de sélection : les questions qui tuent… si vous n'êtes pas préparé

Questions	Objectifs de l'intervieweur	Suggestions de réponses
Parlez-moi un peu de vous.	› Vous mettre à l'aise › Vous connaître en tant que personne, pas seulement pour connaître vos compétences professionnelles › Évaluer votre habileté à vous faire valoir et votre habileté à expliquer concrètement ce que vous pouvez apporter à l'entreprise	› Vous devez donner un bref aperçu des domaines suivants : votre formation, votre expérience de travail, les projets dans lesquels vous vous êtes impliqué, vos principales qualités, vos connaissances informatiques, vos habiletés professionnelles et techniques, vos implications parascolaires et sociales. › Vous devez être à l'aise avec tout ce que vous avancez, car d'autres questions pourraient être soulevées pour compléter vos réponses.
Énumérez vos principaux points forts et points faibles.	› Découvrir des motifs supplémentaires pour vous embaucher › Savoir si vous vous connaissez, si vous croyez en vous et en vos capacités › Être convaincu que vous êtes la personne qui convient à l'emploi	› Concentrez-vous plutôt sur vos traits professionnels. › Nommez-en au moins trois et rattachez-les à l'entreprise et à l'emploi pour lequel vous passez en entrevue. › En parlant des points faibles, mentionnez les facettes que vous connaissez bien et au sujet desquelles vous avez pris des mesures pour vous améliorer.
Nommez-moi trois choses positives que votre employeur précédent dirait à votre propos.	› Apprendre ce qui vous caractérise en tant que personne › Connaître vos traits de personnalité les plus marquants › Vérifier si l'opinion que vous avez de vous-même est juste et ainsi mesurer votre degré de confiance en vous › Valider votre connaissance de soi	› Décrivez les relations que vous aviez avec vos collègues de travail, les bons coups que vous avez réalisés ensemble. › Appuyez vos dires par des qualificatifs en mentionnant, par exemple, que vous êtes une personne dynamique, à son affaire, qui s'implique dans son travail, qui travaille bien en équipe. › Donnez des exemples de ce que vous affirmez.
Nommez-moi les deux cours que vous avez préférés lors de votre formation et pourquoi.	› Connaître vos centres d'intérêt, vos aptitudes ainsi que vos réelles sources de motivation › Évaluer s'il y a un lien entre vos centres d'intérêt et le poste offert › Évaluer si vous préférez les choses plus théoriques ou plus pratiques › Vérifier où sont vos principales forces qui pourront être directement applicables au genre d'emploi offert	› Vous devez nommer et expliquer les grandes lignes du contenu de ces cours. › Vous devez vous assurer de faire des liens directs entre vos acquis théoriques ou techniques et les différentes fonctions et responsabilités que requiert l'emploi.
Pourquoi notre entreprise devrait-elle vous embaucher ?	› Savoir pourquoi vous seriez son meilleur choix parmi tous les candidats	› Résumez : - passé : votre formation, vos expériences, vos réalisations - présent : vos habiletés, vos qualités, vos aptitudes - futur : votre intérêt, votre motivation pour le poste et pour l'entreprise

ANNEXE 2 Petit guide de survie à l'entrevue de sélection : les questions qui tuent… si vous n'êtes pas préparé (*suite*)

Questions	Objectifs de l'intervieweur	Suggestions de réponses
Qu'est-ce qui vous distingue des autres candidats ?	› Voir de quelle façon vous percevez le poste pour lequel vous avez posé votre candidature › Évaluer votre connaissance des fonctions et des compétences requises pour exceller dans ce type de travail › Évaluer si vos idées, votre expérience et vos intérêts répondent aux besoins et à la philosophie de l'entreprise	› Assurez-vous de bien connaître les fonctions principales requises pour occuper le poste. Vous serez ainsi en mesure de décrire des qualités requises. › Énumérez vos compétences et caractéristiques positives. › Faites un lien concret entre les besoins de l'entreprise et ce que vous avez à lui offrir. › Soyez certain de posséder les qualités que vous allez énumérer puisque vous aurez à les mettre en pratique si le poste vous est offert.
Pourquoi avez-vous choisi de présenter votre candidature dans notre entreprise ?	› S'assurer que l'emploi vous satisfera et que vous voudrez rester › Savoir si vous avez fait des recherches sur l'entreprise › Savoir si vous avez fait parvenir votre CV simplement parce que c'est un poste dans votre domaine › Valider ce que vous connaissez et aimez au sujet de l'entreprise	› Démontrez à l'employeur en quoi le poste vous intéresse. › Préparez vos réponses et vous saurez comment répondre à cette question. › Mentionnez autant d'éléments positifs que possible concernant l'emploi, l'entreprise ou l'organisation. › Démontrez que vous avez les compétences requises pour occuper le poste tout en lui démontrant votre intérêt pour l'entreprise.
Quels sont vos objectifs à long terme ?	› Connaître vos projets futurs, vos champs d'intérêt, vos aspirations professionnelles, vos buts et votre réelle motivation › S'assurer que vous allez demeurer au sein de l'entreprise et savoir si vous savez ce que vous voulez › Savoir si vos objectifs de carrière conviennent à ceux de l'entreprise › Évaluer votre stabilité en emploi et préparer son plan de relève si nécessaire	› Parfois, il vaut mieux discuter de vos objectifs à court et moyen terme plutôt que ceux à long terme. › Faites part à l'employeur de vos objectifs de carrière en vous assurant que vos réponses soient en lien avec le travail et l'entreprise. › Démontrez que vous avez pris le temps de penser à votre avenir sans présenter un échéancier précis. › Prouvez à l'employeur que vous êtes une personne qui s'engage et qui s'implique vraiment dans un travail, et ce, parce que vous êtes en mesure de vous fixer des buts à atteindre. › Précisez à quel point vous voulez demeurer et évoluer dans ce domaine professionnel, et ce, au sein de cette entreprise.
Pourquoi avez-vous quitté (ou pourquoi quittez-vous) votre emploi ?	› Déterminer si vous avez déjà eu des problèmes au travail	› Voici quelques suggestions de réponse : - J'ai besoin de me réorienter. - Je voudrais avoir un emploi qui correspond mieux à mes compétences. - J'aimerais avoir plus de défis professionnels à relever.
Quand étiez-vous le plus satisfait dans votre emploi ?	› Découvrir ce qui vous motive	› Donnez un exemple d'une tâche ou d'un projet pour lequel vous étiez emballé.

ANNEXE 2 Petit guide de survie à l'entrevue de sélection : les questions qui tuent… si vous n'êtes pas préparé (*suite*)

Questions	Objectifs de l'intervieweur	Suggestions de réponses
Avez-vous déjà fait un travail semblable ?	› Connaître ce que vous avez fait jusqu'à présent › Vérifier si, lors de vos expériences antérieures, vous avez développé les habiletés nécessaires pour exécuter le travail › Vérifier si vous êtes en mesure de faire des liens entre ce que vous avez déjà réalisé comme fonctions et ce qui vous est maintenant proposé	› Vous ne devriez jamais répondre non. L'intervieweur veut savoir si vous pouvez apprendre à exécuter l'emploi qu'il vous offre dans un délai raisonnable. Décrivez vos qualités et compétences utiles au travail. › Mentionnez vos qualités et vos compétences connexes, particulièrement votre motivation à relever de nouveaux défis.
Quel salaire vous attendez-vous de recevoir ?	› Savoir si le salaire offert peut vous satisfaire › Savoir à quel point vos attentes se rapprochent des leurs et si vous faites preuve de réalisme	› Proposez une fourchette salariale. › Vous devriez déjà connaître les salaires accordés selon le type d'emploi chez les entreprises similaires. › Si le salaire proposé est inférieur à ce que vous espériez, vous pourriez négocier des clauses particulières quant aux conditions de travail. › Il faut évaluer tous les à-côtés que l'emploi peut offrir.
Quand êtes-vous prêt à commencer à travailler ?	› Avoir une réponse précise › Il se peut, cependant, que vous ne puissiez pas vous engager pour une date précise	› Demandez à quelle date l'organisation voudrait que le poste soit occupé. › Si vous ne pouvez respecter cette date, dites à l'employeur que vous saurez mieux à quoi vous en tenir dans X jours. › Ne donnez pas de détails sur les raisons pour lesquelles vous ne pouvez pas commencer tout de suite.
Pouvez-vous travailler sous pression ou respecter des délais serrés ?	› L'intervieweur vous indique que cet emploi est stressant	› Donnez des exemples de situations de travail dans lesquelles vous avez respecté des délais.

Chapitre 7

Le développement des compétences des ressources humaines dans l'entreprise

Cheminement d'idées

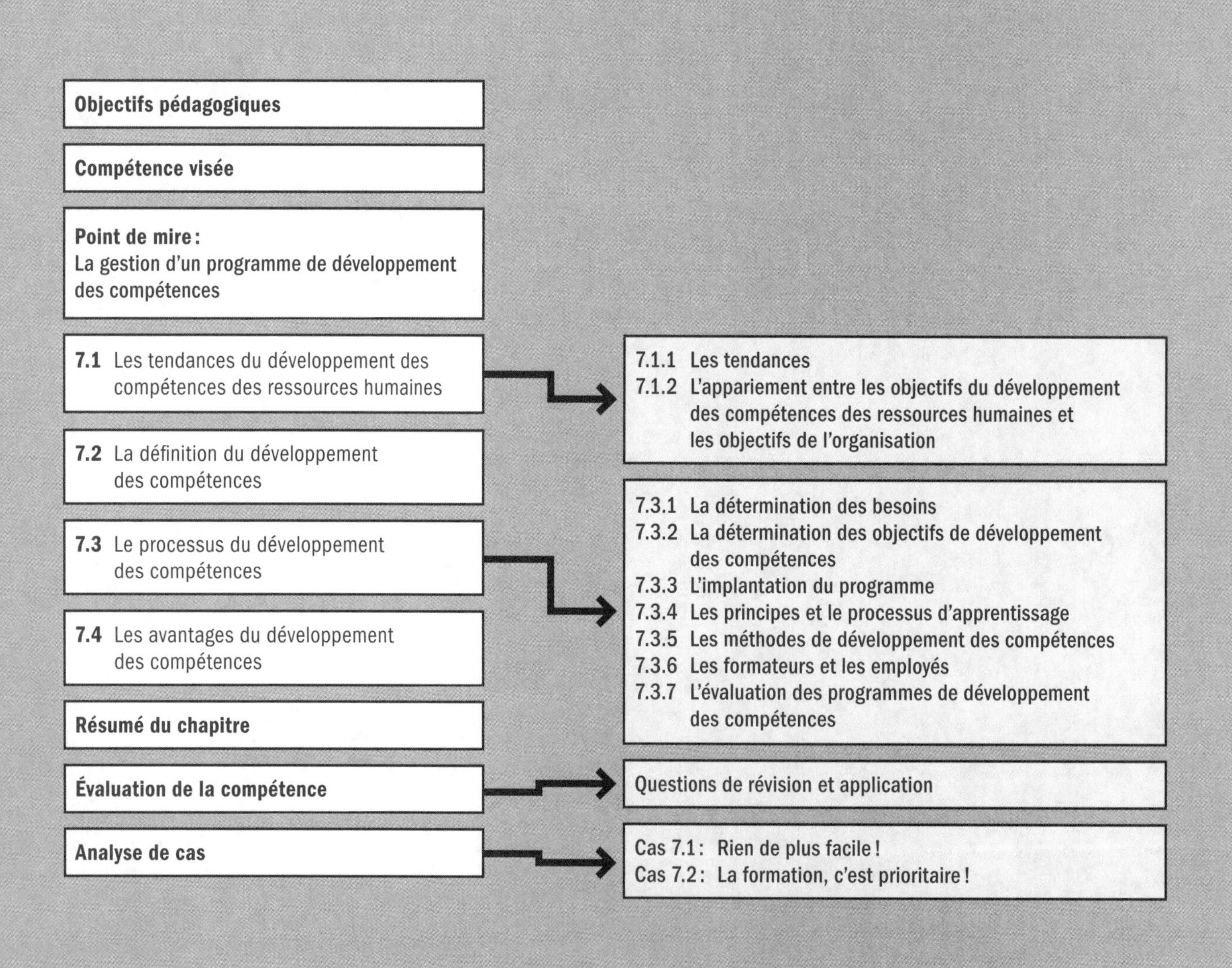

Objectifs pédagogiques

La lecture de ce chapitre devrait vous permettre :

1. de définir le développement des compétences ;
2. de préciser les éléments de l'environnement qui ont une incidence sur les programmes de développement des compétences ;
3. de décrire les avantages du développement des compétences pour l'entreprise et les employés ;
4. de distinguer les principales étapes du processus de développement des compétences ;
5. de décrire les analyses nécessaires à la détermination des besoins des programmes de développement des compétences ;
6. de définir les caractéristiques de l'employé de l'entreprise ;
7. de décrire le processus d'apprentissage ;
8. d'appliquer les principes du processus d'apprentissage ;
9. d'analyser les facteurs qui influent sur le choix des méthodes de développement des compétences ;
10. de décrire les différentes méthodes de développement des compétences ainsi que leurs avantages et leurs inconvénients ;
11. de comparer les différentes catégories d'évaluation d'un programme de développement des compétences.

Compétence visée

La compétence visée dans ce chapitre est de pouvoir appliquer le processus de gestion du programme de développement des compétences des ressources humaines.

Point de mire

La gestion d'un programme de développement des compétences

Le Service de l'emballage de l'entreprise Outilpro inc., spécialisée dans la distribution d'outils de bricolage, éprouve de très graves problèmes. Cinq des onze employés du Service de l'emballage doivent faire fonctionner des machines à emballer ultrarapides et faire sporadiquement des mises au point en fonction du dérèglement des machines. Le travail est simple et facile, mais la productivité est faible et les machines fonctionnent à peine à 50 % de leur capacité. Souvent, les employés ne réagissent pas aux signaux avertisseurs des machines et négligent d'effectuer les mises au point nécessaires.

›

Dans certains cas, après l'avertissement sonore, de dix à quinze boîtes peuvent être collées incorrectement avant que l'employé n'intervienne. Qui plus est, les mises au point ne correspondent pas toujours aux normes prescrites, si bien qu'une dizaine de boîtes supplémentaires subissent le même sort. Ces boîtes doivent être retirées de la chaîne de fabrication, décollées et réinsérées dans la machine à emballer.

La direction a presque tout essayé pour résoudre le problème : elle a appliqué des mesures disciplinaires aux employés, qui, comme de raison, s'y sont opposés férocement, elle a offert une formation supplémentaire aux surveillants et elle a instauré un système de primes. Après tous ces efforts infructueux, la direction a décidé d'expérimenter un nouveau programme de développement des compétences, car il est possible que certains employés aient oublié leur formation initiale ou que cette formation ait été incomplète. De toute façon, certains employés accomplissent des gestes inutiles et fatigants, ce qui diminue leur efficacité : le nouveau programme leur permettra sûrement d'améliorer leur rendement.

La direction souhaite par la même occasion se débarrasser des employés qui ne pourront réussir la formation : elle estime qu'il faut donner à ces derniers toutes les chances de se remettre dans le droit chemin avant de passer à des gestes radicaux. La nouvelle formation systématique répondra aussi aux objections du syndicat quant à la négligence de l'entreprise à l'égard du développement des compétences de ses employés.

Le superviseur du Service de l'emballage et les techniciens d'Outilpro préparent donc un manuel de formation qui décrit, étape par étape, tous les gestes à faire quant à ce travail précis. Un superviseur a été délégué à titre de formateur pour enseigner en cours d'emploi le nouveau programme sur une base individuelle, et ce, étape par étape, comme le décrit le manuel de formation.

Quelques mois plus tard, les résultats sont catastrophiques ! Aucune augmentation de la productivité ne pointe à l'horizon. Les opérateurs de machines à emballer voient dans leur formateur un intrus qui est venu les surveiller, qui cherche des preuves de mauvaise volonté de leur part au lieu de les former adéquatement. Ils sont convaincus que ce formateur possède moins d'expérience qu'eux et que c'est lui qui devrait recevoir la formation.

7.1 Les tendances du développement des compétences des ressources humaines

7.1.1 Les tendances

Les nouvelles règles du marché dont nous avons souvent fait mention dans les premiers chapitres obligent les entreprises à ne conserver que des ressources humaines extrêmement performantes[1]. La croissance de la compétition à l'échelle nationale et internationale, la rapidité des changements technologiques, l'informatisation des entreprises, la vague phénoménale de fusions et d'acquisitions ainsi que la disparition de certains emplois, la diversité ethnique de la main-d'œuvre, les changements des réseaux de communication, les nouvelles perceptions de la place du travail dans notre vie individuelle et l'émergence de nouveaux emplois incitent au plus haut point les entreprises à consacrer plus de ressources que jamais au développement des compétences.

La concurrence internationale a obligé la plupart des entreprises à aplanir la pyramide hiérarchique. L'élimination de postes de cadres intermédiaires a transféré aux employés la responsabilité de la planification de leurs tâches, la

1. Voir à ce sujet Edward J. Cripe et Richard S. Mansfield, *The Value-Added Employee,* Houston, Gulf Publishing Company, 1999.

gestion de leur équipe et le contrôle des résultats de leur travail. Il est maintenant convenu que la performance organisationnelle et l'innovation passent par des ressources compétentes dont le savoir, le savoir-faire et le savoir-être sont constamment enrichis et alignés aux objectifs de l'entreprise.

Ainsi, il faut embaucher uniquement les candidats les plus prometteurs. Quant aux ressources qui se trouvent déjà au sein de l'organisation, il est indispensable d'investir dans leur perfectionnement.

Les employés ayant un grand potentiel et offrant un excellent rendement doivent être gardés au service de l'entreprise. Le développement des compétences représente sans aucun doute la meilleure approche pour garantir la fidélité des employés.

Le gouvernement, par l'intermédiaire des écoles, des cégeps et des universités, remplit une partie de la mission de formation. Les travailleurs, individuellement, prennent en main leur avenir et consacrent beaucoup d'énergie à leur perfectionnement, mais cela ne suffit pas : les entreprises doivent implanter sur une grande échelle des programmes de développement des compétences pour tous leurs employés sous peine de ne pouvoir se conformer aux standards de qualité et d'excellence nécessaires. D'ailleurs, au Québec, la Loi favorisant le développement et la reconnaissance des compétences de la main-d'œuvre[2] (loi sur les compétences) oblige les employeurs dont la masse salariale annuelle est de plus d'un million de dollars à investir 1 % de cette masse salariale dans la réalisation d'activités de formation qui visent le développement des compétences de leur personnel. Si une entreprise ne se conforme pas à cette obligation, elle doit remettre la portion non investie au ministère du Revenu du Québec, qui versera cet argent au Fonds national de formation de la main-d'œuvre.

Dans un monde idéal, le processus d'embauche devrait permettre à l'entreprise de recruter des candidats répondant exactement à ses attentes et pouvant pourvoir les postes libres avec **compétence** et **efficience** dès les premières journées de travail. Ce but est réaliste dans plusieurs cas, mais les meilleurs employés sont probablement déjà au service d'autres entreprises ou disponibles moyennant des offres salariales qui dépassent les échelles de rémunération établies par l'entreprise.

Compétence
Connaissance approfondie, reconnue, qui confère le droit de juger ou de décider en certaines matières (*Le Petit Robert*, 2009).

Efficience
Rapport entre les résultats obtenus et les ressources utilisées pour les atteindre.

Ces facteurs inciteront les organisations à consacrer plus de ressources au développement des compétences et à faire face aux nouveaux défis qui se présentent sur les plans social, de la performance des entreprises, de la qualité, des relations interpersonnelles et mondial. Voici une brève description de ces défis[3] (*voir la figure 7.1 à la page suivante*) :

- Le défi social consiste à réinsérer sur le marché du travail les jeunes peu scolarisés ainsi que certains groupes d'immigrants nouvellement arrivés au pays et sans formation.
- Le défi de la performance concerne les organisations qui doivent constamment mettre à jour les compétences de leurs employés pour affronter la pression exercée par l'évolution rapide de systèmes technologiques de pointe.

2. Pour une description de la loi, voir le http://emploiquebec.net/francais/entreprises/loiformation/index.htm.
3. Wayne F. Cascio, *Managing Human Resources*, 6e éd., Toronto, McGraw-Hill Ryerson, 2003, p. 291.

- Le défi de la qualité découle des exigences sans cesse croissantes des consommateurs et des clients institutionnels des organisations.
- Le défi des relations interpersonnelles émane des nouvelles tendances observées dans la philosophie de gestion des organisations qui laissent de la place à la participation des employés et au travail en équipe.
- Le défi mondial résulte de la mondialisation des marchés qui force les organisations à développer les compétences des employés à l'étranger en tenant compte de leurs caractéristiques propres et à préparer les employés du pays d'origine à travailler dans d'autres contextes culturels et sociaux.

Figure 7.1 Les défis de l'entreprise

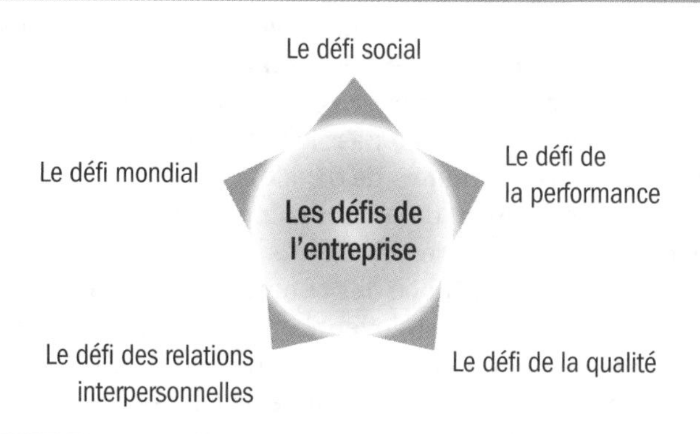

Une des raisons maintes fois évoquées pour justifier l'absence de programme de formation[4] dans une entreprise repose sur le risque de perdre aux mains des concurrents les employés nouvellement formés à l'interne. Cependant, l'accroissement de l'employabilité d'un employé augmente aussi sa valeur dans l'organisation même, si l'employeur valorise la compétence et la motivation de ses travailleurs. Un environnement intéressant et enrichissant permettant de satisfaire les besoins de croissance et de réalisation de soi demeure le principal outil de conservation des employés les plus performants.

Bref, plus un employé améliore son niveau d'employabilité, plus il rehaussera sa sécurité d'emploi et son désir de poursuivre sa carrière au sein de l'organisation.

7.1.2 L'appariement entre les objectifs du développement des compétences des ressources humaines et les objectifs de l'organisation

Les organisations se définissent une mission, des objectifs et des stratégies. Cela leur permet de se situer sur le marché, de préciser les buts et les objectifs qui deviennent leur cible, d'établir les stratégies qu'elles utiliseront pour

4. Voici une légère contradiction : dans la majorité des entreprises, « la formation est une grande priorité ». Pourtant, lorsque le budget de l'entreprise est réduit, il est « probable que le budget de formation disparaisse plus rapidement que les petits fours lors du vernissage d'une exposition d'art contemporain » (Scott Adams, *Le principe de Dilbert*, Paris, First Editions, 1997, p. 55).

remplir leur mission et de développer des tactiques pour atteindre leurs objectifs. Il est donc question de plans stratégiques et de plans opérationnels. Les objectifs de chacun des programmes de gestion des ressources humaines consistent à appuyer les objectifs de l'organisation.

Afin d'améliorer la performance de l'organisation, les cadres définiront des objectifs tels que l'accroissement de la productivité, l'amélioration de la qualité du service à la clientèle, la réduction des coûts, la réduction des délais de mise sur le marché de nouveaux produits ou l'accroissement des ventes. Le rôle du Service des ressources humaines consiste à bien comprendre ces objectifs et à développer une stratégie de développement des compétences qui représentera une valeur ajoutée pour le service ou les employés qui en bénéficieront.

Par exemple, si le Service des ventes a défini comme objectif d'accroître les ventes en s'attaquant à de nouveaux marchés, le rôle du Service des ressources humaines consistera à mettre sur pied des programmes de formation concernant les marchés verticaux, les modèles de prise de décision sur ces marchés, les concurrents y opérant ainsi que la stratégie de marketing de ces derniers. Si, toutefois, l'organisation s'est fixé comme objectif d'augmenter sa rentabilité, et donc d'augmenter les revenus et de réduire les coûts, le Service des ressources humaines doit proposer des programmes de formation qui amélioreront l'efficacité des représentants, ainsi que des programmes pour les employés de l'usine, afin de réduire notamment les heures supplémentaires, les coûts des stocks et les rejets.

Bref, tous les programmes de développement des compétences doivent permettre à l'organisation d'atteindre ses objectifs en offrant des solutions qui répondent aux besoins de chaque unité. Il faut aussi appliquer ces programmes selon des méthodes qui conviennent aux employés et qui tiennent compte de leur disponibilité, puisqu'ils sont, en fait, des clients à l'interne. Enfin, il est important de comprendre que le développement des compétences est une partie de la solution à un problème, mais que très rarement la formation seule suffira. Un programme visant à améliorer le travail en équipe aura peu de succès si le problème constaté découle de l'incompétence et du style de gestion du superviseur.

La formation représente toute activité visant à améliorer le rendement des employés dans leur emploi actuel. Cela signifie qu'elle vise des changements en ce qui concerne les connaissances, les habiletés, les attitudes et les comportements de l'employé. Il s'agit d'une expérience d'apprentissage découlant d'une activité planifiée et répondant à un besoin manifeste. C'est un outil permettant simultanément de soutenir l'entreprise à atteindre ses objectifs et d'aider l'employé à se réaliser.

Le **développement des employés** ou le **perfectionnement** est une occasion d'apprentissage créée afin de favoriser la croissance des employés. Il ne s'ensuit pas nécessairement une augmentation immédiate du rendement des employés dans leurs tâches quotidiennes[5].

La figure de la page suivante représente un test auquel devrait être soumis tout programme de développement des compétences avant d'être proposé.

Développement des employés
Occasion d'apprentissage créée afin de favoriser la croissance des employés.

Perfectionnement
Toute activité visant à améliorer le rendement des employés dans leur emploi actuel.

5. Lire à ce sujet L. Nadler, « Human Resource Development », dans L. Nadler (sous la direction de), *The Handbook of Human Resource Development*, New York, John Wiley and Sons, 1984, p. 1-47.

Figure 7.2 **Le test pour la mise en œuvre d'un programme de développement des compétences**

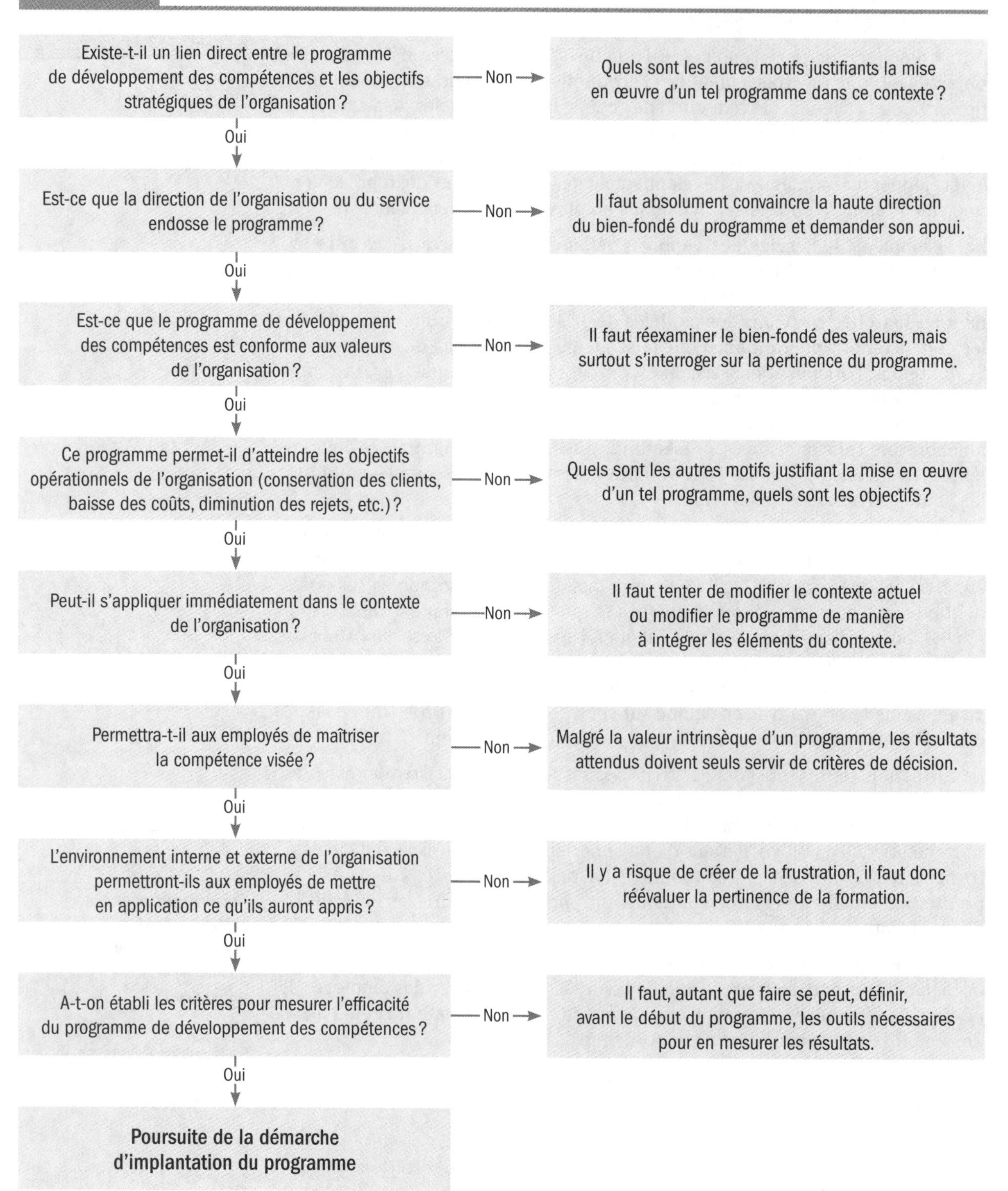

Seules des réponses positives à ces questions devraient légitimer la poursuite de la démarche d'implantation d'un programme de développement des compétences.

7.2 La définition du développement des compétences

Le **développement des compétences**[6] est un ensemble de programmes comprenant diverses activités d'apprentissage visant l'acquisition des connaissances, des habiletés et des comportements qui permettront à un employé de s'adapter à son environnement de travail et de contribuer à la réalisation des objectifs de l'entreprise. Afin d'être efficace, le développement doit être planifié et permettre à l'entreprise et à l'employé de combler leurs besoins.

Développement des compétences
Ensemble de programmes comprenant diverses activités d'apprentissage visant l'acquisition des connaissances, des habiletés et des comportements qui permettront à un employé de s'adapter à son environnement de travail et de contribuer à la réalisation des objectifs de l'entreprise.

Quant aux **connaissances**, elles consistent en un savoir acquis par le développement des compétences, lequel est jugé nécessaire pour obtenir un rendement satisfaisant au travail. Par ailleurs, elles font référence à la maîtrise du contenu (par exemple, la connaissance des normes ISO 9000), alors que les compétences relèvent du savoir-faire (par exemple, l'élaboration de stratégies de communication en période de crise). Il est maintenant admis que les acquis scolaires permettent de développer une compétence sans qu'il y ait nécessairement une expérience de travail. Ainsi, selon la Société québécoise de développement de la main-d'œuvre, « les compétences sont définies comme un savoir et un savoir-faire opérationnels liés à l'exercice d'une tâche ou d'un ensemble de tâches d'une profession ou d'un métier[7] ». La compétence renvoie donc à la fois aux connaissances, à la capacité de les appliquer à des techniques et à la capacité d'adopter des comportements permettant d'atteindre des objectifs précis liés à un poste (*voir la figure 7.3*).

Connaissances
Savoir acquis par le développement des compétences, lequel est jugé nécessaire pour obtenir un rendement satisfaisant au travail.

Figure 7.3 Les composantes d'une compétence

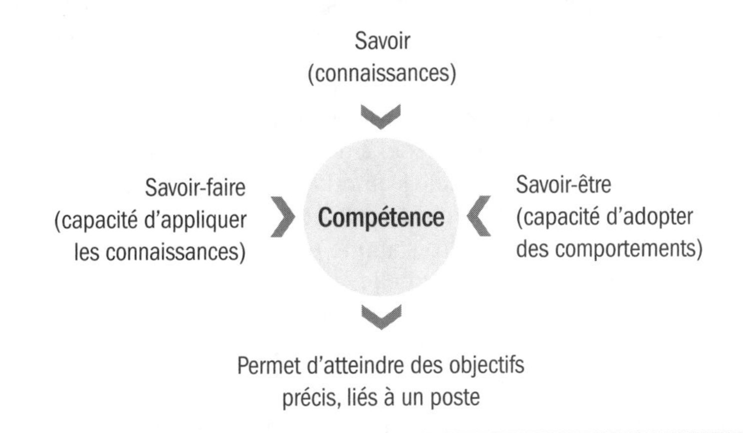

6. L'expression que nous avons retenue découle de la Loi favorisant le développement et la reconnaissance des compétences de la main-d'œuvre.

7. Lorraine Lafleur, *Guide de recherche d'emploi,* Longueuil, Collège Édouard-Montpetit, p. 60.

Le développement des compétences comprend plusieurs activités qu'on peut regrouper en cinq programmes : l'accueil, l'intégration de l'employé, la formation, le développement individuel (le perfectionnement) et le développement organisationnel (*voir la figure 7.4*).

Figure 7.4 Les programmes de développement des compétences des ressources humaines

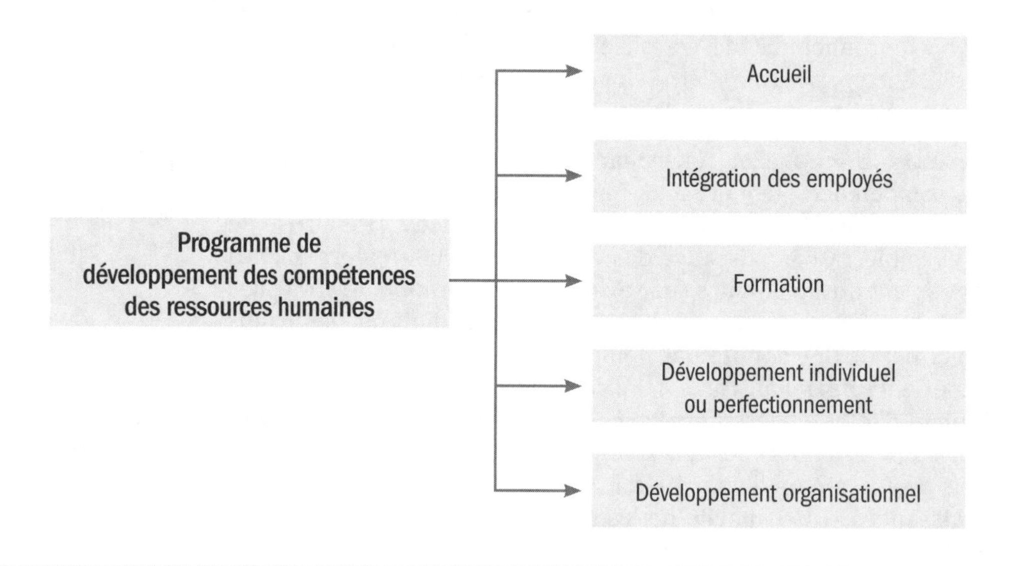

Le **perfectionnement** de l'employé est un ensemble d'activités qui ont pour but la transmission ou l'actualisation des connaissances, des habiletés et des attitudes professionnelles liées directement au travail.

L'accueil (*voir le chapitre 6*) est un programme qui consiste à familiariser le nouvel employé avec l'organisation ainsi qu'avec sa mission, ses objectifs, ses produits, sa structure, les personnes-ressources, les avantages sociaux, etc. Il constitue la dernière étape du processus de sélection et la première étape du processus de formation.

L'**intégration de l'employé** correspond à la période où le nouvel employé s'initie aux exigences et aux pratiques de son nouvel emploi. Ce programme le familiarise avec les procédés en vigueur et les comportements attendus dans son nouveau poste. Dans les entreprises où ce programme est inexistant, l'intégration se réalise d'une façon informelle, mais cela prend beaucoup plus de temps et engendre très souvent des malentendus et des erreurs dont les coûts dépassent nettement celui de la mise sur pied d'un programme formel.

Intégration de l'employé
Période durant laquelle le nouvel employé s'initie aux exigences et aux pratiques de son nouvel emploi.

La formation de l'employé est un ensemble d'activités qui ont pour but la transmission ou l'actualisation des connaissances, des habiletés et des attitudes professionnelles liées directement au travail.

Les activités de **perfectionnement** préparent les employés aux changements technologiques, telle l'apparition de machines-outils numériques, et aux modifications des structures de travail, comme la mise sur pied de **groupes semi-autonomes de travail**. L'amélioration du rendement de l'employé représente un autre but du perfectionnement. Il s'agit de rendre l'employé plus efficace dans son poste de travail grâce à l'amélioration de ses techniques. Les cours de traitement de texte pour les employés de bureau leur permettent, par exemple, de tirer un plus grand profit de l'outil informatique qu'ils utilisent tous les jours. La formation doit être planifiée par l'entreprise, elle doit répondre à des besoins clairement déterminés et viser les objectifs organisationnels autant que les objectifs personnels de l'employé.

Perfectionnement
Ensemble d'activités qui ont pour but la transmission ou l'actualisation des connaissances, des habiletés et des attitudes professionnelles directement liées au travail.

Groupe semi-autonome de travail
Équipe de travail, sans leader formel nommé par l'entreprise, qui assume la majorité des décisions généralement déléguées à un superviseur. Le groupe reçoit un minimum de directives et doit respecter les politiques de l'entreprise, d'où l'expression «semi-autonome».

Le **développement individuel** ou le perfectionnement d'un employé vise l'amélioration de ses compétences dans une démarche orientée vers l'avenir. Certaines activités de formation que nous présenterons plus loin ont pour seul objectif de doter l'employé des compétences nécessaires pour pourvoir un emploi qui lui sera offert au moment d'une éventuelle promotion. Un des objectifs de la rotation des postes, par exemple, consiste à élargir l'expérience de l'employé sur le plan de la gestion et, ainsi, à accélérer l'ascension des individus les plus compétents dans la hiérarchie de l'entreprise.

Développement individuel (ou perfectionnement)
Programme visant l'amélioration des compétences de l'employé dans une démarche orientée vers l'avenir.

Le **développement organisationnel** représente l'outil par excellence permettant à l'entreprise d'atteindre ses objectifs à long terme. Le développement organisationnel est un effort planifié, touchant généralement l'ensemble de l'organisation. Il est géré par les cadres supérieurs, dont l'objectif est d'améliorer l'efficacité et la santé de l'organisation au moyen d'interventions planifiées dans les processus administratifs, lesquelles s'appuient sur les connaissances des sciences du comportement[8]. Il s'agit habituellement d'une approche proactive permettant d'effectuer des changements majeurs. Des entreprises telles que General Motors, Navistar International (auparavant International Harvester) ou Chrysler ont pu traverser des périodes de crise impliquant des changements majeurs de leur environnement et modifier complètement leur culture d'entreprise en appliquant des programmes de développement organisationnel.

Développement organisationnel
Programme de changement planifié, touchant généralement l'ensemble de l'organisation. Il est géré par les cadres supérieurs, dont l'objectif est d'améliorer l'efficacité et la santé de l'organisation au moyen d'interventions planifiées dans les processus administratifs, lesquelles s'appuient sur les connaissances des sciences du comportement.

7.3 Le processus du développement des compétences

Si, comme nous l'avons vu, le développement des compétences est constitué d'activités facilitant l'acquisition des connaissances, des habiletés et des comportements permettant à un employé de s'adapter à son environnement de travail et de contribuer à la réalisation des objectifs de l'entreprise, cela implique que le gestionnaire a clairement établi quels étaient les connaissances, les habiletés, les comportements ainsi que le niveau de rendement nécessaires à la réalisation des objectifs de l'entreprise.

8. Bernard Turgeon, *La pratique du management,* 3e éd., Montréal, Chenelière/McGraw-Hill, 1997, p. 417.

Il est donc primordial de respecter certaines étapes dans l'établissement d'un programme de développement des compétences. Il importe tout d'abord que l'analyse des besoins, qui est la base du programme, ait été exécutée avec soin et que les objectifs du développement des compétences soient définis avec précision. Ensuite, conformément à ces objectifs et aux principes élémentaires de l'apprentissage, les méthodes, les formateurs et les employés sont sélectionnés. Le programme de développement des compétences peut alors être offert. Enfin, l'étape de l'évaluation des résultats permet de mesurer le succès de la formation à l'aide de critères pertinents. Au préalable, il faudra établir spécifiquement les moyens de mesurer les résultats qui découleront de ce programme (*voir la figure 7.5*).

7.3.1 La détermination des besoins

Le **transfert** représente la raison d'être du développement des compétences. Plus l'employé pourra transférer les connaissances et les habiletés acquises dans sa tâche, plus le programme de formation sera efficace.

Afin de retirer le maximum de l'investissement dans le développement des compétences, les entreprises doivent absolument concentrer leurs efforts dans les domaines et auprès des employés qui auront un impact sur les bénéfices de l'entreprise. L'établissement des besoins en formation exige une analyse à trois niveaux: l'analyse de l'organisation, l'analyse des postes de travail et des activités de même que l'analyse du rendement des ressources humaines.

Les besoins en formation peuvent se manifester à l'un de ces trois niveaux, mais de façon plus générale, les besoins en formation doivent être analysés en fonction des objectifs stratégiques et opérationnels de l'entreprise préalablement définis, sans négliger leur impact sur les profits.

L'analyse de l'organisation

Au cours de l'analyse de l'organisation, on cherche surtout à déterminer précisément les unités administratives qui ont des besoins en formation. L'analyse de l'environnement externe et celle du climat interne sont également essentielles. Les tendances de l'industrie, les nouvelles obligations légales, le développement des droits de la personne, les activités syndicales, la productivité, le taux d'accidents, le taux de roulement, le taux d'absentéisme et le comportement général des employés, les entrevues de départ (lors de la démission d'un employé ou de sa mise à la retraite) et les commentaires de la clientèle sont autant d'éléments d'information dont il faut tenir compte.

Il s'agit de savoir si le développement des compétences produira des changements dans le comportement des employés qui permettront d'atteindre les objectifs de l'entreprise. Y a-t-il un lien entre les besoins en formation et la réalisation des objectifs stratégiques ? La présence de ce lien donne au développement des compétences des ressources humaines sa raison d'être.

L'analyse des postes et des activités

L'analyse des postes, les profils d'exigences des postes, l'évaluation du rendement, les rencontres et les discussions avec les employés en cause et l'analyse des activités à l'aide d'outils tels que le contrôle de la qualité et les budgets sont autant de sources de renseignements concernant les besoins en formation.

Figure 7.5 Les étapes d'un programme de développement des compétences

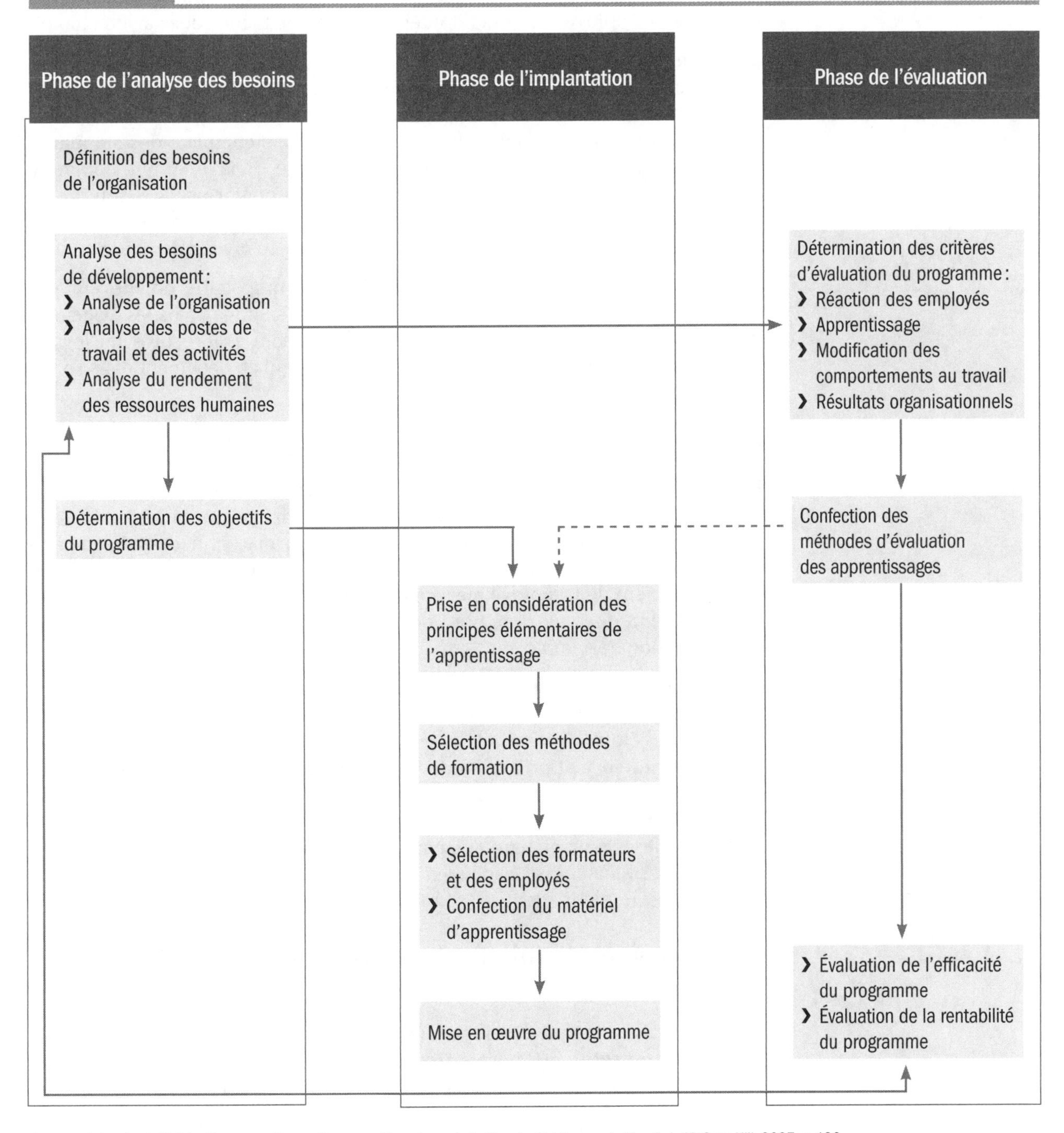

Source: Adaptée de H. John Bernardin, *Human Resource Management: An Experiential Approach,* New York, McGraw-Hill, 2007, p. 196.

Au moment de l'analyse des activités, on tente d'établir le contenu de la formation, c'est-à-dire les connaissances, les habiletés et les comportements qui amèneront l'employé à accomplir adéquatement les tâches liées à son emploi.

L'analyse des activités requiert un examen minutieux des tâches qui devront être accomplies lorsque la formation sera achevée. Cette analyse implique la collecte systématique des renseignements quant à la manière d'exécuter les tâches liées à l'emploi. Il faut aussi faire une analyse complète des standards correspondant à un rendement adéquat. Ensuite, il faut établir comment l'employé doit accomplir les tâches de façon à se conformer aux standards. Enfin, il faut déterminer les connaissances, les habiletés, les compétences et les autres caractéristiques nécessaires pour atteindre ce niveau de rendement.

Par exemple, un recruteur auprès des établissements scolaires doit développer ses compétences en entrevue et en création de réseautage, mais les exigences découlant des chartes des droits imposent maintenant qu'il reçoive une formation poussée concernant les lois et les obligations qui en découlent dans l'exercice de ses fonctions.

L'analyse du rendement des ressources humaines

L'analyse du rendement des ressources humaines détermine le niveau de rendement d'un individu dans son emploi. Cette analyse permet d'établir les besoins en formation propres à un employé. La formation nécessaire correspond à l'écart observé entre le rendement attendu selon la description de poste et le rendement de l'employé mesuré à l'aide d'observations, d'une évaluation du rendement, du journal de bord de l'employé et des enquêtes sur le niveau de satisfaction des employés.

La détermination des besoins en formation exige aussi que chaque membre de l'entreprise participe à cette analyse. Les cadres supérieurs doivent, au moment de l'établissement des objectifs stratégiques de l'entreprise, définir les besoins en formation qui en découlent. De leur côté, les cadres intermédiaires doivent, au moment de la détermination des méthodes qui permettront d'atteindre ces objectifs, analyser les besoins en formation rattachés à ces méthodes. Enfin, chacun des employés, au moment de l'exécution de ses tâches, doit préciser les besoins en formation nécessaires pour atteindre un niveau de rendement adéquat (*voir la figure 7.6*).

7.3.2 La détermination des objectifs de développement des compétences

Lorsque les besoins de développement des compétences sont établis, il faut définir des objectifs qui permettront de satisfaire ces besoins. « L'art pour l'art », ou le développement dans le but d'offrir du développement, ne permettra jamais d'évaluer l'efficacité d'un programme. Les analyses qui viennent d'être décrites doivent servir de fondement à la fixation des résultats attendus pour l'organisation, pour le service et pour l'employé, une fois la formation

Figure 7.6 L'analyse des besoins de développement

Analyse de l'organisation	Analyse des postes de travail et des activités	Analyse du rendement des ressources humaines
Quel est le contexte ?	Dans quel domaine le développement des compétences est-il requis ?	Qui a besoin de développement ?
› But et objectifs de l'entreprise › Inventaires des compétences › Climat de travail › Activités syndicales › Taux d'accidents › Taux de roulement › Taux d'absentéisme › Entrevues de départ › Contexte externe de l'entreprise › Modification technologique › Demande de la direction › Commentaires de la clientèle	› Descriptions des emplois › Profils d'exigences › Évaluation du rendement › Discussions avec les employés › Analyse des activités	› Évaluation du rendement d'un employé en particulier › Demandes des employés › Incidents critiques

Source : Adaptée de M. L. Moore et P. Dutton, « Training Needs Analysis: Review and Critique », *Academy of Management Review*, n° 3, 1978, p. 534-538.

terminée. Les principaux objectifs du développement des compétences sont les suivants[9] :

- Les objectifs du programme de développement en termes d'apprentissage :
  Quels sont les principes, les connaissances et les concepts à transmettre ? Il s'agit de définir le contenu des programmes de développement des compétences, de la sélection des employés à inscrire dans le programme et de l'établissement du calendrier du programme.
- Les objectifs du service et de l'ensemble de l'entreprise :
  Quel impact attend-on du programme dans un service en particulier et dans l'ensemble de l'entreprise ? Il peut s'agir de la réduction du taux de roulement, de la réduction du taux d'absentéisme, de la réduction des coûts, de l'amélioration de la productivité ou de la réduction du taux d'accidents.

9. Inspiré de Lloyd L. Byears et Leslie W. Rue, *Human Resource Management*, 9e éd., Boston, Irwin et McGraw-Hill, 2008, p. 162.

› Les objectifs pour les employés :
Quel impact attend-on du programme chez chacun des employés ? Il s'agit des modifications des comportements et des attitudes chez un employé, ainsi que des effets sur sa croissance personnelle.

La définition explicite des objectifs du programme de développement des compétences permettra d'approfondir avec plus de justesse les critères et les normes d'évaluation du programme et de choisir les méthodes de formation, le contenu du cours ainsi que le matériel utilisé.

À titre d'exemple, nous vous proposons une liste des habiletés nécessaires pour intégrer, demeurer et progresser dans le marché de la main-d'œuvre canadienne[10] (*voir les questions à la fin du chapitre*) :

› Habiletés fondamentales : les habiletés nécessaires à un développement futur :
  - capacité de communiquer ;
  - capacité de gérer l'information ;
  - capacité d'utiliser les données chiffrées ;
  - capacité d'évaluer les situations et de résoudre les problèmes.
› Habiletés personnelles : les habiletés, les attitudes et les comportements qui permettent de développer le potentiel d'un employé :
  - capacité de démontrer une attitude et un comportement positifs ;
  - responsabilité et capacité d'établir des objectifs ;
  - flexibilité, innovation et ouverture ;
  - capacité de se développer de manière continue ;
  - conscience de l'importance de la sécurité au travail.
› Habiletés pour travailler en équipe : les habiletés et les attitudes nécessaires pour contribuer à la croissance de l'entreprise :
  - capacité de travailler en équipe ;
  - capacité de participer à des projets de groupe.

7.3.3 L'implantation du programme

Lorsque les besoins ont été clairement définis, on peut passer à l'étape suivante, qui consiste dans la mise en application du programme de développement des compétences des ressources humaines. Au cours de la planification et de l'implantation du programme, il faut tenir compte des principes de l'apprentissage, respecter les étapes du processus d'apprentissage, analyser et choisir les méthodes de développement des compétences les plus pertinentes au vu des objectifs établis, de même que sélectionner les formateurs et les employés qui participeront au programme. Ce sont les domaines que nous approfondirons dans les trois prochaines sections (*7.3.4, 7.3.5 et 7.3.6*).

10. The Conference Board of Canada, *Employability Skills 2000+*, Brochure 2000 E/F, Ottawa, 2000.

7.3.4 Les principes et le processus d'apprentissage

La prise en considération des principes de l'apprentissage

Les principes de base de l'apprentissage ont été définis il y a près d'un siècle. S'ils sont appliqués correctement, ils faciliteront la mémorisation et favoriseront la mise en pratique des habiletés et des acquis lors de la formation. Pendant l'élaboration du programme de formation, il faut intégrer ces principes afin de maximiser les retombées de l'exercice. Le tableau 7.1 présente les principes essentiels de l'apprentissage.

Tableau 7.1 Les principes essentiels de l'apprentissage

Principes	Explications
Motivation des employés en formation par l'établissement d'objectifs	La motivation de l'employé en formation est le fondement même de l'apprentissage. N'apprend que celui qui veut apprendre, et pour apprendre, il faut se fixer des objectifs. L'objectif ultime du programme de formation doit être subdivisé en sous-objectifs et en étapes.
Participation du stagiaire	L'apprentissage sera plus rapide et la rétention plus longue si le stagiaire y participe activement.
Répétition du contenu	La répétition et la mémorisation d'un contenu de cours ou de ses points importants améliorent la compréhension et la rétention. Avant de comprendre, il faut mémoriser.
Présentation de modèles de comportements	L'apprentissage se fait en grande partie par l'observation des autres. Nous serons tentés d'imiter les comportements des autres s'ils leur apportent les résultats désirés. Un modèle est un individu compétent, amical et jouissant d'une position enviable dans une entreprise. Pour s'assurer que les comportements sont clairement perçus, il est préférable de présenter plusieurs modèles ayant des comportements semblables.
Pertinence	L'utilisation d'un contenu familier facilite l'apprentissage. Le contenu du développement des compétences facilitera l'apprentissage s'il permet à l'employé en formation de se retrouver dans un contexte familier. À cet effet, la dynamique de la première rencontre avec un groupe d'employés revêt une importance particulière. Au moment de cette rencontre, il faut présenter les objectifs généraux du cours et l'ensemble de la matière et des sujets qui seront abordés dans l'activité de formation. Il faut démontrer comment chacune des parties du cours constitue un ensemble et comment cet ensemble s'intègre dans le projet global de formation.
Mise en pratique des apprentissages	Afin d'obtenir une efficacité et un rendement élevés de la part des employés, il est important de vérifier le plus tôt possible leur capacité de mettre en pratique leur apprentissage. Il ne s'agit pas seulement de consacrer un nombre d'heures donné à la pratique, il faut aussi répartir adéquatement ces heures. Par contre, l'apprentissage d'un travail astreignant et complexe exige généralement qu'on y accorde une période d'exercice plus intensive afin d'atteindre un niveau de concentration nécessaire à l'exécution de la tâche.
Rétroaction	La rétroaction est essentielle à l'apprentissage et au maintien de la motivation de l'employé en formation. Elle lui transmet un message d'approbation concernant son comportement, ce qui l'incitera à intégrer ce comportement pour le répéter dans des situations similaires à l'avenir. Le formateur joue un rôle capital en ce qui a trait au renforcement. Toutefois, la rétroaction fournie par le superviseur demeure prépondérante.

›

Tableau 7.1 Les principes essentiels de l'apprentissage (*suite*)

Principes	Explications
Prise en considération des différences individuelles	Les employés ne sont pas tous égaux les uns par rapport aux autres. Certains ont déjà un bon bagage de connaissances avant le début du programme de formation, alors que d'autres ne possèdent que des notions rudimentaires. Enfin, certains employés fourniront à la fin du programme un niveau de rendement impressionnant, alors que d'autres n'enregistreront qu'une faible amélioration, leur compréhension atteignant rapidement un plateau qu'ils ne pourront dépasser. Le formateur doit reconnaître ces situations et ajuster ses méthodes de formation en conséquence.

Le respect du processus d'apprentissage

L'objectif fondamental d'un programme de formation est le transfert des connaissances, des habiletés et des comportements acquis dans l'exécution de la tâche. Il y a donc une hiérarchisation des phases dans le processus d'apprentissage (*voir la figure 7.7*), qui repose sur les postulats suivants[11] :

- l'employé doit être disposé à apprendre ;
- il doit apprendre pour pouvoir retenir l'information ;
- il doit retenir l'information pour transférer les acquis dans sa tâche ;
- il doit transférer les apprentissages dans sa tâche pour que le développement des compétences soit effectif.

Figure 7.7 Les phases du processus d'apprentissage

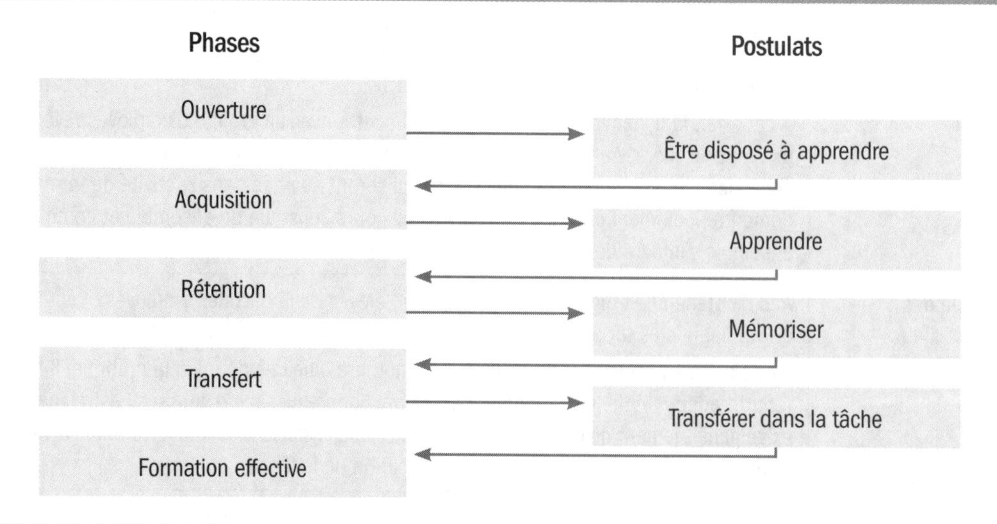

11. Ces postulats ont été mis au point par J. Landry, *Modèle opérationnel de formation individuelle à des tâches techniques en milieu industriel*, mémoire de maîtrise inédit, Université de Montréal, Département de psychologie industrielle et organisationnelle, 1979. La présentation des phases du processus de formation a été proposée par André Savoie, *Le perfectionnement des ressources humaines en organisation*, Montréal, Agence d'Arc, 1984, p. 65-76.

L'*ouverture* consiste en un état de réceptivité de l'employé à l'égard du programme de formation. Cette réceptivité découle de la motivation de l'employé, issue de son désir de combler certains besoins. Le maintien de cette motivation repose sur la pertinence du programme et sur la capacité du formateur d'adapter son enseignement aux besoins et aux désirs de l'employé. Cette phase, qui est critique, correspond au respect du principe, mentionné précédemment, de l'élaboration des objectifs, qui établit que la motivation est le fondement même de l'apprentissage.

L'*acquisition* est la phase où l'employé acquiert de nouvelles connaissances et de nouveaux comportements. Le formateur fera la démonstration du rendement attendu et, par la suite, l'employé appliquera les connaissances et les capacités qu'il a acquises. Les principes du modelage des comportements, de la mise en pratique et de la rétroaction s'appliquent au cours de cette phase où l'employé recherche un renforcement et mesure les résultats de son apprentissage, alors que le formateur utilise la rétroaction pour informer l'employé sur ses acquis.

La *rétention* s'effectue lorsqu'il y a une application efficace des connaissances et des habiletés dans les exercices de mise en pratique des acquis. Cette phase cruciale se situe entre l'acquisition et le transfert. En effet, nul ne peut transmettre ce qu'il n'a pas retenu. La rétention est supérieure lorsque les apprentissages sont distribués dans le temps et entrecoupés de périodes de repos, comme nous l'avons mentionné au sujet des principes de l'apprentissage et de la mise en pratique. En fait, plus les connaissances et les habiletés seront acquises et maîtrisées, plus le transfert sera efficace.

Le *transfert* représente la raison d'être du développement des compétences. Plus l'employé pourra transférer dans sa tâche les connaissances et les habiletés acquises, plus le programme de formation sera efficace. Ce transfert sera facilité si le superviseur immédiat encourage l'employé à utiliser les acquis du développement des compétences dans sa tâche, si l'employé a atteint un degré d'efficacité acceptable dans l'utilisation de ses connaissances et de ses habiletés, et, enfin, si l'utilisation de ces connaissances et de ces habiletés constitue une solution acceptable aux problèmes éprouvés dans la tâche.

Avec la **formation en atelier-école**, il s'agit d'offrir une formation réaliste et concrète, mais loin de la pression exercée par les activités quotidiennes. Le client étant conscient du contexte de la formation, la lenteur du service ou une erreur de parcours n'auront pas de conséquence sur le lien entre le client et l'entreprise.

7.3.5 Les méthodes de développement des compétences

Le choix des méthodes de développement des compétences

Les méthodes de développement des compétences[12] sont fort nombreuses et, en raison de l'évolution de la technologie, de nouvelles méthodes apparaissent régulièrement. Lors de l'élaboration d'un programme, plusieurs méthodes seront retenues et utilisées conjointement. Le choix d'une méthode de développement des compétences découle de compromis entre différents éléments, dont les principaux sont :

- le coût du programme ;
- le contenu ;

12. Lire, au sujet des typologie des processus de développement des compétences, Karim Hamadache, *Le développement des compétences*, dans Qualité Online, au www.qualiteonline.com/rubriques/rub_3/dossier-44.html.

- la disponibilité de locaux appropriés;
- les capacités et les préférences des stagiaires;
- les capacités et les préférences du formateur;
- le respect des principes d'apprentissage;
- le contexte;
- le temps disponible.

Afin de faire un tour d'horizon, il nous paraît plus pratique de regrouper ces méthodes en catégories. Il y a plusieurs modes de catégorisation des méthodes de développement des compétences, et nous avons retenu celle de Wayne F. Cascio. Cet auteur propose trois catégories de méthodes: les méthodes axées sur la fonction cognitive, les méthodes par simulation et les méthodes utilisées en cours d'emploi (*voir le tableau 7.2*).

Tableau 7.2 Les principales méthodes de développement des compétences

Les méthodes de développement des compétences axées sur la fonction cognitive			
Méthodes	**Utilisations**	**Avantages**	**Inconvénients**
Présentation - enseignement en classe	› Appropriation de connaissances › Présentation de nouveaux concepts › Présentation des notions de base	› Peu coûteuse › Utile lorsque l'auditoire est grand › Temps de formation réduit › Ajout d'acétates, utilisation de l'ordinateur, de discussion, de discussion de cas, de jeux de rôles, etc. › Probablement la méthode la plus utilisée (écoles, cégeps, universités incluses)	› Passivité des stagiaires › Transfert de connaissances peu efficace (rétention faible) › Efficacité à la merci des qualités de communication du formateur › Apprentissage qui repose sur la motivation du stagiaire › Inutile pour la formation individuelle › Risque de mauvaise compréhension, s'il n'y a pas de rétroaction
Apprentissage en ligne (classe virtuelle)	› Appropriation de nouvelles connaissances › Mise à jour des connaissances et de la formation continue › Présentation de nouveaux concepts › Présentation des notions de base	› Peu coûteuse › Utile lorsque l'auditoire est grand › Révision des leçons facilitée › Très flexible › Coûts de déplacements réduits pour le formateur et les stagiaires › Respect du rythme d'apprentissage du stagiaire › Réduction des besoins de formateurs › Utilisation plus flexible des nouvelles technologies de formation › Processus d'apprentissage indépendant de l'heure et du lieu › Ajout possible de forums de discussion et de vidéoconférences	› Coût du matériel en bibliothèque possiblement élevé › Matériel écrit qui doit convenir aux différents niveaux de lecture des stagiaires › Apprentissage qui repose sur la motivation du stagiaire › Incompatible avec certains emplois › Coûts de développement qui peuvent être très élevés

›

Tableau 7.2 Les principales méthodes de développement des compétences (*suite*)

Les méthodes de développement des compétences axées sur la fonction cognitive (*suite*)			
Méthodes	**Utilisations**	**Avantages**	**Inconvénients**
Formation autodidacte (lecture, cédérom)	› Appropriation de nouvelles connaissances › Mise à jour des connaissances et formation continue	› Peu coûteuse › Respect du rythme d'apprentissage du stagiaire › Réduction des besoins de formateur › Interactivité possible avec le cédérom › Minimisation du coût de développement, sauf dans le cas de l'utilisation cédérom	› Coût du matériel en bibliothèque possiblement élevé › Matériel écrit qui doit convenir aux différents niveaux de lecture des stagiaires › Apprentissage qui repose sur la motivation du stagiaire › Incompatible avec certains emplois
Système électronique de soutien du rendement (SESR)	› Apprentissage du fonctionnement d'un équipement ou d'un logiciel	› Peu coûteuse › Réduction des besoins de formateur › Mise en pratique possible › Rétroaction fournie	› Coûts de développement possiblement très élevés › Contexte d'apprentissage peu stimulant dans certains cas
Laboratoire de sensibilisation aux phénomènes de groupe	› Développement de prise de conscience de notre image chez les autres › Enseignement des habiletés interpersonnelles	› Mise en pratique possible › Rétroaction fournie › Amélioration de la rétention	› Grande consommation de temps › Coûts de développement possiblement très élevés
Cours programmé	› Appropriation de nouvelles connaissances › Mise à jour des connaissances et formation continue	› Respect du rythme d'apprentissage du stagiaire › Réduction des besoins de formateur	› Coûts de développement possiblement très élevés
Les méthodes de développement des compétences par simulation			
Méthodes	**Utilisations**	**Avantages**	**Inconvénients**
Étude de cas	› Amélioration de la prise de décision › Développement les habiletés d'analyse › Développement des habiletés de communication › Illustration de la diversité des solutions	› Peu coûteuse › Mise en application de la prise de décision › Apprentissage dynamique › Très bien pour le développement des habiletés de résolution de problèmes › Amélioration de l'ouverture d'esprit	› Mise à jour continuelle › Grande consommation de temps › Risque de domination de la discussion par le formateur

›

Tableau 7.2 Les principales méthodes de développement des compétences (*suite*)

Les méthodes de développement des compétences par simulation (*suite*)			
Méthodes	**Utilisations**	**Avantages**	**Inconvénients**
Jeu de rôle	› Facilitation de la modification des attitudes › Mise en pratique des habiletés acquises › Analyse des problèmes interpersonnels	› Possibilité de profiter de l'expérience des participants › Mise en application de la prise de décision › Apprentissage dynamique › Très bien pour le développement des habiletés de résolution de problèmes › Très réaliste › Rétroaction disponible	› Résistance des participants à s'impliquer › Possibilité de ne pas être sérieux › Grande consommation de temps › Coûts de développement possiblement très élevés
Corbeille du gestionnaire	› Développement des habiletés d'analyse	› Mise en application de la prise de décision › Très bien pour le développement des habiletés de résolution de problèmes › Très réaliste › Rétroaction disponible	› Coûts de développement possiblement très élevés
Discussion en groupe	› Développement des habiletés d'analyse	› Mise en application de la prise de décision › Amélioration de l'ouverture d'esprit	› Grande consommation de temps
Simulation et jeu informatisés	› Amélioration de la prise de décision › Développement les habiletés d'analyse › Mise en pratique des habiletés acquises › Développement des habiletés interpersonnelles	› Mise en application de la prise de décision › Apprentissage dynamique › Très bien pour le développement des habiletés de résolution de problèmes › Très réaliste › Regroupement facilité de toutes les tâches d'un emploi › Rétroaction disponible › Présentation d'un défi réaliste	› Très compétitif › Grande consommation de temps › Coûts de développement très élevés › Possibilité d'étouffement de la créativité
Simulateur	› Mise en pratique des habiletés acquises › Reproduction des conditions réelles de travail › Développement d'habiletés physiques et intellectuelles	› Mise en application de la prise de décision › Apprentissage dynamique › Très bien pour le développement des habiletés de résolution de problèmes › Très réaliste › Rétroaction disponible › Très efficace pour la formation et le transfert de connaissances › Recréation de presque toutes les situations de travail sans risque et à coût réduit lors de l'utilisation	› Coûts de développement très élevés

›

Tableau 7.2 Les principales méthodes de développement des compétences (*suite*)

Les méthodes de développement des compétences en cours d'emploi			
Méthodes	**Utilisations**	**Avantages**	**Inconvénients**
Période d'intégration de l'employé (formation en cours d'emploi)	› Apprentissage de nouvelles habiletés	› Peu coûteuse › Transfert de connaissances, d'habiletés et de comportement d'un employé expérimenté à une recrue › Aucun équipement particulier requis › Réduction des dépenses reliées au formateur › Motivation du stagiaire favorisée puisque la formation est reliée à l'emploi › Probablement la méthode la plus utilisée pour la formation en cours d'emploi	› Repose sur la motivation et l'habileté du formateur › Augmentation des coûts reliés aux erreurs et à la perte de production › Interruption possible en raison des exigences du travail › Manque de structure possible › Possibilité pour le stagiaire d'apprendre de mauvaises habitudes
Formation en atelier-école	› Apprentissage de nouvelles habiletés	› Transfert de connaissances, d'habiletés et de comportement › Réduction des dépenses reliées au formateur › Motivation du stagiaire favorisée puisque la formation est reliée à l'emploi	› Motivation et habiletés du formateur essentielles › Augmentation des coûts reliés aux erreurs et à la perte de production › Manque de structure possible › Possibilité pour le stagiaire d'apprendre de mauvaises habitudes
Système de l'apprenti	› Apprentissage de nouvelles habiletés	› Transfert de connaissances, d'habiletés et de comportement › Motivation du stagiaire favorisée puisque la formation est reliée à l'emploi	› Motivation et habiletés du formateur essentielles › Interruption possible en raison des exigences du travail › Possibilité pour le stagiaire d'apprendre de mauvaises habitudes
Rotation des postes	› Apprentissage de nouvelles habiletés	› Motivation du stagiaire favorisée puisque la formation est reliée à l'emploi › Formation couvrant plusieurs emplois › Meilleure polyvalence des employés	› Augmentation des coûts reliés aux erreurs et à la perte de production

Les méthodes de développement des compétences axées sur la fonction cognitive

Lorsque l'employé doit acquérir de nouvelles connaissances, de nouvelles habiletés intellectuelles ou de nouvelles attitudes, les méthodes axées sur la fonction cognitive sont les méthodes les plus efficaces.

Cette catégorie comprend des méthodes telles que la présentation à l'aide d'un exposé ou d'une conférence, le laboratoire de sensibilisation aux phénomènes de groupe, le cours programmé ainsi que d'autres méthodes, comme les cours par correspondance, les films et les vidéos, les groupes de lecture, l'observation ou l'utilisation de disques compacts interactifs sur ordinateur. Vous retrouverez dans le tableau 7.2 (*p. 222*) une brève description de ces méthodes.

Présentation
Processus de communication à sens unique où le formateur s'adresse à des employés au cours d'un exposé ou d'une conférence.

La **présentation** est un processus de communication à sens unique où le formateur s'adresse à des employés au moyen d'un exposé ou d'une conférence. Face à un auditoire restreint, la possibilité de discussions et les périodes de questions rendent l'exercice plus interactif.

Certaines techniques audiovisuelles, les recherches personnelles et les cours programmés sont assimilables à des présentations «sans formateur». Ces méthodes permettent de contourner certains inconvénients des présentations en permettant particulièrement aux employés d'établir leur propre rythme d'apprentissage.

Les présentations sont très utiles lorsqu'il s'agit de transmettre des connaissances ou d'initier les employés à un nouveau sujet. Cette méthode est sans doute la plus efficace, car elle permet de s'adresser à un groupe important et de communiquer un contenu dans une période relativement courte. Elle est d'ailleurs utilisée dans la majorité des programmes de formation.

Cependant, la passivité des employés et l'absence de rétroaction constituent un inconvénient majeur de cette méthode. En outre, l'employé ne peut vérifier sa compréhension de l'exposé du formateur de sorte qu'il risque de mal interpréter certains éléments de la présentation. De plus, lorsque la présentation n'est pas accompagnée d'un matériel de référence, certains employés pourraient avoir de la difficulté à prendre efficacement des notes. Enfin, l'exposé exige généralement une grande concentration de la part des employés, que plusieurs ne peuvent maintenir pendant une période prolongée. Notons que les méthodes de présentation sont difficilement utilisables dans le développement des compétences individuelles.

Système électronique de soutien au rendement
Système électronique, autonome ou relié, qui fournit de l'information, des conseils ou de l'assistance aux employés dans l'exécution de leurs tâches (*Electronic Performance Support Systems - EPSS*).

L'évolution de l'électronique permet, depuis quelques années, d'intégrer aux appareils un mode assistance qui proposera les étapes à suivre pour effectuer une opération ou pour dépanner un utilisateur. Les **systèmes électroniques de soutien au rendement** sont des systèmes qui fournissent aux employés l'information, les conseils et l'expérience nécessaires pour qu'ils atteignent aussi rapidement que possible, et avec le minimum d'appui d'autres collègues, le niveau de rendement requis dans leur fonction. Les formateurs ont, depuis une dizaine d'années, intégré cette approche comme outil de développement, ce qui a influencé les principes de conception d'interface informatique entre l'utilisateur et l'équipement.

Les systèmes autonomes fournissent aux employés l'information nécessaire à l'exécution d'une tâche précise. Pensons au système qui aide le technicien à détecter le problème et à réparer une machine (le mécanicien chez un concessionnaire d'automobiles en est un exemple quotidien) ou au système qui permet au Service de gestion de ressources humaines de vérifier la conformité d'une politique aux lois ou encore au système qui permet à l'opérateur d'ajuster une machine aux conditions optimums d'opération. Plus près de nous, notons le module «Aide sur Microsoft Office Word», directement intégré dans le logiciel ou encore les instructions fournies à l'écran du photocopieur du bureau.

Certains autres systèmes sont reliés au réseau de l'entreprise et permettent, par exemple, au vendeur d'effectuer le suivi d'une commande et de répondre aux questions des clients. Il en va de même pour le contremaître dans une usine lorsqu'il planifie un horaire de production.

Le **laboratoire de sensibilisation aux phénomènes de groupe** est souvent appelé «groupe de formation» ou *T-group* (T signifiant *training*). Cette méthode vise à modifier les comportements et les attitudes des employés dans l'exercice de leurs fonctions. Il peut s'agir de petits groupes de discussion libre, où il n'y a ni déroulement précis ni règles préétablies. L'apprentissage s'effectue au moyen de l'analyse des émotions ressenties. En fait, il s'agit d'une autoformation. Le formateur, qui a un rôle de facilitateur, n'intervient que lorsque le groupe s'éloigne de son objectif.

Laboratoire de sensibilisation aux phénomènes de groupe
Méthode qui vise à modifier les comportements et les attitudes des employés dans l'exercice de leurs fonctions.

Les exercices utilisés dans ce laboratoire tendent à une plus grande conscience de soi, à l'amélioration du comportement de l'employé dans un groupe de travail, à la recherche d'une plus grande sensibilité face aux autres, à l'enrichissement de ses techniques de communication et à l'établissement d'un climat de confiance. Cette approche est très utile pour conscientiser les gestionnaires quant à l'impact de leur comportement sur les autres personnes ou encore pour les préparer à être plus efficaces dans leurs relations avec les employés de succursales étrangères. Bref, l'amélioration des comportements interpersonnels des employés augmentera l'efficacité des équipes de travail.

Par contre, de nombreux exercices requièrent l'engagement total de l'employé, une bonne dose de naïveté et une grande franchise, ce que plusieurs participants ne sont pas prêts à offrir. De plus, il est parfois très difficile de transférer les apprentissages dans le contexte du travail. Les exigences quotidiennes, la compétition et les rôles imposés par le milieu du travail ne permettent pas d'agir toujours de la façon apprise dans les exercices.

Dans le **cours programmé**, le contenu est découpé en segments ou modules selon une séquence logique. L'employé doit, à la fin de chaque module, vérifier

Cours programmé
Découpage du contenu d'un cours en segments ou modules selon une séquence logique.

son niveau d'apprentissage en effectuant des exercices ou des tests d'autoévaluation. Les résultats lui indiqueront ses points faibles et les éléments qu'il doit réviser. Si, par contre, les résultats témoignent de sa maîtrise de la matière, il sera invité à poursuivre son apprentissage dans le module suivant. L'ordinateur s'avère un outil merveilleux pour l'apprentissage programmé, mais il existe aussi de nombreux manuels qui utilisent cette méthode.

Cette méthode présente plusieurs avantages, dont celui de faire participer l'employé ainsi que de capter et de maintenir son attention. De plus, elle permet à l'employé d'étudier à son rythme, car elle offre une forme de rétroaction sur l'évolution de son apprentissage, qui respecte en tous points les principes d'apprentissage évoqués précédemment. En outre, avec cet outil, le développement des compétences, même individuel, est standardisé pour l'ensemble des employés dans un programme. Enfin, les exercices et les tests d'autoévaluation qu'on trouve à la fin de chaque module améliorent la mémorisation de la matière étudiée.

Cette méthode comporte cependant des inconvénients. La préparation du matériel sous forme de modules comprenant des exercices d'autoévaluation et des renvois aux différents éléments du cours représente un investissement énorme de ressources humaines et financières. Cette méthode est utile à l'apprentissage d'habiletés techniques et de connaissances, mais elle ne permet pas de développer les compétences interpersonnelles de l'employé.

Les méthodes de développement des compétences utilisant la simulation

Lorsque l'employé doit acquérir de nouvelles habiletés techniques et que l'exécution des tâches comporte des risques quant à sa sécurité ou à celle de ses collègues, quant à la machinerie et aux outils utilisés ou quant aux relations avec la clientèle, il est préférable de recourir à des méthodes de formation exigeant les mêmes habiletés que celles qui sont requises par la tâche tout en situant cet apprentissage dans un milieu contrôlé. Cette catégorie de méthodes de formation comprend des méthodes telles que l'étude de cas, le jeu de rôle et la simulation, la corbeille du gestionnaire, la discussion en groupe de même que la simulation et le jeu informatisés.

Étude de cas
Méthode qui consiste à présenter une situation problématique et à inviter les employés à analyser ses différents éléments en tenant compte de l'environnement et des contraintes de l'entreprise.

L'**étude de cas** consiste à présenter une situation problématique et à inviter les employés à en analyser les différents éléments en tenant compte de l'environnement et des contraintes de l'entreprise. Chaque groupe qui prend part à l'analyse du cas élabore une solution et en justifie le choix : il se prépare à confronter son point de vue avec ceux des autres équipes.

Cette méthode permet de développer la capacité d'analyse des employés, leurs habiletés à prendre des décisions, à présenter et à défendre leur point de vue et à s'ouvrir aux perceptions des autres. Elle permet surtout à l'employé de prendre conscience qu'une décision repose sur la perception de l'environnement et les caractéristiques personnelles de la personne qui prend les décisions.

Le principal inconvénient de cette méthode est que le formateur peut facilement orienter ou dominer la discussion, ce qui est à l'opposé du but recherché.

La rédaction de cas comportant ne serait-ce que le matériel minimal nécessaire pour susciter une discussion fructueuse exige beaucoup de temps et demande la participation des gestionnaires de l'entreprise lorsqu'il s'agit d'un cas réel. Une partie importante des décisions dans l'entreprise s'appuie sur des hypothèses. Cela implique une évaluation subjective de la réalité, l'acceptation du risque et un certain stress. Face à un problème présenté dans un cas, il est très difficile de susciter une décharge d'adrénaline, car les risques que peut prendre l'employé sont sans conséquence.

Le **jeu de rôle** et la **simulation** constituent une méthode en tous points semblable à l'étude de cas, où l'on donne à l'employé la description d'une situation, mais cette fois on lui demande de jouer le rôle d'un des personnages. Comme on le voit, l'employé n'est plus détaché du problème, il est mis en cause directement et doit réagir selon sa personnalité.

Jeu de rôle et simulation
Méthode de formation en tous points semblable à l'étude de cas, où l'on donne à l'employé la description d'une situation, mais où on lui demande de jouer le rôle d'un des personnages.

De toutes les méthodes de formation, cette méthode est celle qui permet le plus de se rapprocher des situations vécues dans les différentes fonctions au sein de l'organisation. Elle encourage les membres à une participation plus complète et donne l'occasion de mieux comprendre l'importance de l'opinion dans la prise de décision.

Toutefois, certains sentiments ou tensions contenus dans les situations réelles ne peuvent être éprouvés dans un jeu de rôle, ce qui le rend peu vraisemblable. Enfin, les personnes timides ont énormément de difficulté à jouer adéquatement un rôle devant un public.

La **corbeille du gestionnaire** est constituée d'un ensemble de documents semblables à ceux que l'employé trouve dans son poste de travail (lettres, notes de service, etc.). L'employé doit fixer des priorités et résoudre les problèmes rattachés à ce poste. Il sera évalué par des formateurs selon le choix des priorités, les liens établis entre les divers problèmes, la qualité de ses décisions et le temps pris pour les prendre.

Corbeille du gestionnaire
Méthode de formation constituée d'un ensemble de documents semblables à ceux que l'employé trouve dans son poste de travail.

Cette méthode a l'avantage de plonger l'employé dans une situation réelle de travail. Par contre, elle ne peut être efficace que si l'employé reçoit une rétroaction à la suite de l'exercice et si le formateur propose une séance de discussion et de comparaison des décisions de chacun des employés. Ainsi, l'employé sera en mesure d'évaluer ses apprentissages et ses erreurs.

La **discussion en groupe** s'avère utile lorsque l'information à acquérir et à maîtriser est complexe et contient des aspects positifs et négatifs. Les principaux avantages de cette méthode sont la participation directe des employés au processus de discussion et la stimulation qui en résulte. Chaque membre a aussi la possibilité d'émettre ses idées, ce qui lui permet de mesurer ses valeurs par rapport aux diverses opinions émises. L'assimilation des idées exprimées sera plus grande que dans la présentation et variera selon la participation de chacun.

Discussion en groupe
Méthode de formation selon laquelle les employés sont réunis afin de discuter librement d'un sujet proposé.

Le principal inconvénient de cette méthode est le temps nécessaire à la discussion. En outre, il est possible que celle-ci déborde du sujet, ce qui rendra l'exercice peu productif.

Simulation et jeu informatisés
Mise en situation interactive présentant des situations virtuelles où deux groupes d'employés prennent des décisions en fonction d'éléments connus et construisent des hypothèses en fonction d'autres éléments.

Particulièrement utilisée pour le développement des compétences des gestionnaires, la méthode de la **simulation**[13] et du **jeu informatisés** consiste à diviser un groupe d'employés en équipes, lesquelles seront appelées, dans un contexte de compétition, à prendre des décisions en fonction de certains éléments connus et à construire des hypothèses en fonction d'autres éléments. En général, chaque équipe représente une société sur un marché où elle est en concurrence avec les autres équipes ou sociétés. Les décisions et les résultats d'une équipe influent sur les résultats des autres équipes. Certaines simulations placent le concurrent en compétition avec l'ordinateur.

Cette méthode est très efficace pour le développement des compétences des gestionnaires, car elle permet de développer les habiletés de travail en équipe et de prise de décision. De plus, les situations présentées sont ordinairement semblables aux situations de travail de l'employé : les exercices sont donc très réalistes. Le didacticiel *Vendeur*[14], utilisé dans le cours de représentation commerciale, constitue un excellent exemple de simulation informatisée.

Les simulations et les jeux informatisés exigent toutefois beaucoup de temps et limitent parfois la créativité en restreignant les choix offerts aux employés.

Période d'intégration de l'employé
Méthode comprenant les cinq étapes suivantes : la préparation des objectifs de la formation, la préparation de l'employé, les explications de la tâche par le formateur, l'expérimentation par l'employé des étapes du travail et le suivi du développement des compétences.

Les méthodes de développement des compétences en cours d'emploi

Lorsque l'employé doit développer ses habiletés à résoudre des problèmes et à prendre des décisions, à travailler en équipe et à analyser l'environnement, il est préférable de procéder au développement des compétences en plaçant l'employé devant la réalité et ses contraintes. Cette catégorie de méthodes comprend des méthodes telles que la période d'intégration de l'employé, la formation en atelier-école, le système de l'apprenti (*coaching*) et la rotation des postes.

On peut aussi évaluer l'apprentissage grâce aux examens à la fin d'un cours, aux travaux pratiques ou aux projets que doivent réaliser les employés.

La **période d'intégration de l'employé**[15] est une méthode de formation qui s'effectue en cinq étapes, soit la préparation des objectifs de la formation, la préparation de l'employé, les explications de la tâche par le formateur, l'expérimentation par l'employé des étapes du travail et le suivi du développement des compétences (*voir la figure 7.8*).

Cette méthode de formation, dont le superviseur est le principal responsable, a pour but de faire connaître à l'employé le rendement et le comportement qu'on attend de lui dans l'exécution de sa tâche. Elle a l'avantage de rendre l'employé productif, du moins partiellement, dès son entrée au service de l'entreprise. On utilise cette méthode surtout pour enseigner les habiletés liées à la tâche. On y a recours aussi dans les programmes de rotation des postes, dans le système de l'apprenti et dans le bureau côte à côte.

13. Lire à ce sujet : Ann Macauley, « Reality-based Computer Simulations Allow Staff to Grow through Failure », *Canadian HR Reporter*, le 23 octobre 2000.
14. Gilbert Rock, *Vendeur*, 3e version, Montréal, Centre collégial de développement de matériel didactique, 2004.
15. Inspiré de Leslie W. Rue et Lloyd L. Byars, *Supervision*, 5e éd., Chicago, Irwin, 1996, p. 196. Les étapes suggérées par Rue et Byars sont elles-mêmes une adaptation de War Manpower Commission, *The Training within Industry Report*, Washington, Bureau of Training, 1945, p. 195.

Figure 7.8 Les étapes du travail et le suivi du développement des compétences pendant la période d'intégration de l'employé

Étape	
Préparation des objectifs de la formation et du site de la formation	› définition du contenu du développement des compétences › installation de l'équipement et des outils
Préparation de l'employé	› éveil de la confiance de l'employé › définition des connaissances et des habiletés déjà acquises › éveil de l'intérêt de l'employé
Explications et présentation des opérations de la tâche par le formateur	› explications des opérations › démonstration des opérations par le formateur › vérification de la compréhension de l'employé
Expérimentation par l'employé des étapes de l'exécution du travail	› démonstration des opérations par l'employé › observation par le formateur › répétition des opérations
Suite du développement des compétences	› exécution des opérations de façon autonome par l'employé › vérification périodique par le formateur › reconnaissance de la compétence de l'employé › promotion de l'employé

Les principales restrictions à l'égard de cette approche ont trait au formateur. Celui-ci peut être le supérieur immédiat ou un collègue de travail[16]. Or, ce dernier n'a peut-être pas la qualification pédagogique nécessaire pour transmettre adéquatement l'essentiel du contenu de la tâche. Même si un employé remplit correctement sa fonction, il n'est pas assuré qu'il sera apte à expliquer à un employé tous les éléments importants qu'elle comporte. De plus, les erreurs de l'employé peuvent avoir une incidence directe sur les opérations et s'avérer coûteuses. Il peut y avoir des bris d'équipement, du gaspillage de produits, des retards dans les commandes et surtout du mécontentement de la part des clients qui ont à subir les conséquences des erreurs de l'employé en formation. Enfin, si le contenu du programme n'est pas bien préparé, des éléments essentiels risquent d'être escamotés et, dans certains cas, l'employé peut apprendre de mauvaises techniques de travail.

Formation en atelier-école
Méthode permettant d'offrir une formation réaliste et concrète, mais loin de la pression exercée par les activités quotidiennes.

Avec la **formation en atelier-école**, il s'agit d'offrir une formation réaliste et concrète, mais loin de la pression exercée par les activités quotidiennes. Les

16. Lire à ce sujet Daniel Rickett, « Peer Training: Not Just a Low-Budget Answer », *HR Focus*, juillet 1994, p. 70 et suivantes.

ateliers de vente auxquels participent les nouveaux représentants en sont un exemple. Dans ces classes, on peut même recréer des situations faisant intervenir toutes les catégories de clients. Les ateliers-écoles ouverts au public sont très répandus. Que ce soit l'école de dentisterie de l'Université de Montréal, les cliniques de prothèses dentaires, d'hygiène dentaire ou d'orthèses visuelles du cégep Édouard-Montpetit ou encore la salle à manger de l'Institut de tourisme et d'hôtellerie du Québec, le public connaît ces centres où la qualité des services est assurée, mais où le «client» doit être patient, car il est plongé au cœur d'un atelier de formation. De nombreuses entreprises, des supermarchés aux chaînes de restaurants, utilisent cette méthode pour le développement des compétences des caissiers ou des serveurs. Le client étant conscient du contexte de la formation, la lenteur du service ou une erreur de parcours n'auront pas de conséquence sur le lien entre le client et l'entreprise.

Par contre, les pilotes de ligne, les pilotes d'hélicoptères[17], les conducteurs de chars d'assaut[18] de l'armée des États-Unis, les opérateurs de métro[19] de la Société de transport de Montréal, les opérateurs de machines forestières[20], etc., utilisent des simulateurs, un matériel qui reproduit toutes les conditions que les employés auront à affronter dans leur travail.

La formation en atelier-école évite tous les inconvénients que comporte la période d'intégration de l'employé. L'employé travaillant hors du circuit des opérations réelles peut se permettre de faire des erreurs sans qu'il y ait de conséquences fâcheuses. De plus, il est possible de créer des situations de travail très rares ou extrêmes, ce qui permet à un employé d'acquérir une expérience qui lui sera fort utile dans une situation réelle. Les simulateurs représentent à cet effet un outil indispensable. Ainsi, il est possible de faire vivre à un pilote un atterrissage dans des conditions climatiques exigeantes dans un aéroport qui présente une configuration faisant appel à tous les talents du pilote. Quant à l'opérateur de rames de métro, il peut expérimenter des situations de crevaison, d'incendie ou encore de tentative de suicide.

Cependant, l'installation et l'équipement d'un atelier-école ne sont pas rentables. Il s'agit d'un investissement qui, dans le cas des simulateurs par exemple, représente des coûts énormes en ce qui concerne l'équipement et surtout le développement du matériel de formation. Les simulations doivent être très près de la réalité si l'on veut obtenir la participation entière des employés.

---

17. Triton Aviation inc., d'Abbotsford, près de Vancouver, offre des cours à l'aide d'un simulateur appelé *Helicopter Flight Procedures Simulator* pour les appareils IFR Bell 206; Emulation Systems Flight Simulators, de Santa Maria, en Californie, offre des cours sur un simulateur de vol pour les avions et les hélicoptères.

18. American Apex Corporation, de Columbus, en Ohio, offre des cours aux armées de divers pays sur des simulateurs de chars d'assaut (*Advanced Inbore Markmanship Training Enhancement Systems for Tanks - AIMTEST*), ce qui réduit les coûts d'exploitation, d'entretien ainsi que les coûts des munitions utilisées.

19. À Londres, les opérateurs du métro sont maintenant formés au Neasden Control Centre, où un simulateur permet de créer presque toutes les situations auxquelles aura à faire face un opérateur dans un environnement sans risque où les opérations se déroulent à la vitesse normale du métro. À Paris, on utilise maintenant l'ancien terminus de la station Gare du Nord pour la formation des futurs conducteurs du métro.

20. Le Centre de recherche informatique de Montréal (CRIM) a conçu une simulation graphique appelée Application des technologies robotiques aux équipements forestiers (ATREF) permettant aux opérateurs de machines forestières d'approfondir leurs connaissances et leurs techniques avant d'utiliser réellement une machine, ce qui diminue le nombre de bris mécaniques. Grâce au projet ATREF, la formation assistée par ordinateur sous forme commerciale pourrait bientôt voir le jour pour les opérateurs de machines forestières.

Système de l'apprenti
Méthode selon laquelle l'employé apprend son travail avec un employé expérimenté.

Le **système de l'apprenti** (*coaching*) constitue une situation où l'employé apprend son travail avec un employé expérimenté affecté à cette tâche par le superviseur ou par le syndicat. Cette méthode s'inspire des pratiques de compagnonnage adoptées pour le développement des compétences des maîtres dans certains métiers au Moyen Âge. Encore utilisée dans certains métiers (électricien, plombier, menuisier, soudeur, tuyauteur, ferblantier, machiniste, etc.) et dans certaines professions (avocat, notaire, médecin, comptable, etc.), cette méthode consiste à faire travailler un employé ou un apprenti pendant une période préétablie avec un maître, qui sera le formateur.

Cette approche permet à l'apprenti de mettre en pratique les notions théoriques qu'il a apprises avant de pouvoir effectuer de façon autonome les principales tâches contenues dans son emploi.

Cette méthode comporte les inconvénients suivants. Le nombre d'apprentis pouvant être formés est limité par le nombre de centres de stages et le nombre de personnes ayant atteint la qualité de maître. Par exemple, l'apprenti électricien doit travailler avec un électricien. Par conséquent, surtout dans une période de pénurie, il est difficile de former beaucoup d'apprentis, car le nombre d'électriciens pouvant remplir le rôle de maître est limité. En fait, le système de l'apprenti pourrait être apparenté à la création d'une classe d'employés sous-payés qui n'ont d'autre choix que d'achever leur période d'essai, qui peut s'étendre sur dix ans dans certains cas, comme dans celui des graveurs sur acier aux États-Unis.

La méthode de la rotation des postes est surtout utilisée pour les gestionnaires qui présentent un certain potentiel. Elle permet aux employés touchés d'assumer des fonctions dans différents secteurs de l'entreprise et d'avoir ainsi une meilleure vue d'ensemble des exigences et des responsabilités liées à ces secteurs. La rotation peut aussi s'effectuer entre les différents postes d'un même service dans l'entreprise.

La rotation des postes offre une plus grande variété de tâches aux employés. De plus, au moment de la promotion d'un membre du service détenant un poste stratégique, il est plus facile de le remplacer par un de ses collègues et d'embaucher un nouvel employé pour pourvoir à un poste moins exigeant.

Pour ce qui est des inconvénients, la rotation des postes s'effectue à l'échelle de l'entreprise tout entière. Cela signifie qu'un employé peut être appelé à occuper un nouveau poste dans une autre ville ou dans un autre pays. Cette situation implique des frais très élevés pour l'entreprise ainsi que des sacrifices et un effort d'adaptation énormes pour l'employé et sa famille.

Les facteurs influant sur le choix des méthodes de développement des compétences

Le choix d'une méthode de formation ou d'un ensemble de méthodes de formation est une étape extrêmement importante dans le processus de formation. Ce choix est sous-jacent aux objectifs du développement des compétences[21].

21. Ce regroupement a été proposé par Edwin B. Flippo, *Personnel Management*, 5e éd., New York, McGraw-Hill, p. 185-196.

Ainsi, si l'on veut améliorer les habiletés de prise de décision des employés, on aura surtout recours à l'étude de cas, aux simulations, à la corbeille du gestionnaire de même qu'à la simulation et au jeu informatisés. Pour développer les habiletés en relations interpersonnelles, les méthodes les plus utilisées sont le jeu de rôle et le laboratoire de sensibilisation aux phénomènes de groupe. L'apprentissage pour un emploi précis se fait surtout à l'aide de méthodes telles que l'intégration de l'employé, le système de l'apprenti ainsi que la rotation des postes. Lorsqu'il s'agit d'élargir les connaissances de l'employé au sujet de l'entreprise en général, la rotation des postes s'avère très efficace. S'il faut répondre à des besoins particuliers de l'employé, certains cours donnés par des organismes externes ou des établissements d'enseignement constituent une solution. Les colloques et les congrès présentent aussi un certain intérêt. Enfin, il y a les lectures, les projets spéciaux et la participation à des comités.

Il n'existe pas un choix idéal. Il s'agit de trouver une solution qui tienne compte des objectifs du développement des compétences, des coûts des méthodes de formation et du matériel, des coûts des ressources humaines et financières disponibles, des formateurs disponibles, du temps qui peut être alloué pour le développement des compétences, de même que des préférences et des habiletés des formateurs.

En outre, il faut maintenir le respect des principes d'apprentissage mentionnés précédemment[22].

Retenons toutefois que, pour être efficace, une méthode de formation doit susciter la motivation de l'employé et développer les habiletés recherchées. De plus, selon les principes d'apprentissage qui ont été énoncés, les méthodes retenues doivent donner l'occasion de mettre en pratique, pendant le développement des compétences, les notions apprises. Elles doivent proposer régulièrement une rétroaction à l'employé, accompagnée d'un renforcement positif. Enfin, les méthodes de formation doivent permettre une présentation des notions allant du simple au complexe et, surtout, offrir toutes les garanties de transfert dans la réalité du poste de l'employé.

Le développement organisationnel

Le développement organisationnel consiste en un effort concerté de changement, qui utilise les connaissances des sciences du comportement et qui fait appel à la totalité ou à une partie importante de l'organisation, sous l'impulsion et la supervision de la haute direction. Il a pour objectif l'amélioration de l'efficacité de l'organisation et se fonde sur des interventions planifiées dans ses divers processus[23].

Le processus du développement organisationnel commence généralement par un diagnostic de la situation présente. Il s'agit d'analyser les croyances, les valeurs et les normes des membres de l'organisation qui pourraient jouer un

---

22. Wayne F. Cascio et James W. Thacker, *Managing Human Resources*, Toronto, McGraw-Hill Ryerson, 1994, p. 289-291.

23. Cette définition s'inspire d'un classique : Richard Beckhard, *Organization Development: Strategies and Models*, Reading, Massachusetts, Addison-Wesley, 1968, p. 9 ; et de Michael Beer, *Organization Change and Development: A Systems View*, Santa Monica (Californie), Goodyear, 1980.

rôle négatif dans la recherche de l'efficacité maximale. À la suite d'une première analyse, les renseignements sont communiqués aux personnes qui participent au changement. Un plan d'action est développé en collaboration avec tous les membres, puis il est mis en œuvre et évalué. L'exercice est répété jusqu'à la satisfaction complète des membres et de la haute direction.

Ce processus est un programme de formation, mais il dépasse les limites du développement des compétences tel qu'il est défini dans ce chapitre. Le rôle du formateur consiste à intervenir pour accroître la réceptivité à l'apprentissage, pour aider à l'acquisition des comportements et pour faciliter leur maintien par le choix des méthodes d'apprentissage, mais au cours de la phase primordiale du développement des compétences, c'est-à-dire le transfert des nouveaux comportements dans la tâche, le formateur est généralement absent. Dans le développement organisationnel, l'agent de changement[24], le formateur, est partie intégrante de l'équipe de travail.

Lorsque le diagnostic est clairement posé, les interventions quant au développement organisationnel sont définies et mises en application. Ces stratégies sont développées par les membres de l'organisation et l'agent de changement. Les principales stratégies utilisées sont présentées dans la figure 7.9.

Figure 7.9 Les stratégies de développement organisationnel

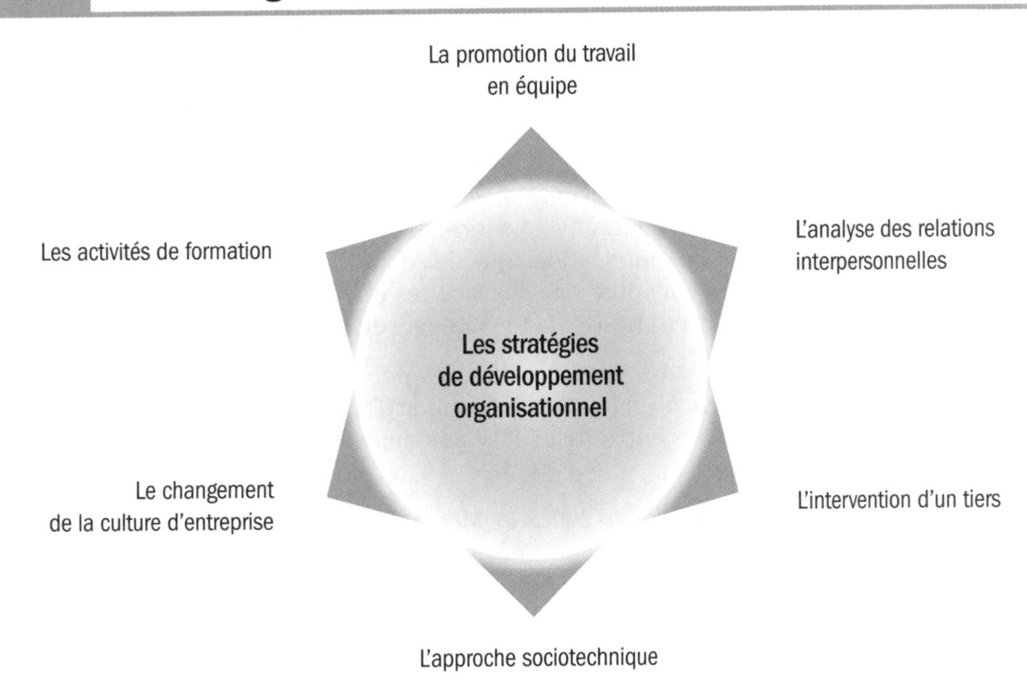

24. Il s'agit de la personne responsable de la mise en œuvre du changement, habituellement un gestionnaire de l'entreprise.

La promotion du travail en équipe[25] implique l'utilisation de techniques visant à améliorer la cohésion au sein d'un groupe et à accroître l'efficacité de ce dernier. L'analyse des relations interpersonnelles est une stratégie axée sur le processus utilisé dans les groupes pour communiquer, gérer les conflits et prendre des décisions. L'objectif de cette analyse consiste à rendre le groupe apte à gérer sa propre dynamique. L'intervention d'un tiers a pour but d'aider les individus et les groupes à résoudre leurs conflits majeurs sur le plan de la tâche ou sur celui des relations interpersonnelles. L'approche sociotechnique[26] tente de concilier les contraintes organisationnelles et les exigences des employés. Il s'agit en fait d'améliorer parallèlement la productivité et la qualité de vie au travail. Le changement de la culture d'entreprise implique le développement d'une culture de l'organisation qui sera conforme à ses stratégies et à sa structure. Enfin, les activités de formation ont pour objectif de fournir à chaque individu les compétences et les connaissances requises pour apporter sa contribution à l'organisation.

Les stratégies de développement organisationnel tentent de résoudre les problèmes immédiats, mais elles visent surtout à offrir aux membres de l'organisation la possibilité d'acquérir les habiletés, les compétences et les attitudes nécessaires pour faire face aux futurs problèmes. De cette manière, les employés pourront s'adapter aux nouvelles situations de l'organisation.

Le développement des compétences en ligne

Il ne s'agit pas d'une méthode de développement des compétences en soi, mais plutôt d'un outil auquel plusieurs méthodes peuvent avoir recours. Le développement des compétences par l'apprentissage électronique[27] est une méthode qui s'appuie sur des contenus pédagogiques présentés sur un support électronique, comme un cédérom, le réseau Internet, intranet ou extranet ou encore la télévision interactive. La formation électronique[28] comprend aussi bien des outils et des applications que des contenus pédagogiques. L'apprentissage en ligne, qui constitue une des facettes de la formation électronique, se différencie par l'utilisation de la technologie du Web.

L'apprentissage en ligne offre des possibilités de collaboration et d'interactivité (forum ou clavardage). Ce mode d'apprentissage émergent tente de s'imposer dans les entreprises face aux modes de formation traditionnels (en salle de classe).

Depuis l'automne 2002, le Massachusetts Institute of Technology (MIT)[29] propose dans Internet l'ensemble du matériel des cours offerts par l'établissement. Il ne s'agit pas à proprement parler de formation en ligne, car il n'y a pas d'interactivité, mais qu'un établissement ayant un prestige mondial, tel le MIT,

---

25. William G. Dyer, *Team Building: Issues and Alternatives*, 2e éd., Reading (Mass.), Addison-Wesley, 1987.
26. Maurice Boisvert, *L'approche sociotechnique*, Montréal, Agence d'Arc, 1990.
27. Cette définition s'inspire de De Marque inc., société québécoise spécialisée dans l'éducation interactive en réseau (www.demarque.com/demarque/francais/accueil/).
28. Lire à ce sujet : A.G. Chute, M.M. Thompson et B.W. Hancock, *The McGraw-Hill Handbook of Distance Learning*, New York, McGraw-Hill, 1999.
29. Pour plus de renseignements concernant le MIT OPENCOURSEWARE, voir le http://web.mit.edu/ocw/.

ait décidé de rendre disponible gratuitement l'ensemble de ses cours représente une révolution en ce qui a trait à la philosophie de l'éducation. Seule l'expansion d'Internet pouvait rendre ce projet réalisable.

La formation en ligne est en train de bouleverser l'accessibilité au développement des compétences, de même que ses principes fondamentaux, à tel point qu'on passe maintenant de la « formation » à l'« apprentissage ». Ainsi, ce qui est intégré s'avère plus important que ce qui est transmis, d'où l'utilisation de l'expression « développement des compétences ».

L'approche classique de la formation peut de moins en moins répondre aux besoins actuels. Le temps requis pour développer le « maître » (celui qui a acquis l'expertise nécessaire), pour le « cloner », pour communiquer un contenu et pour rédiger les manuels et les guides de formation, tout cela rendra caduque la formation selon l'approche classique. En effet, il est fort probable que les problèmes qui se présenteront dans l'organisation et les possibilités et les menaces du marché seront remplacés par d'autres avant même la fin de la formation.

L'utilisation de l'approche du développement en ligne place le formateur dans un rôle de redistributeur de connaissances plutôt que dans un rôle de fournisseur de connaissances. Face à un problème, le formateur doit mener à une solution en utilisant les ressources disponibles, soit les participants à la formation qui, très souvent, s'avéreront les experts du contenu.

7.3.6 Les formateurs et les employés

La sélection des formateurs et des employés

Les participants à un programme de développement des compétences, soit les employés, sont le cœur même du programme. Afin d'assurer l'efficacité d'une telle activité, il est essentiel de comprendre le fonctionnement d'un adulte dans une situation d'apprentissage. Ensuite, il faut sélectionner les personnes qui répondront le mieux aux attentes de l'entreprise à la suite de l'activité de formation (*voir la figure 7.10 à la page suivante*).

Les caractéristiques des employés participant à un programme de développement des compétences

Des études ont démontré que le mode d'apprentissage est différent selon que l'employé est un étudiant ordinaire ou un étudiant adulte. Les différences de comportement entre ces deux catégories de participants ont une incidence sur la conception d'un programme. Knowles[30] suggère de tenir compte de quatre caractéristiques pour distinguer l'étudiant adulte d'un étudiant de l'enseignement ordinaire (*voir la figure 7.10 à la page suivante*).

Tout d'abord, l'adulte se voit comme une personne autonome capable de prendre en main son développement. L'adulte ne se sent pas dépendant du formateur, il n'aime pas être traité comme un enfant. Dans ce contexte, le formateur devient un facilitateur qui permet à l'adulte de participer à sa formation.

---

30. M. S. Knowles, *The Modern Practice of Adult Education*, New York, Associated Press, 1978.

De plus, l'employé possède de l'expérience. Pour lui, l'expérience ne se réduit pas à l'ensemble des événements qui lui sont arrivés : elle définit ce qu'il est. Cette expérience lui permet de faire des choix quant au contenu et aux méthodes de formation. La formation des adultes exige une communication bidirectionnelle, des discussions en groupe et la mise en application des apprentissages. Pour cette raison, le formateur devra préparer beaucoup de matière afin de permettre à l'employé de choisir celle dont il a besoin. Il en est de même pour les outils ou les médias de formation utilisés.

Ensuite, l'adulte désire apprendre. Il voit dans le formateur une personne-ressource qui l'aidera à établir ses besoins et à découvrir les moyens d'y répondre. Il faut donc amener l'employé à prendre la responsabilité de sa formation. Cela implique que les présentations du formateur doivent aller à l'essentiel. Le formateur n'est pas l'individu qui indique ce qu'il faut faire et comment il faut le faire. Il est celui qui offre son aide. Plus particulièrement, le formateur doit éviter de préciser ses attentes à l'égard de l'employé. C'est ce dernier qui déterminera lui-même ses attentes.

Enfin, l'employé ne désire pas emmagasiner des connaissances qu'il utilisera seulement plus tard. Il cherche avant tout des solutions qu'il pourra appliquer rapidement et qui l'aideront à résoudre les problèmes auxquels il fait face.

Figure 7.10 Les caractéristiques des employés participant à un programme de développement des compétences

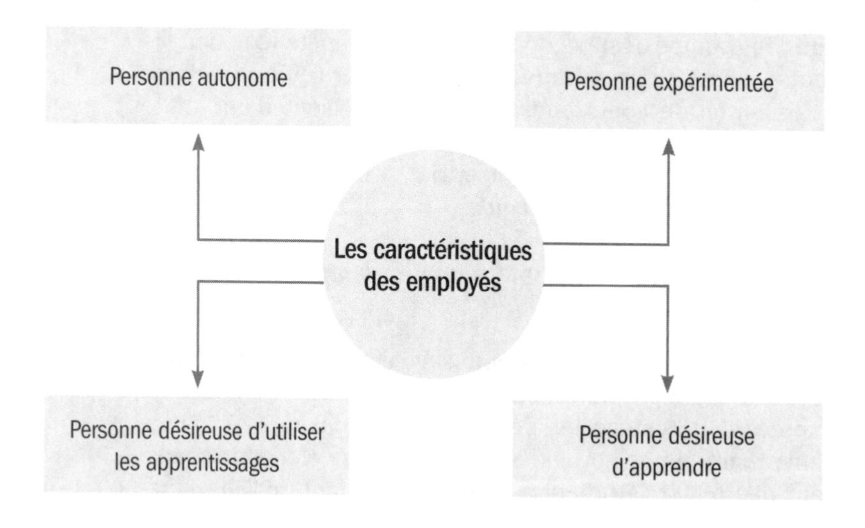

Bref, lorsqu'on s'adresse à des adultes qui reçoivent une formation, il faut leur laisser choisir le rythme du développement des compétences, la séquence de l'apprentissage, le matériel du cours, les objectifs du développement des compétences et le mode d'évaluation.

Il s'agit d'une formation contrôlée par l'employé.

Le choix des employés qui participeront au programme de développement

Les coûts du développement des compétences exigent que l'entreprise destine ses programmes aux employés qui peuvent en profiter le plus. Un employé cherche à se développer dans un domaine correspondant à ses intérêts et pouvant améliorer son rendement. Il faut donc offrir un programme aux employés intéressés qui pourront rentabiliser les ressources financières qui y seront consacrées[31]. Pour sélectionner ces employés, on recourra à des critères déjà utilisés en matière de sélection : les critères de compétences (*will do factors*) et les critères de qualification (*can do factors*).

Au sein de l'entreprise, on trouve simultanément trois approches[32] pour sélectionner les employés en mesure de participer à un programme de développement. D'abord, il y a les employés qui, à la suite d'une démarche personnelle[33], font eux-mêmes une demande de développement, laquelle est généralement offerte à l'extérieur de l'entreprise. Selon la deuxième approche, le superviseur propose lui-même à l'employé un programme qui répond surtout aux besoins du plan de carrière de l'employé. La dernière approche est plutôt institutionnelle et vise en particulier à suggérer une solution à une situation précise comme l'arrivée de nouveaux employés, les changements dans les méthodes de travail, les mutations, le faible rendement de certains employés, les problèmes de qualité du travail, l'intégration d'employés spéciaux (les immigrants, les chômeurs chroniques, etc.) n'ayant aucune expérience du milieu de travail ou ayant des problèmes d'adaptation sociale.

Étant donné que les coûts d'un programme de développement des compétences comprennent pour une bonne part les salaires des employés qui ne sont pas productifs pendant un certain temps, la durée de ce programme doit être réduite au minimum. Afin de respecter cet objectif, de transmettre tout le contenu et de maintenir un rythme soutenu durant le développement des compétences, il importe de sélectionner les employés en fonction de leur capacité de réussir le programme.

Ainsi, l'employé idéal est très engagé dans son travail, il a déjà établi son plan de carrière et il a lui-même choisi de participer à ce programme[34]. Il est convaincu qu'il peut, mieux que tout autre, réussir ce programme, que celui-ci l'aidera dans sa carrière, qu'en cas d'échec, le développement des compétences lui sera quand même utile et qu'en cas de difficulté, il devra fournir un effort supplémentaire[35] (*voir la figure 7.11, p. 240*).

---

31. Lire à ce sujet Shari Caudron, « Can Generation Xers Be Trained? », *Training and Development*, mars 1997, publié dans *Annual Edition, Human Resources 98/99*, 8e éd., New York, McGraw-Hill, 1998. L'auteure présente quelques stratégies qu'on peut utiliser pour former ce segment très important de la main-d'œuvre qu'on a nommé la « génération X ».
32. Inspiré de Kalburgi M. Srinivas, *Human Resource Management: Contemporary Perspectives in Canada*, Toronto, McGraw-Hill, 1984, p. 204-205.
33. À l'université Saturn, une filiale de General Motors, ce sont les employés qui ont la responsabilité de créer eux-mêmes leur programme de formation.
34. Lire à ce sujet Raymond A. Noe, « Trainees' Attributes and Attitudes: Neglected Influences on Training Effectiveness », *Academy of Management Review*, vol. 11, 1986, p. 736-749 ; Raymond A. Noe et Neal Schmitt, « The Influence of Trainee Attitudes on Training Effectiveness: Test of a Model », *Personnel Psychology*, vol. 39, 1986, p. 497-523; Thimothy T. Baldwin et coll., « The Perils of articipation: Effects of Choice of Training on Trainee Motivation and Learning », *Personnel Psychology*, vol. 44, n° 1, 1991, p. 51-66.
35. Inspiré de Wayne F. Cascio et James W. Thacker, *op. cit.*, p. 280.

Figure 7.11 L'employé idéal à former

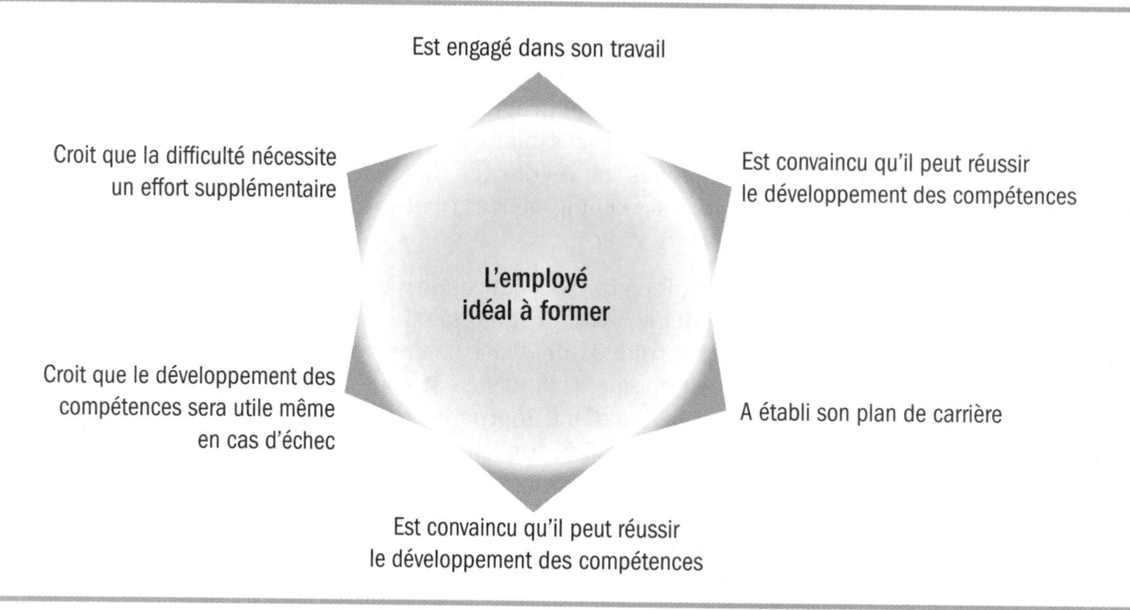

7.3.7 L'évaluation des programmes de développement des compétences

L'efficacité des programmes ne peut vraiment être mesurée qu'à travers l'effet du comportement des employés, une fois de retour dans leur emploi, sur les résultats de l'entreprise[36]. En fait, il faut poser les quatre questions suivantes au moment de l'évaluation du programme[37]: Y a-t-il eu des changements dans les comportements des employés? Ces changements sont-ils causés par le programme de développement des compétences? Ces changements influent-ils positivement sur la réalisation des objectifs de l'entreprise? Les changements de comportements seront-ils les mêmes avec un nouveau groupe d'employés?

L'évaluation d'un programme de développement[38] mesure les changements, mais il faut être conscient du type des changements mesurés. Par exemple, si une personne va au restaurant et qu'une fois le repas terminé, on lui demande si elle est satisfaite, une réponse positive ne sera pas suffisante. Elle pourrait être satisfaite parce qu'elle n'a plus faim. Elle pourrait aussi l'être parce que l'ambiance et le service sont excellents. Sa satisfaction pourrait aussi provenir du plaisir ressenti d'avoir passé des moments agréables avec une personne charmante. Peut-être est-ce la qualité des mets qui est la source de sa satisfaction? Ainsi, la satisfaction d'une personne peut être attribuable à différents éléments.

---

36. Sylvie Lemieux, « Des outils pour évaluer si la formation est rentable », *Les Affaires*, cahier C, le 8 novembre 2003, p. 7.
37. Questions suggérées par I. L. Goldstein, *Training in Organizations: Needs Assessment, Development, and Evaluations*, 2e éd., Monterey (Cal.), Brooks et Cole, 1986.
38. Lire à ce sujet Sandi Mann, « Assessing the Value of Your Training: The Evaluation Process from Training Needs to Report to the Board », *Leadership & Development Journal, nº 5/624, novembre 2003.*

Il en est de même pour un programme de développement[39]. On peut utiliser des critères d'évaluation intrinsèques, tels que la réaction des participants et la valeur des apprentissages. On peut aussi utiliser des critères d'évaluation extrinsèques, tels que les changements de comportements et les effets de la formation sur certains éléments de l'emploi (*voir la figure 7.12*).

Figure 7.12 Les types de critères d'évaluation d'un programme de formation

Afin de connaître la satisfaction des employés, on peut mesurer leur réaction ou leurs sentiments à la fin du programme. Généralement, la perception du formateur joue un rôle important dans cette perception. Ainsi, on se trouve à mesurer les sentiments des employés face au formateur et face à la forme et au contenu du programme. Les résultats de cette évaluation peuvent être utilisés pour sélectionner les formateurs, modifier la présentation du programme de développement, son rythme ou sa durée et certains éléments du contenu.

On peut aussi évaluer l'apprentissage, grâce aux examens à la fin d'un cours, aux travaux pratiques ou aux projets que doivent réaliser les employés.

Les changements de comportements des employés dans leur travail peuvent aussi être mesurés. Compte tenu de la difficulté d'isoler l'incidence de la formation sur les changements de comportements, il est nécessaire de mesurer les comportements du groupe avant et après le programme ou encore de mesurer le comportement de deux groupes, soit un groupe ayant expérimenté le programme de développement des compétences et un groupe contrôle ne l'ayant pas suivi.

Enfin, on peut évaluer un programme en mesurant ses effets sur le rendement, la productivité, l'amélioration de la qualité, la baisse du taux de roulement, la baisse du taux d'accidents et ainsi de suite. Les bénéfices économiques[40] d'un programme de formation peuvent être mesurés à l'aide de l'indice économique des valeurs attendues (*economics of expected utility*)[41].

---

39. Ces critères sont suggérés par D. L. Kirkpatrick, « Four Steps to Measuring Training Effectiveness », *Personnel Administrator*, vol. 28, n° 11, 1983, p. 19-25.

40. Lire à ce sujet Jean-Sébastien Trudel, « Sans suivi, la formation aux employés est non rentable », *Journal les Affaires*, le 23 mai 2004.

41. La mesure des effets de la formation est un exercice fort complexe qui dépasse le cadre de cet ouvrage. Pour les lecteurs que ce sujet intéresse, il existe une formule utilisée depuis fort longtemps en psychologie, soit l'indice économique des valeurs attendues, proposée par W. Edwards et appliquée à la gestion des ressources humaines par Wayne F. Cascio et D. L. Kirkpatrick. Voir D. L. Kirkpatrick, « Evaluating Training Programs: Evidence Vs Proof », *Training and Development Journal*, vol. 31, 1977, p. 9-12. ; Wayne F. Cascio, *Costing Human Resources: The Financial Impact of Behavior in Organizations*, 3e éd., Boston, PWS-Kent, 1991.

Afin d'évaluer les effets du programme de développement des compétences, Ivancevich[42] nous suggère une approche qui nous guide dans le choix des méthodes d'évaluation du développement des compétences. Nous vous présentons son modèle dans le tableau 7.3.

Tableau 7.3 Un guide dans le choix des méthodes d'évaluation du développement des compétences

Domaines nécessitant une évaluation	Éléments à mesurer	Objets d'analyse	Modes de collecte de l'information
1. Est-ce que les participants ont acquis de nouvelles connaissances, modifié leurs attitudes ou amélioré les habiletés ?	› Les attitudes et les comportements des participants avant et après le programme	› Commentaires › Méthode de participation › Collègues de travail › Superviseurs	› Entrevues › Questionnaires › Dossiers › Observations
2. Est-ce qu'il y a eu transfert des éléments du programme dans le travail quotidien de l'employé ?	› La performance, le comportement et les attitudes de l'employé dans son travail	› Attitudes, comportements et habiletés des subordonnés	› Entrevues › Questionnaires › Dossiers › Observations › Incidents critiques
3. Quel est le coût du programme de développement des compétences ?	› Les coûts variables et les coûts fixes du programme	› Coût du formateur › Salaire du participant › Dépenses de déplacement › Honoraires des consultants › Location des locaux › Etc.	› Budgets
4. Quelle est la durée des effets du programme sur le participant ?	› Les attitudes et les comportements des participants avant et après le programme, après une certaine période	› Attitudes, comportements et habiletés des subordonnés	› Entrevues › Questionnaires › Dossiers › Incidents critiques › Observations (effectuées et notées à différents moments après la formation)

42. John M. Ivancevich, *Human Resource Management*, Boston, McGraw-Hill Irwin, 2007, p. 431.

7.4 Les avantages du développement des compétences

L'investissement dans les programmes de développement des compétences procure aux entreprises et aux employés de nombreux avantages, comme on peut le voir dans le tableau 7.4.

Tableau 7.4 Les avantages du développement des compétences

Effets positifs sur les profits de l'entreprise	Effets positifs sur l'employé
› Augmente les compétences et les connaissances des employés › Favorise la création d'un bon climat organisationnel › Améliore les relations du travail › Accroît l'efficacité de la prise de décision et la gestion des changements › Accroît la qualité du travail et la productivité › Facilite l'implantation d'un réseau de communication efficace et permet une meilleure gestion des conflits › Améliore l'image de l'entreprise › Réduit les coûts de production › Améliore le sentiment d'appartenance	› Développe sa confiance en soi et fait diminuer ses frustrations › Améliore sa capacité à prendre des décisions et à communiquer › L'aide à atteindre ses buts personnels en lui permettant de mieux orienter sa vie professionnelle › Améliore sa gestion du stress › Améliore sa gestion des conflits

La division du travail fondée sur la hiérarchie dans l'entreprise sera remplacée dans un avenir rapproché par une division basée sur les compétences des individus.

Résumé du chapitre

Les nouvelles règles du marché exercent une pression importante sur les entreprises qui doivent former leurs employés. Ces dernières peuvent utiliser différents programmes pour assurer le développement des compétences, soit l'accueil, la période d'intégration dans le poste, le perfectionnement, le développement individuel et le développement organisationnel. La formation représente un investissement qui augmentera les profits des entreprises et assurera la satisfaction des employés. Le processus de développement des compétences comprend trois phases: l'analyse des besoins, l'implantation du programme et la mise en place d'un système d'évaluation du processus.

Au moment de l'analyse des programmes, un grand nombre de facteurs doivent être pris en considération, à commencer par l'analyse de l'organisation, l'analyse des postes de travail et des activités et l'analyse du rendement des ressources humaines. Diverses méthodes de formation sont à la disposition des superviseurs, comme les méthodes axées sur la fonction cognitive, les méthodes utilisant la simulation et les méthodes de formation en cours d'emploi. Le choix d'une méthode devrait se fonder sur les objectifs du programme de formation et sur ses coûts relatifs.

Indépendamment des méthodes choisies, le contenu du développement des compétences devrait être construit de manière à optimiser l'apprentissage. La sélection des employés à former doit donc tenir compte de leurs caractéristiques. Pour être efficace, le programme de formation doit aussi respecter les principes de l'apprentissage, lesquels exigent que des objectifs précis de formation soient établis au départ, que le développement des compétences permette aux employés d'observer les comportements d'un modèle, que le matériel soit familier pour l'employé, qu'une place importante soit accordée à la pratique, que la rétroaction concernant l'évolution de l'employé soit fréquente et que soient considérées les différences individuelles des employés.

Une méthode de développement des compétences correctement utilisée doit aussi suivre les différentes phases du processus d'apprentissage de l'employé. En effet, celui-ci doit être bien disposé face au développement des compétences, apprendre un contenu, le retenir et le transférer dans son milieu de travail afin d'atteindre les objectifs de l'entreprise. Par contre, la venue de la formation en ligne est susceptible de révolutionner les pratiques actuelles et de rendre la formation plus accessible dans le temps et dans l'espace.

Enfin, on peut vérifier l'efficacité des programmes de formation en mesurant différents éléments, comme les réactions des employés au programme et au formateur, l'apprentissage réalisé, les changements de comportement des employés dans leur travail et les effets de leurs comportements sur la productivité de l'entreprise.

Évaluation de la compétence

Questions de révision et application

1. Définissez le développement des compétences ainsi que les différents programmes qu'il regroupe.
2. Décrivez les avantages du développement des compétences pour une entreprise.
3. Décrivez, à l'aide d'un schéma, les trois phases du développement des compétences et les éléments qui les composent.
4. Expliquez comment l'entreprise peut déterminer ses besoins en développement des compétences.
5. Tracez le profil d'un adulte qui participe à un programme de développement des compétences et décrivez ses principales caractéristiques. Quels liens pouvez-vous établir avec un étudiant de l'enseignement régulier?
6. Tracez le profil idéal de l'employé devant être intégré dans un programme de développement.
7. Quels sont les principes essentiels de l'apprentissage? Décrivez brièvement chacun d'eux.
8. Expliquez ce que signifie le rythme d'apprentissage et ce qu'est un plateau.
9. De quels facteurs l'entreprise doit-elle tenir compte dans le choix d'une méthode de développement des compétences?
10. Pour chacune des situations suivantes, choisissez une méthode de développement des compétences pertinente et décrivez-en les avantages et les inconvénients:
    a) Vous avez l'intention d'exporter vos produits vers le Japon et, de ce fait, il faut que vos représentants soient familiarisés avec la culture japonaise.
    b) Vous désirez augmenter l'habileté de vos employés à prendre des décisions et à défendre leur point de vue.
    c) Le directeur d'un supermarché devra former prochainement cinq nouvelles caissières.
11. Définissez le développement organisationnel.
12. Quels sont les différents types de mesure de réussite d'un programme de développement des compétences? Expliquez brièvement chacun d'eux.
13. En vous reportant à la rubrique Point de mire présentée au début du chapitre, répondez aux quatre premières questions ci-dessous, puis discutez en groupe des questions suivantes.
    a) A-t-on commis des erreurs dans la préparation de ce programme de formation?
    b) Comment aurait-on pu définir les besoins de développement des compétences de ces employés?
    c) La réaction des employés est-elle normale?
    d) Expliquez comment vous traiteriez ces problèmes.
    e) En vous remémorant votre première journée de travail dans votre emploi actuel ou votre première journée au collège, décrivez ce qu'on aurait dû faire pour faciliter votre intégration.

›

f) Établissez une méthode d'évaluation d'un programme de développement des compétences de représentants.

g) Afin d'être vraiment efficace, comment un programme de développement des compétences utilisant une méthode en cours d'emploi devrait-il être conduit ?

h) Qui devrait être responsable du développement des compétences dans l'entreprise ?

i) Quels devraient être les éléments d'un programme de sensibilisation au harcèlement sexuel dans l'entreprise ? Quels employés choisiriez-vous pour suivre ce cours ? Comment évalueriez-vous les résultats d'un tel programme ?

j) Donnez une liste d'arguments que vous utiliseriez pour convaincre les dirigeants d'évaluer les programmes de développement des compétences de leur entreprise. Explicitez les critères qui peuvent être utilisés et justifiez vos choix.

14. Évaluez vos compétences par rapport à celles que recherchent les employeurs dans le marché du travail d'aujourd'hui. Remplissez le questionnaire « Compétences visant l'amélioration de l'employabilité 2000+ » que vous retrouverez au www.conferenceboard.ca/nbec (*Skills Credentialing Tool for Individuals*). Pour une version numérique en français de ce questionnaire, allez au www.emploisetc.ca/toolbox/checklists/employability.jsp ?lang=f sur le site du gouvernement canadien dans la section « Formation et carrières ».

Analyse de cas

Cas 7.1

Rien de plus facile !

Simon D. travaille pour la compagnie Cubex depuis plus de huit ans. Cette entreprise fabrique des bennes de camion. À la suite d'une réorganisation de l'usine et de l'installation d'un nouvel équipement, les bennes sont peintes en série sur une chaîne de fabrication, alors qu'auparavant il fallait effectuer le travail à l'unité dans un atelier de peinture. Ainsi, le nombre d'employés requis à l'atelier de peinture a sensiblement diminué. Le nouvel équipement fonctionne avec seulement deux employés, et sept des neuf postes de peintre ont été éliminés.

Heureusement, l'entreprise avait prévu cette situation au moment de l'achat de l'équipement, et le recrutement avait été ralenti au cours des derniers mois afin de permettre de muter des personnes à d'autres services ayant besoin de main-d'œuvre. Simon est l'une des victimes de la modernisation du Service de la peinture. Il a été muté au Service de la soudure.

Le lundi matin, Christian G. accueille Simon dans son bureau :

– Simon, on m'a dit que tu te rapporterais ici ce matin, mais je ne sais trop ce que je vais te faire faire. J'ai à peine du travail pour mes employés… Je vais t'indiquer ton casier et tu pourras t'asseoir près d'un soudeur afin d'apprendre comment il fait son travail.

Durant la première semaine d'intégration, tout ce que Simon fait, c'est d'observer un employé qui soude des plaques. Il reçoit bien quelques explications, mais le travailleur qu'il observe n'est pas très bavard.

Puis, le vendredi, juste avant le départ, Christian s'approche de Simon.

– J'ai de bonnes nouvelles pour toi : nous avons reçu deux grosses commandes cette semaine. J'aurai donc besoin de toi à temps plein. Lundi matin, je vais t'installer devant une machine et te donner toute la formation nécessaire. Tu vas devenir soudeur.

– Super ! À lundi, alors !

Le lundi suivant, Christian accompagne Simon, et tous deux s'installent devant une machine qui semble fort simple à opérer.

– Voici le travail, Simon. Tu prends les plaques dans la boîte, tu en mets deux dans le gabarit en les superposant, tu appuies sur le bouton vert et la machine fait le reste, c'est-à-dire une soudure parfaite chaque fois. Lorsque tu soulèves le levier à gauche, les plaques sont poussées sur le convoyeur devant et tu n'as qu'à remettre deux autres plaques dans le gabarit.

– Cela paraît simple, commente Simon.

– Regarde-moi faire. En fait, le travail est si simple que je pourrais entraîner des singes pour le faire, et tout le service fonctionnerait comme par enchantement. Puis, il n'y aurait jamais de plaintes, jamais d'absents, jamais de vacances. Bon, c'est interdit par la loi, je crois... Maintenant, prends les plaques et répète l'opération en m'expliquant ce que tu fais.

Simon s'exécute une cinquantaine de fois, sans faire une seule erreur.

– Bon, réagit Christian, je te l'avais dit, même un singe... Enfin, te voilà expert en soudure. Je te laisse. Si tu as des questions, ne te gêne pas, appelle-moi.

En fait, Christian est tellement occupé durant la semaine que Simon ne peut le rencontrer avant le vendredi après-midi.

Voici comment s'est déroulée la semaine de Simon.

Lundi après-midi, le mécanisme d'éjection des plaques s'est coincé à deux reprises. En désespoir de cause, Simon a fait appel à un collègue pour l'aider à libérer les plaques. Mardi matin, le gabarit s'est déplacé et Simon a dû le réajuster avec la collaboration d'un autre collègue. Mercredi matin, les plaques qu'on avait apportées à Simon n'étaient pas de la même couleur. Il a perdu une heure avant de trouver la personne responsable pour faire remplacer les lots placés près de sa machine. Jeudi après-midi, les plaques qu'on lui a apportées étaient plus épaisses que les plaques habituelles. C'était une commande spéciale, mais il fallait ajuster la machine à souder et Simon ne savait pas comment le faire. Encore une fois, un collègue est venu le dépanner, mais il était de mauvaise humeur. Comble de malheur, vendredi après-midi, une des plaques a glissé sur le convoyeur et est revenue frapper la machine de Simon, lui écrasant le bout du doigt. Cet accident sans gravité l'a quand même obligé à se rendre à l'infirmerie, où Christian l'a rejoint.

– Bon, c'est le métier qui rentre, dit Christian.

– La tâche n'est pas aussi simple qu'elle le paraît, réplique Simon.

– Il te manque quelques trucs, mais je ne pouvais pas tout t'enseigner la même journée.

Questions

1. Quelle est, selon vous, l'opinion de Simon concernant son travail et son superviseur?
2. Que pensez-vous de la formation qu'il a reçue?
3. Croyez-vous qu'il y ait un lien entre les incidents de la semaine et la formation?
4. Si vous aviez été à la place de Christian, qu'auriez-vous fait différemment pour former Simon?

Cas 7.2

La formation, c'est prioritai

Je m'appelle Jade-Ève et j'ai terminé mo
niques informatiques au cégep régiona
en mai dernier. Je travaille actuellement
gnie Ordinabec inc. à titre de conseillèr
Le travail est très intéressant, mais les
ont été assez difficiles.

L'entreprise est très dynamique et j'
moyen terme, de gravir quelques échelons avant de m'orienter vers une multinationale. Les postes de directeur de succursale et de directeur des comptes spéciaux m'intéressent beaucoup et c'est pourquoi je me suis inscrite à des cours d'administration de soir. En ce moment, je suis un cours de gestion des ressources humaines et nous venons de terminer la section concernant le développement des compétences. Cela a été pour moi un véritable choc. Selon l'enseignant, les grandes entreprises valorisent leurs employés et elles consacrent énormément de ressources au développement des compétences de leur personnel. Pourtant, mon expérience chez Ordinabec ne correspond pas à cette description. Tout d'abord, je dois payer moi-même les cours que je prends le soir et, surtout, je ne peux prendre de cours le jeudi soir, car c'est une soirée très occupée au magasin. Ensuite... Laissez-moi plutôt vous raconter mes débuts chez Ordinabec.

Ordinabec inc. est une chaîne canadienne de magasins d'équipement électronique, spécialisée dans la vente de micro-ordinateurs. L'entreprise emploie plus de quatre cents personnes au Canada, dont le quart au Québec. Le personnel de vente représente environ 30 % de la main-d'œuvre.

Le siège social de l'entreprise est situé à Anjou, où travaillent une quarantaine de personnes. Je connais l'entreprise depuis plusieurs années et mon opinion en était très favorable, compte tenu de mes expériences à titre de cliente et des commentaires de quelques camarades de classe qui travaillaient déjà les fins de semaine pour cette entreprise.

Pendant mes années au cégep, j'ai travaillé les fins de semaine et l'été pour deux autres boutiques d'ordinateurs. J'avais donc l'expérience de la vente-conseil et des ordinateurs. J'ai déjà vendu et supervisé l'installation d'une douzaine de réseaux de plus de cinq ordinateurs et j'avais adoré l'expérience de conseillère auprès de la clientèle.

Débordante de confiance, en mars dernier, je me suis présentée au siège social d'Ordinabec, espérant obtenir un accueil enthousiaste. Tout d'abord, une secrétaire m'a reçue, très chaleureusement je dois dire. Elle m'a indiqué que l'entreprise ne prenait pas les curriculum vitæ, mais que je devais remplir un formulaire qu'elle m'a remis. Ensuite, j'ai attendu une dizaine de minutes, et monsieur Loucas C. m'a invitée à passer à son bureau. Il avait l'air très préoccupé. Pendant qu'il lisait mon curriculum vitæ, il s'est assis en continuant de marmonner. J'ai pris l'initiative de m'asseoir.

Après quelques minutes de silence, il m'a posé des questions sur mon expérience dans les autres boutiques, puis il a dit : « Bon ! Pour le moment, nous n'avons besoin de personne, mais d'ici quelques semaines nous pourrions vous rappeler. Il faudrait juste que vous portiez une robe plus sobre pour venir travailler chez nous. »

Trois semaines plus tard, j'ai reçu un appel de madame Flavie G., l'assistante de Loucas. Il y avait des ouvertures de postes et je devais me présenter à son bureau l'après-midi même. L'accueil a été charmant, Flavie était très chaleureuse et souriante. L'entrevue a duré près de 45 minutes, et nous avons discuté de mes projets de carrière, de mes objectifs professionnels et des possibilités qu'offrait l'entreprise. À la suite de la mauvaise impression que Loucas m'avait laissée, mon opinion sur Ordinabec avait un peu changé.

Le lendemain, je me suis présentée au siège social, où Flavie nous a accueillies, moi et quatre autres personnes. Elle était aussi responsable de la formation. Elle nous a invitées dans la salle de conférences, et la formation a commencé aussitôt. Tout l'avant-midi a été consacré à l'historique de l'entreprise, à ses politiques et à ses projets. L'ambiance était superbe, les fauteuils étaient confortables et il y avait du café, des jus, des croissants et des brioches à volonté. Toute la documentation nécessaire nous a été remise et Flavie nous a clairement expliqué le tout, y compris la politique salariale et les avantages sociaux.

L'après-midi a été consacré aux règlements internes et aux techniques de vente. En fait, il s'agissait surtout des méthodes de prise de commandes, de vérification du crédit et de facturation. Durant la dernière heure, il y a eu une révision complète de la matière et une vérification de notre compréhension de l'ensemble des éléments abordés durant la journée. Avant de nous quitter, Flavie nous a indiqué qu'elle serait toujours disponible pour répondre à nos questions. Le lendemain, chacun de nous devait se présenter dans un magasin différent, où le superviseur nous fournirait toute l'information concernant le poste qui nous avait été assigné.

Je me suis donc présentée au magasin de Laval pour rencontrer Michelle P., la directrice de la succursale. Elle était très occupée, et c'est plutôt Jérémy G., le responsable de la vente de micro-ordinateurs, qui m'a accueillie. Il m'a présentée à Félix M., un vendeur de son service. Je ne savais pas qui était mon supérieur immédiat : Michelle, Jérémy ou une autre personne ?

Le contact avec mes premiers clients a été assez sympathique et mes conseils ont semblé répondre à leurs attentes. Malheureusement, j'ai eu beaucoup de mal à utiliser l'ordinateur du service, nécessaire pour préparer les factures, ainsi que le lecteur de cartes de crédit.

La recherche de certains produits dans l'entrepôt du magasin a aussi représenté un défi de taille. Toujours est-il que l'avant-midi a été plutôt agité. Vers 11 h, Félix m'a dit d'aller dîner, car il prenait son dîner à midi et il fallait un vendeur disponible dans le service.

À mon retour, Jérémy m'a apostrophée, me demandant comment j'avais pu quitter mon poste pour aller dîner sans autorisation. De plus, il m'a fait remarquer que ma façon de présenter les produits n'était pas conforme aux politiques de l'entreprise et il m'a indiqué ce que je devais dire. Pourtant, les autres vendeurs que j'avais observés utilisaient une tout autre approche. En conclusion, mes relations avec mon superviseur ont été gâchées dès le début.

Un mois plus tard, je ne savais toujours pas exactement ce qu'on attendait de moi, mais j'avais l'impression de m'en tirer tout de même assez bien. Mes ventes représentaient 75 % des ventes du meilleur vendeur du service et la satisfaction des clients semblait assez élevée. Un seul client a voulu retourner son matériel en invoquant le fait que je ne lui avais pas vendu l'ordinateur qui lui convenait. Cette transaction avait été conclue un samedi après-midi ; il y avait foule au magasin et le client avait été nébuleux quant à l'utilisation qu'il comptait faire de l'appareil.

Cinq semaines après mes débuts chez Ordinabec, j'ai rencontré Michelle à son bureau. La rencontre n'a duré que dix minutes. Elle m'a alors dit que mon rendement était moyen, qu'elle attendait davantage de moi, que je ne connaissais pas les méthodes de l'entreprise et qu'elle me reverrait dans quatre semaines pour réévaluer mon rendement.

Questions

1. Que pensez-vous du programme de développement des compétences d'Ordinabec inc. ?
2. Comment pourrait-on l'améliorer ?

Chapitre 8 L'évaluation du rendement

Cheminement d'idées

Objectifs pédagogiques

La lecture de ce chapitre devrait vous permettre :

1. d'expliquer l'importance de l'évaluation du rendement pour l'employé et pour l'entreprise ;
2. d'expliquer les objectifs de l'évaluation du rendement ;
3. de préciser les préalables d'un système d'évaluation du rendement ;
4. de décrire les étapes du processus d'évaluation du rendement ;
5. de détecter les principales erreurs commises dans un processus d'évaluation du rendement ;
6. de comparer les principales méthodes d'évaluation du rendement des employés ;
7. de décrire les avantages et les inconvénients des méthodes d'évaluation du rendement ;
8. d'effectuer le choix d'un évaluateur ;
9. de réaliser une entrevue d'évaluation du rendement ;
10. d'expliquer comment les résultats de l'évaluation du rendement influent sur la gestion des ressources humaines.

Compétence visée

La compétence visée dans ce chapitre est de pouvoir appliquer les techniques d'évaluation d'un employé et d'utiliser les outils appropriés.

Point de mire

La nécessité d'évaluer le rendement

Jean K. est directeur dans une agence de recrutement de personnel temporaire. Son service comprend trois superviseurs ayant trois ou quatre employés sous leur responsabilité, et leur mandat consiste à recruter du personnel de bureautique et du personnel technique pouvant offrir un soutien aux usagers. Près de trois cents clients font affaire avec son service sur une base régulière et une trentaine d'autres font sporadiquement affaire avec lui.

Il y a deux semaines, les trois plus importants clients de son service ont décidé d'avoir recours à une autre entreprise sous prétexte qu'ils n'obtenaient pas dans les délais requis le personnel demandé ou que, dans le cas où les délais étaient respectés, les compétences des candidats qui se présentaient ne correspondaient pas à leurs critères.

Au cours d'une réunion tenue avec les superviseurs vendredi dernier, Jean a fait part de sa déception ; il est même allé jusqu'à leur reprocher leur incompétence et celle de leurs employés. Marthe B., la plus jeune de ses superviseurs, a proposé que tous les membres

›

du service de Jean, y compris les superviseurs, soient soumis à une évaluation du rendement.

Myriam C. a mentionné qu'elle avait déjà travaillé dans une entreprise où il y avait un système d'évaluation du rendement et que l'exercice n'était pas sérieux. Robert M. a suggéré que les employés évaluent les superviseurs et que ces derniers fassent de même avec le directeur. Il avait participé au collège à un exercice où les élèves évaluaient leurs professeurs et avait trouvé cela intéressant. Myriam a ajouté que les clients pourraient participer à l'évaluation du rendement, comme cela se fait dans les restaurants et les hôtels. Béatrice L., l'autre superviseure, a souligné que ses employés faisaient du bon travail et qu'elle ne voyait pas le besoin de les évaluer. « De toute façon, a-t-elle dit, je n'aurais pas le temps, car je suis déjà débordée. »

Ce matin, Jean se pose de nombreuses questions. Il a bien l'intention d'implanter un système d'évaluation du rendement, mais il cherche des réponses : Quel usage peut-il faire des résultats de l'évaluation du rendement ? Comment peut-il préparer l'implantation d'un tel système ? Pourquoi ses employés ont-ils un rendement faible ? À quelles techniques d'évaluation peut-il faire appel ? Qui doit faire l'évaluation ? Comment se déroule une entrevue d'évaluation ?

8.1 L'évaluation du rendement

8.1.1 La nature de l'évaluation du rendement

Évaluation du rendement
Processus qui consiste à définir le rendement attendu pour chaque employé, à le soutenir dans l'amélioration de sa contribution aux objectifs de l'organisation et à le récompenser lorsqu'il a atteint les objectifs établis.

Rendement
Contribution de l'employé aux objectifs de l'entreprise au cours de l'accomplissement de ses tâches.

En matière d'**évaluation du rendement**, le rôle du gestionnaire consiste à définir le rendement attendu en collaboration avec chaque employé, à le soutenir dans l'amélioration de sa contribution aux objectifs de l'organisation et à le récompenser lorsqu'il a atteint les objectifs établis. Il ne s'agit pas de mesurer uniquement l'effort de l'employé, mais aussi la pertinence de cet effort au regard de la réalisation des objectifs de l'organisation. L'évaluation du rendement permet d'indiquer clairement à un employé où il se situe quant à sa contribution aux objectifs de l'organisation et à le soutenir dans ses efforts pour atteindre de nouveaux objectifs[1].

Le **rendement** d'un employé est fonction de ses habiletés, de ses efforts et des occasions qui lui permettront d'apporter une contribution. Un employé très compétent, désireux de travailler ne pourra jamais afficher un rendement exceptionnel s'il est confiné à un rôle routinier sans responsabilité.

L'évaluation du rendement constitue une activité en principe fort simple, mais dont l'application s'avère complexe, car elle contient beaucoup d'éléments émotionnels. En outre, malgré tous les efforts qui ont été déployés, elle demeure imprécise et elle comporte une part de subjectivité comme toutes les activités humaines. C'est un processus continu d'amélioration qui demande une participation quotidienne du superviseur et de l'employé.

1. Lire à ce sujet Dayton Fandray, « The New Thinking in Performance Appraisals », *Workforce*, mai 2001, p. 36-40. Voir aussi Matthew J. Camardella, « Effective Management of the Performance-Appraisal Process », *Employement Relations Today*, printemps 2003, p. 103.

L'entreprise qui désire mettre sur pied un processus d'évaluation du rendement doit donc respecter certains préalables tels qu'ils sont illustrés dans le tableau 8.1.

Tableau 8.1 Les préalables à l'établissement d'un processus d'évaluation du rendement

› La définition des critères d'évaluation et de la mesure du rendement exigent un maximum de précisions.	› Par exemple : augmenter les ventes des accessoires électroniques de la région Est de 6 % pour le prochain trimestre.
› Le rendement mesuré doit être directement relié aux objectifs de l'entreprise.	› Si l'entreprise désire augmenter ses profits, un objectif d'augmentation des ventes seulement ne serait pas nécessairement pertinent.
› Le rendement mesuré doit comprendre autant les facettes reliées au quantitatif et au qualitatif qu'au respect des délais.	› Par exemple : l'employé doit produire 225 unités (quantitatif) par jour (délai) avec un taux de rejet inférieur à 2 % (qualitatif).
› Les différentes dimensions du rendement doivent répondre aux besoins de la clientèle de l'entreprise.	› L'objectif de l'entreprise et ceux de chacune de ses composantes ne justifient leur existence que s'ils répondent aux exigences des clients.
› L'évaluation doit tenir compte des contraintes de l'entreprise.	› Les critères et les normes de rendement doivent être réalistes compte tenu des contraintes de l'organisation. Ils doivent aussi permettre d'initier un processus qui permettra de réduire ou d'éliminer ces contraintes.

L'évaluation du rendement consiste donc à définir les attentes de l'entreprise face à un employé[2] pour une période déterminée, à traduire ces attentes en objectifs précis, à offrir la supervision et le soutien à l'employé dans l'accomplissement de ses tâches, à décrire systématiquement les forces et les faiblesses observées chez lui au cours de l'accomplissement de ses tâches, à lui communiquer les résultats de ces observations et à l'accompagner dans l'amélioration de sa contribution. Le but ultime est le changement[3], soit l'amélioration de l'efficacité de l'unité administrative et du rendement de l'employé. En même temps, on encourage ce dernier à évoluer dans la hiérarchie de l'entreprise. La détermination des objectifs oriente les efforts et suscite la persistance quant au rendement de l'employé[4].

Lors de l'entrevue précédente, d'un commun accord, l'employé et l'évaluateur ont déterminé les objectifs à rencontrer pour la période suivante. Ces objectifs sont la base de l'évaluation du rendement actuelle.

8.1.2 Le processus d'évaluation du rendement

À l'instar de la quasi-totalité des programmes de la gestion des ressources humaines, l'évaluation du rendement est liée à plusieurs autres programmes.

2. Lire à ce sujet Kathy Noël, « Les employés veulent l'heure juste », *Les Affaires*, le 22 avril 2000, p. 25.
3. Mary Mavis, « Painless Performance Evaluations », *Training & Development*, octobre 1994, p. 40-44.
4. Voir à ce sujet D. Knight, C. C. Durham et E. A. Locke, « The Relationship of Team Goals, Incentives, and Efficacy to Strategic Risk, Tactical Implementation, and Performance », *Academy of Management Journal*, n° 44, 2001, p. 326-338.

Ainsi, l'établissement des tâches et la définition des normes de rendement et des objectifs reposent sur les résultats de l'analyse de tâches tels qu'ils sont présentés dans la description du poste. Nous aborderons ce lien lors de la définition des préalables de l'évaluation du rendement, et plus spécifiquement la validité.

Lors de l'entrevue précédente, d'un commun accord, l'employé et l'évaluateur ont déterminé les objectifs à atteindre pour la période suivante. Ces objectifs sont la base de l'évaluation du rendement actuelle.

Selon la situation de l'entreprise, ses ressources, la catégorie d'employés, le genre d'emploi et les objectifs, une méthode d'évaluation du rendement sera retenue plutôt qu'une autre. De plus, il faudra effectuer le choix de l'évaluateur, sujet que nous aborderons plus loin.

Enfin, il faut réaliser l'évaluation du rendement en ayant en tête les objectifs stratégique, administratif et de développement des compétences des employés (*voir la figure 8.1*).

Figure 8.1 Le processus d'évaluation du rendement

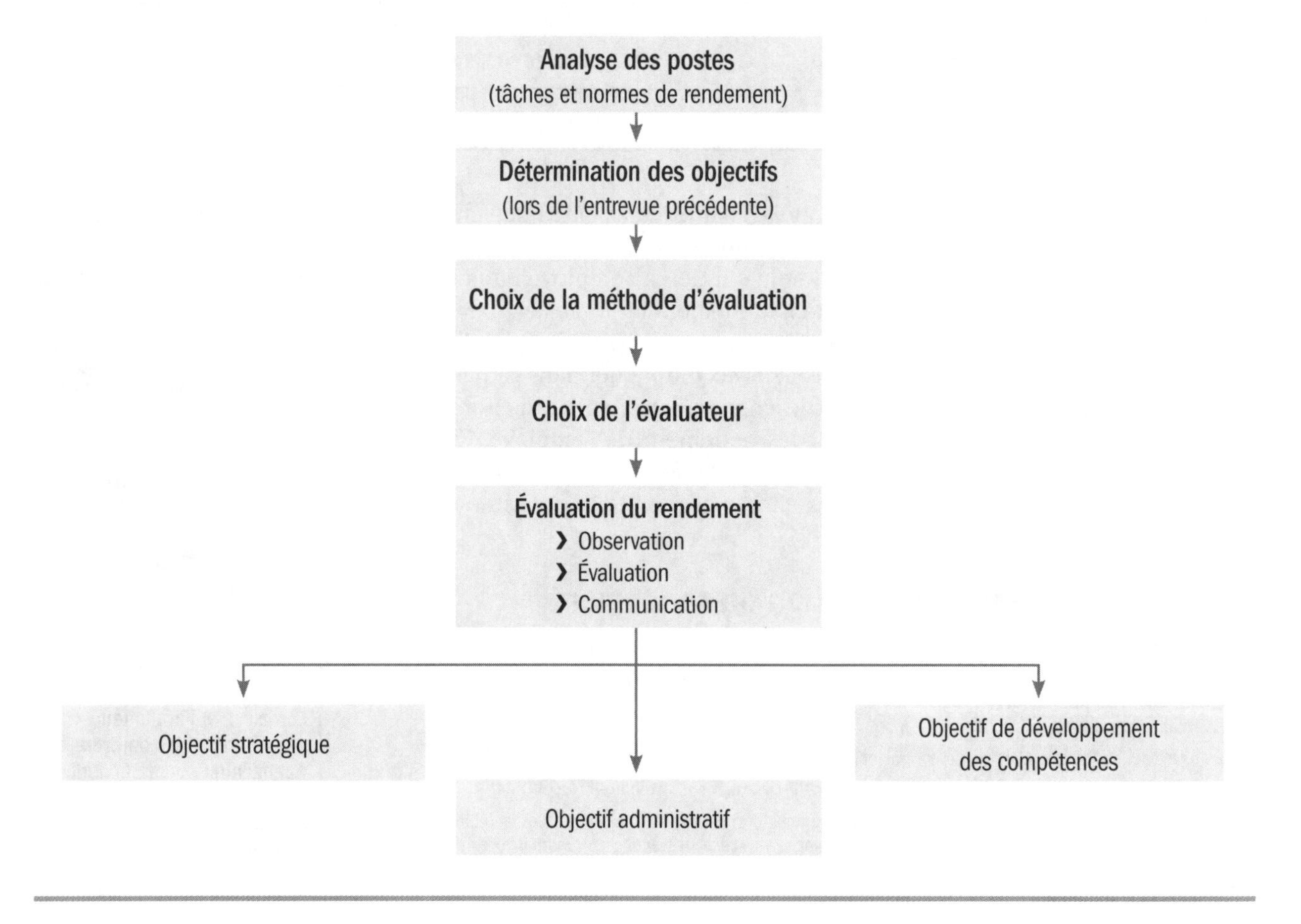

8.2 Les objectifs de l'évaluation du rendement

En dernière analyse, la mise en place d'un système d'évaluation du rendement dans les entreprises vise trois objectifs majeurs[5]: un objectif stratégique, un objectif administratif et un objectif de développement des compétences[6].

8.2.1 L'objectif stratégique

L'atteinte des objectifs organisationnels est soutenue par le système d'évaluation des employés en reliant le comportement des employés à ces objectifs. L'évaluation du rendement repose sur la définition des attentes de l'entreprise à l'égard de chacun de ses employés et, à la fin de la période, sur la mesure du respect de ces attentes. Des décisions sont alors prises (récompenses, formation, etc.) afin de maintenir un lien positif entre ce qu'accomplit l'employé et les résultats organisationnels[7].

8.2.2 L'objectif administratif

La collecte de renseignements découlant du processus d'évaluation du rendement facilite les décisions concernant les mouvements de personnel selon les besoins des individus et de l'entreprise[8] et l'adoption de mesures administratives[9] s'appliquant à certains individus. L'évaluation du rendement permet l'application du système de récompenses et de punitions de l'entreprise en fournissant les éléments nécessaires en vue d'offrir une promotion aux employés les plus performants et des augmentations de salaire au mérite. Elle permet la vérification de la qualité de la planification de la main-d'œuvre de l'entreprise. Elle aide également à mesurer la qualité du processus de sélection des candidats. L'évaluation assure la validité des décisions administratives en fournissant les arguments qui permettront de fonder ces décisions et de démontrer le respect de la législation. Enfin, elle oblige le superviseur à suivre l'évolution du contenu de l'emploi de ses employés.

Le problème de l'employé peut aussi être lié à la motivation. Il faudra alors analyser les besoins de l'employé et adopter l'approche appropriée.

En somme, l'évaluation du rendement permet d'exercer un contrôle sur plusieurs activités ou programmes de la gestion des ressources humaines et de diagnostiquer les problèmes de l'organisation. Pour cette raison, elle constitue le début d'un processus et non sa conclusion[10], un moyen et non une fin.

5. Inspiré de Raymond A. Noe et coll., *Human Resource Management*, 2e édition, Boston, McGraw-Hill, 2007, chapitre 8, p. 248-284.
6. Lire à ce sujet Harry Levinsin, « Management by Whose Ofjectives? », *Harvard Business Review*, janvier 2003, p. 107.
7. Lire à ce sujet E. W. Deming, *Hors de la crise*, Paris, Économica, 1991. Les principes du management qui y sont présentés confirment que l'évaluation des employés doit viser l'amélioration du rendement et l'efficacité du système.
8. Par exemple, les plans de succession présentés au chapitre 4 sont fondés en partie sur les résultats de l'évaluation du rendement.
9. Nous faisons référence aux mesures non disciplinaires qui sont appliquées dans les situations où un employé ne peut satisfaire aux exigences de sa tâche. Ce sujet sera étudié lorsque nous aborderons la discipline au chapitre 10.
10. R. Jacobs, D. Dafry et S. Zedeck, « Expectations of Behaviorally Anchored Rating Scales », *Personnel Psychology*, vol. 33, 1980, p. 595-640.

8.2.3 L'objectif de développement des compétences

L'objectif de développement des compétences est l'amélioration du rendement de l'employé, que l'on aidera à réaliser son plein potentiel. Plus précisément, l'évaluation du rendement permet aussi d'élaborer des programmes de développement des compétences en fonction des besoins des employés. Même les employés hautement performants peuvent atteindre des niveaux supérieurs à la suite d'une rencontre d'évaluation pendant laquelle leurs problèmes et leurs attentes seront discutés. En fait, l'exercice d'évaluation du rendement n'est pas une tâche sporadique, mais une activité quotidienne qui favorise la collaboration entre l'employé et son superviseur.

8.3 Les préalables d'un système d'évaluation du rendement efficace

L'utilisation adéquate de l'évaluation du rendement consiste simplement à bien gérer les ressources humaines. Cependant, il faut procéder à cette gestion dans le respect des droits fondamentaux des employés, de l'éthique et de la législation qui s'y rattache. Afin d'assurer ce respect, il faut implanter un système d'évaluation dont les outils présentent des caractéristiques qui garantissent la valeur du processus tant du côté légal et scientifique que pratique[11]. Les exigences fondamentales[12] de tout système d'évaluation du rendement qui offre ces garanties sont la validité, la sensibilité, la fidélité, l'acceptabilité et l'applicabilité de ce système (*voir la figure 8.2*).

Figure 8.2 Les exigences fondamentales d'un système d'évaluation du rendement

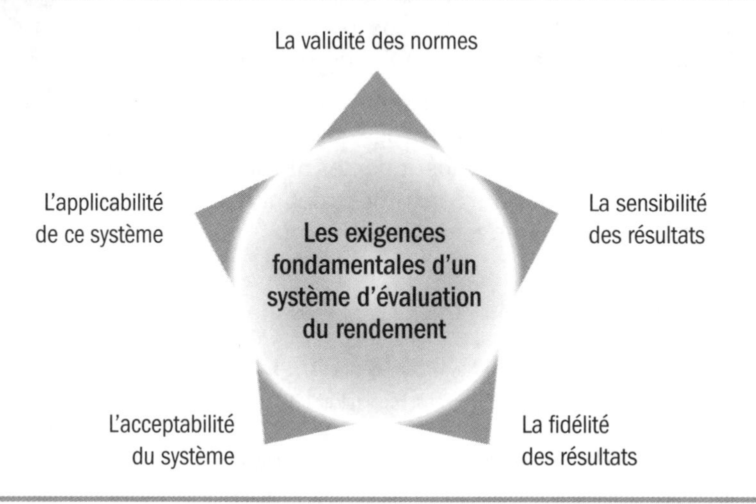

11. Lire à ce sujet Dick Grote, *The Secrets of Performance Appraisal: Best Practices from the Masters, Across the Board*, publication du Conference Board du Canada, le 1er mai 2000, p. 14-20.

12. Ces préalables sont suggérés dans Wayne F. Cascio, *Managing Human Resources*, Toronto, McGraw-Hill Ryerson, 2003, p. 336-338.

8.3.1 La validité

La validité fait référence à l'existence d'un lien entre la norme de rendement pour une tâche particulière et les objectifs de l'entreprise ainsi que d'un lien entre les éléments importants de la tâche déterminés au moment de l'analyse du poste et les dimensions de l'emploi qui doivent être évaluées dans le formulaire d'évaluation du rendement.

Il est donc très important d'établir ce lien entre les exigences rattachées au poste, les normes de rendement et les éléments qui feront l'objet de l'évaluation du rendement. Ces éléments ont été révélés lors de l'analyse de postes.

8.3.2 La sensibilité

La sensibilité renvoie aux résultats du système d'évaluation du rendement de l'entreprise qui permet de distinguer des autres les employés ayant un rendement élevé. L'utilisation du programme d'évaluation du rendement à des fins administratives doit permettre de repérer, d'une part, les employés ayant un bon rendement en vue de leur accorder les promotions, les augmentations de salaire et le mérite qui leur reviennent, et d'autre part, ceux qui ont besoin de soutien et de formation pour atteindre le rendement désiré.

8.3.3 La fidélité

La fidélité du système d'évaluation du rendement traduit la capacité de ce système de fournir des résultats équivalents quels que soient l'évaluateur et le moment de l'évaluation. Ce préalable exige que les évaluateurs aient la même possibilité d'observer adéquatement l'employé à son poste de travail et dans les conditions normales dans lesquelles il évolue.

8.3.4 L'acceptabilité

Dans les faits, l'acceptabilité du système d'évaluation du rendement représente le préalable le plus important. Même si tous les autres préalables sont présents, les acteurs, soit les employés évalués et les évaluateurs, doivent réellement participer à cet exercice. Si l'un des deux groupes ou les deux ne croient ni à l'utilité ni à la pertinence du système, ils en viendront à imaginer différents moyens de contourner le processus, ce qui faussera les résultats.

Il faut donc que les exigences des superviseurs soient clairement connues des employés ; de même, les normes d'évaluation doivent être établies avant l'évaluation et définies préférablement par les deux parties.

8.3.5 L'applicabilité

L'applicabilité consiste dans la facilité de compréhension et d'utilisation du système. Les difficultés d'interprétation des critères, les réticences des employés face à l'ambiguïté de certaines normes de rendement et la lourdeur du système amèneront inévitablement les employés et les superviseurs à escamoter les étapes prescrites et à réduire les efforts nécessaires à la réussite du système d'évaluation du rendement.

8.4 Les causes du faible rendement d'un employé

Le piètre rendement d'un employé peut provenir de trois sources, soit l'employé lui-même, les politiques et les programmes de l'entreprise ou l'environnement externe de l'entreprise (*voir la figure 8.3*).

L'employé peut avoir été affecté à des fonctions pour lesquelles il n'a pas la qualification requise. Le superviseur se retrouvera alors devant un problème de formation et il devra utiliser les approches mentionnées au chapitre 7. Le problème de l'employé peut aussi être lié à la motivation. Il faudra alors analyser ses besoins et adopter l'approche appropriée. L'employé peut également faire face à des problèmes personnels qui nuisent à son travail, qu'il s'agisse de problèmes familiaux, de comportement, d'alcoolisme, de toxicomanie, etc. Nous aborderons ce sujet au moment de l'étude de la discipline au chapitre 10.

Les politiques et programmes de l'entreprise peuvent aussi être la cause d'un faible rendement de la part de l'employé. Les politiques et les procédures de l'entreprise peuvent annihiler les efforts de l'employé, ou il est possible que le système de récompenses ne corresponde pas aux objectifs du poste. Ce serait le cas d'un système de rémunération qui récompense les efforts individuels d'employés auxquels on demande, par ailleurs, de travailler dans un esprit de collaboration.

Enfin, un faible rendement, tout comme un rendement remarquable, peut être le résultat de circonstances échappant à la maîtrise de l'employé. Par exemple, pour un vendeur, ses piètres résultats peuvent découler de la faiblesse de l'économie, du taux de chômage, d'une grève chez les principaux clients de l'entreprise ou des conditions climatiques. Il faut alors ajuster l'évaluation en fonction de ces facteurs afin de ne pas pénaliser ou récompenser un employé pour des résultats sur lesquels il n'a eu que peu d'influence.

Figure 8.3 Les causes d'un faible rendement

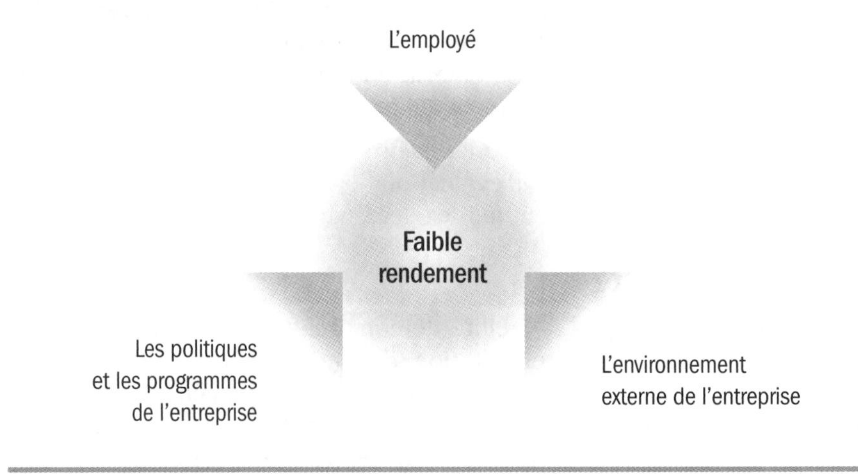

8.5 Les normes de rendement

Les **normes de rendement** sont des mesures qui permettent de comparer le rendement du titulaire d'un poste aux attentes à l'endroit de ce titulaire. Une définition précise des normes de rendement se traduit par une évaluation du rendement plus pertinente. Ainsi, le fondement du processus d'évaluation se situe dans la définition de normes de rendement qui sont constamment mises à jour afin de refléter la réalité et qui portent sur des critères pertinents.

Normes de rendement
Mesures qui permettent de comparer le rendement du titulaire d'un poste avec les attentes à l'endroit de ce titulaire.

Exemple 8.1

Un représentant de commerce doit vendre (les ventes sont le critère) pour un montant (le montant des ventes est la norme) de 150000$ par mois pour obtenir une cote de rendement excellente et au moins pour un montant de 120000$ pour obtenir la cote moyenne. De plus, toutes les ventes mensuelles inférieures à 100000$ sont associées à un rendement faible.

Quoique l'évaluation du rendement d'un employé soit extrêmement importante, il est difficile de définir clairement ce qui doit être évalué. Le rendement, qui dépend des habiletés, des efforts et des circonstances, représente le résultat des activités de l'employé pendant une certaine période. Pour un technicien-comptable, il peut être la synthèse de la précision de son travail, de sa rapidité d'exécution, de ses relations avec le personnel du bureau et de ses relations avec la clientèle. Le rendement est donc la somme (ou la moyenne) de sa performance dans chacun de ces domaines qui constituent son travail.

Il s'agit d'évaluer le rendement – les domaines évalués doivent donc être reliés à la tâche – et non les traits de personnalité, les caractéristiques ou les compétences de l'employé.

La compétence est un élément important qui doit être évalué et qui peut être utile lors de décisions administratives telles qu'une promotion. Cependant, la compétence et le rendement, bien qu'interreliés, ne doivent pas être confondus.

Les principaux critères pour évaluer la performance sont la qualité, la quantité, le respect des délais, l'utilisation économique des ressources, l'autonomie et les relations personnelles. Notons cependant que ces critères ne sont pas nécessairement pertinents pour tous les emplois.

De plus, il n'appartient pas aux employés d'interpréter ou même de découvrir les exigences de la direction quant à ce qui doit être fait et à la manière dont cela doit être fait. L'employé peut avoir ses propres normes de rendement, et celles-ci risquent de ne pas être conformes aux objectifs de l'entreprise.

Exemple 8.2

Le commis d'un supermarché peut se dévouer corps et âme pour répondre aux questions des clients et leur indiquer les endroits où se trouvent les produits, mais cela sera peine perdue si le superviseur considère que sa tâche la plus importante consiste à remplir les tablettes afin d'inciter les consommateurs à acheter.

Exemple 8.3

L'augmentation des ventes peut être une priorité pour un représentant, quitte à accorder des rabais qui influent sur la profitabilité. Cependant, si l'entreprise vise à maximiser ses profits, il faudra que le représentant soit évalué en fonction d'objectifs de rentabilité.

Exemple 8.4

Le désir de maintenir au travail le niveau de précision qu'il a toujours atteint dans ses études en y consacrant 60 heures par semaine peut inciter un technicien en comptabilité à maintenir ce niveau de précision. Cependant, si l'entreprise vise un niveau déterminé de profits, il faudra inclure la rapidité d'exécution dans les normes de rendement.

L'ordinateur devient une autre source d'information[13] qui permet d'obtenir un tableau complet du rendement d'un employé. Les défenseurs de cette approche considèrent cette application de l'ordinateur comme une nouvelle utilisation de la technologie qui a pour effet d'améliorer la productivité. Par contre, les opposants y voient une autre intrusion dans la vie privée des employés.

L'analyse des postes permet de décrire clairement ce que doit accomplir le titulaire du poste ainsi que le rendement attendu de lui sur les plans quantitatif et qualitatif. Plus encore, une norme de rendement doit être établie pour chacune des tâches ou des responsabilités liées au poste. À titre d'exemple, il faut indiquer le nombre de dossiers traités et le nombre maximal d'erreurs acceptable pour 100 dossiers étudiés.

En ce qui a trait aux postes de supervision, le titulaire d'un poste peut très souvent ajouter aux normes établies, au moment de l'analyse du poste, ses propres objectifs de rendement avec l'accord de son supérieur immédiat. L'employé s'attardera aux comportements rentables et il favorisera tout comportement menant à une récompense. C'est le fondement de la théorie du renforcement en psychologie[14]. Il faut donc s'assurer de récompenser les comportements désirés.

8.6 Le choix de l'évaluateur

Le choix d'une méthode d'évaluation du rendement n'a qu'une importance relative, car d'autres facteurs peuvent avoir une incidence sur les résultats de la gestion, dont le choix de l'évaluateur. De façon à bien remplir son rôle, l'évaluateur doit pouvoir, pendant une période relativement longue, observer l'employé dans l'exécution de son travail. Conséquemment, l'évaluateur doit être un superviseur, un collègue de travail, un subordonné, un client ou, évidemment, l'employé évalué lui-même. En fait, le choix de l'évaluateur représente le choix de la source de renseignements concernant le rendement d'un employé (*voir la figure 8.4*).

8.6.1 Le superviseur

Le superviseur est sans aucun doute la personne la mieux placée pour évaluer le rendement d'un employé[15]. Il connaît très bien les attentes de l'entreprise et

13. Voir L. PAPP, « Working under the electronic eye », *Toronto Star*, juillet 1991, p. D1 et D5.

14. Selon l'adage anglais, « *the thing that gets rewarded get done* ». Traduction des auteurs : « Mieux vaut se consacrer à ce qui rapporte. »

15. Lire à ce sujet Michel DE SMET, « Bien évaluer ses employés leur permet de progresser », *Les Affaires*, le 8 novembre 2003, cahier C, p. 5.

Figure 8.4 Les sources de renseignements concernant le rendement d'un employé

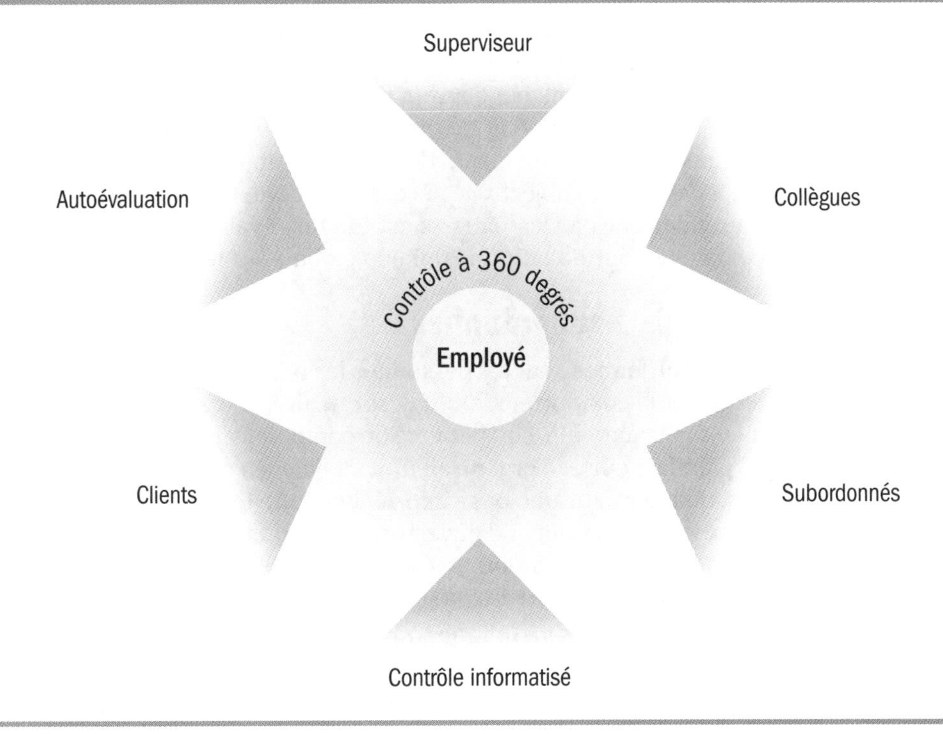

peut élaborer des objectifs spécifiques à l'égard du titulaire du poste. Il bénéficie généralement d'un point d'observation stratégique et il est aussi apte à mesurer le rendement de l'employé et à apprécier son apport aux objectifs de l'unité administrative. C'est aussi son rôle de définir des plans de développement pour ses employés. En outre, le superviseur est habituellement responsable de la gestion du système de récompenses (augmentations de salaire, mutations, louanges, promotions, etc.), ce qui l'incite, de toute manière, à effectuer une évaluation du rendement de l'employé.

De toute évidence, un certain nombre de superviseurs n'ont pas l'aptitude nécessaire pour évaluer correctement leurs employés et, surtout, pour leur communiquer la rétroaction essentielle dans le processus d'évaluation du rendement. D'autres encore sont très réticents à l'idée d'endosser la fonction de juge et acceptent difficilement le rôle que les conduisent à jouer certaines méthodes d'évaluation.

Les nouvelles tendances de gestion dans lesquelles les postes sont organisés selon des équipes de travail et non selon la hiérarchie ainsi que l'implantation de projets d'équipe et les affectations spéciales ont pour effet de compliquer l'intervention du superviseur dans l'évaluation de l'employé.

8.6.2 Les collègues de travail

Certains emplois amènent leur titulaire à exercer ses fonctions dans un contexte qui ne se prête pas à l'observation de la part du superviseur. Dans ces situations, les collègues de travail, ou pairs[16], peuvent mieux que quiconque offrir un éclairage sur le rendement d'un employé.

Cependant, afin d'éliminer les biais d'évaluation issus des relations amicales ou, au contraire, conflictuelles entre les pairs, il est extrêmement important de décrire les éléments qui devront être évalués. En outre, il ne faut pas que le système de rémunération et de plan de carrière entre en conflit avec le processus d'évaluation du rendement. L'existence d'un climat de concurrence entre les employés réduit l'objectivité nécessaire à l'évaluation. Généralement, l'évaluation du rendement par les pairs constitue une évaluation parmi plusieurs que l'on compilera pour obtenir une opinion globale sur le rendement d'un employé.

8.6.3 Les subordonnés

Les subordonnés sont les personnes les mieux placées pour évaluer les compétences et le comportement du gestionnaire. La capacité de déléguer de ce dernier, son leadership, son habileté de communicateur ainsi que ses compétences de planificateur et d'organisateur sont évalués constamment par ses subordonnés, du moins sur une base informelle. Cette forme d'évaluation exige toutefois la présence d'un climat d'ouverture et de confiance au sein du groupe de travail. À l'instar de l'évaluation par les pairs, l'évaluation par les subordonnés ne représente d'ordinaire qu'un des éléments de l'évaluation globale d'un cadre.

Au regard de l'évaluation, il faut cependant préciser les critères afin d'éviter que les subordonnés ne fondent leur évaluation que sur leurs besoins personnels et sur la relation qu'ils entretiennent avec leur supérieur[17]. L'évaluation doit absolument mesurer la contribution du gestionnaire aux objectifs de l'entreprise dans l'accomplissement de ses tâches.

8.6.4 Les clients

Dans certaines entreprises, les clients sont appelés à participer à l'évaluation d'un employé, comme un représentant, un caissier ou une téléphoniste. Certaines entreprises du secteur de l'automobile utilisent cette méthode pour évaluer les conseillers à la clientèle (les vendeurs).

Chrysler Canada fait parvenir à chacun de ses nouveaux clients un questionnaire détaillé portant sur le comportement du vendeur, son approche, les explications qu'il leur a fournies à propos du produit ou du service. On leur demande même si le vendeur leur a bien expliqué les modes de financement, s'il leur a présenté les principaux membres de l'équipe du concessionnaire, s'il leur a fourni toutes les explications concernant le fonctionnement de la voiture au moment de la livraison et s'il a communiqué avec eux une semaine après la livraison du véhicule. Ces évaluations sont compilées et les résultats sont remis à chacun des représentants.

---

16. Voir G. M. McEvoy et P. F. Buller, « User Acceptance of Peer Appraisals in an Industrial Setting », *Personnel Psychology*, vol. 40, 1987, p. 785-787 ; T. E. Becker et R. J. Klimoski, « A Field Study of the Relationship between the Organizational Feedback Environment and Performance », *Personnel Psychology*, n° 42, 1989, p. 353-358 ; V. U. Druskat et S. B. Wolff, « Effects and Timing of Developmental Peer Appraisals in Self-Managing Work Groups », *Journal of Applied Psychology*, n° 84, 1999, p. 58-74.

17. Voir à ce sujet L. E. Atwater et coll., « An Upward Feedback Field Experiment: Supervisors' Cynicism, Reactions, and Commitment to Subordinates », *Personnel Psychology*, n° 53, 2000, p. 297.

La fonction d'enseignant est un exemple facile à trouver… À titre de « client[18] », l'étudiant évalue toujours, du moins de manière informelle, ses enseignants. Par contre, aucune circonstance ne permet au directeur de secteur ou au directeur des études d'observer un enseignant lorsque celui-ci est en contact avec ses élèves, en classe ou dans des ateliers, et encore moins dans un stage. L'étudiant est donc dans une excellente position d'observation pour participer à l'évaluation de ses enseignants.

Les hôtels distribuent dans les chambres des formulaires d'évaluation des services. En remplissant ces formulaires, les clients participent à l'évaluation du personnel, sinon individuellement, du moins par unité de service. Plusieurs restaurants placent à la disposition des clients des formulaires semblables.

8.6.5 L'autoévaluation

L'autoévaluation fait partie intégrante de l'évaluation du rendement. Dans le cas de la méthode de gestion par objectifs, elle représente même l'élément essentiel de l'évaluation. Il est évident que l'employé aura tendance à présenter son rendement sous un jour favorable, mais son engagement dans sa propre évaluation aura un effet bénéfique sur sa motivation et réduira ses réticences face au processus d'évaluation.

Compte tenu du fait que le résultat de l'autoévaluation sera plus favorable[19] que celui d'une évaluation faite par le supérieur immédiat, il est préférable d'utiliser cette méthode pour conseiller l'employé ou préparer à son intention un programme de formation plutôt que de l'utiliser pour prendre des décisions administratives telles que des promotions ou des augmentations de salaire.

Retenons que l'autoévaluation concrétise la politique d'ouverture de la direction et, surtout, rééquilibre le pouvoir à l'intérieur de l'entreprise. La responsabilisation[20] (*empowerment*) des employés, qui consiste à leur accorder plus de pouvoir, d'autonomie et de responsabilités, favorise d'ailleurs l'autoévaluation. Dans ce contexte, l'autoévaluation apparaît comme la seule formule qui s'intègre dans ce nouveau phénomène.

8.6.6 Le contrôle informatisé

Les ordinateurs ont envahi toutes les sphères de la gestion des entreprises. Plusieurs employés travaillent continuellement avec un ordinateur, tels les comptables, les stagiaires dans les bureaux d'avocats, les conseillers du Service à la clientèle des établissements financiers, les agents du Service à la clientèle des agences de location d'autos et presque tous les services de soutien à la clientèle et de dépannage, particulièrement dans le domaine de l'informatique. Il est donc relativement facile de contrôler le travail accompli par ces employés, le temps consacré à chaque activité ou à chaque dossier.

18. L'étudiant peut être considéré comme un client, mais selon le point de vue, il peut aussi revêtir un rôle semblable à celui du subordonné ou autre.

19. J. Yu et K. R. Murphy, « Modesty Bias in Self-Rating of Performance: A Test of Cultural Relativity Hypothesis », *Personnel Psychology*, vol. 46, p. 357-363.

20. Lire à ce sujet Joseph F. Coates, Jennifer Jarratt et John B. Mahaffie, *Future Work*, San Francisco, Jossey-Bass, 1990.

L'ordinateur devient donc une autre source d'information[21] qui permet d'obtenir un tableau complet du rendement d'un employé. Les défenseurs de cette approche considèrent cette application de l'ordinateur comme une nouvelle utilisation de la technologie qui a pour effet d'améliorer la productivité. Par contre, les opposants y voient une autre intrusion dans la vie privée des employés[22].

8.6.7 La rétroaction à 360 degrés

La combinaison des évaluations émanant de plusieurs sources, qui vise à pallier l'absence de contact continu entre l'employé et le superviseur, se nomme la rétroaction à 360 degrés[23]. Chacun des évaluateurs insistera sur un aspect différent du rendement de l'évalué, soulignant ainsi la complexité des rôles qu'un employé ou un gestionnaire doit remplir. Le succès de cette approche repose sur le fait que chacune des catégories d'évaluateurs a un accès immédiat et unique à une facette du travail de l'employé. C'est là une source de renseignements fiable et valide concernant certaines activités du travail de l'employé.

Dans tous les cas, quelle que soit l'approche retenue, il ne faut jamais perdre du vue le fait que l'évaluation n'a qu'un objectif, soit l'amélioration du rendement et de la contribution de l'employé. Lorsque le but de l'évaluation consiste à fournir des éléments pour justifier une décision administrative (promotion, augmentation de salaire, etc.), l'évalué et l'évaluateur doivent en être préalablement informés.

8.7 Les méthodes d'évaluation du rendement

Les résultats obtenus par les employés ne se traduisent pas toujours dans les conclusions de l'évaluation du rendement[24]. En réalité, l'évaluation des employés traduit la perception de l'évaluateur, et nombreuses sont les erreurs qui peuvent s'y glisser. Par ailleurs, de nombreux facteurs influent sur les résultats de l'évaluation du rendement, tels les facteurs environnementaux du travail, l'acceptabilité du système et le degré de confiance des évaluateurs et des employés évalués dans le processus, les buts poursuivis par l'évaluation, la fréquence des évaluations ou les sources de données utilisées pour l'évaluation et la formation.

---

21. Voir L. Papp, « Working under the Electronic Eye », *Toronto Star*, juillet 1991, p. D1 et D5.

22. Lire à ce sujet K. Maher, « Big Employer Is Watching », *The Wall Street* Journal, le 4 novembre 2003, p. B1 et B6 ; Jean-Sébastien Trudel, « Votre patron en sait-il plus sur vous que votre conjoint ? », *Les Affaires*, le 29 novembre 2003 et C. Piller, « Privacy in Peril », *Macworld*, juillet 1993, p. 124-130.

23. Lire à ce sujet Ginka Toegel et Jay A. Conger, « 306-Degree Assessment: Time for Reinvention », *Academy of Management Learning &* Education, septembre 2003, p. 297 ; S. E. Scullen, M. K. Mount et M. Goff, « Understanding the Latent Structure of Performance Ratings », *Journal of Applied Psychology*, n° 85, 2000, p. 956-970 ; A. S. DeNisi et A. N. Kluger, « Feedback Effectiveness: Can 360-degree Appraisals Be Improved? », *Academy of Management Executive*, n° 14, 2000, p. 129-139 ; J. Ghorpade, « Managing the Five Paradoxes of 360-degree Feedback », *Academy of Management Executive*, n° 14, 2000, p. 86-94.

24. Lire à ce sujet E. A. Hogan, « Effects of Prior Expectations on Performance Ratings: A Longitudinal Study », *Academy of Management Journal*, vol. 30, 1987, p. 354-368.

Aussi, selon la catégorie d'employés, le genre d'emploi et les objectifs, il est préférable de choisir certaines méthodes d'évaluation plutôt que d'autres.

Les méthodes d'évaluation du rendement sont regroupées en deux catégories, soit les méthodes axées sur les comportements et celles axées sur les résultats. Les méthodes axées sur les comportements regroupent celles qui comparent le rendement des employés entre eux (évaluation relative) et celles qui comparent le rendement des employés aux normes de rendement préétablies (évaluation objective). Les méthodes axées sur les résultats s'attardent à l'apport de l'employé, à ses résultats (*voir la figure 8.5*).

Figure 8.5 Les méthodes d'évaluation du rendement

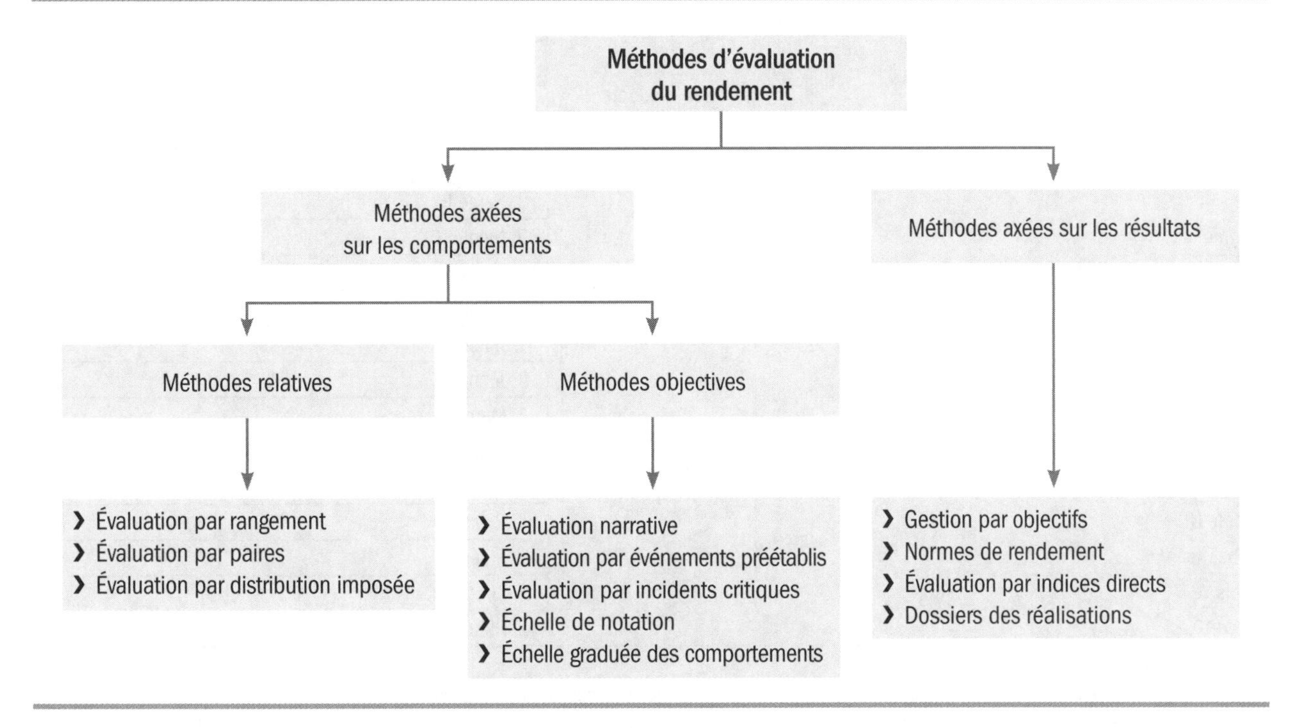

8.7.1 Les méthodes d'évaluation relatives axées sur les comportements

L'évaluation par rangement

L'**évaluation par rangement**[25] est une méthode très simple de comparaison entre les employés. Il s'agit de dresser la liste des employés d'une unité administrative, du meilleur au plus faible, en ce qui concerne leur rendement au travail. Dans le but de rendre la classification plus significative, celle-ci peut être effectuée selon l'alternance. L'évaluateur inscrit d'abord le nom de l'employé ayant le meilleur rendement en tête de liste, puis le nom de l'employé ayant le

Évaluation par rangement
Méthode très simple de comparaison entre les employés. Il s'agit de dresser la liste des employés d'une unité administrative, du meilleur au plus faible, en ce qui concerne leur rendement au travail.

25. Voir à ce sujet le www.performance-appraisal.com.

rendement le plus faible à la fin de la liste, ensuite le nom de l'employé ayant le deuxième meilleur rendement et ainsi de suite (*voir le document 8.1*).

Document 8.1 La méthode d'évaluation par rangement (en alternance)

Rapport des évaluations

Service :	Évaluateur :	
Liste des employés (ordre alphabétique)		Liste des employés selon le rendement
Bernard A.	Bon rendement	1. Doriane D.
Sophie B.		2. Bernard A.
Cristina C.		3. Cristina C.
Doriane D.		4. Raymond J.
Robert E.		5. Pascale L.
Josée F.		6. Denyse R.
Luc G.		7. Luc G.
Jean H.		8. Serge P.
Raymond J.		9. Nicole U.
Pascale L.		10. Louis W.
Hubert M.	Faible rendement	10. Gisèle T.
Serge P.		9. Gilbert X.
Marc Q.		8. Jean H.
Denyse R.		7. Marc Q.
Gilles S.		6. Sébastien V.
Gisèle T.		5. Robert E.
Nicole U.		4. Gilles S.
Sébastien V.		3. Josée F.
Louis W.		2. Sophie B.
Gilbert X.		1. Hubert M.

Directives :
1. Passez en revue la liste alphabétique et éliminez les personnes qui ne vous sont pas familières.
2. Passez en revue les noms restants et choisissez la meilleure personne ; inscrivez son nom au premier rang (Bon rendement).
3. Passez en revue les noms restants et choisissez la personne qui est moins bonne que les autres ; inscrivez son nom au premier rang (Faible rendement).
4. Choisissez la 2e meilleure personne et inscrivez son nom au 2e rang (Bon rendement).
5. Choisissez la 2e moins bonne et inscrivez son nom au 2e rang (Faible rendement). Continuez ainsi jusqu'au dernier nom de la liste.

Source : Jacques Guillaume, Bernard Turgeon et Claudio Benedetti, *La dynamique de l'entreprise*, 3e éd., Laval, Éditions Études Vivantes, 1993, p. 337.

Évaluation par paires
Méthode systématique de comparaison entre les employés. Chaque employé est comparé à chacun des autres membres de l'unité administrative sur la base de celui dont l'apport à l'entreprise est le plus grand.

L'évaluation par paires

L'**évaluation par paires** est une méthode systématique de comparaison entre les employés. Chaque employé est comparé avec chacun des autres membres de l'unité administrative sur la base de celui dont l'apport à l'entreprise est le plus grand. Il s'agit tout simplement pour l'évaluateur de sélectionner le meilleur employé de chaque paire. Le rang final de l'employé correspond au nombre de fois où un employé a été choisi le meilleur de la paire (*voir le document 8.2*). Dans ce document, Pierre C. a un meilleur rendement que Nicole D., Marie P. et André T. ; par contre, il a un rendement plus faible que Josée M.

Document 8.2 La méthode d'évaluation par paires

	Pierre C.	Nicole D.	Josée M.	Marie P.	André T.	Total
Pierre C.		+	–	+	+	3
Nicole D.	–		–	+	+	2
Josée M.	+	+		+	+	4
Marie P.	–	–	–		–	0
André T.	–	–	–	+		1

Étant donné que l'employé est évalué globalement, il est difficile d'utiliser cette méthode à des fins administratives. De plus, comme dans toute méthode d'évaluation relative, le fait qu'un employé démontre le meilleur rendement dans un groupe ne signifie pas qu'il ait un rendement adéquat. De même, le fait d'avoir le rendement le plus faible n'est pas incompatible avec le fait de présenter un rendement répondant nettement aux attentes. Par ailleurs, au-delà d'un certain nombre d'employés, il devient très complexe de faire des comparaisons de ce type.

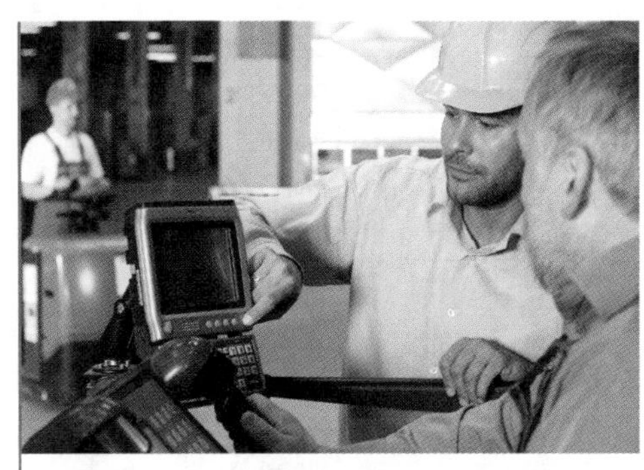

Il faut tout d'abord établir une liste de comportements caractéristiques de chacun des niveaux de rendement. Ensuite, ces comportements sont regroupés en catégories représentant un facteur de rendement à évaluer, soit, par exemple, la supervision des employés, les aptitudes dans les relations humaines ou la maîtrise de l'information.

L'évaluation par distribution imposée

L'**évaluation par distribution imposée**, une autre méthode permettant de comparer les employés entre eux, consiste à distribuer les notations des employés selon une courbe normale. La courbe normale de distribution implique qu'il existe un petit nombre d'employés ayant un rendement élevé et un petit nombre d'employés ayant un rendement faible ; les autres employés, soit la majorité, se situant dans la moyenne entre ces deux groupes. Cette méthode élimine certains problèmes liés à l'évaluation du rendement tels que l'erreur des extrêmes et l'erreur de tendance centrale que nous aborderons plus loin (*voir le document 8.3, p. 268*).

Le problème lié à cette méthode provient du fait que, dans un petit groupe, les employés peuvent percevoir de l'iniquité puisque, même si tous ont un rendement supérieur à la moyenne, certains se verront attribuer la cote « Passable » ou « Faible ». Et si tous les employés ont un rendement moyen, ceux qui présentent le rendement le moins faible auront une excellente évaluation. Il est donc facile d'obtenir une forte évaluation lorsqu'on se retrouve dans un groupe faible. Cette méthode ne doit donc s'appliquer qu'à un grand groupe d'employés.

Évaluation par distribution imposée
Méthode qui consiste à distribuer les notations des employés selon une courbe normale.

Document 8.3 La méthode d'évaluation par distribution imposée

Service:	Date:
Évaluateur:	
Distribution imposée	Liste alphabétique des employés

		Distribution imposée	Liste alphabétique des employés
Excellent	10 %	Doriane D.	Pierre A.
		Pierre A.	Jean-Claude B.
Très bon	20 %	Nicole C.	Nicole C.
		André J.	Doriane D.
		Albert L.	Robert E.
		Carole R.	Josée F.
Moyen	40 %	Viviane G.	Viviane G.
		Francis P.	Jean H.
		Nicole U.	André J.
		Sylvain W.	Albert L.
		Gisèle T.	Hubert M.
		Jean H.	Marc N.
		Denise Q.	Francis P.
		Sébastien V.	Denise Q.
Passable	20 %	Robert E.	Carole R.
		Clément S.	Clément S.
		Josée F.	Gisèle T.
		Jean-Claude B.	Nicole U.
Faible	10 %	Hubert M.	Sébastien V.
		Marc N.	Sylvain W.

Commentaires: ______________________________

8.7.2 Les méthodes d'évaluation objectives axées sur les comportements

L'évaluation narrative

Évaluation narrative
Méthode très simple qui consiste à rédiger un texte sur l'employé dans lequel on souligne ses forces, ses faiblesses, son potentiel et dans lequel on fait des recommandations afin qu'il améliore son rendement.

L'**évaluation narrative** est une méthode très simple qui consiste à rédiger un texte sur l'employé dans lequel on souligne ses forces, ses faiblesses, son potentiel et dans lequel on fait des recommandations afin qu'il améliore son rendement. Cette méthode est à l'opposé des autres méthodes formelles et critériées. Il s'agit de l'opinion pure et simple de l'évaluateur concernant l'employé.

Il est difficile de mesurer le bien-fondé des affirmations contenues dans ce rapport et encore plus difficile d'utiliser ces évaluations à des fins administratives.

En effet, l'absence de comparaisons objectives entre les employés rend cette méthode inutile dans des décisions telles que les promotions ou les mutations. Cette méthode constitue cependant un excellent outil pour commenter le rendement d'un employé et entreprendre une démarche de formation.

L'évaluation par événements préétablis

Selon la méthode d'**évaluation par événements préétablis**, l'évaluateur reçoit une liste d'affirmations décrivant des comportements ayant trait au travail. Le rôle de l'évaluateur consiste à désigner les affirmations qui correspondent aux comportements de l'employé. L'évaluateur voit son rôle se transformer en un rôle d'observateur impartial. Dans certains cas, il note simplement si le comportement s'applique à l'employé ; dans d'autres cas, il doit indiquer jusqu'à quel point l'énoncé s'applique à lui. La réponse ne sera alors plus « oui ou non », mais un ensemble de choix tels que « tout à fait d'accord, d'accord, moyennement d'accord, en désaccord, tout à fait en désaccord ».

Évaluation par événements préétablis
Méthode qui consiste, pour l'évaluateur, à indiquer dans une liste de comportements ceux qui sont adoptés ou non par l'employé.

L'évaluateur remplit le formulaire, qui sera corrigé par le Service des ressources humaines. Il ne peut donc laisser ses impressions et sa subjectivité orienter l'évaluation. Toutefois, il pourrait ressentir de la frustration puisqu'il ne peut savoir si le résultat final de l'évaluation correspond à sa perception du rendement de l'employé.

L'évaluation par incidents critiques

L'**évaluation par incidents critiques** consiste à colliger les événements observés relatifs au travail de l'employé qui ont eu une influence positive ou négative sur son rendement. Cet ensemble de faits concernant l'employé évalué quant à son efficacité dans ses tâches peut s'avérer très utile au moment de l'élaboration d'un programme de formation. Puisqu'il s'agit d'évaluer le rendement et non la personnalité de l'employé, les incidents critiques relevés permettront à l'évaluateur, au moment de l'entrevue d'évaluation du rendement, d'appuyer ses opinions sur des comportements précis.

Évaluation par incidents critiques
Méthode qui consiste à colliger les événements observés relatifs au travail de l'employé qui ont eu une influence positive ou négative sur son rendement.

Toutefois, la collecte des incidents critiques peut représenter une tâche lourde et être assimilée à de l'espionnage. De plus, il devient très difficile d'établir des comparaisons entre les employés lorsqu'on utilise des incidents particuliers à chacun d'eux.

L'échelle de notation

La conception de l'**échelle de notation** exige peu d'investissements et son application demande très peu de temps. Une liste de facteurs comme la connaissance du poste, les capacités, la qualité du travail, l'initiative, le leadership, le jugement ou l'esprit de collaboration est présentée à l'évaluateur. Celui-ci doit noter l'employé pour chaque critère à l'aide d'une échelle qui comporte généralement un nombre d'échelons pair[26]. C'est une des méthodes les plus

Échelle de notation
Méthode d'évaluation du rendement où, à l'aide d'une liste de facteurs comportant chacun une échelle, on note le degré atteint par l'employé.

26. Lorsque le nombre d'échelons est impair, par exemple une échelle de 1 à 5, l'évaluateur peut accorder 3 à un facteur et opter pour la neutralité. Par contre, lorsqu'il y a un nombre d'échelons pair, l'évaluateur doit choisir le côté positif ou négatif. À titre d'exemple, une échelle de 1 à 10 ne laisse pas la possibilité de faire preuve de neutralité, 5 étant négatif et 6, positif.

utilisées et les plus acceptées, malgré ses faiblesses. En effet, la plupart des erreurs et des problèmes liés à l'évaluation du rendement se retrouvent dans cette méthode (*voir le document 8.4*).

Document 8.4 La méthode d'évaluation par échelle de notation

Nom : Doriane B.	Poste : analyste	Date de l'évaluation : 4 mars
Date de l'embauche : le 15 déc. 1997	Expérience : 15 année(s)	

Échelle de notation	**Insatisfaisant**	**Passable**	**Moyen**	**Bon**	**Très bon**	**Excellent**	
Connaissance de la tâche Sur les plans théorique et pratique	1	2	3	4	5	[6]	
Jugement Savoir collecter les données et les évaluer	1	2	3	4	5	[6]	
Organisation de son travail Efficacité à planifier son travail	1	2	3	4	[5]	6	
Attitude Enthousiasme au travail, loyauté, esprit sportif	1	2	3	[4]	5	6	s/o
Sens des responsabilités Capacité à assumer ses responsabilités	1	2	3	4	5	[6]	s/o
Contact avec les autres Tact, diplomatie	1	2	3	[4]	5	6	s/o
Leadership Savoir stimuler les employés	1	2	3	4	5	6	[s/o]
Efficacité personnelle Rapidité et efficacité d'exécution du travail personnel	1	2	3	4	[5]	6	s/o

A. Par ordre d'importance, donnez trois caractéristiques liées à la performance qui exigent une amélioration :
1. Respect des délais
2. Organisation du calendrier des échéances
3. Établissement des priorités

B. Quels sont les facteurs extérieurs au travail qui auraient pu influer sur le rendement ?
1. Surcharge de travail
2. Modifications fréquentes des priorités
3. Ressources limitées

C. Quels sont les points faibles de l'employé ?
1. Esprit d'équipe à développer afin de partager ses compétences
2. Faible au niveau des relations humaines
3. Trop introvertie créant ainsi un climat de méfiance

D. Quels sont les points forts de l'employé ?
1. Très compétente et à l'affût des nouvelles technologies
2. Respect des délais
3. Très efficace et très bien structurée

Nom de l'évaluateur : Dominique L.

Source : Jacques GUILLAUME, Bernard TURGEON et Claudio BENEDETTI, *La dynamique de l'entreprise,* 3e éd., Laval, Éditions Études Vivantes, 1993, p. 339.

L'échelle graduée des comportements

Cette méthode représente une amélioration par rapport à l'échelle de notation. L'**échelle graduée des comportements**[27] présente – et c'est sa principale qualité – les facteurs à évaluer en fonction des comportements et utilise des incidents critiques pour décrire les différents niveaux de rendement. Cette approche permet de définir clairement les attentes de l'entreprise à l'égard de l'employé. En plus d'être facile à utiliser, elle s'avère très utile étant donné qu'elle fournit une rétroaction à l'employé et qu'elle aide à préparer un programme de formation qui lui convient. Il faut s'assurer que l'échelle ainsi que les facteurs utilisés sont clairement définis. Toutefois, la conception de l'échelle graduée des comportements représente un travail énorme, car on doit colliger les descriptions des comportements favorables ou défavorables au rendement dans un poste de travail. Il faut tout d'abord établir une liste de comportements caractéristiques de chacun des niveaux de rendement. Ensuite, ces comportements sont regroupés en catégories représentant un facteur de rendement à évaluer, soit, par exemple, la supervision des employés, les aptitudes dans les relations humaines ou la maîtrise de l'information.

Échelle graduée des comportements
Méthode, semblable à l'échelle de notation, dans laquelle on évalue les facteurs en fonction des comportements et qui utilise des incidents critiques pour décrire les différents niveaux de rendement.

Une dernière restriction quant à l'utilisation de cette méthode réside dans le fait que les comportements d'une échelle sont considérés comme mutuellement exclusifs. Ainsi, dans l'exemple du document 8.5, il semble impossible qu'un gestionnaire puisse «former rapidement les nouveaux employés et les transformer en vendeurs efficaces» et en même temps «ne pas respecter sa parole ou les promesses faites à ses employés», ce qui, dans la réalité, est évidemment plausible.

Document 8.5 Un exemple d'une dimension de l'échelle graduée des comportements

Directeur de service dans un grand magasin: la supervision des vendeurs

Rendement élevé	10	Communique clairement ses attentes à son personnel, fait preuve de tact et de considération dans ses relations avec les subordonnés, gère bien les horaires de travail, se tient informé des activités de ses subordonnés, respecte les politiques de l'entreprise
	9	Peut former rapidement les nouveaux employés et les transformer en vendeurs efficaces
	8	Peut développer la confiance de son personnel en utilisant adéquatement la délégation de responsabilités
Rendement moyen	7	Dirige hebdomadairement des réunions de formation pour ses employés et leur communique exactement ce qu'il attend d'eux dans leur travail
	6	Témoigne de la courtoisie et du respect à l'égard de son personnel
	5	Rappelle régulièrement à ses employés d'être disponibles pour les clients et d'éviter de discuter entre eux
Rendement faible	4	Peut critiquer la gestion du magasin devant les employés, ce qui risque de susciter chez eux une attitude négative
	3	Peut exiger qu'un employé se présente au travail même si ce dernier s'est déclaré malade
	2	Peut ne pas respecter sa parole ou les promesses faites à ses employés
	1	Peut faire des promesses qui vont à l'encontre des politiques de l'entreprise

Source: Inspiré de Herbert G. Heneman et coll., *Personnel/Human Resource Management*, Homewood (Ill.), Richard D. Irwin, 1980, p. 129.

27. Lire à ce sujet R. Jacobs, D. Dafry et S. Zedeck, *loc. cit.*, p. 595-640.

8.7.3 Les méthodes d'évaluation axées sur les résultats

La gestion par objectifs

Gestion par objectifs
Approche de gestion qui consiste à fixer des objectifs pour l'ensemble de l'entreprise, puis pour chacun des services et, enfin, pour chacun des individus. La GPO mesure la contribution de chaque employé au succès de l'entreprise.

La **gestion par objectifs**[28] (GPO), qui est à la base de l'évaluation par objectifs, est une approche de gestion très répandue qui consiste à fixer des objectifs pour l'ensemble de l'entreprise, puis pour chacun des services et, enfin, pour chacun des individus. La GPO mesure la contribution de chaque employé au succès de l'entreprise[29].

Le processus de gestion par objectifs se déroule en quatre étapes. Premièrement, l'employé et son superviseur discutent de la définition des objectifs pour une période donnée. Deuxièmement, ils élaborent le plan d'action et le calendrier qui spécifieront comment et quand les objectifs seront atteints. Troisièmement, ils s'entendent sur les critères à utiliser pour mesurer la réalisation des objectifs. Quatrièmement, ils se rencontrent de nouveau, à la fin de la période, pour évaluer les résultats et définir les nouveaux objectifs.

Ce processus se déroule à tous les niveaux de la hiérarchie, des cadres supérieurs jusqu'aux employés de la base. Les liens établis entre les objectifs des différents niveaux assurent le succès de la GPO et influent positivement sur la productivité[30]. Cependant, il faut noter que chacun des employés est évalué selon une grille d'objectifs différents. Par conséquent, les comparaisons sont difficiles, ce qui restreint l'usage de cette méthode à des fins administratives telles que les promotions, les mutations ou les augmentations de salaire au mérite.

Selon une étude de Thacker et Cattaneo[31], 49 % des entreprises canadiennes ont recours à la méthode de gestion par objectifs, plus précisément pour les gestionnaires, alors que l'échelle de notation est utilisée par 17 % d'entre elles, surtout pour les emplois de professionnels.

Les normes de rendement

Normes de rendement
Approche qui représente une version de la GPO destinée aux employés qui n'ont pas à superviser de subalternes. La GPO mesure la contribution de chaque employé au succès de l'entreprise.

L'évaluation par les **normes de rendement**[32] représente une version de la GPO qui est destinée aux employés qui n'ont pas à superviser de subalternes. Les normes de rendement découlent de l'analyse des postes et sont orientées vers la réalisation des objectifs de l'entreprise. Chacune des normes – qui sont généralement nombreuses – est pondérée par rapport à l'ensemble. La cote obtenue pour une norme est multipliée par le facteur de pondération et les résultats pour chaque norme sont additionnés. Ainsi, les comparaisons entre les

---

28. Bernard Turgeon et Dominique Lamaute, *Le management*, 2e éd., Montréal, Chenelière/McGraw-Hill, 2006, p. 61.
29. Voir un classique au sujet de la GPO : J.-P. Campbell, M. D. Dunnette, E. E. Lawler et K. E. Weick, *Managerial Behavior, Performance and Effectiveness*, New York, McGraw-Hill, 1970.
30. R. Rodgers et J. E. Hunter, « Impact of Management by Objectives on Organizational Productivity », *Journal of Applied Psychology*, vol. 76, 1991, p. 322-335.
31. J. W. Thacker et J. Cattaneo, *Survey of Personnel Practices in Canadian Organizations : A Summary Report to Respondents*, document de travail W92-04, Windsor (Ont.), University of Windsor, Faculty of Business, 1992.
32. Lire à ce sujet Wayne F. Cascio, *Managing Human Resources*, Boston, McGraw-Hill Ryerson, 2003, p. 345.

employés sont facilitées. Le rendement désiré et le rendement obtenu sont alors présentés au titulaire du poste, ce qui est de nature à accroître sa motivation.

L'évaluation par indices directs

L'**évaluation par indices directs**[33] mesure le rendement d'un employé ou d'un gestionnaire à l'aide de critères objectifs. Dans le cas d'un gestionnaire, les critères utilisés sont, par exemple, le taux de roulement des employés, le taux d'absentéisme et la productivité des subalternes. Dans le cas d'un employé, le niveau de productivité, le taux de rejets et le taux de plaintes des clients sont des indices couramment utilisés.

Évaluation par indices directs
Méthode permettant de mesurer le rendement d'un employé ou d'un gestionnaire à l'aide de critères objectifs.

Le dossier des réalisations

À la manière du portfolio des artistes, des graphistes ou des photographes, le **dossier des réalisations** est monté par le titulaire du poste et il représente une véritable autoévaluation. Le titulaire dresse un bilan de ses réalisations et les compare avec ses objectifs. À la seconde étape de l'évaluation, un évaluateur ou un comité d'évaluation révise le bilan du titulaire et rencontre ce dernier pour lui permettre de justifier le contenu de son dossier.

Dossier des réalisations
Sorte de portfolio dans lequel le titulaire du poste dresse un bilan de ses réalisations et les compare avec ses objectifs.

8.7.4 Quelle est la meilleure méthode ?

La meilleure méthode d'évaluation est celle qui permet d'atteindre les objectifs de l'évaluation du rendement que l'entreprise a établis. Cette méthode doit permettre l'utilisation des résultats pour assurer le développement de l'employé et l'amélioration de son rendement.

Au chapitre 7, au moment de l'étude du processus de formation des ressources humaines, nous avons noté que la détermination des besoins de formation relevait en partie de l'analyse du rendement des ressources humaines.

De plus, l'utilisation des résultats de l'évaluation à des fins administratives, comme les promotions, les mutations, les congédiements ou les augmentations de salaire, exige que la méthode employée permette la comparaison entre les membres d'une unité administrative.

Ensuite, la possibilité d'informatiser les résultats de l'évaluation du rendement représente un atout et le développement de logiciels de gestion des ressources humaines permettra de plus en plus de fonder les décisions concernant la main-d'œuvre sur des données pertinentes et actualisées.

Enfin, les préalables que sont la validité, la sensibilité, la fidélité, l'acceptabilité et l'applicabilité, que nous avons abordés au début du chapitre, demeurent des critères importants dans le choix d'une méthode d'évaluation du rendement.

Les tableaux 8.2, 8.3 et 8.4 (*page 274 et suivantes*), résument les avantages et les inconvénients des diverses méthodes d'évaluation du rendement.

---

33. Voir Shimon L. Dolan et coll., *La gestion des ressources humaines*, 3e éd., Montréal, Éditions du Renouveau Pédagogique, 2002, p. 282.

Tableau 8.2 Les méthodes d'évaluation du rendement relatives axées sur les comportements

Méthodes	Avantages	Inconvénients
Évaluation par rangement	› Facilite la comparaison entre les employés › Facilite les décisions d'ordre administratif (promotions, mises à pied, rémunération, etc.) › Exige peu de ressources pour sa mise en place, son implantation et son utilisation	› Ne permet pratiquement pas de fournir de la rétroaction à l'employé › Devient difficile à appliquer lorsque le nombre d'employés dépasse un certain seuil › N'utilise qu'un seul critère, soit la contribution globale de l'employé › Devient difficile à appliquer lorsque le niveau de rendement des employés est semblable
Évaluation par paires	› Facilite la comparaison entre les employés › Facilite les décisions d'ordre administratif (promotions, mises à pied, rémunération, etc.) › Exige peu de ressources pour sa mise en place, son implantation et son utilisation	› Ne permet pratiquement pas de fournir de la rétroaction à l'employé › Devient difficile à appliquer lorsque le nombre d'employés dépasse un certain seuil › N'utilise qu'un seul critère, soit la contribution globale de l'employé › Devient difficile à appliquer lorsque le niveau de rendement des employés est semblable
Évaluation par distribution imposée	› Permet de faire des distinctions entre le rendement des employés › Facilite les décisions d'ordre administratif (promotions, mises à pied, rémunération, etc.) › Exige peu de ressources pour sa mise en place, son implantation et son utilisation › Limite les erreurs liées à l'évaluation (effet de halo, tendance centrale, etc.)	› Ne présente pas la véritable valeur d'un employé si l'ensemble du groupe est faible ou très fort › Devient difficile à appliquer lorsque le nombre d'employés dépasse un certain seuil › N'utilise qu'un critère unique, soit la contribution globale de l'employé › Devient difficile à appliquer lorsque le niveau de rendement des employés est semblable

Tableau 8.3 Les méthodes d'évaluation du rendement objectives axées sur les comportements

Méthodes	Avantages	Inconvénients
Évaluation narrative	› Permet de fournir de la rétroaction à l'employé › Facilite les décisions d'ordre administratif (promotions, mises à pied, rémunération, etc.) › Exige peu de ressources pour sa mise en place, son implantation et son utilisation	› Rend difficile la comparaison entre les employés › Ne fournit que des données qualitatives
Évaluation par événements préétablis	› Exige peu d'efforts lors de son utilisation › Repose sur l'analyse des tâches › Facilite la comparaison entre les employés	› Peut donner lieu à une interprétation variable des divers critères

›

Tableau 8.3 **Les méthodes d'évaluation du rendement objectives axées sur les comportements (*suite*)**

Méthodes	Avantages	Inconvénients
Évaluation par incidents critiques	› Se concentre sur la contribution de l'employé plutôt que sur ses qualités personnelles	› Exige énormément de temps › Ne comprend pas de critères qualitatifs
Échelle de notation	› Exige peu d'efforts lors de son utilisation › Permet de fournir de la rétroaction à l'employé › Permet de faire des distinctions entre le rendement des employés	› Exige énormément de temps lors de la confection du système › Entraîne de nombreuses erreurs (effet de halo, tendance centrale, etc.) › Ne permet pas de déterminer les besoins de formation
Échelle graduée des comportements	› Exige peu d'efforts lors de son utilisation › Permet de fournir de la rétroaction à l'employé › Permet de faire des distinctions entre le rendement des employés	› Exige énormément de temps lors de la confection du système › N'indique pas qu'un employé peut avoir des comportements liés à un rendement faible et d'autres comportements liés à un rendement élevé

Tableau 8.4 **Les méthodes d'évaluation du rendement objectives axées sur les résultats**

Méthodes	Avantages	Inconvénients
Gestion par objectifs	› Se concentre sur la contribution de l'employé › Favorise la planification de la main-d'œuvre et le développement de carrière	› Analyse les résultats à court terme › Néglige le comportement de l'employé › Rend difficile la comparaison entre les employés
Normes de rendement	› Permet de donner à l'employé des normes précises quant aux résultats attendus	› Exige un climat de coopération et de confiance › Peut engendrer un climat malsain de compétition entre les employés
Évaluation par indices directs	› Utilise des critères quantitatifs et qualitatifs › Mesure directement le rendement d'un employé › Exige peu de ressources pour sa mise en place, son implantation et son utilisation	› Rend difficile la définition d'indices de grande qualité, bien que cela soit primordial
Dossier des réalisations	› Permet d'évaluer le travail d'un professionnel où les normes de rendement quantitatives sont difficiles à déterminer (avocats, professeurs, chercheurs, etc.) › Favorise la planification de la main-d'œuvre et le développement de carrière	› Permet difficilement de vérifier l'exactitude du contenu du dossier › Exige beaucoup de temps

8.8 Les problèmes liés à l'évaluation du rendement

Idéalement, les évaluateurs – qui peuvent être les superviseurs, les collègues de travail, les subordonnés ou les clients – devraient être objectifs dans leur évaluation du rendement des employés. Les résultats de l'évaluation du rendement doivent refléter le rendement de l'employé et non les préjugés de l'évaluateur. Le meilleur des mondes n'existant pas, il faut que l'évaluateur soit conscient de ses propres préjugés et perceptions afin de limiter leurs effets sur l'évaluation de l'employé, ou dans la mesure du possible, de les éliminer.

L'évaluation du rendement repose sur la prémisse selon laquelle l'observateur-évaluateur est objectif et précis, mais il faut admettre que la mémoire peut être défaillante ou sélective, que les évaluateurs ont leurs propres attentes et leurs propres critères et que leurs objectifs personnels ne correspondent pas forcément à ceux de l'entreprise. L'ensemble de ces préjugés a des répercussions sur l'évaluation d'un employé (*voir la figure 8.6*).

Figure 8.6 Les problèmes liés à l'évaluation du rendement

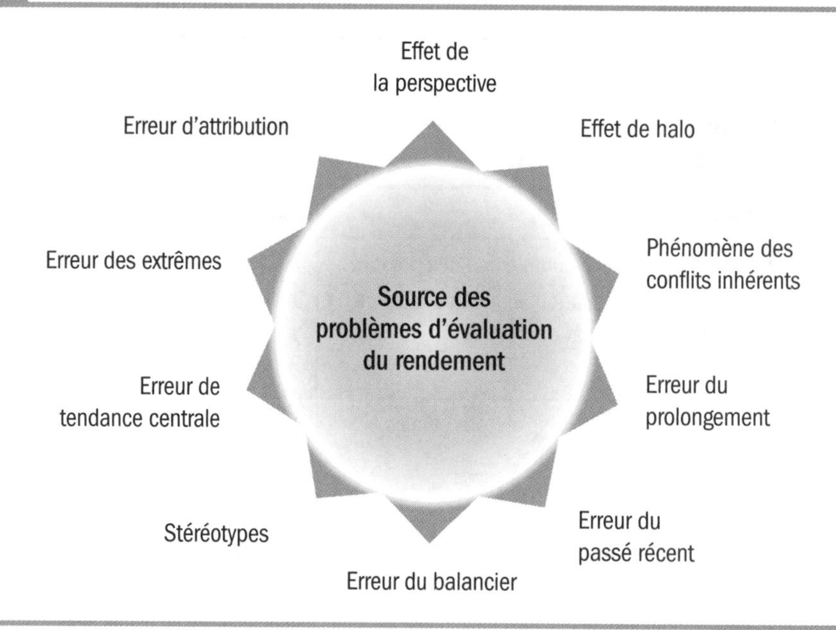

8.8.1 L'effet de la perspective

L'effet de la perspective entraîne une perception fort différente de la situation de la part de l'évaluateur et de la personne évaluée. La théorie des deux facteurs de la motivation de Herzberg[34] mentionnait déjà que les gens sont portés à parler d'un élément dont ils sont responsables lorsque l'expérience

34. Bernard Turgeon et Dominique Lamaute, *op. cit.*, p. 110.

est enrichissante et que leur rendement est adéquat. En outre, lorsque les résultats leur paraissent négatifs, ils sont portés à signaler qu'un élément échappe à leur maîtrise comme les conditions de travail ou l'encadrement. Dans le cas d'un bon rendement, l'employé évalué soulignera ses compétences, ses initiatives et son efficacité, alors que l'employé dont le rendement est faible insistera sur le manque de soutien de son supérieur, sur l'insuffisance des ressources et sur le manque de collaboration de la part de ses collègues de travail.

8.8.2 L'effet de halo

L'erreur en raison de l'effet de halo[35] est probablement l'erreur la plus répandue. Les évaluateurs qui y succombent fondent leur évaluation sur une perception globale de l'employé ou sur une seule dimension qu'ils jugent importante, ils évaluent alors généreusement ou sévèrement, selon le cas, chacun des facteurs du formulaire d'évaluation. En fait, la perception, erronée ou fondée, suivant laquelle l'employé mérite une cote élevée pour un facteur tend à pousser l'évaluateur à accorder la même cote aux autres facteurs. Si une secrétaire est intelligente, implicitement l'évaluateur lui accordera un niveau élevé d'honnêteté, une capacité de travail impressionnante et un esprit d'initiative plus élevé que la moyenne. Une note médiocre attribuée sur un aspect peut aussi influer négativement sur l'ensemble de l'évaluation.

8.8.3 Le phénomène des conflits inhérents

Le phénomène des conflits inhérents[36] découle des objectifs mêmes de l'évaluation du rendement que poursuivent l'entreprise et l'employé. Le premier conflit provient du fait que l'entreprise vise, par le processus d'évaluation, à voir le rendement des employés s'améliorer et à connaître leurs faiblesses afin de leur offrir des activités de formation qui profiteront et aux employés et à l'entreprise. En même temps, cette dernière utilise les résultats des évaluations pour attribuer les récompenses, les augmentations de salaire et les promotions. Le deuxième conflit oppose le désir de l'employé de recevoir une rétroaction pertinente sur son rendement au désir d'obtenir des récompenses et de protéger son image de soi. Le troisième conflit découle de la recherche, de la part de l'employé, des récompenses et de la protection de l'image de soi ainsi que de la recherche, de la part de l'entreprise, des renseignements valides sur lesquels s'appuiera l'attribution des récompenses. Enfin, le quatrième conflit, majeur celui-là, provient du désir de l'entreprise de connaître les faiblesses de l'employé pour lui venir en aide et du désir de l'employé d'obtenir des récompenses et de protéger son image.

8.8.4 L'erreur du prolongement

L'erreur du prolongement est bien connue en pédagogie. Si un enseignant est informé du fait que les étudiants de sa classe sont des sujets très prometteurs,

---

35. Voir K. R. MURPHY et R. L. ANHALT, « Is Halo Error a Property of the Rater, Ratees, or Specific Behavior Observed? », *Journal of Applied Psychology*, vol. 77, 1992, p. 494-500 ; K. R. MURPHY, R. A. JAKO et R. L. ANHALT, « Nature and Consequences of Halo Error: A Critical Analysis », *Journal of Applied Psychology*, vol. 78, 1993, p. 218-225.

36. L'analyse des conflits inhérents est proposée par Shimon L. DOLAN et Randall S. SCHULER, *La gestion des ressources humaines*, 3e édition, Montréal, 1995, p. 360-362.

il aura tendance à leur attribuer des notes supérieures ; si on le prévient du contraire, la moyenne des résultats de sa classe risquera d'être plus faible. De même, lorsqu'un évaluateur est averti par l'évaluateur précédent qu'un employé est un élément très prometteur, il aura tendance à accorder une évaluation très positive à cet employé. La simple lecture des évaluations précédentes dans le dossier de l'employé peut avoir un effet d'entraînement.

8.8.5 L'erreur du passé récent

L'erreur du passé récent se produit lorsque l'évaluateur base son évaluation sur le rendement récent. Ainsi, l'évaluation du rendement d'un employé pour la dernière année s'appuiera principalement sur les réalisations ou les échecs portant sur le dernier mois. Certains évaluateurs qui sont conscients de ce piège se défendent en soulignant que, sur une longue période, ce qui importe, c'est la tendance qui prévaut actuellement. Par conséquent, un employé qui a un rendement faible pendant neuf mois obtiendra une bonne évaluation si les trois derniers mois indiquent une nette amélioration. Le phénomène inverse peut aussi se produire. Un employé qui a eu un comportement inadéquat dans le passé laissera une impression négative. L'évaluateur conservera cette impression et aura tendance à ne retenir que les autres comportements qui confirment cette première impression. L'employé sera alors évalué sur une période révolue.

8.8.6 L'erreur du balancier

L'erreur du balancier se produit lorsque l'évaluateur compare plusieurs employés avec une norme de rendement. Si plusieurs employés sont classés dans le groupe qui a un rendement faible, le rendement moyen d'un employé sera probablement transformé en un rendement supérieur. Par exemple, lorsqu'un enseignant corrige un grand nombre de travaux dans la même journée, un travail moyen corrigé à la suite de trois travaux très faibles recevra probablement une note supérieure à celle qu'il mérite. C'est pourquoi les enseignants ne corrigent en général que quelques copies à la fois. L'inverse est aussi vrai : un employé ayant un rendement moyen qui est évalué après deux employés ayant un rendement supérieur recevra probablement une cote très faible.

8.8.7 Les stéréotypes

Les stéréotypes constituent des attitudes établies à l'avance à l'égard d'une personne possédant certaines caractéristiques. À titre d'exemple, un jeune employé ne sera jamais évalué à un niveau supérieur en raison de son manque d'expérience. Par contre, un employé comptant un grand nombre d'années de service recevra une cote supérieure, car il remplit ses fonctions depuis longtemps. Les dangers de discrimination sont très grands dans ces situations, d'autant que la discrimination peut être inconsciente. Ainsi, un commis de bureau ayant un rendement supérieur aux attentes pour cette catégorie d'emploi recevra la cote « rendement satisfaisant », car il n'est qu'un commis de bureau. À l'opposé, un statisticien ayant un rendement adéquat bénéficiera d'une évaluation supérieure parce qu'il occupe une fonction plus complexe. Les stéréotypes peuvent être fondés sur le sexe, l'âge, la religion, la race, la nationalité, etc.

8.8.8 L'erreur de tendance centrale

En ce qui concerne l'erreur de tendance centrale, il s'agit d'une attitude de neutralité face à l'évaluation des employés qui amène l'évaluateur à considérer le rendement de tous comme satisfaisant. Il est facile de transposer ces erreurs dans une classe. Ainsi, pour certains enseignants, les meilleurs étudiants obtiendront la note de 70 % ; pour d'autres, tous les étudiants mériteront 80 %. L'erreur de tendance centrale amènera certains enseignants à accorder à tous leurs élèves une note se situant entre 78 % et 82 %.

8.8.9 L'erreur des extrêmes

L'erreur des extrêmes et l'erreur de tendance centrale représentent deux facettes d'un même préjugé d'évaluation qui ne permet pas de discriminer les employés qui ont un rendement supérieur et ceux qui ont un rendement insatisfaisant (*voir le facteur «sensibilité» au début du chapitre*). Dans le cas de l'erreur des extrêmes, l'évaluateur a tendance à être trop indulgent en accordant une excellente évaluation à tous les employés ou à être trop sévère en n'accordant qu'exceptionnellement une cote supérieure.

8.8.10 L'erreur d'attribution

L'erreur d'attribution fait référence à la tendance d'attribuer à l'employé la responsabilité des comportements observés en sous-estimant l'influence de facteurs hors de son contrôle. L'employé aura tendance à s'adjuger le crédit d'une réussite dans son travail et à mettre sur le compte de facteurs extérieurs hors de son contrôle ses insuccès. L'évaluateur agira à l'inverse, d'où l'existence d'une perception d'iniquité lors de la rencontre d'évaluation du rendement.

Ces différents problèmes et erreurs pourront en grande partie être évités si les évaluateurs apprennent à observer plus adéquatement les comportements des employés. La tenue de discussions entre les évaluateurs en ce qui concerne les éléments de l'évaluation, et particulièrement les facteurs d'évaluation, est de nature à améliorer la qualité du processus d'évaluation du rendement. Enfin, la possibilité pour les évaluateurs de confronter leurs évaluations avec celles de spécialistes en évaluation constitue un autre moyen d'améliorer ce processus. La rétroaction à 360 degrés, que nous avons mentionnée précédemment, permet d'éviter un grand nombre de ces problèmes et de ces erreurs.

8.9 Les avantages de l'évaluation du rendement

Les avantages découlant du programme de la gestion du rendement justifient amplement les efforts et les investissements requis. S'il est vrai que l'implantation d'un tel programme exige que plusieurs aspects de la gestion des ressources humaines soient analysés, il reste que les retombées seront positives pour plusieurs autres programmes de la gestion des ressources humaines. De nombreuses décisions administratives concernant les employés reposent sur les renseignements obtenus par le programme de la gestion du rendement.

Le succès à long terme d'une organisation se fonde sur la qualité de son personnel. Les plans de succession, par exemple, sont construits à partir des données obtenues lors de l'évaluation des employés. Cet exercice, qui consiste à préparer la relève, donc à garantir la pérennité de l'organisation, oblige chaque service à découvrir les employés qui ont le potentiel pour accepter de nouvelles responsabilités afin de relever les défis auxquels fait face l'organisation.

Les attentes des gestionnaires et celles des employés sont clairement définies lors de cet exercice, les uns et les autres spécifiant leur vision en ce qui a trait à la contribution ou à la carrière. Le « contrat » entre l'employé et l'organisation est précisé, et les énergies peuvent alors être orientées de manière à permettre la réalisation des objectifs de chacun.

Les résultats de la gestion du rendement permettent également de mesurer la qualité des autres décisions administratives. Ainsi, il est possible de mesurer la validité des résultats de l'embauche et des décisions touchant aux mutations et aux promotions en la comparant avec la valeur de la contribution de l'employé embauché ou promu.

Dans le cas des mesures disciplinaires, y compris un congédiement, les éléments objectifs et précis d'un programme de la gestion du rendement permettront de justifier devant un arbitre, ou même devant une cour de justice, la pertinence des décisions administratives.

8.10 L'entrevue d'évaluation du rendement

Afin d'améliorer l'efficacité de l'évaluation du rendement, les gestionnaires doivent inclure dans le processus d'évaluation un certain nombre d'activités qui se dérouleront avant, pendant et après l'évaluation. Il doit aussi décider de l'approche retenue pour conduire la discussion.

8.10.1 Les catégories d'entrevues

Il existe trois catégories d'entrevues d'évaluation du rendement[37], soit l'entrevue d'information et de persuasion (« juge et vends »), l'entrevue d'information et d'écoute (« juge et fais parler ») et l'entrevue de résolution de problèmes (« approche résolutive »)(*voir la figure 8.7*).

L'entrevue d'information et de persuasion

Dans cette catégorie d'entrevue, l'évaluateur a un rôle de juge. L'objectif consiste à communiquer à l'employé les résultats de son évaluation en partant du principe que l'évaluateur porte un jugement valide et fiable et que l'employé désire vraiment corriger ses points faibles. Dans la mesure où l'employé témoigne du respect et de la confiance à l'évaluateur, l'entrevue entraînera une amélioration du rendement du premier. Par contre, il y a un risque sérieux que celui-ci

---

37. Ces catégories sont suggérées par Norman R. Maier, *The Appraisal Interview: Three Basic Approaches*, La Jolla (Cal.), University Associates, 1976, et par un classique dans le domaine de l'entrevue, Norman R. Maier, *The Appraisal Interview: Objectives, Methods, and Skills*, New York, John Wiley and Sons, 1958.

Figure 8.7 Les catégories d'entrevues

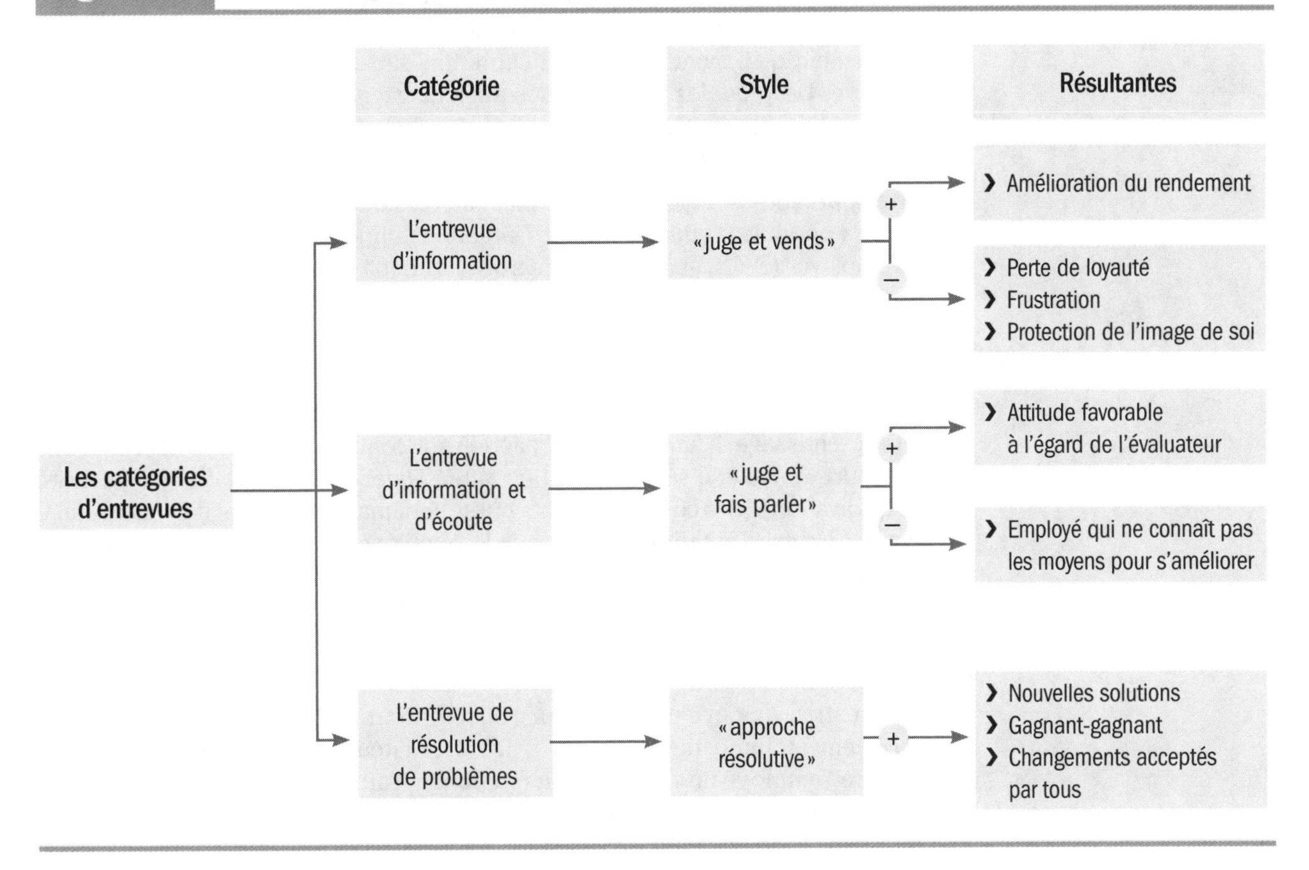

ait des réactions négatives, soit une perte de loyauté, de la frustration ou un réflexe de protection de son image de soi.

L'entrevue d'information et d'écoute

Dans cette catégorie d'entrevue, l'évaluateur remplit toujours le rôle du juge. Il doit communiquer les résultats de l'évaluation à l'employé et manifester une écoute active afin de le laisser réagir. L'évaluateur encourage l'employé à exprimer son désaccord et à faire part de ses sentiments. Puisque l'évaluateur témoigne de la tolérance et du respect à l'employé, ce dernier acquerra une attitude favorable à l'égard de l'évaluateur, qui, dans la plupart des cas, est le supérieur immédiat. Même si l'employé désire changer en fonction de l'évaluation qu'il a reçue, il n'est pas assuré qu'il découvrira seul les moyens d'y arriver.

L'entrevue de résolution de problèmes

L'entrevue de résolution de problèmes amène l'évaluateur à jouer un rôle de soutien, de personne-ressource. Ce type d'entrevue vise l'amélioration et le développement de l'employé ainsi que la mise au point commune de solutions pour corriger les comportements qui nuisent au rendement. Les discussions sont orientées vers l'élaboration de nouvelles idées et vers les intérêts convergents des deux parties. L'approche résolutive se caractérise surtout par l'exploration, l'évaluation et le développement de nouvelles solutions. L'évaluateur doit s'attendre à ce que la solution commune qui a été élaborée soit différente du dénouement qu'il avait prévu. L'amélioration du rendement devient une quasi-certitude. De plus, les deux parties sortent gagnantes de l'expérience: elles pourront tirer un enseignement de l'échange de leurs points de vue et ouvriront la porte à des changements acceptés par tous.

Cette approche est évidemment la plus intéressante, mais en cas d'échec, il est toujours possible d'utiliser, dans les situations difficiles, les programmes d'aide aux employés (PAE), que nous aborderons au chapitre 10 portant sur la discipline. De plus, il y a toujours la possibilité de recourir aux deux autres approches.

8.10.2 Avant l'entrevue

Comme nous l'avons souligné au chapitre 7, au moment de l'étude des principes de l'apprentissage, il faut que la rétroaction soit fournie à l'employé dans un délai très court. Ainsi, une seule évaluation faite annuellement perd de son efficacité lorsqu'on aborde des comportements qui se sont manifestés plusieurs mois auparavant. Cela est d'autant plus vrai avec les employés ayant un faible rendement. Lorsque le comportement négatif ou positif d'un employé mérite un commentaire, il faut le faire immédiatement et l'inscrire dans un dossier en vue de la rencontre d'évaluation qui n'aura peut-être lieu que plusieurs mois plus tard. De plus, il faut immédiatement rencontrer l'employé pour lui faire part de la situation.

La formation des évaluateurs pour l'observation des comportements s'avère extrêmement importante. En effet, les évaluateurs doivent être en mesure d'offrir à l'employé une rétroaction qui pourra l'aider à mieux comprendre son comportement et à s'améliorer. L'objectif est l'amélioration du rendement et non l'évaluation de l'employé en soi.

En outre, l'évaluateur doit motiver l'employé à préparer l'entrevue d'évaluation. L'employé doit analyser ses tâches, ses responsabilités, les problèmes qu'il a éprouvés et les moyens qu'il a utilisés pour les résoudre. Cela rendra la discussion plus dynamique. Bien que les employés aient tendance à surestimer leur apport, l'exercice d'autoévaluation permet de trouver des points communs de discussion et rend la rencontre plus productive.

8.10.3 La démarche de l'entrevue d'évaluation du rendement

L'évaluateur, qui est généralement le superviseur[38], doit assigner des tâches à l'employé, spécifier les normes du rendement attendu et fournir le soutien que l'employé requiert. Il doit aussi faire en sorte que l'employé possède les compétences nécessaires à l'accomplissement de sa tâche et bénéficie d'un contexte de travail propre à la satisfaction de ses besoins. Enfin, il doit évaluer le plus objectivement possible le rendement de l'employé, ce qui, comme nous l'avons déjà affirmé en soulignant les conflits inhérents à certains aspects de la gestion du rendement, particulièrement l'évaluation, ne va pas facilement de pair avec les rôles de formateur et de motivateur.

---

38. Clinton O. Longenecker, Henry P. Sims Jr. et Dennis A. Gioia, *loc. cit.*, p. 183-193.

L'entrevue d'évaluation du rendement[39] est une rencontre entre l'évaluateur et l'employé pendant laquelle le rendement de ce dernier est analysé. L'efficacité de cette démarche repose sur le respect de certaines consignes[40] qui favoriseront les échanges et l'amélioration du rendement de l'employé.

Bref, l'entrevue d'évaluation du rendement se veut un échange de renseignements permettant à l'évaluateur et à l'employé de préciser ce qui a été accompli, quel succès a été obtenu, comment faire pour aller plus loin, quelles possibilités sont à la portée de l'employé et quel lien on peut établir entre le présent et l'avenir.

Il faut insister sur l'objectif de l'évaluation du rendement, qui consiste à améliorer le rendement et la contribution de l'employé et non à le sanctionner pour le travail qui n'a pas été accompli.

La tâche sera facilitée si, pendant l'entrevue, l'évaluateur fait ressortir les aspects positifs du rendement de l'employé. Toutefois, cela n'empêche pas d'aborder les objectifs qui n'ont pas été atteints ou qui n'ont été atteints que partiellement.

Les critiques négatives concernant le rendement de l'employé doivent reposer sur des exemples déterminés, sur des manquements à des politiques ou à des règles précises, et ce, en évitant de recourir à des généralités. L'objet de la rencontre demeure le rendement de l'employé et non une analyse de sa personnalité, à moins, bien sûr, qu'une attitude ou une caractéristique personnelle de l'employé n'entrave l'exécution de ses tâches.

Lorsque l'employé manifeste son désaccord avec énergie, il faut à tout prix éviter de discuter avec lui. Les deux parties présentent leur point de vue, et l'évaluateur doit miser sur les éléments de convergence. Les tentatives pour persuader l'employé d'adhérer totalement à la vision de l'évaluateur risquent de couper les ponts et de rendre difficile la réalisation des objectifs pour la prochaine période.

Il faut préciser les mesures que l'employé peut adopter pour améliorer son rendement. Il ne s'agit pas d'émettre des vœux, mais de tracer un plan d'action pour la période qui vient. Comme dans tout plan d'action, pour en permettre la réalisation, il faut investir dans les ressources nécessaires. Les propositions d'activités de formation pour l'employé sont importantes, mais l'évaluateur doit aussi insister sur sa volonté sincère de servir de personne-ressource pour appuyer les efforts de l'employé en vue d'améliorer son rendement.

On doit conclure l'entrevue d'évaluation en mettant l'accent sur les aspects positifs du rendement de l'employé et sur les projets réels que nourrit l'entreprise à son égard. Une note négative n'a généralement que peu d'effets sur l'amélioration du rendement d'un employé, alors qu'une note positive est propre à le stimuler.

Bref, l'entrevue d'évaluation du rendement est une activité confidentielle qui doit se dérouler dans un climat de confiance et en toute sérénité. Il faut consacrer le temps nécessaire à la réalisation de ces objectifs. L'entrevue doit

---

39. À consulter: Paula PETERS, «Seven Tips for Delivering Performance Feedback», *Supervision*, le 1er mai 2000, p. 12-14.

40. Ces consignes sont suggérées en partie par David C. MARTIN, «Performance Appraisal: Improving the Rater's Effectiveness» *Personnel*, août 1986, p. 28-33.

toujours être accompagnée d'un suivi qui permettra de vérifier si l'employé a modifié son comportement de manière à atteindre les objectifs établis lors de la rencontre d'évaluation. Ce suivi doit se dérouler dans un délai relativement court. Enfin, elle doit également permettre de fixer de nouvelles normes dans une perspective de continuité.

8.11 L'évaluation continue

L'évaluation continue[41] doit être intégrée dans le processus d'évaluation du rendement. L'évaluation périodique, souvent annuelle ou semestrielle, risque d'être perçue comme une activité parallèle aux responsabilités du gestionnaire et de l'employé. Une communication constante et une évaluation continue des progrès de l'employé permettent de maintenir le cap sur les objectifs définis au moment de la rencontre annuelle. Elles aident aussi à mieux comprendre les facteurs ayant une incidence sur le rendement de l'employé et l'encouragent à atteindre un meilleur rendement.

La théorie du renforcement[42] démontre que, lorsqu'un employé constate un lien direct entre un comportement et un résultat, il adoptera ce comportement, dans la mesure, évidemment, où le résultat lui est agréable. Conséquemment, les décisions administratives telles que les promotions, les augmentations de salaire ou les mutations doivent avoir un rapport avec les résultats des évaluations du rendement. Cela amènera les employés à mieux se préparer pour les entrevues, à participer davantage au processus d'évaluation et à y trouver une plus grande satisfaction.

8.12 L'évaluation du rendement et les aspects juridiques

Les pratiques discriminatoires interdites par la Charte des droits et libertés de la personne, abordées au chapitre 5, s'appliquent nécessairement à l'évaluation du rendement. Afin de rendre l'évaluation du rendement légalement défendable devant une contestation juridique d'un employé, il faut respecter certains principes. Ainsi, l'évaluation doit être équitable, juste et raisonnable. Pour y arriver, voici quelques suggestions. L'évaluation doit :

- reposer sur l'analyse de tâches ;
- être portée sur les comportements reliés à la tâche et non sur les traits de personnalité ;
- être communiquée à l'employé d'une manière formelle et détaillée ;
- permettre à l'employé d'émettre son opinion sur les résultats ;
- être effectuée par des superviseurs compétents dans l'exécution de cet exercice ;
- être formelle, écrite, détaillée et documentée ;
- être uniformisée pour tous les employés d'un même secteur d'activités ;
- conduire à des décisions administratives cohérentes d'après ses résultats.

---

41. Lire à ce sujet P. Kiger, « Frequent Employee Feedback Is Worth the Cost and Time », *Workforce*, mars 2001, p. 62-65.
42. *Ibid.*, p. 261.

Résumé du chapitre

L'évaluation du rendement est un processus qui consiste pour le gestionnaire à définir pour chacun de ses employés le rendement attendu, à les soutenir dans l'amélioration de leur contribution aux objectifs de l'organisation et à les récompenser lorsqu'ils ont atteint les objectifs établis. Cette activité vise deux objectifs : améliorer le rendement d'un employé et colliger les renseignements nécessaires à la prise de décisions administratives.

L'insuccès de plusieurs méthodes d'évaluation du rendement provient du non-respect d'un certain nombre de préalables tels que la validité, la sensibilité, la fidélité, l'acceptabilité et l'applicabilité.

L'évaluation du rendement est généralement effectuée par le superviseur, mais d'autres approches font intervenir les pairs, les subordonnés, les clients et l'employé lui-même.

Les méthodes d'évaluation du rendement les plus utilisées se divisent en deux catégories. La première, les méthodes d'évaluation axées sur les comportements, regroupe les méthodes qui comparent le rendement des employés entre eux (évaluation relative) et celles qui comparent le rendement des employés avec les normes de rendement préétablies (évaluation objective). Elle comprend l'évaluation par rangement, l'évaluation par paires, l'évaluation par distribution imposée, l'évaluation narrative, l'évaluation par événements préétablis, l'évaluation par incidents critiques, l'échelle de notation et l'échelle graduée des comportements. La deuxième catégorie comprend les méthodes d'évaluation qui s'attardent aux résultats de l'employé. Elle regroupe la gestion par objectifs, les normes de rendement, l'évaluation par indices directs et le dossier des réalisations.

Enfin, la qualité de l'évaluation du rendement est parfois réduite par des erreurs de la part de l'évaluateur ou encore par des préjugés contenus dans la méthode utilisée qui déforment les résultats de l'évaluation. Les principaux problèmes sont l'effet de la perspective, l'effet de halo, l'erreur du prolongement, l'erreur du balancier, les stéréotypes, l'erreur des extrêmes, l'erreur de tendance centrale, l'erreur du passé récent, l'erreur d'attribution et le phénomène des conflits inhérents.

Ces erreurs pourront être évitées dans une large mesure si les évaluateurs apprennent à observer plus adéquatement les comportements. Enfin, la possibilité de confronter leurs évaluations avec celles de spécialistes en évaluation constitue, pour les évaluateurs, un autre moyen d'améliorer le processus d'évaluation du rendement. La rétroaction à 360 degrés permet d'éviter un grand nombre de ces problèmes.

L'évaluation du rendement est un programme extrêmement important et les décisions qui en découlent exigent qu'elle soit conduite dans le respect de toutes les règles de l'art.

Questions de révision et application

1. Définissez l'évaluation du rendement. Quels sont les avantages pour une entreprise d'entreprendre cette activité ?

2. Décrivez les deux principaux objectifs de l'évaluation du rendement.

3. Décrivez les trois sources du faible rendement d'un employé.

4. Lorsqu'on mentionne les objectifs de l'évaluation du rendement, qu'entend-on par l'expression « à des fins administratives » ?

5. Décrivez les trois méthodes d'évaluation du rendement suivantes et donnez-en les avantages et les inconvénients :

a) l'échelle de notation ;

b) l'échelle graduée des comportements ;

c) la gestion par objectifs.

6. Quels sont les principaux problèmes et erreurs que l'on trouve au moment de l'évaluation du rendement ?

7. Quelle méthode d'évaluation du rendement utiliseriez-vous pour évaluer vos enseignants ? Justifiez votre réponse.

8. Quelle approche utiliseriez-vous pour réduire, sinon éliminer, les réactions de méfiance des employés par rapport à l'entrevue d'évaluation du rendement ?

9. Selon vous, peut-on séparer les discussions concernant l'évaluation du rendement et celles concernant les augmentations de salaire ? Justifiez votre réponse.

10. Jean K. déteste faire passer des entrevues d'évaluation du rendement. Il a donc mis sur pied un procédé qui évite tous les problèmes liés à cette activité. Il convoque l'employé qu'il doit évaluer 20 minutes avant la fin de la journée de travail, soit à 16 h 40. Saluant rapidement l'employé, il lui dit qu'ils sont tous deux très occupés, mais qu'il doit procéder annuellement à ce processus exigé par le Service des ressources humaines. Alors, il énumère rapidement les résultats accordés à l'employé pour chacun des facteurs en spécifiant comment il en est arrivé à ces cotes, puis il invite l'employé à signer le formulaire. Il lui indique que, s'il n'a pas d'autres commentaires, ce sera tout, et qu'il est convaincu que l'année prochaine les résultats seront meilleurs.

Quels sont vos commentaires au sujet de cette approche ? Quels éléments manque-t-il dans cette entrevue ? Quelles seront les conséquences probables de l'attitude de Jean ?

Évaluation de la compétence

Analyse de cas

Cas 8.1

Bus Plus inc.

Bus Plus inc. est une grande entreprise de fabrication d'autobus de la région de Saint-Hyacinthe. Elle embauche 175 employés et est en activité depuis plus de 30 ans. Maxime C., qui a été directeur des ressources humaines pendant plusieurs années, a pris sa retraite il y a trois ans. Il avait conçu un système d'évaluation du rendement qui était utilisé pour l'ensemble des employés.

Ainsi, les employés de bureau et les employés de la production étaient évalués par leur superviseur sur une base semestrielle. À la fin des mois de mars et de septembre, chaque superviseur dressait l'évaluation de tous ses employés. Ces deux moments de l'année correspondaient à des périodes creuses, ce qui laissait plus de temps aux superviseurs pour effectuer leurs évaluations. Par contre, c'est à cette période que l'entreprise effectuait des mises à pied de quelques semaines. Une cinquantaine d'employés qui avaient travaillé pendant tout le semestre n'étaient donc pas évalués.

Les superviseurs rencontraient chacun de leurs employés pour discuter de leur rendement, puis le formulaire était versé au dossier de l'employé pour une utilisation ultérieure. Ainsi, au moment de l'attribution d'une promotion, le dossier de l'employé et les évaluations des deux dernières années étaient pris en considération. De plus, lorsque des augmentations de salaire étaient accordées, la vérification des évaluations était considérée pour la fixation du pourcentage.

Depuis le départ de Maxime, Andréanne L. remplit les fonctions de directrice des ressources humaines. Elle est diplômée de l'Université Laval en gestion des ressources humaines et possède onze ans d'expérience dans ce domaine. Plusieurs dossiers, dont celui de la négociation collective, ont occupé son temps depuis qu'elle a pris la direction du service.

Depuis un mois, elle s'est attardée au dossier de l'évaluation du rendement des employés. Une enquête interne sommaire lui a permis de constater que la plupart des employés ne voient aucun intérêt à cet exercice.

Selon eux, près de 90% des superviseurs remplissent le formulaire (*voir le document 8.6, p. 288*) plus ou moins sérieusement et ils rencontrent l'employé évalué pendant quatre à six minutes. La rencontre consiste en une lecture de l'évaluation accompagnée d'un ou deux commentaires. Généralement, l'employé ne voit même pas le formulaire et il tient pour acquis que les propos du superviseur correspondent à ce qui est écrit. Il semblerait qu'au mieux, 10% des superviseurs réalisent une entrevue étoffée.

Autre constatation, les formulaires versés au dossier de l'employé ne sont à peu près jamais réutilisés, ni pour les promotions ni pour les augmentations de salaire. Les superviseurs connaissent cette situation, ce qui ne les encourage pas à consacrer plus d'énergie qu'il ne faut à l'exercice.

Dans les autres entreprises où Andréanne a travaillé, l'évaluation du rendement représentait une activité importante. Les employés recevaient une rétroaction très élaborée, ils étaient incités à s'améliorer et des activités de formation leur étaient suggérées. Quant à l'utilisation des données de l'évaluation du rendement en lien avec les décisions administratives, les gestionnaires consultaient couramment les résultats des évaluations.

Andréanne pense donc à développer un nouveau système d'évaluation du rendement et vous demande votre avis.

Document 8.6 Le formulaire d'évaluation du rendement de Bus Plus inc.

Aux superviseurs : veuillez remplir le formulaire suivant pour chacun de vos employés. Le formulaire doit être présenté à l'employé et envoyé au Service des ressources humaines pour être versé au dossier de l'employé.
Évaluez chacun des facteurs séparément selon l'échelle de points suivante :
Excellent = 5 ; Au-dessus de la moyenne = 4 ; Moyen = 3 ; Sous la moyenne = 2 ; Faible = 1

Facteurs	Échelle d'évaluation					Total
Qualité du travail	Excellent	Au-dessus de la moyenne	Moyen	Sous la moyenne	Faible	
Quantité de travail	Faible	Sous la moyenne	Moyen	Au-dessus de la moyenne	Excellent	
Responsabilité	Excellent	Au-dessus de la moyenne	Moyen	Sous la moyenne	Faible	
Initiative	Faible	Sous la moyenne	Moyen	Au-dessus de la moyenne	Excellent	
Esprit d'équipe	Excellent	Au-dessus de la moyenne	Moyen	Sous la moyenne	Faible	
Relations humaines	Faible	Sous la moyenne	Moyen	Au-dessus de la moyenne	Excellent	
					Total	
Signature du superviseur :						
Signature de l'employé :						

Question

1. Rédigez un court rapport présentant les forces et les faiblesses du système actuel d'évaluation du rendement. Faites des recommandations afin d'améliorer la situation.

Cas 8.2

La nouvelle approche

Pamela M. est consultante dans la région de Jonquière depuis quatre ans. Diplômée de l'Université du Québec à Chicoutimi, elle a rempli plusieurs mandats pour une trentaine d'entreprises, principalement dans le domaine de l'évaluation du rendement et dans celui de la formation.

Hermann G. est directeur du Service des ressources humaines chez Métal Industriel ltée. Il désire implanter un véritable processus d'évaluation du rendement pour remplacer le système simpliste qui prévaut en ce moment : le superviseur remplit un formulaire une fois l'an en répondant à dix questions et envoie le tout au Service des ressources humaines sans en communiquer les résultats à l'employé.

Le directeur de l'usine, Alain L., est d'accord avec le projet de Hermann. Ingénieur de formation et directeur de l'usine depuis vingt ans, il donne carte blanche à Hermann en ce qui concerne la gestion des ressources humaines. Ses centres d'intérêt le portent plutôt vers la gestion des équipements. D'ailleurs, il accorde la même liberté à Francine T., la directrice des finances. L'entretien des équipements, le remplacement et l'achat de nouveaux outils ou machines le passionnent davantage que la gestion des ressources humaines. Il est de nature conservatrice, n'aime pas le changement, à moins d'y être obligé. « Si ce n'est pas brisé, il ne faut pas le réparer ! » ne cesse-t-il de répéter aux personnes qui lui font des suggestions de changement.

Après trois jours de travail préliminaire et de rencontres informelles, Pamela entre dans le bureau de Hermann.

– Bon ! Hermann, j'aimerais te faire part de l'orientation que je prendrai sûrement. Je te demande d'y réfléchir.

– Vas-y, je te dirai ce que j'en pense, répond-il.

– Le programme actuel d'évaluation du rendement n'est pas du tout apprécié. Les employés et les superviseurs ne le prennent pas au sérieux. Certains croient même que ces évaluations nuisent à leur avancement dans l'entreprise.

– Continue, je t'écoute.

– La plupart de tes superviseurs ont de 15 à 22 employés à diriger, reprend Pamela. Ils ne peuvent évidemment pas observer correctement tout ce monde ni effectuer des évaluations appropriées.

– C'est beaucoup de travail, en effet, commente Hermann.

– Voici quelques suggestions que je vais probablement te faire dans quelques semaines. D'abord, il faut revoir les formulaires d'évaluation du rendement, puis il faudra amener les superviseurs à utiliser de façon judicieuse des formulaires et à effectuer des entrevues efficaces.

– Intéressant…

– Puis, poursuit Pamela, il faudra augmenter le nombre d'évaluations, disons tous les trimestres, afin de maintenir la motivation des employés.

– Ouf… Ce sera difficile ! s'exclame Hermann.

– De plus, il sera nécessaire d'instituer un programme d'évaluation du rendement par les pairs, afin d'obtenir plus de renseignements concernant l'employé.

– Oh !

– Enfin, dit Pamela, la mise en place d'un programme d'évaluation du rendement des superviseurs par leurs employés permettra d'établir un véritable système de communication et améliorera le rendement.

– Oh ! lance une nouvelle fois Hermann.

Questions

1. Quelle sera la réaction de Hermann G. devant les suggestions suivantes de Pamela M. : l'implantation d'un système d'évaluation par les pairs et l'instauration d'un système d'évaluation des supérieurs immédiats par leurs employés ?

2. Que feriez-vous pour convaincre le directeur de l'usine, Alain L., du bien-fondé de ces propositions ?

3. Faites pour Hermann une évaluation des suggestions présentées. Quels sont les préalables de l'implantation d'un programme comportant plusieurs évaluations durant l'année ? Et quelles sont les implications d'une évaluation effectuée par les pairs ?

Chapitre 9 La gestion de la rémunération

Cheminement d'idées

La lecture de ce chapitre devrait vous permettre :

1. de définir la rémunération globale ;
2. d'expliquer les objectifs des programmes de rémunération ;
3. de préciser les facteurs de l'environnement interne et de l'environnement externe qui influent sur la rémunération ;
4. de nommer les principales lois qui concernent la rémunération ;
5. de décrire les principales méthodes d'évaluation des postes ;
6. de décrire la méthode d'évaluation par points ;
7. de présenter le contenu de l'enquête salariale ;
8. d'énumérer les principaux avantages sociaux et les services offerts aux employés par les entreprises.

Compétence visée

La compétence visée dans ce chapitre est de pouvoir appliquer le processus de gestion du programme de rémunération.

Objectifs pédagogiques

Point de mire

L'ouvrier de la onzième heure[1]

Matthieu S. est propriétaire d'une petite fabrique de drapeaux et de banderoles dans une ville moyenne, au sud de Québec. Il vient de décrocher le plus gros contrat de l'histoire de son entreprise. Une association de bienfaisance américaine, qui doit assister à un congrès à Montréal à partir de lundi prochain, fait face à un problème : le camion transportant les drapeaux de l'organisation a eu un accident et la cargaison a été détruite par le feu. L'association a organisé un défilé dans les rues de Montréal pour le dimanche après-midi suivant et elle avait l'intention de vendre ces drapeaux pour récolter des fonds destinés à l'organisme Jeunesse au Soleil.

Jean N. est membre du comité d'accueil du groupe de congressistes. Il a recommandé l'entreprise de Matthieu, qu'il connaît très bien, en soulignant que celle-ci saurait relever le défi de remplacer les drapeaux détruits. Matthieu doit produire 15000 petits drapeaux, 1500 drapeaux moyens et 300 très grands drapeaux pour samedi matin. Le respect de la date de livraison est une condition essentielle dans le contrat. Les drapeaux porteront le logo de

1. Ce texte est inspiré de la « Parabole des ouvriers envoyés à la vigne », Évangile selon Matthieu, 20, 1-16.

l'organisme, le nom de la ville de Montréal et la date. Ils ne pourront donc pas être utilisés pour d'autres occasions.

En temps normal, l'entreprise pourrait fabriquer ces drapeaux en dix jours, mais c'est la période de vacances pour plus de la moitié du personnel. Matthieu pourra rappeler quelques employés, mais il lui faudra, en plus, une main-d'œuvre supplémentaire de toute urgence.

Dimanche soir, Matthieu se présente donc au centre social et culturel de la municipalité afin d'embaucher des ouvriers pour son usine. Il convient avec quatre jeunes d'un salaire de 575 $ pour la semaine s'ils consentent à travailler dix heures par jour de lundi à vendredi.

Mardi soir, constatant qu'il doit accentuer le rythme pour atteindre son objectif de production, Matthieu retourne au centre social et culturel de la municipalité et embauche deux autres ouvriers. Compte tenu de l'urgence de la situation, il leur dit: «Présentez-vous à mon usine demain matin et je vous donnerai un salaire de 575 $ pour les trois derniers jours de la semaine si vous acceptez de travailler dix heures par jour.»

Jeudi soir, il fait de même, il sort encore, trouve deux autres ouvriers et leur dit: «Pourquoi restez-vous ici tout le jour sans travailler?» «C'est que, lui disent-ils, personne ne nous a embauchés.» Il leur dit: «Venez à mon usine. Je vous paierai 575 $ pour dix heures de travail pour la journée de demain.»

Le vendredi soir venu, le propriétaire de l'usine dit à son comptable: «Appelle les ouvriers et remets à chacun son salaire, en allant des derniers aux premiers arrivés.» Ceux qui n'ont travaillé que le vendredi viennent et touchent 575 $ chacun. Les premiers, qui ont travaillé toute la semaine, arrivent à leur tour, pensent qu'ils vont toucher davantage, mais ils touchent 575 $ chacun, eux aussi.

Tout en recevant l'argent, ils disent au propriétaire: «Les derniers venus n'ont travaillé qu'une seule journée et tu les as traités comme nous, qui avons porté le fardeau de la semaine, avec cette chaleur!» Alors, Matthieu réplique à l'un d'eux: «Mon ami, je ne te lèse en rien; n'avions-nous pas convenu de 575 $? Prends ce qui te revient et va-t'en. Il me plaît de donner à ce dernier venu autant qu'à toi: n'ai-je pas le droit de disposer de mes biens comme il me plaît? Ou faut-il que tu sois jaloux parce que je suis bon?»

9.1 La gestion de la rémunération

Niveau de salaire
Revenu versé à chacun des groupes d'emplois dans l'entreprise.

Structure salariale
Hiérarchisation des salaires dans une entreprise.

Mode de rémunération
Base de calcul de la rémunération.

Contenu de la rémunération
Ensemble des éléments attribués à titre collectif ou individuel en vue de rémunérer un employé.

Le programme de rémunération dans une entreprise renvoie aux normes[2] et aux techniques utilisées pour définir le niveau de salaire des employés et les modes de progression de ces salaires. Il comprend la détermination du **niveau de salaire** (combien) versé à chaque catégorie d'emplois, de la **structure salariale** (écarts), c'est-à-dire la hiérarchie de l'ensemble des salaires et les écarts entre chacun des paliers, du **mode de rémunération** (comment), soit la définition de la fréquence et du mode de calcul des salaires (base horaire, commissions, etc.) et du **contenu de la rémunération** (quoi), soit les aspects pécuniaires directs et indirects, la rémunération variable et les autres avantages (*voir la figure 9.1*).

9.2 Les objectifs du programme de rémunération

Bien que l'entreprise vise avant tout à optimiser ses profits et à réduire ses coûts, dont les coûts de la main-d'œuvre, la réalisation du premier objectif implique parfois de la modération dans la recherche du second.

2. Vous trouverez la politique de gestion des salaires de l'Université McGill au www.mcgill.ca/adminhandbook/personnel/salary/#TOP.

Figure 9.1 Les éléments d'un programme de rémunération

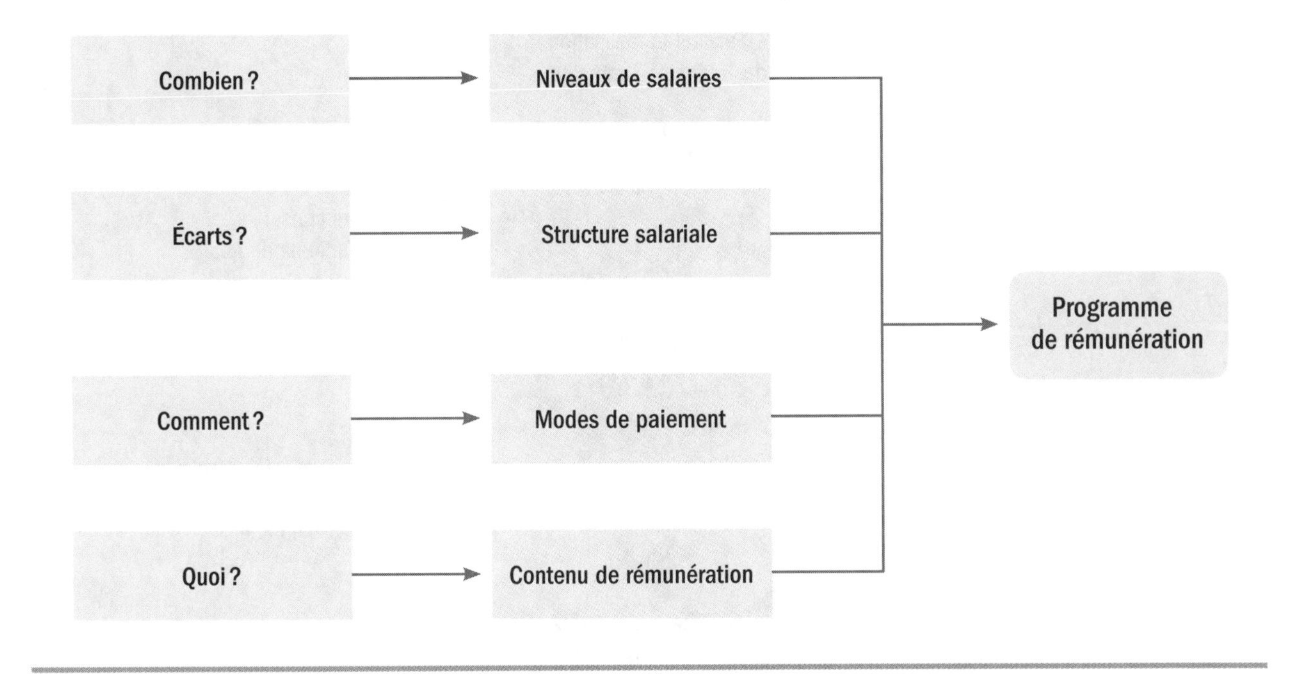

Le programme de rémunération vise de multiples cibles telles que faciliter la réalisation des objectifs stratégiques, attirer les candidats qualifiés et les talents rares, récompenser les employés performants et renforcer le travail d'équipe, assurer l'équité salariale et respecter les lois en vigueur, contrôler les coûts de la main-d'œuvre et s'aligner sur le marché (*voir la figure 9.2, p. 294*).

Le programme de rémunération, pour autant que sa structure soit équitable et compétitive, vise aussi à conserver au sein de l'entreprise les employés susceptibles d'apporter une contribution à son succès.

9.2.1 Faciliter la réalisation des objectifs stratégiques

Le programme de rémunération représente un outil très efficace pour la réalisation des objectifs stratégiques de l'entreprise. Selon le stade du cycle de vie de l'entreprise, ce programme doit permettre son évolution rapide et sa survie malgré les aléas et l'innovation dans un marché concurrentiel. Bref, il ne suffit pas de réduire les coûts de la main-d'œuvre pour obtenir une stratégie concurrentielle forte. La qualité du produit ou du service, les conditions de livraison et l'innovation sont autant d'éléments participant à la réalisation des objectifs stratégiques qui exigent une main-d'œuvre compétente et qualifiée, donc bien rémunérée.

9.2.2 Attirer et conserver les candidats qualifiés et les talents rares

Le programme de rémunération est modelé de manière à attirer les candidats potentiels intéressants et qualifiés et surtout les candidats exceptionnels qui permettront à l'entreprise de poursuivre son évolution et d'atteindre les profits désirés. Ce programme est donc un atout pour le recrutement. Le programme de

Figure 9.2 Les objectifs du programme de rémunération

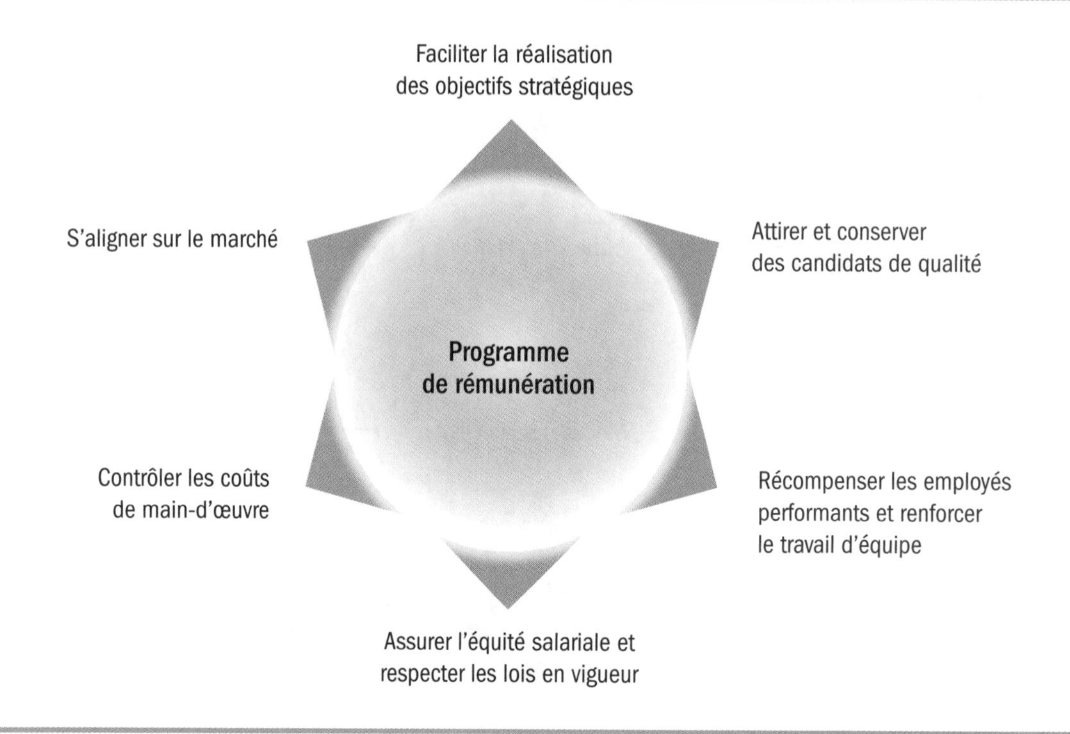

rémunération, pour autant que sa structure soit équitable et compétitive, vise aussi à conserver au sein de l'entreprise les employés susceptibles d'apporter une contribution à son succès.

9.2.3 Récompenser les employés performants et renforcer le travail d'équipe

En outre, le programme de rémunération doit permettre de motiver les employés à offrir le meilleur rendement et de récompenser les employés performants. Le lien entre le rendement et la rémunération doit être clairement établi, et les employés doivent retrouver dans leur rémunération globale les effets de leur rendement ou de l'adoption de comportements désirés par l'entreprise.

Les représentants de l'organisation doivent consacrer leurs énergies à bien servir la clientèle actuelle et à développer de nouveaux marchés. Le programme de rémunération doit récompenser les efforts déployés dans ces deux activités.

Les exigences de l'organisation moderne imposent le travail d'équipe. Le mode de rémunération doit favoriser cet esprit de collaboration nécessaire à la réussite. Il faut donc que la rémunération soit rattachée au succès du groupe plutôt qu'au succès individuel dans les cas où seule la coopération garantit la réalisation des objectifs.

9.2.4 Assurer l'équité salariale et respecter les lois en vigueur

Par ailleurs, le programme de rémunération vise à assurer l'équité salariale individuelle, interne et externe. Il s'agit d'un des objectifs les plus importants, que nous examinerons plus loin.

Le programme de rémunération doit également respecter les lois en vigueur au Canada, et particulièrement au Québec. Il s'agit notamment de la Loi sur les normes du travail et de la Loi sur l'équité salariale[3].

9.2.5 Contrôler les coûts de la main-d'œuvre

Un autre objectif du programme de rémunération consiste à contrôler les coûts de la main-d'œuvre par l'implantation d'une structure salariale rationnelle, fondée sur des principes et des données clairement définis, qui permet d'offrir des niveaux de salaires raisonnables et comparables au marché.

9.2.6 S'aligner sur le marché

Les fusions et les acquisitions impliquent que des groupes différents d'employés et de cadres, et donc des personnes soumises à des programmes de rémunération différents, sont intégrés dans une même entreprise. Le programme de rémunération adopté doit éviter de pénaliser un groupe jouissant d'un programme de rémunération plus intéressant. Par ailleurs, il ne doit pas entraîner une hausse généralisée des coûts de la main-d'œuvre à cause d'un nivellement par le haut. Les fusions de certaines municipalités du Québec posent bien ce problème. Comment intégrer les employés de plusieurs municipalités dans un système unique de rémunération sans augmenter de façon draconienne le fardeau des contribuables de la nouvelle ville ?

Les écarts entre la rémunération de la main-d'œuvre et celle des cadres doivent être fondés sur les exigences de la fonction. Il faut que les récompenses et les hausses salariales reflètent les efforts de tous, en évitant bien entendu de récompenser les cadres pour avoir effectué des compressions dans la rémunération de la main-d'œuvre.

L'ampleur des activités des entreprises à l'échelle mondiale pose, entre autres, un défi quant à la recherche d'une main-d'œuvre qualifiée et au niveau de rémunération à octroyer. L'équilibre recherché entre l'équité de la rémunération des travailleurs de différents pays et la juste rémunération en fonction des exigences locales impose la mise en place de programmes de rémunération innovateurs.

9.3 Les critères d'une rémunération efficace

Afin d'atteindre ces objectifs, le programme de rémunération se doit de respecter certains critères[4]. Ainsi, le programme de rémunération doit :

---

3. Vous trouverez des renseignements sur l'équité salariale au Québec au www.ces.gouv.qc.ca/apropos/loi.asp.

4. Inspiré de Ivancevich, *Human Resource Management*, 10e édition, McGraw-Hill/Irwin, 2007, p. 295.

- respecter les lois concernant le salaire minimum et les ententes collectives;
- être fondé sur l'équité en ce qui concerne le salaire versé en fonction des exigences;
- établir un équilibre entre le salaire direct, les avantages sociaux et les conditions de travail;
- respecter la capacité de payer de l'entreprise;
- offrir la possibilité pour l'employé d'atteindre un niveau de vie décent et la sécurité pour lui et sa famille;
- stimuler la motivation de l'employé à être plus efficace et plus productif;
- être accepté et compris par les employés.

9.4 Les problèmes concernant la rémunération

L'employé consacre à l'entreprise son temps, ses talents, ses compétences et ses énergies pour obtenir en retour des récompenses; il s'agit donc d'un échange. Les comparaisons réservent des surprises dans le domaine de la rémunération. Notons que la réalisation des objectifs mentionnés précédemment se heurte dans la réalité à de nombreux obstacles. Principalement, il s'agit de problèmes liés au niveau de rémunération et aux écarts entre certains emplois, à la progression de la proportion des **emplois atypiques**, à la capacité de payer de certaines entreprises, à certaines pratiques des employeurs et à l'équité salariale (*voir la figure 9.3*).

Emploi atypique
Emploi autre qu'un emploi salarié permanent et à temps plein.

Figure 9.3 Les problèmes concernant les programmes de rémunération

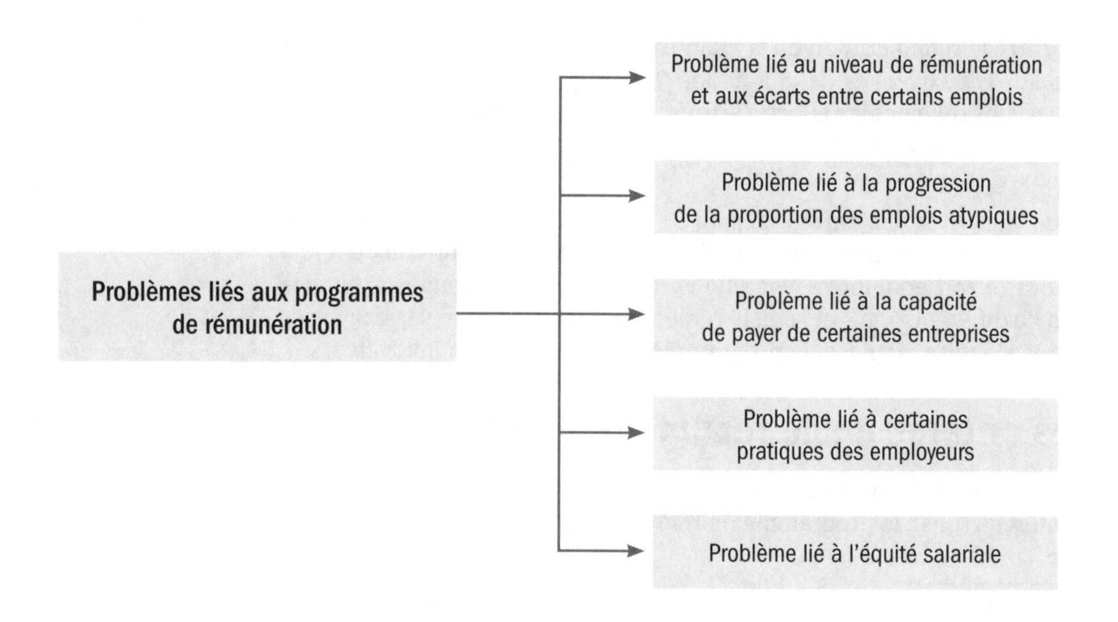

9.4.1 Le problème lié au niveau de rémunération et aux écarts entre certains emplois

Dans la société nord-américaine, un individu peut gagner 15 000 $ annuellement, alors qu'un autre recevra 125 000 000 $ annuellement, soit environ 8 000 fois plus. Cet écart signifie que le deuxième individu aura besoin d'une journée (huit heures) pour obtenir ce que le premier gagnera en trente ans de travail. Sous un autre angle, il faut constater que le second individu aura gagné le 1er janvier à midi, le salaire annuel du premier. De 1990 à 2000, le salaire des PDG a augmenté de 570 % aux États-Unis, alors que le salaire du travailleur moyen a connu une hausse de 37 %[5].

Alex Rodriguez, des Yankees de New York, gagne en une heure le salaire annuel d'un travailleur au salaire minimum et en une semaine le salaire de toute une vie de ce salarié. Salaire mérité ou non, il n'en demeure pas moins que cela pose un problème d'équité sociale.

Alex Rodriguez des Yankees de New York gagne en une heure le salaire annuel d'un travailleur au salaire minimum et en une semaine le salaire de toute une vie de ce salarié. Salaire mérité ou non, il n'en demeure pas moins que cela pose un problème d'équité sociale.

« En 2007, le mardi matin à 9 h 46, avant même que le Canadien moyen n'ait eu le temps de finir sa première tasse de café achetée dans la machine distributrice du bureau, son salaire annuel moyen de 38 100 $ avait déjà été dépassé par la plupart des cent présidents d'entreprise les plus riches au Canada[6]. »

M. Mackenzie dit que ces inégalités importent : « Quand les plus riches gagnent 238 fois le salaire moyen, c'est un signe de classes sociales qui risquent d'être complètement déconnectées[7]. »

Les tableaux 9.1 et 9.2 présentent certains salaires qui visent surtout à illustrer les écarts existant dans les organisations.

Tableau 9.1 Les comparaisons salariales

Salaire ($ CA)	Annuel	Hebdomadaire	Quotidien	Horaire	Par minute
Ouvrier au salaire minimum (2008)	17 680,00 $	340,00 $	68,00 $	8,50 $	0,14 $
Ouvrier canadien au salaire moyen (mai 2007)	38 100,00 $	732,69 $	146,54 $	18,32 $	0,31 $
Premier ministre du Québec (2007)	258 061,00 $	4 962,71 $	992,54 $	124,07 $	2,07 $
Premier ministre du Canada (2007)	303 722,00 $	5 840,81 $	1 168,16 $	146,02 $	2,43 $

›

5. S. DeCarlo dir., « Special Report : CEO Compensation », *Forbes*, en ligne au www.forbes.com/2005/ceoland.
6. Denys Arcand, « Le temps d'un café le boss gagne votre salaire », *Cyberpresse.ca*, le 31 janvier 2007, (http://lapresseaffaires.cyberpresse.ca/article/20070103/LAINFORMER/701030582/5891/LAINFORMER01).
7. M. Mackenzie, *The great ceo pay race: over before it begins*, Centre canadien de politiques alternatives (CCPA), en ligne au www.policyalternatives.ca/documents/National_Office_Pubs/2008/The_Great_CEO_Pay_Race.pdf, consulté en décembre 2007.

Tableau 9.1 Les comparaisons salariales (*suite*)

Salaire ($ CA)	Annuel	Hebdomadaire	Quotidien	Horaire	Par minute
Thierry Vandal, PDG, Hydro-Québec (2007)	529 000,00 $	10 173,08 $	2 034,62 $	254,33 $	4,24 $
Saku Koivu, capitaine du Canadien (2007)	4 750 000,00 $	91 346,15 $	18 269,23 $	2 283,65 $	38,06 $
Hunter Harisson, PDG du CN (2006)	17 329 449,00 $	333 258,63 $	66 651,73 $	8 331,47 $	138,86 $
Stephen Schwartzman, PDG Blackstone (2007 en $ US)	5 130 000 000,00 $	98 653 846,15 $	19 730 769,23 $	2 466 346,15 $	41 105,77 $

Tableau 9.2 Un éventail de revenus annuels

Fonction	Organisation	Année	Revenus
Stephen Schwartzman, PDG	Blackstone	2007	5 000 000 000 $
Richard D. Fairbank, PDG	Capital One Financial	2006	249 420 000 $
Terry S. Semel, PDG	Yahoo	2006	230 550 000 $
Barry Diller, PDG	IAC/InterActiveCorp	2008	156 168 000 $
Henry R. Silverman, PDG	Cendant	2006	139 960 000 $
Richard S. Fuld Jr, PDG	Lehman Bros Holdings	2006	122 670 000 $
Ray R. Irani, PDG	Occidental Petroleum	2006	80 730 000 $
Lawrence J. Ellison, PDG	Oracle	2006	75 330 000 $
John W. Thompson, PDG	Symantec	2006	71 840 000 $
John T. Chambers, PDG	Cisco Systems	2006	62 990 000 $
James Balsillie	Research in Motion Ltd.	2006	54 709 465 $
Frank Stronach, PDG	Magna International	2007	40 283 000 $
Glenn Murphy	Shoppers Drug Mart Corp.	2006	34 441 947 $
Michael Lazaridis	Research in Motion Ltd.	2006	32 990 309 $
Paul Jr Desmarais	Power Corp. of Canada	2006	23 992 660 $

❯

Tableau 9.2 Un éventail de revenus annuels (*suite*)

Fonction	Organisation	Année	Revenus
Dominic D'Alessandro	Manulife Financial Corp.	2006	20 294 064 $
Bradley Langille	Gammon Lake Resources Inc.	2006	19 946 318 $
Ian Telfer	Goldcorp Inc.	2006	17 180 097 $
Bob Iger, PDG	Walt Disney Co.	2006	25 000 000 $
Gerald Schwartz	Onex Corp.	2006	13 685 678 $
Tony Comper	Banque de Montréal	2006	13 472 372 $
Raymond McFeetors	Great-West Lifeco Inc.	2006	12 621 798 $
Tim Hearn	Imperial Oil Ltd.	2006	10 506 049 $
Douglas Baker Jr., PDG	Ecolab	2007	8 199 704 $
Laurent Beaudoin, PDG	Bombardier	2006	2 585 000 $
Opérateur responsable raffinerie	Shell Canada	2009	90 000 $
Magasinier niveau 1 raffinerie	Shell Canada	2009	75 000 $
Préposé principal à l'émission des permis	Ville de Montréal	2009	68 146 $
Policier 1re classe	SPVM	2007	66 500 $
Livreur de bière	Brasserie Labatt	2006	64 000 $
Opérateur département des presses	Norampac Standard Paper Box	2009	48 900 $
Pointeur, changeur, proposé aux renseignements	Société de transport de Montréal	2007	48 000 $
Enseignant, 18 ans de scolarité, 3 ans d'expérience	Cégep	2009	46 000 $
Concierge	Aleris Aluminium Canada	2007	44 000 $
Préposé au service	Solaris Québec	2009	44 000 $
Préposé aux soins	Infirmerie Notre-Dame-du-Bon-Secours	2009	28 900 $
Opérateur couture	Louis Garneau sports inc.	2009	25 000 $
Téléphoniste	Manoir du Casino de Gatineau	2009	25 000 $
Emploi au salaire minimum		2008	17 680 $

Sources : *Wall Street Journal, Forbes, BusinessWeek, Star Tribune Minneapolis, Globe and Mail*, les conventions collectives des entreprises mentionnées et dans le cas de Stephen Schwartzman, PDG , le www.nydailynews.com/money/2008/03/13/2008-03-13_blackstone_ceo_made_5_billion_in_2007.html.

Il existe aussi des écarts très importants selon les régions du Canada ou selon les secteurs économiques. Les différences du coût de la vie entre les provinces canadiennes et la part des salaires dans l'ensemble des dépenses de l'entreprise peuvent justifier une grande part de ces écarts. Il n'en demeure pas moins que les employés concernés peuvent se sentir lésés (*voir le tableau 9.3*).

Pouvez-vous répondre à ces questions :

- Un commis comptable dans une raffinerie doit-il gagner le même salaire qu'un commis comptable dans un commerce de détail ?
  - Mêmes qualifications
  - Mêmes responsabilités
  - Capacité de payer différente d'un employeur à l'autre
- Un facteur de Postes Canada doit-il gagner le même salaire s'il travaille à Toronto ou à Saint-Jean, Terre-Neuve ?
  - Mêmes qualifications
  - Mêmes responsabilités
  - Même employeur
  - Coût de la vie plus élevé à Toronto

Tableau 9.3 La rémunération moyenne (y compris les heures supplémentaires) pour l'ensemble des salariés canadiens (mai 2008)

	Rémunération annuelle (dollars)	Nombre d'employés (milliers)
Ensemble des industries	**41 031 $**	**14 520**
Extraction minière, exploitation en carrière et extraction de pétrole et de gaz	81 616 $	198
Services publics	61 384 $	124
Gestion de sociétés et d'entreprises	53 060 $	103
Finance et assurances	52 684 $	640
Services professionnels, scientifiques et techniques	52 331 $	728
Industrie de l'information et industrie culturelle	52 107 $	355
Administrations publiques	51 464 $	848
Foresterie, exploitation et soutien	50 408 $	50
Fabrication	50 015 $	1 742
Construction	49 923 $	824
Commerce de gros	48 159 $	760

Tableau 9.3 La rémunération moyenne (y compris les heures supplémentaires) pour l'ensemble des salariés canadiens (mai 2008) (*suite*)

	Rémunération annuelle (dollars)	Nombre d'employés (milliers)
Ensemble des industries	**41 031 $**	**14 520**
Services d'enseignement	44 081 $	1 100
Transport et entreposage	42 919 $	660
Soins de santé et assistance sociale	37 576 $	1 512
Services immobiliers, de location et de location à bail	37 347 $	254
Services administratifs, de soutien, de gestion des déchets et d'assainissement	33 116 $	725
Autres services, sauf les services d'administration publique	32 154 $	535
Arts, spectacles et loisirs	25 667 $	239
Commerce de détail	25 626 $	1 850
Hébergement et services de restauration	17 571 $	1 077
Provinces et territoires	**Rémunération annuelle (dollars)**	**Nombre d'employés (milliers)**
Territoires du Nord-Ouest	54 554 $	24
Nunavut	49 054 $	10
Yukon	46 919 $	18
Alberta	45 256 $	1 758
Ontario	42 520 $	5 557
Colombie-Britannique	40 196 $	1 932
Saskatchewan	39 008 $	436
Terre-Neuve-et-Labrador	38 704 $	185
Québec	38 585 $	3 295
Nouveau-Brunswick	37 735 $	305
Manitoba	37 391 $	545
Nouvelle-Écosse	35 828 $	393
Île-du-Prince-Édouard	33 112 $	59

Source : Données provenant de Statistique Canada, stockées dans CANSIM : tableaux 281-0023 à 281-0046. Les données mensuelles ont été projetées sur une base annuelle. Les données sont des approximations et n'ont qu'une valeur comparative.

9.4.2 Le problème lié à la progression de la proportion des emplois atypiques[8]

Comme nous l'avons mentionné précédemment, un emploi atypique est un emploi autre qu'un emploi salarié, permanent et à temps plein. Ce groupe d'emplois comprend les emplois à temps partiel, les emplois des travailleurs autonomes, les emplois temporaires et le cumul d'emplois[9]. Or, en 2007, plus d'un million et demi de personnes, au Québec, avaient un emploi atypique, soit 37,5 %[10] des salariés.

Depuis 1975, le marché de l'emploi a connu des transformations structurelles très profondes. Dans les premiers chapitres, nous avons souligné la mondialisation des marchés, la concurrence internationale[11] qui a vu l'arrivée de nouveaux pays industrialisés (Malaisie, Indonésie, Chine, etc.), la déréglementation des marchés, et particulièrement des marchés financiers, etc.

Les situations de travail atypique composent une véritable mosaïque : travail occasionnel, autonome, à distance, auxiliaire, à domicile, sur appel, intermittent, surnuméraire, contractuel et à temps partiel.

Les situations de travail atypique composent une véritable mosaïque : travail occasionnel, autonome, à distance, auxiliaire, à domicile, sur appel, intermittent, surnuméraire, contractuel, à temps partiel occasionnel...

La croissance de certaines formes d'emplois crée des problèmes d'intégration des jeunes sur le marché du travail et risque de les exclure d'une pleine participation à la vie économique[12]. Un détenteur d'un emploi à temps partiel peut difficilement obtenir du crédit pour acheter une auto, et l'obtention d'un prêt hypothécaire s'avère impossible. En outre, plusieurs formes de protection sociale ou d'autres types de protection offerts par les employeurs ne sont pas à leur portée[13].

Voici d'ailleurs les secteurs d'activité[14] qui comptent le plus de travailleurs à temps partiel : secteur primaire (62 %), le commerce, les services professionnels, scientifiques et techniques, les services d'entretien du bâtiment et les services d'hébergement et de restauration. Environ 50 % des emplois dans ces secteurs sont des emplois atypiques.

---

8. Les éléments de cette section proviennent pour une grande part de « L'évolution des emplois atypiques au Québec », *Le marché du travail*, Québec, Les Publications du Québec, vol. 19, nº 5, mai 1998, 87 p. Voir aussi à ce sujet Jean Bernier et coll. (sous la dir. de), *L'incessante évolution des formes d'emploi et la redoutable stagnation des lois du travail*, Presses de l'Université Laval, Québec, 2001.

9. Ces groupes d'emplois ne sont pas mutuellement exclusifs. Une personne peut en effet avoir un emploi à temps partiel et être aussi travailleuse autonome. Un salarié à temps plein peut détenir un autre emploi à temps partiel.

10. Force Jeunesse, *La situation des jeunes travailleurs atypiques : agir rapidement pour cesser l'hémorragie*, Montréal, le 27 juin 2002, p. 6. et Institut de la statistique Québec (en ligne au www.stat.gouv.qc.ca/donstat/societe/march_travl_remnr/remnr_condt_travl/h001_emploi_atypique_que_97-07.htm).

11. Par exemple, un consultant en informatique gagne 100 $ l'heure aux États-Unis, mais la même entreprise paie 10 $ l'heure en Inde pour le même travail. Voir Marina N. Whitman, *New World, New Rules: The Changing Role of the American Corporation*, Boston, Harvard Press, 1999 (en format eBook).

12. Jean Bernier, Guylaine Vallée et Carol Jobin, « Les besoins de protection sociale des personnes en situation de travail non traditionnelle : rapport final », ministère du Travail, 2003, en ligne au www.travail.gouv.qc.ca/publications/rapports/alphabet.html, ci-après *Rapport Bernier*.

13. Lire à ce sujet Katherine Lippel, Stephanie Bernstein et Karen Messing, « *Travail atypique : Protection légale des conditions minimales d'emploi et de la santé* », Université du Québec à Montréal, Rapport final soumis au FQRSC dans le cadre du programme d'Actions concertées *Le travail atypique, la mutualisation du risque, la protection sociale et les lois du travail*, le 31 mars 2004, Cinbiose.

14. Source : Statistique Canada, *Enquête sur la population active. Traitement : Institut de la statistique du Québec*, Direction du travail et de la rémunération.

En 2007, le phénomène de l'emploi atypique[15] se conjugue toujours au féminin. En effet, 41 % des femmes au travail occupent un emploi à temps atypique, pour 37,5 % des hommes. En outre, l'emploi à temps partiel représente toujours une part plus importante dans l'emploi total des femmes, et ce, quel que soit leur âge. Le groupe d'âge des 15 à 24 ans est très affecté par ce phénomène, mais les travailleurs de plus de 55 ans sont aussi très touchés.

9.4.3 Le problème lié à la capacité de payer de certaines entreprises

Les coûts de la main-d'œuvre d'une entreprise, constitués pour une large part de la rémunération directe et indirecte, doivent être assumés par ses revenus. Ceux-ci reposent sur la capacité de l'entreprise de fixer un prix pour ses produits et ses services qui lui permet de remplir ses obligations en tant qu'employeur. La compétition du marché dans certaines industries laisse une faible marge de manœuvre à l'employeur, qui doit établir ses prix en fonction de ses concurrents. Afin de s'assurer un profit normal, il ne lui reste très souvent qu'à réduire les salaires de ses employés. La part des coûts de la main-d'œuvre dans l'ensemble des coûts de production réduit aussi la liberté d'action de l'employeur dans le domaine de la rémunération.

Le degré de compétition et l'utilisation d'une main-d'œuvre nombreuse dans certaines industries obligent les entreprises à maintenir les salaires à des niveaux très bas afin de faire face à la compétition et de conserver un niveau de profits acceptable. On remarque que les entreprises offrant les plus bas salaires sont généralement celles qui utilisent le plus de main-d'œuvre. La restauration rapide fait appel à une énorme main-d'œuvre, comme la chaîne de restaurants McDonald's[16], qui emploie 1,6 million d'employés dans 24 500 restaurants répartis dans 115 pays et dont les coûts totaux de la main-d'œuvre dépassent les 2 milliards de dollars. De plus avec 1,9 million de salariés travaillant dans plus de 6 100 supermarchés et hypermarchés, le groupe Wal-Mart peut revendiquer le titre de plus grosse entreprise du monde. C'est le premier employeur privé aux États-Unis, avec 1,2 million de salariés appelés « associés », mais aussi celui du Mexique sous l'enseigne Walmex. Notons que, selon la multinationale Hewitt, firme de consultants en gestion des ressources humaines, McDonald's (21e) et Wal-Mart (38e) se classent parmi les 50 meilleurs employeurs au Canada[17], même si le niveau de rémunération est très bas.

Les rôles s'inversent dans le monde de la main-d'œuvre[18]. Dans un contexte où le bassin de main-d'œuvre diminue et où la forte concurrence des autres secteurs d'activité cause certains problèmes de recrutement qui s'amplifieront dans les

---

15. *Ibid.*

16. www.mcdonalds.com/corporate/index.html.

17. Palmarès 2006 des *Employeurs de choix au Canada*. Publié dans le magazine *Report on Business du Globe and Mail* - source d'information crédible dans le milieu des affaires. Le rapport est fondé essentiellement sur les réponses des employés.

18. Lire à ce sujet Maxime Bergeron, « Desjardins sonne l'alarme sur le choc démographique », *Cyberpresse*, le 14 août 2008 (http://lapresseaffaires.cyberpresse.ca/article/20080814/LAINFORMER/808140810&utm_campaign=retention&utm_source=bulletinLPA&utm_medium=email).

prochaines années, ce ne sont plus les employeurs qui choisiront les employés, mais bien ces derniers qui choisiront leurs employeurs.

9.4.4 Le problème lié à certaines pratiques des employeurs

Les entreprises cherchent de plus en plus à s'implanter dans les régions où les niveaux de salaires sont bas et où les organisations syndicales sont moins présentes[19]. Dans d'autres cas, elles investissent lorsqu'une entente à long terme est signée avec le syndicat local[20]. Depuis plusieurs années, les entreprises tentent d'implanter des programmes qui éliminent les augmentations de salaire automatiques[21] fondées sur l'ancienneté ou le coût de la vie, et de favoriser ceux qui octroient des hausses de salaire aux employés les plus performants. L'inconvénient majeur de ces programmes découle de la non-intégration, dans les échelles salariales, des augmentations effectuées en raison du rendement et, donc, de la non-récurrence de ces hausses dans les années subséquentes.

Compte tenu de l'importance des salaires dans les coûts totaux des entreprises, ces dernières tentent de les contrôler. Le gel des salaires, les reports d'augmentations statutaires, les mises à la retraire prématurées, la réduction des avantages sociaux et des vacances sont parmi les démarches les plus utilisées. La réduction des notes de frais et l'utilisation de moyens de transport moins coûteux pour les déplacements des employés sont aussi au programme.

9.4.5 Le problème lié à l'équité salariale

Afin d'atteindre les objectifs déjà mentionnés, le programme de rémunération doit poursuivre simultanément les objectifs de l'entreprise et ceux de l'employé. Cela sera possible pour autant que le niveau de rémunération globale permette de satisfaire les besoins fondamentaux des employés et que le principe d'équité salariale soit respecté.

L'objectif de l'équité est probablement l'objectif le plus important et celui qui comporte le plus d'obstacles. Le respect de cet objectif implique que l'employé a le sentiment qu'il reçoit, et qu'il reçoit effectivement, une rémunération en fonction de la valeur relative de son apport à l'entreprise. Il base cette perception en comparant le salaire qu'il obtient en fonction de celui d'un autre employé et en comparant l'apport des deux types de postes à l'organisation. Il s'agit d'un échange répondant à l'**équité interne** (*voir la figure 9.4*). L'évaluation des postes, que nous aborderons plus loin, vise l'établissement de l'équité interne.

Équité interne
Définition du niveau de salaire d'un poste en fonction de la valeur relative de son apport à l'entreprise.

19. Wayne F. Cascio, *Managing Human Resources*, 4e éd., New York, McGraw-Hill, 1995, p. 349.

20. Alcan et le Syndicat des métallos s'entendent sur une nouvelle convention collective à long terme à l'usine d'électrolyse Alma, au Québec. La nouvelle convention est entrée en vigueur le 1er janvier 2007, arrivera à une première échéance le 31 décembre 2011 et sera automatiquement prolongée jusqu'au 31 décembre 2015 si Alcan a commencé les travaux d'expansion de l'usine Alma avant la fin de l'année 2010 (www.alcan.com). Les machinistes de Bombardier Aéronautique ont accepté (juillet 2008) le projet de convention collective avec l'objectif que l'assemblage des avions de la nouvelle Série C se fasse au Québec plutôt qu'aux États-Unis. La proposition inclut, par ailleurs, des augmentations salariales de 3,25 % par année jusqu'en 2013. Le syndicat propose aussi que la durée de la convention collective soit de six ans (http://argent.canoe.com, juillet 2008).

21. Lire à ce sujet L. Uchitelle, « Bonuses Replace Wage Raises and Workers are the Losers », *The New York Times*, le 26 juin 1987, p. A 1 et D 3. Cité par Wayne F. Cascio, *op. cit.*

Figure 9.4 L'équité interne du programme de rémunération

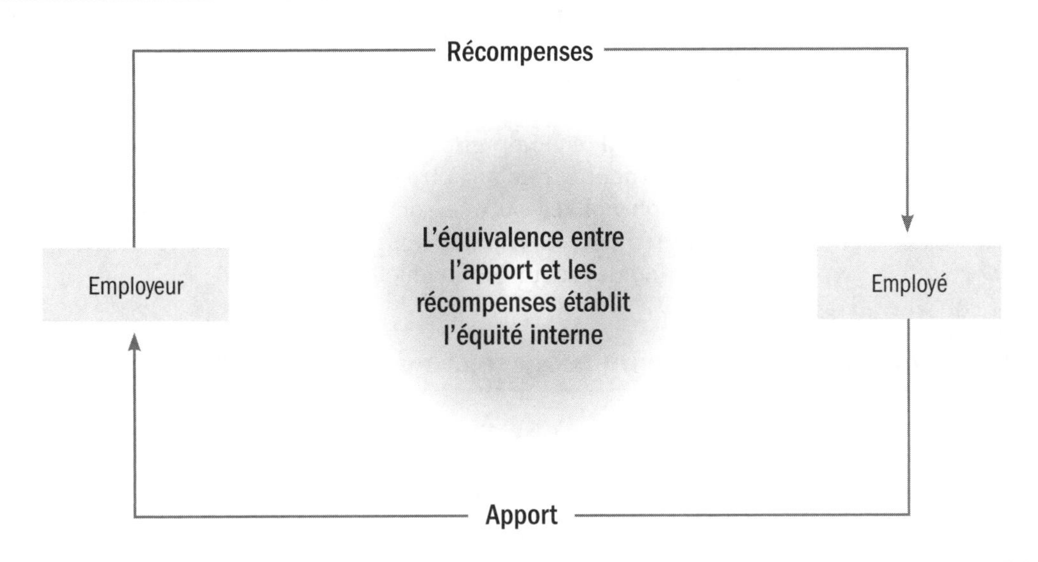

L'**équité externe** est réalisée lorsque l'employé perçoit que la rémunération qu'il reçoit de son employeur correspond à ce que les autres employeurs offrent à leurs employés pour les mêmes tâches (*voir la figure 9.5*). L'enquête salariale vise à établir cette équité externe, particulièrement utile en contexte de pénurie de main-d'œuvre.

Équité externe
Définition d'un niveau de salaire comparable à celui du marché pour des postes équivalents.

Figure 9.5 L'équité externe du programme de rémunération

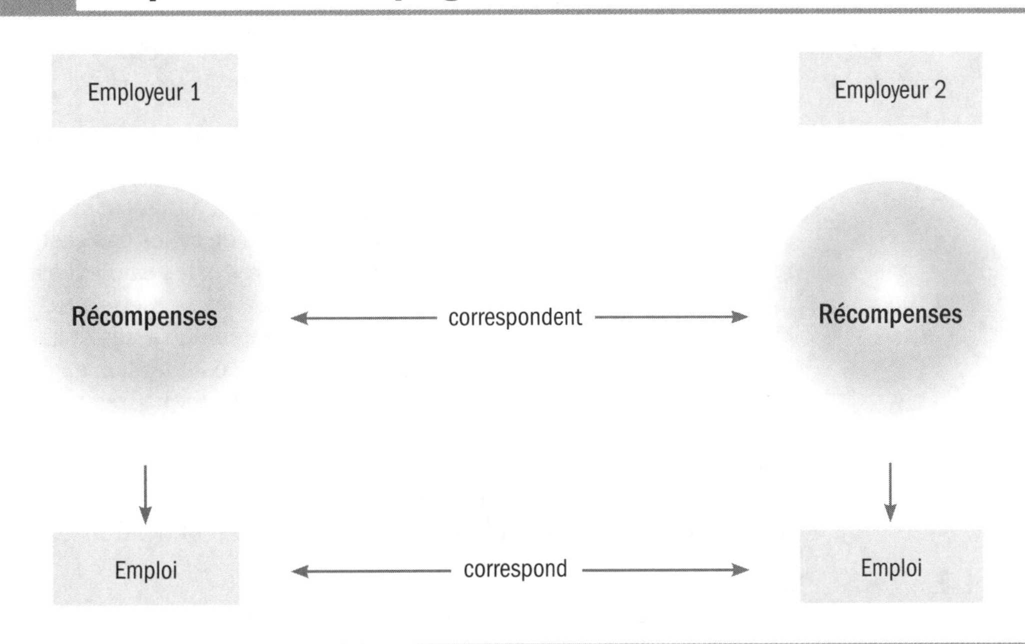

Équité individuelle
Définition d'un niveau de salaire pour différents postes d'une même entreprise en fonction de l'apport relatif de chaque employé.

Enfin, l'**équité individuelle** (ou salariale) est réalisée lorsque les récompenses reçues par un employé en raison de son apport à l'entreprise sont proportionnelles aux récompenses reçues par un autre employé en raison de son propre apport (*voir la figure 9.6*). Bref, même si les récompenses (salaires) sont différentes entre deux emplois, un employé conclura à l'équité salariale si les écarts de récompenses correspondent aux écarts d'exigences entre les deux emplois ou encore que le salaire qu'il reçoit pour les responsabilités qu'il assume est équivalent au salaire même supérieur qu'un autre employé reçoit étant donné que ce dernier a plus de responsabilités ou que son niveau de performance est supérieur. Un système de rémunération fondée sur la performance représente un excellent outil pour atteindre l'équité individuelle.

Figure 9.6 L'équité individuelle du programme de rémunération

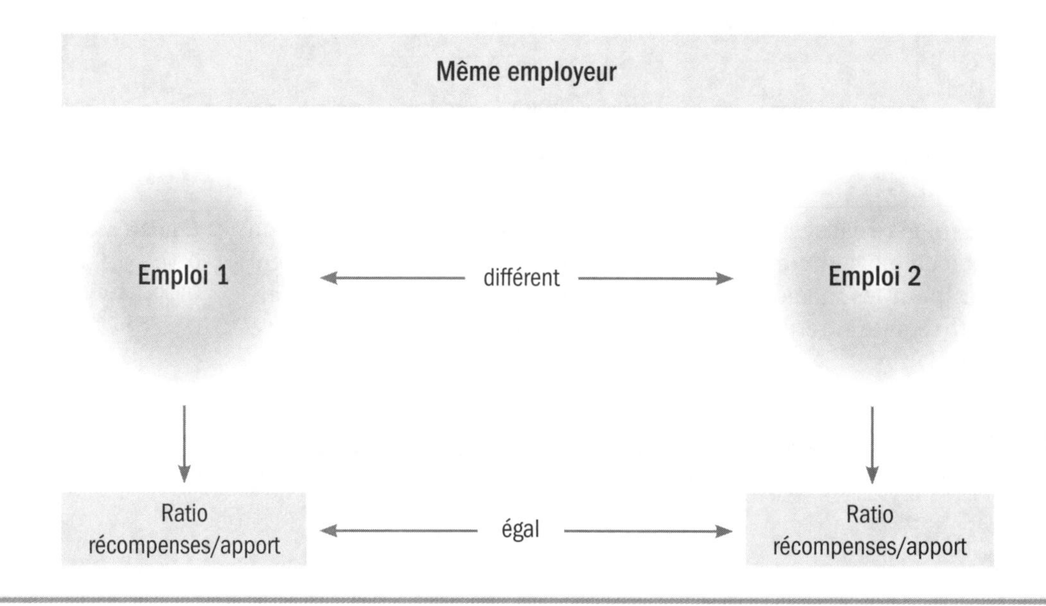

L'équité salariale est actuellement atteinte d'un mal plutôt gênant. Les structures salariales des travailleurs sont parfois différentes de celles des gestionnaires. Le ratio de 100 à 1 de la rémunération entre les cadres et les employés a été maintes fois illustré, particulièrement dans le domaine bancaire. Cette situation est difficilement justifiable, mais l'inverse est aussi vrai, quoiqu'à des degrés moindres. Il existe de nombreuses situations où un vendeur à commission gagne plus que le directeur des ventes, où un employé faisant quelques heures supplémentaires par semaine a un revenu plus élevé que son superviseur. Un agent de la Sûreté du Québec[22], membre d'une escouade spécialisée, peut gagner 100 000 $ ou plus annuellement (heures supplémentaires incluses), alors qu'un officier dont les heures supplémentaires ne sont pas rémunérées obtiendra un salaire total

22. Rollande Parent, « Des enquêteurs de la SQ épiés comme des rats de laboratoire », *La Presse*, le 8 août 1998, p. A12.

substantiellement moindre. Ces situations, qui sont également une source de frustration, doivent être évitées au moment de l'élaboration de la structure salariale. Dans un contexte où les employés sont syndiqués, les heures supplémentaires sont négociées et il faut s'attendre à ce qu'elles bouleversent même le meilleur projet de structure salariale.

Tous les employés n'ont pas la même sensibilité à l'égard de l'équité, mais tous sont touchés lorsqu'il existe des conditions d'iniquité. Ils tenteront alors de réduire leur frustration en adoptant l'une des cinq attitudes suivantes[23] : modifier mentalement la valeur de leur apport ou des récompenses qu'ils retirent de leur travail en accordant, par exemple, beaucoup d'importance au titre de leur fonction ou à d'autres conditions de travail ; modifier effectivement leur apport ou les récompenses qu'ils retirent de leur travail[24], soit en réduisant les efforts qu'ils y consacrent, soit en augmentant les récompenses par le vol ou le gonflement d'une note de frais ; modifier le niveau de récompense par des réclamations selon la procédure en place ; se diriger vers la sortie, convaincus qu'il sera plus facile d'obtenir l'équité chez un autre employeur ou finalement, dévaluer la contribution de l'autre employé en sabotant son travail pour réduire ses récompenses (*voir la figure 9.7*).

Figure 9.7 Les réactions à l'iniquité

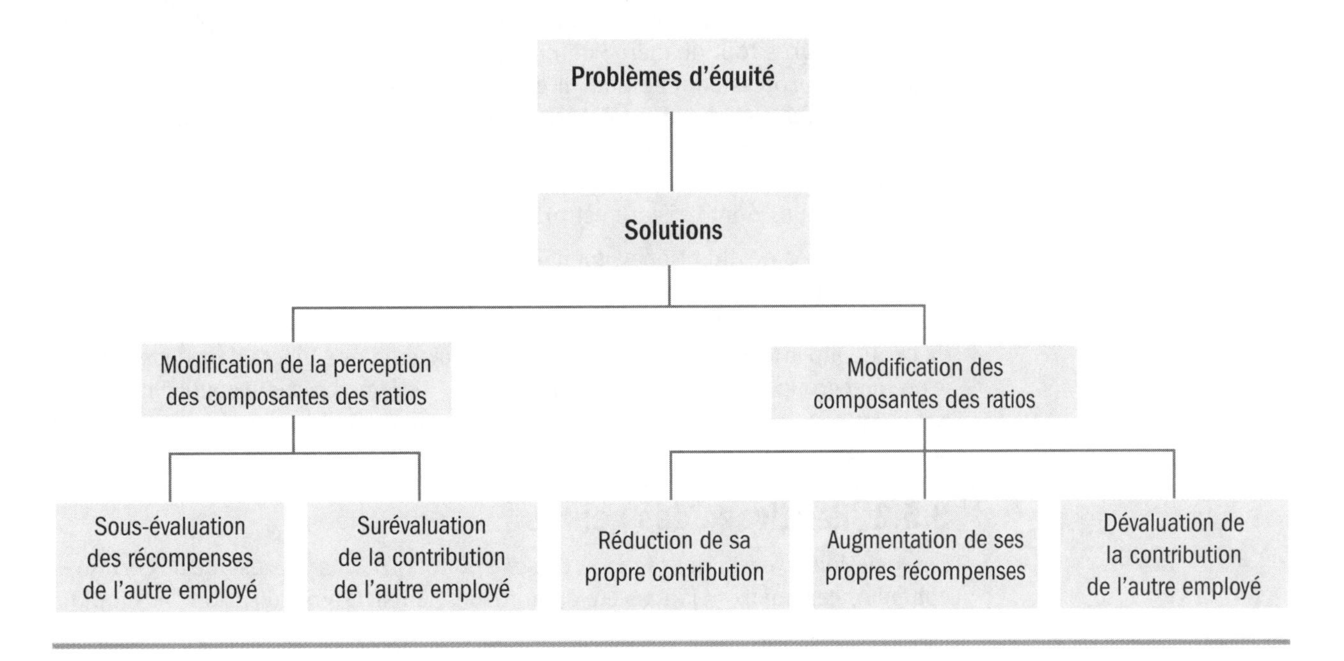

23. Bernard Turgeon et Dominique Lamaute, *Le management*, 2e édition, Montréal, Chenelière Éducation, 2006, section 5.5.2.

24. Lire à ce sujet Elizabeth Wolfe Morrison et Sandra L. Robinson, « When Employees Feel Betrayed: A Model of how Psychological Contract Violation Develops », *Academy of Management Review*, vol. 22, n° 1, janvier 1997, p. 226.

9.5 L'équité salariale entre les hommes et les femmes

9.5.1 La situation[25]

Travail équivalent
Travail dont les tâches et les exigences sont de même niveau.

Pour accomplir une même fonction, un homme et une femme doivent recevoir le même salaire, puisqu'il est acquis dans notre société qu'« un travail égal implique un salaire égal ». Nous sommes passés du principe de l'équité salariale basée sur le travail égal à celui de l'équité salariale basée sur le **travail équivalent**[26]. L'expression « travail équivalent » signifie que des emplois, différents quant à leur contenu (par exemple, une infirmière et un menuisier), peuvent être équivalents, de valeur égale, pour l'entreprise. Dans ces conditions, les personnes qui remplissent des fonctions qui exigent des efforts, des habiletés, des compétences et des responsabilités dans les mêmes conditions d'environnement doivent être rémunérées au même niveau salarial[27].

La question de l'équité salariale homme-femme constitue un problème plus subtil, plus systémique. Les femmes ont rattrapé les hommes en nombre sur le marché du travail, mais ce n'est pas encore le cas en ce qui concerne les salaires. Selon l'Institut de la statistique du Québec (ISQ), en 2007, la rémunération horaire moyenne des employés et employées en général a été de 19,35 $. Pour les hommes, elle a été de 20,66 $ et pour les femmes, de 18,02 $, un écart de 2,64 $ (ou de 14,6 %) pour chaque heure de travail. C'est un progrès par rapport à la situation dix ans plus tôt, progrès tout de même minime puisqu'en 1997, l'écart était de 18,7 %. La ségrégation professionnelle dont il est question renvoie à la surreprésentation des femmes dans certains emplois ou certaines catégories professionnelles, donc dans des emplois différents. Ces emplois font l'objet d'une rémunération généralement moins élevée que celle qui est attribuée à des emplois ou à des catégories professionnelles dont l'effectif est principalement masculin.

Les secrétaires de direction gagnent en moyenne moins que le personnel d'entretien ; dans la société, il est accepté qu'un jardinier gagne plus qu'une technicienne en service de garde ; le salaire d'une caissière dans un établissement bancaire est de beaucoup inférieur à celui du guichetier qui vend des billets dans le métro. Or, le premier groupe d'emplois est surtout composé de femmes et le second, d'hommes. Est-ce que le premier groupe est moins bien payé que le second parce qu'il y a surreprésentation des femmes ?

9.5.2 Le clivage des genres[28]

L'association de certaines tâches à un sexe plutôt qu'à l'autre présume de certaines compétences qui n'ont jamais été démontrées. Ainsi, la sexualisation des emplois

25. Les éléments de cette analyse proviennent surtout de Dominique GAUCHER, *L'équité salariale au Québec : révision du problème – résultats d'une enquête*, Québec, Publications du Québec, 1994, 163 p. Une bibliographie extrêmement riche accompagne ce rapport.

26. Marie-Thérèse CHICHA-PONTBRIAND et Daniel CARPENTIER, *Une loi sur l'équité salariale au Québec. Rapport de consultation de la Commission des droits de la personne et recommandations*, Montréal, Commission des droits de la personne du Québec, 1992.

27. Roy ADLER, « Women in the Executive Suite Correlate to High Profits », *Harvard Business Review*, novembre 2001, p. 30.

28. WALSH, « The Biggest Company Secret » et « Gender Pay Divide Continues to Grow », *Personnel Today*, le 27 janvier, 2004, p. 43.

repose sur une extension des différences biologiques et des rôles sociaux de chaque sexe. On doit les principaux clivages à l'objet du travail, au confinement, au pouvoir et au langage (*voir la figure 9.8*).

Figure 9.8 Les éléments entraînant le clivage des genres

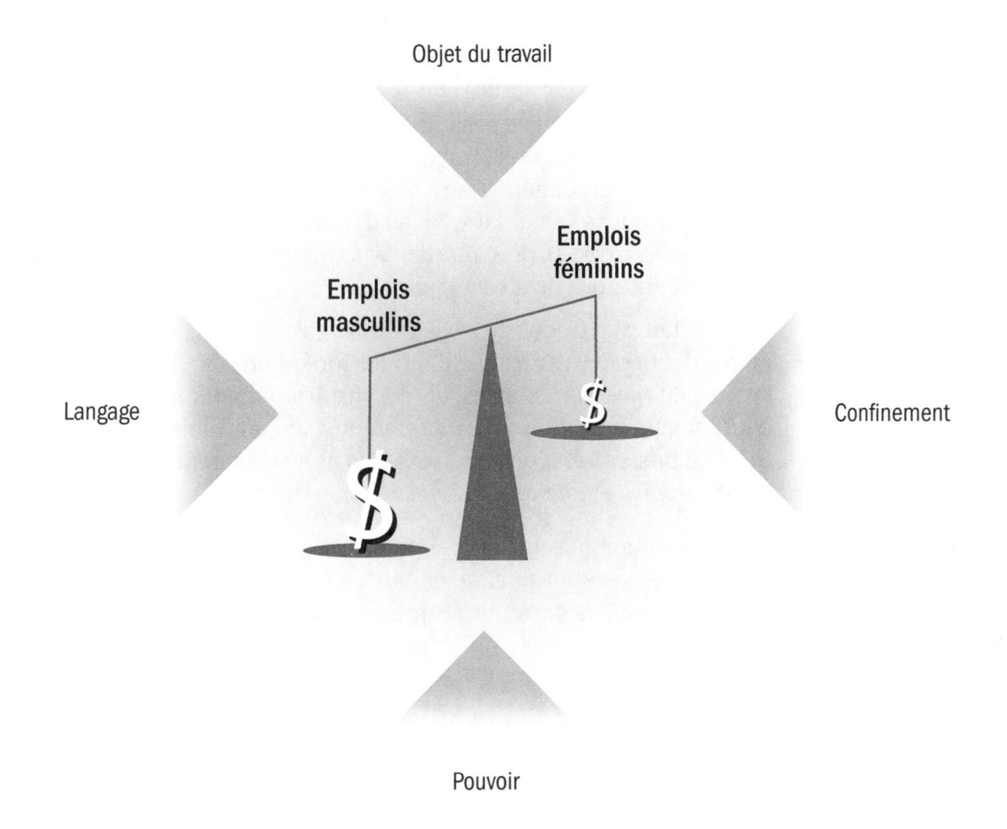

Ainsi, selon l'objet du travail, les emplois seront distribués aux femmes ou aux hommes. Les emplois de soutien, de soins ou d'assistance sont habituellement confiés aux femmes (infirmières, techniciennes en service de garde, secrétaires), alors que les fonctions de protection sont confiées aux hommes (policiers, militaires).

Les emplois dans lesquels la mobilité est la plus réduite sont le lot des femmes (surveillantes sur une chaîne de montage, techniciennes de laboratoire), alors que les travaux extérieurs sont confiés aux hommes (emplois dans la construction, chauffeurs de camion). Les travaux dits « légers » sont moins rémunérés que les travaux « lourds », le poids des objets étant valorisé tandis que la fréquence, l'acuité visuelle, la dextérité, la concentration et la vitesse d'exécution ne sont pas prises en considération. Le travail au grand air est considéré comme plus pénible que le travail à l'intérieur. Pourtant, les tours à bureaux climatisées ont engendré leur part de problèmes de santé.

Voici deux exemples de sous-évaluation des emplois féminins fournis par la Commission de l'équité salariale du Québec :

- Dans un emploi de secrétaire-réceptionniste, la capacité d'écoute et d'empathie ainsi que la patience nécessaire pour transiger avec des clients impatients ou mécontents pourraient être sous-évaluées, voire oubliées, alors que les mêmes capacités seraient prises en considération dans l'emploi d'agent de recouvrement.
- Dans l'évaluation du travail effectué par les caissières, on pourrait sous-évaluer les efforts physiques demandés par l'obligation de soulever continuellement des poids légers, alors que, dans l'évaluation d'un emploi de manutentionnaire, on aurait pris en considération le fait de soulever des poids lourds, même occasionnellement.

Quant au pouvoir, tout se passe comme si le travail féminin obéissait dans l'ensemble à une autre logique que le travail masculin, à cause de sa structuration autour du rapport aux personnes. Tourné vers l'assistance aux autres, le travail féminin verrait partout sa valeur faire l'objet d'un décalage. Généralement, pour les emplois féminins, les niveaux de scolarité requis sont sous-estimés et le caractère pénible des conditions de travail est ignoré.

Enfin, le langage traduit le sexisme qu'on trouve dans d'autres pratiques sociales. En particulier, les titres des fonctions jouent un rôle d'exclusion et, souvent, seul l'usage du masculin permet de décrire les emplois prestigieux. Au Québec, un effort sans pareil dans la francophonie a été fait dans ce sens, mais les descriptions de postes véhiculent ce sexisme, non seulement dans les titres, mais également dans les éléments de la description des tâches.

Ces éléments agissent discrètement, et c'est inconsciemment que les distinctions sexuelles sont partagées par l'ensemble des membres d'une entreprise. Le constat de ces caractéristiques du travail est au cœur même de la question de l'équité salariale.

Les programmes d'accès à l'égalité ouvrent les emplois les mieux rémunérés à certains groupes, dont les femmes, mais la réévaluation des emplois « féminins » représente sans doute un des outils les plus efficaces pour régler le problème de l'équité interne et, plus particulièrement, celui qui touche les femmes.

La ségrégation des emplois se maintient à un niveau similaire depuis des décennies. Par « ségrégation des emplois », on entend le fait que les hommes et les femmes n'occupent généralement pas les mêmes types d'emplois. En fait, près de 60 % des femmes salariées se retrouvent dans trois catégories d'emplois seulement.

La ségrégation des emplois se maintient à un niveau similaire depuis des décennies. Par « ségrégation des emplois », on entend le fait que les hommes et les femmes n'occupent généralement pas les mêmes types d'emplois. La majorité des femmes se retrouve dans quelques types d'emplois : elles sont infirmières, enseignantes (surtout aux niveaux préscolaire et primaire), commis de bureau, secrétaires et travailleuses dans le secteur des services. En fait, près de 60 % des femmes salariées se retrouvent dans trois catégories d'emplois seulement. Dans le cas des hommes, ils occupent davantage certains types d'emplois : ils sont électriciens, mécaniciens, policiers, employés de la voirie, cadres supérieurs, etc. Ils occupent aussi beaucoup d'emplois de fabrication, de montage et de réparation (*voir le tableau 9.4*).

L'égalité des salaires pour des emplois jugés équivalents est atteinte dans la très grande majorité des entreprises, et ce, depuis le début du siècle, qui a été marqué par l'égalité des salaires pour des

Tableau 9.4 La répartition des emplois dans les industries selon le sexe (2007)

Industries	% d'hommes
Industries productrices de biens	74,1
Agriculture	66,8
Foresterie, pêche, mines et extraction de pétrole et de gaz	85,2
Services publics	61,3
Construction	87,4
Fabrication	70,3
Transport et entreposage	78,9

Industries	% de femmes
Finance, assurances, immobilier et location	59,2
Services d'enseignement	63,2
Soins de santé et assistance sociale	79,6
Hébergement et services de restauration	58,3

Source : Compilation, Institut de la statistique du Québec, Direction du travail et de la rémunération, 2008.

emplois équivalents. Les programmes de rémunération devront s'ajuster à ce principe. Ainsi, les échelles salariales risquent de connaître des bouleversements[29].

Notons, enfin, que la représentation des femmes dans les cohortes de plusieurs départements dans les cégeps et de plusieurs facultés dans les universités du Québec ne cesse de progresser et compte souvent pour la majorité. Les impacts se feront donc sentir dans les prochaines années sur le marché de l'emploi[30].

9.6 Le processus de rémunération

Pour fonctionner, un programme de rémunération doit être relativement facile à comprendre, aisément applicable et, surtout, accepté par les employés. Dans la réalité, il faut faire une nuance selon la catégorie d'employés. Les employés syndiqués peuvent contester (« *voice* ») le programme de rémunération lors de la négociation de la convention collective, tandis que les non syndiqués font face au « *exit, voice, and loyalty*[31] ». Si le programme de rémunération leur convient, ils demeurent au sein de l'entreprise. Ils choisissent l'« *exit* » s'ils n'acceptent pas le programme de rémunération.

Afin de déterminer la rémunération à accorder à un employé, il faut suivre les étapes suivantes[32] :

29. Le revenu personnel disponible des Québécois a augmenté de 3,8 % pour atteindre 24 390 $ en 2007, du jamais vu depuis 1984, ce qui s'explique en partie par le versement de deux milliards que le gouvernement a effectué pour l'équité salariale dans la fonction publique (www.ledevoir.com/2008/08/07/200664.html) extrait de « Québec : l'équité salariale dope la croissance du revenu », *Le devoir.com*, le 7 août 2008.

30. Condition féminine Canada, *Un quart de siècle de changements : les jeunes femmes au Canada dans les années 1970 et aujourd'hui*, en ligne au www.swc-cfc.gc.ca/cgi-bin/printview.pl?file=/pubs/pubspr/0662388976/200412_0662388976_6_f.html.

31. Les trois choix font référence à l'excellent livre de Albert O. Hirschman, *Exit, Voice and Loyalty*, Cambridge, Harvard University Press, 1970.

32. Nous présentons ici l'approche traditionnelle de la rémunération. Actuellement, il se développe une tendance à l'élargissement des échelles (*broadbanding*) qui réduit le nombre de niveaux de salaires et offre plus de liberté aux gestionnaires dans l'octroi des salaires. Northern Telecom et General Electric en sont des exemples. Il y a aussi une philosophie qui tend à rémunérer les compétences et les connaissances plutôt que les exigences des postes. Lire H. John Bernardin, *Human Resource Management*, 4e édition, Boston, McGraw-Hill, 2007, p. 261-263.

1. effectuer les analyses des postes et définir le profil d'exigences de chacun d'eux;
2. évaluer chacun des emplois à l'aide de la méthode d'évaluation la plus appropriée à la situation;
3. analyser tous les facteurs internes et externes qui peuvent influer sur le niveau de rémunération, et plus particulièrement les données du marché;
4. combiner les résultats de l'évaluation des postes avec les données concernant le niveau de salaire pour établir la structure salariale;
5. choisir le mode de rémunération;
6. établir le contenu de la rémunération.

La figure 9.9 résume le processus de rémunération.

Figure 9.9 Le processus de gestion du programme de rémunération

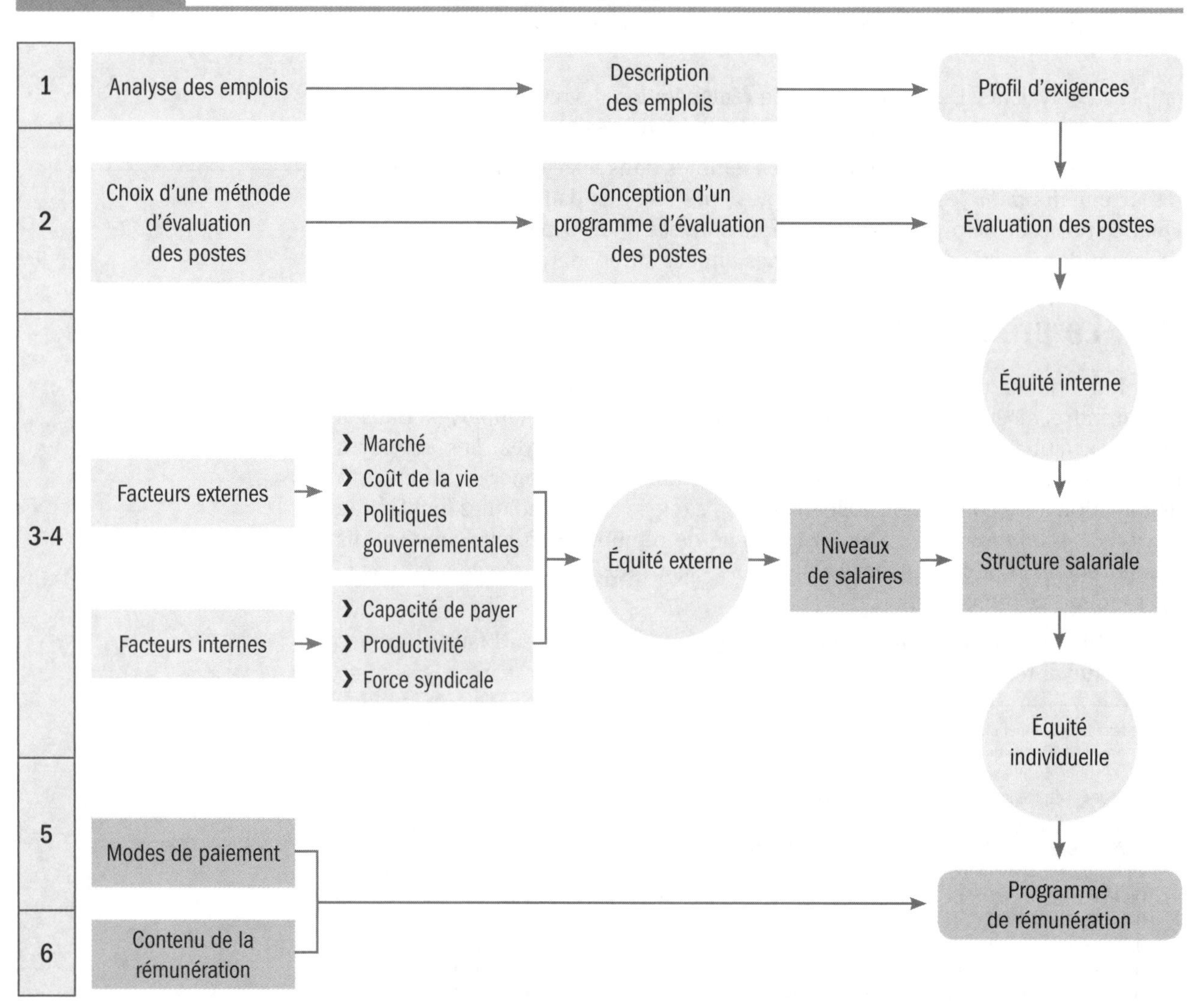

9.7 Les méthodes d'évaluation des postes

L'**évaluation des postes de travail** est un processus qui consiste à évaluer et à comparer chacun des postes au sein d'une entreprise dans le but de leur assigner une classe de rémunération précise. Les entreprises rémunèrent les employés selon leur rendement et leur apport, tout en considérant les difficultés et l'importance du poste. Il s'agit de préciser les principales caractéristiques des emplois afin de déterminer la valeur relative de chacun. Les descriptions de postes et les profils d'exigences sont les premières sources de renseignements à cet effet. Lorsque chaque poste aura été évalué, l'étape suivante consistera à répartir, selon un système préétabli, l'ensemble des postes afin de constituer une structure de tous les postes de la famille évaluée.

Évaluation des postes de travail
Processus qui consiste à évaluer et à comparer chacun des postes au sein d'une entreprise dans le but de leur assigner une classe de rémunération spécifique.

Les méthodes d'évaluation des postes[33] sont nombreuses, mais toutes ces méthodes comprennent les étapes suivantes : l'analyse des tâches et la confection d'un profil du poste (*voir le chapitre 4*), la définition des critères qui seront utilisés pour l'évaluation des postes, la conception d'un système d'évaluation des postes et l'évaluation de chacun des postes. Cette évaluation permet à l'entreprise de respecter l'équité interne.

Les principales méthodes d'évaluation des postes[34] existent depuis le début des années 1920. L'objectif de ces méthodes consiste à ranger les différents postes d'une même famille d'emplois, tels les emplois de bureau, selon leur apport aux objectifs de l'entreprise. Le but ultime est donc d'établir une équité individuelle ou salariale, c'est-à-dire de rémunérer chaque poste proportionnellement à son apport. Les principales méthodes utilisées sont la méthode du rangement, la méthode de la classification par catégories, la méthode de la comparaison des facteurs, la méthode des compétences, la méthode des points et la méthode Hay (*voir le tableau 9.8, p. 318*).

9.7.1 La méthode du rangement

La **méthode du rangement** consiste à classer tous les postes évalués selon une hiérarchie qui reflète les exigences du poste indiquées par les résultats de l'analyse des postes. L'ensemble des postes évalués peut être tous les emplois d'une unité administrative, tous les emplois d'un secteur de l'entreprise (usine, bureau, administration) ou encore la totalité des emplois de l'entreprise lorsqu'il s'agit d'une entreprise de taille relativement restreinte. Il s'agit d'une évaluation globale du poste sur la base d'un seul critère de comparaison. La méthode de rangement est simple à administrer, peu coûteuse et facile à mettre en œuvre. Par contre, elle est superficielle et, lorsque l'évaluation est effectuée par un comité, le détenteur du poste évalué peut facilement influencer les autres membres du comité. Cette méthode est surtout utilisée dans les petites entreprises où le nombre d'emplois est restreint et où les postes sont très différents

Méthode du rangement
Méthode d'évaluation des emplois qui consiste à classer tous les postes évalués selon une hiérarchie reflétant les exigences du poste indiquées par les résultats de l'analyse des postes.

33. Pour une analyse plus poussée sur les méthodes d'évaluation des postes, voir BUREAU OF NATIONAL AFFAIRS, *Compensation*, Washington DC, BNA, 2005 et G. T. MILKOVICH, et J. M. NEWMAN, *Compensation*, 8e édition, New York, McGraw-Hill/Irwin.

34. Selon les études effectuées, les méthodes aboutissent à des résultats similaires. Voir Luis R. GOMEZ, R. C. PAGE et W. W. TORNOW, « A Comparison of the Practical Utility of Traditional, Statistical, and Hybrid Job Evaluation Approaches », *Academy of Management Journal*, vol. 25, 1982, p. 790-809.

les uns des autres. Le principal inconvénient de cette méthode découle du fait qu'elle ne permet pas de différencier l'importance relative des emplois.

9.7.2 La méthode de la classification par catégories

Méthode de la classification par catégories
Méthode d'évaluation des postes qui consiste à définir certaines classes d'emplois à l'aide de facteurs préétablis qui serviront à évaluer tous les postes d'une même famille.

La **méthode de la classification par catégories**[35], très utilisée dans la fonction publique, exige qu'on définisse d'abord des catégories d'emplois. Par exemple, une catégorie d'emplois pourrait comprendre tous les emplois dont les opérations sont simples et n'exigent aucune expérience particulière ou dont le travail requiert une formation dans l'utilisation de machines simples (trieuses, machines à calculer, photocopieurs, etc.). Une autre catégorie comprendrait les emplois exigeant une formation préalable, mais ne requérant pas beaucoup d'expérience dans l'utilisation d'un traitement de texte. Ensuite, les postes sont classés dans chacune des catégories auxquelles ils correspondent. Les résultats de l'analyse des postes s'avèrent encore une fois très utiles. Tout comme la méthode du rangement, cette méthode est simple à administrer, peu coûteuse, facile à implanter et ne demande pas une formation poussée aux membres du comité d'évaluation. Cependant, la définition d'une catégorie est généralement basée sur un seul critère ; il devient alors difficile, lorsqu'il y a un très grand nombre d'emplois, de trouver un critère commun.

9.7.3 La méthode de la comparaison des facteurs

Méthode de la comparaison des facteurs
Méthode d'évaluation des emplois qui consiste à attribuer une valeur pécuniaire aux divers facteurs et à comparer ces sommes avec les salaires des postes repères dans l'entreprise et sur le marché du travail.

La **méthode de la comparaison des facteurs** est une méthode d'évaluation qui consiste à attribuer une valeur pécuniaire aux divers facteurs et à comparer ces sommes avec les salaires des postes repères dans l'entreprise et sur le marché du travail. Puisque cette méthode utilise les salaires des postes selon le marché, il y a un risque de perpétuer les disparités et les iniquités salariales.

9.7.4 La méthode des compétences[36]

Méthode des compétences
Méthode d'évaluation des emplois qui offre une rémunération en fonction non pas du poste et de ses exigences, mais des compétences du titulaire du poste.

Avec la **méthode des compétences,** il s'agit d'offrir une rémunération en fonction non pas du poste et de ses exigences, mais des compétences du titulaire du poste. Il s'agit donc d'une méthode qui se distingue complètement des autres présentées dans cette section. Shell Canada et Nortel recourent à une telle approche. L'employé est payé selon un salaire de base, et chaque fois qu'il acquiert les compétences pour exercer un autre poste, il progresse sur l'échelle salariale. La popularité de cette méthode ne cesse de croître[37].

---

35. Cette technique est utilisée par le gouvernement américain depuis 1949 pour évaluer les emplois des employés de la fonction publique.

36. NCR Canada à Waterloo, Ontario, Shell Canada à Brockville, Johnson & Johnson à l'usine de Tylenol et Volvo en Suède sont parmi les précurseurs de cette approche. Lire à ce sujet Brian MURRAY et Barry GERHART, « An Empirical Analysis of a Skill-Based Pay Program and Plant Performance Outcomes », *Academy of Management Journal*, vol. 41, nº 1, février 1998, p. 68, et consulter l'étude canadienne de Jamie BROSSEAU, *Skill-Based Paying a Unionized Environment: A Case Study*, Industrial Relations Center, Queen's University, 2000, en ligne au www.industrialrelationscentre.com/compensation-practices/publications/current-issues-series/cis-skill-based-pay-in-a-unionized-environment-a-case-study.pdf.

37. Jason D. SHAW et coll., « Success and Survival of Skill-Based Pay Plans », *Jounal of Management*, 1995, p. 28-29.

9.7.5 La méthode des points

La **méthode des points** est à n'en pas douter la méthode la plus utilisée dans les entreprises. Elle consiste à attribuer des points aux critères d'évaluation retenus et à les additionner pour obtenir le poids d'un emploi par rapport aux autres emplois.

Méthode des points
Méthode d'évaluation des emplois qui consiste à attribuer des points aux critères d'évaluation retenus et à les additionner pour obtenir le poids d'un emploi par rapport aux autres emplois.

Cette méthode facilite les comparaisons entre les postes d'une même entreprise et même entre les postes de plusieurs entreprises. Les valeurs en points peuvent être converties en une classe de postes, et donc de salaires. Cette méthode est cependant très exigeante en raison de sa conception et s'avère très coûteuse. Elle repose sur l'hypothèse que la plupart des postes peuvent être évalués à l'aide des mêmes critères. Là où ce n'est pas le cas, elle se traduit par la confection de différentes échelles d'évaluation pour chacun des groupes de postes. Puisque cette méthode est la plus populaire, nous examinerons les différentes étapes qui la composent :

- L'entreprise réalise l'analyse des postes de travail qu'elle désire évaluer. Les descriptions de postes et les profils d'exigences doivent avoir été faits soigneusement.
- On sélectionne une famille d'emplois. En fait, il s'agit de regrouper un ensemble de postes ayant des points communs. Il se peut qu'une seule famille regroupe tous les postes de l'entreprise, mais il s'agit là d'une situation idéale. En général, les postes de l'usine forment une famille, les postes de gestionnaires en forment une autre et les employés de bureau, une troisième. Il n'y a pas de règle absolue, mais le nombre de familles de postes doit être le plus petit possible.
- On précise alors les facteurs d'évaluation, ou les facteurs critiques, communs à l'ensemble des postes d'une même famille d'emplois. Ces facteurs doivent représenter les éléments les plus importants du travail et illustrer la contribution du poste aux objectifs de l'entreprise. Par exemple, pour l'ensemble des postes de l'usine d'un fabricant d'équipements sportifs, les facteurs retenus pourraient être les responsabilités, les habiletés, l'effort et les conditions de travail.
- Ces facteurs sont par la suite divisés en sous-facteurs d'évaluation, comme l'illustre l'exemple du tableau 9.5 à la page 316. Ainsi, le facteur « responsabilités » a été décomposé en quatre sous-facteurs, soit la responsabilité face à la sécurité des autres, la responsabilité face à l'équipement et au matériel, la responsabilité face à la qualité des produits et l'assistance au personnel poursuivant une formation.
- Il faut ensuite attribuer des points à chaque sous-facteur. Chaque sous-facteur de l'emploi est donc pondéré par rapport à chacun des autres facteurs et par rapport à l'ensemble. Ainsi, si l'expérience est deux fois plus importante que les conditions désagréables, on accordera au sous-facteur « expérience » deux fois plus de points. La matrice se présentera alors comme au tableau 9.5 à la page 316.
- Chaque sous-facteur est alors divisé en niveaux. Le nombre de niveaux peut varier d'un sous-facteur à l'autre, et le nombre de points accordés à chaque niveau peut suivre une progression mathématique, géométrique ou asymétrique. Il est important de définir clairement chacun des niveaux. Par exemple, la formation requise pourrait se diviser comme suit : niveau 1 : 4e secondaire ; niveau 2 : 5e secondaire ; niveau 3 : formation collégiale technique, etc. On pourrait alors obtenir un tableau semblable au tableau 9.6 à la page 316.

Tableau 9.5 La pondération des sous-facteurs d'évaluation

Facteurs	Sous-facteurs	Pondération
Responsabilités	› Responsabilité face à la sécurité des autres › Responsabilité face à l'équipement et au matériel › Responsabilité face à la qualité des produits › Assistance au personnel poursuivant une formation	80 80 50 70
Habiletés	› Expérience acquise durant l'exercice de la fonction › Formation pour l'exercice de la fonction	120 100
Efforts	› Exigences physiques › Exigences mentales	100 120
Conditions de travail	› Conditions désagréables › Risques professionnels	60 120
	Total	900

Tableau 9.6 La répartition des points par niveaux

Facteurs	Sous-facteurs	Niveaux					Maximum
		Niveau 1	Niveau 2	Niveau 3	Niveau 4	Niveau 5	
Responsabilités	› Responsabilité face à la sécurité des autres	20	40	60	80	-	80
	› Responsabilité face à l'équipement et au matériel	16	32	48	64	80	80
	› Responsabilité face à la qualité des produits	25	50	-	-	-	50
	› Assistance au personnel poursuivant une formation	15	45	70	-	-	70
Habiletés	› Expérience acquise durant l'exercice de la fonction	15	30	50	80	120	120
	› Formation pour l'exercice de la fonction	15	30	60	100	-	100
Efforts	› Exigences physiques	15	50	100	-	-	100
	› Exigences mentales	15	30	50	80	120	120
Conditions de travail	› Conditions désagréables	12	24	36	48	60	60
	› Risques professionnels	20	40	60	80	120	120
						Total	900

› Ce système est appliqué à chacune des descriptions de postes et la valeur relative de chaque emploi est ainsi déterminée. Il faut que les évaluateurs comparent, pour chaque sous-facteur, la description d'emploi avec le niveau défini dans le programme d'évaluation.

› Lorsque l'exercice est terminé pour chaque sous-facteur, les points accordés à l'emploi sont compilés (*voir le tableau 9.7*) et les emplois sont alors rangés. On procède évidemment à des contre-vérifications afin de s'assurer que l'évaluation est conforme aux évaluations des autres postes.

Tableau 9.7 Une matrice d'évaluation d'un poste

Facteurs	Sous-facteurs	Justifications	Niveau	Points
Responsabilités	› Responsabilité face à la sécurité des autres		Niveau 4	80
	› Responsabilité face à l'équipement et au matériel		Niveau 3	48
	› Responsabilité face à la qualité des produits		Niveau 2	50
	› Assistance au personnel poursuivant une formation		Niveau 3	70
Habiletés	› Expérience acquise durant l'exercice de la fonction		Niveau 4	80
	› Formation pour l'exercice de la fonction		Niveau 4	100
Efforts	› Exigences physiques		Niveau 2	50
	› Exigences mentales		Niveau 4	80
Conditions de travail	› Conditions désagréables		Niveau 3	36
	› Risques professionnels		Niveau 2	40
			Total	634

9.7.6 La méthode Hay

La **méthode Hay** est la méthode d'évaluation la plus utilisée dans le monde. Elle se distingue par le recours à trois facteurs uniquement, soit la résolution de problèmes, le savoir-faire et la responsabilité. Par conséquent, cette méthode est surtout intéressante pour l'évaluation des emplois de cadres.

Méthode Hay
Méthode d'évaluation des emplois qui recourt à trois facteurs uniquement, soit la résolution de problèmes, le savoir-faire et la responsabilité.

9.8 La structure salariale

La **structure salariale** consiste en une échelle des salaires qui présente les taux de salaires et les écarts entre les taux, ce qui permet d'établir une hiérarchie des salaires au sein d'une famille de postes ou de l'entreprise. Cela consiste à intégrer l'évaluation des postes et les niveaux de salaires. En fixant un niveau de salaire pour les différents emplois évalués, on assure l'équité salariale ou individuelle. Rappelons que le processus d'évaluation des postes a, pour sa part, assuré l'équité interne et

Structure salariale
Échelle des salaires qui présente les taux de salaires et les écarts entre les taux, ce qui permet d'établir une hiérarchie des salaires au sein d'une famille de postes ou de l'entreprise.

Tableau 9.8 Les avantages et inconvénients des différentes méthodes d'évaluation des postes

Méthode d'évaluation	Avantages	Inconvénients
La méthode du rangement	› Rapide et facile à compléter › Très peu coûteuse › Facile à comprendre	› Limitée aux petites entreprises › Tient pour acquis que les écarts entre tous les emplois sont les mêmes › Très subjective
La méthode de classification par catégories	› Répandue et acceptée par les employés › Peut facilement être utilisée par les grandes entreprises › Peut être utilisée pendant plusieurs années sans modification, car les catégories sont très larges	› Catégories très larges ne correspondant pas à un emploi précis › Catégories très larges entraînant souvent des abus au moment de l'évaluation des postes
La méthode de comparaison des facteurs	› Très détaillée et très explicite › Plus facile à mettre en œuvre que la méthode par points › Liée aux salaires du marché du travail	› Très complexe et difficile à expliquer aux employés › Nombreuses réévaluations de postes entraînées par des modifications dans les emplois
La méthode des compétences	› Favorise l'apprentissage › Favorise la polyvalence des employés › Réduit les coûts totaux de main-d'œuvre lorsque cette dernière est utilisée efficacement › Est source de motivation	› Taux de salaires individuels à la hausse
La méthode des points	› Très détaillée et très explicite › Composantes des emplois comparées à une échelle prédéterminée › Est rendue plus acceptable auprès des employés à cause de l'apparence d'objectivité de l'aspect mathématique de l'évaluation › Système qui s'adapte facilement aux changements dans les emplois	› Relativement longue à mettre en œuvre › Coûteuse › Consensus pas toujours facile à établir pour les différentes parties impliquées dans l'évaluation
La méthode Hay	› Très détaillée et très spécifique › Composantes des emplois comparées à une échelle prédéterminée › Est rendue plus acceptable auprès des employés à cause de l'apparence d'objectivité de l'aspect mathématique de l'évaluation › Système qui s'adapte facilement aux changements dans les emplois › Permet des comparaisons sur une base nationale et même multinationale	› Relativement longue à mettre en œuvre › Coûteuse › Consensus pas toujours facile à établir pour les différentes parties impliquées dans l'évaluation

la recherche de données sur le marché. Quant à l'enquête salariale, elle assurera l'équité externe. Afin d'alléger le système et de corriger certaines imprécisions dans les résultats de l'évaluation des emplois au moment de l'utilisation de la méthode des points, on regroupe les emplois par classes. Ainsi, tous les emplois ayant obtenu un certain nombre de points, selon un minimum et un maximum, sont placés dans un même niveau de salaire. Cela évite d'avoir un trop grand nombre de classes de salaires tout en compensant le manque de rigueur des méthodes d'évaluation qui ne sont pas assez précises. La figure 9.10 illustre cette situation.

Figure 9.10 La structure salariale à taux fixe

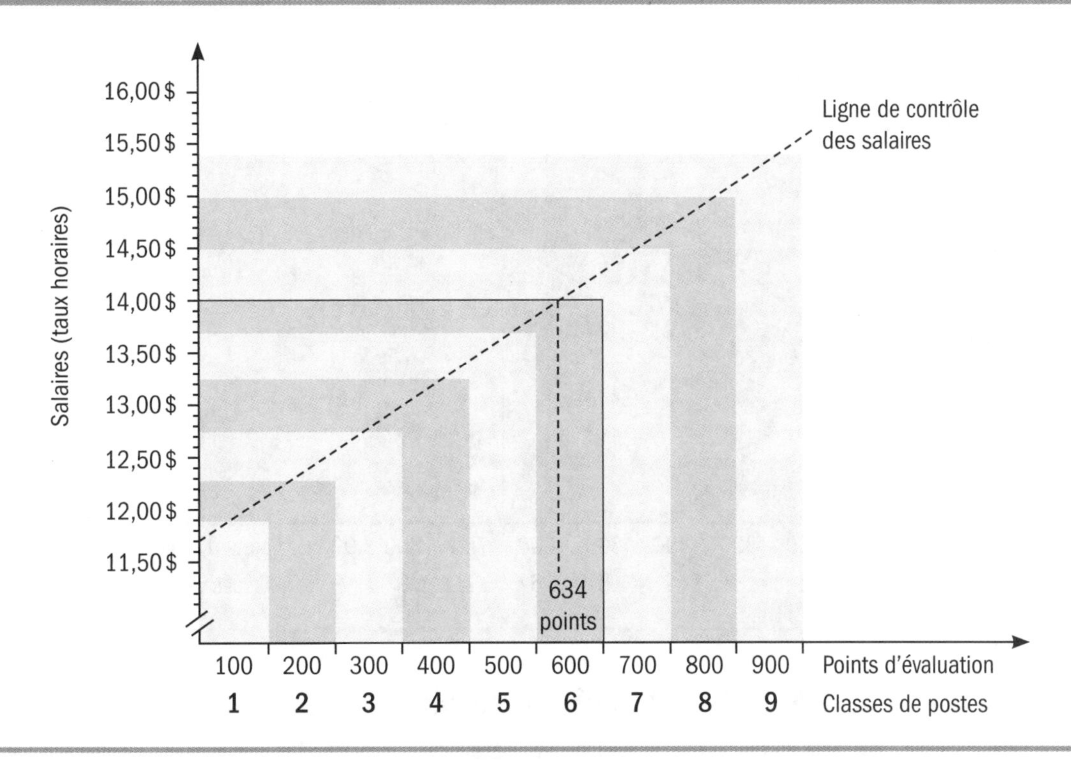

Compte tenu du fait que plusieurs entreprises désirent offrir au titulaire d'un poste la possibilité de recevoir des hausses de salaire tout en demeurant dans le même poste, les critères d'ancienneté et de rendement sont pris en considération; le salaire d'un poste varie alors à l'intérieur d'une fourchette. Par exemple, un employé titulaire d'un poste de la classe 6 verra son salaire varier de 13,25 $ à 14,50 $ l'heure selon son ancienneté et son rendement (*voir la figure 9.11, p. 320*).

9.9 Les variables qui influent sur le niveau et la structure de rémunération

La loi de l'offre et de la demande peut – surtout dans des cas extrêmes de pénurie d'une certaine catégorie de la main-d'œuvre – déterminer le niveau de rémunération pour certains postes de travail, mais dans la réalité, de nombreux facteurs exerceront une influence. Nous avons retenu les plus importants, soit le marché du travail, les variations du coût de la vie, les politiques gouvernementales, la capacité de payer de l'entreprise, la productivité et la force syndicale.

Figure 9.11 La structure salariale à taux variable

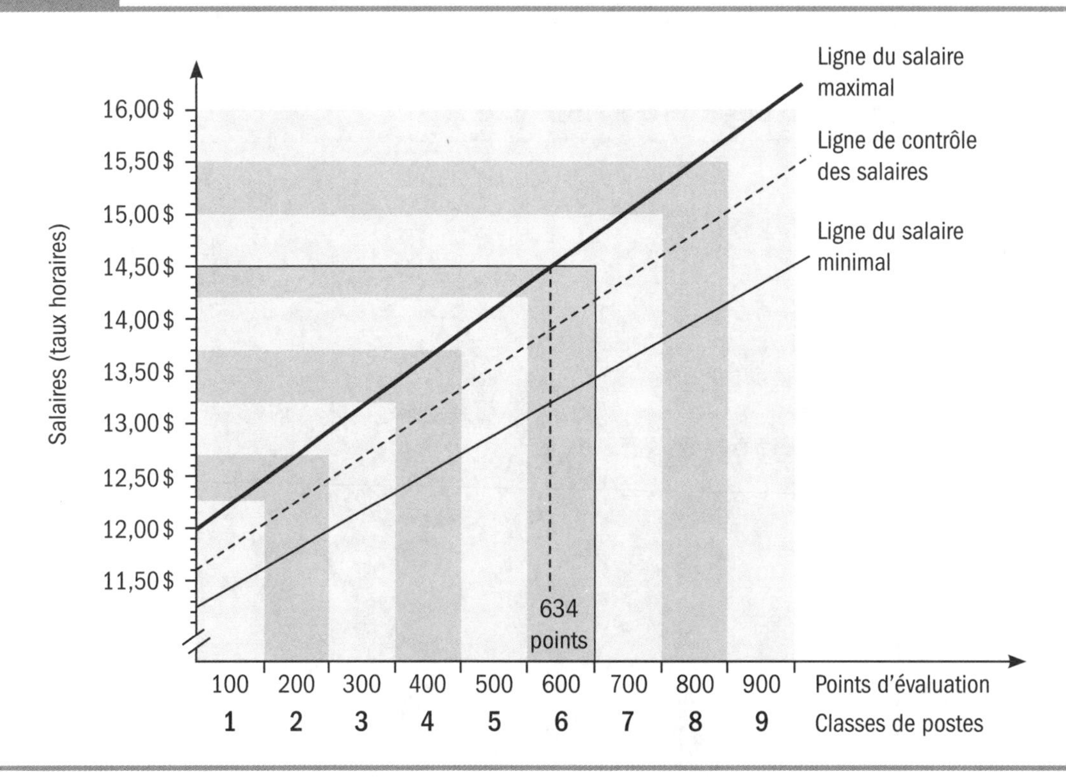

9.9.1 Le marché du travail

Un marché du travail représente une région à l'intérieur de laquelle les forces de l'offre et de la demande de main-d'œuvre ont une incidence sur le salaire des employés[38]. Lorsqu'il y a une pénurie d'un type de main-d'œuvre, une pression à la hausse sur les salaires se fait sentir; lorsqu'il y a un surplus d'une catégorie de main-d'œuvre, la pression sur les salaires est évidemment à la baisse. Les emplois[39] dans le domaine de l'aéronautique, les opérateurs de systèmes et de réseaux informatiques, les biologistes et autres scientifiques de même que les ingénieurs

38. Voir Rodrigue Blouin, *Vingt-cinq ans de pratique en relations industrielles au Québec*, Cowansville, Les Éditions Yvon Blais, 1990, p. 1009-1082 ; L. G. Reynolds, S. H. Masters et C. H. Moser, *Labor Economics and Labor Relations*, 9e éd., Englewood Cliffs (New Jersey), Prentice-Hall, 1986.

39. Extrait de la *Liste des professions en demande, région métropolitaine de Montréal, février 2008*, en ligne au www.table-metropolitaine.org/Liste%20des%20professions%20en%20demande/Profendemande_RMR_f%E9vrier2008.pdf et *Emploi-Avenir*, Service Canada, en ligne au www1.servicecanada.gc.ca/fra/qc/emploi_avenir/emploi_avenir.shtml.

mécaniciens se trouvent actuellement dans la première catégorie, alors que les emplois d'avocats, de notaires, de bibliothécaires, de journalistes, de techniciens et d'assistants dans les bibliothèques et les archives appartiennent à la seconde catégorie.

La définition du marché n'est pas que géographique. À certaines périodes, les employeurs autant que les candidats à un poste sont prêts à élargir la stricte définition du marché local. D'autres facteurs tels que la formation, le genre d'industrie, les certificats de travail exigés et l'appartenance obligatoire à un syndicat ont un effet sur la définition du marché. Le salaire d'un plombier sera déterminé uniquement par le marché local, tandis que celui d'un ingénieur aéronautique spécialisé dans la résistance des matériaux sera déterminé par le salaire versé partout en Amérique du Nord et même en Europe.

Parfois, il est impossible de respecter l'équité salariale individuelle. Devant certaines difficultés de recrutement, on devra verser un salaire plus élevé que ne le suggère la structure salariale afin de pourvoir certains postes.

L'enquête salariale

L'**enquête salariale** est un processus de collecte, d'analyse et d'interprétation des données concernant les programmes de rémunération des autres entreprises. Elle vise principalement à assurer l'équité externe. Elle porte généralement sur le niveau de salaire offert, sur la structure salariale et sur la progression à l'intérieur de l'échelle salariale, sur le mode de rémunération, c'est-à-dire la base sur laquelle les salaires sont calculés (en fonction des heures travaillées, du poste, de la formation et de l'expérience de l'employé), et sur le contenu de la rémunération, soit la rémunération pécuniaire et tous les autres avantages.

Enquête salariale
Processus de collecte, d'analyse et d'interprétation des données concernant les programmes de rémunération des autres entreprises.

Ces renseignements sont obtenus de diverses sources. L'entreprise peut, bien sûr, entreprendre sa propre enquête, mais celle-ci sera coûteuse et il sera difficile de se procurer certains renseignements. Les Centres d'emploi du Canada, les bureaux fédéraux et provinciaux de recherche en rémunération comme le Centre de recherche et de statistiques sur le marché du travail (CRSMT), l'Institut de recherche et d'information sur la rémunération (IRIR), la Direction de l'analyse des conditions de travail et de la rémunération (DACTR) ainsi que les données de Statistique Canada représentent d'excellentes sources gouvernementales. Des entreprises privées comme Hay, le groupe Sobéco, la Société conseil Mercer et la société Wyatt offrent ces données à leurs clients.

Enfin, les comparaisons ne doivent pas se limiter aux aspects pécuniaires de la rémunération. Toutes les autres conditions de travail doivent être prises en considération. Le nombre d'heures travaillées, la durée des vacances, la sécurité d'emploi, le fait de fournir l'uniforme, le prix des repas à la cafétéria de l'entreprise, le rythme de progression sur l'échelle salariale, les conditions de la retraite, etc., ne sont que quelques-uns des facteurs à examiner.

9.9.2 Les variations du coût de la vie

Puisque les objectifs du programme de rémunération sont d'attirer les candidats qualifiés, de conserver les employés compétents et de les motiver, une entreprise serait en mauvaise posture si elle ne considérait pas les effets d'un taux d'inflation de 5% par année pendant deux ans. La seule façon d'évaluer une augmentation de salaire consiste à mesurer la portion qui excède le taux d'inflation. Par exemple, en 1991, l'indice des prix à la consommation (IPC) a augmenté de 7,3% et le salaire moyen, de 4,0%; il s'agissait en fait d'une baisse du salaire réel. Par contre, en 1994, le salaire moyen n'a augmenté que de 0,8%, mais sachant que l'IPC a baissé de 1,4%, il s'agissait alors d'une augmentation du salaire réel de 2,2%.

9.9.3 Les politiques gouvernementales

Le gouvernement intervient sur le marché des salaires par voie directe et par voie indirecte. Les attitudes du gouvernement à l'égard de ses employés, et particulièrement les salaires qu'il accorde aux serviteurs de l'État, ont des répercussions sur les salaires versés pour des emplois équivalents sur le marché du travail. Évidemment, la réciproque est aussi vraie: les salaires versés par les entreprises influent sur la rémunération consentie par l'État à ses employés. L'écart salarial[40] entre les employés de l'administration publique québécoise et le secteur privé syndiqué est actuellement de près de 13% en faveur du secteur public.

Au Québec, les conditions de travail sont déterminées par le Code du travail, la Loi sur les normes du travail, la Loi sur les décrets de convention collective, la Loi sur les relations du travail, la formation professionnelle et la gestion de la main-d'œuvre dans l'industrie de la construction, sans oublier la Charte des droits et libertés de la personne, qui joue un rôle important en matière d'équité.

Les dispositions qui concernent la déclaration des pourboires visent à faire en sorte que les employés du secteur de la restauration et de l'hôtellerie paient leur part d'impôt sur la totalité de leur revenu et qu'ils bénéficient des mêmes privilèges et des mêmes avantages sociaux que les autres travailleurs à l'égard de la totalité de leur rémunération.

Ainsi, la détermination des conditions de travail par les parties elles-mêmes s'effectue soit sur la base d'une relation individuelle aboutissant à un contrat de travail au sens du Code civil, soit sur la base de négociations collectives conduisant à la conclusion d'une convention collective au sens du Code du travail.

L'autre façon de faire réside dans la détermination unilatérale par l'État, par voie législative ou réglementaire, de conditions de travail minimales. On reconnaît ici le rôle de la Loi sur les normes du travail et de la réglementation qui en découle.

Enfin, la détermination mixte des conditions de travail implique une intervention de l'État qui, au Québec, s'approprie le résultat d'une négociation pour la rendre applicable à des tiers qui n'ont pas participé à cette négociation. Ici intervient la Loi sur les décrets de convention collective.

Les employés à pourboire: un exemple d'intervention gouvernementale

Les dispositions qui concernent la déclaration des pourboires, en vigueur depuis le 1er janvier 1998, obligent tous les employés travaillant dans le secteur de la restauration, des bars et de l'hôtellerie à déclarer par écrit tous leurs revenus de pourboires à leur employeur. Cette loi s'applique aux serveurs, aux préposés au bar, aux hôtes, aux bagagistes, aux livreurs, aux préposés au vestiaire, aux

40. IRIR, «Les relativités salariales dans l'administration québécoise: écarts salariaux», en ligne au www.irir.com/nouveau/relat98.html.

maîtres d'hôtel, aux portiers et aux commis débarrasseurs. Ils doivent déclarer leurs pourboires à chaque période de paye.

Cette mesure d'équité vise à faire en sorte que les employés du secteur de la restauration et de l'hôtellerie paient leur part d'impôt sur la totalité de leur revenu et qu'ils bénéficient des mêmes privilèges et des mêmes avantages sociaux que les autres travailleurs à l'égard de la totalité de leur rémunération, comme les indemnités prévues par la Loi sur les normes du travail. En effet, certaines indemnités[41] prévues à la loi sont calculées sur le salaire en fonction des pourboires que les salariés ont déclarés ou que l'employeur leur a attribués.

9.9.4 La capacité de payer de l'entreprise

La philosophie des gestionnaires d'une entreprise quant à la rémunération joue un rôle important dans la fixation du niveau de salaire payé à certains employés. Le besoin d'attirer des candidats hautement qualifiés, de réduire le taux de roulement, de maintenir ou d'améliorer la motivation des employés et même d'accroître le niveau de vie de ces derniers détermine dans une large mesure le programme de rémunération, mais au sein de chaque entreprise, la valeur d'un poste peut varier soit réellement, soit dans l'esprit des gestionnaires.

Malgré tous les éléments que nous avons présentés permettant de fonder la rémunération sur une base objective, la rémunération est, pour une grande part, le reflet de la philosophie de la haute direction, surtout lorsqu'il s'agit de l'équité externe.

Certaines entreprises désirent être les meilleurs payeurs, tandis que d'autres ne désirent qu'être dans le peloton de la moyenne. Enfin, certaines entreprises qui n'ont aucun problème de recrutement et qui n'ont, par conséquent, aucun intérêt à ce qu'un employé demeure à leur service trop longtemps offriront des salaires inférieurs à la moyenne de la région. C'est le cas dans les secteurs de la restauration rapide, de l'hôtellerie et dans l'ensemble des secteurs dont l'activité est saisonnière.

9.9.5 La productivité

La productivité d'une entreprise ne dépend pas toujours du rendement de ses employés. Dans certains secteurs, l'utilisation d'un nombre élevé d'employés peut rendre l'entreprise non compétitive face à ses concurrents[42]. La seule façon de protéger sa rentabilité consiste à remplacer une partie de la main-d'œuvre par un investissement dans un équipement de pointe. La négligence de certaines entreprises qui tardent à moderniser leur équipement les place devant un problème

---

41. Par exemple l'indemnité de vacances, l'indemnité pour un jour férié, l'indemnité pour un congé avec salaire pour événements familiaux, l'indemnité au moment d'un congé pour la naissance ou l'adoption d'un enfant, l'indemnité au moment de la cessation d'emploi ou l'indemnité de congé prévue par la Loi sur la fête nationale.

42. Par contre, Costco réussit à vendre à meilleurs prix que ses concurrents tout en offrant des conditions de salaires supérieures à ses employés. Lire à ce sujet S. Homes et W. Zellner, «The Cosco Way», *BusinessWeek*, le 12 avril 2004, p. 76-77 et M. V. Rafter, «Welcome to the Club», *Workforce Management*, avril 2005, p. 40-46.

de productivité. Un employé peut faire plus d'efforts que l'employé d'un concurrent sans pour autant rentabiliser son poste de travail. Il y a par contre un côté positif à l'automatisation des postes : les employés demeurant au sein de l'entreprise sont en effet plus productifs et peuvent espérer de meilleures conditions de travail.

9.9.6 La force syndicale

Dans les tableaux de rémunération présentés au début du chapitre, on peut déjà constater que la force syndicale de certaines industries est plus grande que d'autres. L'incidence sur le niveau de rémunération est alors significative. Les industries dont les employés ne sont pas syndiqués sont aussi touchées par les conventions collectives signées ailleurs. De crainte de voir s'implanter un syndicat ou devant le risque de perdre leur main-d'œuvre qualifiée, elles se doivent d'offrir des salaires compétitifs.

De plus, l'organisation syndicale n'intervient pas seulement au moment de la négociation ; déjà lors de l'analyse des postes, de l'évaluation des emplois, de l'établissement des taux de salaires et de la sélection des critères pour définir ceux-ci, l'influence du syndicat a laissé sa marque.

9.10 Le mode de rémunération

Mode de rémunération
Fréquence et mode de calcul des salaires.

Le **mode de rémunération** représente la fréquence et le mode de calcul des salaires. Le calcul peut être fait sur une base horaire selon le temps travaillé ; il peut aussi correspondre à la fonction, reposer sur le niveau de production ou sur les ventes, ou être établi selon un contrat fixe. Le versement peut être effectué chaque semaine, toutes les deux semaines, mensuellement et ainsi de suite (*voir le tableau 9.9*).

Tableau 9.9 Le calcul du salaire de base

Bases de calcul	Modes de calcul
Horaire	15,22 $/heure
Fonction	Professeur agrégé : 85 000 $ Professeur titulaire : 72 000 $
Production	12,85 $/100 unités
Ventes	3,5 % des ventes ou 22 % du profit brut
Forfait	325 $ pour la mise en page d'un dépliant publicitaire

9.11 Le contenu de la rémunération

La rémunération comprend plus que le salaire. La rémunération globale comprend tous les éléments pécuniaires, qu'ils soient versés directement à l'employé sous forme de salaire ou indirectement par le paiement de primes ou de cotisations à des régimes de sécurité du revenu ou encore par le paiement, en tout ou en partie, de différents services offerts aux employés. La rémunération globale comprend aussi des éléments non pécuniaires, tels que le contenu du travail et le contexte du travail, dont la valeur peut varier selon la perception de l'employé (*voir la figure 9.12*).

Figure 9.12 Le contenu de la rémunération

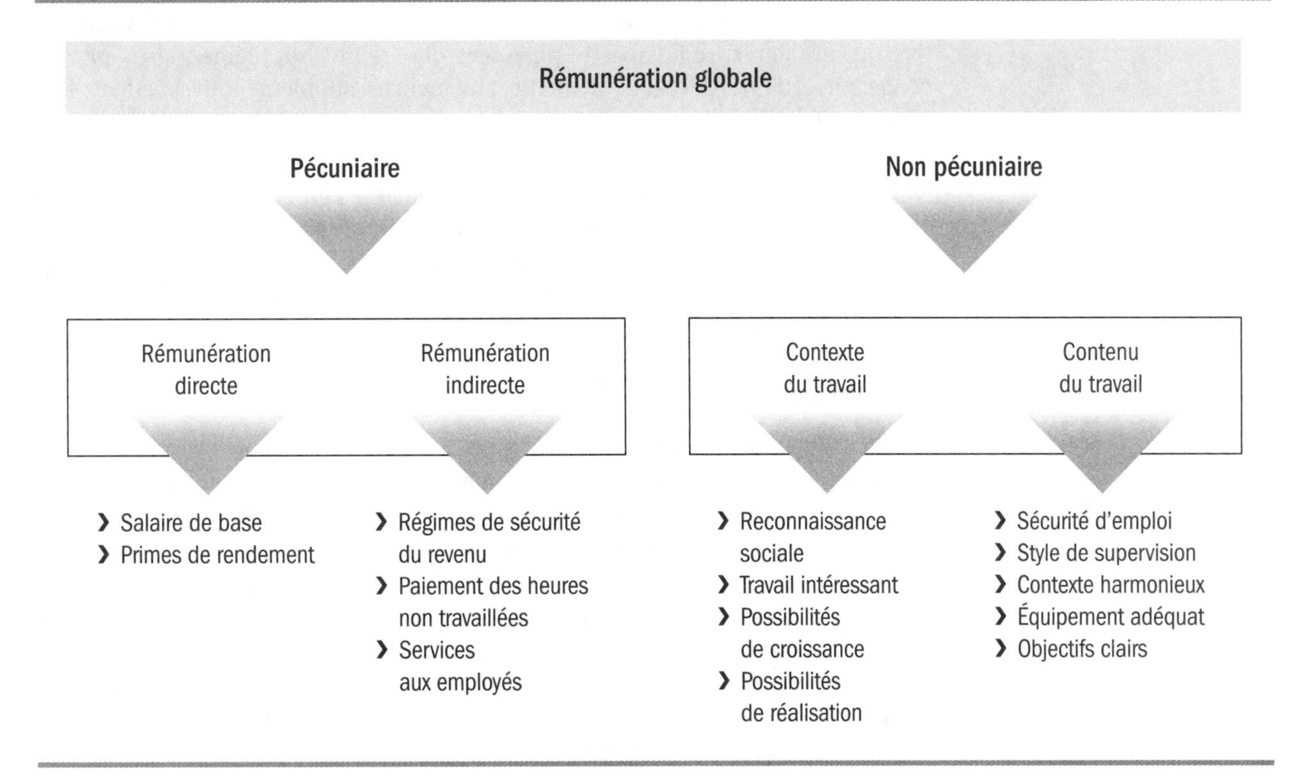

9.11.1 La rémunération pécuniaire directe

La rémunération pécuniaire directe comprend les salaires versés aux employés pour compenser le temps, les efforts et les compétences qu'ils mettent au service de l'entreprise. Elle est composée du salaire de base, des primes pour les heures supplémentaires et des primes de rendement. Il y a deux catégories de primes de rendement, soit les primes d'incitation au rendement et les primes d'intéressement.

Le salaire de base et les primes pour les heures supplémentaires

Le salaire de base représente le niveau de salaire normalement versé sur le marché pour des postes équivalents sans tenir compte de la qualité de la contribution de l'employé. Ce salaire peut être calculé sur une base horaire, selon la fonction ou selon un facteur lié à la production, aux ventes, etc.

Actuellement, aux fins du calcul des heures supplémentaires, la semaine normale de travail est de 40 heures, sauf dans les cas où elle est fixée par un règlement du gouvernement. L'employeur peut évidemment payer des heures supplémentaires avant que les 40 heures ne soient atteintes et la rémunération peut être supérieure.

Tout travail exécuté en plus des heures de la semaine normale de travail entraîne une majoration de 50 % du salaire horaire habituel que touche le salarié, à l'exclusion des primes établies sur une base horaire. Certaines conventions collectives ou certaines politiques des employeurs peuvent être plus généreuses. L'employeur peut, à la demande du salarié ou dans les cas prévus par une convention collective ou un décret, remplacer le paiement des heures supplémentaires par un congé payé d'une durée équivalente aux heures supplémentaires effectuées, majorée de 50 %.

Sous réserve d'une disposition d'une convention collective ou d'un décret, ce congé doit être pris dans les douze mois suivant les heures supplémentaires effectuées, à une date convenue entre l'employeur et le salarié, sinon les heures doivent être payées. Cependant, lorsque le contrat de travail est résilié avant que le salarié n'ait pu bénéficier du congé, les heures supplémentaires doivent être payées au moment du dernier versement du salaire.

Les primes de rendement[43]

Les régimes d'incitation[44]

Le but des primes de rendement est d'inciter les employés à produire davantage. Elles s'adressent à l'individu au travail, à son groupe ou, dans certains cas, à l'ensemble des travailleurs de l'entreprise.

Les régimes individuels offrent généralement un salaire de base auquel une prime est ajoutée pour tout dépassement de la production normale définie selon des standards. Le contexte idéal pour l'application de telles primes exige que le travail soit simple et standardisé, et surtout que l'employé soit autonome, c'est-à-dire qu'il ne dépende pas du travail des autres. La rémunération à la pièce et la rémunération à commission sont de bons exemples de ces primes.

Les régimes de groupe sont préférables aux régimes individuels lorsque le travail exige une collaboration de l'ensemble des travailleurs d'une unité administrative. Leur fonctionnement est semblable à celui des primes individuelles.

Les régimes visant l'ensemble des employés d'une entreprise reposent sur une philosophie de la participation. Les régimes de partage des gains de productivité et les régimes de réduction des coûts sont les plus courants. La participation des employés à l'amélioration du rendement se traduira par la réduction des coûts.

---

43. Lire, au sujet des primes au rendement, Ann Pomeroy, « Pay for Performance is Working, Says New Study », *HR Magazine*, janvier 2007, p. 14-15.

44. Lire à ce sujet Éric Delavallée, « La vraie fonction de la rémunération au mérite », *Expansion Management Review*, n° 108, mars 2003, en ligne au www.lexpansion.com/EMR/1943.34.66355.html.

L'entreprise partagera alors avec les employés les montants économisés. Le plan Scanlon[45], par exemple, distribue 75 % des économies aux employés et 25 % à l'employeur. Son succès repose sur un climat de coopération réelle entre les gestionnaires et les employés.

Les régimes d'intéressement

Les régimes d'intéressement[46] s'appuient sur le rendement global de l'entreprise ou sur le rendement individuel. L'employé reçoit alors un pourcentage des bénéfices au-delà d'un certain seuil préétabli.

Il existe trois grands régimes d'intéressement, soit le régime de participation aux bénéfices, le régime de participation à la propriété et le programme de suggestions.

Le régime de participation aux bénéfices permet aux employés de recevoir un pourcentage des profits en plus de leur salaire de base. L'exemple de Kingston Technology, aux États-Unis, qui a versé 75 000 $ US à ses employés, illustre bien ce régime, mais il demeure exceptionnel (*voir la section 9.3.3*).

Les régimes de participation à la propriété permettent aux employés d'acquérir des actions de l'entreprise à des conditions très intéressantes. Les employés deviennent alors propriétaires de l'entreprise, du moins en partie, et partagent les mêmes intérêts que les autres actionnaires. Cascades et Bombardier sont d'excellents exemples d'entreprises offrant un régime de participation à la propriété.

Les programmes de suggestions, qui sont relativement répandus au Québec, permettent aux employés de participer aux économies découlant de leurs suggestions pour améliorer le travail. GM Canada et Eastman Kodak sont des entreprises très généreuses à cet égard.

9.11.2 La rémunération pécuniaire indirecte

La rémunération pécuniaire indirecte comprend les indemnités et les allocations versées sous forme d'avantages sociaux ou de services en vue d'offrir aux employés et à leur famille une sécurité financière et une meilleure qualité de vie (*voir la figure 9.13, p. 328*). Certains régimes sont imposés par les gouvernements, d'autres sont entièrement payés par l'employeur, d'autres encore sont à frais partagés ou bien sont offerts volontairement à l'employé qui, même s'il assume tous les frais,bénéficie de primes de groupe. Compte tenu des différentes situations dans lesquelles les employés se retrouvent, beaucoup d'entreprises leur offrent maintenant la possibilité de choisir parmi un ensemble les avantages sociaux[47] adaptés à leurs besoins.

---

45. Joseph Scanlon a élaboré ce système. On lui attribue la survie d'Empire Steel and Tinplate Co. dans les années 1930. Scanlon a été un ouvrier de l'acier, un représentant syndical pour la United Steel Workers Union, un comptable en prix de revient et un professeur au Massachusetts Institute of Technology (MIT).

46. Consulter à ce sujet Daniel Parent, *Incentives? The Effect of Profit Sharing Plans Offered by Previous Employers on Current Wages*, en ligne au www.cirano.qc.ca/pdf/publication/2002s-54.pdf.

47. Voir à ce sujet Joseph J. Martocchio, *Employee Benefits*, Burr Ridge, Illinois, McGrraw-Hill/Irvin, 2006.

Figure 9.13 **La rémunération pécuniaire indirecte**

Rémunération pécuniaire indirecte

Régimes de sécurité du revenu

Régimes publics :
- Assurance-emploi
- Assurance maladie et hospitalisation
- Assurance contre les accidents de travail
- Régime des rentes du Québec

Régimes privés :
- Assurance vie
- Assurance hospitalisation supplémentaire
- Assurance invalidité
- Assurance mutilation par accident
- Assurance voyage
- Assurance annulation de voyage
- Assurance médicaments
- Assurance pour les soins dentaires
- Assurance pour les soins optiques
- Régimes de retraite privés

Rémunération indirecte

- Période de repos
- Période de repas
- Période de déplacement
- Période de douche
- Période de conditionnement physique
- Vacances annuelles
- Congés fériés
- Congé sabbatique
- Prime de départ

Service aux employés

- Cafétéria
- Achat de produits et de services avec rabais
- Frais de scolarité
- Frais de congrès et de colloques
- Automobile
- Stationnement
- Adhésion à un club sportif ou social
- Service de consultation juridique gratuit
- Programme d'aide aux employés
- Frais pour les vêtements de travail
- Repas

Il arrive souvent que le nombre d'heures pris en considération ne représente pas que des heures travaillées, par exemple la période de repos, la période de déplacement, les vacances annuelles, les congés fériés, les primes de départ et quelques autres cas.

Les régimes de sécurité du revenu

Les régimes de sécurité du revenu comprennent notamment l'assurance-emploi, l'assurance maladie et hospitalisation, l'assurance contre les accidents du travail, le régime des rentes du Québec, l'assurance hospitalisation privée, l'assurance invalidité, l'assurance vie pour l'employé et sa famille, l'assurance pour les soins dentaires, l'assurance pour les soins optiques et les régimes de retraite privés.

Le paiement des heures non travaillées

La rémunération pécuniaire s'applique généralement à un certain nombre d'heures. Or, il arrive souvent que le nombre d'heures pris en considération ne représente pas que des heures travaillées. C'est le cas de la période de repos, la période de repas, la période de déplacement, la période de douche, la période de conditionnement physique, les vacances annuelles, les congés fériés, les congés sabbatiques et les primes de départ.

Les services aux employés et les conditions de travail

Un grand nombre d'entreprises mettent aussi à la disposition de leurs employés les services suivants : une cafétéria à prix réduit, la possibilité d'acheter les produits et les services de l'entreprise en bénéficiant d'un rabais, le remboursement de frais de scolarité, de frais de congrès ou de colloques, une automobile, le remboursement des frais de stationnement, les services de conseillers juridiques et de conseillers financiers, un programme d'aide aux employés (PAE), etc. Nous aborderons les PAE au chapitre 10.

9.11.3 La rémunération non pécuniaire

La valeur de la rémunération non pécuniaire est très subjective. C'est l'employé qui apprécie, selon ses valeurs et ses objectifs personnels, les différents avantages qu'il peut retirer de son travail, outre la rémunération pécuniaire.

Ainsi, le contenu de la tâche, la reconnaissance et le soutien de son milieu et les possibilités de croissance et d'épanouissement sont des facteurs très importants de la motivation au travail[48].

La possibilité de travailler dans un milieu harmonieux sous la direction de gestionnaires compétents et équitables, un contexte de travail où les objectifs sont clairement définis et où les outils nécessaires à la réalisation des objectifs sont adéquats constituent d'autres éléments qui éliminent l'insatisfaction et les frustrations au travail[49]. Les conditions de travail du milieu hospitalier au Québec ces dernières années ont incité des médecins et des infirmières à chercher ailleurs un meilleur contexte pour l'exercice de leur profession. La rémunération pécuniaire offerte dans les autres provinces ou les autres pays n'explique pas à elle seule le départ d'employés dynamiques de ce milieu.

48. Bernard TURGEON, *op. cit.*, p. 251-257.

49. *Ibid.*, p. 251.

Résumé du chapitre

Les entreprises font actuellement face à de nombreux dilemmes qui, tantôt restreignent les hausses salariales, tantôt provoquent des hausses importantes. Bien sûr, les entreprises des domaines du sport professionnel et du cinéma semblent ne connaître que des poussées marquées. En pratique, les programmes de rémunération sont constitués de manière à attirer la main-d'œuvre, à conserver les employés les plus compétents, à les motiver à fournir le meilleur d'eux-mêmes et à assurer l'équité.

Les objectifs majeurs d'un système de rémunération sont l'équité interne, l'équité externe et l'équité individuelle. La prochaine décennie sera, souhaitons-le, celle de l'élimination des iniquités salariales entre les emplois ayant une forte représentation masculine et ceux qui ont une forte représentation féminine.

L'objectif du programme de rémunération consiste à élaborer un système qui attribuera une valeur pécuniaire à chaque poste dans l'entreprise et à établir une méthode qui permettra la hausse du salaire de base dans le respect des autres objectifs de l'entreprise.

La politique de rémunération dans une entreprise renvoie aux normes et aux techniques utilisées pour définir le niveau de salaire à verser à ses employés et le mode de progression des salaires.

Le programme de rémunération doit favoriser la réalisation des objectifs stratégiques de l'entreprise. Toutefois, il est assujetti aux conditions du marché, aux variations du coût de la vie, aux politiques gouvernementales, à la capacité de payer des entreprises, à la productivité et aux pressions syndicales.

La rémunération globale comprend la rémunération directe et la rémunération indirecte. La première se divise en deux groupes, soit le salaire de base et la rémunération selon le rendement. Les aspects juridiques de la rémunération directe portent sur la question de l'équité salariale. Quant à la rémunération indirecte, elle comprend notamment les régimes de sécurité du revenu et les divers services offerts aux employés.

Évaluation de la compétence

Questions de révision et application

1. Quels sont les facteurs internes et externes qui influent sur le programme de rémunération ?
2. Que peut faire une entreprise pour assurer l'équité interne, l'équité externe et l'équité individuelle ?
3. Décrivez la méthode des points utilisée pour établir une famille de postes.
4. Quels sont les avantages et les inconvénients de la méthode du rangement et de la méthode de la comparaison des facteurs ?
5. Pourquoi doit-on réaliser les analyses des postes avant d'effectuer l'évaluation des postes ?
6. Qu'est-ce qu'une enquête salariale et à quoi sert-elle ?
7. Quels sont les principaux avantages sociaux offerts aux employés dans les entreprises ?

›

8. a) À l'aide d'Internet, recherchez quels sont les montants de cotisations pour les programmes suivants (indiquez sur quelle base se font les calculs et quels sont les maximums, s'il y a lieu):

Cotisations de l'employé:

Programmes	Cotisations (base de calcul)	Cotisations maximales
Assurance-emploi		
Régime québécois d'assurance parentale		
Régie des rentes du Québec		

Cotisations de l'employeur:

Programmes	Cotisations (base de calcul)	Cotisations maximales
Assurance-emploi		
Régime québécois d'assurance parentale		
Régie des rentes du Québec		
Fonds des services de santé		
Commission de la santé et de la sécurité du travail		
Commission des normes du travail		
Formation de la main-d'œuvre		

Obligations imposées par la Loi sur les normes du travail (*voir le chapitre 5*):

Programmes	Description
Jours fériés	
Vacances annuelles	
Salaire minimum	

b) Effectuez une enquête auprès des membres de votre famille ou de vos amis et auprès d'employeurs. Recherchez quels sont les montants de cotisations pour les programmes suivants (indiquez sur quelle base se font les calculs et quels sont les maximums, s'il y a lieu) :

Programmes	Cotisations employés	Cotisations employeurs
Régimes de base		
Assurance vie de base		
Assurance accidents de base		
Assurance voyages d'affaires		
Invalidité de courte durée		
Invalidité de longue durée		
Régimes facultatifs…		
Régime d'assurance-maladie		
Régime de soins dentaires		
Assurance accidents facultative		
Régime d'actionnariat salarié		
Régime de retraite		
Régime de pension à prestations déterminées		
Régime de pension à cotisations déterminées		
Régime enregistré d'épargne-retraite collectif (REER)		
Programmes supplémentaires		
Assistance voyage d'urgence		
Programme d'assistance internationale		
Programme d'adhésion à un centre de remise en forme		
Congé parental		
Régime complémentaire d'allocations chômage		
Vacances et jours fériés (obligatoires et facultatifs)		

9. Quelles sont les principales composantes de la rémunération globale?

10. En vous reportant à la rubrique Point de mire présentée au début du chapitre, répondez aux questions suivantes:

a) Le propriétaire de l'usine de drapeaux a-t-il raison d'agir comme il le fait? L'employé ayant travaillé toute la semaine est-il jaloux ou recherche-t-il l'équité? Justifiez votre réponse.

b) L'évaluation des emplois doit-elle reposer sur l'évaluation du rendement de l'employé?

c) Si vous postuliez un poste de gestionnaire dans une entreprise, quels avantages sociaux désireriez-vous voir inclure dans votre rémunération?

Analyse de cas

Cas 9.1

L'atelier d'usinage[50]

De 1975 à 1980, la firme Les Usinages du Québec classait les machinistes en deux catégories, soit les machinistes (H) et les machinistes (F), correspondant évidemment aux postes confiés à des hommes et aux postes confiés à des femmes. Chacune de ces catégories de postes réclamait un salaire différent, le salaire de la première catégorie étant plus élevé. Lorsque les employés se sont syndiqués en 1981, la convention collective faisait référence aux postes de machinistes catégorie 1 et catégorie 2. Ainsi, l'entreprise et le syndicat mettaient fin à la discrimination fondée sur le sexe. Les nouvelles catégories correspondaient exactement aux mêmes groupes de postes que précédemment.

Carole M., responsable de la gestion de la convention collective pour l'entreprise, reçut le mandat d'analyser le bien-fondé des différences entre ces deux catégories de postes. Elle entreprit de faire une analyse la plus scientifique possible afin de pouvoir défendre ses conclusions devant ses supérieurs et les représentants syndicaux, le cas échéant.

Ses premières constatations l'amenèrent à comprendre que l'atelier d'usinage de l'entreprise fonctionnait principalement selon la méthode de production sur commande. Des centaines de produits différents étaient fabriqués durant l'année et chaque commande représentait des quantités minimales. Les produits fabriqués avaient de multiples usages et, selon le produit final auquel ils étaient intégrés dans un autre service, les spécifications des pièces usinées changeaient constamment. Cela impliquait évidemment que des ajustements, parfois importants, étaient constamment apportés aux machines. Une journée de travail de huit heures comprenait en fait une production réelle de six heures et demie. Généralement, le travail de l'avant-midi et celui de l'après-midi étaient différents, si bien que l'employé n'atteignait jamais un rythme de production acceptable.

L'atelier comprenait 11 grosses machines-outils et 28 petites. Les grosses machines étaient conduites par trois machinistes qui travaillaient en équipe, alors que les petites machines n'exigeaient qu'un machiniste. De plus, les opérateurs des petites machines-outils fonctionnaient souvent selon une production continue, c'est-à-dire que chaque machiniste effectuait une opération sur une pièce, et celle-ci était transportée par convoyeur jusqu'au deuxième machiniste et ainsi de suite.

La classification en catégorie 1 et catégorie 2 était fondée sur la complexité des opérations à effectuer. Les opérations classées «catégorie 1» pouvaient être effectuées par des machinistes de catégorie 1 seulement, alors que les opérations classées «catégorie 2»

50. Cas inspiré de Gary Dessler et John Duffy, «The Pressroom», *Personnel Management*, Scarborough (Ont.), Prentice-Hall, p. 242.

pouvaient être effectuées par les deux catégories de machinistes.

Le salaire des machinistes de catégorie 2 était de 17,85 $ l'heure et celui des machinistes de catégorie 1, de 21,65 $ l'heure. Évidemment, la compagnie planifiait le travail de façon à confier le plus de tâches possible aux machinistes de catégorie 2. Selon les commentaires obtenus, il semble que la différence de salaire était justifiée par les exigences supplémentaires des opérations de catégorie 1.

Carole effectua une évaluation des postes de travail selon la méthode des points. Elle conçut un programme qui comprenait dix facteurs et elle appliqua la grille d'évaluation à cinq postes de chaque catégorie. Son assistant, Dominique L., exécuta le même travail auprès de dix autres postes, mais en n'analysant qu'un facteur à la fois pour les dix postes et en reprenant la même analyse pour chacun des autres facteurs. La comparaison des résultats entre les deux approches ne laissait paraître aucune différence dans les résultats.

Ainsi que l'avait prévu Carole, il n'y avait aucune différence significative entre les deux catégories de postes. Un machiniste de catégorie 1 et un machiniste de catégorie 2 effectuaient les mêmes tâches, dans les mêmes conditions de travail, et faisaient appel aux mêmes compétences et habiletés. Certains postes de catégorie 1 obtinrent une pondération plus faible que l'ensemble des postes et certains postes de catégorie 2 obtinrent une pondération plus élevée que l'ensemble des postes, toutes catégories confondues.

Le rapport fut remis au directeur des ressources humaines, qui le présenta à la direction de l'usine. Catastrophé, le directeur des finances fit remarquer que la différence de salaire était d'environ 7900 $ annuellement, ce qui représentait plus de 220 000 $ pour l'ensemble des employés de catégorie 2. Si, de plus, il fallait payer rétroactivement le même salaire pour les trois ou quatre dernières années, la facture totale serait de 775 000 $ avec les intérêts.

Comme il est très difficile de garder une telle opération secrète, le syndicat fut saisi des résultats de l'enquête. Il réclama pour les machinistes de catégorie 2 une rétroactivité pour les cinq dernières années sous la menace de recourir aux tribunaux. Dans l'encadré qui suit, vous trouverez une description du poste de machiniste, tirée de la *Classification nationale des professions*.

Description d'emploi du machiniste

Sommaire de l'emploi :

Les machinistes règlent et conduisent diverses machines-outils afin de tailler ou de meuler le métal ou des matériaux semblables en pièces ou produits de dimensions précises. Les vérificateurs d'usinage et d'outillage vérifient les pièces usinées afin d'assurer le maintien des normes de qualité. Ils travaillent dans des usines de fabrication de machinerie, d'équipement, de véhicules automobiles, de pièces d'automobiles, d'aéronefs et autres pièces métalliques façonnées, ainsi que dans des ateliers.

Description des tâches :

- lire et interpréter des plans, des graphiques et des tableaux ou examiner des échantillons de pièces afin de déterminer les opérations d'usinage à effectuer ;
- calculer les dimensions et les tolérances, mesurer et agencer les éléments à usiner ;
- régler et conduire diverses machines-outils, de même que de l'outillage à commande numérique, pour exécuter des travaux d'usinage de précision, notamment des travaux de tournage, de fraisage, d'alésage, de rabotage, de perçage et de rectification ;
- ajuster et assembler les pièces métalliques usinées et les sous-assemblages au moyen d'outils manuels et mécaniques ;

- vérifier, à l'aide d'instruments de mesure de précision, si les dimensions des produits sont exactes et conformes aux prescriptions;
- ajuster, au besoin, et régler des machines-outils à l'intention de conducteurs de machines-outils;
- vérifier les dimensions des pièces usinées et de l'outillage à l'aide de micromètres, de verniers, de calibres de hauteur, de comparateurs optiques et d'autres appareils et matériel spécialisés de mesurage;
- entretenir, réparer et étalonner des instruments de mesure de précision, tels que des indicateurs à cadran, des calibres fixes, des verniers et autres instruments de mesure;
- relever tout écart par rapport aux spécifications et aux tolérances et en aviser le contremaître;
- tenir des dessins de contrôle et rédiger des rapports d'inspection.

Questions

1. Que pensez-vous de l'approche de Carole M. pour évaluer les postes de travail?
2. Comment l'entreprise a-t-elle pu implanter un tel système et le conserver pendant plusieurs années?
3. L'entreprise doit-elle se rendre aux demandes du syndicat? Le syndicat est-il responsable de ces iniquités puisqu'il les a acceptées dans ses contrats de travail?
4. Comment pourrait-on éviter de telles situations à l'avenir?
5. En vous inspirant de la description d'emploi de machiniste tirée de la Classification nationale des professions, justifiez la position de l'entreprise et celle du syndicat.

Cas 9.2

Le partage des économies

La firme Les Placages du Nord inc. et ses employés font face à un même problème. Le système de primes et de partage des profits en place depuis plusieurs années ne correspond pas à la réalité. En effet, les primes offertes aux employés ne sont en aucune façon liées aux efforts qu'ils accomplissent. Les gestionnaires de la compagnie sont convaincus qu'un système d'incitation fondé sur le partage des économies réalisées serait plus équitable pour les employés et pour la compagnie. En effet, les employés peuvent réduire les coûts d'exploitation, alors que le niveau de profits ne dépend pas entièrement d'eux.

Après plusieurs réunions, la compagnie proposa aux employés le partage suivant:

- les employés recevront 28% de toutes les économies sur les coûts de la main-d'œuvre et du matériel par rapport aux montants prévus pour un niveau de production donné;
- la moitié des économies sera versée directement aux employés, un mois après leur réalisation, l'autre moitié sera versée dans le régime de retraite des employés;
- le salaire de base des employés sera maintenu à un niveau égal ou supérieur à celui de la concurrence;
- le programme sera géré par un comité composé de représentants de la compagnie, de représentants des superviseurs, de représentants du syndicat et d'un consultant externe.

Après avoir analysé ce programme, les représentants des différents groupes présentèrent les arguments suivants aux autres membres du comité:

- les superviseurs considéraient que la part de 28% était trop élevée, d'autant que la majorité des économies provenaient des efforts des superviseurs et non des employés;
- les représentants des employés syndiqués prirent la position contraire et demandèrent 33% des économies;
- certains gestionnaires alléguèrent que les économies étaient surtout réalisées en raison des investissements de l'entreprise et que les employés n'avaient aucun contrôle sur cet aspect des opérations;
- enfin, certains représentants des employés avancèrent que les données concernant les économies pouvaient être facilement manipulées par l'entreprise.

Question

1. Quelle est votre position face à ces divers arguments?

Chapitre 10 La discipline

Cheminement d'idées

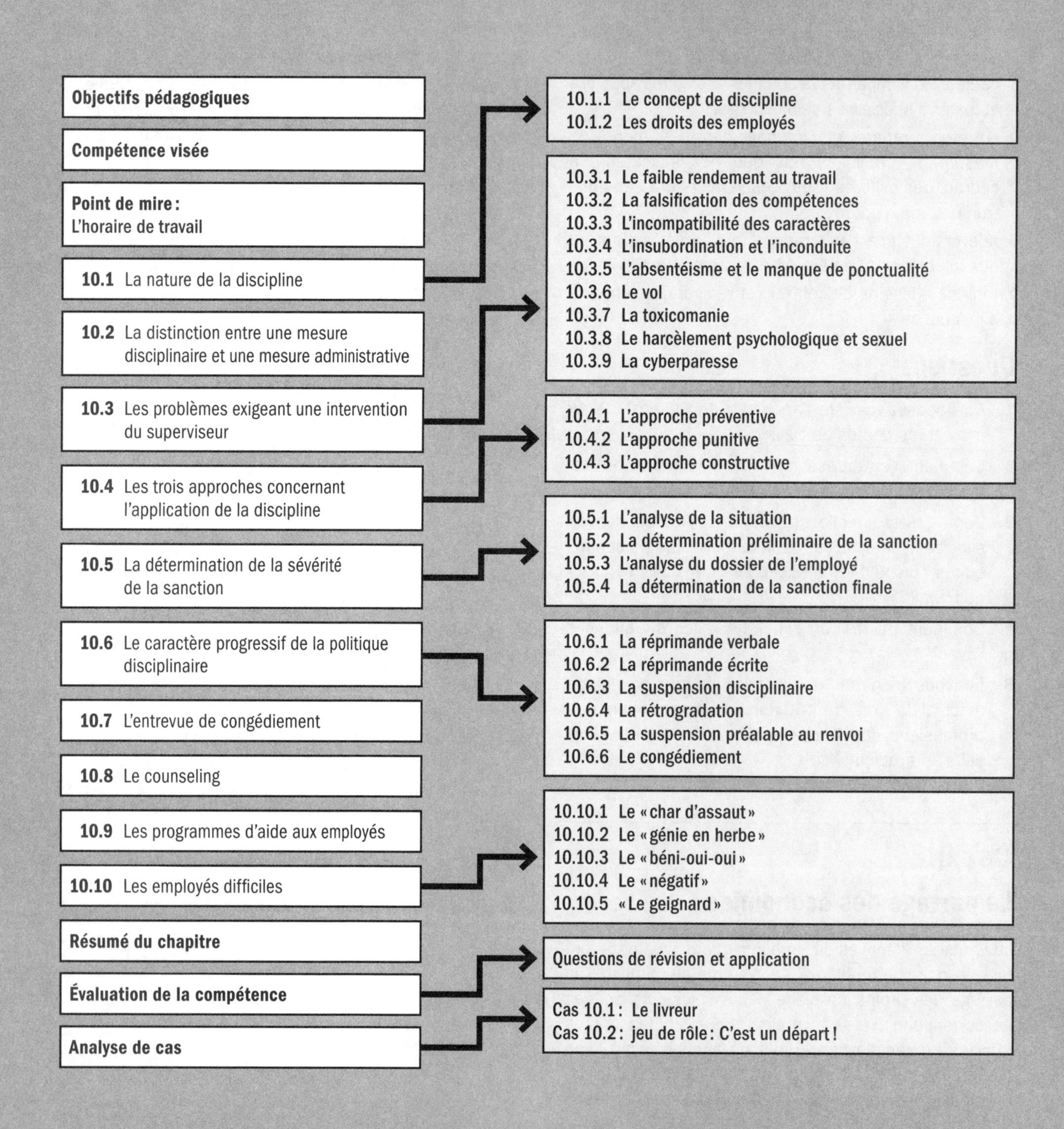

Objectifs pédagogiques

La lecture de ce chapitre devrait vous permettre :

1. de définir la discipline ;
2. de décrire les droits des employés dans l'application des mesures disciplinaires ;
3. de présenter les problèmes disciplinaires les plus courants ;
4. de nommer et de comparer les caractéristiques des trois approches disciplinaires ;
5. de décrire le processus décisionnel précédant l'application d'une mesure disciplinaire ;
6. d'expliquer la différence entre une mesure disciplinaire et une mesure administrative ;
7. d'appliquer le principe de la progressivité des mesures disciplinaires ;
8. de définir le counseling ;
9. de décrire les caractéristiques des programmes d'aide aux employés ;
10. de décrire les comportements à adopter avec certains employés difficiles.

Compétence visée

La compétence visée dans ce chapitre est d'appliquer le processus de discipline.

Point de mire

L'horaire de travail

François et Chantal travaillent pour une compagnie d'assurances du centre-ville de Montréal depuis près de vingt ans. Nina s'est jointe à eux il y a à peine un an. Les membres de cette équipe classent les chèques versés aux clients pour différentes réclamations. Lorsque des clients se posent des questions à propos des montants qui leur ont été versés, ils communiquent avec les courtiers et les agents, et ces derniers s'adressent à cette équipe qui est sous la direction de Marc depuis deux mois.

Les heures régulières de travail sont de 9 h à 16 h 30, du lundi au vendredi. Une heure est accordée pour le dîner et il n'y a aucune pause-café. En fait, les employés sont libres d'aller se chercher un café et une collation et de consommer le tout à leur bureau.

Marc a réussi en un mois à prendre le contrôle des activités du bureau et il a décidé, il y a trois semaines, de régler certains problèmes de productivité. Son équipe offre un rendement adéquat, mais elle présente des lacunes que les trois membres de l'équipe ont suggéré de régler par l'ajout d'une personne.

Depuis trois semaines, Marc collige les données suivantes concernant l'assiduité de son personnel. Tout

›

d'abord, François arrive au bureau vers 8 h 45 tous les jours, mais il ne commence pas vraiment à travailler avant 9 h, sauf pour répondre au téléphone. Sa période officielle de lunch est de 13 h à 14 h, mais comme de midi à 13 h, c'est très calme au bureau et qu'il y a peu d'appels, il lit son journal ou étudie, car il suit des cours du soir. À 13 h, il va prendre son repas dans un petit bureau réservé à cette fin pour les employés. Toujours de retour à 14 h précises, il travaille sans interruption jusqu'à 16 h 15, heure à laquelle il range son bureau, et il quitte le travail vers 16 h 20. François est souvent en retard dans le traitement des dossiers et il se plaint fréquemment d'être débordé.

Chantal arrive au bureau vers 9 h 15 le matin et elle se met immédiatement au travail. Elle ne s'arrête qu'à son heure de lunch à 13 h. Au retour, elle poursuit ses activités jusqu'à 16 h 15, moment précis où elle quitte le bureau. Lorsqu'il y a trop de travail, elle dîne à son bureau pour rattraper son retard. François et elle n'hésitent jamais à répondre au téléphone lorsqu'ils sont au bureau, quelle que soit l'heure.

Nina a un léger handicap physique et elle doit éviter de rester debout trop longtemps. Aussi, essaie-t-elle de prendre les transports en commun avant les heures de pointe de manière à avoir une place assise. Elle arrive donc au bureau vers 8 h 20, mais elle ne commence pas à travailler avant 9 h; l'après-midi elle quitte le bureau vers 16 h. À midi, elle prend son dîner dans le petit bureau. Il lui serait difficile d'accomplir beaucoup de travail avant 9 h, car ses activités dépendent des deux autres employés.

Alors qu'il y a toujours un employé pour répondre au téléphone de 8 h 30 à 16 h 15, Marc se retrouve souvent seul durant les quinze dernières minutes de la journée. Lorsqu'il est en réunion, il n'y a personne dans le bureau.

10.1 La nature de la discipline

L'entreprise est en droit d'exiger que ses employés soient assidus, fournissent une journée normale de travail, soient mentalement et physiquement prêts à accomplir leurs tâches, acquiescent aux demandes de leur superviseur, apprennent à exécuter leur travail et se perfectionnent pour accomplir de futures tâches, s'adaptent aux changements, établissent des relations positives avec les clients, les gestionnaires et leurs collègues, apprennent et respectent les règles et les procédures en vigueur et se conforment aux normes de l'entreprise autant sur le plan éthique que sur le plan technologique. En un mot, les employés doivent s'intégrer à la culture d'entreprise[1]. La très grande majorité des employés veulent se comporter d'une manière acceptable pour l'entreprise, leur superviseur et leurs collègues de travail.

Initialement, le « bâton » représentait la discipline. Il y a une trentaine d'années à peine, une caissière dans un établissement financier devait rembourser toute somme manquante dans sa caisse, la serveuse de restaurant devait rembourser une tasse cassée, et certaines entreprises enlevaient quinze minutes de paye à l'employé en retard de quelques minutes. Ces pratiques affectaient le moral des employés et créaient chez eux des sentiments d'insécurité et de frustration. Aujourd'hui, un employeur ne peut effectuer une retenue sur le salaire que s'il y est contraint par une loi, un règlement, une ordonnance d'un tribunal, une

1. Inspiré de D. N. Campbell, R. L. Fleming et R. D. Grote, « Discipline without Punishment – At Last », *Harvard Business Review*, juillet-août 1985, p. 178.

convention collective, un décret ou un régime complémentaire de retraite à adhésion obligatoire.

Il peut également effectuer une retenue sur le salaire si le salarié y consent par écrit et pour une fin précise mentionnée dans cet écrit.

10.1.1 Le concept de discipline

Chaque geste exécuté dans une entreprise doit viser la réalisation des objectifs stratégiques. Si les employés ne font pas preuve de l'efficacité nécessaire à la réalisation du plus haut niveau de productivité, ils doivent être remplacés, mais avant de prendre des mesures aussi radicales, les superviseurs doivent tenter de modifier les attitudes et les comportements des employés qui ne se conforment pas aux objectifs qui leur sont fixés.

Au chapitre 7, nous avons défini la formation comme un ensemble de programmes qui comprennent diverses activités d'apprentissage visant l'acquisition des connaissances, des habiletés et des comportements orientés vers l'adaptation d'un employé à son environnement de travail et la réalisation des objectifs de l'entreprise. La discipline commence donc par un programme de formation adéquat et efficace. C'est une sorte de formation qui a pour but de corriger et de modifier les attitudes, les comportements et les compétences des employés afin qu'ils puissent atteindre un meilleur rendement.

La discipline implique l'ordre et l'élimination de la confusion. Elle est généralement associée à une sanction dans l'esprit des gens. En fait, les employés doivent adopter certains comportements, sinon des sanctions seront prises de manière à corriger la situation. Lorsqu'un employé est soumis à une mesure disciplinaire, cela signifie qu'il doit adhérer aux règles de l'entreprise. Il peut aussi être puni pour avoir manifesté un comportement illégal ou immoral au travail, même si ce comportement n'est pas visé par les règles de l'entreprise.

La **discipline** est une activité de gestion qui comprend un ensemble de mesures permettant d'assurer le respect des règles établies et des normes de comportement connues et acceptables en vue d'obtenir de l'employé une plus grande collaboration et une meilleure efficacité. Elle est donc davantage que l'application de sanctions : elle constitue un processus de formation. La sanction n'est que la conséquence désagréable d'un comportement inacceptable selon les normes de l'entreprise. Le rôle du superviseur consiste à expliquer à l'employé les conséquences de son comportement, à l'appuyer dans l'adoption d'un comportement approprié et, si cela est nécessaire, à le laisser expérimenter lui-même les conséquences de son comportement.

Discipline
Activité de gestion qui comprend un ensemble de mesures permettant d'assurer le respect des règles établies et des normes de comportement connues et acceptables en vue d'obtenir de l'employé une plus grande collaboration et une meilleure efficacité.

Dans les entreprises, la discipline implique la formation, le soutien, l'avertissement et l'application d'une sanction. Le soutien et l'avertissement peuvent suffire, dans beaucoup de cas, à amener l'employé à modifier son comportement.

L'application d'une sanction s'avère, dans certains cas, le seul outil à la disposition du superviseur. Cependant, les sanctions ont tendance à attaquer l'amour-propre d'un employé et à miner sa confiance en lui-même ; elles risquent de susciter des sentiments de colère et d'hostilité, voire de vengeance. Les sanctions visent la modification d'un comportement, mais elles peuvent amener l'employé à découvrir des tactiques lui permettant de ne plus être pris sur le fait (*voir la figure 10.1*).

Figure 10.1 Les composantes de la discipline

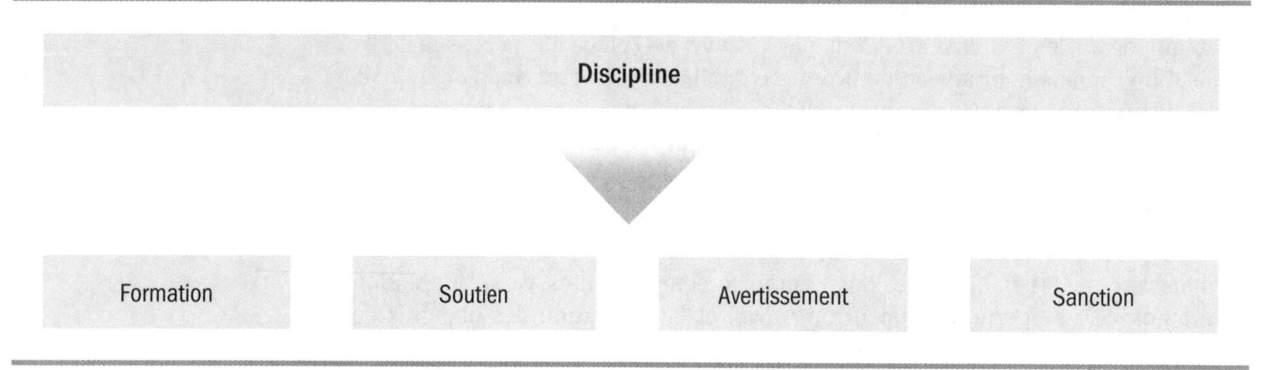

10.1.2 Les droits des employés

La discipline doit s'appliquer dans le respect des lois en vigueur, et particulièrement de la Charte des droits et libertés de la personne, des politiques de l'entreprise et des clauses de la convention collective si les employés sont syndiqués. Le superviseur de même que l'employé doivent donc s'être familiarisés avec les politiques, les procédures et les règlements de l'entreprise, de même qu'avec la convention collective et les décisions arbitrales concernant les **griefs** depuis sa signature[2].

Grief
Toute mésentente relative à l'interprétation ou à l'application d'une convention collective (*voir le chapitre 14*).

L'application du processus disciplinaire doit se faire de manière uniforme et prévisible. Ainsi, la mesure disciplinaire imposée à un employé pour une faute doit entraîner des conséquences semblables à celles que subit un autre employé sanctionné pour le même comportement. Certains éléments doivent être pris en considération et seuls ces éléments doivent justifier une sanction différente.

La mesure disciplinaire imposée à un employé doit aussi être proportionnelle à la faute commise. Elle doit reposer sur des faits : la sympathie ou l'antipathie du superviseur à l'égard d'un employé ne sont pas des facteurs pertinents dans le choix d'une mesure disciplinaire. L'employé est en droit de connaître exactement ce qu'on lui reproche et, surtout, de présenter sa version des faits. Il est aussi en droit de se voir appliquer des mesures disciplinaires respectant le principe de la gradation, que nous aborderons plus loin. Enfin, l'entreprise doit reconnaître à l'employé le droit d'en appeler en ce qui a trait aux sanctions prises à son égard (*voir la figure 10.2*).

2. Lire à ce sujet Christina C. Beaudoin, « Random Drug Testing in the Workplace: All But Universally Rejected by Canadian Arbitrators », *Employment and Labour Law Reporter*, vol. 16, n° 12, mars 2007, p. 101-106.

Figure 10.2 Les droits des employés

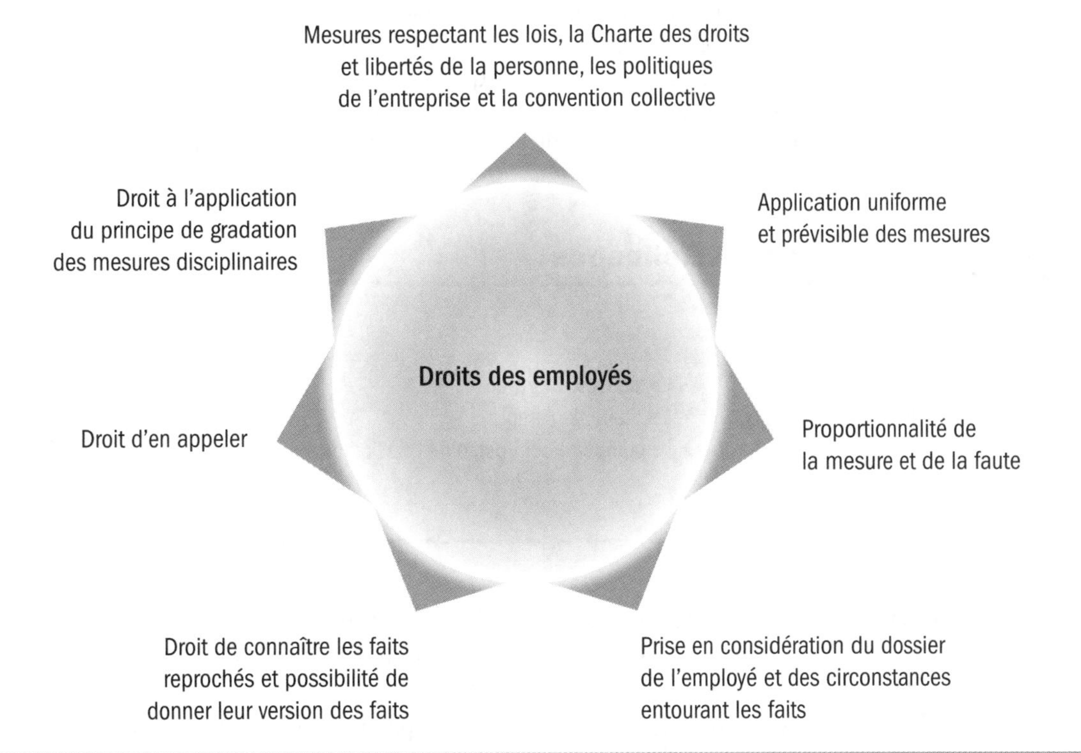

Il existe un lien entre la politique disciplinaire d'une entreprise précise, le code disciplinaire qui en découle et le secteur d'activité de cette entreprise. Certaines entreprises vont énormément valoriser l'hygiène et la propreté (restauration, hospitalisation) et, en conséquence, elles vont pénaliser plus durement les infractions dans ce domaine. Il en serait de même pour la sécurité des autres employés (construction, démolition), la courtoisie à l'égard du client (services, commerce de détail), la ponctualité et l'assiduité (entreprises manufacturières avec travail à la chaîne), l'honnêteté et l'intégrité (institutions bancaires ou financières) ou enfin l'interdépendance entre employés (policiers, pompiers, militaires).

10.2 La distinction entre une mesure disciplinaire et une mesure administrative

Une **mesure disciplinaire**[3] est une réponse du superviseur, au nom de l'organisation, à un manquement volontaire de la part de l'employé. Dans la recherche de l'opportunité d'imposer une sanction disciplinaire, le superviseur doit s'interroger

Mesure disciplinaire
Réponse du superviseur, au nom de l'organisation, à un manquement volontaire de la part de l'employé.

3. Lire à ce sujet L. Bernier, L. Granosik et J.-F. Pednault, *Les droits de la personne et les relations de travail*, Cowansville, Éditions Yvon Blais, nov. 2005 ; L. Bernier, *Les mesures disciplinaires et non disciplinaires dans les rapports collectifs de travail*, Cowansville, Éditions Yvon Blais, nov. 2005.

sur l'intention de l'employé qui a fait le geste contesté ou auquel est attribuable le manquement. Il doit ainsi en évaluer le caractère volontaire ou non.

Les manquements qui entraînent une mesure disciplinaire concernent surtout l'exécution du travail, l'attitude de l'employé et son comportement personnel. Citons, parmi les principaux gestes qui conduisent à l'imposition d'une mesure disciplinaire, l'insubordination, le vol, la fraude et l'attitude inadéquate au travail. C'est donc le caractère volontaire du geste qui permet de classifier la mesure disciplinaire (*voir la figure 10.3*).

Figure 10.3 Les mesures disciplinaires

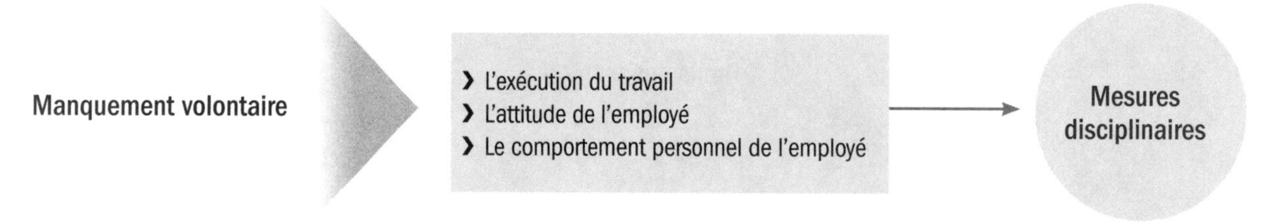

Manquement volontaire

- L'exécution du travail
- L'attitude de l'employé
- Le comportement personnel de l'employé

→ Mesures disciplinaires

Mesure administrative
Réponse du superviseur, au nom de l'organisation, à un manquement involontaire de la part de l'employé.

Par ailleurs, une **mesure administrative** est appliquée lorsque l'employé ne réussit pas à satisfaire aux exigences professionnelles de son travail à cause d'un manquement involontaire de sa part (*voir la figure 10.4*).

Ce manquement peut être une incapacité physique ou mentale (une maladie, un handicap, l'alcoolisme, la toxicomanie), une incapacité professionnelle (la perte du permis de conduire ou d'un droit d'exercice lié à l'exécution du travail, l'emprisonnement) ou une incompétence (la non-acquisition des connaissances professionnelles liées à l'emploi en raison d'une formation inadéquate ou d'un changement d'affectation).

Lorsque, à la suite d'un manquement, le superviseur qui mène l'enquête constate qu'il y a une incapacité ou une incompétence, qu'il n'y a pas d'intention ou de caractère volontaire, il doit trouver une solution autre qu'une mesure disciplinaire pour aider l'employé à corriger son comportement. La mesure administrative ne se traduit pas par une intention de punir ; elle vise plutôt à pallier, dans la mesure du possible, une incapacité ou une incompétence indépendante de la volonté de l'employé. Elle est à la base plus humaine, mais elle peut également conduire au congédiement dans les cas où aucune solution ne peut être appliquée sans mettre en péril la santé et la sécurité des autres employés.

Si le manquement involontaire est lié à l'état de santé de l'employé, le superviseur verra à demander un bilan de santé afin d'être en mesure d'offrir ensuite à l'employé une modification de ses tâches conforme à ses restrictions physiques. Après l'étude du dossier de l'employé, l'organisation peut, par exemple, décider de lui offrir un autre poste, une retraite anticipée, voire une rétrogradation.

Si le manquement nuit à long terme à la disponibilité de l'employé parce que, par exemple, il est gravement malade ou emprisonné, le superviseur peut, à la limite, demander sa démission ou être forcé de le congédier.

Lorsque l'incompétence est responsable du manquement de l'employé, le superviseur peut offrir à ce dernier une formation plus appropriée et suivre ses progrès en espérant une amélioration de son travail. Si aucune amélioration ne se produit, des mesures plus sévères pourront alors être prises, comme la rétrogradation ou le congédiement.

Le superviseur doit donc se rappeler que chaque situation est un cas particulier, que même les mesures administratives doivent être appliquées graduellement (principe de la progressivité des sanctions) et qu'une enquête doit également être menée avant la prise de décision sur la mesure finale à appliquer.

Figure 10.4 Les mesures administratives

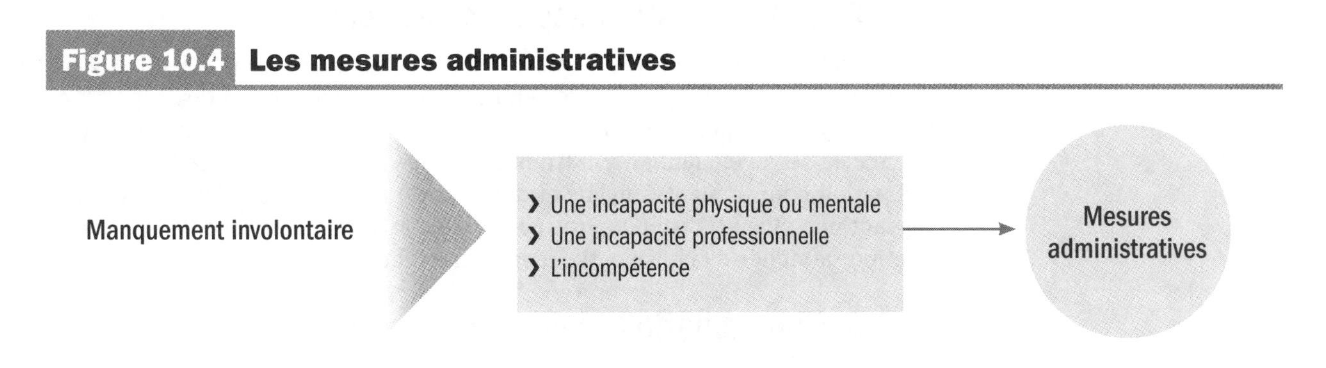

10.3 Les problèmes exigeant une intervention du superviseur

Plusieurs motifs, dont le faible rendement au travail, la falsification des compétences, l'incompatibilité des caractères, l'insubordination et l'inconduite, l'absentéisme et le manque de ponctualité, le vol, la toxicomanie, le harcèlement psychologique[4] et sexuel, de même que la cyberparesse (*cyberslacking*: utilisation abusive d'Internet) exigent l'application de mesures disciplinaires.

Les motifs suivants, que nous ne développerons pas, pourraient aussi être invoqués pour justifier des mesures disciplinaires: dormir sur les lieux du travail, bagarre avec un autre employé, menace à l'égard d'un représentant de la direction, falsification des documents de l'entreprise, falsification de la demande d'emploi, manque de loyauté à l'égard de l'employeur, espionnage, sabotage, participation à une grève illégale, ralentissement de travail, conduite obscène, abus des clients, etc.

10.3.1 Le faible rendement au travail

La réalisation des objectifs de l'organisation repose sur le rendement de chacun des membres de l'entreprise. Un individu au sein d'un service peut, par la piètre

4. Lire à ce sujet Sadie F. Dingfelder, « Banishing Bullying », *Monitor on Psychology*, juillet-août 2006, p. 76-78.

qualité de son travail ou la faiblesse de son volume de production, nuire à la réalisation des objectifs établis. Dans ce cas, une intervention du superviseur s'impose immédiatement, et la promptitude à réagir est une garantie supplémentaire de succès.

Les conditions de travail de l'employé, particulièrement sa rémunération, peuvent nuire à son rendement. Les diminutions de salaire répétées, le gel du salaire, l'augmentation de la tâche, la baisse de degré hiérarchique, l'absence de considération, voire le mépris à l'égard de l'employé ou de sa fonction, se traduiront par un manque de motivation qui se répercutera sur le rendement.

10.3.2 La falsification des compétences

La qualification des employés se mesure par des tests lors de la sélection, mais certaines habiletés sont présumées en raison de la formation et de l'expérience de l'employé. Lorsqu'un employé laisse supposer qu'il possède des compétences et que cela se révèle faux, il y a tromperie. S'il a prétendu, lors de l'embauche, qu'il parlait couramment l'anglais et que cela est faux, il s'agit d'une faute grave exigeant une mesure disciplinaire sévère. Généralement, le congédiement est la sanction rattachée à la falsification des compétences.

10.3.3 L'incompatibilité des caractères

L'incapacité pour un employé de s'entendre avec ses collègues de travail ou son superviseur peut être la cause d'ennuis sérieux, car un lieu de travail doit être harmonieux pour être productif. Lorsqu'ils ne peuvent s'entendre, il y a peu de chances que les objectifs de l'entreprise soient atteints ; il faut donc l'intervention du superviseur.

10.3.4 L'insubordination et l'inconduite

Insubordination
Refus de l'employé de faire ce qu'un superviseur demande.

Lors de l'étude de l'évaluation du rendement, nous avons indiqué qu'un rendement inadéquat pouvait être corrigé par une meilleure supervision et une formation appropriée. Or, il arrive parfois que l'employé fournisse un faible rendement ou ne respecte pas les règles après avoir décidé qu'il en serait ainsi. Il peut s'agir d'une décision de non-collaboration et, dans les cas les plus graves, d'**insubordination**, soit le refus de l'employé de faire ce qu'un superviseur demande.

Plusieurs comportements se classent dans cette catégorie, comme une attitude négative, la critique ou la médisance à propos des collègues de travail ou du superviseur. L'employé peut être continuellement en conflit avec les autres ou s'arranger pour travailler le moins possible. Il peut consacrer ses énergies à des activités sociales, à des conversations ou encore à des promenades dans les différents services de l'entreprise.

Le fait de ne pas respecter les règles, celui de refuser de signer le registre des heures de travail ou celui d'omettre de remettre certains rapports sont d'autres formes d'insubordination. Lorsque des directives ont été données au sujet d'un travail, l'ensemble du travail pourrait nécessiter d'être refait si un employé n'a pas suivi les directives. Il peut en découler une perte de temps et de matériel, le climat de travail de l'équipe peut en souffrir et il y a le risque de perdre des clients.

L'insubordination peut impliquer un refus passif ou net d'accomplir les tâches demandées et peut même atteindre d'énormes proportions lorsqu'elle débouche sur des menaces ou de la violence verbale ou physique[5]. La violence au travail affecte le sentiment de sécurité personnelle, le sentiment de bien-être, le sentiment d'autonomie et le niveau de stress.

La rationalisation de la main-d'œuvre, les fusions et les licenciements, dont nous avons parlé au chapitre 2 et suivants, ont des conséquences dramatiques et peuvent déclencher des réactions inattendues chez les employés.

L'**inconduite** est une attitude de l'employé qui ne se conforme pas aux attentes normales de l'employeur. Elle peut se manifester par la malpropreté, un langage offensant, des remarques désobligeantes, une tenue vestimentaire négligée, le commérage, des plaintes continuelles à l'égard des collègues, du superviseur ou de l'entreprise, une attitude sarcastique, voire hostile, un comportement passif ou un manque d'initiative. Ces manifestations impliquent généralement un problème personnel que l'employé n'arrive pas à régler. Il se peut, par exemple, que l'employé aime son travail, mais déteste le contexte organisationnel de son emploi. Le rôle du superviseur dans cette situation consiste à remonter aux sources en discutant avec l'employé.

Inconduite
Attitude de l'employé qui ne se conforme pas aux attentes normales de l'employeur.

La non-observation des règles assurant la sécurité des employés, l'économie du matériel et la productivité constitue aussi une forme d'inconduite. Lorsque le superviseur est convaincu que les règles sont raisonnables, qu'elles ont été établies équitablement et que les employés en sont informés et les comprennent, il est de son devoir de les appliquer.

10.3.5 L'absentéisme et le manque de ponctualité

Un employé qui n'est pas à son poste, même quelques minutes par jour, coûte très cher à son employeur. L'entreprise doit respecter ses échéanciers et ne peut attendre indéfiniment qu'un employé daigne se présenter à son poste de travail. S'absenter du travail ou y arriver en retard, prendre des pauses-café ou des heures de lunch trop longues, quitter le travail trop tôt, voilà autant de comportements inacceptables qui perturbent le déroulement du travail.

Une absence non autorisée pour satisfaire des besoins personnels nuit à la productivité et affaiblit la motivation des autres employés. Toute absence doit être compensée par le travail supplémentaire des autres employés ou par l'embauche d'employés temporaires. Il est entendu qu'un employé malade doit rester chez lui et récupérer le mieux possible avant son retour au travail, évitant ainsi, dans certains cas, de contaminer les autres employés. Le problème provient des absences non justifiées ou dont la fréquence est suspecte.

10.3.6 Le vol

Le vol commis par les employés est probablement un des problèmes les plus sérieux auxquels font face les entreprises aujourd'hui. Certains employés volent de la papeterie, expédient leur courrier personnel du bureau, font des appels interurbains personnels, volent de la marchandise, trichent sur les notes de frais, se servent des ressources de l'entreprise pour leur usage personnel ou manipulent des ordinateurs pour en tirer un profit.

5. Voir à ce propos Michael Barrier, «The Enemy Within», *Nation's Business*, février 1995, p. 18-24.

Le vol de temps se manifeste par la déclaration d'heures travaillées supérieures aux heures réelles ou par la décision de ne pas travailler durant toutes les heures payées. La première catégorie de vol se traduit par la falsification des cartes de présence, le pointage de la carte d'un collègue de travail. La seconde catégorie comprend l'absence non autorisée du poste de travail, le manque de ponctualité et l'exécution de tâches personnelles pendant les heures de travail.

Toutes les méthodes de gestion de dossiers, particulièrement celles qui concernent le matériel, doivent être respectées, et le superviseur doit s'assurer qu'il en est ainsi, mais il doit surtout s'efforcer de créer un climat sain et motivant et d'accroître l'engagement des employés. Ce sont là les meilleurs moyens de combattre le vol. Le comportement personnel du superviseur doit aussi témoigner de sa probité et de son éthique; l'exemple étant une excellente façon d'influencer les autres.

10.3.7 La toxicomanie

Des problèmes de comportement, une tenue négligée, la somnolence, les erreurs nombreuses et l'instabilité, le non-respect des règles de sécurité, un faible rendement au travail et des absences fréquentes sont certes des problèmes, mais ce sont aussi des symptômes d'autres problèmes plus sérieux.

La position d'une entreprise devrait être claire au sujet des drogues interdites: elle doit se conformer à la loi et, au besoin, elle fera appel aux forces policières. La plupart des politiques d'entreprise en matière de consommation stipulent que toute violation sera soumise à un **programme d'aide aux employés** (PAE) avant que des mesures ne soient prises. La politique d'une entreprise sur les drogues devrait s'appliquer à tout le personnel, à toutes les formes de travail, à tous les lieux de travail et aux autres terrains qui lui appartiennent, comme le parc de stationnement.

Programme d'aide aux employés
Programme dont une entreprise se dote pour venir en aide aux employés ayant des problèmes personnels ou professionnels. Ces services sont généralement assurés à l'extérieur de l'organisation par des entreprises spécialisées et la discrétion absolue est garantie aux employés.

Pour ce qui est des médicaments[6], il est difficile d'intervenir, car ce sont des produits qu'on trouve légalement sur le marché. Le problème n'est pas le produit en soi, mais la surconsommation de celui-ci. Les médicaments les plus utilisés sont les stimulants[7]. On observe un abus d'amphétamines parmi les chauffeurs de camion sur de longues distances et d'autres personnes qui doivent travailler durant de nombreuses heures consécutives. On constate aussi l'abus de barbituriques[8] et de tranquillisants[9].

Ce fléau coûte très cher à notre économie[10], car non seulement le rendement des employés qui éprouvent ce problème est faible, mais ils ont des accidents de

6. Centre canadien de lutte contre l'alcoolisme et les toxicomanies, *op. cit.*
7. Les principaux stimulants sont les amphétamines (amphétamine, méthamphétamine, méthylène-bioxy-méthamphétamine, méthédrine, dexédrine, Ritalin, etc.), dits *speeds*.
8. Les principaux barbituriques sont le Nembutal, le Seconal, le phénobarbital, le Tuinal, le Dexamel, le Mandrax et le Quaalude.
9. Les principaux tranquillisants sont le Librium, le Valium, le Mogadon et le Tranxène.
10. Au Canada, la consommation de tabac, de drogues illicites et d'alcool représentait 24,3 milliards de dollars en 2002. Aux États-Unis, la consommation de drogues coûte plus de 200 milliards en perte de productivité et elle représente la principale cause de violence sur les lieux de travail. Les utilisateurs de drogues s'absentent 2,5 fois plus que les autres employés, ils retirent 3 fois plus de prestations découlant des congés de maladie et d'accidents, ils sont 33 % moins productifs et ont 3,5 fois plus d'accidents du travail. Sources: J. Rehm et coll., *Les coûts de l'abus de substances au Canada*, Centre canadien de lutte contre l'alcoolisme et les toxicomanies 2002, mars 2002; *Workplace Substance Abuse*, Washington, D.C., U.S. Department of Labor, 2005; Giovinella Gonthier et Kevin Morrissey, *Rude Awakening*, New York, Kaplan, 2002; Tyler Harwell et coll., «Workplace Alcohol-Testing Programs: Prevalence and Trends», *Monthly Labor Review*, 1998, p. 27-34.

travail plus souvent que la moyenne et ils démissionnent plus facilement que les autres employés, ce qui fait grimper les coûts de recrutement. Comme ces employés sont plus sujets à des accidents de travail, les congés de maladie et les périodes d'invalidité en lien avec la toxicomanie augmentent le coût des assurances collectives.

Au niveau international, le Québec occupe la première place en ce qui concerne le nombre de consommateurs de drogues illicites (incluant les médicaments psychotropes sans ordonnance).

Plus précisément, on a observé les problèmes suivants[11] :

Tableau 10.1 Les problèmes de consommation de drogues illicites au Canada et au Québec

Au Canada	
Pourcentage de consommateurs de drogues : augmentation de 13 % à 17,4 % entre 1994 et 2000-2001	
Pourcentage de consommateurs de cannabis : augmentation de 6,4 % en 1989 à 15,8 % en 2004	
Canadiens affirmant avoir consommé des drogues illicites au cours des douze derniers mois : 32 %. De ce nombre, 57 % présentent au moins un symptôme de dépendance.	
En 1994, *l'Enquête canadienne sur l'alcool et les autres drogues* révélait que 2,1% des Canadiens de 15 ans et plus avaient déjà consommé des amphétamines. ›	Dix ans plus tard, *l'Enquête sur les toxicomanies au Canada*, réalisée auprès du même groupe d'âge, indiquait que 6,4 % des individus avaient consommé des amphétamines au cours de leur vie ; 1 % des Canadiens disaient en avoir consommé au cours de l'année précédente, ce qui représente un peu plus de 200 000 personnes.

Au Québec	
Dans le cadre de la même étude, 8,9 % des Québécois interrogés avaient consommé des amphétamines au cours de leur vie. ›	La province se classe donc au premier rang des provinces canadiennes en ce qui concerne la consommation de ce type de substance.
Consommation canadienne et québécoise d'ecstasy : ›	Selon l'étude, 4,1 % des Canadiens et 3,7 % des Québécois avaient fait usage d'ecstasy au cours des douze derniers mois.
Constat d'une étude publiée en 2003 par le Comité permanent de lutte à la toxicomanie : ›	Le pourcentage de gens âgés de 15 ans et plus ayant consommé de la drogue au cours des douze derniers mois avait beaucoup augmenté en quatre ans, passant de 13 % en 1994 à 17,4 % en 1998.
Avec un taux de 17,4 %, le Québec évince la France (4,4 % de consommateurs) et les États-Unis (14,9 %) en ce qui concerne la consommation de drogues. Avec de telles statistiques, la belle province bat tous les records.	

11. Mélanie Houle et Mylène Lecours, *Prévenir l'abus d'alcool, de drogues et de jeux de hasard et d'argent... c'est rentable pour tous*, La direction des Services sociaux de l'Agence de la santé et des services sociaux de la Mauricie et du Centre-du-Québec, 2006.

Comparativement à l'ensemble des travailleurs, un employé qui est un consommateur occasionnel de drogue risque trois fois plus de se blesser ou de blesser un de ses collègues de travail. Ainsi, il est dangereux d'être un partenaire de travail de cet individu. Il s'absentera 2,2 fois plus que les autres employés et pour des périodes dépassant généralement une semaine. Il réclamera cinq fois plus de compensations de l'assurance-salaire, ce qui influera sur les primes des autres employés. Plus de 40 % des accidents mortels en milieu de travail et de 47 % des blessures sont reliés à l'alcool. En fait, un alcoolique cause trois fois plus d'accidents que les autres travailleurs. Enfin, 75 % des consommateurs de drogue interrogés lors d'une enquête ont affirmé avoir consommé sur les lieux de travail, 44 % ont avoué avoir vendu de la drogue à d'autres employés et 18 % ont reconnu avoir volé leur employeur pour financer leurs achats de drogue[12]. Analysons la liste des principales drogues consommées au Québec (*voir le tableau 10.2*).

Tableau 10.2 Descriptions de quelques drogues les plus populaires au Québec

Produits	Effets
Le cannabis Drogue illégale à l'usage le plus répandu Haschich, huile de haschich et marijuana	**À court terme :** désorientation, euphorie, détente, réduction de l'anxiété, troubles de l'humeur, distorsion des perceptions, perte du sens du temps et accélération du pouls **À long terme :** dommages à la gorge et au poumon, risques d'infections respiratoires, difficulté de concentration et passivité accrue **En cas de surdose :** confusion, anxiété, excitation, paranoïa et psychose
Les hallucinogènes LSD, MDA, champignons, MDMA, 2-CB, PCP, kétamine	**À court terme :** désorientation, euphorie, hallucinations, humeur changeante, déformation des perceptions (voit des sons, entend des couleurs) **À long terme :** retours temporaires en dehors des moments de consommation (*comeback, flashback*), peurs incontrôlées (*bad trip*), maladies ou infections liées aux injections intraveineuses, anxiété, dépression **En cas de surdose :** confusion, agitation, accidents, hypertension, fièvre, convulsions, coma, suicide, troubles cardiaques et respiratoires, mort
Les stimulants majeurs Amphétamines, cocaïne, MDMA et méthylphénidate	**À court terme :** excitation et stimulation, réduction de la faim et de la fatigue, augmentation de l'éveil et de la force musculaire accrus, sensation de puissance, idées de grandeur, euphorie **À long terme :** comportement bizarre et violent, irritabilité, panique, angoisse, paranoïa, hallucinations, *délirium*, perte d'appétit et de poids, saignements de nez, maladies ou infections liées aux injections intraveineuses **En cas de surdose :** difficultés respiratoires, hallucinations, paranoïa, délire, fièvre, troubles cardiaques (infarctus), convulsions, accident vasculaire cérébral, coma, mort
Les stimulants mineurs Caféine, nicotine	**À court terme :** excitation et stimulation, réduction de la fatigue, perte de poids, éveil et force musculaire accrus **À long terme :** bronchites et emphysème (tabac), perturbation du sommeil (caféine) **En cas de surdose :** nausées, vomissements, diarrhée, fatigue, anxiété, confusion, difficulté de concentration

Source : La Direction des communications du ministère de la Santé et des Services sociaux, *La drogue... Si on en parlait*, Gouvernement du Québec, 2008 (en ligne au http://publications.msss.gouv.qc.ca/acrobat/f/documentation/2007/07-831-01F.pdf).

12. Jeannette Jacobson, « Want a Drug User on your Work Team? » *Safety meeting outline*, Eagle Insurance Companies, Seattle (Wash.), SMO 98-1005, extrait de « Drug Abuse in the Workplace: An Employer's Guide for Prevention », EAP Digest, en ligne au www.sbic.com/smos/oct98/smo981005.pdf

Lorsque des problèmes d'alcool et de consommation de drogues touchent des employés dans une entreprise[13], le superviseur doit être à même de constater le problème dès l'apparition des premiers symptômes. Son rôle n'est pas de distribuer les sanctions, mais d'intervenir afin de soutenir les employés en cause et de rechercher avec eux des solutions à leurs problèmes. La discipline est une responsabilité partagée, mais le rôle du superviseur s'avère fondamental.

Certains postes dans les entreprises peuvent eux-mêmes contribuer au problème (*voir le tableau 10.3*). Les emplois stressants, de longues heures de travail, un travail routinier et le travail en équipe ont été reconnus comme prédisposant à la consommation de drogue. De plus, les traditions d'une entreprise comme le « lunch liquide », des cantines détenant un permis d'alcool ou le service de consommations gratuites lors d'événements spéciaux n'améliorent pas les choses.

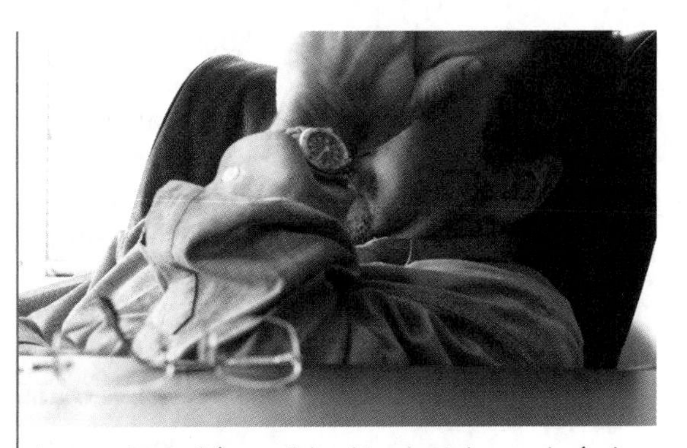

Lorsque des problèmes d'alcool touchent des employés dans une entreprise, le superviseur doit être à même de constater le problème dès l'apparition des premiers symptômes. Son rôle n'est pas de distribuer les sanctions, mais d'intervenir afin d'inciter l'employé en cause à adopter un comportement qui respecte les normes et les objectifs de l'entreprise.

Tableau 10.3 Les drogues selon le milieu du travail

Milieu de travail	Drogues consommées
Les milieux à haute performance (médecine, droit, finance), où la pression et les responsabilités sont particulièrement lourdes	Dans cette catégorie, on retrouve souvent des individus très ambitieux, soucieux de se démarquer. Les stimulants, comme la cocaïne et les amphétamines, sont préférés aux dépresseurs, car ils donnent un sentiment de puissance intellectuelle et physique. Par contre, certains prendront des médicaments ou de l'alcool afin d'arriver à se détendre et à dormir.
Les milieux où la main-d'œuvre est facilement « jetable », comme certains entrepôts, usines, entreprises ou commerces qui engagent des travailleurs non spécialisés	On y trouve davantage de cannabis, d'alcool, de LSD ou de PCP, des substances moins coûteuses que la cocaïne et les amphétamines. Dans des entrepôts situés en région, des tests de dépistage ont même révélé que 100 % des employés consommaient de la drogue! L'ennui et l'environnement peu motivant, voire blasant, peuvent expliquer en partie les habitudes de consommation de cette catégorie de travailleurs.
Les milieux où l'organisation du travail est « taylorisée », c'est-à-dire divisée en fonctions très strictes et axée sur l'augmentation du rendement (par exemple, les chaînes de montage, où le rythme de production est élevé, les gestes, répétitifs et exigeants, et les tâches, parcellaires ; cet environnement peut créer chez certains travailleurs un profond sentiment d'inutilité et d'ennui face à la routine)	Dans ces milieux, on voit en particulier du cannabis, choisi pour ses propriétés relaxantes et euphorisantes.
Les milieux où la consommation est pratiquement une condition d'emploi	Par exemple, dans certains bars, les barmans prennent de l'alcool avec leurs clients pour les inciter à boire davantage.

13. Lire *Médicaments psychotropes et travailleurs : pour en savoir plus*, Comité permanent de lutte à la toxicomanie, mai 2000.

Lorsque le superviseur constate qu'un employé a un problème de toxicomanie, il doit l'encourager à faire appel à un PAE. Le superviseur doit favoriser le recours à cette aide en réaménageant l'horaire de travail de l'employé ou en lui accordant un congé avec ou sans solde. Le rôle du superviseur se limite aux comportements touchant directement le travail. Il ne peut imposer des sanctions, par exemple, à un employé qui prend de la drogue, mais il peut mettre en branle le processus de discipline si l'employé ne respecte pas les règles de sécurité ou n'accomplit pas le travail qui lui est confié.

10.3.8 Le harcèlement psychologique[14] et sexuel

Tout geste ou propos inapproprié qui peut offenser ou humilier une personne est considéré comme du harcèlement[15]. Le harcèlement psychologique (*voir le chapitre 5*) est une conduite vexatoire se manifestant, entre autres, par des paroles, des actes ou des gestes répétés, hostiles et non désirés. Le harcèlement sexuel se manifeste par des paroles, des actes ou des gestes à connotation sexuelle, répétés, non désirés et de nature à porter atteinte à la dignité ou à l'intégrité physique ou psychologique de la personne et à faire en sorte que son milieu de travail ou d'études soit néfaste pour elle.

Le harcèlement psychologique est une conduite vexatoire se manifestant, entre autres, par des paroles, des actes ou des gestes répétés qui sont hostiles et non désirés.

Le harcèlement est une sorte de discrimination qui peut prendre différentes formes, telles que:

- des menaces, de l'intimidation ou des insultes;
- des plaisanteries ou des propos déplacés sur des sujets comme la race, la religion, la déficience ou l'âge;
- un étalage de photos ou d'affiches sexistes, racistes ou offensantes pour d'autres raisons;
- des commentaires ou des gestes suggestifs à connotation sexuelle;
- des contacts physiques inappropriés comme des attouchements, des caresses, des pincements ou des coups;
- des agressions physiques, y compris des agressions à caractère sexuel.

Qu'il s'agisse d'un incident isolé ou d'une série d'incidents échelonnés sur une période donnée, le harcèlement peut créer un climat de travail négatif ou hostile qui nuit au rendement de l'employé. En raison du harcèlement, des possibilités d'emploi, de promotion ou de formation peuvent être refusées à celui qui les convoite.

L'employeur est responsable du harcèlement qui se produit dans son milieu de travail. C'est lui qui doit:

- clairement indiquer que le harcèlement ne sera pas toléré;
- établir une politique en matière de harcèlement;

---

14. Lire à ce sujet Sadie F. Dingfelder, « Banishing Bullying », *Monitor on Psychology*, juillet-août 2006, p. 76-78.

15. Lire absolument *Discrimination et harcèlement*, en ligne au www.cdpdj.qc.ca/fr/droits-personne/discrimination-harcelement.asp?noeud1=1&noeud2=3&cle=2; *Harcèlement sexuel et psychologique: dire Non!*, en ligne au www.cimh.ulaval.ca/sgc/pid/3140; et *Prévention de la violence faite aux femmes*, en ligne au www.citizenship.gov.on.ca/owd/french/youthzone/harassment.

- s'assurer que tous les employés comprennent la politique et la marche à suivre en cas de harcèlement ;
- informer les superviseurs et les gestionnaires qu'ils doivent voir à ce que le milieu de travail soit exempt de harcèlement ;
- faire enquête sur les problèmes de harcèlement et y remédier dès qu'il en prend connaissance, même si une plainte officielle n'a pas été déposée.

L'employeur devrait être prêt à prendre les mesures disciplinaires qui s'imposent contre l'employé reconnu coupable de harcèlement.

10.3.9 La cyberparesse

Réserver des billets d'avion, aller voir les prévisions de la météo, aller voir les horaires des cinémas, magasiner sur eBay, vérifier la valeur de ses actions en bourse, vérifier son compte de banque ou encore répondre aux courriels d'amis, tout cela est tentant quand on a accès à Internet au travail. La tentation est si grande que les employés passent plus d'une heure par semaine[16] à naviguer pour des raisons personnelles. C'est ce qu'on appelle le «*cyberslacking*» ou la cyberparesse. En une année seulement, les pertes aux États-Unis reliées à la cyberparesse s'élèveraient à plus de un milliard de dollars.

En 1999, un employé de CAE électronique[17], dans l'ouest de l'île de Montréal, est congédié. Les motifs invoqués par CAE : utilisation abusive d'Internet. Il avait, en six mois, passé 329 heures sur Internet, l'équivalent de deux mois à temps plein. « C'est non seulement beaucoup, a écrit l'arbitre, c'est énorme. »

Ce cas est extrême, mais il est loin d'être isolé. En décembre 1999, 23 employés du New York Times étaient remerciés pour avoir passé trop de temps à s'échanger des courriels personnels. Deux mois plus tôt, quarante employés de Xerox étaient congédiés pour avoir navigué sur des sites inappropriés, et plus récemment, chez Hydro-Québec, cinq employés de bureau écopaient de suspension allant de deux semaines à trois mois pour abus d'Internet.

Certaines entreprises ne visent pas à limiter l'accès à Internet. Cependant, tout utilisateur d'Internet devrait s'imaginer dans le monde réel et faire la liste des endroits où il se sentirait inconfortable d'être vu : ce sont les genres de sites qu'un employé doit éviter. Il en est de même pour les courriels : l'employé doit les rédiger comme si tous les collègues et tous les gestionnaires y avaient accès.

10.4 Les trois approches concernant l'application de la discipline

Il existe trois approches concernant l'application de la discipline, soit l'approche préventive, l'approche punitive (ou corrective) et l'approche constructive (ou non punitive).

---

16. Kimberly S. Young et Carl J. Case, « Internet Abuse in the Workplace : New Trends in Risk Management », *CyberPsychology & Behavior*, février 2004, vol. 7, nº 1, p. 105-111.

17. Les deux cas sont extraits de Mario Toussaint, « Le *cyberslacking* », émission *Branché*, reportage diffusé le 28 septembre 2000, disponible au www.radio-canada.ca/branche/v6/155/trans-cyberslacking.html.

10.4.1 L'approche préventive

Selon l'approche préventive, l'entreprise doit définir ses politiques, ses méthodes, ses règles et ses objectifs, et les communiquer à ses employés. Elle doit aussi mettre ses valeurs[18] en avant. Pour bien comprendre les valeurs préconisées par l'organisation, l'employé doit connaître l'historique de cette dernière, ses processus de travail, le style de leadership qu'elle adopte, les interactions entre les différents services et les personnes et ainsi de suite. L'organisation doit faire connaître tous ces éléments et, surtout, les faire comprendre. Le processus d'accueil lors de l'embauche d'un employé représente le moment idéal pour transmettre ces éléments. Il s'agit non seulement d'encourager l'employé à respecter les normes de l'entreprise, mais surtout de l'inciter à s'autodiscipliner.

10.4.2 L'approche punitive

L'approche punitive ou corrective privilégie le respect des règles. Tout comportement qui n'est pas conforme aux attentes du superviseur et de l'entreprise, compte tenu des règles établies, doit être sanctionné. Autrement, la non-sanction de ces comportements risquerait d'entraîner l'indiscipline et même de nuire aux employés qui respecteraient spontanément les normes. Cette approche comporte un élément de réprobation, mais elle vise aussi l'exemplarité. La sanction cherche à susciter l'acceptation des règles par les employés déviants ou à démontrer le refus d'un employé à adhérer à ces règles, ce qui obligera l'entreprise à se séparer de cet employé. Les objectifs sont généralement de corriger les contrevenants, d'inciter les autres employés à respecter les règles et de maintenir la cohérence et l'efficacité des normes en place.

10.4.3 L'approche constructive

L'approche constructive ou non punitive implique une démarche précise face à des employés présentant des problèmes de comportement ou de non-respect des règles de l'entreprise (*voir la figure 10.5*). Elle regroupe des aspects de la discipline préventive et de la discipline punitive. Elle apprend à l'employé à s'autodiscipliner, et l'intervention du superviseur ne se fait qu'après qu'un geste ait été posé.

Afin de résoudre le problème que présente l'employé, il faut tout d'abord le rencontrer dès l'observation du comportement répréhensible. Cette rencontre informelle doit permettre au superviseur d'expliquer en quoi le comportement adopté par l'employé nuit aux résultats recherchés par le service ou l'entreprise. Par exemple, un employé ayant accumulé un nombre de retards anormalement élevé au cours du dernier mois pourrait avoir des problèmes personnels requérant un soutien professionnel. Il s'agit non pas d'un avertissement adressé à l'employé, mais plutôt d'un rappel concernant le respect des normes essentielles au bon fonctionnement de l'entreprise, la responsabilité de l'employé face à ces normes et le soutien que l'entreprise est susceptible de lui offrir.

---

18. Gregg GUETSCHOW, « Value-Based Discipline », *Public Management*, vol. 81, nº 4, mai 1999, p. 16-19.

Figure 10.5 La démarche de l'approche constructive

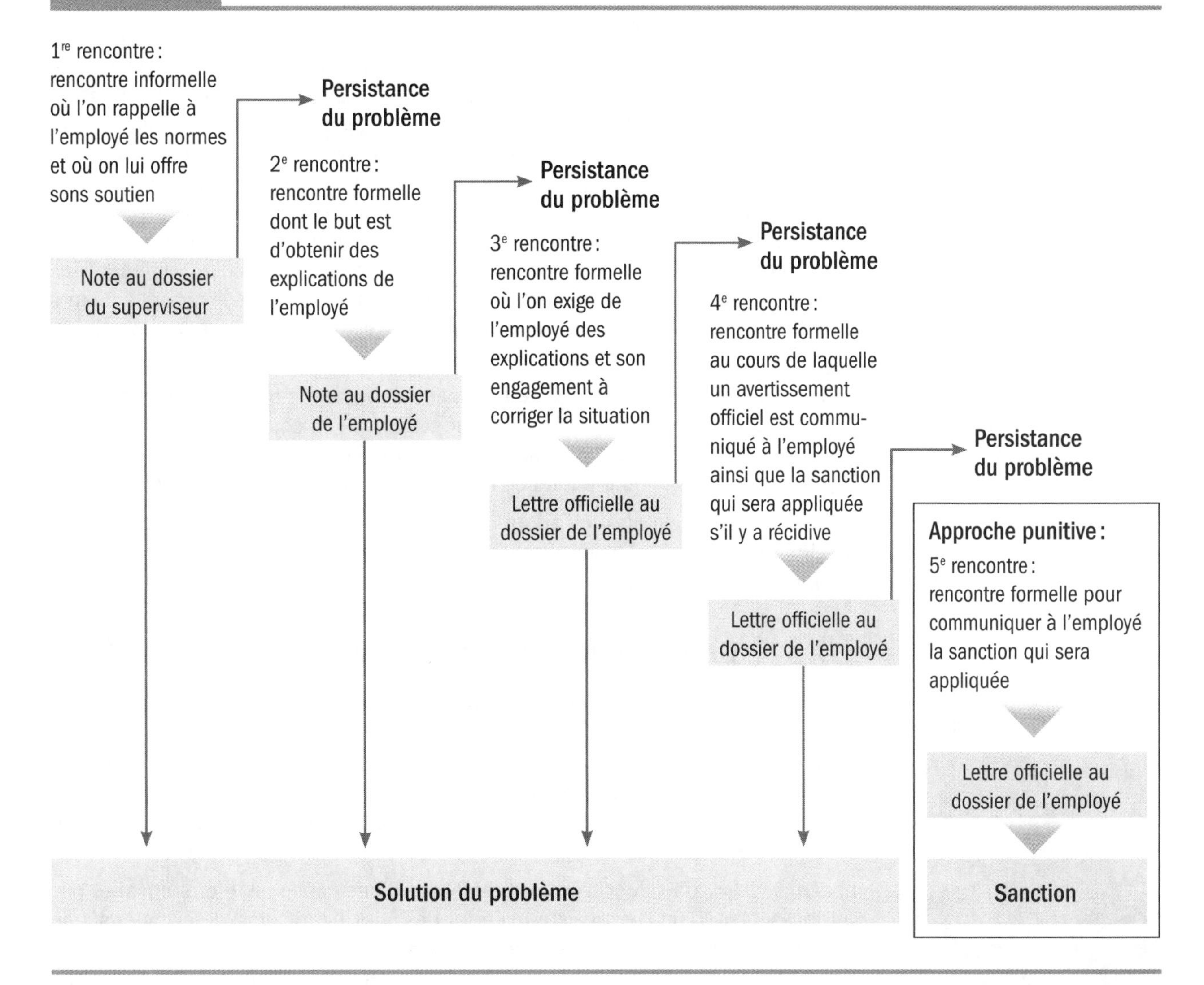

Une deuxième rencontre a lieu si le comportement inacceptable se répète. Au cours de cette rencontre plus officielle, on demandera des explications à l'employé afin de comprendre la situation. Un résumé de la rencontre sera versé à son dossier.

Le maintien d'un comportement incorrect exige une troisième rencontre, lors de laquelle l'employé devra expliquer son comportement et les raisons qui le poussent à faire les gestes qu'on lui reproche. Il faut surtout connaître ses intentions face au respect des règles et des normes. Il s'agit d'une rencontre orientée vers l'action, et la recherche d'une solution doit être envisagée. L'employé doit s'engager solennellement à corriger la situation ou, du moins, à prendre des mesures qui permettront une nette amélioration de son comportement, mesures qu'il est invité à décrire par écrit, si possible. La meilleure façon d'obtenir une modification de comportement implique l'adhésion de l'employé. Une lettre officielle résumant les conclusions de la rencontre doit être remise à l'employé dans les jours qui suivent et une copie sera versée à son dossier.

La persistance du comportement négatif de l'employé entraînera une quatrième rencontre au cours de laquelle le superviseur lui fera part de son intention d'appliquer une sanction dès la répétition du geste reproché (un retard, par exemple). Compte tenu de l'effort que l'entreprise a déjà fait pour aider l'employé, il faut passer à l'étape de la suspension si l'on veut respecter le principe de la progression. Si l'employé décide de se conformer aux normes de l'entreprise et s'il démontre sa bonne volonté pendant une période relativement longue, la pression pourra être graduellement réduite. Une lettre officielle contenant les conclusions de la rencontre doit être remise à l'employé dans les jours suivants et une copie doit être versée à son dossier, et ce, que l'employé accepte de se conformer ou qu'il remette sa démission.

Si une cinquième rencontre est rendue nécessaire par le maintien du comportement négatif de l'employé, il s'agira d'une rencontre au cours de laquelle la sanction choisie par l'entreprise lui sera communiquée. Le superviseur adopte alors l'approche punitive compte tenu de l'échec de l'approche constructive.

La raison fondamentale de l'adoption d'une approche constructive quant à la discipline découle de l'objectif même de la discipline, qui consiste à corriger le comportement de l'employé plutôt que de le punir.

10.5 La détermination de la sévérité de la sanction

L'adoption par les employés d'un comportement conforme aux objectifs de l'entreprise est une obligation qui revient à ces derniers, tout comme elle est un droit de l'employeur. L'entreprise peut donc imposer des mesures disciplinaires aux employés qui ne respectent pas les règles établies, sous réserve des lois, des politiques et des clauses de la convention collective, ainsi que nous l'avons mentionné précédemment.

Afin de résoudre le problème que présente l'employé, il faut tout d'abord le rencontrer dès l'observation du comportement répréhensible.

Le superviseur doit donc vérifier l'existence d'une cause juste et suffisante par l'établissement d'une preuve appuyée sur des faits. Il doit aussi déterminer si une mesure disciplinaire s'impose et si le degré de sévérité de cette mesure est conforme à l'équité et proportionnel à la faute, compte tenu des circonstances. Une règle guide l'application de la discipline corrective: la «règle du feu[19]». Selon cette règle, la mesure disciplinaire doit s'appliquer de la même façon que lorsqu'on touche le feu d'une cuisinière:

- elle doit comporter un avertissement (chaleur);
- elle doit être constante (brûle chaque fois);
- elle doit immédiatement faire sentir son effet (brûlure);
- et elle doit s'appliquer à tous (brûle tout le monde de la même façon).

19. La traduction de l'expression anglaise «hot stove» est de William B. Werther, Keith Davis et Hélène Lee-Gosselin, *La gestion des ressources humaines*, 2e éd., Montréal, McGraw-Hill Éditeurs, 1990, p. 579; voir aussi: Lester R. Bittel et John W. Newstrom, *What Every Supervisor Should Know*, 6e éd., New York, McGraw-Hill, 1990, p. 367.

10.5.1 L'analyse de la situation

Avant de mettre en branle le processus de discipline en réponse à un comportement déviant d'un employé, le superviseur doit avoir l'aperçu le plus complet possible de la situation. Pour porter un jugement, il devra colliger un ensemble de données dont il tiendra compte lors du choix de la mesure à prendre.

Dès que le superviseur est informé de la situation, il doit rencontrer l'employé ou les employés en cause et leur demander leur version des faits. À cette étape, le superviseur doit être à l'écoute: il ne doit pas porter de jugement ni se mettre en colère.

10.5.2 La détermination préliminaire de la sanction

Lorsque le superviseur a toutes les données en main et qu'il en a fait une analyse poussée, il doit déterminer si une sanction disciplinaire s'impose et en établir la sévérité, compte tenu de la gravité de la faute et des décisions qui ont été prises antérieurement dans des situations similaires.

10.5.3 L'analyse du dossier de l'employé

Afin d'établir la nécessité d'une sanction disciplinaire, le superviseur doit analyser uniquement le comportement, l'incident ou la situation. Nous avons énuméré précédemment les motifs exigeant des mesures disciplinaires. Il faudra donc s'assurer que l'employé, de façon délibérée, a adopté un comportement s'écartant des normes de l'entreprise ou a enfreint un règlement. Il faut aussi vérifier si cette règle existe et si elle aurait dû être connue de l'employé: il ne faut pas tenir compte des règles tacites, qui ne sont jamais exprimées clairement.

10.5.4 La détermination de la sanction finale

Enfin, il faut vérifier la pratique dans l'ensemble de l'entreprise au cours des dernières années. Par exemple, un superviseur ne saurait reprocher à un employé de porter des jeans pour la raison qu'il n'accepte pas ce genre de vêtement dans son service, alors que l'entreprise n'a jamais exprimé formellement cette exigence ni établi de politique concernant la tenue vestimentaire.

Lorsque le superviseur a conclu qu'une sanction s'impose et qu'il a déterminé la sévérité de la sanction qui devrait être rattachée au comportement reproché, il procède à l'analyse du dossier de l'employé. La sévérité de la sanction finale peut être amoindrie ou renforcée eu égard au dossier de l'employé et aux circonstances atténuantes ou aggravantes.

10.6 Le caractère progressif de la politique disciplinaire

Le principe de la gradation des mesures disciplinaires signifie que, dans l'échelle des sanctions, suivant les conclusions de l'analyse du superviseur, la gravité de la faute, le dossier de l'employé et les circonstances, la sanction initiale imposée à l'employé doit être la moins sévère parmi celles qui sont à la disposition du superviseur. Pour être efficace, la discipline progressive doit respecter certaines règles. D'abord, l'employé doit être informé avec précision du problème. Ensuite, il doit savoir ce qu'il a à faire pour corriger la situation, puis un délai raisonnable doit lui être accordé pour redresser cette situation. Enfin, il doit être informé des conséquences de son inaction[20]. Selon cette politique, une séquence ordonnée de mesures disciplinaires doit être appliquée, et la sévérité doit augmenter avec la répétition de la faute. Par contre, les fautes graves peuvent entraîner une sanction sévère dès la première infraction.

La gradation des sanctions comprend généralement la réprimande verbale, la réprimande écrite, la suspension disciplinaire, la rétrogradation, la suspension préalable au renvoi et le congédiement (*voir la figure 10.6*).

Figure 10.6 La progression dans l'application des sanctions

Réprimande verbale → Réprimande écrite → Suspension disciplinaire → Rétrogradation → Suspension préalable au renvoi → **Congédiement**

10.6.1 La réprimande verbale

La réprimande verbale représente le premier niveau de sanctions. Elle consiste en un avertissement verbal par lequel le superviseur indique clairement à l'employé la faute ou le comportement reproché, la règle qui est enfreinte, les conséquences de son comportement sur les activités de l'entreprise, la manière dont l'employé peut corriger la situation et le moment où il peut le faire et, enfin, les mesures à venir si la situation n'est pas corrigée. Il est préférable de conserver un compte rendu de cette rencontre.

10.6.2 La réprimande écrite

Après la réprimande verbale, on passe à la réprimande écrite, qui comporte les mêmes éléments que la précédente, mais qui sera versée au dossier de l'employé. Il est préférable d'obtenir la signature de l'employé ; dans le cas d'un refus de la part de ce dernier, le supérieur immédiat du superviseur peut être appelé à assister à la rencontre et à apposer sa signature à titre de témoin au bas de la lettre de **réprimande**.

Réprimande
Avertissement verbal ou écrit reprochant un comportement à l'employé et lui enjoignant de corriger la situation dans un délai donné.

10.6.3 La suspension disciplinaire

La suspension disciplinaire est une mesure qui interdit à l'employé de se présenter au travail pendant une période donnée, selon la gravité de la faute. La durée de la **suspension** peut varier d'une journée à une année, toujours selon la gravité de la faute.

Suspension
Mesure disciplinaire qui interdit à un employé de se présenter au travail pendant une période donnée au cours de laquelle il ne recevra pas son salaire.

20. L. Rubis, « Disciplining Employees Made Easy, or at least Easier », *HR News*, le 18 juillet 1999, p. 47.

10.6.4 La rétrogradation

La **rétrogradation** est le déplacement d'un employé vers un poste de niveau inférieur de la structure hiérarchique appelant un salaire moindre, soit parce qu'il n'a plus les compétences pour exercer les fonctions actuelles liées à son poste, soit qu'il accepte ce mouvement dans le but de conserver son emploi à la suite de l'abolition de son poste. Ce déplacement représente la plupart du temps une mesure administrative, mais il peut aussi être une mesure disciplinaire. Cependant, dans la plupart des cas, la rétrogradation amène du ressentiment ou de la colère, qui risque de durer tant et aussi longtemps que l'employé sera relégué à un poste de niveau inférieur. Dans les organisations militaires et paramilitaires (service de police, service de protection contre les incendies), ce genre de sanction est plus courant que dans les entreprises.

La réprimande verbale représente le premier niveau de sanctions. Elle consiste en un avertissement verbal par lequel le superviseur indique clairement à l'employé la faute ou le comportement reproché, la règle qui est enfreinte, les conséquences de son comportement sur les activités de l'entreprise, la manière dont l'employé peut corriger la situation et le moment où il peut le faire et, enfin, les mesures à venir si la situation n'est pas corrigée.

Rétrogradation
Déplacement d'un employé vers un poste de niveau inférieur de la structure hiérarchique appelant un salaire moindre.

10.6.5 La suspension préalable au renvoi

La suspension préalable au renvoi est une mesure disciplinaire appliquée lors d'un manquement grave de la part de l'employé. Il s'agit d'une mesure qui interdit à l'employé de se présenter au travail pendant une période donnée au cours de laquelle son salaire lui est généralement versé. La durée de la suspension n'est pas toujours spécifiée, mais l'entreprise se réserve ordinairement le temps nécessaire à la poursuite de l'étude du dossier avant de prendre une décision. Cette dernière sera probablement une suspension sans solde ou un congédiement. Le but de la suspension préalable au renvoi consiste à soustraire l'entreprise aux risques que pourrait représenter la présence de l'employé sur les lieux du travail.

10.6.6 Le congédiement

Le **congédiement**[21] est le renvoi définitif d'un employé, constituant une rupture unilatérale du lien d'emploi pour des motifs disciplinaires. Le congédiement représente un échec pour l'employé de même que pour l'entreprise. Cela signifie que cette dernière n'a pas su embaucher le bon candidat, n'a pas su le former, le motiver, l'intégrer, ni même l'amener à s'amender lorsqu'il a adopté un comportement répréhensible. De plus, le congédiement implique de nouvelles dépenses pour le recrutement et la formation d'un nouvel employé.

Congédiement
Renvoi définitif d'un employé, constituant une rupture unilatérale du lien d'emploi pour des motifs disciplinaires.

Le congédiement est la sanction ultime lorsque la faute est grave au point où des mesures correctives ne peuvent plus être envisagées. C'est le cas d'un policier arrêté pour trafic de drogue, d'un opérateur de métro qui se rend au travail en état d'ébriété, d'un employé de magasin surpris à voler, d'un employé qui endommage volontairement le matériel de l'entreprise, etc.

21. Voir Richard BAYER, « Termination with Dignity », *Business Horizons*, vol. 43, nº 5, septembre-octobre 2000, p. 4-10.

10.7 L'entrevue de congédiement

La décision administrative que constitue le congédiement exige que toutes les étapes du processus de gestion de la discipline aient été respectées, à moins que la gravité de la faute ne requière la sanction la plus sévère, et que le dossier de l'employé soit complet et conforme aux politiques de l'entreprise, de la convention collective et de la loi. Plusieurs lois imposent des limites à l'exercice du droit de discipline, et particulièrement du droit de congédiement (*voir le tableau 10.4*) : la Charte des droits et libertés de la personne (la discrimination), le Code du travail (les activités syndicales) et la Loi sur les accidents du travail et les maladies professionnelles (la dénonciation d'une violation de la loi, le refus d'exécuter une tâche dangereuse).

Tableau 10.4 Les préalables à un renvoi définitif pour un employé non performant

Préalables
› Les objectifs et les standards sont clairement établis et ils ont été effectivement communiqués à l'employé.
› Les évaluations de rendement de l'employé indiquent clairement que celui-ci n'a pas atteint les standards requis.
› Les avertissements oraux et écrits ont été versés au dossier de l'employé.
› Le soutien et la formation nécessaires ont été offerts à l'employé.
› L'employé a bénéficié du temps nécessaire pour corriger la situation.
› L'étape de l'enquête doit également être bien documentée afin de s'assurer d'avoir en main tous les documents utiles pour faire face à une poursuite. Cet aspect est important en discipline.

La tâche la plus désagréable pour un superviseur consiste à congédier un employé, mais si le processus disciplinaire a été correctement administré, l'issue de la rencontre ultime où la sanction est communiquée à l'employé ne constitue pas une surprise. Tout doit quand même être mis en œuvre pour éviter que le départ ne cause un traumatisme à l'employé.

Afin de rendre cette rencontre le moins pénible possible[22], il est important qu'elle se déroule dans un endroit neutre, c'est-à-dire ni dans le bureau de l'employé ni dans le bureau du superviseur. Le superviseur doit être accompagné d'un témoin n'ayant aucun lien de travail avec l'employé, comme le superviseur d'un autre service. Afin de prévenir une déviation de la rencontre, une lettre de congédiement résumant tous les éléments du dossier (la date, le nom de l'employé, l'énoncé des faits, la description de la faute, la mention de la règle, de la norme ou de la clause de la convention collective qui n'a pas été respectée, la sanction

22. Ce passage s'inspire de James WALSH, *Rightful Termination*, Santa Monica (Cal.), Merritt, 1994.

appliquée, la date de l'application, etc.) doit être remise à l'employé au début de la rencontre. Le superviseur ne doit en aucun cas argumenter avec l'employé; il lui faut rester calme et écouter.

Dans certains cas, le congédiement ne constitue pas l'étape finale du processus, car l'employé peut déposer un grief s'il est syndiqué ou entreprendre une poursuite judiciaire s'il se croit lésé. Le superviseur doit aussi éviter d'utiliser un langage permettant de croire que les termes de la lettre remise à l'employé ne reflètent pas fidèlement les intentions de l'entreprise. À titre d'exemple, il ne faudrait pas laisser entendre à l'employé que, dans d'autres circonstances dans l'avenir, l'entreprise pourrait le réembaucher. La rencontre doit être brève.

Il faut aussi éviter que cette rencontre n'ait lieu à la fin de la journée de travail, au retour des vacances ou d'un voyage d'affaires ou avant un congé férié. Un organisme public a déjà fait parvenir par huissier une lettre de congédiement au domicile d'un employé la veille de Noël; le geste était pour le moins indélicat…

Comme il se doit pour tous les actes importants du superviseur, celui-ci doit préparer un dossier relatant toutes les circonstances et les étapes du processus disciplinaire, y compris la rencontre de congédiement.

10.8 Le counseling

Jusqu'ici, nous avons porté notre attention sur des employés dont les problèmes peuvent, en règle générale, être résolus par un suivi et un soutien. L'employé adopte alors, dans un délai raisonnable, le comportement souhaité, mais certains employés ont des problèmes qui résistent au processus disciplinaire ou au **counseling**. Souvent, ces employés peuvent avoir des problèmes de toxicomanie ou des problèmes psychologiques sérieux.

Counseling
Appui offert à un employé qui manifeste un problème personnel ou professionnel ayant des conséquences sur son travail.

Le superviseur doit appliquer le processus disciplinaire. Si les résultats sont négatifs, cela signifie qu'il se trouve devant un employé difficile.

La promptitude de la réaction d'un superviseur face à un problème de comportement de la part d'un employé augmente ses chances de régler la situation sans utiliser une procédure complexe ou une mesure disciplinaire, lesquelles ne sont pas toujours les meilleurs outils pour corriger une situation. Les critiques continuelles d'un employé peuvent être éliminées si le superviseur rencontre rapidement l'employé et discute avec lui des moyens d'améliorer la situation. Non seulement cela diminuera les critiques, mais pourra amener l'employé à remplacer ses critiques par des suggestions très intéressantes.

Le counseling consiste en un appui offert à un employé qui manifeste un problème personnel ou professionnel ayant des conséquences sur son travail. Ce processus exige une analyse, faite avec l'employé, du problème qui le touche et la recherche commune d'une solution. Il constitue donc un exercice de participation volontaire du conseiller (le superviseur ou un professionnel) dont l'objectif est de favoriser l'adaptation de l'employé et d'améliorer le rendement de l'entreprise. Certains problèmes – telles les relations matrimoniales insatisfaisantes, les difficultés financières ou la toxicomanie de l'employé ou d'un membre de sa famille – exigent l'intervention d'un professionnel comme un avocat, un comptable, un médecin ou un psychologue. Le superviseur doit reconnaître ses limites et recommander des ressources adéquates à l'employé, souvent par l'intermédiaire d'un programme d'aide aux employés. Cet appui ou cette rencontre implique qu'aucune mesure disciplinaire ne sera prise.

Le counseling comporte de nombreux avantages pour les employés. Il peut atténuer leurs inquiétudes et les aider à régler leurs problèmes. La coopération entre le superviseur et l'employé dans la recherche d'une solution favorable à l'employé développe chez ce dernier un sentiment d'appartenance à l'entreprise et sa confiance dans les gestionnaires.

L'entreprise y trouvera aussi son compte: l'employé qui reçoit de l'aide et qui réussit à s'en sortir est généralement plus motivé, et cela peut avoir un bon effet sur son rendement. Les modifications positives du comportement d'un employé ont également des répercussions sur la motivation de ses collègues de travail et sur l'esprit d'équipe.

10.9 Les programmes d'aide aux employés

Les programmes d'aide aux employés (PAE) ont été inaugurés dans les années 1940 (Caterpillar Tractor, Consolidated Edison Dupont de Nemours, Eastman Kodak, Prudential Life); ils concernaient presque exclusivement les problèmes causés par l'abus d'alcool au travail. Quelques PAE gardent leur orientation vers la prévention des abus; cependant, la plupart d'entre eux portent aujourd'hui sur des questions beaucoup plus larges de santé physique et de problèmes émotionnels, en équilibrant les services de prévention et de consultation. Dans un PAE, on tient pour acquis que l'abus de drogues ainsi que d'autres problèmes peuvent être contournés ou traités, et que le lieu de travail est propice à l'intervention.

Les employés et les employeurs bénéficient également de ces programmes. Les employés ont accès à un diagnostic confidentiel et à un traitement professionnel; ceux qui reçoivent de l'aide et retrouvent un rendement satisfaisant verront leur sécurité d'emploi rétablie et leurs chances de promotion protégées. Les employeurs, pour leur part, profitent d'une productivité accrue et de meilleure qualité, d'une plus grande assiduité, d'une diminution du nombre des mesures disciplinaires, d'un nombre d'accidents réduit et d'une bonne stabilité du personnel.

Un PAE est habituellement élaboré conjointement par la direction et les syndicats ou les autres groupes représentant les employés pour aider ces derniers et, de plus en plus, leur famille. Les employés qui recourent à ce programme doivent être assurés de la confidentialité de leur démarche. Généralement, un numéro de téléphone est distribué aux employés et, en cas de besoin, ces derniers peuvent communiquer directement avec une source professionnelle externe qui les dirigera vers des services précis en fonction de leurs besoins. Il n'y a pas de frais pour l'employé, et l'employeur n'est pas informé de cette démarche. Les frais sont assumés par une cotisation annuelle de l'employeur à l'organisme responsable, ordinairement une compagnie d'assurances.

L'expérience a révélé que de 1 % à 6 % des employés font appel à un PAE chaque année[23]. Les coûts de la mise en marche d'un PAE varient énormément selon l'importance de l'entreprise et l'éventail des services offerts ; ils sont de l'ordre de 60 $ à 75 $ par année par employé. La plupart des employeurs qui offrent des PAE croient que les bénéfices qu'ils apportent dépassent largement leurs coûts.

10.10 Les employés difficiles

Le comportement des employés n'appelle pas toujours une intervention disciplinaire[24]. La personnalité de certains individus oblige parfois le superviseur à faire preuve de patience et d'imagination, à refréner les élans des uns et à faire réagir les autres. Ils constituent des cas particuliers que nous qualifions d'employés difficiles. Parmi la douzaine de types qu'on dénombre, nous avons retenu le « char d'assaut », le « génie en herbe », le « béni-oui-oui », le « négatif » et le « geignard ».

10.10.1 Le « char d'assaut »

Le superviseur discute dans son bureau avec un technicien à propos de l'entretien des équipements. On frappe à la porte et, sans attendre, Pierre-Marc L. entre dans le bureau.

Pierre-Marc L. : Patron, je dois absolument vous parler du dossier des ordinateurs.

Le superviseur : Sans problème. Peux-tu revenir dans trente minutes ? Je serai alors disponible.

Pierre-Marc L. : Mais je n'en ai que pour deux minutes…

Le superviseur : Oui, je sais, mais je n'ai pas terminé avec monsieur. Alors, on se voit dans trente minutes.

Pierre-Marc L. : Voyez-vous, les spécifications que vous avez demandées pour les lecteurs optiques ne sont pas…

Et Pierre-Marc L. poursuit son explication pendant quelques minutes.

Description

Voici un individu que le superviseur sent venir cinq minutes avant son arrivée. Il pénètre dans le bureau sans frapper, il interrompt l'activité dans laquelle le superviseur est engagé et lui fait part de ses commentaires, le plus souvent désobligeants. Il occupe tout l'espace, puis sans avertir, il retourne dans son bureau, ou peut-être se dirige-t-il vers une autre victime ? C'est un être qui cultive le conflit, qui est toujours en colère, désagréable et agressif. Ses collègues de travail ont beaucoup de mal à le supporter.

---

23. Centre canadien de lutte contre l'alcoolisme et les toxicomanies, en collaboration avec le ministère fédéral du Développement des ressources humaines, *Le guide des programmes et services d'aide aux employés offerts au Canada*. Ce guide contient une information détaillée sur plus de deux cents fournisseurs de services destinés aux employés ayant des problèmes personnels et familiaux, dont l'alcoolisme et les autres toxicomanies. Ce répertoire bilingue de 380 pages apporte des renseignements sur les genres de services offerts, sur la reconnaissance professionnelle des fournisseurs, sur le niveau des compétences du personnel et sur le nombre de contrats obtenus par chaque fournisseur. Voir le www.ccsa.ca/eapguidf.htm.

24. Lire à ce sujet Rebecca Miller, *Discipline informelle – Employés à problème*, Éditions CCH, Brossard.

Les gestes à éviter

Cette personne ne désire qu'une chose: obtenir une réponse sans délai. La fin justifiant les moyens, il ne faut pas prendre ses attaques à titre personnel. Le superviseur ne doit pas réagir émotivement. Le « char d'assaut » pourrait contre-attaquer, car il ne reculera pas. S'il est en position de faiblesse, il cherchera des alliés et tentera d'écraser le superviseur. Celui-ci peut toujours justifier son point de vue, qui pourrait être fort défendable, mais le « char d'assaut » écoutera-t-il ? Il n'en sera que plus frustré et accentuera son attaque. Alors, il ne reste que la retraite dans un climat de crainte. Malheureusement, face à un ennemi qui bat en retraite, le char d'assaut fonce, tire sur lui et l'écrase.

Le superviseur: En effet, j'ai bien demandé ces caractéristiques. Il me semble qu'elles sont nécessaires.

Pierre-Marc L.: Oui, mais elles posent un problème, car elles ne sont pas compatibles avec l'équipement actuel.

Le superviseur vient d'accepter l'interruption. Voilà ce qu'il ne fallait pas faire. L'employé a pris le contrôle de la situation et sa victoire l'encouragera à répéter le stratagème les prochaines fois. Il lui suffira d'insister.

Les moyens de défense

Le superviseur doit s'imposer avec fermeté, en évitant de devenir lui-même un char d'assaut. Lorsque l'employé semble avoir épuisé ses munitions, le superviseur lui demandera si tout a été dit. Il lui indiquera alors qu'il prend bonne note de la situation et que la réponse lui parviendra dans les plus brefs délais. Si l'employé reprend le combat, le superviseur doit tenter de l'interrompre en l'interpellant par son nom de façon répétée. La recette magique. Le superviseur répète le point essentiel de l'attaque de l'employé afin de démontrer qu'il a écouté et propose immédiatement sa perception des choses. Cela lui permet de reprendre l'initiative.

Pierre-Marc L.: Vous voyez bien que j'ai raison. De plus, les équipements…

Le superviseur: Pierre-Marc, Pierre-Marc, Pierre-Marc…

Pierre-Marc L.: C'est impossible que…

Le superviseur: Pierre-Marc, Pierre-Marc !

Pierre-Marc L.: Oui ?

Le superviseur: Tu sembles avoir détecté un point important dans le cahier de charges ; la compatibilité pourrait ne pas être assurée. Alors, tu reviens me voir dans trente minutes et on en discutera.

Le superviseur doit laisser la porte ouverte à l'employé, mais à ses conditions et au moment qu'il fixera. Ainsi, l'employé devra battre en retraite, mais avec honneur, ce qui évitera une seconde attaque. Malgré le style qu'il adopte, l'employé pourrait avoir raison. Le superviseur doit accepter ce fait et convaincre l'employé que son point de vue sera pris en considération à l'avenir.

10.10.2 Le « génie en herbe »

En poste depuis à peine deux mois, le nouveau superviseur tente d'imposer petit à petit sa philosophie. Son équipe est composée de personnes expérimentées, et Sandra B. est probablement la plus compétente du groupe.

Le superviseur : Sandra, les nouveaux emballages posent un sérieux problème : il semble que les boîtes ne restent pas collées. Le design ne paraît pas le meilleur pour ce produit.

Sandra B. : Avez-vous fait vérifier la colle utilisée ?

Le superviseur: Ce n'est pas un problème de colle, c'est une question de design.

Sandra B. : Le design est parfait. Sans doute les ajustements des emballeuses doivent-ils être vérifiés.

Le superviseur: J'ai vérifié auprès du Service de la production, et il semble que ce soit un problème de conception de l'emballage.

Sandra B. : Le design a été testé par ordinateur ; le problème n'est pas là.

Description

Il n'y a aucun doute que cette employée est extrêmement compétente et très sûre d'elle. Elle veut obtenir des résultats, mais son désir de faire avancer les choses la ferme à toute nouvelle approche. La moindre interrogation est perçue comme une remise en question de ses compétences. Lorsque des questions sont posées à ces individus, ils sondent les motifs qui se trouvent derrière elles. Ces employés considèrent que se tromper est la pire des humiliations. C'est pourquoi ils n'admettent jamais leurs torts ; ils préfèrent, au contraire, manipuler les autres et les contrôler.

Les gestes à éviter

Le superviseur doit avant tout éviter d'entrer en compétition avec l'employé en ce qui a trait à ses connaissances et à ses compétences, et de confronter les assertions de cet employé avec les opinions d'un autre expert. Sinon, ce sera une perte d'énergie. Ce type de personnes vit un stress perpétuel afin de maintenir une position d'expert. Ne pouvant accepter la moindre erreur, elle doit être à l'avant-garde en ce qui concerne les connaissances et les compétences, ce qui l'amène à vivre dans la crainte de ne pas tout savoir.

Le superviseur: J'ai fait vérifier tes données avec les gens du Service technique. Il semble que le concept de la fermeture des boîtes n'est pas compatible avec les matériaux utilisés.

Sandra B. : Je connais ces gens. Le mois dernier, ils ont implanté un système de mise à vide qui a été un désastre. Il a déjà été mis au rancart, et on devrait faire de même avec certains d'entre eux.

Le superviseur: J'ai moi-même fait des tests dans leur laboratoire et il m'apparaît que…

Sandra B. : Il apparaît que chacun connaît son domaine et qu'il est préférable d'en rester à son domaine d'expertise.

Le superviseur se dit alors que s'il poursuit l'échange, Sandra trouvera continuellement des arguments à lui opposer.

Les moyens de défense

Le superviseur doit connaître son dossier à fond, car l'employé cherchera la moindre faille dans son argumentation. Il doit aussi utiliser les arguments et les critères de l'employé lorsqu'il présente sa proposition, afin d'obtenir son attention. Le superviseur y gagnera s'il présente indirectement sa proposition en insistant sur l'incertitude qui l'habite. L'emploi de l'interrogation plutôt que de l'affirmation évitera que l'employé ne remette immédiatement en question sa proposition. Le superviseur doit aussi faire participer ce type d'employés à la recherche de la solution. La limite de ses efforts est le désir et la volonté du superviseur de faire participer cet employé à la décision.

S'il croit que cela n'est pas pertinent, le superviseur doit renoncer à cet exercice et imposer carrément sa solution, mais s'il arrive à convaincre l'employé qu'il reconnaît son expertise et qu'il est prêt à en tirer profit, il ne sera plus perçu comme une menace et le « génie en herbe » sera plus ouvert aux idées des autres.

Le superviseur: J'ai fait analyser les colles utilisées et elles semblent adéquates. Le design de la boîte est super, il faudrait sans doute le conserver le plus intégralement possible.

Sandra B.: Un autre concept n'atteindrait pas l'objectif de la facilité de manipulation, et puis le temps...

Le superviseur: Je sais que tu crois que nous n'avons plus le temps de retravailler le concept et de faire des modifications importantes à ce stade-ci. C'est justement parce que nous n'avons pas de temps qu'il serait souhaitable que nous ne reprenions que le design de la fermeture et non le design complet de la boîte. Es-tu d'accord ?

Sandra B.: J'ai déjà étudié le problème et le concept actuel est la meilleure solution.

Le superviseur: Sandra, j'ai examiné tous tes projets depuis que tu travailles ici. Je ne crois pas que tu n'aies qu'une seule solution à proposer face à un problème. D'ailleurs, le mois dernier, ton projet de présentoirs réutilisables comportait trois solutions aussi valables les unes que les autres. Avec ta collaboration, je suis convaincu que nous trouverons une solution en quelques heures.

Sandra B.: Effectivement, j'avais envisagé une autre solution ; il faudrait la tester.

Le superviseur (à la blague): Qu'est-ce qu'on ferait sans toi ?

10.10.3 Le « béni-oui-oui »

Lors d'une réunion du service, le superviseur a demandé un volontaire pour travailler avec Suzanne C. en vue de compléter la présentation des nouveaux produits qui seront présentés lors de la rencontre avec l'équipe régionale des ventes.

André B. (un peu intimidé): Je pourrais trouver quelques heures. Je suis plutôt occupé, mais le projet semble intéressant.

Le superviseur: Parfait ! Un problème de réglé.

Le lendemain, Suzanne et André devaient aller dîner ensemble pour discuter du projet. Vers 11 h 45, le téléphone de Suzanne sonne.

André B.: Salut, Suzanne, c'est André. Écoute, je ne peux pas aller dîner avec toi, j'ai un dossier à terminer pour Antoine. Il est en retard et j'ai offert de l'aider.

Suzanne C.: Bon, ce n'est pas grave. Réglons cela tout de suite au téléphone. Tu t'occupes de trouver les chiffres de ventes par territoire et les quotas des vendeurs par produit. Prépare les acétates et je m'occupe du reste. Je te rappelle lundi.

Le lundi suivant, Suzanne appelle André.

Suzanne C.: Bonjour, André ! As-tu trouvé toutes les données ?

André B.: Bien... Non, pas encore, mais demain je dois voir quelqu'un au Service de la comptabilité qui me fournira le tout.

Trois jours avant la présentation, Suzanne se présente au bureau d'André.

Suzanne C. : Alors, ces acétates, des chefs-d'œuvre ?

André B. : Bon, écoute, je dois terminer ce rapport pour Marie. Son fils est malade et son patron attend ce document. Cela semble important.

Suzanne C. : Écoute, jeudi la rencontre est à 10 h. Je serai dans ton bureau à 8 h 30 pour vérifier le tout et répéter ma présentation devant toi au moins une fois.

Le jeudi suivant, à 8 h 20.

André B. : Bonjour, Suzanne. Je suis à toi dans cinq minutes. Je termine ces macros[25] pour le chiffrier de Pierre ; il voulait impressionner son patron, alors j'ai préparé quelques petits bijoux.

Suzanne C. : Passe-moi les acétates en attendant, je vais les mettre dans l'ordre pour ma présentation.

André B. : Les acétates ? Je n'ai pas terminé, et le Service d'infographie semble débordé. Voici quand même les données que tu m'as demandées.

Et André tend à Suzanne cinq feuilles où sont griffonnées quelques données.

Description

Les « béni-oui-oui » sont une catégorie d'employés qui acceptent toutes les demandes de collaboration afin de s'attirer la sympathie des gens, mais qui ne se concentrent pas assez sur la tâche à accomplir. Puisque le désir de plaire chez ces personnes est capital, elles sont complètement désorganisées, n'ayant aucun contrôle sur leur horaire. Lorsqu'elles ne peuvent remplir toutes leurs promesses, elles sont sincèrement désolées, mais ne se sentent pas coupables pour autant, car les autres sont la cause de leur retard. Elles souhaitent simplement trouver quelqu'un qui corrigera la situation qu'elles ont créée.

Les gestes à éviter

Le superviseur ne doit pas tenter de les culpabiliser. Lorsqu'ils font face à un retard, ils tenteront de s'en sortir en faisant des promesses encore plus irréalistes. Très souvent, leur gentillesse et leur esprit de collaboration camouflent une incapacité de s'organiser. La meilleure excuse pour ne pas faire un travail, c'est d'accepter trop de travail.

Suzanne C. : André, tu m'avais promis que tout serait prêt.

André B. : Est-ce ma faute si tout le monde est débordé ? J'essaie d'aider les autres du mieux que je peux.

Suzanne C. : Mais la présentation est dans une heure !

André B. : Je m'en occupe. Dans 45 minutes, tout sera prêt, tu auras tes acétates… en couleurs si tu veux. Fais-moi confiance, tu as ma parole.

Les moyens de défense

Avec ce type de personnes, il faut établir un contexte de travail où l'honnêteté prime. Une promesse est une promesse. Par contre, une promesse impossible à respecter ne doit pas être faite. Lorsqu'un employé a la franchise d'avouer, dès

25. Les macros sont des instructions complexes qui déterminent les opérations composées à partir du répertoire de base d'un ordinateur.

qu'il prend conscience de ce fait, qu'il ne pourra exécuter un travail dans les délais prescrits, il faut apprécier son honnêteté, car elle permet aux autres de réagir immédiatement, ce qui serait impossible à faire une heure avant l'expiration du délai. Le superviseur doit profiter de l'occasion où ses employés prennent des engagements pour leur apprendre à faire une planification. Il doit surtout s'assurer que l'engagement que prend un de ses employés est sérieux et que celui-ci tiendra parole. C'est aussi le moment d'illustrer les conséquences négatives du non-respect d'un engagement.

Le superviseur: Y a-t-il un volontaire pour aider Suzanne à mettre au point la présentation des nouveaux produits en vue de la rencontre avec l'équipe régionale des ventes ?

André B. : Je pourrais trouver quelques heures. Je suis plutôt occupé, mais le projet semble intéressant.

Le superviseur: Merci, André, mais regarde bien ton horaire. Cette rencontre est extrêmement importante et exige beaucoup de préparation. Peux-tu consacrer le temps nécessaire à ce projet ?

André B. : Ce sera serré, mais s'il ne se présente pas de nouveaux engagements, ça devrait aller.

Le superviseur: Ça *devrait* aller ? Il faut que ce soit clair. As-tu vraiment le temps ? Et es-tu prêt à refuser toutes les autres demandes d'ici la réunion ? Donne ta parole d'honneur ! Si tu ne tiens pas parole, c'est la réputation de tout le service qui en souffrira.

André B. : En fait, je crois que ce sera difficile.

Le superviseur: Bon, j'apprécie ton offre et j'apprécie surtout ton honnêteté. Tu es très occupé et tu fais du bon travail, mais voyons s'il n'y a pas un autre volontaire plus disponible.

10.10.4 Le « négatif »

Stéphane C. : Patron, si vous laissez Mariette terminer ce dossier, ce sera un désastre. Elle ne sait pas s'y prendre. Les points importants sont escamotés et son scénario de présentation n'est pas très original.

Le superviseur: Il me semble qu'elle est compétente et qu'elle l'a déjà prouvé dans le passé.

Stéphane C. : Je lui ai fait quelques suggestions, mais elle n'a pas l'air intéressée. Elle me fait penser à Jean-Pierre.

Le superviseur: Qu'y a-t-il à propos de Jean-Pierre ?

Stéphane C. : Il a recruté un employé du Service des statistiques, mais il n'a pas pris le meilleur. Je lui avais dit d'aller voir Ève, mais il n'a même pas demandé à voir son dossier. Je connais ces gens, et je peux vous dire qui, parmi eux, est un vrai analyste.

Description

Le « négatif » est un employé orienté vers la tâche et motivé à atteindre les objectifs de l'équipe ; en même temps, il peut se montrer intolérant vis-à-vis du travail des autres. S'il est perfectionniste, il voudra décider de tout, faire les choses à sa manière. Tout ce que les autres font lui paraît inacceptable. Son comportement affaiblit la motivation et la confiance des autres membres de l'équipe. Par moments, le « négatif » est amer, déçu par la vie ; il adopte une approche pessimiste dans tous ses projets. Lorsqu'il blâme les autres en raison de leur façon de faire, il croit sincèrement qu'il a raison.

Les gestes à éviter

Le superviseur doit avoir beaucoup de compassion pour ce genre d'employés. Il ne peut savoir – de toute façon, cela ne serait nullement utile – quels obstacles ils ont pu rencontrer dans leur vie. Il ne doit pas tenter de les faire changer d'avis, d'autant plus que les critiques du «négatif» sont souvent ponctuelles et n'auront plus d'importance dans quelques mois.

Le superviseur: Mariette a toujours fait du bon travail, et je crois que tu ne regardes qu'un côté de la médaille.

Stéphane C.: Au contraire, j'ai tout analysé. Elle n'a pas assez d'imagination, elle est trop conservatrice. Les nouvelles idées lui font peur.

Le superviseur: Son dernier rapport exprimait pourtant un point de vue innovateur.

Stéphane C.: Pas du tout. J'avais déjà vu cette approche dans une revue et je lui ai expliqué comment elle pouvait la modifier, mais quand on est borné…

Les moyens de défense

Il ne sert à rien d'affronter les personnes négatives: suivre le courant est la meilleure solution. En cours de route, il faut transformer leurs critiques en solutions. Lorsqu'elles présentent une critique, on doit les inviter à aller plus loin et à offrir une solution qui éliminerait le fondement de la critique. Les personnes négatives deviennent alors des personnes-ressources. Si elles refusent de participer à la recherche d'une solution, il faut leur laisser le temps, laisser la porte ouverte et reconnaître leur esprit d'analyse et leur capacité de percevoir les problèmes.

Le superviseur: Tu crois donc que Mariette est la pire employée de l'entreprise.

Stéphane C.: Bien… Je ne dirais pas la pire. Elle a des qualités.

Le superviseur: Ah oui! Lesquelles, selon toi?

Stéphane C.: Parfois, elle a de bonnes idées. Pas souvent, mais ça arrive.

Le superviseur: Dans le rapport qu'elle prépare, y a-t-il selon toi une ou deux bonnes idées?

Stéphane C.: Deux? Peut-être pas, mais au moins une. Peut-être deux.

10.10.5 «Le geignard»

Marielle P.: Le projet ne sera jamais terminé à temps. Nous n'aurions pas dû accepter de le faire, compte tenu des délais.

Le superviseur: Il reste encore trois jours; c'est réalisable.

Marielle P.: Notre équipement n'est pas à la hauteur, les spécifications sont trop exigeantes.

Le superviseur: Les employés peuvent compenser les déficiences de l'équipement. Regarde leur motivation au travail!

Marielle P.: Ils ne tiendront pas le coup, ils sont déjà épuisés. Puis, ces jeunes-là, ça n'a pas de résistance.

Le superviseur: Toi, tu es là pour les inspirer. Je me fie à toi.

Marielle P.: Je n'y crois plus. Il faut être réaliste. À quoi bon s'acharner? Ce sera de l'énergie perdue.

Le superviseur: Tu ne crois pas que tu jettes l'éponge trop tôt?

Marielle P.: C'est de la folie, il faut reconnaître une défaite.

Description

Le «négatif» critique tout, mais il peut offrir une solution à l'occasion. Quant au «geignard», il ne présente jamais de solutions. Il existe trois catégories de geignards : le geignard utile, le geignard pathologique et le geignard antipathique.

Le geignard utile est celui qui se plaint de tout, mais sans excès. Il est utile, car si les autres sont unanimes, il les oblige à faire une dernière analyse avant de prendre une décision. D'ailleurs, Alfred Sloan, un ancien président de General Motors, a dit, pendant une réunion du conseil d'administration: «Puisque tout le monde est d'accord sans condition avec la proposition, je suggère que la décision soit remise à la prochaine séance.» Il faut que quelqu'un se fasse l'avocat du diable.

Le geignard pathologique se plaint pour évacuer son stress, mais le fait de se plaindre ne l'empêche pas de continuer à fonctionner. Il gémit devant les dossiers qui inondent son bureau en soulignant qu'il n'arrivera jamais à passer à travers tout ce travail, mais deux minutes plus tard, il s'acharne déjà à prouver le contraire.

Quant au geignard antipathique, il se plaint en tout temps, il est pessimiste et ne propose jamais de solutions.

Les gestes à éviter

Les pessimistes et les geignards ont malheureusement tendance à déteindre sur leur environnement. Pour contrer cette situation, le superviseur ne doit pas abonder dans leur sens, sinon cela les encouragera à poursuivre dans cette voie. Il doit les laisser face à leur problème. Enfin, il doit éviter de leur demander pourquoi ils se plaignent, car ils y verront une invitation à débiter l'ensemble des problèmes qui les touchent.

Marielle P.: C'est un défi inhumain.

Le superviseur: En effet, c'est une tâche très lourde, et il faut y mettre toutes nos ressources.

Marielle P.: Je crois que nous n'avons pas assez d'employés pour faire le travail dans les délais.

Le superviseur: Laisse-moi regarder la situation de plus près, je verrai ce que je peux faire.

Marielle P.: J'aimais mieux les contrats plus routiniers que nous faisions le mois dernier.

Le superviseur: Mais tu m'as toujours dit que tu cherchais à relever de nouveaux défis. De quoi te plains-tu au juste?

Les moyens de défense

Le superviseur doit être à l'écoute de ses employés, mais il doit s'attacher à ne retenir que l'essentiel. Il est vrai que l'écoute de ces personnes est difficile, mais c'est l'unique moyen de les arrêter. Le superviseur doit prendre des notes et dresser un tableau des éléments importants à considérer. Une fois ces éléments connus, il faut arrêter le geignard et l'inviter à s'attarder aux solutions plutôt qu'aux obstacles. Quelle que soit la situation présente, il importe d'améliorer les choses.

Marielle P.: Je dois faire le travail de deux personnes pour arriver et il faudrait que j'embauche trois autres employés.

Le superviseur: Je constate que tu travailles très fort, mais tu sais qu'il est impossible avec le budget actuel d'embaucher d'autres personnes. Quels sont tes besoins auxquels nous pouvons répondre?

Marielle P.: Il faudrait que tout le monde fasse des heures supplémentaires en fin de semaine.

Le superviseur: Je dois te rappeler que notre budget ne nous le permet pas.

Marielle P.: Bon, si tout le monde arrive une heure plus tôt le matin et part une heure plus tard le soir, je crois que nous pourrons respecter les délais. Il suffira d'accorder le mois prochain des congés équivalant aux heures travaillées.

Le superviseur: Bon, c'est réglé. Ta solution est excellente. Mets-la à exécution et concentre ton énergie sur le travail et non sur les obstacles.

Peu importe à quel type d'employés difficiles le superviseur fait face, sa tâche demeure la même dans toutes ces circonstances, soit la réalisation des objectifs stratégiques de l'entreprise.

Résumé du chapitre

La plupart des employés ont un comportement conforme aux attentes de l'entreprise. L'autodiscipline est chose courante et les superviseurs n'ont à intervenir que pour régler les situations créées par certains employés difficiles. En matière de discipline, le rôle du superviseur consiste à corriger des comportements plutôt qu'à punir les employés. Il s'agit d'une activité de formation.

L'application de la discipline fait partie intégrante des fonctions du superviseur. C'est un outil favorisant la réalisation des objectifs stratégiques de l'entreprise. Les comportements de certains employés dénotent des problèmes de rendement, de falsification des compétences, d'incompatibilité des caractères, d'insubordination et d'inconduite, d'absentéisme et de manque de ponctualité, de vol et de toxicomanie. Face à ces situations et, surtout, afin d'éviter leur apparition, le superviseur peut utiliser différentes approches en matière de discipline, soit l'approche préventive, l'approche punitive ou l'approche constructive.

Afin de déterminer correctement les mesures disciplinaires appropriées à la situation, le superviseur doit analyser la situation problématique, le contexte ainsi que le dossier de l'employé. En toutes circonstances, il doit demeurer calme, objectif, intègre et juste. Les employés accepteront plus facilement les mesures disciplinaires si elles sont équitables, uniformes et liées à la faute. Le processus de discipline doit aussi permettre à l'employé de donner sa version des faits et de faire appel.

L'intervention du superviseur doit amener l'employé à corriger lui-même la situation, et c'est pourquoi le principe de la progression des sanctions doit orienter ses décisions dans ce domaine. La discipline doit respecter les politiques, les règles, la convention collective et les lois.

Lorsque les mesures disciplinaires n'ont pas permis de corriger la situation ou que la faute est très grave, l'entreprise doit congédier l'employé. Cette décision difficile doit être prise dans un cadre précis et dans le respect de l'employé, des normes administratives et des lois.

Les employés ne présentent pas tous des problèmes majeurs. Certains ont des attitudes et des comportements qui en font des employés difficiles et qui, bien que ne méritant pas de mesures disciplinaires, exigent une intervention du superviseur.

Évaluation de la compétence

Questions de révision et application

1. Qu'est-ce que la discipline?
2. Qu'est-ce que la discipline préventive, la discipline punitive et la discipline constructive?
3. Faites la distinction entre une mesure disciplinaire et une mesure administrative.
4. Quels sont les principaux problèmes exigeant le recours à des mesures disciplinaires?
5. Décrivez le principe de la progressivité des mesures disciplinaires.
6. Qu'est-ce que le counseling?
7. Dans quelles conditions une entrevue de congédiement devrait-elle se dérouler?
8. En vous reportant à la rubrique Point de mire présentée au début du chapitre, répondez aux questions suivantes:
   - a) Comment appliqueriez-vous le processus disciplinaire si vous étiez à la place de Marc?
   - b) Pourquoi le superviseur doit-il faire preuve d'autant d'objectivité et d'intégrité dans l'application des mesures disciplinaires?
   - c) Selon vous, le counseling est-il compatible avec le processus disciplinaire? Est-ce qu'il y a contradiction ou complémentarité dans les objectifs de ces deux méthodes?
   - d) Est-ce que la «règle du feu» doit être appliquée en tout temps? Quelles sont les exceptions?

Analyse de cas

Cas 10.1

Le livreur

Antoine Y. a étudié pendant deux ans au cégep en techniques de loisirs. Pour des raisons familiales, il n'a pu terminer ses études et a dû chercher un emploi. N'ayant pu trouver un emploi dans son domaine, il a accepté un poste de manœuvre pour un des plus gros entrepreneurs de la région dans le domaine de la rénovation domiciliaire. À l'occasion, il travaille avec les installateurs de portes et de fenêtres ou de revêtement d'aluminium, mais en général, Vladimir B., son patron, lui confie la tâche de livrer aux différents chantiers le matériel ou les outils manquants. De plus, Antoine doit aller chercher, chez les différents fournisseurs, les matériaux dont certains contremaîtres ont un urgent besoin.

Antoine est un amateur de planche à roulettes. Plusieurs de ses amis consacrent toutes leurs journées à la pratique de ce sport et Antoine les envie. D'ailleurs, dans sa région, Antoine est considéré comme un des meilleurs dans ce sport. Toutefois, le manque d'entraînement risque de le reléguer loin derrière ses amis.

Lorsqu'il se trouve sur un chantier, Antoine passe la plupart de son temps à discuter de planche à roulettes avec les autres employés, la rénovation n'étant pas son centre d'intérêt. Il lui arrive souvent d'être en retard de vingt à trente minutes et, le soir, il part presque toujours trente minutes avant l'heure fixée. Il se dirige alors vers le centre de loisirs de la municipalité voisine. Le

matin, il s'y entraîne de 7 h à 8 h 30. Le problème est qu'il commence à travailler à 8 h 30.

Son circuit de livraison l'amène souvent à passer devant le centre de loisirs et, chaque fois, il s'y arrête pour examiner les performances de ses amis. Lorsque Vladimir lui fait remarquer qu'il prend beaucoup de temps pour faire les livraisons, Antoine donne différents prétextes, dont évidemment la circulation sur les routes reliant les municipalités de la région.

Un des fournisseurs de l'entreprise, qui est un ami de Vladimir, l'a appelé pour l'informer que son livreur avait dormi pendant plus d'une heure dans le terrain de stationnement de son atelier après avoir pris livraison du matériel. Antoine s'est défendu en disant qu'il s'était entraîné la veille et qu'il était fatigué. Afin d'éviter de s'endormir au volant, il s'était assoupi une dizaine de minutes, pas plus. « C'est moins grave que d'avoir un accident », a-t-il affirmé.

Questions

1. À quel type de manquement l'entreprise fait-elle face?
2. Quelle est la première action que Vladimir doit entreprendre?

Cas 10.2 : jeu de rôle

C'est un départ[26] !

Le congédiement d'un employé n'est jamais une tâche agréable pour un superviseur. En ce qui concerne l'employé, lire une lettre qui mentionne que « vos services ne sont plus requis » peut avoir un effet dévastateur. Un congédiement affecte l'employé psychologiquement, socialement et financièrement. Son estime de soi peut être sérieusement atteinte. Pour le superviseur, une telle mesure disciplinaire peut représenter son seul et unique choix, après avoir tenté de corriger la situation. Cependant, un sentiment de culpabilité, de stress et de regret peut hanter son esprit. Il s'agit donc d'une situation délicate qui nécessite une sérieuse préparation et un contrôle serré du déroulement. Vous avez abordé, au chapitre 5, les implications légales d'un congédiement. Voyons maintenant, dans le respect de ces règles, la mise en pratique des notions couvertes dans le chapitre 10.

Exercice :

1. Dans la classe, deux personnes sont choisies pour remplir les rôles suivants : un étudiant recevra le rôle de directeur et un autre celui de préposé. Les autres étudiants seront des observateurs en écoute active où ils pourront aider la personne qui joue le rôle du superviseur à se préparer en réfléchissant avec elle aux actions à prendre et à comment les prendre.

   Note : Il peut être intéressant de choisir trois groupes de deux personnes pour jouer les rôles et de comparer les comportements des trois paires lors de ces différentes rencontres. Dans ces conditions, ceux qui rempliront les rôles de directeur et de préposé ne doivent pas assister aux rencontres des étudiants qui les précèdent afin de ne pas être influencés dans la manière dont ils assumeront leur rôle.
2. Le rôle de chacun des personnages est distribué aux étudiants sélectionnés. Chaque personne prend connaissance de son rôle et se prépare méticuleusement à jouer le personnage selon les règles mentionnées dans le chapitre. Seuls les étudiants sélectionnés pour remplir un rôle reçoivent le texte de leur personnage.
3. Les observateurs ne doivent pas intervenir pendant la rencontre, mais ils doivent noter leurs observations au fur et à mesure.
4. La rencontre, d'un maximum de quinze minutes, a lieu entre le directeur et l'employé en l'absence des autres étudiants qui détiennent les mêmes rôles, si

---

26. Inspiré de George E. Stevens, *Cases and Exercises in Human resource Management*, Irwin, Chicago, 6e édition, p. 353-357.

vous avez opté pour cette version. Ainsi, il y aura trois versions de la rencontre, ce qui permettra d'alimenter une discussion à la fin de l'exercice.

5. Lors de la discussion de la fin de l'exercice, les participants pourront intervenir pour exprimer les sentiments qu'ils ont vécus pendant le déroulement de la rencontre.
6. Les rôles sont distribués aux participants uniquement. En aucun cas, le contenu du rôle de directeur ne doit être communiqué au préposé ni celui de préposé au directeur. Les observateurs ne doivent pas non plus prendre connaissance des rôles.

Rôle du directeur (confidentiel)

Bien que vous ne dirigiez ce service que depuis deux ans, «Nom de l'étudiant» y travaille depuis huit ans. Très sympathique avec ses collègues de travail, «Nom de l'étudiant» adopte une tout autre personnalité lorsqu'il s'adresse à des clients. Maintes fois, il a été averti de modifier son attitude avec les clients qui se présentent au comptoir ou communiquent par téléphone avec le Service des pièces. À la suite de nombreux avertissements verbaux et écrits, il s'est engagé à modifier son comportement, mais la réalité est autre. L'entreprise lui a payé un cours de «service à la clientèle» au cégep, l'a inscrit dans un cours de vente dispensé par une entreprise privée de formation, en plus de l'envoyer suivre un cours de relations publiques dispensé par l'association des concessionnaires automobiles. Rien n'y fait.

Vous ne désirez pas reprendre les discussions avec cet employé. Aujourd'hui, vous assumez la tâche ingrate de procéder à son congédiement. C'est ce que vous avez réclamé du Service de gestion de ressources humaines et vous avez obtenu son assentiment.

Tel qu'il est mentionné dans le chapitre, lors d'un congédiement, il faut que le message soit clair: il s'agit d'une décision définitive. Il faut éviter d'ouvrir une discussion sur le bien-fondé de la décision. Une lettre doit être remise à l'employé et elle doit contenir toutes les informations pertinentes (la date, le nom de l'employé, l'énoncé des faits, la description de la faute, la mention de la règle, de la norme ou de la clause de la convention collective qui n'a pas été respectée, la sanction appliquée, la date de sa prise d'effet, etc.). Il est aussi recommandé de ne pas offrir, lors de telles rencontres, un soutien pour aider l'employé à se trouver un autre emploi. Le moment n'est pas propice et l'offre pourrait être très mal reçue.

Mandat

Vous devez informer «Nom de l'étudiant» que le point ultime est atteint. Votre décision est définitive et sans appel (il n'y a pas de syndicat; cependant, l'employé peut toujours poursuivre l'entreprise pour congédiement illégal). Il s'agit donc bel et bien de sa dernière journée de travail. Vous désirez personnellement, si les circonstances le permettent, lui proposer votre aide dans la recherche d'un nouvel emploi.

N'oubliez pas que «Nom de l'étudiant» peut vous en vouloir, ou en vouloir à l'entreprise ou au monde entier. Il peut crier ou pleurer, parfois menacer de mettre fin à ses jours, ou encore accuser des collègues d'avoir inventé des histoires afin d'obtenir son poste.

Cependant, compte tenu des nombreux avertissements, «Nom de l'étudiant» ne sera probablement pas surpris de votre décision. Il y a eu, dans le passé, d'autres employés qui ont été congédiés pour des raisons similaires.

Avant la rencontre avec le préposé, vous exposez brièvement aux observateurs votre rôle, les objectifs que vous poursuivez et la manière que vous emploierez pour l'atteindre.

Lorsque vous serez prêt, faites venir «Nom de l'étudiant» dans votre bureau pour la rencontre. Celle-ci ne devrait pas durer plus de quinze minutes. Adressez-vous à lui par son prénom véritable.

Courriel du directeur des ressources humaines (confidentiel)

À: «Vous» directeur du service

De: Roland Bauche, directeur des ressources humaines

Objet: Congédiement de «Nom de l'étudiant», préposé au comptoir des pièces

Critère de diffusion: Confidentiel

Congédier un employé de longue date n'est jamais une tâche agréable. J'espère que les renseignements suivants te seront utiles lors de ta rencontre. Tu trouveras les politiques et les procédures de l'entreprise et je me permets de te rappeler qu'il est important qu'elles soient suivies à la lettre.

- Aujourd'hui doit être le dernier jour de «Nom de l'étudiant» dans l'entreprise. Il est important qu'il parte immédiatement afin de ne pas affecter le moral des autres employés ou effectuer des actes de sabotage. Toutes les clés en sa possession doivent t'être remises et les codes d'accès et mots de passe requis pour utiliser l'ordinateur doivent être immédiatement modifiés.

- Au lieu d'un préavis de cessation d'emploi, «Nom de l'étudiant» recevra quatre semaines de salaire, plus deux autres semaines selon la politique pratiquée par l'entreprise. Le versement habituel de son salaire sera donc porté à son compte pour les trois prochaines périodes de paie.
- Les contributions de l'employeur aux différents programmes d'assurance seront maintenues pour un maximum de six semaines ou, s'il le fait à l'intérieur de ce délai, jusqu'à ce que l'employé se trouve un nouvel emploi à temps plein.
- Pour toute autre information, «Nom de l'étudiant» est invité à communiquer avec moi au 608-634-2122 ou à prendre rendez-vous à mon bureau.
- Je suis au courant des différents emplois offerts dans l'industrie et je peux lui venir en aide s'il le désire. Je peux aussi lui être d'un certain secours pour l'aider à rédiger son curriculum vitæ et se préparer aux entrevues. Tu connais «Nom de l'étudiant» depuis seulement deux ans, mais moi je le connais très bien depuis ses débuts chez nous et je veux sincèrement lui venir en aide.

Résumé des évaluations:

Les évaluations globales de «Nom de l'étudiant» pendant les sept premières années ont été «adéquates», mais sans possibilité de promotion.

Depuis deux ans, compte tenu des nouvelles politiques de l'entreprise concernant le service à la clientèle, il a toujours obtenu une note de «rendement faible» quant aux relations avec la clientèle. Pour les autres éléments tels que l'atteinte des quotas, la précision dans son travail ou le respect des budgets, il a toujours obtenu la note «adéquat».

«Nom de l'étudiant» a été informé à plusieurs reprises de ses problèmes avec la clientèle, particulièrement de son attitude bourrue et incisive avec ceux qui retournaient des pièces pour un échange ou un remboursement.

Le précédent directeur de service et moi-même l'avons rencontré à plusieurs reprises et tenté d'obtenir une modification de comportement. Quelques cours lui ont été offerts pour corriger la situation.

Rôle du préposé aux pièces (confidentiel)

Vous travaillez pour Qualité Auto depuis huit ans à titre de préposé au comptoir des pièces. Dans quelques minutes, vous allez rencontrer votre directeur. Il s'agit sans doute de votre congédiement, car vous avez reçu plusieurs avertissements concernant les relations avec la clientèle. Cependant, vous n'êtes pas d'accord avec la politique de l'entreprise et vous croyez que les clients abusent du système.

Perdre votre emploi ne vous emballe pas, car votre conjoint ne travaille plus depuis deux mois et vous avez deux enfants à la maison. Votre emploi chez Qualité Auto est votre premier emploi. Vous n'avez jamais travaillé dans une autre entreprise et vous n'avez aucune idée des démarches nécessaires pour vous trouver un emploi.

Si le directeur vous menace de vous congédier, vous êtes convaincu que vous saurez le convaincre de modifier sa décision. Les huit années que vous avez consacrées à l'entreprise les rendent redevables à votre égard.

Si jamais il s'agit vraiment d'un congédiement, vous allez lui faire connaître votre façon de penser quant aux politiques de l'entreprise à l'égard de la clientèle et des employés.

Rôle des observateurs (confidentiel)

Les observateurs ne doivent pas prendre connaissance des rôles des deux interlocuteurs. Le directeur leur fera un bref exposé de la situation avant la rencontre. Aucune question ni suggestion ne peut être adressée au directeur.

Analysez la rencontre en vous attardant principalement à la clarté du message transmis à l'employé et aux moyens utilisés pour transmettre ce message.

Chapitre 11 La santé et la sécurité du travail

Cheminement d'idées

Objectifs pédagogiques

La lecture de ce chapitre devrait vous permettre :

1. d'expliquer l'objet de la Loi sur la santé et la sécurité du travail ;
2. d'expliquer ce qu'est la Commission de la santé et de la sécurité du travail et d'indiquer ses principaux rôles ;
3. de préciser les fonctions du représentant à la prévention dans l'entreprise ;
4. de distinguer les différents droits qui reviennent aux travailleurs en matière de santé et de sécurité, de même que les obligations que leur impose la Loi ;
5. de spécifier les droits et les obligations de l'employeur ;
6. de suivre la démarche prévue dans le cas où un accident du travail se produit ;
7. de distinguer un accident du travail d'une maladie professionnelle ;
8. d'expliquer l'objet de la Loi sur les accidents du travail et les maladies professionnelles ;
9. de distinguer les différentes formes de réadaptation du travailleur prévues par la Loi sur les accidents du travail et les maladies professionnelles ;
10. de distinguer les différentes sortes d'indemnités prévues par cette loi pour le travailleur victime d'une lésion professionnelle.

Compétence visée

La compétence visée dans ce chapitre est de pouvoir contribuer à l'application des mesures de correction et de prévention en matière de santé et de sécurité du travail.

Point de mire

Le mot d'ordre est la prévention

Le mégacentre de rénovation et de vente d'outils Rénova L'Entrepôt inc. a déménagé en mars 2003 pour s'installer à Boucherville. Son président, M. Lalumière, est fier du nouvel emplacement du magasin. Tout souriant, il dit aux médias, le jour de l'ouverture officielle du mégacentre de rénovation : « Il s'agit d'un méga entrepôt. Il est entouré de magasins à grande surface, ce qui nous procurera une visibilité extraordinaire. De plus, afin de mieux nous intégrer à la région, nous travaillons en partenariat avec des cégeps et des universités afin de permettre à leurs étudiants de faire des stages chez nous, dans les domaines de la gestion et de la finance. D'ailleurs, dès le mois de mai, nous accueillerons nos premiers stagiaires. »

Effectivement, en mai, Rénova L'Entrepôt accueille trois étudiants de l'Université de Montréal qui viennent

›

faire un stage non rémunéré, lequel est obligatoire pour l'obtention du diplôme. Parmi ces étudiants, Carlos, âgé de 21 ans, vient faire un stage en gestion des approvisionnements et des stocks.

Dès son arrivée dans l'entreprise, Carlos rencontre le responsable de l'approvisionnement et des stocks, qui lui confie immédiatement un premier mandat :

– Carlos, dit-il, notre ordinateur indique que nous avons en stock 39 boîtes du nouveau modèle de barbecue, et il me semble qu'il y en a 45 dans notre entrepôt. Prends cette liste et va vérifier dans l'entrepôt si les numéros de série inscrits dans l'ordinateur correspondent aux produits que nous possédons réellement.

Carlos se rend à l'entrepôt. Il y rencontre Sylvain, un jeune contremaître.

– Je viens faire l'inventaire des boîtes de barbecue, lui dit-il.

– Ah ! Tu es le nouveau stagiaire ? Je viens de signaler au responsable de l'approvisionnement le problème de données que nous avons et il m'a annoncé qu'il m'enverrait quelqu'un.

De la main, Sylvain lui montre les rangées à sa gauche :

– Tu dois te rendre à la septième rangée, où tu trouveras les boîtes en question, lui dit-il. La plate-forme électrique est occupée en ce moment ; alors, utilise la plate-forme à roulettes. Elle n'est pas solide, mais elle fait le travail tant que tu ne sautes pas dessus en dansant le rock…

Les deux hommes échangent un sourire. Carlos se rend à la septième rangée, au bout de laquelle il aperçoit la plate-forme en question. Il s'engage dans la rangée et remarque les boîtes de barbecue, empilées sur une hauteur d'environ cinq mètres. Il se rend à la plate-forme, la tire jusqu'à l'endroit désiré et grimpe dessus. Il comprend rapidement le message du contremaître, car à chaque mouvement qu'il effectue, il sent balancer la plate-forme. Il grimpe jusqu'à une hauteur de quatre mètres et se met à compter les boîtes tout en vérifiant les numéros de série.

L'opération se déroule bien jusqu'à ce que Carlos ait l'idée de poser le pied sur une des boîtes afin de mieux voir le numéro de série inscrit sur une autre boîte légèrement en retrait. Il croit sa manœuvre sécuritaire, mais la boîte sur laquelle il pose le pied cède.

En s'écroulant, la boîte l'entraîne dans une chute de quatre mètres. Le cri poussé par Carlos attire l'attention de Sylvain et de trois autres travailleurs de l'entrepôt. Ils accourent et trouvent le stagiaire enseveli sous une pile de boîtes. Coincé, il gémit. Sylvain se penche au-dessus de lui.

– C'est sa clavicule, constate-t-il. Il ne faut pas le déplacer.

– Mais qu'est-ce que cette plate-forme fait ici ? s'écrie un des travailleurs.

– Ne l'avions-nous pas condamnée ? s'étonne un autre.

Sylvain baisse les yeux. Il est mal à l'aise, d'autant plus qu'il ne cesse de répéter aux travailleurs que, dans l'entrepôt, le mot d'ordre est la prévention.

– Devons-nous appeler la CSST ? lui demande un des travailleurs.

– C'est dommage, mais je ne crois pas qu'il soit couvert par la CSST, répond Sylvain, sans relever la tête.

11.1 La pertinence de l'étude de la santé et de la sécurité du travail

« Au Québec, chaque année, près de 24 000 jeunes de 24 ans ou moins se blessent au travail[1]. » Dans le milieu de travail, les accidents et les maladies professionnelles

1. Commission de la santé et de la sécurité du travail, *Travailler pour profiter de la vie, mais pas au risque de la perdre : La prévention, ça s'apprend !*, 2008, document non paginé.

sont sources de conséquences graves, mais ce qu'il faut surtout savoir est que, pour le travailleur qui en est victime, le coût moral d'une atteinte à son intégrité physique peut rarement être mesuré et chiffré. Sa vie personnelle, sociale ou professionnelle peut être bouleversée à la suite d'une **lésion professionnelle**. C'est pourquoi on n'insistera jamais assez sur la prévention dans le milieu de travail afin de réduire le plus possible le nombre d'accidents du travail ou d'éliminer carrément les causes générant les maladies professionnelles.

Lésion professionnelle
Blessure ou maladie qui survient par le fait ou à l'occasion d'un accident du travail ou d'une maladie professionnelle, y compris la récidive, la rechute ou l'aggravation (*Loi sur les accidents du travail et les maladies professionnelles*, art. 2).

Le respect de la santé, de la sécurité et de l'intégrité physique du travailleur est une dimension si importante dans notre société que le législateur québécois en fait un droit général dans la Charte des droits et libertés de la personne. Il énonce de façon claire que « tout être humain a droit à la vie, ainsi qu'à la sûreté, à l'intégrité [...] de sa personne[2] ». Il en fait un droit pour un contexte précis quand il stipule que « toute personne qui travaille a droit, conformément à la loi, à des conditions de travail justes et raisonnables et qui respectent sa santé, sa sécurité et son intégrité physique[3] ».

Le législateur va jusqu'à faire du respect de cette intégrité physique du travailleur une obligation pour tout employeur. « L'employeur, outre qu'il est tenu de permettre l'exécution de la prestation de travail convenue [...], doit prendre les mesures appropriées à la nature du travail, en vue de protéger la santé, la sécurité et la dignité du salarié[4]. »

Dans le milieu de travail, les accidents et les maladies professionnelles sont sources de conséquences graves.

De plus, la protection du travailleur est encadrée par un régime normatif qui énonce quels sont ses droits dans le milieu de travail pour que sa santé, sa sécurité et son intégrité physique soient protégées. Ce régime normatif précise même quelles obligations reviennent au travailleur afin qu'il assure sa propre protection et celle de ses collègues de travail. Il présente aussi les droits de l'employeur ainsi que les obligations qui lui sont imposées[5].

Pour le cas où un accident du travail vient mettre en péril l'intégrité physique du travailleur, le législateur québécois a mis sur pied un régime spécial de responsabilité civile[6]. Par une autre loi[7], il prévoit les mesures de réadaptation offertes au travailleur (réadaptation physique, sociale ou professionnelle) dans l'éventualité où il serait victime d'un accident du travail ou d'une maladie professionnelle. La figure 11.1 (*p. 378*) indique comment ces deux dernières lois visent à assurer la protection du travailleur.

2. Québec, *Charte des droits et libertés de la personne*, L.Q. 1975, c. 6 ; L.R.Q., c. C-12, art. 1.
3. *Ibid.*, art. 46.
4. Québec, *Code civil du Québec*, L.Q. 1993, art. 2087.
5. Québec, *Loi sur la santé et la sécurité du travail*, L.R.Q., c. S-2.1.
6. « Ce régime est dérogatoire au droit commun, en ce sens qu'il enlève à l'employeur toute responsabilité en ce qui concerne les dommages subis par son employé au cours de son travail pour lui substituer un régime légal d'indemnisation. » Voir Jean-Pierre Archambault et Marc-André Roy, *Initiation au droit des affaires*, 2e éd., Laval, Éditions Études Vivantes, 1995, p. 505.
7. Québec, *Loi sur les accidents du travail et les maladies professionnelles*, L.R.Q., c. A-3.001.

Figure 11.1 La protection des travailleurs prévue dans la Loi sur la santé et la sécurité du travail et dans la Loi sur les accidents du travail et les maladies professionnelles

Protection des travailleurs

Loi sur la santé et la sécurité du travail

- Prévention des dangers liés à la santé, à la sécurité et à l'intégrité physique des travailleurs
- Prise en charge par les employés et les employeurs de l'élimination à la source de ces dangers

Loi sur les accidents du travail et les maladies professionnelles

- Régime de réparation des lésions professionnelles
- Réadaptation physique, sociale ou professionnelle
- Indemnités:
  - Remplacement du revenu
  - Dommages corporels
  - Décès
  - Autres

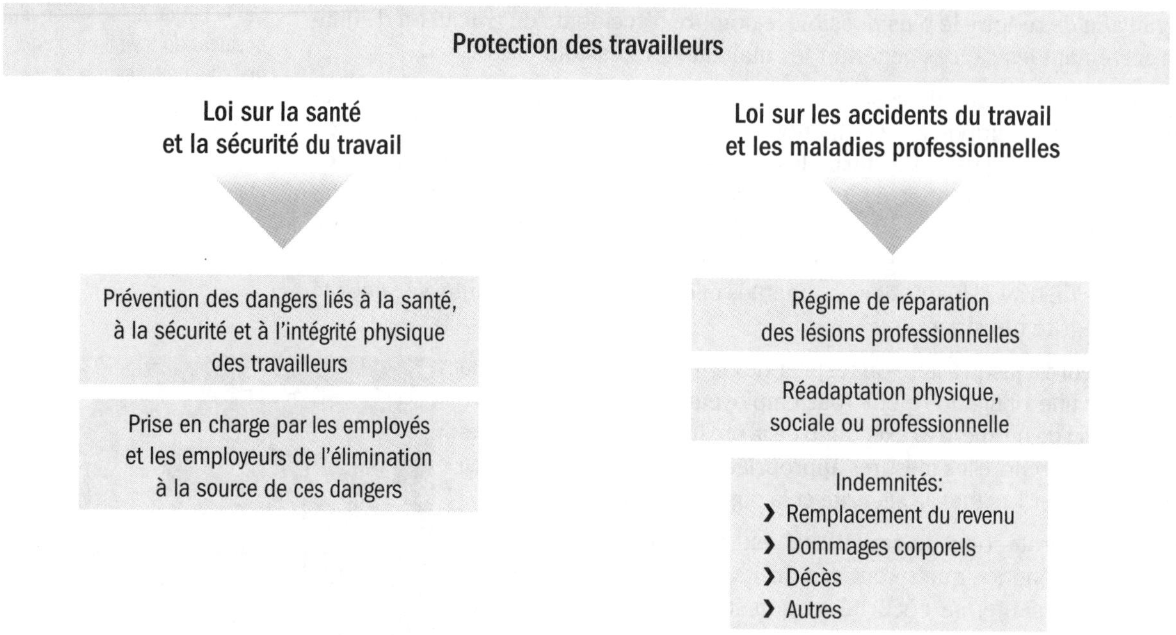

11.2 La Loi sur la santé et la sécurité du travail : son champ d'application

La Loi sur la santé et la sécurité du travail (LSST) a pour objet « l'élimination à la source même des dangers pour la santé, la sécurité et l'intégrité physique des travailleurs[8] ». Comme l'objet premier de la LSST vise l'élimination à la source de tels dangers, il est admis que le fait de mettre à la disposition des travailleurs des moyens et des équipements de protection individuels ou collectifs, lorsque cela s'avère nécessaire pour répondre à leurs besoins particuliers, ne doit diminuer en rien les efforts requis pour éliminer à la source même les dangers pour leur santé, leur sécurité et leur intégrité physique[9].

Un principe vaut dans l'interprétation de cette loi. Comme elle est d'ordre public, une disposition d'une convention collective ou d'un décret qui y déroge est frappée de nullité absolue[10]. Cependant, rien dans la LSST n'empêche une convention ou un décret de prévoir pour un travailleur des dispositions plus avantageuses pour la santé, la sécurité ou l'intégrité physique du travailleur[11].

8. Québec, *Loi sur la santé et la sécurité du travail*, art. 2.
9. *Ibid.*, art. 3.
10. *Ibid.*, art. 4, paragr. 1.
11. *Ibid.*, art. 4, paragr. 2.

11.2.1 Quelques particularités de la Loi sur la santé et la sécurité du travail

La Loi sur la santé et la sécurité du travail crée un organisme qui a pour fonctions générales d'élaborer, de proposer et de mettre en œuvre des politiques relatives à la santé et à la sécurité des travailleurs de manière à assurer une meilleure qualité des milieux de travail. Cet organisme se nomme la Commission de la santé et de la sécurité du travail (CSST).

De plus, la LSST énonce de façon précise les droits et les obligations reconnus tant aux travailleurs qu'aux employeurs en matière de santé et de sécurité du travail[12].

11.2.2 Quelques définitions en vertu de la Loi

Nous vous proposons quelques définitions en lien avec l'étude de la santé et de la sécurité du travail afin de vous faciliter la lecture de ce chapitre. Ces définitions non placées dans la marge, se présentent en ordre alphabétique.

Accident: Un accident du travail au sens de la Loi sur les accidents du travail et les maladies professionnelles. Il s'agit d'un événement imprévu et soudain attribuable à toute cause, survenant à une personne pendant son travail et qui entraîne pour elle une lésion professionnelle (notez que cette définition est reprise à la section 11.9).

Comité de santé et de sécurité: Comité formé de représentants de l'employeur et de représentants des travailleurs. Son mandat consiste, entre autres, à choisir le médecin responsable des services de santé dans l'établissement, à établir les programmes de formation et d'information en matière de santé et de sécurité du travail, à participer à l'identification et à l'évaluation des risques liés aux postes de travail, à tenir des registres des accidents du travail, à transmettre à la Commission les informations nécessaires que celle-ci requiert et à accomplir toute autre tâche que l'employeur et les travailleurs ou leur association accréditée lui confient en vertu d'une convention collective.

Contaminant: Une matière solide, liquide ou gazeuse, un micro-organisme, un son, une vibration, un rayonnement, une chaleur, une odeur, une radiation ou toute combinaison de l'un ou l'autre susceptible d'altérer de quelque manière la santé ou la sécurité des travailleurs.

Établissement: L'ensemble des installations et de l'équipement groupés sur un même site et organisés sous l'autorité d'une même personne ou de personnes liées, en vue de la production ou de la distribution de biens ou de services, à l'exception d'un chantier de construction. Ce mot comprend notamment une école, une entreprise de construction ainsi que les locaux mis à la disposition de travailleurs par l'employeur à des fins d'hébergement.

Lieu de travail: Un endroit où, par le fait ou à l'occasion de son travail, une personne doit être présente, y compris un établissement et un chantier de construction.

12. Ces obligations et ces droits seront présentés aux sections 11.5 et 11.6.

Matière dangereuse : Une matière qui, en raison de ses propriétés, constitue un danger pour la santé, la sécurité ou l'intégrité physique d'un travailleur.

Représentant à la prévention : Une personne désignée parmi les travailleurs et qui, au sein de l'établissement, exerce entre autres fonctions celles d'inspecter les lieux de travail, de recevoir copie des avis d'accidents et de faire enquête, d'identifier les situations à risque pour les travailleurs, d'assister les travailleurs dans l'exercice de leurs droits, d'accompagner l'inspecteur à l'occasion des visites d'inspection, d'intervenir dans les cas où le travailleur exerce son droit de refus et de porter plainte à la Commission.

11.3 La raison d'être de la Commission de la santé et de la sécurité du travail

On aurait tendance à croire que la promotion de la prévention en milieu de travail n'est que l'affaire de l'employeur et des travailleurs. Or, la Commission de la santé et de la sécurité du travail est un organisme qui fait de la prévention une de ses préoccupations primordiales. En effet, le gouvernement du Québec a confié à la CSST l'administration du régime de santé et de sécurité du travail. « Ce régime d'assurance obligatoire permet d'indemniser les travailleurs victimes d'accidents du travail ou atteints de maladies professionnelles[13]. »

11.3.1 Champs d'intervention de la CSST

On reconnaît à la CSST trois champs d'intervention : en matière d'administration du régime (*voir la figure 11.2*), en matière de prévention (*voir la figure 11.3*) et en matière d'indemnisation et de réadaptation (*voir la figure 11.4*)[14].

Figure 11.2 Le rôle de la CSST en matière d'administration du régime

En tant qu'administratrice du régime, la CSST s'occupe :

du financement au moyen de primes perçues auprès des employeurs.

En matière d'administration du régime, la CSST s'occupe principalement du financement de ce régime, au moyen de primes perçues auprès des employeurs. Dans le domaine de la prévention, la CSST s'occupe principalement de la promotion de la santé et de la sécurité du travail. Elle exerce aussi un rôle de soutien aux travailleurs et aux employeurs dans leur démarche d'assainissement de leur milieu

13. Commission de la santé et de la sécurité du travail, *Pour comprendre le régime québécois de santé et de sécurité du travail : La prévention, j'y travaille !*, Québec, Gouvernement du Québec, 2002, p. 13.

14. Les informations touchant aux rôles de la CSST proviennent du document : *Commission de la santé et de la sécurité du travail, op. cit.*, p. 9.

Figure 11.3 Le rôle de la CSST en matière de prévention

En matière de prévention, la CSST s'occupe :

- de la promotion de la santé et de la sécurité du travail
- de l'inspection des lieux de travail
- du soutien aux travailleurs et aux employeurs dans leurs démarches pour assainir leur milieu de travail et pour éliminer les dangers

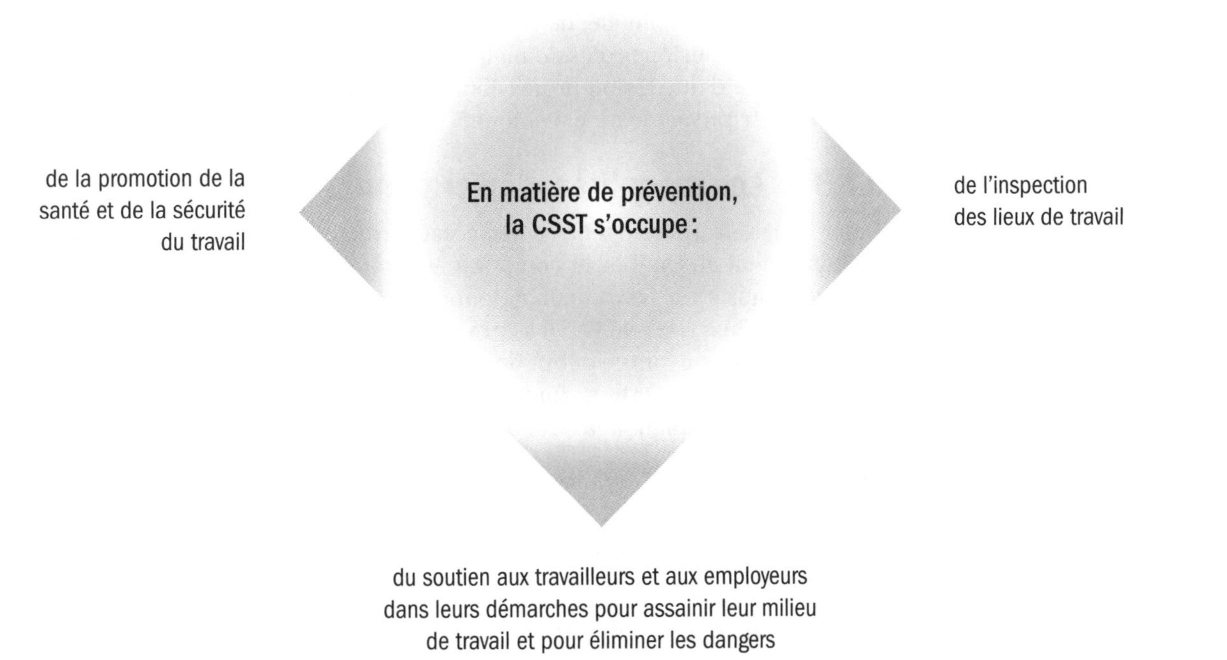

Figure 11.4 Le rôle de la CSST en matière d'indemnisation et de réadaptation

En matière d'indemnisation et de réadaptation, la CSST s'occupe :

- de l'indemnisation des travailleurs ayant subi une lésion professionnelle
- de la réadaptation des travailleurs qui, à la suite d'une lésion professionnelle, subissent une atteinte permanente à leur intégrité physique ou psychique

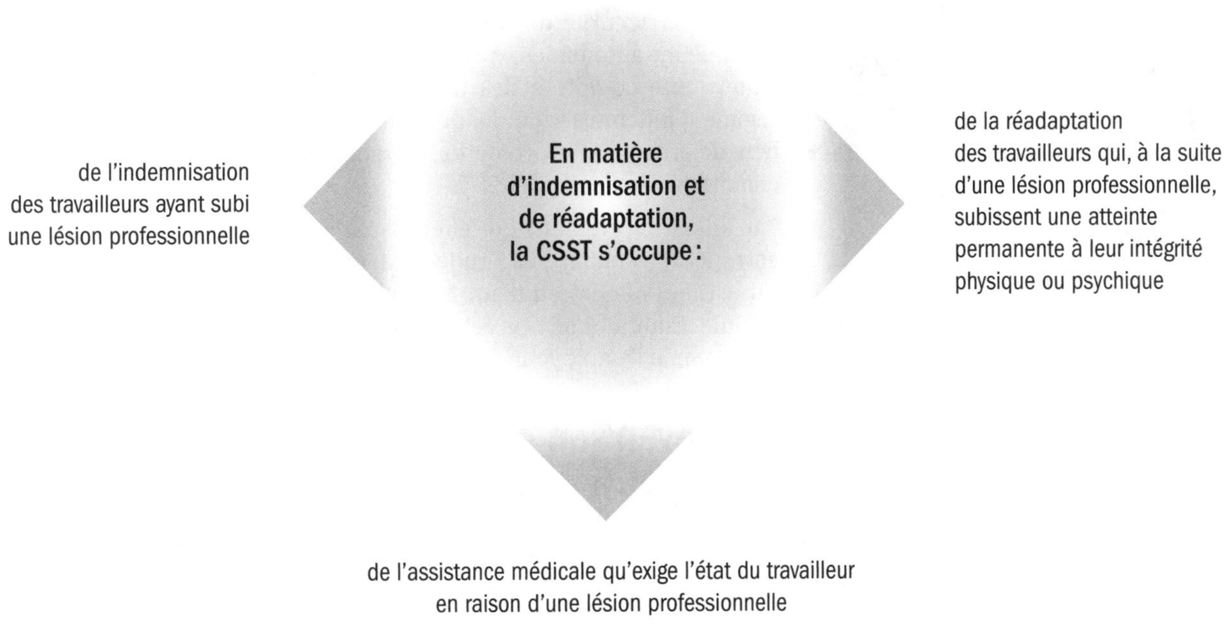

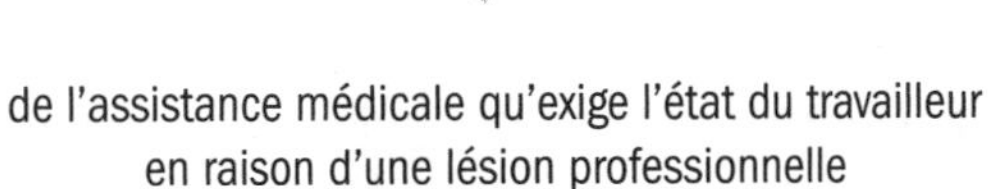

- de l'assistance médicale qu'exige l'état du travailleur en raison d'une lésion professionnelle

de travail et d'élimination des dangers. Finalement, cet organisme se charge de l'inspection des lieux de travail. En matière d'indemnisation et de réadaptation, la CSST s'occupe essentiellement de l'indemnisation des travailleurs ayant subi une lésion professionnelle, de l'assistance médicale qu'exige l'état du travailleur en raison d'une lésion professionnelle ainsi que de la réadaptation des travailleurs qui, à la suite d'une lésion professionnelle, subissent une atteinte permanente à leur intégrité physique ou psychique.

11.3.2 Les modalités d'inscription à la CSST

Dans le cas de l'employeur, la règle est formelle: « Toute entreprise ayant un établissement au Québec et comptant au moins un travailleur, à temps plein ou non, y compris un travailleur autonome considéré comme un travailleur, est obligée de s'inscrire à la CSST à titre d'employeur[15]. » L'employeur doit, dans les quatorze jours suivant le début de ses activités, s'inscrire à la CSST. Aux fins de compréhension de cette norme précise, notons que le début des activités correspond généralement à la date d'embauche du premier travailleur.

En ce qui a trait au travailleur, il est automatiquement assuré s'il est victime d'une maladie ou d'un accident lié au travail. Il n'a pas à s'inscrire à la CSST pour être protégé par la loi et il n'a rien à débourser pour cette protection.

Il convient de noter que les personnes engagées par un particulier pour garder une autre personne sans résider dans le logement de ce particulier et les athlètes professionnels ne sont pas couverts par le régime d'indemnisation.

Les travailleurs bénévoles ne sont pas automatiquement couverts par le régime d'indemnisation.

Il existe d'autres cas particuliers: les travailleurs bénévoles ne sont pas automatiquement couverts par le régime d'indemnisation. Cependant, ces travailleurs seront protégés pour autant que l'entreprise bénéficiant de leurs services le demande à la CSST. Le propriétaire d'une entreprise qui désire bénéficier pour lui-même de la protection de la Loi sur la santé et la sécurité du travail doit en faire la demande à la CSST. Les travailleurs autonomes, c'est-à-dire les personnes qui travaillent pour leur propre compte et les domestiques ne sont pas couverts par le régime d'indemnisation. Ils doivent s'inscrire eux-mêmes à la CSST et bénéficieront d'une protection personnelle s'ils satisfont à certaines conditions fixées par la CSST.

Par ailleurs, l'étudiant qui effectue un stage non rémunéré dans une entreprise pendant ses études est protégé par la CSST. En effet, la Commission estime que cet étudiant travaille pour l'établissement d'enseignement où il étudie. Étant donné que cet établissement est responsable du stage, il est considéré comme l'employeur de l'étudiant.

11.4 La prévention en milieu de travail: qu'en est-il dans les faits?

L'article 68 de la Loi sur la santé et la sécurité du travail prévoit qu'un comité de santé et de sécurité peut être formé au sein d'un établissement regroupant plus

15. COMMISSION DE LA SANTÉ ET DE LA SÉCURITÉ DU TRAVAIL, *Inscription*, en ligne au www.csst.qc.ca.

de vingt travailleurs et appartenant à une **catégorie identifiée**, soit une catégorie désignée par règlement comme étant un secteur prioritaire en raison de la fréquence et de la gravité des lésions professionnelles.

Catégorie identifiée
Catégorie désignée par règlement comme étant un groupe prioritaire en raison de la fréquence et de la gravité des lésions professionnelles.

Le tableau 11.1 indique les principaux groupes prioritaires. Ils sont présentés non seulement en fonction de la fréquence des lésions professionnelles survenues dans les secteurs identifiés, mais aussi en fonction de la gravité de ces lésions.

Tableau 11.1 Liste des groupes et des secteurs d'activité économique

Groupes prioritaires	
Groupe 1 › Bâtiments et travaux publics › Industries chimiques › Forêts et scieries › Mines, carrières et puits de pétrole › Fabrication de produits de métal	Groupe 4 › Commerce › Industrie du cuir, du tabac et du textile › Fabrication de machines (sauf électriques)
Groupe 2 › Industrie du bois (sans scierie) › Industrie du caoutchouc et des produits en matière plastique › Fabrication de l'équipement de transport › Première transformation des métaux › Fabrication de produits minéraux non métalliques	Groupe 5 › Autres services commerciaux et personnels › Communications, transport, énergie et autres services publics › Imprimerie, édition et activités annexes › Fabrication des produits du pétrole et du charbon › Fabrication de produits électriques
Groupe 3 › Administration publique › Industrie des aliments et boissons › Industries du papier et activités diverses › Transport et entreposage › Industrie du meuble et articles d'ameublement	Groupe 6 › Industries manufacturières diverses › Bonneterie et habillement › Enseignement et services annexes › Agriculture, chasse et pêche › Finances, assurances et affaires immobilières › Services médicaux et sociaux › Chasse et pêche

Source : *Liste des groupes et des secteurs d'activité économique*, Éditions de la CSST, octobre 2008.

Selon les modalités prévues dans la Loi, ce comité est formé sur avis écrit transmis à l'employeur par une association accréditée ou, s'il n'existe pas d'association accréditée, par au moins 10 % des travailleurs ou, dans le cas d'un établissement gr oupant moins de quarante travailleurs, par au moins quatre d'entre eux, ou sur un avis semblable transmis par l'employeur à une association accréditée ou, s'il n'existe pas d'association accréditée, à l'ensemble des travailleurs[16]. Notons qu'une copie de cet avis doit être transmise à la Commission.

16. Québec, *Loi sur la santé et la sécurité du travail*, art. 69, paragr. 1.

Soulignons que, lorsqu'elle le juge opportun, la Commission peut exiger la formation d'un comité de santé et de sécurité, quel que soit le nombre de travailleurs dans l'établissement[17]. Bien que les fonctions de ce comité soient nombreuses[18], les suivantes s'avèrent particulièrement importantes :

- choisir le médecin responsable des services de santé dans l'établissement ;
- approuver le programme de santé élaboré par le médecin responsable ;
- établir, au sein du programme de prévention, les programmes de formation et d'information en matière de santé et de sécurité du travail ;
- participer au relevé et à l'évaluation des risques liés aux postes de travail et au travail exécuté par les travailleurs ainsi qu'au relevé des matières dangereuses et des contaminants présents dans les postes de travail ;
- tenir un registre des accidents du travail, des maladies professionnelles et des événements qui auraient pu causer des accidents du travail ou des maladies professionnelles ;
- recevoir une copie des avis d'accidents du travail et enquêter sur les événements qui ont causé ou qui auraient été susceptibles de causer un accident du travail ou une maladie professionnelle, et soumettre les recommandations appropriées à l'employeur et à la Commission.

La LSST prévoit, de plus, la nomination de représentants à la prévention lorsqu'il existe un comité de santé et de sécurité dans un établissement.

11.5 La santé et la sécurité dans la vie du travailleur : ses droits et ses obligations

Comme il est énoncé dans la Loi sur la santé et la sécurité du travail, « le travailleur a droit à des conditions de travail qui respectent sa santé, sa sécurité et son intégrité physique[19] ». Cette loi précise les droits qui sont reconnus aux travailleurs quand vient le temps d'assurer leur santé, leur sécurité et leur intégrité physique au travail. Notons que ces droits sont soit généraux, soit ciblés.

11.5.1 Les droits du travailleur

Les droits généraux

La Loi stipule que le travailleur a le droit :

- à des services de formation, d'information et de conseil en matière de santé et de sécurité du travail, particulièrement en lien avec son travail et son milieu de travail, ainsi qu'à la formation, à l'entraînement et à la supervision appropriés[20] ;

---

17. *Ibid.*, art. 69, paragr. 2.
18. À la lecture de l'article 78 de la LSST, treize grandes fonctions sont reconnues à ce comité.
19. Québec, *Loi sur la santé et la sécurité du travail*, art. 9.
20. *Ibid.*, art. 10, paragr. 1.

- de bénéficier de services de santé préventifs et curatifs en fonction des risques auxquels il peut être exposé au travail[21];
- de recevoir son salaire pendant qu'il se soumet à un examen de santé en cours d'emploi si un tel examen est exigé pour l'application de la loi ou des règlements[22].

Les droits ciblés

› Le droit de refus

Si un travailleur a des motifs raisonnables de croire que l'exécution d'un travail l'expose à un danger pour sa santé, sa sécurité ou son intégrité physique, ou peut avoir l'effet d'exposer une autre personne à un danger semblable, il a le droit de refuser d'exécuter ce travail[23]. C'est ce qu'on appelle le droit de refus.

Ce droit n'est cependant pas absolu. Dans un premier temps, si le refus d'exécuter le travail met en péril la vie, la santé, la sécurité ou l'intégrité physique d'une autre personne, le travailleur ne peut exercer ce droit. Dans un deuxième temps, si les conditions d'exécution de ce travail sont normales pour ce genre de travail, encore là le travailleur ne peut se prévaloir du droit de refus. Ainsi, pour combattre un feu, un pompier doit être à proximité du feu, souvent au péril de sa vie. De même, un policier qui reçoit un appel lui indiquant de se rendre à une banque où des coups de feu se font entendre et où un vol est perpétré ne saurait alléguer le droit de refus, justement parce qu'un vol à main armée dans une banque et des coups de feu font partie des risques de son métier.

En revanche, l'exercice du droit de refus entraîne une obligation de diligence pour le travailleur. S'il refuse d'exécuter un travail, il doit aussitôt en aviser son supérieur immédiat, son employeur ou un représentant de ce dernier[24], et l'employeur ne peut pas le forcer à reprendre son travail tant qu'une décision exécutoire, c'est-à-dire une décision à laquelle on ne peut se soustraire, n'est pas rendue à cet effet[25].

De même, l'employeur ne peut pas faire exécuter le travail par un autre travailleur, sous réserve, bien entendu, de l'article 17 de la Loi sur la santé et la sécurité du travail et du deuxième paragraphe de l'article 19. En effet, selon l'article 17, si le travailleur persiste dans son refus d'exécuter le travail alors que le supérieur immédiat est d'avis qu'il n'existe pas de danger justifiant ce refus, le supérieur immédiat peut faire exécuter le travail par un autre travailleur, et en vertu du deuxième paragraphe de l'article 19, si un inspecteur de la CSST émet une décision selon laquelle le refus de travailler du travailleur repose sur des motifs qui sont acceptables dans son cas particulier, mais qui ne justifient pas qu'un autre travailleur refuse d'accomplir le travail, l'employeur peut faire exécuter le travail par un autre travailleur. Bien entendu, dans les deux cas, le travailleur à qui l'on demande de faire le travail peut accepter de le faire, mais

---

21. *Ibid.*, art. 10, paragr. 2.
22. *Ibid.*, art. 10, paragr. 2.
23. *Ibid.*, art. 12.
24. *Ibid.*, art. 15.
25. *Ibid.*, art. 14.

l'employeur a le devoir de l'informer, d'une part, du fait qu'un droit de refus a été exercé quant à l'exécution de ce travail et, d'autre part, des motifs pour lesquels ce droit a été exercé[26].

Mais attention! Le travailleur qui exerce son droit de refus n'est pas automatiquement en congé. La Loi sur la santé et la sécurité du travail ne saurait être à ce point permissive. Il y est en effet stipulé que le travailleur qui exerce un tel droit est réputé être au travail[27]. Ainsi, l'employeur peut exiger de lui qu'il demeure disponible sur les lieux de travail et peut, de ce fait, l'affecter temporairement à une autre tâche qu'il est raisonnablement en mesure d'accomplir[28].

Aussi, le fait qu'un travailleur exerce son droit de refus ne signifie pas pour autant que son travail doive être mis à l'écart. Dès qu'il est avisé par ce travailleur, le supérieur immédiat, l'employeur ou son représentant convoque le représentant à la prévention, qui doit procéder à l'examen de la situation et juger, si cela s'avère nécessaire, des corrections à apporter[29].

Si le représentant à la prévention en vient à la conclusion qu'il n'existe pas de danger justifiant le refus du travailleur d'exécuter le travail, mais que ce dernier persiste dans son refus de le faire, l'employeur peut demander à un autre travailleur d'exécuter le travail[30].

C'est aussi à la suite de ce refus persistant du travailleur d'exécuter le travail que l'intervention de l'inspecteur de la CSST peut être requise[31], mais la décision que rend cet inspecteur peut faire l'objet d'une demande de révision et d'une contestation devant la Commission des lésions professionnelles[32].

Il est formellement interdit à l'employeur d'user de représailles contre le travailleur du seul fait que ce dernier exerce son droit de refus. Le travailleur qui exerce ce droit bénéficie d'une protection absolue que lui accorde la Loi sur la santé et la sécurité du travail.

Cette protection s'énonce ainsi au paragraphe 1 de l'article 30 de la LSST: « L'employeur ne peut congédier, suspendre ou déplacer un travailleur, exercer à son endroit des mesures discriminatoires ou de représailles ou lui imposer toute autre sanction pour le motif que ce travailleur a exercé son droit de refus d'exécuter un travail. »

Cependant, cette protection tombe dans les cas d'abus. La règle visant à contrer les cas d'abus est énoncée au paragraphe 2 de l'article 30 de la LSST: « Dans les dix jours d'une décision [rendue par l'inspecteur de la CSST ou par la Commission

26. *Ibid.*, art. 17 et 19, al. 2.
27. *Ibid.*, art. 14.
28. *Ibid.*, art. 25.
29. *Ibid.*, art. 16.
30. *Ibid.*, art. 17.
31. *Ibid.*, art. 18.
32. La Commission des lésions professionnelles a été instituée par la *Loi sur les accidents du travail et les maladies professionnelles*, L.R.Q. c. A-3.001, art. 367. Cette commission exerce une compétence d'appel des décisions rendues par les inspecteurs de la CSST. Voir la *Loi sur la santé et la sécurité du travail*, art. 20.

des lésions professionnelles], l'employeur peut congédier, suspendre ou déplacer le travailleur ou lui imposer une autre sanction si le droit a été exercé de façon abusive. »

› Le droit de retrait préventif

Le retrait préventif signifie qu'un travailleur peut se retirer d'un travail par mesure de prévention si, en effectuant un tel travail, il est exposé à un contaminant qui comporte des dangers pour sa santé, sa sécurité ou son intégrité physique. Il s'agit là d'un droit. Cependant, le travailleur doit fournir un certificat[33] attestant que son exposition à un tel contaminant comporte pour lui les dangers allégués.

Le travailleur qui exerce un tel droit peut demander à être affecté à des tâches ne comportant pas d'exposition à de tels contaminants et il doit s'agir de tâches qu'il est raisonnablement en mesure d'accomplir.

Celui-ci n'a pas à réintégrer ses fonctions antérieures tant que son état de santé ne le lui permettra pas et tant que les conditions de son travail ne seront pas conformes aux normes établies par règlement pour ce contaminant[34].

Si, malgré le fait qu'un travailleur a remis un certificat à son employeur, ce dernier ne l'affecte pas immédiatement à d'autres tâches, ce travailleur peut cesser de travailler jusqu'à ce que l'affectation soit faite ou que son état de santé et les conditions de son travail lui permettent de réintégrer ses fonctions[35]. Il ne subira pas de réduction de salaire et il aura droit, pendant les cinq premiers jours ouvrables de cessation de travail, d'être rémunéré selon son salaire régulier[36]. À la fin de cette période, il aura droit à l'indemnité de remplacement du revenu à laquelle il aurait droit en vertu de la Loi sur les accidents du travail et les maladies professionnelles, comme s'il devenait alors incapable d'exercer son emploi en raison d'une lésion professionnelle au sens de cette loi[37].

› Le droit de retrait préventif de la travailleuse enceinte ou qui allaite

Une travailleuse enceinte qui fournit à l'employeur un certificat attestant que les conditions de son travail comportent des dangers physiques pour l'enfant à naître ou, à cause de son état de grossesse, pour elle-même peut demander d'être affectée à des tâches qui ne comportent pas de tels dangers et qu'elle est raisonnablement en mesure d'accomplir[38]. Si l'affectation demandée n'est pas effectuée immédiatement, la travailleuse peut alors cesser de travailler jusqu'à ce que l'affectation soit réalisée ou jusqu'à la date de son accouchement[39].

---

33. Le certificat en question peut être délivré par le médecin responsable des services de santé de l'établissement dans lequel travaille le travailleur ou par un autre médecin. Si le certificat est délivré par le médecin responsable, celui-ci doit, à la demande du travailleur, aviser le médecin qu'il désigne. S'il est délivré par un autre médecin que le médecin responsable, ce médecin doit consulter, avant de délivrer le certificat, le médecin responsable ou, à défaut, le directeur de la santé publique de la région dans laquelle se trouve l'établissement, ou le médecin que ce dernier désigne. Voir la *Loi sur la santé et la sécurité du travail*, art. 33.

34. *Ibid.*, art. 32.

35. *Ibid.*, art. 35.

36. *Ibid.*, art. 36, paragr. 1.

37. *Ibid.*, art. 36, paragr. 2.

38. *Ibid.*, art. 40.

39. *Ibid.*, art. 41, paragr. 1.

Si, toutefois, la travailleuse croit que l'exécution de son travail comporte des dangers pour l'allaitement de son enfant, elle n'a qu'à fournir un certificat attestant que les conditions de travail entraînent des dangers pour l'enfant qu'elle allaite et elle peut, par la suite, demander à être affectée à des tâches ne comportant pas de tels dangers[40]. Bien entendu, il doit s'agir de tâches qu'elle est raisonnablement en mesure d'accomplir. Si l'affectation demandée n'est pas effectuée de façon immédiate, la travailleuse peut cesser de travailler jusqu'à ce que l'affectation soit réalisée ou jusqu'à la fin de la période d'allaitement[41].

La figure 11.5 illustre les principaux droits reconnus aux travailleurs par la Loi.

Figure 11.5 Les droits du travailleur selon la Loi sur la santé et la sécurité du travail

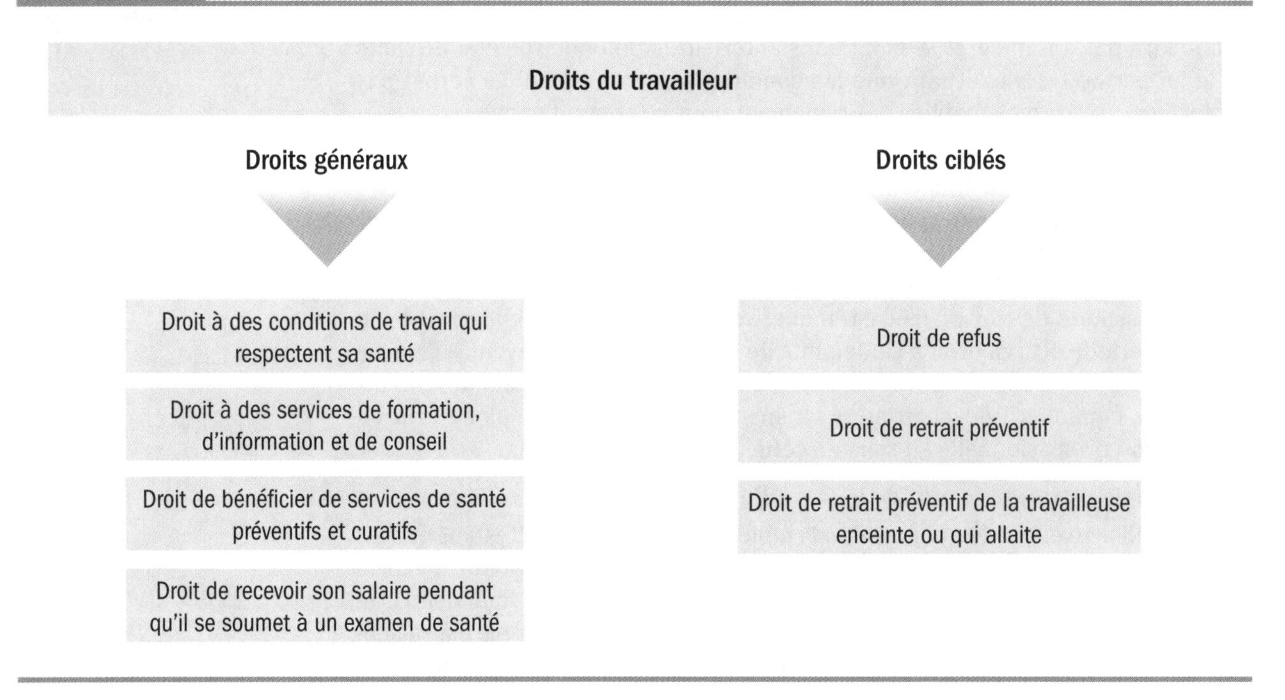

11.5.2 Les obligations du travailleur

La Loi sur la santé et la sécurité du travail énonce, pour le travailleur, quelques obligations qui font appel à une certaine diligence de sa part en matière de prévention. L'article 49 commence d'ailleurs par les mots «**Le travailleur doit**» et présente de la façon suivante les obligations qui lui reviennent :

1. prendre connaissance du programme de prévention qui lui est applicable ;
2. prendre les mesures nécessaires pour protéger sa santé, sa sécurité ou son intégrité physique ;

40. *Ibid.*, art. 46, paragr. 1.
41. *Ibid.*, art. 47.

3. veiller à ne pas mettre en danger la santé, la sécurité ou l'intégrité physique des autres personnes qui se trouvent sur les lieux de travail ou à proximité des lieux de travail;
4. se soumettre aux examens de santé exigés pour l'application de la présente loi et des règlements;
5. participer à la détermination et à l'élimination des risques d'accidents du travail et de maladies professionnelles sur les lieux de travail;
6. collaborer avec le comité de santé et de sécurité et, le cas échéant, avec le comité de chantier ainsi qu'avec toute personne chargée de l'application de la présente loi et des règlements.

La figure 11.6 présente les principales obligations imposées au travailleur selon la Loi.

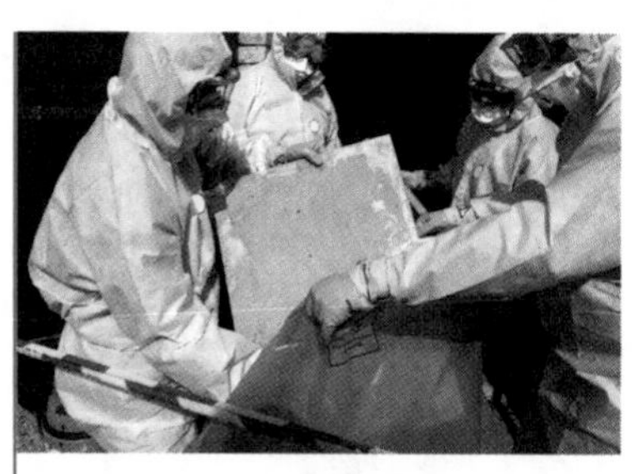

La Loi sur la santé et la sécurité du travail énonce pour le travailleur des obligations qui font appel à une certaine diligence de sa part en matière de prévention.

Figure 11.6 Les obligations du travailleur selon la Loi sur la santé et la sécurité du travail

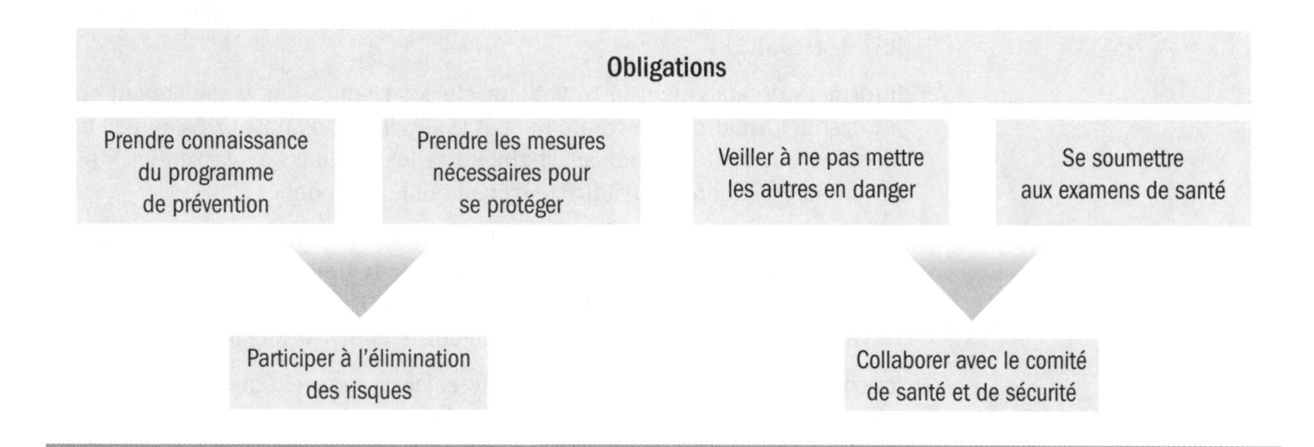

11.6 Les droits et les obligations de l'employeur

Tout comme dans le cas des travailleurs, la Loi sur la santé et la sécurité du travail reconnaît à l'employeur des droits et lui impose des obligations. Nous verrons d'abord quels sont les droits de l'employeur – il ne s'agit que de droits généraux –, pour ensuite examiner les obligations qui lui reviennent.

11.6.1 Les droits généraux

Sous ce titre, la Loi prévoit que l'employeur a notamment le droit à des services de formation, d'information et de conseil en matière de santé et de sécurité du travail.

11.6.2 Les obligations de l'employeur

Voici les obligations générales de l'employeur:

1. voir à ce que les établissements sur lesquels il a autorité soient équipés et aménagés de façon à assurer la protection du travailleur;

2. désigner des membres de son personnel chargés des questions de santé et de sécurité et en afficher les noms dans des endroits visibles et facilement accessibles au travailleur ;
3. s'assurer que l'organisation du travail de même que les méthodes et les techniques utilisées pour l'accomplir sont sécuritaires et ne portent pas atteinte à la santé du travailleur ;
4. contrôler la tenue des lieux de travail, fournir des installations sanitaires, de l'eau potable, un éclairage, une aération et un chauffage convenables et faire en sorte que les repas pris sur les lieux de travail soient consommés dans des conditions hygiéniques ;
5. utiliser les méthodes et les techniques visant à déterminer, à contrôler et à éliminer les risques pouvant affecter la santé et la sécurité du travailleur ;
6. prendre les mesures de sécurité contre l'incendie prescrites par les règlements ;
7. fournir un matériel sécuritaire et assurer son maintien en bon état ;
8. s'assurer que l'émission d'un contaminant ou l'utilisation d'une matière dangereuse ne porte pas atteinte à la santé ou à la sécurité de quiconque sur un lieu de travail ;
9. informer adéquatement le travailleur sur les risques liés à son travail et lui assurer la formation, l'entraînement et la supervision appropriés afin de faire en sorte que le travailleur ait l'habileté et les connaissances requises pour accomplir de façon sécuritaire le travail qui lui est confié ;
10. afficher, dans des endroits visibles et facilement accessibles aux travailleurs, les informations qui leur sont transmises par la Commission, la régie régionale et le médecin responsable, et mettre ces informations à la disposition des travailleurs, du comité de santé et de sécurité et de l'association accréditée ;
11. fournir gratuitement aux travailleurs tous les moyens et équipements de protection individuels choisis par le comité de santé et de sécurité, conformément au paragraphe 4 de l'article 78 ou, le cas échéant, les moyens et les équipements de protection individuels ou collectifs déterminés par les règlements, et s'assurer que le travailleur, à l'occasion de son travail, utilise ces moyens et ces équipements ;
12. permettre aux travailleurs de se soumettre aux examens de santé en cours d'emploi exigés pour l'application de la présente loi et des règlements ;
13. communiquer aux travailleurs, au comité de santé et de sécurité, à l'association accréditée, au directeur de la santé publique et à la Commission la liste des matières dangereuses utilisées dans l'établissement et des contaminants qui peuvent y être émis ;
14. collaborer avec le comité de santé et de sécurité ou, le cas échéant, avec le comité de chantier ainsi qu'avec toute personne chargée de l'application de la présente loi et des règlements et leur fournir tous les renseignements nécessaires ;

15. mettre à la disposition du comité de santé et de sécurité les équipements, les locaux et le personnel administratif nécessaires à l'accomplissement de leurs fonctions[42].

Il est du devoir de l'employeur d'établir et de maintenir à jour un registre des caractéristiques concernant les postes de travail qui précise notamment les matières dangereuses et les contaminants qui y sont présents. Il doit en outre établir un registre des caractéristiques ayant trait au travail exécuté par chaque travailleur à son emploi.

Dans le cas de la construction d'un établissement, un employeur ou un propriétaire ne peut entreprendre une telle construction ni modifier des installations ou des équipements à moins d'avoir préalablement transmis à la Commission des plans et devis d'architecte ou d'ingénieur attestant leur conformité aux règlements. De plus, une copie des plans et devis doit être transmise au comité de santé et de sécurité ou, selon le cas, au représentant à la prévention.

Afin de forcer l'employeur à se préoccuper de la prévention, la LSST lui impose certaines interdictions. Ainsi, il est formellement interdit à l'employeur[43]:

- de faire exécuter un travail par un travailleur qui n'a pas atteint l'âge déterminé par les règlements pour exécuter ce travail;
- de faire exécuter un travail au-delà de la durée maximale quotidienne ou hebdomadaire fixée par les règlements;
- de faire exécuter un travail par une personne qui n'a pas subi les examens de santé ou qui ne détient pas un certificat de santé exigés par les règlements pour effectuer un tel travail.

Deux de ces trois points, soit ceux qui font référence à l'âge déterminé pour exécuter un travail et à la durée quotidienne maximale de travail, sont en fait un clin d'œil du législateur à la Loi sur les normes du travail (*voir le chapitre 5*).

11.7 Les sanctions

Afin de montrer l'importance réelle qu'il accorde au respect de la santé, de la sécurité et de l'intégrité physique du travailleur, le législateur stipule qu'une infraction est commise par quiconque fait une fausse déclaration ou néglige ou refuse de fournir l'information requise en application de la Loi sur la santé et la sécurité du travail ou des règlements[44]. Il impose des amendes à quiconque contrevient à la loi ou aux règlements ou refuse de se conformer à une décision ou à un ordre rendu en vertu de cette loi ou des règlements ou amène une personne à ne pas s'y conformer[45]. De plus, il prévoit que quiconque, par action ou par omission,

42. *Ibid.*, art. 51.
43. *Ibid.*, art. 53.
44. *Ibid.*, art. 235.
45. *Ibid.*, art. 236.

agit de manière à compromettre directement et sérieusement la santé, la sécurité ou l'intégrité physique d'un travailleur est aussi passible d'une amende[46].

11.8 La démarche à suivre en cas d'accident du travail

Si un travailleur est victime d'un accident du travail ou d'une maladie professionnelle, quelle démarche doit être entreprise? Le tableau 11.2 présente cette démarche en six étapes. Notons que la première étape doit consister à aviser rapidement l'employeur.

Tableau 11.2 La démarche à suivre en cas d'accident du travail

1re étape	*L'employeur ou son représentant doit être prévenu le plus vite possible.* Quand le travailleur n'est pas en mesure de le faire lui-même, un de ses compagnons de travail, son délégué syndical ou une autre personne disponible peut s'en charger pour lui.
2e étape	*Le travailleur doit recevoir rapidement les premiers soins nécessaires.* Si son état le justifie, il sera transporté dans un établissement de santé ou chez un médecin de son choix ou encore à son domicile. C'est à l'employeur de payer ou de rembourser les frais de ce transport.
3e étape	*La CSST doit être avisée sans délai par l'employeur de tout accident grave.* Cette démarche est cruciale quand cet accident a causé des blessures sérieuses à un travailleur ou a entraîné son décès.
4e étape	*L'employeur est tenu d'inscrire dans un registre les accidents mineurs.* L'employeur inscrit les accidents qui ont obligé un travailleur à recevoir des soins, mais qui ne l'ont pas empêché d'exercer son emploi au-delà du jour de l'accident. Le travailleur doit signer ce registre.
5e étape	*L'employeur doit s'assurer que, le jour de l'accident, le travailleur reçoive son salaire habituel.* Ce salaire lui sera versé pour toutes les heures durant lesquelles il aurait travaillé n'eût été de son accident.
6e étape	*Le travailleur doit fournir une attestation médicale à son employeur lorsqu'il est incapable d'exercer son emploi à cause de sa lésion, au-delà du jour de l'accident.* C'est le médecin du travailleur qui lui remet une telle attestation, où il inscrit le diagnostic et la période prévisible de guérison.

Les inquiétudes qu'éprouve un travailleur qui a subi un accident du travail ou qui a été victime d'une maladie professionnelle se résument habituellement dans les trois questions suivantes:

1. «Qu'en est-il de mon revenu, et qui me paye?»
2. «Qu'en est-il de mes soins médicaux?»
3. «Est-ce que je conserve mon travail?»

---

46. *Ibid.*, art. 237.

Nous répondrons à chacune de ces questions.

1. Qu'en est-il de mon revenu, et qui me paye?

   En ce qui concerne le revenu du travailleur qui est victime d'un accident du travail ou d'une maladie professionnelle, le travailleur reçoit une indemnité de remplacement de son revenu (IRR). Quel sera le montant de l'IRR? Voyez les précisions suivantes:

   Jour de l'accident: Le salaire est versé par l'employeur comme si le travailleur avait travaillé selon son quart de travail normal.

   Quatorze premiers jours d'absence: Advenant que le travailleur ne puisse retourner au travail la journée suivant l'accident, son employeur lui versera 90 % de son salaire net. Dans cette situation, l'employeur pourra se faire rembourser ce montant par la CSST.

   Au-delà de quatorze jours d'absence: Si le travailleur doit s'absenter plus de quatorze jours à la suite d'un accident ou une maladie du travail, c'est la CSST qui lui versera l'indemnité de remplacement de revenu équivalente à 90 % de son salaire net.

2. Qu'en est-il de mes soins médicaux?

   Pour ce qui est des soins médicaux, le travailleur a le droit de recevoir gratuitement les soins et les traitements prescrits par son médecin en raison de son accident, du moins les frais et les traitements ordinairement acceptés. Le travailleur a intérêt à s'informer auprès de la CSST afin d'apprendre si tels frais ou tels traitements sont admis.

3. Est-ce que je conserve mon travail?

   En ce qui concerne le retour au travail, même si les traitements du travailleur se poursuivent, son employeur peut, pour favoriser son retour au travail ou sa réadaptation, l'affecter à une autre tâche que celle qu'il accomplit dans le cadre de son emploi habituel. Il va de soi que cette assignation est temporaire et se fait avec l'accord du médecin du travailleur. Le travailleur qui reprend son emploi ou qui occupe un emploi équivalent chez le même employeur conserve son salaire, son ancienneté et les avantages dont il aurait bénéficié s'il n'avait pas été absent de son travail[47].

11.9 Les accidents du travail et les maladies professionnelles

Les accidents du travail et les maladies professionnelles constituent des fléaux qui peuvent mettre en péril la santé, la sécurité ou l'intégrité physique des travailleurs. Conscient de cette situation, le législateur québécois présente une loi[48] qui met en place un régime visant à réparer les lésions professionnelles et leurs conséquences[49].

---

47. Commission de la santé et de la sécurité du travail, *Travailler pour profiter de la vie, mais pas au risque de la perdre: La prévention, ça s'apprend!*, 2008, document non paginé.

48. Il s'agit de la *Loi sur les accidents du travail et les maladies professionnelles*, L.R.Q., c. A-3.001.

49. Tel est l'objet de la Loi, énoncé à l'article 1.

Le processus de réparation des lésions professionnelles prévu dans cette loi comprend la fourniture des soins nécessaires à la consolidation d'une lésion, la réadaptation physique, sociale et professionnelle du travailleur victime d'une lésion, le paiement d'indemnités de remplacement du revenu, d'indemnités pour préjudice corporel et, le cas échéant, d'indemnités de décès[50].

Il va de soi que la Loi sur les accidents du travail et les maladies professionnelles s'applique dans le cas du travailleur victime d'un accident du travail ou d'une maladie professionnelle[51]. L'**accident du travail** doit, au sens de la loi, être un événement imprévu et soudain attribuable à toute cause, survenant à une personne par le fait ou à l'occasion de son travail et qui entraîne pour elle une lésion professionnelle. La **maladie professionnelle** est définie, quant à elle, comme une maladie contractée par le fait ou à l'occasion du travail et qui est caractéristique de ce travail ou liée directement aux risques particuliers de ce travail. La lésion professionnelle, rappelons-le, est définie comme une blessure ou une maladie qui survient par le fait ou à l'occasion d'un accident du travail, ou une maladie professionnelle, y compris la récidive, la rechute ou l'aggravation[52].

Accident du travail
Événement imprévu et soudain survenant à une personne pendant son travail et entraînant une lésion professionnelle.

Maladie professionnelle
Maladie contractée pendant le travail qui est caractéristique de ce travail ou reliée directement aux risques particuliers de ce travail.

11.9.1 La réadaptation

L'article 145 de la Loi sur les accidents du travail et les maladies professionnelles prévoit que le travailleur qui, en raison d'une lésion professionnelle dont il a été victime, subit une atteinte permanente à son intégrité physique ou psychique a droit à la réadaptation que requiert son état en vue de sa réinsertion sociale et professionnelle. La réadaptation qui est prévue peut prendre trois formes : la réadaptation physique, la réadaptation sociale ou la réadaptation professionnelle.

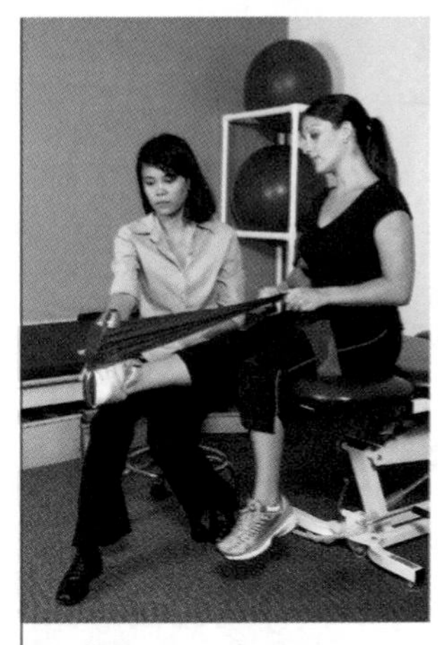

La réadaptation physique a pour but d'éliminer ou d'atténuer l'incapacité physique du travailleur et de lui permettre de développer sa capacité résiduelle afin de pallier les limitations fonctionnelles qui résultent de sa lésion professionnelle.

La réadaptation physique

La réadaptation physique a pour but d'éliminer ou d'atténuer l'incapacité physique du travailleur et de lui permettre de développer sa capacité résiduelle afin de pallier les limitations fonctionnelles qui résultent de sa lésion professionnelle[53]. Un programme de réadaptation physique peut comprendre notamment :

- des soins médicaux et infirmiers ;
- des traitements de physiothérapie et d'ergothérapie ;
- des exercices d'adaptation à une prothèse ou à une orthèse ;
- tous les autres soins et traitements jugés nécessaires par le médecin traitant[54].

La réadaptation sociale

La réadaptation sociale a pour but d'aider le travailleur à surmonter, dans la mesure du possible, les conséquences personnelles et sociales de sa lésion

50. Nous présentons dans les sections 11.9.1 et 11.9.2 les principales formes de réadaptation prévues par la *Loi sur les accidents du travail et les maladies professionnelles* ainsi que les principales indemnités auxquelles peuvent avoir droit une victime ou ses héritiers.
51. Québec, *Loi sur les accidents du travail et les maladies professionnelles*, art. 7 et 8.
52. *Ibid.*, art. 2.
53. *Ibid.*, art. 148.
54. *Ibid.*, art. 149.

professionnelle, à s'adapter à la nouvelle situation qui découle de sa lésion et à redevenir autonome dans l'accomplissement de ses activités habituelles[55]. Un programme de réadaptation sociale peut comprendre notamment :

- des services professionnels d'intervention psychosociale ;
- la mise en œuvre de moyens pour procurer au travailleur un domicile et un véhicule adaptés à sa capacité résiduelle ;
- le paiement de frais d'aide personnelle à domicile ;
- le remboursement de frais de garde d'enfants ;
- le remboursement du coût des travaux d'entretien courant du domicile[56].

La réadaptation professionnelle

La réadaptation professionnelle a pour but de faciliter la réintégration du travailleur dans son emploi ou dans un emploi équivalent ou, si ce but ne peut être atteint, de lui permettre l'accès à un emploi convenable[57]. Un programme de réadaptation professionnelle peut comprendre notamment :

- un programme de recyclage ;
- des services d'évaluation des possibilités professionnelles ;
- un programme de formation professionnelle ;
- des services de soutien dans la recherche d'un emploi ;
- le paiement de subventions à un employeur pour favoriser l'embauche du travailleur qui a subi une atteinte permanente à son intégrité physique ou psychique ;
- l'adaptation d'un poste de travail ;
- le paiement de frais pour explorer un marché d'emplois ou pour déménager près d'un nouveau lieu de travail ;
- le paiement de subventions au travailleur[58].

Soulignons que la Commission de la santé et de la sécurité du travail possède un pouvoir discrétionnaire pour fournir une aide adaptée aux besoins et à la volonté du travailleur.

11.9.2 Les différentes indemnités prévues par la Loi

La Loi sur les accidents du travail et les maladies professionnelles prévoit différentes indemnités auxquelles le travailleur a droit. De plus, elle prévoit l'octroi d'une indemnité aux héritiers du travailleur qui décède à la suite d'un accident du travail ou d'une maladie professionnelle. Il s'agit de l'indemnité de remplacement du revenu, de l'indemnité pour préjudice corporel, de l'indemnité de décès et des autres indemnités de décès.

55. *Ibid.*, art. 151.
56. *Ibid.*, art. 152.
57. *Ibid.*, art. 166.
58. *Ibid.*, art. 167.

L'indemnité de remplacement du revenu

Le travailleur victime d'une lésion professionnelle a droit à une indemnité de remplacement du revenu (IRR) s'il devient incapable d'occuper son emploi en raison de cette lésion[59]. L'indemnité de remplacement du revenu est égale à 90 % du revenu net du travailleur. Soulignons que le droit à l'indemnité de remplacement du revenu s'éteint au premier des événements suivants :

- lorsque le travailleur redevient capable d'exercer son emploi[60] ;
- au décès du travailleur ;
- au 68e anniversaire de naissance du travailleur, ou si celui-ci est victime d'une lésion professionnelle alors qu'il est âgé d'au moins 64 ans, quatre ans après la date du début de son incapacité d'occuper son emploi[61].

L'indemnité pour préjudice corporel

Le travailleur victime d'une lésion professionnelle qui subit une atteinte permanente à son intégrité physique ou psychique a droit, pour chaque maladie professionnelle ou accident du travail pour lequel il fait une réclamation à la Commission, à une indemnité pour préjudice corporel qui tient compte de son degré ou pourcentage d'incapacité (déficit anatomo-physiologique) et du préjudice esthétique qui résultent de cette atteinte ainsi que des douleurs et de la perte de la jouissance de la vie qui résultent de ce déficit ou de ce préjudice[62].

Le montant auquel a droit la victime est fixé selon le pourcentage d'atteinte permanente à l'intégrité physique ou psychique du travailleur et varie selon son âge[63].

L'indemnité de décès

Le décès d'un travailleur en raison d'une lésion professionnelle donne droit à différentes indemnités prévues dans la Loi[64].

L'indemnité versée au conjoint

Le conjoint du travailleur décédé a droit à une indemnité forfaitaire[65] dont le montant ne peut être inférieur à 50 000 $[66]. Outre cette indemnité, le conjoint de ce travailleur décédé a aussi droit à une indemnité équivalant à 55 % de l'indemnité de

---

59. *Ibid.*, art. 44.
60. Encore faut-il que le travailleur n'ait pas refusé sans raison valable – comme le mentionne la Loi – d'occuper son emploi. Dans ce cas prévu, il a encore droit à l'indemnité de remplacement du revenu, mais pendant un an à compter de la date où il redevient capable d'occuper son emploi. Voir la *Loi sur les accidents du travail et les maladies professionnelles*, art. 48.
61. *Ibid.*, art. 57.
62. *Ibid.*, art. 83.
63. Ce montant se situe entre 25 000 $ et 50 000 $. Par exemple, l'indemnité accordée à une victime âgée de 18 ans et moins est fixée à 50 000 $, tandis que celle qui est versée à une victime âgée de 65 ans et plus est établie à 25 000 $. Voir la *Loi sur les accidents du travail et les maladies professionnelles* à l'annexe II.
64. *Ibid.*, art. 97.
65. *Ibid.*, art. 98.
66. *Ibid.*, art. 100.

remplacement du revenu (IRR) à laquelle celui-ci avait droit à la date de son décès ou à laquelle il aurait eu droit s'il avait été incapable d'occuper son emploi en raison d'une lésion professionnelle[67]. Mentionnons que cette indemnité est payable sous forme de rente mensuelle, à compter de la date du décès du travailleur[68].

L'indemnité versée aux enfants

L'enfant mineur du travailleur décédé a droit, à la date du décès du travailleur, à une indemnité de 250$ par mois jusqu'à sa majorité[69]. Si cet enfant fréquente à plein temps un établissement d'enseignement à la date de sa majorité, il a alors droit à une indemnité forfaitaire de 9000$[70].

S'il s'agit de l'enfant majeur du travailleur décédé, qui est âgé de moins de 25 ans à la date du décès et qui, à cette date, fréquentait à plein temps un établissement d'enseignement, l'indemnité forfaitaire à laquelle il a droit est de 9000$[71].

Les autres indemnités de décès

Le conjoint a droit, au décès du travailleur, à une indemnité de 1000$[72]. À défaut d'un conjoint, la Commission verse cette indemnité aux autres personnes à charge, à parts égales[73].

La mère et le père du travailleur décédé qui n'a aucune personne à charge ont droit à une indemnité de 3000$ chacun; la part du parent décédé ou déchu de son autorité parentale accroît à l'autre[74].

La Commission rembourse à la personne qui les acquitte, sur production de pièces justificatives, les frais funéraires jusqu'à concurrence de 1500$ et d'autres frais prévus dans la Loi[75].

---

67. *Ibid.*, art. 101, paragr. 1.

68. *Ibid.*, art. 101, paragr. 2.

69. *Ibid.*, art. 102, paragr. 1.

70. *Ibid.*, art. 102, paragr. 2. Notez que si l'enfant mineur du travailleur était invalide à la date du décès de celui-ci et l'est encore à la date de sa majorité, il a droit, à cette dernière date, non pas à l'indemnité de 9000$, mais à une indemnité de 50000$ si les circonstances ayant causé son invalidité ne lui donnent pas droit à une prestation en vertu de la *Loi sur les accidents du travail et les maladies professionnelles*, de la *Loi sur les accidents du travail* (c. A-3), de la *Loi sur l'assurance automobile* (c. A-25), de la *Loi visant à favoriser le civisme* (c. C-20) ou de la *Loi sur l'indemnisation des victimes d'actes criminels* (c. I-6). Cette indemnité sera de 9000$ si les circonstances ayant causé son invalidité lui donnent droit à une prestation en vertu de l'une des lois ci-haut mentionnées. Voir la *Loi sur les accidents du travail et les maladies professionnelles*, art. 103.

71. *Loi sur les accidents du travail et les maladies professionnelles*, art. 104. Soulignons que si cet enfant majeur âgé de moins de 25 ans est invalide à la date du décès du travailleur, il a droit à une indemnité qui se situe entre 46809$ et 50000$, selon son âge, si les circonstances ayant causé son invalidité ne lui donnent pas droit à une prestation en vertu de la *Loi sur les accidents du travail et les maladies professionnelles*, de la *Loi sur les accidents du travail* (c. A-3), de la *Loi sur l'assurance automobile* (c. A-25), de la *Loi visant à favoriser le civisme* (c. C-20) ou de la *Loi sur l'indemnisation des victimes d'actes criminels* (c. I-6). Cette indemnité sera de 9000$ si les circonstances ayant causé son invalidité lui donnent droit à une prestation en vertu de l'une des lois ci-haut mentionnées. Voir la *Loi sur les accidents du travail et les maladies professionnelles*, art. 105.

72. *Ibid.*, art. 109, paragr. 1.

73. *Ibid.*, art. 109, paragr. 2.

74. *Ibid.*, art. 110.

75. *Ibid.*, art. 111.

Les autres indemnités

Le travailleur victime d'une lésion professionnelle a droit, sur production de pièces justificatives, à une indemnité pour le nettoyage ou le remplacement des vêtements endommagés par suite d'un accident du travail[76]. Il a aussi droit, le cas échéant, à une indemnité pour les dommages causés à ses vêtements par une prothèse ou une orthèse dont le port est rendu nécessaire en raison d'une lésion professionnelle[77].

Sur production de pièces justificatives, un travailleur a droit à une indemnité pour la réparation ou le remplacement d'une prothèse ou d'une orthèse endommagée involontairement au moment d'un événement imprévu et soudain, attribuable à toute cause, survenant par le fait de son travail, dans la mesure où il n'a pas droit à une telle indemnité en vertu d'un autre régime[78].

Le travailleur et la personne qui doit l'accompagner – si l'état physique du travailleur le requiert – verront la Commission rembourser, selon les normes et les montants qu'elle détermine et sur production de pièces justificatives, les frais de déplacement et de séjour engagés pour que le travailleur reçoive des soins, subisse des examens médicaux ou accomplisse une activité dans le cadre de son plan individualisé de réadaptation[79].

Résumé du chapitre

Ce chapitre nous a permis de comprendre pourquoi la santé, la sécurité et l'intégrité physique du travailleur constituent des éléments d'une grande importance dans notre société. Le mot d'ordre en matière de santé et de sécurité du travail est la prévention. D'ailleurs, la Loi sur la santé et la sécurité du travail vise l'élimination à la source des dangers pour la santé, la sécurité et l'intégrité des travailleurs.

De plus, cette loi confère aux travailleurs certains droits (droit de refus, droit de retrait préventif, droit de retrait préventif de la travailleuse enceinte ou qui allaite) qu'ils peuvent exercer afin de protéger adéquatement leur santé, leur sécurité ou leur intégrité physique. De même, elle leur impose des obligations en matière de prévention dans le milieu de travail. Elle accorde aussi à l'employeur des droits, entre autres le droit à des services de formation, d'information et de conseil en matière de santé et de sécurité du travail, mais elle lui impose également plusieurs obligations, dont celle de s'assurer que les établissements sur lesquels il a autorité sont équipés et aménagés de façon à garantir la protection du travailleur.

Enfin, cette loi a institué la Commission de la santé et de la sécurité du travail, qui non seulement joue un rôle d'administratrice du régime de santé et de sécurité, mais s'occupe aussi de la réadaptation et de l'indemnisation des victimes de lésions professionnelles. La CSST exerce une fonction de premier plan auprès des entreprises en matière de prévention de ces lésions professionnelles.

76. *Ibid.*, art. 112, paragr. 1.
77. *Ibid.*, art. 112, paragr. 2.
78. *Ibid.*, art. 113.
79. *Ibid.*, art. 115.

Évaluation de la compétence

Questions de révision et application

1. Quel est l'objet de la Loi sur la santé et la sécurité du travail?
2. Quels rôles la Commission de la santé et de la sécurité du travail est-elle appelée à jouer?
3. Qui nomme le représentant à la prévention et quelles fonctions ce dernier doit-il remplir?
4. En quelles circonstances un travailleur peut-il exercer son droit de refus?
5. Un employeur peut-il user de représailles contre un travailleur qui a exercé son droit de refus? Expliquez votre réponse.
6. Qu'est-ce que le droit de retrait préventif?
7. Pourquoi un travailleur qui exerce son droit de refus n'est-il pas automatiquement en congé?
8. Qu'est-ce qu'un accident du travail?
9. Qu'est-ce qu'une maladie professionnelle?
10. Quelles sont les trois formes que peut prendre la réadaptation du travailleur? Expliquez-les en des termes simples.
11. Quelles sont les différentes indemnités prévues par la Loi sur les accidents du travail et les maladies professionnelles?
12. L'indemnité de remplacement du revenu est-elle versée à vie à un travailleur victime d'une lésion professionnelle? Justifiez votre réponse.
13. En vous reportant à la rubrique Point de mire présentée au début du chapitre, répondez aux questions suivantes:
    a) Quelle est la première démarche que devrait entreprendre Sylvain une fois l'accident constaté?
    b) Étant donné que Carlos est stagiaire, la règle énoncée par le contremaître est-elle exacte?
    c) Si votre réponse à la question b est négative, comment faut-il démontrer que Carlos est un travailleur?

Analyse de cas

Cas 11.1

Le bon, la brute et le stagiaire

Pete C. est un jeune policier. Arrivé au poste de police où il commencera à travailler, le directeur Pinson lui présente les deux policiers avec lesquels il doit patrouiller afin que «le métier rentre», selon le langage du directeur. Un des deux policiers se nomme Bertrand F. Toujours souriant, il a la réputation de distribuer plus d'avertissements que de contraventions. Au poste, à la blague, on l'appelle «le bon».

L'autre policier, Claude T., a un visage sévère. Il est surtout reconnu pour son excellente «moyenne au bâton»,

c'est-à-dire qu'il utilise souvent sa matraque pour faire des arrestations spectaculaires. Aucun malfaiteur ne résiste à ses solides coups de «bâton». Au poste, toujours à la blague, on le surnomme «la brute».

Quant à Pete, comme il est nouveau au poste de police, on l'appelle «le stagiaire».

Pete effectue sa première «tournée» avec Claude. Pour son initiation, les policiers – de concert avec les employés d'une banque – ont mis au point un scénario. Tandis que la voiture de patrouille s'engage dans une rue à sens unique, les deux policiers voient sortir de la banque des individus traînant d'une main de gros sacs et brandissant de l'autre une arme à feu. Ces prétendus voleurs tirent vers la porte principale de la banque, tandis que de l'immeuble attaqué, des coups de feu tirés par des agents de sécurité leur donnent la réplique.

Pete, sous le choc, accélère et active les gyrophares, mais Claude le force à freiner et éteint les gyrophares.

– Qu'est-ce que tu fais? lui demande Pete.

– Et toi, qu'est-ce que tu veux faire?

– Mais des voleurs ont braqué la banque! Descendons et allons les arrêter!

– Es-tu cinglé? Tu veux qu'on te tire dessus, eh bien, pas moi! Restons assis sagement dans la voiture et exerçons notre droit de refus! Il y a un trop grand risque pour notre santé et notre sécurité!

Pete n'en croit pas ses oreilles.

– Es-tu certain que nous pouvons exercer un tel droit? demande-il, ahuri.

Au bout de trente secondes, Claude, qui ne peut plus se retenir, éclate de rire. Ensuite, les faux bandits, quelques employés de la banque et les faux agents de sécurité s'approchent de la voiture en applaudissant. Parmi les faux bandits, Pete reconnaît Bertrand qui ouvre la portière et se penche vers son nouveau collègue.

– C'est ton initiation, mon Pete! lance-t-il joyeusement.

Pete, le visage encore crispé, essaie de sourire.

Questions

1. Qu'est-ce que l'exercice du droit de refus?
2. S'agit-il d'un droit absolu? Expliquez votre réponse.
3. Dans l'éventualité où la scène qui se déroulait devant les policiers se produirait, pourquoi ces derniers ne pourraient-ils pas exercer leur droit de refus?

Cas 11.2

«Elles sautent, mais ils ne sautent pas!»

Denis LeVoyeur est président de l'agence de publicité Coup d'œil Pub inc. Sa société conçoit des messages publicitaires, les tourne et en effectue le montage.

En juillet 2003, la firme décroche un important contrat pour un fabricant de lingerie fine pour dames, Le Bizou. Denis appelle son équipe de recruteurs.

– Pour les besoins de cette publicité, il me faudrait des mannequins enceintes d'au moins cinq mois et d'au plus sept mois. Notre nouvelle pub est axée sur la fermeté des nouveaux soutiens-gorge!

Sur les 120 femmes qui passent une audition, 55 sont retenues.

– Mesdames, dans deux jours, à 14 h, nous tournons! lance Denis aux candidates qui ont été choisies.

Deux jours plus tard, le tournage commence en studio. Chacune des femmes est munie d'une corde à sauter.

Les femmes commencent alors à sauter; elles sautent et sautent encore.

Denis transmet ses consignes à ses caméramans:

– Cadrez bien, visez juste et dans deux heures, tout sera terminé!

Les caméras tournent et les femmes sautent. Un peu en retrait, le comédien embauché pour l'événement répète la phrase qui termine la publicité: «Elles sautent, mais ils ne sautent pas! Qu'ils sont fermes, les nouveaux soutiens Bizou!»

Au bout de deux heures d'essai, quinze femmes sont retranchées du groupe.

– Allez, on reprend demain! décide Denis.

Et le lendemain, après encore deux heures de tournage, quinze autres femmes quittent le groupe. Le troisième jour, celles qui avaient obtenu le travail et signé un contrat d'une durée de cinq mois pour différentes séances de tournage devaient se présenter au studio à 8 h du matin, mais à 8 h 15, trois d'entre elles qui s'étaient plaintes de maux de ventre manquaient à l'appel.

Furieux, Denis s'écrie:

– Simon, as-tu essayé de rejoindre Cindy, Léonie et Naomie sur leurs cellulaires?

– Il n'y a pas de réponse, confirme-t-il.

À 8 h 30, les trois mannequins arrivent.

– Mesdames, ce n'est pas sérieux! Ici, il faut être à l'heure! leur reproche Denis.

Cindy lui tend un certificat médical.

– Léonie, Naomie et moi avons consulté notre médecin. Les maux de ventre que nous ressentons sont dus à ces sauts à la corde répétitifs et continus... Si nous continuons, nous risquons de faire une fausse couche et de perdre ainsi nos bébés.

Denis laisse tomber les bras:

– Non, mais je rêve!

Il fixe son assistant, qui hausse les épaules en signe d'étonnement. Il regarde ensuite les autres femmes. Cinq d'entre elles avouent aussi qu'elles ressentent des maux de ventre depuis qu'elles ont commencé à sauter à la corde.

– Simon, tu peux toutes les renvoyer! lance Denis, choqué.

– C'est qu'on ne peut pas... Tu sais, elles travaillent pour nous et la loi nous défend de...

Denis ne l'écoute plus et va s'enfermer dans son bureau.

Questions

1. De quelle loi parle Simon quand il dit à Denis LeVoyeur: « C'est qu'on ne peut pas... Tu sais, elles travaillent pour nous et la loi nous défend de... »?
2. Quel droit la loi accorde-t-elle à Cindy, Naomie et Léonie?
3. Comment doit agir un employeur quand des travailleuses enceintes veulent exercer un tel droit?

Analyse

Sur le terrain!

Vous recevez de votre enseignant le mandat suivant. En équipe de trois étudiants:

1. trouvez une entreprise de votre région comptant au moins vingt employés;
2. précisez dans quel secteur d'activité cette entreprise évolue;
3. déterminez avec votre enseignant si ce secteur constitue une catégorie reconnue, c'est-à-dire un secteur d'activité à risque en matière d'accidents du travail ou de maladies professionnelles;
4. prenez contact avec l'employeur et demandez-lui la permission de visiter son entreprise afin de noter les mesures préventives que cette dernière adopte en matière de santé et de sécurité;
5. vérifiez s'il existe – conformément à la loi – un comité de santé et de sécurité du travail;
6. sollicitez une entrevue avec le représentant de ce comité afin de vérifier avec lui comment les mesures préventives de santé et de sécurité du travail sont appliquées;
7. dressez un rapport de deux à trois pages mentionnant, entre autres, vos observations en matière de prévention et la contribution que vous pourriez apporter à l'application des mesures de correction et de prévention en matière de santé et de sécurité du travail.

Chapitre 12

Le contrat individuel de travail

Cheminement d'idées

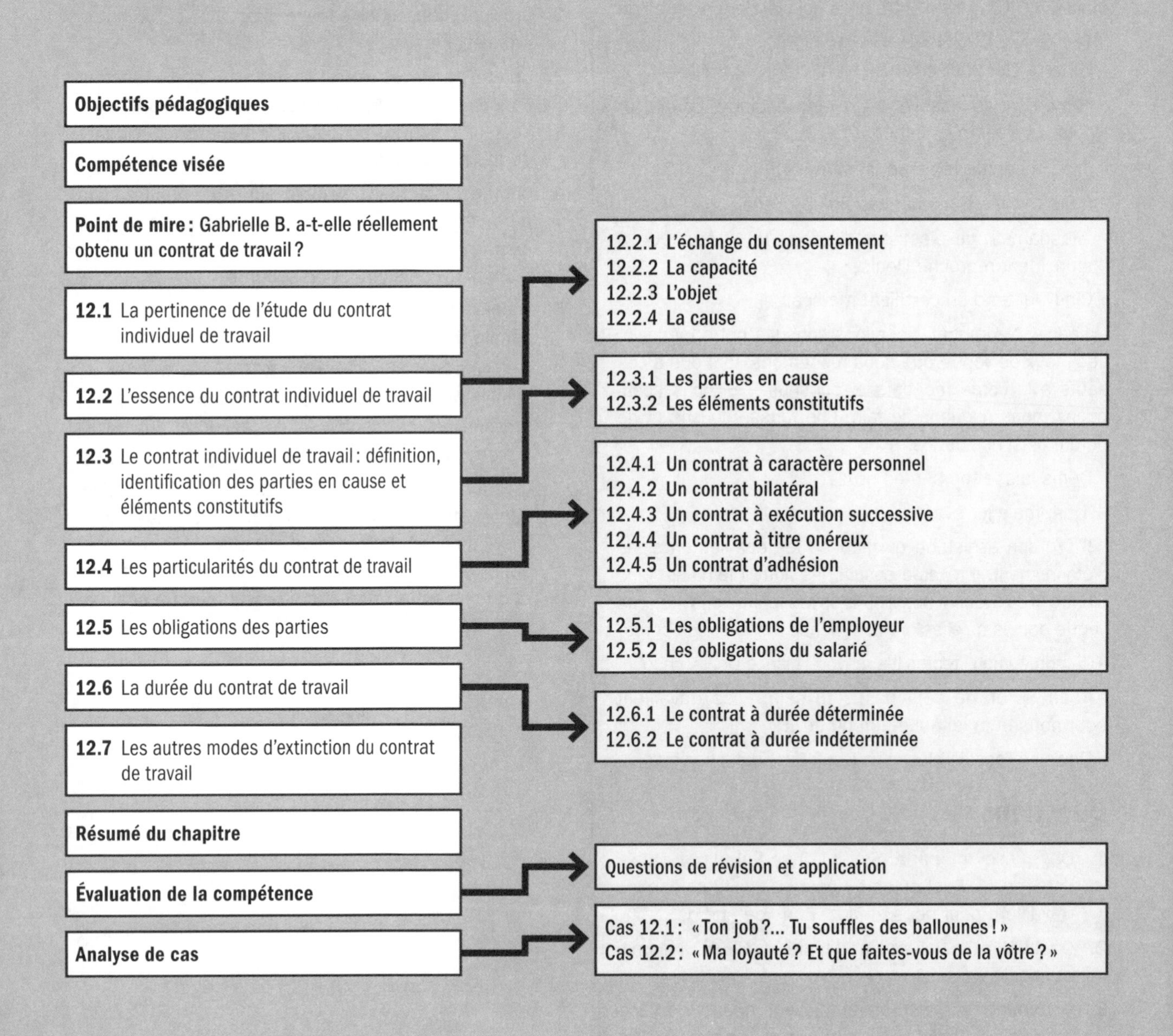

Objectifs pédagogiques

La lecture de ce chapitre devrait vous permettre :

1. de définir ce qu'est un contrat individuel de travail ;
2. d'identifier les parties intervenant dans un contrat individuel de travail ;
3. de décrire les éléments constitutifs du contrat individuel de travail ;
4. d'énoncer les particularités du contrat individuel de travail ;
5. d'expliquer les obligations qui découlent du contrat individuel de travail, tant pour l'employeur que pour le salarié ;
6. d'expliquer les principaux modes d'extinction du contrat individuel de travail.

Compétence visée

La compétence visée dans ce chapitre est de pouvoir contribuer à l'application de la réglementation et des clauses du contrat de travail.

Point de mire

Gabrielle B. a-t-elle réellement obtenu un contrat de travail[1] ?

Gabrielle B. est une infirmière très appréciée dans son milieu de travail. Elle occupe le poste de chef d'unité de soins en médecine dans un grand hôpital de Montréal, situé dans l'arrondissement Cartierville. Ayant pris connaissance d'une offre d'emploi pour le poste de chef d'unité de consultations externes dans un centre hospitalier situé sur la Rive-Sud, région où elle habite, Gabrielle décide de soumettre sa candidature, après en avoir longuement discuté avec son conjoint, lui-même médecin travaillant pour ce centre hospitalier.

Quatorze jours après avoir posé sa candidature, Gabrielle est convoquée à une entrevue. Après l'entrevue, un des membres du comité de sélection – Sylvie V., la directrice des services infirmiers – avoue à Gabrielle qu'elle a été très impressionnée par sa grande expérience et par l'ampleur de ses connaissances.

Huit jours après, Gabrielle reçoit un appel de Sylvie qui lui annonce que sa candidature a été retenue par le comité de sélection. Elle lui dit, de plus, qu'une recommandation à cet effet sera faite à monsieur Bernard G., directeur général de l'établissement, puis la directrice des services infirmiers demande à Gabrielle la permission de vérifier certaines de ses références.

Croyant qu'elle vient d'être embauchée par le centre hospitalier, Gabrielle démissionne sur-le-champ de son poste de chef d'unité de soins en médecine, profite de la semaine de relâche scolaire et part en vacances au Mexique avec son conjoint et leurs deux enfants.

›

1. Les informations ayant permis d'écrire ce Point de mire proviennent de l'article de Mélanie Lefebvre, « Obtenez une confirmation écrite de votre embauche », *Les Affaires*, le 2 novembre 2002, p. 46.

Toutefois, à son retour de vacances, une surprise l'attend. Le directeur des ressources humaines du centre hospitalier lui a laissé un message dans sa boîte vocale. Il lui demande de le rappeler le plus vite possible, même durant la fin de semaine, pour lui signaler son retour. Elle l'appelle aussitôt. Le lundi suivant, le directeur des ressources humaines la rappelle pour lui dire, sans aucune émotion dans la voix, que sa candidature n'a pas été retenue.

Atterrée, Gabrielle lui dit que la directrice des services infirmiers lui a pourtant confirmé que sa candidature était retenue. Le directeur des ressources humaines lui déclare tout bonnement que le poste a été octroyé à une personne plus qualifiée.

Déroutée, Gabrielle multiplie les appels téléphoniques dans différents services de l'hôpital où elle travaillait pour tenter de reprendre son poste, mais en vain.

Après huit semaines de chômage involontaire, elle obtient un emploi d'infirmière bachelière, moins bien rémunéré que celui qu'elle occupait. Déçue, elle appelle son beau-frère, qui est avocat, et lui manifeste son intention de poursuivre le centre hospitalier de la Rive-Sud en dommages et intérêts pour rupture injustifiée de contrat de travail.

12.1 La pertinence de l'étude du contrat individuel de travail

Le contrat individuel de travail est le fondement même des relations individuelles qui s'établissent entre un employeur et ses salariés. Ce contrat de travail tire son essence du lien de subordination juridique qui caractérise ces relations du travail. De ce fait, il définit les obligations qui reviennent à chacune des parties qu'il lie.

Il est à noter qu'en aucun temps le législateur ne précise quelle forme doit revêtir le contrat de travail. Il peut donc s'agir d'un contrat verbal ou d'un contrat écrit.

Il est à noter qu'en aucun temps le législateur ne précise quelle forme doit revêtir le contrat de travail[2]. Il peut donc s'agir d'un contrat verbal ou d'un contrat écrit. Toutefois, quand le contrat est verbal, l'employeur doit préciser au moins les trois éléments suivants :

- les heures de travail ;
- le travail lui-même ;
- la rémunération qui s'y rattache.

Si le contrat verbal est valable, la preuve de son existence peut s'avérer problématique, surtout si l'une des parties n'est pas de bonne foi ou encore interprète mal les intentions de l'autre partie.

La rubrique Point de mire permet de comprendre comment une mauvaise interprétation des intentions d'un employeur peut mener une personne en situation d'embauche à croire qu'un contrat de travail s'était constitué. Même si un employeur éventuel annonce à un candidat par téléphone que sa candidature est retenue pour un poste donné et qu'il lui reste à vérifier les références du candidat, ce dernier ne doit pas croire pour autant qu'il s'agit d'une entente verbale donnant lieu à une embauche. La vérification des références

2. Dans ce chapitre, les termes « contrat individuel de travail » et « contrat de travail » ont la même signification.

implique que le processus d'embauche n'est pas encore terminé et qu'il ne le sera que lorsqu'il y aura manifestement un accord de volonté final entre les parties[3].

Enfin, nous jugeons importante l'étude du contrat individuel de travail parce qu'elle permet de comprendre non seulement que ce type de contrat établit les premiers rapports qu'entretiennent les salariés avec leur employeur, mais aussi que ses effets demeurent présents même si ces rapports perdent leur caractère individuel et deviennent collectifs[4], c'est-à-dire des rapports encadrés par le Code du travail et régis par une convention collective.

12.2 L'essence du contrat individuel de travail

Le contrat individuel de travail est d'abord et avant tout un contrat. Par conséquent, il n'échappe pas aux conditions générales d'établissement d'un contrat énoncées dans le Code civil du Québec[5]. Bien qu'il renferme des particularités qui lui sont propres, ce contrat ne saurait donc se soustraire aux conditions de validité qui sont le fait de tous les contrats[6]. Les conditions de validité auxquelles il est soumis sont l'échange du consentement, la capacité, l'objet et la cause.

12.2.1 L'échange du consentement

Le contrat de travail a un caractère consensuel du fait que l'échange du consentement entre les parties suffit à son établissement. Ce consentement doit être libre et éclairé[7]. Il pourrait cependant arriver qu'un tel consentement soit entaché d'un vice. Parmi les exemples de pratiques qui vicient un consentement, citons le dol ou la fraude[8], l'erreur, la crainte et la lésion[9].

Afin d'illustrer l'effet négatif de certaines de ces pratiques sur le consentement, nous verrons des exemples portant sur le dol, l'erreur[10] et la crainte.

Exemple 12.1

Un employeur découvre qu'un de ses salariés a utilisé un procédé dolosif en falsifiant ses diplômes et s'est ainsi octroyé un faux titre professionnel qui lui a permis d'obtenir l'emploi. Le consentement de l'employeur au choix de ce salarié a été vicié par la fraude commise par celui-ci. Cet employeur peut, dans le respect de ses droits, mettre fin sur-le-champ au contrat passé avec ce salarié.

---

3. C'est le critère qui a été utilisé dans la décision qu'a rendue la Cour supérieure du Québec dans l'affaire *Latraverse* c. *Centre hospitalier Saint-Eustache*, D.T.E. 2002-436.
4. Nous qualifions de rapports collectifs de travail les rapports qui s'établissent entre un employeur et une association de salariés, dans le cadre du travail. Ces rapports seront étudiés aux chapitres 13 et 14.
5. Québec, *Code civil du Québec*, L.Q. 1993, 10e édition, dernière mise à jour du 15 mai 2008.
6. *Ibid.*, art. 1385.
7. *Ibid.*, art. 1399, paragr. 1.
8. *Ibid.*, art. 1401.
9. *Ibid.*, art. 1399, paragr. 2.
10. Pour obtenir une définition de l'erreur comme vice du consentement, voir l'article 1400 du *Code civil du Québec*. À propos de la conséquence de l'erreur de consentement provoquée par l'utilisation d'un procédé dolosif par une des parties au contrat, voir l'article 1401.

Exemple 12.2

Un étudiant à temps plein au cégep accepte un emploi dans une boutique de vêtements parce qu'au cours de l'entrevue, il a cru qu'il s'agissait d'un emploi à temps partiel. Il apprend dès sa première journée de travail que son employeur lui a fait signer un contrat pour un emploi à temps plein. Si les deux parties (l'étudiant et l'employeur) étaient de bonne foi à la conclusion du contrat, l'étudiant peut refuser un tel emploi, alléguant que son consentement a été vicié par l'erreur sur la nature même du contrat.

Exemple 12.3

Manon est une technicienne-comptable qui travaille pour un entrepreneur qui est également un membre influent de la chambre de commerce de sa région. Elle accepte de travailler gratuitement pour le beau-frère de cet entrepreneur même si cela ne lui plaît pas, car en cas de refus de sa part, son patron la menace non seulement de la congédier, mais aussi de l'empêcher de se trouver un autre emploi dans la région. Le consentement qu'elle a donné à son patron ne saurait être valable, car il était inspiré par la crainte[11].

12.2.2 La capacité

Les personnes qui sont parties au contrat doivent démontrer une aptitude à assumer la responsabilité des effets juridiques découlant du contrat. La loi prévoit que certaines catégories de personnes ne jouissent pas de la capacité de passer un contrat : il s'agit des mineurs ainsi que des majeurs protégés[12]. Cependant, dans le cas du mineur, la loi prévoit que s'il est âgé de 14 ans et plus, il est réputé majeur pour tous les actes relatifs à son emploi[13].

Cependant, notez que la Loi sur les normes du travail vient compléter le Code civil en imposant à l'article 84.3 une condition formelle à tout employeur qui veut embaucher un enfant de moins de 14 ans, soit l'obtention du consentement écrit du titulaire de l'autorité parentale sur cet enfant ou de son tuteur.

12.2.3 L'objet

L'objet du contrat est « l'opération juridique envisagée par les parties au moment de sa conclusion, telle qu'elle ressort de l'ensemble des droits et obligations que le contrat fait naître[14] ».

Dans le cas du contrat de travail, l'opération juridique qui en découle est une opération de location de la force de travail du salarié par l'employeur en échange d'une rémunération. Il va de soi que l'objet du contrat ne doit pas être prohibé par la loi ou contraire à l'ordre public[15]. Ainsi, le propriétaire d'un restaurant qui voit sa clientèle baisser au profit d'un autre restaurateur ne saurait inciter ses

11. L'article 1402 précise le critère de la crainte. Il doit s'agir de la crainte d'un préjudice sérieux. Dans le cas de Manon, on constate que ce critère s'applique ; elle craignait en effet de ne plus pouvoir trouver un emploi dans la région.
12. Voir le *Code civil du Québec*, art. 153 et 154.
13. *Ibid.*, art. 156.
14. *Ibid.*, art. 1412.
15. *Ibid.*, art. 1413.

serveuses à la débauche avec les clients dans le but de mieux les attirer et de faire ainsi augmenter le chiffre d'affaires du restaurant.

12.2.4 La cause

La cause constitue la raison pour laquelle les parties signent un contrat. Pour une partie (le salarié), il s'agit d'assurer sa survie financière en retirant de son travail un salaire; pour l'autre partie (l'employeur), il s'agit de voir son entreprise atteindre la rentabilité souhaitée, si elle garantit à sa clientèle une production respectant les normes de qualité demandée. Bien entendu, le contrat dont la cause est prohibée par la loi ou contraire à l'ordre public[16] est nul.

12.3 Le contrat individuel de travail: définition, identification des parties en cause et éléments constitutifs

Pour définir le contrat individuel de travail quant à sa nature et à son essence, il faut se référer à l'article 2085 du Code civil du Québec: «Le **contrat de travail** est celui par lequel une personne, le salarié, s'oblige, pour un temps limité et moyennant rémunération, à effectuer un travail sous la direction ou le contrôle d'une autre personne, l'employeur.»

Contrat de travail
Contrat par lequel une personne, le salarié, s'oblige, pour un temps limité et moyennant rémunération, à effectuer un travail sous la direction ou le contrôle d'une autre personne, l'employeur.

12.3.1 Les parties en cause

L'article 2085 du Code civil du Québec identifie clairement les parties au contrat: le salarié et l'employeur.

Bien qu'aucune mention ne soit faite à cet égard, il va de soi que le salarié doit être une personne physique. Quant à l'employeur, il peut être une personne physique (exploitant une entreprise individuelle ou une société de personnes) ou une personne morale, c'est-à-dire une compagnie. À ce sujet, voici trois exemples.

Exemple 12.4

Jean fonde une entreprise individuelle, La Boutique du meuble non peint. Pour l'assister, il embauche dans son atelier de fabrication trois menuisiers. Jean est l'employeur et les menuisiers sont les salariés.

Exemple 12.5

L'entreprise Les Consultants en relations du travail Turbide, Rivière et Lamarre S.E.N.C. embauche une technicienne en comptabilité et en gestion pour son Service du recrutement. C'est l'associé Turbide qui est chargé de l'embauche pour l'entreprise. Cette société est l'employeur et la technicienne en comptabilité et en gestion est la salariée.

Si l'employé est forcément une personne physique, l'employeur peut être une personne physique ou morale. Jean, par exemple, qui engage trois menuisiers pour son entreprise individuelle, est une personne physique.

16. *Ibid.*, art. 1411.

Exemple 12.6

La compagnie Microton inc. (personne morale) embauche par l'entremise de son Service du personnel deux comptables en tant que contrôleurs. Ainsi, l'employeur est la compagnie Microton inc. et les salariés sont les deux comptables.

12.3.2 Les éléments constitutifs

Outre l'identification des parties, l'article 2085 précise les éléments constitutifs du contrat individuel de travail.

1. Des éléments propres au contenu de ce contrat, soit:
   - La rémunération[17]: Dans le Code civil du Québec, il est clairement établi que, contre rémunération, le salarié s'oblige, pour un temps limité, à effectuer un travail. Il ne saurait donc être question d'une prestation de travail fournie à titre gratuit. Le salarié s'engage à travailler en vue de retirer, entre autres avantages, un salaire.
   - Le travail à effectuer: Il va de soi que le salarié ne s'engage pas sans raison. Il doit effectuer un travail. Soulignons que, même si le Code civil demeure muet quant à la nature ou à la particularité du travail[18], force est de reconnaître qu'il doit s'agir d'un travail dont l'exécution n'est pas contraire aux bonnes mœurs ni prohibée par la loi[19].
2. Un élément propre au caractère explicite de la durée du contrat: Il est clairement mentionné dans le Code civil que le salarié s'oblige pour un *temps limité* envers son employeur[20].
3. Un élément relatif à la caractéristique de la relation du travail qui s'établit: Dès que prend naissance la relation du travail entre le salarié et son employeur, il se crée un lien de *subordination juridique* qui rattache ce salarié à son employeur. Ce rattachement s'effectue dès que le salarié reçoit de l'employeur des ordres formels sur la manière d'effectuer le travail, des directives précises quant aux méthodes et aux moyens à adopter afin de l'effectuer adéquatement et des spécifications directes sur le cadre même de l'exécution du travail.

12.4 Les particularités du contrat de travail

12.4.1 Un contrat à caractère personnel

Selon l'article 2085 du Code civil du Québec, le salarié s'oblige à effectuer le travail que lui demande son employeur. Ce salarié doit, de ce fait, mettre en œuvre son art, son talent, ses connaissances et ses qualités afin de fournir lui-même la prestation qui lui est demandée, d'où le caractère personnel de ce type de contrat.

---

17. Notez que le mot rémunération comprend la rémunération pécuniaire directe (entre autres, le salaire) et la rémunération pécuniaire indirecte (entre autres, les avantages sociaux). Soulignons dès à présent que la rémunération globale comprend aussi des éléments non pécuniaires (*voir le chapitre 9*).
18. Le Code civil ne stipule pas que le travail doit être à temps plein ou à temps partiel ou encore établi sur une base saisonnière.
19. Cette exigence rejoint une des conditions de validité du contrat de travail: son objet.
20. Ce qui n'exclut pas le fait que le contrat peut être lui-même à temps plein ou à temps partiel.

Exemple 12.7

Un artiste qui, en raison de son talent, est embauché afin de sculpter une dizaine de sculptures sur glace à l'occasion du Carnaval de Québec doit exécuter lui-même le travail pour lequel ses services ont été retenus. Sa prestation doit revêtir un caractère personnel.

Selon l'article 2085 du Code civil du Québec, le salarié s'oblige à effectuer le travail que lui demande son employeur. Un artiste embauché afin de sculpter une dizaine de sculptures sur glace pour le Carnaval de Québec doit exécuter lui-même ce travail.

12.4.2 Un contrat bilatéral

Si un contrat est dit bilatéral ou synallagmatique lorsque les parties s'obligent réciproquement (les unes envers les autres) « de manière que l'obligation de chacune d'elles soit corrélative à l'obligation de l'autre[21] », on constate que, dans le cas du contrat de travail, la réciprocité des obligations existe. En effet, le salarié s'oblige à effectuer le travail demandé et, de son côté, l'employeur s'oblige, entre autres, à lui verser le salaire convenu dans l'entente.

12.4.3 Un contrat à exécution successive

« Le contrat à exécution successive est celui où la nature des choses exige que les obligations s'exécutent en plusieurs fois ou d'une façon continue[22]. » Dans le contrat de travail, la prestation du salarié s'échelonne dans le temps et se divise par les périodes de paye déterminées par l'employeur. Chaque paye versée au salarié correspond donc à l'exécution d'une partie de son obligation.

12.4.4 Un contrat à titre onéreux

Un contrat est dit à titre onéreux[23] lorsque chacune des parties en tire un avantage. Dans le contrat individuel de travail, nous constatons une réciprocité des avantages qu'en retire chacune des parties[24].

12.4.5 Un contrat d'adhésion

Le contrat d'adhésion est un contrat qui existe lorsque « les stipulations essentielles qu'il comporte ont été imposées par l'une des parties ou rédigées par elle, pour son compte ou suivant ses instructions, et qu'elles ne [peuvent] être librement discutées[25] » par l'autre partie. On se rend compte que le contrat de travail correspond souvent à ce type de contrat dès que l'employeur fixe de façon unilatérale les conditions de travail et les soumet au salarié au moment de l'embauche. Ce dernier a le choix de les accepter ou alors de refuser l'emploi.

21. Québec, *Code civil du Québec*, art. 1380.

22. *Ibid.*, art. 1383, paragr. 2.

23. Le *Code civil du Québec* définit le contrat à titre onéreux comme étant « celui par lequel chaque partie retire un avantage en échange de son obligation » (art. 1381, al. 1).

24. Les avantages que retire l'employeur ne s'évaluent pas seulement en fonction du travail que fournit le salarié. On peut aussi penser à la contribution individuelle de chaque salarié à la fabrication du produit, au marché que le produit fini peut lui garantir s'il respecte certains critères de production (qualité, quantité, fabrication aux moindres coûts), au profit qu'il peut retirer des ventes du produit si ce dernier répond à un besoin réel et même à la notoriété que peut procurer le produit à son entreprise si, aux yeux des consommateurs, il présente des avantages supérieurs à ceux des produits concurrents. Quant aux avantages du salarié, outre le salaire et les avantages sociaux qu'il reçoit s'il respecte ses obligations envers son employeur, il peut retirer d'autres avantages de son travail : possibilités d'avancement, formation, développement d'un lien d'appartenance, etc.

25. Québec, *Code civil du Québec*, art. 1379.

Exemple 12.8

Une boutique de vêtements embauche deux étudiantes. Au cours de l'entrevue qu'elles passent, la directrice leur annonce qu'il s'agit d'un emploi à temps partiel, que le travail se fait le jeudi de 12 h à 21 h, le vendredi de 15 h à 21 h et le samedi de 9 h à 17 h. De plus, elle précise que le salaire horaire est de 11,20$, qu'une demi-heure est accordée pour le repas et qu'une pause de 10 minutes est octroyée seulement si la boutique est peu fréquentée. Comme c'est la directrice de la boutique qui fixe seule les conditions de travail, les étudiantes n'ont pas un mot à dire. Voici donc un contrat d'adhésion.

La figure 12.1 présente les particularités du contrat de travail.

Figure 12.1 Les particularités du contrat de travail

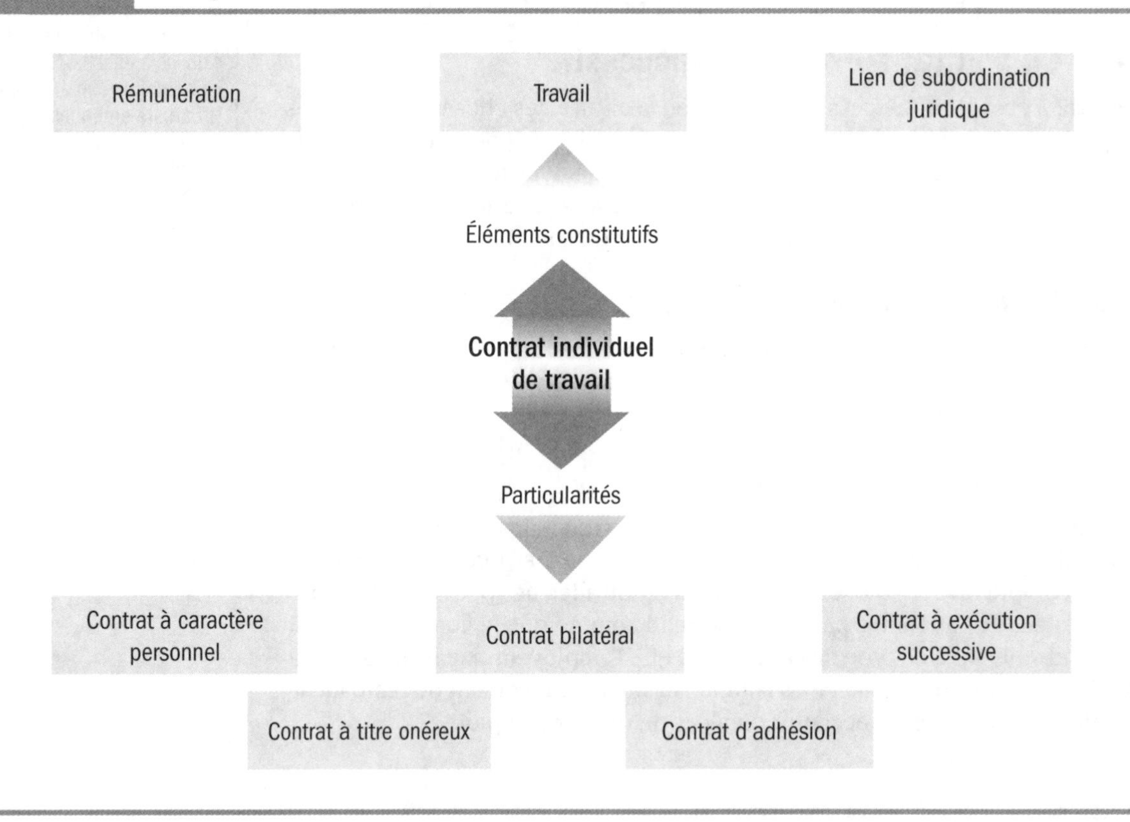

12.5 Les obligations des parties

Nous avons précisé à la section 12.4 que le contrat de travail est un contrat bilatéral par lequel chacune des parties s'oblige envers l'autre. Regardons à présent l'ensemble des obligations qui revient à chacune de ces parties.

12.5.1 Les obligations de l'employeur

Pour bien comprendre la portée des obligations de l'employeur, il faut se référer à l'article 2087 du Code civil du Québec, qui stipule que « l'employeur, outre qu'il est tenu de permettre l'exécution de la prestation de travail convenue et de payer la rémunération fixée, doit prendre les mesures appropriées à la nature du travail, en vue de protéger la santé, la sécurité et la dignité du salarié ».

Ainsi, l'employeur doit fournir le travail convenu, payer la rémunération fixée et protéger le salarié.

L'employeur doit rendre le lieu de travail prévu accessible et fournir à l'employé, selon l'entente qui est intervenue, les outils, l'équipement ou les autres accessoires qui lui permettront d'effectuer son travail.

En ce qui concerne la première obligation, il est du devoir de l'employeur de respecter la description des tâches du travail pour lequel le salarié a été embauché[26]. Il doit lui rendre accessible le lieu de travail prévu et lui fournir, selon l'entente qui est intervenue, les outils, l'équipement ou les autres accessoires qui lui permettront d'effectuer son travail.

Par ailleurs, l'employeur est tenu par la loi de verser le salaire convenu au salarié et de lui accorder tous les avantages sociaux tels que les vacances, les congés ou les assurances prévus au moment de l'embauche.

Enfin, l'employeur doit protéger le salarié. La lecture de l'article 2087 du Code civil du Québec permet de comprendre la portée de cette obligation. L'employeur doit donc « prendre les mesures appropriées à la nature du travail » afin de protéger la santé du salarié, sa sécurité de même que sa dignité.

Le fait, pour un employeur, de maintenir un milieu de travail salubre et sécuritaire pour ses salariés démontre qu'il fait preuve d'une « gestion à visage humain[27] ».

12.5.2 Les obligations du salarié

L'article 2088 du Code civil du Québec contient l'ensemble des obligations que la loi reconnaît au salarié : « Le salarié, outre qu'il est tenu d'exécuter son travail avec prudence et diligence, doit agir avec loyauté et ne pas faire usage de l'information à caractère confidentiel qu'il obtient dans l'exécution ou à l'occasion de son travail. »

Les obligations du salarié sont les suivantes : exécuter le travail qui lui est demandé, faire preuve de prudence et de diligence et témoigner de la loyauté envers son employeur.

En contrepartie de la rémunération qu'il reçoit, le salarié doit fournir une prestation de travail dite personnelle. Il doit exécuter son travail selon les directives qu'il reçoit de son employeur et ne saurait, sans un motif valable, refuser de se soumettre aux ordres qui lui sont donnés[28].

D'ailleurs, le salarié doit respecter les règles de sécurité établies par son employeur afin de ne pas mettre en péril sa propre vie ou celle de ses collègues de travail. Il est, de plus, tenu de faire preuve de diligence au travail. Cela signifie non seulement qu'il doit éviter, entre autres, des retards répétés, des absences non justifiées ou tout autre comportement déviant qui nuirait à son travail et à celui de ses collègues, mais aussi qu'il est de son devoir de travailler en vue

26. À moins d'un motif particulier et sans remettre en cause sa bonne foi, un employeur qui proposerait à un salarié un travail trop différent de ce que prévoyait leur entente initiale pourrait laisser croire à un congédiement déguisé.
27. La gestion à visage humain fait référence à une gestion qui s'exerce non pas dans le seul souci d'atteindre les objectifs de rentabilité et de productivité de l'entreprise, mais aussi dans le but de favoriser et de maintenir le bien-être des travailleurs.
28. Un motif pour lequel un salarié refuserait d'obtempérer à un ordre reçu de son employeur est valable si, par exemple, cet ordre met en péril sa santé ou sa sécurité ou s'il contrevient à la loi et aux bonnes mœurs.

d'atteindre les normes de rendement fixées par son employeur, visant entre autres la quantité à produire et la qualité à respecter.

Pour s'assurer de la loyauté du salarié, un employeur peut – conjointement avec le salarié – inclure dans le contrat de travail une clause de non-concurrence. La stipulation doit être faite par écrit et en termes formels. La mention principale précise que « même après la fin du contrat, le salarié ne pourra faire concurrence à l'employeur ni participer à quelque titre que ce soit à une entreprise qui lui ferait concurrence[29] ».

Il est important de signaler que le contenu de la clause de non-concurrence doit être limité – quant au temps, au lieu et au genre de travail – à ce qui est nécessaire pour protéger les intérêts légitimes de l'employeur[30].

Toutefois, il y a une nuance : si l'employeur décide de résilier le contrat de son salarié sans motif sérieux ou s'il donne lui-même au salarié un tel motif de résiliation, il ne peut se prévaloir de la clause de non-concurrence contre ce salarié[31].

Si une telle clause est absente du contrat de travail, l'obligation de loyauté du salarié demeure et elle est énoncée à l'article 2088 du Code civil du Québec. Ainsi, le salarié ne pourra pas faire usage, au détriment de son employeur, des renseignements à caractère confidentiel ou privilégié qu'il obtient dans l'exécution ou à l'occasion de son travail. Les renseignements qui revêtent un tel caractère peuvent concerner, par exemple, les listes des clients ou leurs dossiers, les rapports de ventes, les soumissions, les dessins ou les plans d'un nouveau procédé technologique de fabrication.

Aussi, la sollicitation de clients de son ex-employeur constitue pour un salarié une violation de son devoir de loyauté envers cet employeur[32]. Soulignons que ce devoir de loyauté du salarié ne saurait être étendu de manière à l'empêcher d'utiliser chez son nouvel employeur les **connaissances subjectives** qu'il a acquises chez son ex-employeur[33].

Connaissances subjectives
Dextérité, adresse, compétences et habileté mentale qu'un salarié développe chez un employeur à l'occasion de son travail.

Enfin, pour illustrer la portée de l'obligation de loyauté du salarié, précisons qu'elle subsiste :

- en tout temps quand le salarié est au service de son employeur ;
- pendant un délai raisonnable après la cessation du contrat de travail ;
- en tout temps lorsque l'information concerne la réputation et la vie privée d'autrui, entre autres, de l'employeur lui-même[34].

---

29. Québec, *Code civil du Québec*, art. 2089, paragr. 1.
30. *Ibid.*, art. 2089, paragr. 2.
31. *Ibid.*, art. 2095.
32. Il n'y a pas une telle violation si les clients décident volontairement de suivre le salarié afin de continuer à bénéficier des services qu'il leur rendait, sans même qu'il les ait sollicités.
33. La dextérité qu'il développe, son adresse, ses compétences (en informatique, par exemple, avec Internet ou un quelconque logiciel) et son habileté mentale constituent autant d'éléments que la jurisprudence reconnaît comme étant des connaissances « subjectives » qui appartiennent au salarié. Voir *Positron* inc. c. *Desroches et coll.* [1988], R.J.Q. 1636 (C.S.).
34. Une question prend ici toute son importance : Qu'en est-il de l'obligation de loyauté dans le cas d'une information à caractère confidentiel qui, si elle n'est pas dévoilée, risque de mettre en danger la santé et la sécurité du public ? À l'article 1472 du *Code civil du Québec*, on trouve l'élément de réponse adéquat. Il est énoncé que « toute personne peut se dégager de sa responsabilité pour le préjudice causé à autrui par suite de la divulgation d'un secret commercial si elle prouve que l'intérêt général l'emportait sur le maintien du secret et, notamment, que la divulgation de celui-ci était justifiée par des motifs liés à la santé ou à la sécurité du public ». Dans ce seul cas, on voit que le législateur vient tempérer la portée du devoir de loyauté.

La figure 12.2 résume les obligations des parties.

Figure 12.2 Les obligations des parties

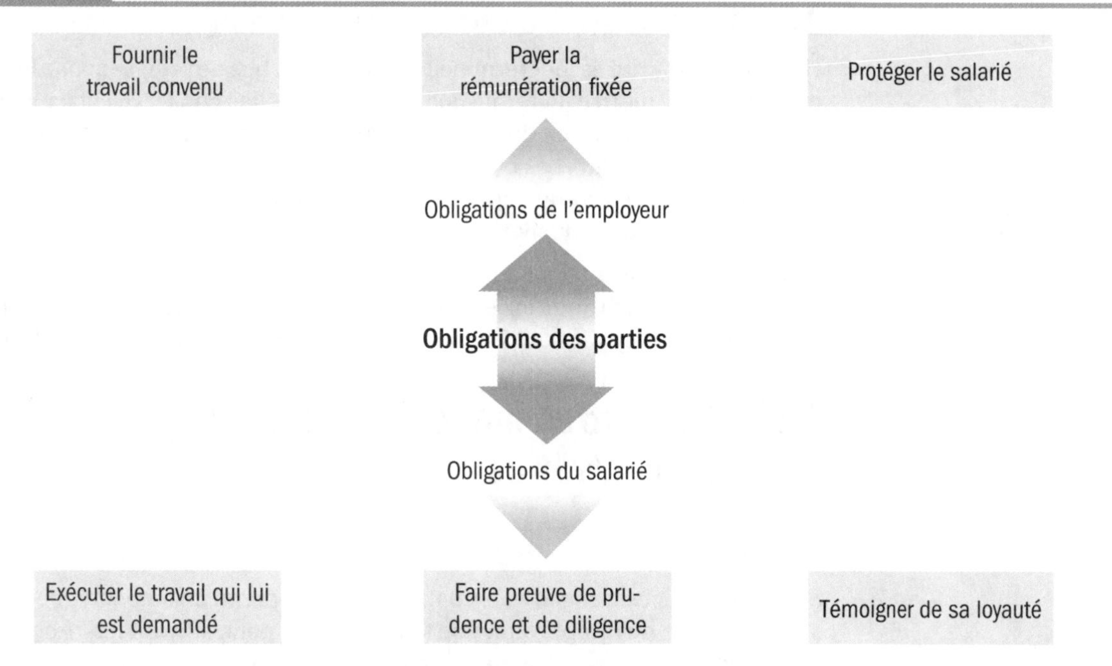

12.6 La durée du contrat de travail

Si on se fie au principe selon lequel les parties qui se lient par un contrat de travail ne s'engagent pas l'une envers l'autre pour la vie, il devient aisé de comprendre pourquoi il est prévu dans le Code civil que le contrat de travail peut être à durée déterminée ou à durée indéterminée[35].

12.6.1 Le contrat à durée déterminée

Pour bien saisir la notion de contrat à durée déterminée, prenons le cas de l'enseignant à statut précaire[36] du milieu de l'enseignement régulier au collégial public (cégep). Souvent, cet enseignant ne sait pas si, d'une session à l'autre, son contrat de travail sera renouvelé. Il peut même arriver qu'au cours d'une session, la date d'échéance de son contrat soit déterminée d'avance. Ainsi, dès son embauche, cet enseignant sait que le type de contrat qui le lie à son employeur est un contrat à durée déterminée.

Deux points importants concernant ce type de contrat méritent d'être soulignés :

› dans ce type de contrat, chacune des parties doit respecter les obligations qui en découlent, tant que la date d'échéance n'est pas atteinte ;

35. Sur la durée du contrat de travail, voir le *Code civil du Québec*, art. 2086.

36. Dans un langage adapté au domaine de l'enseignement et non pas exclusivement réservé à ce domaine, l'expression « statut précaire » s'applique à l'enseignant qui donne des cours dans l'enseignement ordinaire ou en complément de charge à l'éducation des adultes, tant qu'il n'a pas obtenu le statut d'enseignant permanent.

- ce contrat peut être renouvelé de façon implicite, et ce, pour une durée indéterminée, lorsque, après l'arrivée du terme, le salarié continue d'effectuer son travail durant cinq jours, sans opposition de la part de son employeur[37].

12.6.2 Le contrat à durée indéterminée

Un contrat est à durée indéterminée quand les parties ne prévoient pas le moment où elles vont y mettre un terme, mais chacune d'elles conserve la faculté de pouvoir y mettre un terme en donnant à l'autre un délai de congé[38]. Notez que ce délai doit être raisonnable[39]. Les critères qui permettent d'apprécier s'il présente effectivement ce caractère raisonnable sont la nature de l'emploi, les circonstances particulières dans lesquelles il s'exerce et la durée de la prestation de travail.

Le droit du salarié à un tel délai est d'ordre public ; il ne peut donc pas renoncer au droit subséquent qui lui est reconnu par la loi d'obtenir une indemnité en réparation du préjudice qu'il subit, lorsque ce délai de congé est insuffisant[40].

12.7 Les autres modes d'extinction du contrat de travail

› Le décès

S'il s'agit du décès du salarié, le contrat de travail prend fin automatiquement[41]. S'il s'agit du décès de l'employeur, une telle situation peut, suivant les circonstances, mettre fin ou non au contrat de travail. Ce décès n'y mettra pas fin si la continuité de l'entreprise est assurée par la succession de l'employeur[42].

› Un motif sérieux

Une partie peut, pour un motif sérieux, résilier unilatéralement et sans préavis le contrat de travail. Notez que si un salarié embauché en vertu de son talent personnel et de son art décide de démissionner sans motif sérieux, son employeur ne pourrait pas le forcer à revenir au travail. En effet, à cause du caractère personnel que revêt le contrat individuel de travail (*intuitu personæ*), l'employeur ne pourrait pas exercer contre ce salarié un recours en exécution forcée. Il pourrait, en retour, exiger de lui des dommages-intérêts.

Par contre, pour un employeur, le motif sérieux invoqué doit justifier la mesure qu'il adopte. S'il s'agit d'une mesure administrative telle que le licenciement d'un employé, un motif sérieux peut être, par exemple, l'arrêt définitif de certaines activités économiques de l'entreprise[43]. S'il s'agit d'une mesure disciplinaire, le congédiement d'un employé serait justifié si, par exemple, un motif comme le vol en était la cause.

---

37. Québec, *Code civil du Québec*, art. 2090.
38. *Ibid.*, art. 2091, paragr. 1.
39. C'est d'ailleurs ce qui est prévu à l'article 2091, paragraphe 2 du *Code civil du Québec*.
40. *Ibid.*, art. 2092.
41. *Ibid.*, art. 2093.
42. Une telle situation est d'ailleurs prévue dans le *Code civil du Québec* où, à l'article 2097, il est stipulé que le contrat de travail lie l'ayant cause de l'employeur.
43. Advenant une contestation de cette mesure par le salarié, le fardeau de la preuve incombe nécessairement à l'employeur.

Résumé du chapitre

Dans ce chapitre, nous avons abordé la notion de contrat individuel de travail en spécifiant que ce contrat constitue le fondement même des relations individuelles qui s'établissent entre un employeur et ses salariés.

Ne revêtant pas de forme précise, le contrat peut être verbal ou écrit. Et comme il s'agit d'abord et avant tout d'un contrat, il n'échappe pas aux conditions générales d'établissement de tous les contrats. Ainsi, il doit se soumettre aux conditions de validité que sont l'échange du consentement, la capacité, l'objet et la cause.

Pour ce type de contrat, le Code civil indique les parties qui y interviennent (l'employeur et le salarié), les éléments constitutifs (la rémunération, le travail lui-même et l'existence d'un lien de subordination juridique) et la logique de la durée probable de l'engagement (un temps limité).

Le contrat présente certaines particularités. En effet, on parle de contrat à caractère personnel, bilatéral, à exécution successive, à titre onéreux et d'adhésion. De plus, par sa nature, il impose des obligations tant à l'employeur (fournir le travail convenu, payer la rémunération fixée et protéger le salarié) qu'au salarié (exécuter le travail qui lui est demandé, faire preuve de prudence et de diligence et témoigner de la loyauté envers son employeur).

Enfin, le contrat peut être à durée déterminée ou à durée indéterminée, et le décès du salarié ou de l'employeur de même qu'un motif sérieux allégué peuvent constituer d'autres modes d'extinction du contrat de travail.

Évaluation de la compétence

Questions de révision et application

1. Quelles sont les parties liées par le contrat individuel de travail ?

2. **a)** Un salarié au sens du Code civil du Québec doit-il toujours être une personne physique ? Justifiez votre réponse.

b) Un employeur au sens du Code civil du Québec doit-il toujours être une personne physique ? Justifiez votre réponse.

3. Que signifie la notion de lien de subordination juridique entre un salarié et un employeur ?

4. Quelles sont les particularités du contrat individuel de travail ?

5. Pourquoi le contrat de travail est-il à caractère personnel ?

6. Quels éléments peuvent vicier le consentement requis pour l'établissement du contrat de travail ? Illustrez votre réponse par des exemples différents de ceux qu'on trouve dans le chapitre.

7. Quelles sont les obligations qui ressortent du contrat de travail :

a) pour l'employeur ?

b) pour le salarié ?

8. Quelle limite le législateur impose-t-il à une clause de non-concurrence quant à son contenu ?

›

9. a) Comment s'explique, pour l'employeur, l'obligation de protéger le salarié ?
b) Comment s'explique, pour le salarié, l'obligation de loyauté envers son employeur ?

10. Comment la jurisprudence définit-elle le concept de connaissances subjectives ?

11. Pourquoi un contrat de travail n'est-il jamais établi pour toute la vie ?

12. a) Quels sont les autres modes d'extinction du contrat de travail prévus dans le Code civil du Québec ?
b) Pourquoi le décès de l'employeur ne met-il pas toujours fin au contrat de travail ?

13. En vous reportant à la rubrique Point de mire présentée au début du chapitre, répondez aux questions suivantes :
a) Comment expliquez-vous le fait qu'un contrat ne soit pas intervenu entre Gabrielle B. et le centre hospitalier de la Rive-Sud ? Pour répondre à cette question, basez-vous sur le critère énoncé par la Cour supérieure.
b) En parlant avec la directrice des services infirmiers du centre hospitalier de la Rive-Sud, Gabrielle était-elle convaincue qu'une entente verbale était intervenue ?
c) Quelle erreur Gabrielle a-t-elle donc commise ?
d) Dans ce contexte particulier, quel inconvénient présente le contrat de travail verbal ?

Analyse de cas

Cas 12.1

« Ton job ?... Tu souffles des ballounes ! »

– Le cirque arrive en ville ! Le cirque arrive en ville !

Jérémie, 11 ans, entre chez lui tout essoufflé en criant cette nouvelle. Martine, sa mère, s'approche de lui.

– Calme-toi mon enfant ! lui dit-elle en souriant.

Cependant, Jérémie reprend de plus belle :

– Maman, le cirque arrive en ville !

– Oui, oui, je l'ai bien compris.

– Maman, tu m'avais dit l'an passé que si le cirque revenait en ville, je pourrais y travailler.

– Es-tu bien certain que monsieur Échasse recherche encore des bénévoles de ton âge ?

– Oui maman ! Il est venu à l'école remettre des dépliants. La directrice l'a accompagné de classe en classe et c'est ainsi que j'ai appris la nouvelle.

– Tu connais la condition pour que tu ailles travailler au cirque ?

Jérémie baisse la tête, répond avec moins d'enthousiasme dans la voix.

– Oui, oui... Il faut que ma grande sœur accepte d'aller y travailler aussi.

– Ne fais pas cette tête. Cours vérifier auprès d'elle si elle veut retourner travailler au cirque... Elle est dans sa chambre.

Jérémie ne se fait pas prier. Il gravit les marches d'escalier jusqu'au second étage et se rend directement à la chambre de sa sœur Isabelle. Il se met à frapper à sa porte, mais n'obtient pas de réponse. Il sait pourtant que sa sœur est dans sa chambre, car il l'entend chanter à vive voix. Il ouvre la porte et aperçoit Isabelle en train de danser. Un iPod dans ses mains, des écouteurs pendus à ses oreilles, elle lance d'une voix aiguë les mots d'une chanson populaire.

– ISABELLE ! crie Jérémie pour lui enterrer la voix.

– QUOI!? lui crie-t-elle sur le même ton de voix.

– Le cirque revient en ville pour huit semaines. Veux-tu encore y travailler?

– Chouette! lance Isabelle, mais en es-tu certain?

– Oui! Monsieur Échasse est venu nous l'annoncer dans notre classe.

– Wow! Je vais encore faire beaucoup d'argent cet été.

– Le «recutement» se fait demain, en début d'après-midi.

– Espèce de naze! On ne dit pas «*recutement*», mais recrutement! Maintenant, sors de ma chambre, Cindy doit m'appeler.

Le lendemain, comme prévu, le recrutement a lieu. C'est monsieur Échasse en personne qui se charge de faire remplir les fiches de renseignements à tous les candidats. C'est un gaillard qui fait bien dans les 1 m 95 et qui, d'ailleurs, a hérité de ce surnom à cause de sa grandeur. Bien entendu, tous les candidats qui avaient travaillé pour lui l'année précédente et de qui il avait gardé un bon souvenir étaient automatiquement sélectionnés. Ce fut le cas d'Isabelle. Comme elle accompagnait son petit frère, monsieur Échasse a admis ce dernier sans hésitation au sein de son personnel, mais à titre de bénévole.

De retour à la maison, c'est Isabelle qui annonce d'abord la bonne nouvelle à sa mère:

– Maman! Sais-tu quoi? Monsieur Échasse m'a dit que je suis une personne fiable et intelligente. Cette année, je n'aurai pas à travailler à la cafétéria comme serveuse. Je suis promue à la billetterie parce que j'ai eu mes dix-sept ans! Je vends les billets, je distribue les bracelets et je me charge des réservations de groupes. Il m'offre 12,50$ l'heure et j'obtiendrai une prime de 0,50$ pour chaque billet vendu au-delà du nombre magique de cinq cents par jour. Et tu sais maman que l'an passé, parfois, jusqu'à huit cents personnes par jour entraient au cirque!

– Et il te garantit bien huit semaines de travail, comme l'an passé?

– Non, maman! c'est beaucoup mieux. Je commence une semaine avant les autres étudiants et je termine une semaine après eux parce que les billets de groupes sont généralement vendus à l'avance. Et à la fin de la saison, je dois aider à la comptabilité. Je vais travailler pendant dix semaines!

– Mes félicitations, Isabelle... (Martine se tourne vers son fils.) Et toi mon grand champion, tu me sembles emballé. Quel sera ton travail?

– Maman! Tu connais les kiosques où on accroche des ballons gonflés que les gens doivent essayer de «péter» avec des dards?

– Espèce de naze... On ne dit pas «*dards*», mais fléchettes! l'invective Isabelle.

– Isabelle, je t'en prie, laisse parler ton frère, intervient Martine.

– Bien moi, maman, je vais travailler en arrière de ces kiosques. Monsieur Échasse m'a dit avec une grosse voix qui fait peur: «Toi ti-gars, ton job? Tu souffles des ballounes!»

En entendant son fils imiter monsieur Échasse, Martine ne peut s'empêcher un petit rire amusé.

– Est-ce que tu seras payé? lui demande-t-elle.

– Ben, on peut manger gratuitement et avoir toute la boisson gazeuse et toutes les *chips* que l'on veut! Monsieur Échasse m'a dit que ça vaut plus que de l'argent!

Jérémie est heureux et sourit à pleine dent. Quant à Isabelle, elle branche son iPod et lâche pour elle-même en regardant son petit frère:

– Ouais! Ouais! Espèce de naze! Tu seras tellement riche à bouffer des *chips*!

Travail

Démontrez si les contrats d'Isabelle et de Jérémie respectent les conditions requises pour qu'ils soient considérés comme des contrats individuels de travail.

Cas 12.2

« Ma loyauté ? Et que faites-vous de la vôtre ? »

Les 22 ingénieurs de la firme Trains en tout genre inc. ne sont pas très heureux. À la fin de la dernière année financière, la compagnie ferroviaire a annoncé la suppression de 180 postes, dont 8 postes d'ingénieurs.

Selon madame Simoneau, vice-présidente des ressources humaines, ces licenciements deviendront effectifs dans douze semaines. Ces ingénieurs déplorent le fait que la compagnie ait fait breveter en son nom toutes leurs inventions en plus de s'approprier les droits intellectuels afférents, et ce, sans leur manifester la moindre reconnaissance. Ils se sentent traités comme des numéros et savent que, grâce à leur contribution, la compagnie encaisse des millions de dollars chaque année.

Dans le contrat de travail de douze de ces ingénieurs – ceux qui possèdent le plus d'ancienneté –, une clause de non-concurrence stipule que toute invention d'un ingénieur demeure la propriété de l'entreprise et constitue un droit intellectuel pour celle-ci.

Or, depuis l'annonce des licenciements, les ingénieurs se mobilisent contre la compagnie. Ils contestent le fait que ses dirigeants refusent de mentionner les ingénieurs touchés par la vague de licenciements. En signe de rébellion, un des ingénieurs – un dénommé Stevenson – réussit à convaincre neuf de ses collègues de former une société-conseil qui deviendrait propriétaire de toutes leurs inventions et qui pourrait les vendre à différents clients, dont la compagnie Trains en tout genre inc.

Sans hésiter, les ingénieurs mettent sur pied la société Groupe de recherche Ingétech inc. et commencent leurs opérations six semaines après l'annonce des licenciements.

Ayant été mis au courant de cette démarche, madame Simoneau et monsieur Siégal, président-directeur général de la compagnie ferroviaire, demandent à rencontrer l'ingénieur Stevenson au bureau du PDG, dans les jours suivants. L'accusant d'avoir poussé certains de ses collègues à adopter une attitude déloyale envers la compagnie, ils désirent tout de même entendre sa version des faits.

Dès le début de la rencontre, Stevenson manifeste son mécontentement :

– D'abord, je fais partie des ingénieurs qui n'ont pas de clause de non-concurrence dans leur contrat de travail. Cela me permet de faire ce que je veux de mes connaissances et de les mettre au service de ma société-conseil, même si elle entre en concurrence avec votre compagnie. Ensuite, comme nous ne savons pas qui vous allez licencier, nous devons nous protéger. C'est pourquoi nous avons mis sur pied cette société-conseil.

– Mais il s'agit là d'un geste irresponsable ! Que faites-vous de la loyauté que vous devez manifester envers votre employeur ! riposte sévèrement la vice-présidente des ressources humaines.

– Ah ! Ma loyauté ?... Et que faites-vous de la vôtre ? Vous allez nous jeter dehors après avoir profité des plus belles années de notre vie !

Cette fois, c'est le PDG qui réplique :

– Vous avez 24 heures pour mettre fin à vos activités parallèles qui portent préjudice à la compagnie. Autrement, des poursuites seront entamées contre vous et chacun de vos partenaires dans cette aventure déloyale ! M'avez-vous compris ?

Stevenson ne répond pas tout de suite. Il se lève lentement et, en se dirigeant vers la porte du bureau, il lance :

– Nous verrons ! De toute façon, vous ne pouvez pas m'empêcher d'utiliser mes connaissances auprès de ma société-conseil, qui est aussi mon employeur !

Il sort du bureau en claquant la porte.

Questions

1. L'argument de l'ingénieur Stevenson suivant lequel, faute d'une clause de non-concurrence dans son contrat de travail, il n'a pas à manifester de loyauté envers la compagnie est-il valable ? Expliquez votre réponse.
2. Quelle est la règle énoncée dans le Code civil du Québec au sujet de l'absence d'une telle clause dans le contrat de travail ?
3. L'ingénieur Stevenson allègue que les dirigeants de la compagnie Trains en tout genre inc. ne peuvent pas l'empêcher d'utiliser ses connaissances subjectives auprès de sa société-conseil, qui est aussi son employeur. Comment interprétez-vous ses propos ?

Chapitre **13**

Les relations du travail : la formation du syndicat et son accréditation

Cheminement d'idées

Objectifs pédagogiques

Compétence visée

Point de mire :
Ricky Kodine, alias Rocky

13.1 La syndicalisation et le nouveau contexte d'exercice des relations collectives du travail

13.2 Le monde syndical : quelques définitions

13.3 La formation du syndicat : les pratiques interdites

13.4 La procédure d'accréditation
- 13.4.1 La demande d'accréditation : règle générale et cas particuliers
- 13.4.2 Les formalités entourant le mécanisme de dépôt d'une requête en accréditation

13.5 La détermination de l'unité de négociation appropriée : les critères d'appréciation retenus
- 13.5.1 La communauté d'intérêts
- 13.5.2 L'historique des relations du travail
- 13.5.3 La volonté des salariés en cause
- 13.5.4 La division territoriale ou géographique de l'entreprise
- 13.5.5 L'intérêt de la paix industrielle

13.6 Les effets juridiques de l'accréditation
- 13.6.1 Les effets du dépôt de la requête
- 13.6.2 L'effet sur une autre accréditation
- 13.6.3 La principale caractéristique de l'association accréditée

Résumé du chapitre

Évaluation de la compétence
- Questions de révision et application

Analyse de cas
- Cas 13.1 : Le président de Vidéoclip s'explique
- Cas 13.2 : La taupe

Objectifs pédagogiques

La lecture de ce chapitre devrait vous permettre :

1. de définir ce qu'est une association de salariés ;
2. de définir le concept d'accréditation ;
3. d'expliquer pourquoi l'obtention de l'accréditation constitue une étape importante dans la vie d'une association de salariés ;
4. de déterminer les pratiques (patronales et syndicales) interdites au moment de la formation d'un syndicat ;
5. de décrire les qualités requises par l'association de salariés qui demande l'accréditation ;
6. d'expliquer les formalités à respecter en ce qui a trait à l'accréditation ;
7. d'expliquer la procédure d'accréditation ;
8. d'énumérer les critères d'appréciation retenus en vue de déterminer l'unité d'accréditation appropriée ;
9. de préciser les effets juridiques de l'accréditation.

Compétence visée

La compétence visée dans ce chapitre est de pouvoir contribuer à l'application de la réglementation du travail en matière de formation d'un syndicat.

Point de mire

Ricky Kodine, alias Rocky

Au début de ses études secondaires, Ricky Kodine était un jeune homme tranquille. Ses professeurs n'avaient rien à lui reprocher. Il travaillait bien, gardait ses notes juste au-dessus de la moyenne de la classe et ne voulait surtout pas se mêler de politique. Enfin, ce qu'il fallait entendre par « politique », c'était la participation aux élections de classe des 3e, 4e et 5e secondaires. Ces élections se tenaient en début d'année scolaire dans chacune des classes et avaient pour objectif de faire élire un président, qui désignait ensuite son vice-président et différents délégués : un délégué responsable de la distribution des devoirs corrigés, un délégué responsable d'indiquer l'heure de la récréation et de distribuer les coupons des repas du midi à la cafétéria, et un délégué responsable de vider la poubelle et nettoyer le tableau dans la classe. Chaque mois, le président devait désigner ceux qui seraient les trois prochains délégués.

›

Une fois le président élu, le professeur lui remettait, au début de chaque mois, une somme d'argent en billets de Monopoly et, toutes les semaines, à la recommandation du vice-président, le président rémunérait les délégués qui respectaient bien leur mandat et faisaient du bon travail. À la fin de chaque mois, les délégués sortants qui avaient accumulé le plus d'argent recevaient un prix décerné par l'école. Le but de cette pratique : encourager la responsabilisation des étudiants.

Or, en 3e secondaire, sous la présidence d'un jeune homme qui se faisait appeler « Don Carlito », il s'était formé un groupe surnommé « les galopins », qui ne réunissait que des garçons et qui s'était donné pour mandat de rafler tous les prix de fin de mois décernés par la direction de l'école. Ainsi, ils s'octroyaient le droit de décider qui devait être élu président. Leur tactique était simple : le président fantoche élu devait, sous le couvert de la menace, se plier à leurs ordres et nommer son vice-président et les trois délégués parmi « les galopins ». Comme le président pouvait à sa discrétion reconduire un délégué dans ses fonctions de mois en mois, les galopins s'assuraient de toujours être en poste et de remporter ainsi tous les prix.

Leur stratégie ayant bien fonctionné en 3e secondaire, les galopins la remirent en œuvre l'année suivante dans toutes les classes de 4e secondaire. Leur petite « mafia » agissant toujours dans l'ombre par voie de menace, la direction de l'école ne se doutait ni de leur existence ni de leur manigance. Ils choisissaient généralement un étudiant docile, malléable et poltron pour le faire nommer président. Cette année-là, dans une des classes de 4e secondaire, leur choix se porta sur Ricky Kodine. Bien que Ricky les suppliât de ne pas le choisir, ils le menacèrent de cacher ses livres et cahiers de notes et de lui dérober tous ses coupons de repas du midi à la cafétéria s'il n'obéissait pas. Ce que les galopins ignoraient cependant, c'était que Ricky était champion canadien junior en boxe amateur. Il taisait son titre parce que la Fédération de boxe amateur lui avait fait promettre de ne jamais utiliser son titre pour gagner le respect des autres ou pour les intimider. Devant son insistance à refuser le poste de président, les galopins mirent leur menace à exécution. Après une semaine à se faire chiper ses coupons de repas et à voir disparaître ses livres et cahiers de notes, Ricky Kodine avait décidé qu'il serait président. Il avait nommé ses vice-présidents et délégués parmi les membres des galopins. Cependant, il n'avait pas toléré qu'on l'ait privé de repas pendant une semaine et comptait bien se venger.

En tant que président, il avait institué un nouveau règlement : seul le président déterminait si les délégués avaient bien travaillé et, de ce fait, s'ils méritaient d'être rémunérés et reconduits dans leurs fonctions. Les galopins rirent de lui et lui firent comprendre verbalement que s'il appliquait son règlement, il ferait des mécontents. Sans tenir compte des menaces, Ricky Kodine appliqua quand même son règlement.

Les galopins voulurent, selon leurs propos, « le remettre à l'ordre par la force » et c'est là qu'ils apprirent, autrement que par la parole, que Ricky Kodine était champion canadien junior à la boxe. Jamais l'infirmerie de l'école ne fut autant occupée et, chose curieuse, les nez cassés, les yeux amochés et les lèvres fendues relevaient tous d'accidents anodins survenus dans la cour de récréation. Personne n'osa dénoncer le nouveau président qui avait fait comprendre que dorénavant, l'intimidation n'avait plus sa place à l'école, d'où le surnom de « Rocky » que lui attribuèrent tous les étudiants du niveau secondaire. Ricky le timide venait d'apprendre ce qu'était le pouvoir. Il fit dissoudre le groupe des galopins et milita pour que l'année suivante, il y ait non pas un président par classe, mais un seul président pour chaque niveau. Lui qui voulait combattre l'intimidation venait d'en instituer une autre forme. Il menaça quiconque allait à l'encontre de ses idées et força les délégués à adhérer à son parti. Ce dernier est même devenu si puissant que la direction de l'école accepta son projet de président unique. À la rentrée suivante, il se fit élire président de toutes les classes de 5e secondaire.

Ricky était redoutable. Il négociait avec la direction et ses revendications visaient aussi bien les heures de récréation et le temps alloué pour les repas que le nouvel aménagement de la bibliothèque, le ménage régulier à la cafétéria et le nettoyage des toilettes. Justement à cause de ce dernier point, jugeant les toilettes insalubres malgré ses nombreux avertissements

›

à la direction, il décréta une « grève générale des étudiants ». La direction ne l'avait pas pris au sérieux, mais la grève dura tout de même trois semaines. Lorsque Ricky Kodine comprit que l'inaction de la direction était due à une question de budget mal réparti et non à de la mauvaise volonté, il décida de quitter l'école, en arguant que l'on « ne négocie pas avec des gens ne possédant aucun pouvoir ».

Quelques années passèrent et à présent, Ricky Kodine, qui se fait toujours appeler « Rocky », est à la tête d'un important syndicat affilié à la Fédération du commerce-CSN[1], syndicat qu'il a lui-même formé dans le secteur de l'hôtellerie, à Montréal. Rude négociateur, il veut – selon ses propres paroles – « redonner aux travailleurs la dignité à laquelle ils ont droit ». Les plus anciens militants dans son syndicat se rappellent encore ses propos lors de la formation du syndicat : « Ici, il n'y a pas de place pour les lâches, les pleutres, les *scabs*[2] et les peureux. Ceux qui ne veulent pas marcher dans la même direction que le syndicat vont en baver un coup ! »

Pour Ricky Kodine, qui voulait absolument que le syndicat prenne naissance, toute pratique devenait alors loyale. Il avait sollicité ses premiers membres pendant les heures de travail, sa première réunion s'était déroulée dans la salle de conférence de l'hôtel pendant que les cadres étaient en formation en dehors de la ville, et il avait menacé de représailles sérieuses certains travailleurs qui voulaient informer les patrons de la formation du syndicat. Il les avait forcés à adhérer au syndicat.

En 2008, alors âgé de 53 ans, Ricky Kodine était encore à la tête du même syndicat. Justement, au cours du mois de juillet, lors de négociations houleuses avec la partie patronale et tandis que le mouvement de grève s'amplifiait dans les grands hôtels de Montréal, Ricky Kodine était aux côtés du président de la Fédération du commerce-CSN quand ce dernier déclara à *La Presse* : « Nous avons mis beaucoup de pression sur l'employeur en débrayant sans préavis. Cela montre le sérieux de notre action et notre détermination à passer aux actes[3]. »

Le 5 juillet 2008, tandis que le mercure grimpait à près de 30 °C, les syndiqués du Hyatt Regency clamaient leurs revendications, pancarte au poing, sifflet à la bouche. Ricky Kodine se trouvait parmi eux et, depuis une tribune, il expliquait haut et fort à qui voulait bien l'entendre la teneur des revendications syndicales.

Stationnée en face de cet hôtel, une BMW noire était immobilisée. Un homme en descendit. Il s'agissait de Carl Pétroni, vêtu d'un complet italien gris. Sa famille possédait plusieurs entreprises à Montréal, dont certains hôtels. Un journaliste l'ayant reconnu courut vers lui.

– Monsieur Pétroni ! Monsieur Pétroni ! Que pouvez-vous nous dire sur le déroulement des négociations ?

– Aucun commentaire.

– Mais Monsieur Pétroni ! ?...

Carl Pétroni n'écoutait plus le journaliste. Il fixait Ricky Kodine qui, de l'autre côté de la rue, le fixait aussi. Ricky Kodine cessa de haranguer les syndiqués et descendit de la tribune. D'un pas déterminé, il traversa la rue.

– Pétroni ! Comme le monde est petit ! lança-t-il.

– Kodine ! Je vous savais borné, mais pas à ce point ! Nous ne sommes plus au temps des galopins et je ne suis plus Don Carlito. Vous êtes dans la cour des grands, alors soyez sérieux et agissez en adulte ! Moi, je suis un homme d'affaires et vous me faites perdre des millions ! lui reprocha Carl Pétroni, les dents serrées.

– Et moi, je suis Ricky Kodine et je dénonce toujours toute forme d'injustice ! Surtout, n'oubliez pas que c'est vous qui avez fait de moi ce que je suis devenu à présent !

Ricky Kodine lui tourna le dos en scandant : « SO ! SO ! SOLIDARITÉ ! »

1. Il s'agit de la Confédération des syndicats nationaux.

2. Un *scab* est un briseur de grève.

3. Ces propos du président de la Fédération du commerce-CSN sont rapportés dans Violaine Ballivy, « Pour dénoncer la lenteur des négociations : 1500 syndiqués de l'hôtellerie débrayent », *La Presse*, le 6 juillet 2008, p. A5.

13.1 La syndicalisation et le nouveau contexte d'exercice des relations collectives du travail

Dans le chapitre 3, nous avons mentionné que, durant une période de restructuration basée sur l'abolition de postes, les employés qui échappent aux vagues de licenciements vivent dans un climat d'inquiétude. Nous avons également souligné que les dirigeants d'entreprise ainsi que les travailleurs devraient partager la vision de l'avenir de l'entreprise afin non seulement d'assurer la survie de cette dernière ou de lui garantir le niveau de rentabilité souhaité, mais aussi de dissiper ce climat d'inquiétude. Nous avons souligné qu'une fois les périodes de compression de postes terminées, les entreprises qui s'en sortent vivent généralement une période de stabilisation de l'emploi, dont la durée ne peut être cependant déterminée avec précision.

Faisant face à ces contextes de stabilisation et de reprise, le gestionnaire des ressources humaines doit, selon ce que nous avons précisé, relever entre autres défis celui de briser une vieille mentalité voulant que les travailleurs qui ont le sentiment d'avoir tout donné à l'entreprise durant la période de rationalisation des ressources humaines pensent qu'ils ne lui doivent plus rien et qu'à présent, elle doit délier les cordons de sa bourse et les récompenser pour les efforts qu'ils ont fournis.

Il ne s'agit pas là d'une tâche facile pour le gestionnaire des ressources humaines et, s'il fait face à des travailleurs syndiqués, ce défi peut s'avérer encore plus complexe. Cette complexité tient du fait que de nos jours encore, les relations du travail qui s'établissent entre la direction d'une entreprise et ses salariés syndiqués s'appuient sur le conflit et l'opposition. Comme le souligne Hébert, « ce régime d'opposition (*adversory system*) a toujours été considéré comme une des caractéristiques fondamentales du système nord-américain des relations du travail[4] ».

Après plus de deux décennies au cours desquelles la direction des entreprises et les syndicats ont négocié durement en vue de parvenir à une certaine convergence d'intérêts, de sauver l'entreprise ou de réduire l'incidence d'une rationalisation des ressources sur la perte des emplois[5], nous aurions pu penser que le régime d'opposition caractéristique des relations collectives du travail laisserait la place à un régime basé sur la discussion. Pourtant, il en est tout autrement[6]. Les relations collectives du travail sont à ce point encore basées sur le conflit que, même durant une période de grève[7], il n'est pas rare que le langage utilisé par les parties en fasse la démonstration[8].

---

4. Gérard Hébert, *Traité de négociation collective*, Boucherville, Gaëtan Morin Éditeur, 1992, p. 9.
5. Par exemple, dans le monde de l'enseignement collégial, les syndicats affiliés à la CSN acceptaient une réduction de salaire plutôt qu'une compression des effectifs.
6. Dans son numéro du 26 octobre 2002, le journal *Les Affaires* titrait, sous la plume de Suzanne Dansereau, « Recrudescence des conflits de travail au Québec ? On sent plus d'agressivité, note un expert en gestion de conflits ». Dans l'article (p. 16), les propos du secrétaire de la FTQ sont ainsi rapportés : « Nous irons chercher ce que nous n'avons pas pu gagner avant... notamment sur le plan salarial. »
7. Notons dès à présent qu'une grève est « la cessation concertée de travail par un groupe de salariés ». Voir le *Code du travail du Québec*, art. 1g.
8. Par exemple, dans le conflit opposant Vidéotron à ses employés membres du Syndicat canadien de la fonction publique (SCFP), le porte-parole du syndicat parlait ainsi du conflit : « C'est une guerre économique. La direction disait que nous serions les seuls à en payer le prix. Elle va se rendre compte qu'elle aussi paie le prix. » Voir Suzanne Dansereau, « Le conflit déborde chez Vidéotron : les employés en lock-out veulent dénoncer Quebecor jusqu'à l'étranger », *Les Affaires*, le 28 septembre 2002, p. 3.

Nous constatons qu'au terme de ces deux dernières décennies marquées par de nombreuses compressions (entre autres sur le plan des salaires, des avantages sociaux et des emplois), la question salariale demeure au cœur des revendications syndicales[9].

Cependant, le contexte de la mondialisation dans lequel se déroulent actuellement les relations collectives du travail de l'Amérique du Nord est particulier. Rappelons que ce contexte se caractérise par des phénomènes comme l'explosion des investissements étrangers, l'accroissement de l'importance des sociétés transnationales et l'« unification des marchés financiers menant à une intégration accélérée de l'économie mondiale[10] ».

Un phénomène contradictoire dans les relations collectives du travail découle de ce contexte : tandis que certaines entreprises voient leur position concurrentielle se raffermir, les syndicats, dans leur ensemble, sentent leur pouvoir de négociation s'affaiblir. Deux réalités distinctes expliquent cette situation.

D'une part, les échanges entre pays, entre autres la circulation internationale des biens, des services, des personnes et de l'information, ont « accentué la concurrence, renforçant ainsi les pressions directes sur les employeurs pour réduire le coût de la main-d'œuvre et décourager la syndicalisation[11] ».

D'autre part, la suppression des barrières à la mobilité des capitaux, associée à l'intégration profonde, a accentué la menace de déménagement des entreprises[12].

La réalité qu'ont alors vécue les syndicats était étonnante : si, dans une entreprise, les travailleurs parlaient de former une association de salariés, cette initiative suffisait pour que les dirigeants de l'entreprise brandissent la menace d'un déménagement de leurs activités vers un autre pays. Qui plus est, cette menace rendait les dirigeants syndicaux prudents, préférant réduire leurs demandes et préserver les emplois des travailleurs plutôt que de risquer de voir l'entreprise partir. Dans un tel contexte, les rapports de force n'étaient plus les mêmes et une nouvelle ère de concessions s'est établie pour les syndicats.

Dans la mesure où les entreprises ont réussi à se situer fermement dans leur espace concurrentiel et où leur déménagement possible n'est demeuré qu'une menace, les syndicats ont ressenti le besoin de faire des gains importants, surtout sur le plan salarial. Cependant, au lieu d'adopter une « stratégie des petits pas » pour obtenir des gains de façon progressive, ils ont voulu les effectuer de façon rapide[13].

---

9. Sous la plume de Caroline Touzin, *La Presse* rapporte un article dont le titre est « Moyens de pression à la police de Montréal ». Dans cet article, on peut lire, entre autres, que les « négociations ont achoppé essentiellement sur la question des salaires. » Voir Caroline Touzin, « Moyens de pression à la police de Montréal », *La Presse*, le 11 juillet 2008, p. A10.

10. Anthony Giles et Dalil Maschino, « L'intégration économique en Amérique du Nord et les relations industrielles », dans R. Blouin et A. Giles, *L'intégration économique en Amérique du Nord et les relations industrielles*, Sainte-Foy, Les Presses de l'Université Laval, 1998, p. 6.

11. *Ibid.*, p. 29.

12. *Ibid.*

13. D'ailleurs, le journal *Les Affaires* rapportait les propos d'un professeur en gestion de conflits des HEC à Montréal : « Les syndiqués pensent avoir fait des concessions au cours des dernières années en réponse à la récession, aux restructurations et à la mondialisation. Ils sont maintenant prêts à passer à la caisse. Bon nombre pensent que c'est leur tour. » Voir Suzanne Dansereau, « Recrudescence des conflits de travail au Québec ? On sent plus d'agressivité, note un expert en gestion de conflits », *Les Affaires*, le 26 octobre 2002, p. 16.

13.2 Le monde syndical: quelques définitions

Certains termes et concepts, propres aux relations collectives du travail qui s'établissent entre des salariés et leur employeur, seront définis pour que vous puissiez bien vous repérer au cours de la lecture de ce chapitre.

Accréditation
Procédure par laquelle un syndicat est officiellement reconnu comme étant le représentant d'un groupe de salariés à l'égard d'un employeur, en particulier pour la négociation et l'application d'une convention collective.

Un concept important dans le monde des relations collectives du travail est celui de l'**accréditation**. Nous vous proposons deux définitions de ce concept. D'abord, il s'agit d'une « procédure par laquelle un syndicat est reconnu officiellement comme étant le représentant d'un groupe de salariés à l'égard d'un employeur, et en particulier pour la négociation et l'application d'une convention collective[14] ». Ensuite, l'accréditation consiste dans « la reconnaissance officielle, par un organisme créé par la loi, de la représentativité d'un syndicat, à l'égard de la totalité ou d'un groupe de salariés à l'emploi d'un même employeur[15] ».

Association de salariés
Groupement de salariés constitué en syndicat professionnel, union, fraternité ou autrement et ayant pour buts l'étude, la sauvegarde et le développement des intérêts économiques, sociaux et éducatifs de ses membres, et particulièrement la négociation et l'application de conventions collectives.

De ces définitions ressortent les notions de salarié et d'employeur. Selon le Code du travail du Québec[16], un salarié est « une personne qui travaille pour un employeur moyennant rémunération[17] », et un employeur est « quiconque, y compris l'État, fait exécuter un travail par un salarié[18] ».

En outre, la notion de syndicat est incluse dans l'expression plus large d'**association de salariés**. Cette dernière expression se définit comme étant « un groupement de salariés constitué en syndicat professionnel, union, fraternité ou autrement et ayant pour buts l'étude, la sauvegarde et le développement des intérêts économiques, sociaux et éducatifs de ses membres et particulièrement la négociation et l'application de conventions collectives[19] ».

L'association de salariés est dite accréditée lorsqu'elle est « reconnue par décision de la commission[20] comme représentant de l'ensemble ou d'un groupe des salariés d'un employeur[21] ».

Négociation collective
Manière de déterminer les conditions de travail d'un groupe d'employés de façon collective, bilatérale et libre.

Comme le stipule cette définition, le but fondamental de l'association de salariés est la négociation et l'application de conventions collectives pour ses membres. Deux autres expressions méritent dès lors d'être définies. D'abord, la **négociation collective** est « une manière de déterminer les conditions de travail d'un groupe d'employés de façon collective, bilatérale et libre[22] ». Dans le contexte des relations

14. Claude Le Corre et Francis Demers, *La syndicalisation et ses conséquences: le Code du travail démystifié; tout ce que l'employeur doit savoir*, Cowansville, Les Éditions Yvon Blais, 1998, p. 75.
15. Noël Mallette et coll., *La gestion des relations du travail au Québec: le cadre juridique et institutionnel*, Montréal, McGraw-Hill, Éditeurs, 1980, p. 127.
16. *Ibid.*
17. Québec, *Code du travail du Québec*, art. 1l.
18. *Ibid.*, art. 1k.
19. *Ibid.*, art. 1a.
20. Il s'agit de la Commission des relations du travail telle qu'instituée par le nouveau Code du travail.
21. Québec, *Code du travail du Québec*, art. 1b.
22. Gérard Hébert, *Négociation et convention collective: introduction*, Montréal, Université de Montréal, École de relations industrielles, 1979, tiré à part 31, non paginé.

collectives du travail, le fruit d'une négociation collective est bien entendu la **convention collective**. Celle-ci constitue « une entente écrite relative aux conditions de travail conclue entre une ou plusieurs associations accréditées et un ou plusieurs employeurs ou associations d'employeurs[23] ».

D'autre part, l'**unité de négociation**, qui tire sa pertinence de la procédure d'accréditation, est un groupe de salariés représentés par le syndicat accrédité aux fins de la négociation d'une convention collective.

Finalement, la **période de maraudage** est une période au cours de laquelle un syndicat concurrent peut déposer une requête en accréditation afin de déloger un syndicat déjà en place et ainsi représenter le groupe de salariés membres de ce syndicat.

Convention collective
Entente écrite relative aux conditions de travail conclue entre une ou plusieurs associations accréditées et un ou plusieurs employeurs ou associations d'employeurs.

Unité de négociation
Groupe de salariés représentés par le syndicat accrédité pour négocier une convention collective.

Période de maraudage
Période au cours de laquelle un syndicat rival peut déposer une requête en accréditation afin de déloger un syndicat déjà en place et ainsi représenter le groupe de salariés membres de ce syndicat.

13.3 La formation du syndicat : les pratiques interdites

Peu importe la raison pour laquelle des salariés veulent se regrouper et former un syndicat dans l'entreprise où ils travaillent, un fait demeure : ils ne désirent plus que ce soit leur employeur qui, de façon unilatérale, détermine leurs conditions de travail. Cependant, certaines pratiques demeurent interdites par le Code du travail à l'égard de la formation d'un syndicat. Voyons quelles sont ces interdictions.

› Les interdictions générales visant le comportement des parties (le syndicat en formation et la partie patronale)

Le Code du travail stipule que, dans les démarches de recrutement de membres pour un syndicat, il est formellement interdit à quiconque d'user d'intimidation ou de recourir à des menaces afin d'amener un salarié à devenir membre d'un syndicat[24], car ces pratiques dérogent à la règle selon laquelle chaque salarié a le droit d'appartenir à l'association de salariés de son choix et de participer à la formation de cette association, à ses activités et à son administration[25].

En ce qui a trait à l'employeur, s'il vient d'une façon ou d'une autre à apprendre que certains de ses salariés entreprennent des démarches afin de former un syndicat, il ne peut d'aucune manière user de pratiques telles que l'intimidation ou la menace afin de les amener à devenir membres du syndicat, à s'abstenir d'en devenir membres ou à cesser d'en être membres[26]. Parmi les formes de menaces que l'employeur peut utiliser, les plus probables sont la fermeture de l'entreprise

23. Québec, *Code du travail du Québec*, art. 1d.
24. *Ibid.*, art. 13.
25. *Ibid.*, art. 3.
26. Pour ce qui est de ce comportement de l'employeur, Gagnon souligne que « les menaces interdites à l'employeur peuvent prendre des formes extrêmement variées, plus ou moins subtiles selon les circonstances ». Voir Robert P. Gagnon, *Le droit du travail du Québec : pratiques et théories*, 3e éd., Cowansville, Les Éditions Yvon Blais, 1996, p. 213.

Le Code du travail stipule que, dans les démarches afin de recruter des membres pour le syndicat, il est formellement interdit à quiconque d'user d'intimidation ou de recourir à des menaces afin d'amener un salarié à devenir membre d'un syndicat.

advenant la syndicalisation des salariés et l'annonce d'une modification unilatérale des conditions de travail au détriment des salariés s'ils décident d'adhérer à un syndicat[27].

› Les pratiques interdites spécifiquement énoncées pour le syndicat en formation

Malgré l'intensité de leur désir de former un syndicat dans l'entreprise, les salariés doivent être discrets et s'abstenir d'avertir leur employeur de la démarche qu'ils entreprennent. Une démarche préliminaire consiste donc pour eux à consulter leurs collègues de travail afin de s'assurer d'une double réalité :

- la représentativité du syndicat quant au nombre de membres requis. Ainsi, ils doivent s'assurer que le syndicat est représentatif et qu'il compte au moins la majorité absolue de membres (50 % + 1) afin d'obtenir son accréditation, c'est-à-dire sa reconnaissance officielle ;
- l'existence d'une réelle volonté de devenir membres du syndicat chez la majorité des salariés.

Cependant, dans le respect d'une de leurs obligations envers leur employeur, c'est-à-dire l'obligation de travailler pendant les heures prévues à cet effet, les salariés qui désirent former un syndicat ne peuvent pas solliciter, au nom ou pour le compte du syndicat, l'adhésion de membres pendant les heures de travail[28]. Qui plus est, pour toute affaire qui concerne le syndicat, ils ne peuvent pas tenir de réunions sur le lieu de travail[29] tant et aussi longtemps que le syndicat n'aura pas obtenu son accréditation.

› Les pratiques interdites à l'employeur

Outre l'interdiction générale relative à l'intimidation et aux menaces, deux interdictions majeures s'adressent à l'employeur.

- Aucun employeur ni aucune personne agissant pour un employeur ou une association d'employeurs ne cherchera en aucune manière à dominer, à entraver ou à financer la formation ou les activités d'une association de salariés ni à y participer[30].
- Aucun employeur ni aucune personne agissant pour un employeur ou une association d'employeurs ne doit refuser d'employer une personne à cause de l'exercice par cette personne d'un droit qui découle du Code du travail, ni chercher par intimidation, mesures discriminatoires, représailles, menace de renvoi ou autre menace, par l'imposition d'une sanction ou par quelque autre moyen à contraindre un salarié à s'abstenir ou à cesser d'exercer un droit qui résulte de ce code[31].

---

27. Robert P. Gagnon, *op. cit.*, p. 214.
28. *Ibid.*, art. 5.
29. *Ibid.*, art. 6. Notons que cette dernière interdiction tombe si l'association de salariés est accréditée et obtient la permission de l'employeur de tenir des réunions sur le lieu de travail.
30. Québec, *Code du travail du Québec*, art. 12.
31. *Ibid.*, art. 14.

› Les figures 13.1 à 13.3 présentent les pratiques interdites en ce qui a trait à la formation d'un syndicat.

Figure 13.1 Les interdictions générales

Interdictions générales

User d'intimidation ou de menaces pour qu'un salarié adhère au syndicat

User d'intimidation ou de menaces pour qu'un salarié quitte le syndicat

Figure 13.2 Les interdictions faites aux salariés ou à l'association de salariés

Pratiques interdites

Toute forme de sollicitation pendant les heures de travail

La tenue de réunions sur le lieu de travail

Figure 13.3 Les interdictions faites à l'employeur

Pratiques interdites

Toute tentative visant à dominer une association de salariés

Toute mesure visant à intimider un salarié qui exerce un droit résultant du Code

13.4 La procédure d'accréditation

Afin d'obtenir une reconnaissance officielle, une association de salariés, autrement dit un syndicat[32], doit déposer une requête en accréditation. L'accréditation, en langage populaire, est comme l'extrait de naissance du syndicat et lui permet d'affirmer qu'il existe légalement. Ainsi, l'accréditation lui donne le droit de s'asseoir en face de l'employeur et de lui dire : « Maintenant, nous allons entreprendre des négociations collectives afin de déterminer les conditions de travail des salariés que je représente[33]. »

Avant de déposer une telle requête, ce syndicat doit posséder deux caractéristiques essentielles :

- il doit s'agir d'une association uniquement composée de salariés. Il ne saurait donc admettre en son sein un cadre ou quiconque est un représentant de l'employeur ;
- il faut, en tant qu'association de salariés, qu'il poursuive comme buts précis l'étude, la sauvegarde et le développement des intérêts économiques, sociaux et éducatifs de ses membres, et particulièrement la négociation et l'application de conventions collectives.

13.4.1 La demande d'accréditation : règle générale et cas particuliers

Le Code du travail du Québec prévoit des périodes précises à l'intérieur desquelles une requête en accréditation peut être déposée soit par une association de salariés nouvellement formée, soit par une association rivale qui, dans un milieu de travail, veut déloger une association déjà accréditée.

La **règle générale** veut que l'accréditation puisse être demandée en tout temps pour un groupe de salariés qui n'est pas déjà représenté par un autre syndicat dans l'entreprise et qui n'est pas visé en totalité ou en partie par une autre requête en accréditation provenant d'une association rivale dans l'entreprise[34].

Certains cas particuliers méritent d'être détaillés. Une accréditation peut être demandée par une association rivale douze mois après la date d'une accréditation déjà obtenue à l'égard d'un groupe de salariés par un syndicat qui, au terme de ces douze mois, n'a pas encore signé de convention collective. Il va de soi que l'objectif de cette association concurrente est de déloger le syndicat en place en déposant une requête en accréditation pour ce même groupe de salariés[35].

Si une convention collective a déjà été signée pour un groupe de salariés[36], si elle vient à expiration et si une période de neuf mois s'écoule sans qu'elle soit

32. Dorénavant, le mot « syndicat » sera utilisé comme synonyme de l'expression « association de salariés ».

33. Gardons en tête qu'une fois que l'association accréditée exerce son droit de négocier avec l'employeur, ce n'est plus ce dernier qui, unilatéralement, détermine les conditions de travail de ses salariés.

34. QUÉBEC, *Code du travail du Québec*, art. 22a.

35. Il est à noter que, pour ce groupe de salariés, un différend ne doit pas avoir été soumis à l'arbitrage au cours de ces douze mois pour que la requête en accréditation soit valable. Ce groupe de salariés ne doit pas non plus faire l'objet d'une grève ou d'un lock-out, tel que permis par le Code du travail. Qui plus est, l'accréditation peut être demandée douze mois après la décision de la Commission des relations du travail, qui s'appuie sur la description de l'unité de négociation d'une association de salariés voulant être reconnue.

36. Il peut s'agir d'une sentence arbitrale qui en tient lieu. Une sentence arbitrale est une décision rendue par un arbitre de différends appelé à intervenir lorsqu'il y a une mésentente sérieuse empêchant les parties de négocier.

renouvelée, une association rivale peut, après cette période, déposer une requête en accréditation pour ces mêmes salariés[37].

Une autre période au cours de laquelle une requête en accréditation peut être déposée par une association rivale s'étend du 90e au 60e jour précédant la date d'expiration d'une convention collective dont la durée prévue est de 3 ans ou moins. Signalons que cette période de maraudage, au cours de laquelle un syndicat rival peut déposer une requête en accréditation à l'égard d'un groupe de salariés déjà représenté par un autre syndicat, ne s'applique qu'aux conventions collectives de courte durée.

Pour les conventions collectives de longue durée, nous présenterons deux cas qui illustrent bien les périodes de maraudage prévues par le Code du travail.

D'abord, en ce qui concerne une convention collective d'une durée de quatre ou cinq ans, une période de maraudage est prévue du 180e au 150e jour précédant la date de son expiration ou de son renouvellement. Ensuite, s'il s'agit d'une convention collective d'une durée de huit ans, la période de maraudage peut s'étendre du 180e au 150e jour précédant le sixième anniversaire de sa signature ou de son renouvellement.

13.4.2 Les formalités entourant le mécanisme de dépôt d'une requête en accréditation

Le Code du travail du Québec spécifie les instances extérieures à l'entreprise auxquelles est confiée l'application de la procédure d'accréditation. Il s'agit :

- de l'agent de relations du travail ;
- de la Commission des relations du travail.

La procédure d'accréditation débute dès qu'une association de salariés adresse une requête en accréditation à la Commission des relations du travail.

Le Code du travail du Québec impose cependant certaines formalités. L'association doit autoriser la requête par voie de résolution et cette requête doit être signée par ses représentants mandatés. L'association a l'obligation d'indiquer dans la requête le groupe de salariés qu'elle veut représenter. Lors de sa demande à la Commission, elle doit accompagner sa requête des formulaires d'adhésion prévus par la loi[38].

Une fois la requête reçue, la Commission des relations du travail la rend publique par tout moyen qu'elle juge approprié. De plus, à la réception, elle en transmet une copie à l'employeur.

Ce dernier doit, au plus tard le jour ouvrable qui suit celui de sa réception, afficher une copie de cette requête dans un endroit bien en vue. Il a de plus l'obligation d'afficher dans un endroit bien en vue, dans les cinq jours suivant la réception de cet exemplaire, la liste complète des salariés de l'entreprise visés par la requête avec la mention de la fonction de chacun d'eux, et sans délai, il doit transmettre une copie de cette liste à l'association requérante.

37. Pour ce groupe de salariés, un différend ne doit pas avoir été soumis à l'arbitrage ni faire l'objet d'une grève ou d'un lock-out permis par le Code du travail.

38. Voir le *Code du travail du Québec*, art. 36.1b.

Mais là ne prend pas fin le rôle de la Commission. Toujours à la réception de la requête en accréditation, elle doit dépêcher sans délai un agent de relations du travail dont le rôle est de s'assurer du caractère représentatif[39] de l'association et de son droit à l'accréditation.

Pour mener à bien ses tâches, l'agent de relations du travail a toute latitude pour:

- procéder à la vérification des livres et des archives de l'association de salariés et de la liste des salariés de l'employeur;
- vérifier auprès de toute association, de tout employeur et de tout salarié si la formation de l'association de salariés s'est déroulée selon les règles prescrites dans le Code du travail, c'est-à-dire dans le respect des différentes interdictions imposées tant à l'association de salariés qu'à l'employeur ou respectivement à chacune des parties.

Si, après vérification des livres, des archives et de la légalité entourant la formation du syndicat, l'agent de relations du travail conclut que l'association de salariés jouit du caractère représentatif requis et qu'il constate qu'il y existe un accord entre l'employeur et l'association sur l'unité de négociation et sur les personnes qu'elle vise, il doit accréditer cette association sur-le-champ.

Notez qu'aux fins de l'établissement du caractère représentatif d'une association de salariés ou de la vérification du caractère représentatif d'une association accréditée, une personne est reconnue membre de cette association lorsqu'elle satisfait aux conditions suivantes:

a) elle est un salarié compris dans l'unité de négociation visée par la requête;

b) elle a signé une formule d'adhésion dûment datée et qui n'a pas été révoquée avant le dépôt de la requête en accréditation ou la demande de vérification du caractère représentatif;

c) elle a personnellement payé, à titre de cotisation syndicale, une somme d'au moins 2 $ dans les 12 mois précédant soit la demande de vérification du caractère représentatif, soit le dépôt de la requête en accréditation, soit sa mise à la poste par courrier recommandé ou certifié;

d) elle a rempli les conditions prévues aux paragraphes *a* à *c*, soit le jour ou avant le jour de la demande de vérification du caractère représentatif, soit le jour ou avant le jour du dépôt de la requête en accréditation[40].

Cependant, si l'agent de relations du travail conclut que l'association ne jouit pas du caractère représentatif requis, il doit adresser un rapport sommaire de sa vérification à la Commission et en transmettre une copie aux parties. Dans ce rapport, il doit mentionner les raisons pour lesquelles il n'accorde pas l'accréditation[41].

---

39. Le *Code du travail du Québec* mentionne la notion de «caractère représentatif» sans toutefois en donner une définition. Le Corre et Demers indiquent cependant que la vérification du caractère représentatif par l'agent d'accréditation «consiste à déterminer si le syndicat détient un appui suffisant auprès des salariés». Voir Claude Le Corre et Francis Demers, *op. cit.*, p. 101. Mallette pousse plus loin la réflexion sur le sens à donner à la notion de «caractère représentatif». Il souligne que cette notion contient des éléments tant d'ordre qualitatif que d'ordre quantitatif. «Les éléments qualitatifs ont trait à l'habileté d'une association à représenter un groupe donné de salariés» sans que sa formation ou ses activités soient dominées, entravées ou financées par l'employeur. Quant aux éléments dits quantitatifs, «ils ont trait au caractère majoritaire de l'association de salariés». Voir aussi Noël Mallette, *op. cit.*, p. 140-141.

40. Voir le *Code du travail du Québec*, art. 36.1.

41. Voir le *Code du travail du Québec*, art. 28a.

Un autre cas peut se présenter. Si l'agent de relations du travail constate qu'il existe un accord entre l'employeur et l'association sur l'unité de négociation et sur les personnes qu'elle vise, mais qu'entre 35 % et 50 % seulement des salariés de cette unité sont membres de l'association, il procède au scrutin pour s'assurer du caractère représentatif de cette dernière. Si l'association obtient la majorité absolue (50 % + 1) des voix des salariés appartenant à l'unité de négociation, l'agent l'accrédite[42].

Il va de soi que toute objection venant de l'employeur peut ralentir, voire freiner, la procédure d'accréditation à l'égard d'une association de salariés. Une objection probable peut consister en un refus de l'employeur de donner son accord sur l'unité de négociation visée par l'association de salariés. Si tel est le cas, pour manifester son refus, il doit expliciter par écrit à l'agent de relations du travail les raisons de son désaccord et il doit proposer lui-même l'unité qu'il croit être appropriée. L'agent de relations du travail rédige alors un rapport sommaire sur le désaccord pour la Commission, tout en prenant soin d'en transmettre un exemplaire aux parties[43].

Cependant, si dans les quinze jours suivant la réception d'un exemplaire de la requête, l'employeur néglige ou refuse de communiquer à l'agent de relations du travail les raisons de son désaccord et par le fait même refuse de proposer l'unité qu'il croit appropriée, il est présumé avoir donné son accord sur l'unité de négociation. L'accréditation de l'association de salariés peut ainsi être obtenue aussitôt ou par la recherche de la majorité absolue.

L'employeur peut aussi s'opposer à la présence de certaines personnes figurant dans la liste des salariés pour lesquels la requête en accréditation est déposée, mais si l'agent de relations du travail constate qu'il y a accord entre l'employeur et l'association sur l'unité de négociation, mais non sur certaines personnes visées par la requête, et qu'en outre cette association jouit du caractère représentatif pour l'unité de négociation demandée, il l'accrédite sur-le-champ. Ensuite, sans tarder, l'agent de relations du travail fait un rapport à la Commission en ce qui a trait au désaccord entre l'employeur et l'association de salariés et il en transmet une copie aux parties[44].

L'agent de relations du travail peut faire face à la situation où il y a déjà en place une association accréditée ou encore lorsqu'il y a plus d'une association de salariés requérante. Dans ce cas, s'il constate un accord entre l'employeur et toute association en cause sur l'unité de négociation et sur les personnes qu'elle vise, il accrédite l'association qui regroupe la majorité absolue des salariés ou, à défaut, procède à un vote secret[45]. Évidemment, en cas de désaccord sur l'unité de négociation ou sur les personnes qu'elle vise, l'agent de relations du travail avisera par écrit la Commission en mentionnant l'objet du désaccord et transmettra un exemplaire aux parties.

---

42. Encore une fois, si l'agent de relations du travail n'arrive pas à la conclusion que l'association jouit du caractère représentatif prescrit, il doit rédiger un rapport sommaire de sa vérification à la Commission et en transmettre un exemplaire aux parties. Il doit, dans ce rapport, mentionner les raisons pour lesquelles il n'a pas accordé l'accréditation. Voir le *Code du travail du Québec*, art. 28b.

43. Ce rapport doit comporter les raisons explicitées par l'employeur, la description de l'unité que celui-ci croit appropriée et, le cas échéant, la mention qu'entre 35 % et 50 % des salariés dans l'unité de négociation demandée sont membres de l'association de salariés.

44. Le désaccord dont il est question ne peut avoir pour effet d'empêcher la conclusion d'une convention collective.

45. Québec, *Code du travail du Québec*, art. 28e.

Si l'agent de relations du travail soupçonne ou constate une violation de l'article 12 du Code du travail, c'est-à-dire qu'un employeur ou une personne agissant pour son compte ou encore pour une association d'employeurs a, d'une manière ou d'une autre, dominé, entravé ou financé la formation ou les activités d'une association de salariés ou y a participé, il ne peut accréditer cette association. Son pouvoir d'accorder l'accréditation prend aussi fin s'il est informé qu'un tiers ou une partie intéressée a déposé une plainte relative à la violation de cet article. Cependant, il peut, de sa propre initiative ou à la demande de la Commission des relations du travail, effectuer une enquête sur cette contravention prévue à l'article 12[46].

13.5 La détermination de l'unité de négociation appropriée : les critères d'appréciation retenus

L'article 21 du Code du travail énonce que le droit à l'accréditation est reconnu à l'association de salariés regroupant la majorité absolue des salariés d'un employeur. Or, dans une même entreprise, il peut exister « une pluralité de catégories de travailleurs ayant des objectifs, des aspirations et des besoins différents[47] ».

D'ailleurs, le législateur prévoit l'existence de groupes distincts au sein d'une entreprise et il stipule que « le droit à l'accréditation existe à l'égard de la *totalité des salariés de l'employeur* ou de *chaque groupe desdits salariés qui forme un groupe distinct*, suivant l'accord intervenu entre l'employeur et l'association de salariés et constaté par l'agent de relations du travail, ou suivant la décision de la Commission[48] ».

Le législateur permet donc au sein d'une entreprise l'existence de plusieurs groupes distincts pouvant être accrédités en vue d'entamer avec un même employeur des négociations collectives, mais il revient au syndicat requérant de proposer dans sa requête en accréditation l'unité de négociation qu'il veut représenter.

Rappelons que s'il y a accord entre l'employeur et l'association de salariés sur cette unité de négociation, l'obtention de l'accréditation ne pose pas de problème. C'est lorsqu'il y a un désaccord fondamental, entre l'employeur et l'association de salariés sur la détermination de l'unité de négociation appropriée, que la Commission doit intervenir et trancher la question[49], et pour déterminer quelle sera l'unité de négociation appropriée, elle doit se baser sur un certain nombre de critères établis par la jurisprudence[50]. Ces critères sont les suivants : la communauté d'intérêts,

46. *Ibid.*, art. 29.

47. Noël Mallette, *op. cit.*, p. 147.

48. Québec, *Code du travail du Québec*, art. 21. (L'italique est de nous.)

49. Ce pouvoir lui est conféré en vertu de l'article 32 du *Code du travail du Québec*.

50. Voir *Syndicat national des employés de Sicard (CSN) et Syndicat national des machinistes (CSN)* c. *Association internationale des travailleurs de métal en feuilles (116) et Association internationale des machinistes (631) et Sicard inc.*, [1965] R.D.T. 353, de même qu'*International Union of Brewery, Flour, Cereal, Soft Drink and Distillery Workers of America (local 239)* c. *Coca-Cola Ltd.*, [1978] R.L. 391. Comme le souligne Gagnon, c'est la formation des groupes distincts qui « a amené la jurisprudence à définir des critères d'appréciation du caractère approprié de ces groupes aux fins de l'établissement d'un régime collectif de travail et, donc, de la détermination du droit à l'accréditation ». Voir aussi Robert P. Gagnon, *op. cit.*, p. 267. Mallette précise que ces critères d'appréciation « n'ont cependant pas la même valeur ni la même importance dans chaque cas ». Ainsi, leur pertinence variera selon les cas soumis à l'étude. Voir Noël Mallette, *op. cit.*, p. 149. Le Corre et Demers expliquent qu'« un critère donné peut, dans une situation, avoir un effet important tandis que, dans une autre situation, il peut avoir un impact très relatif. En fait, ces critères ne sont qu'indicatifs et permettent de déterminer si l'accréditation telle que proposée par le syndicat est viable et fonctionnelle » pour l'entreprise et si elle est sujette à contestation ou non. Voir aussi Claude Le Corre et Francis Demers, *op. cit.*, p. 94.

l'historique des relations du travail, la volonté des salariés en cause, la division territoriale ou géographique de l'entreprise et l'intérêt de la paix industrielle.

La communauté d'intérêts permet de déterminer si, pour un même groupe de travailleurs, il existe certaines formes de similitudes sur le plan du travail.

13.5.1 La communauté d'intérêts

La communauté d'intérêts permet de déterminer si, pour un même groupe de travailleurs, il existe certaines formes de similitude en matière de travail. Il faut donc retrouver :

- une similitude du travail et des fonctions ;
- une similitude des salaires et des modes de rémunération ;
- une similitude des conditions de travail ;
- une similitude des compétences requises.

Cette communauté d'intérêts doit aussi permettre de déterminer si, pour un même groupe de travailleurs, se présentent des possibilités d'interdépendance et d'interchangeabilité des fonctions, ainsi que des possibilités de transférabilité et de promotion des salariés d'une catégorie à une autre.

13.5.2 L'historique des relations du travail

Ce critère permet de vérifier s'il existe dans l'entreprise des faits antérieurs en matière d'accréditation, de négociations collectives et de conventions collectives. Parmi les questions auxquelles la Commission peut être appelée à répondre se trouvent celles-ci : l'entreprise fait-elle face à sa première demande d'accréditation ou y a-t-il en son sein d'autres associations accréditées ? Les parties en cause dans les négociations collectives font-elles régulièrement appel à des moyens de pression ou se dispensent-elles généralement d'utiliser de tels moyens ?

Ce critère permet aussi d'apprécier, le cas échéant, comment les unités de négociation ont été déterminées dans l'ensemble de l'industrie pour des entreprises similaires, ce qui permet d'orienter dans un certain sens les décisions en matière d'accréditation pour un secteur d'activité donné.

13.5.3 La volonté des salariés en cause

« Le désir des salariés de former une unité de négociation se mesure à partir de l'appui dont jouit l'association requérante au sein du groupe proposé[51]. » Cette volonté des salariés doit être librement exprimée, conformément aux prescriptions du législateur, qui énonce que « tout salarié a droit d'appartenir à une association de salariés de son choix et de participer à la formation de cette association, à ses activités et à son administration[52] ».

Il est donc du devoir de l'agent de relations du travail (suivant sa propre initiative) ou de la Commission des relations du travail de vérifier si l'association requérante jouit d'un réel appui de tous les salariés qu'elle veut représenter ou si certains d'entre eux y ont adhéré par la menace ou par une autre forme d'intimidation.

13.5.4 La division territoriale ou géographique de l'entreprise

Il s'agit de déterminer s'il existe, pour un même employeur, plusieurs établissements ou « plusieurs lieux de travail distincts sur un territoire plus ou moins

51. Robert P. Gagnon, *op. cit.*, p. 269.
52. Québec, *Code du travail du Québec*, art. 3.

grand[53] ». Ainsi, auprès de la Commission des relations du travail, un employeur « qui dirige plusieurs établissements dans différentes régions peut faire valoir que le regroupement de tous les salariés au sein d'une même unité est préférable à la reconnaissance d'une unité distincte pour chaque établissement[54] ».

13.5.5 L'intérêt de la paix industrielle

Ce critère jurisprudentiel a été énoncé dans le souci de ne pas voir la paix industrielle troublée par la multiplicité des groupes et des associations de salariés. Le raisonnement adopté est le suivant : plus il y a d'associations de salariés qui négocient avec un même employeur au sein d'une entreprise, plus les risques de conflit de travail sont élevés et plus la paix industrielle a de chances d'être troublée. Même s'il est démontré que l'historique des relations du travail dans une entreprise témoigne de plusieurs négociations difficiles menant presque toutes à des grèves ou à des **lock-out**, ce critère ne sera pas nécessairement appliqué de manière stricte de façon à faire obstacle à une éventuelle accréditation. D'ailleurs, l'application stricte de ce critère est peu fréquente[55]. La Commission pourrait l'appliquer si une unité de négociation relativement petite voulait se faire reconnaître, bien que les salariés qu'elle vise aient une communauté d'intérêts avec les salariés d'une unité de négociation plus grande désirant aussi obtenir une reconnaissance officielle. Dans sa décision, la Commission accorderait une préférence à la plus grande unité et non à deux unités distinctes, de manière à éviter un trop grand nombre d'associations de salariés dans l'entreprise.

Lock-out
Refus par un employeur de fournir du travail à un groupe de salariés à son emploi en vue de les contraindre à accepter certaines conditions de travail ou de contraindre pareillement des salariés d'un autre employeur (*Code du travail*, art. 1h).

La figure 13.4 présente l'ensemble de ces critères.

13.6 Les effets juridiques de l'accréditation

Que l'on traite du dépôt d'une requête en accréditation ou de l'obtention de cette accréditation par l'association de salariés, chacun de ces événements produit des effets juridiques. Étudions la portée de ces effets.

13.6.1 Les effets du dépôt de la requête

Dès qu'une requête en accréditation est déposée, l'employeur ne peut pas modifier les conditions de travail de ses salariés[56].

À la suite du dépôt d'une requête en accréditation pour un groupe de salariés, la Commission des relations du travail peut ordonner la suspension des négociations en cours entre l'employeur et une autre association déjà accréditée pour ce même groupe de salariés. Elle peut même ordonner la suspension du délai pour l'exercice du droit de grève ou de lock-out. Sa juridiction lui permet également d'empêcher le renouvellement d'une convention collective[57].

---

53. Robert P. Gagnon, *op. cit.*, p. 270.

54. Claude Le Corre et Francis Demers, *op. cit.*, p. 99.

55. Les auteurs s'entendent pour dire que ce critère a une portée très limitée. Voir Robert P. Gagnon, *op. cit.*, p. 271, et Claude Le Corre et Francis Demers, *op. cit.*, p. 99.

56. Si l'employeur désire apporter des modifications aux conditions de travail de ses salariés lorsqu'il y a dépôt d'une requête en accréditation, il doit préalablement obtenir le consentement écrit de chaque association requérante. Voir le *Code du travail du Québec*, art. 59.

57. *Ibid.*, art. 42.

Figure 13.4 Les critères d'appréciation d'une unité de négociation

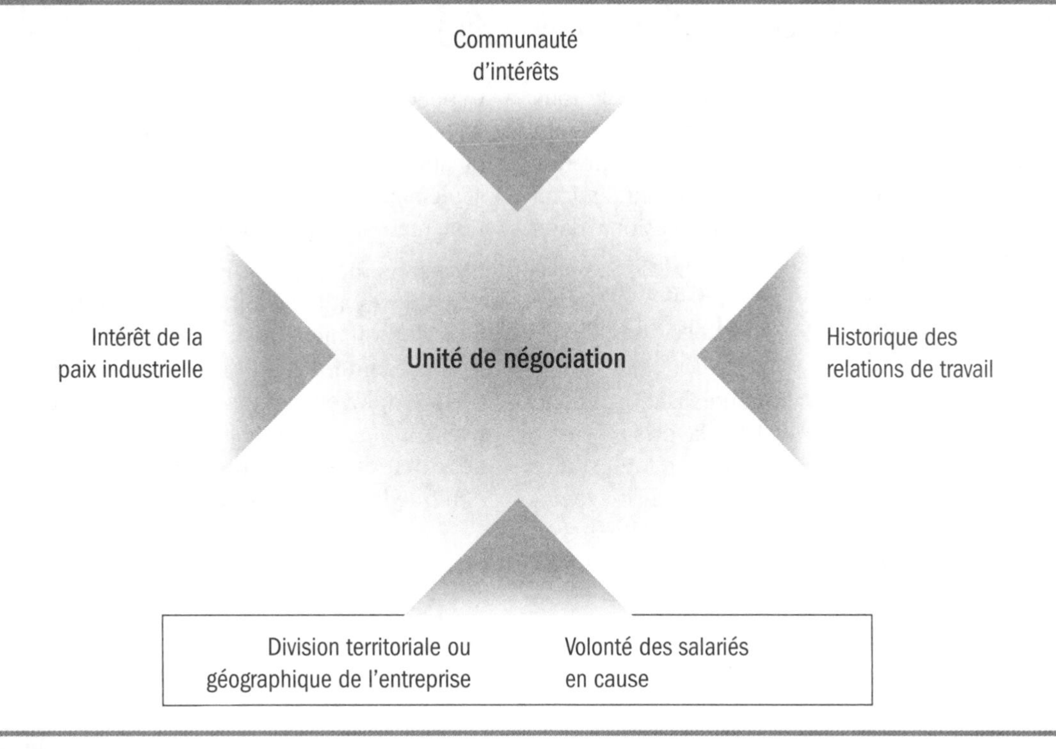

13.6.2 L'effet sur une autre accréditation

L'accréditation d'une association de salariés annule de plein droit l'accréditation de toute autre association pour le groupe visé par la nouvelle accréditation[58].

13.6.3 La principale caractéristique de l'association accréditée

Pour une association, l'effet essentiel de l'accréditation est qu'elle lui confère une caractéristique incontournable : détenir le **monopole de la représentation** du groupe de salariés visés par l'unité de négociation.

Cette représentation doit cependant être appropriée, c'est-à-dire que non seulement l'association accréditée doit traiter tous ses membres de façon égale[59], mais elle doit aussi respecter à leur égard l'objectif principal pour lequel elle a demandé et obtenu l'accréditation : négocier avec l'employeur leurs nouvelles conditions de travail[60].

Partant de cet objectif principal, nous présenterons dans le chapitre 14 ce volet dynamique des relations collectives du travail que constitue la négociation collective.

58. *Ibid.*, art. 43.

59. *Ibid.*, art. 47.2.

60. Rappelons qu'une association accréditée qui n'a pas conclu de convention collective avec un employeur douze mois après la date de son accréditation peut voir son accréditation annulée au profit d'une association rivale qui dépose une telle requête, sous les conditions prévues dans le Code du travail. Voir le *Code du travail du Québec*, art. 22 b.1.

Résumé du chapitre

Si, au début des années 1990, les relations collectives du travail au Québec ont pris un virage caractérisé par l'affaiblissement des syndicats, la diminution de leurs revendications salariales et leurs nombreuses concessions dans des domaines où ils avaient connu des gains importants, force est aujourd'hui d'admettre que c'est le nouveau contexte économique qui a changé la donne pour les syndicats.

Ce contexte, qui est celui de la mondialisation, donne aux entreprises, qui en avaient favorisé l'émergence ou qui s'y étaient rapidement adaptées, une nouvelle arme puissante en période de négociations collectives, soit la possibilité de déménager leurs installations de production dans des pays où les coûts de main-d'œuvre sont peu élevés. Cependant, au Québec, malgré ces menaces de déménagement que brandissaient les entreprises, les syndicats n'ont pas cessé et ne cessent pas de lutter, non seulement pour maintenir leur pouvoir de négociation, mais aussi pour défendre leurs membres.

Il va sans dire que pour atteindre ces deux objectifs, tout syndicat doit être accrédité, c'est-à-dire qu'il doit officiellement être reconnu comme étant le représentant d'un groupe de salariés à l'égard d'un employeur. Dans ce chapitre, nous avons présenté les modalités légales à respecter lors de la formation d'un syndicat et la procédure à suivre afin que le syndicat soit accrédité.

Évaluation de la compétence

Questions de révision et application

1. **a)** Sur quelle base le système nord-américain de relations du travail repose-t-il ?
b) Illustrez votre réponse par deux exemples de situations réelles.

2. Que signifie la notion de « caractère représentatif » d'une association de salariés ?

3. Quelles sont les interdictions imposées à l'employeur au moment de la formation d'un syndicat ?

4. Quels sont les deux critères que doit respecter un syndicat qui désire tenir ses réunions sur le lieu de travail où il s'est formé ?

5. Quels objectifs une association de salariés qui demande l'accréditation doit-elle viser ?

6. À quelles instances extérieures à l'entreprise la loi confie-t-elle l'application de la procédure d'accréditation ?

7. Comment la procédure d'accréditation se déroule-t-elle ?

8. Quelles démarches la loi impose-t-elle à la Commission des relations du travail dès que cette dernière reçoit une requête en accréditation ? Citez les trois principales démarches.

9. Quel est le rôle de l'agent de relations du travail ?

›

10. Si un employeur manifeste son désaccord face à une unité de négociation, quels critères la Commission des relations du travail peut-elle appliquer afin de vérifier si cette unité est appropriée ?

11. Quels sont les principaux effets juridiques de l'accréditation ?

12. En vous reportant à la rubrique Point de mire présentée au début du chapitre, répondez aux questions suivantes.

Lors de la formation de son syndicat, Ricky Kodine avait lancé les propos suivants : « Ici, il n'y a pas de place pour les lâches, les pleutres, les scabs et les peureux. Ceux qui ne veulent pas marcher dans la même direction que le syndicat vont en baver un coup ! »

- **a)** Quelles sont les pratiques utilisées par Ricky Kodine pour justement forcer certains travailleurs à « marcher dans la même direction que le syndicat » ?
- **b)** Comment qualifiez-vous ces pratiques ? Expliquez votre réponse.
- **c)** Même si les dirigeants de l'hôtel étaient absents, était-il justifié que Ricky Kodine tienne une réunion dans l'hôtel avant que le syndicat ait obtenu son accréditation ? Expliquez votre réponse.

Analyse de cas

Cas 13.1

Le président de Vidéoclip s'explique

L'idée des membres de la haute direction de la société Vidéoclip était pourtant claire : transférer ses techniciens chez Abruton, un sous-traitant. Cette mesure permettrait à la compagnie d'épargner 36 millions de dollars par année. Dès la parution de la nouvelle dans les principaux médias, les employés syndiqués touchés par une telle mesure ont commencé à débrayer sporadiquement, d'autant plus que l'entreprise ne s'était même pas donné la peine de leur annoncer la nouvelle.

Plutôt embarrassé par la façon dont s'est déroulé l'événement, Michael Clark, le président-directeur général de Vidéoclip, s'expliqua devant les médias : « Nos syndiqués comprendront l'objectif que nous poursuivons en adoptant cette mesure. D'ici quatre ans, notre entreprise va investir plus de sept cents millions de dollars pour faire migrer ses abonnés de l'analogique au numérique, un virage que nous devons absolument emprunter pour que notre compagnie

demeure concurrentielle. Nos champs de bataille pour les prochaines années sont la télédistribution et les services par Internet. Nous devons pour cela réduire considérablement nos dépenses, et c'est pourquoi une des solutions logiques qui s'offrent à nous est le transfert prochain de certains de nos techniciens chez Abruton, un de nos sous-traitants. »

Cette explication ne semblait pas plaire à Ricardo Sirocco, président du syndicat des techniciens de

Vidéoclip. Il qualifia de «brutale» la décision prise par la direction de l'entreprise.

«Les prochaines négociations collectives vont être féroces! Nous ne lâcherons pas prise, car nous ne voulons pas que les patrons affaiblissent notre pouvoir de représentation en éparpillant nos membres chez des sous-traitants!»

Mais pour Claude Ledoussac, qui désirait présenter une requête en accréditation afin de déloger le syndicat actuel et représenter en exclusivité les techniciens, il s'agissait là d'une manœuvre patronale visant à détruire le mouvement syndical en lui retirant son droit d'exister.

Questions

1. Comment la période au cours de laquelle un syndicat tente d'en déloger un autre au sein d'une entreprise se nomme-t-elle?
2. Quel objectif le syndicat concurrent poursuit-il?
3. Dans la situation où se trouve le nouveau syndicat que veut implanter M. Ledoussac, à quelle période doit-il présenter sa requête en accréditation?

Cas 13.2

La taupe

Belœil, 22 h 30. Dans le stationnement du stade municipal, une Volvo est garée. Arrive en sens inverse une Toyota, qui se gare à la hauteur de la Volvo. Un homme descend de chacune des voitures. Celui qui descend de la Volvo est Victor Lalande, le président-directeur général de la firme Les Jus Lalande et frères inc., de Saint-Hilaire. De la Toyota descend un homme qui remet une enveloppe à Victor, qui en extirpe une feuille.

– La liste est-elle complète? demande Victor.

L'homme acquiesce d'un signe de la tête. Victor lui tend une épaisse enveloppe jaune.

– Le compte y est? demande le mystérieux individu.

– Quinze mille dollars, comme convenu, répond Victor.

L'individu remonte dans sa voiture et s'éloigne de la Volvo.

Victor s'installe dans sa voiture et à l'aide d'une lampe de poche, il commence à consulter la liste. Elle contient le nom de tous les employés qui ont signé des cartes d'adhésion au nouveau syndicat qui veut se former au sein de la compagnie. La liste contient également le nom des deux têtes dirigeantes du syndicat, soit Benoît Brazeau et Ernesto Zigo. Elle mentionne même l'heure à laquelle chaque employé a signé sa carte. Victor constate avec étonnement que cinq des cinquante employés en question ont signé leur carte durant les heures de travail.

– Je vais les coincer! murmure-t-il fièrement.

Le lendemain matin, Victor convoque à son bureau Martine Larrivée, directrice des ressources humaines.

– Entrez, Martine.

– Que se passe-t-il, Victor?

– Nous coinçons Brazeau et Zigo! lui annonce Victor en brandissant la liste. J'ai la preuve qu'ils sont en train de former un syndicat et qu'ils le font pendant les heures de travail.

– Que comptez-vous faire?

– Leur couper les ailes! Martine, vous allez les congédier immédiatement!

– Mais, Victor, il s'agit d'une pratique interdite!

– J'y ai pensé. C'est pourquoi je dois démontrer que je ne m'oppose aucunement à ce qu'un syndicat soit formé dans l'entreprise. Faites venir Jean-Guy Lataupe à mon bureau. Je veux qu'il soit le président du nouveau syndicat. Il est malléable, et avec lui à la barre, nous allons contrôler le syndicat. Je lui donnerai un peu d'argent pour lui faciliter la tâche. Et dites-lui bien que je ne ferai pas obstacle à l'unité d'accréditation qu'il proposera dans sa requête en accréditation.

Juste avant que la directrice des ressources humaines ne quitte le bureau du PDG, la porte se referme brusquement. Victor lève les yeux:

– N'aviez-vous pas fermé la porte? demande-t-il à Martine.

– Oui, comme toujours. Peut-être n'était-elle pas bien fermée et avec le courant d'air...

Victor tourne la tête. La fenêtre de son bureau est ouverte.

– Sans doute un courant d'air, admet-il.

Ce soir-là, à 22 h 30, dans le stationnement du stade municipal de Belœil, une Ford noire est garée. Lentement, une Toyota avance en sens inverse. Elle s'immobilise à la hauteur de la Ford. Deux individus descendent de la Ford – Benoît Brazeau et Ernesto Zigo, tandis qu'un seul descend de la Toyota.

– As-tu des informations pour moi ? demande Brazeau à l'autre individu.

– Lalande est au courant pour le syndicat. Alors, faites attention ! Il veut vous congédier, Zigo et toi.

– Il y a donc une taupe parmi nous ? commente Ernesto.

– Comment Lalande aurait-il pu être mis au courant de notre démarche ? s'interroge à son tour Benoît Brazeau.

Le mystérieux individu réplique aussitôt, afin de dissiper tout soupçon qui pourrait peser sur lui :

– À propos de taupe... Une fois votre congédiement effectif, Lalande veut acheter Jean-Guy et le mettre à la tête du nouveau syndicat.

– Quoi ! ? explose Brazeau. Ça ne se passera pas comme ça !

Il sort de la poche de son manteau une épaisse enveloppe jaune qu'il remet au mystérieux personnage.

– Le compte y est ? demande ce dernier.

– Quinze mille dollars, comme convenu !

Le mystérieux individu se glisse dans sa voiture et s'éloigne lentement de la Ford.

– Bon, un petit sabotage dans l'usine va peut-être remettre en ordre les idées de Lalande, dit Brazeau à Zigo.

Travail

Relevez trois situations où il serait possible d'accuser le président Lalande de pratiques interdites, selon le Code du travail du Québec. Vous devez préciser la pratique interdite et étayer votre réponse par une situation provenant du texte.

Chapitre 14

Les relations du travail : la négociation collective

Cheminement d'idées

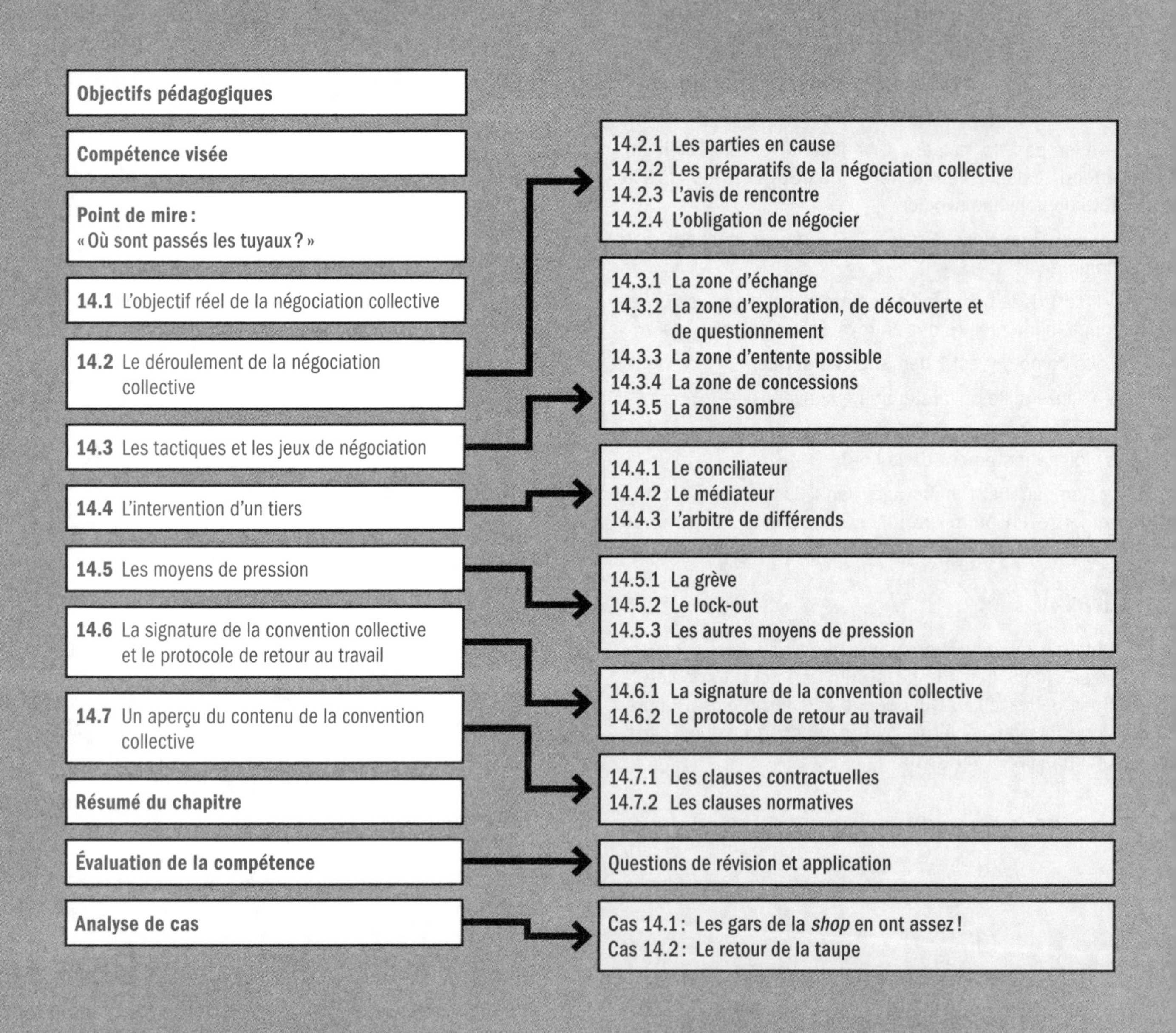

Objectifs pédagogiques

La lecture de ce chapitre devrait vous permettre :

1. de préciser l'objectif de la négociation collective ;
2. d'identifier les parties en cause lors d'une négociation collective ;
3. de décrire les préparatifs d'une négociation tant pour le syndicat que pour l'employeur ;
4. d'expliquer ce qu'est un comité de négociation ;
5. de souligner l'importance de l'avis de rencontre dans le processus de négociation ;
6. d'établir la portée de l'obligation de négocier pour les parties ;
7. d'identifier les tiers qui peuvent être appelés à intervenir au cours d'une négociation collective ;
8. d'expliquer le jeu des tactiques et des stratégies autour de la table de négociation ;
9. de différencier les moyens de pression utilisés par les syndicats en cours de négociation de ceux qu'utilise l'employeur ;
10. d'expliquer ce qu'est le protocole de retour au travail ;
11. de distinguer les clauses contractuelles des clauses normatives dans un contrat collectif de travail.

Compétence visée

La compétence visée dans ce chapitre est de pouvoir contribuer à l'application de la réglementation du travail en matière de préparation à la négociation collective et de déroulement d'une négociation collective.

Point de mire

« Où sont passés les tuyaux[1] ? »

André Flobert est le président de l'Association des pompiers. S'adressant aux médias à la suite d'un incident plutôt cocasse, il annonce d'un ton colérique : « Les pompiers en ont ras le bol. En tant que président de leur syndicat, je vais demander l'arbitrage. La Ville ne fait pas preuve de bonne foi et le conflit actuel s'envenime, malgré les séances de médiation. »

Ce ras-le-bol qu'exprime André est la conséquence d'actions inusitées. Les pompiers de la ville avaient peint

1. Les événements rapportés ici sont en partie inspirés de situations réelles rapportées dans le journal *La Presse*. Voir Sophie Allard, « Les pompiers adoptent des moyens de pression hauts en couleur », *La Presse*, le 1er avril 2003, page A16.

près de deux cents camions en lançant dessus, sans souci d'esthétique, de la gouache verte et des jaunes d'œuf. Sur certains camions, ils avaient tracé d'énormes graffitis.

«Ce sont des vandales!» s'était écrié Bertrand Soucy, responsable de la sécurité publique de la Ville.

Bertrand est d'ailleurs choqué du fait que des pompiers se sont rendus chez lui deux jours de suite, aux alentours de 22 h, pour y faire hurler leurs sirènes pendant près d'une heure. À la suite de l'enquête qu'il a fait mener par la Ville, il a pris des mesures disciplinaires sévères contre les syndiqués fautifs. Deux pompiers ont été suspendus pour une période indéterminée, tandis que les lieutenants et les capitaines responsables seront aussi interrogés.

André désapprouve les mesures prises par la Ville. Il demeure catégorique lorsqu'il déclare: «La Ville exagère en prenant de telles mesures disciplinaires! Si mes hommes ont fait hurler les sirènes de leurs camions, c'est parce qu'ils effectuaient une vérification du matériel. Bertrand sait très bien que nous procédons régulièrement à des essais de ce genre. C'est une simple coïncidence si les camions se trouvaient près de sa résidence. Et en ce qui a trait aux camions peints, ma position demeure inchangée: un camion vert roule aussi vite qu'un camion rouge. Jamais le service à la population n'a été touché. Et de toute façon, nous n'avons commis aucun acte répréhensible.»

Cependant, Louis Bernier, attaché de presse du maire, a une opinion différente à l'égard de ces actes, qu'il exprime ainsi: «Quoi qu'il en soit, pas question pour la Ville de payer les frais liés à ces moyens de pression. Nous évaluons actuellement l'ampleur des dégâts, puis nous présenterons la facture au syndicat. La population a le droit d'obtenir un service sécuritaire. Devant tous ces actes de vandalisme, nous ne voulons surtout pas avoir à crier, en cas d'incendie: "Où sont passés les tuyaux?" Ce serait le comble!»

14.1 L'objectif réel de la négociation collective

Conciliation
Intervention d'une tierce personne – appelée conciliateur – qui, en cours de négociation collective et à la demande d'une des deux parties, a pour rôle de rapprocher les parties qui ne peuvent s'entendre sur un ou plusieurs points et se trouvent dans une impasse.

Bien qu'au Québec «environ 80% des conventions collectives sont conclues à l'étape des négociations directes et 15% en **conciliation**, alors que 5% entraînent un arrêt de travail[2]» (grève ou lock-out), les titres fracassants des journaux qui relatent un dur conflit de travail peuvent laisser croire à des statistiques inverses.

Toutefois, il faut comprendre que le but de la négociation n'est pas d'attirer les parties à s'engager dans une épreuve de force afin de déclencher à tout prix un conflit de travail.

La négociation collective est avant tout un processus par lequel les parties (le syndicat et l'employeur) s'assoient l'une en face de l'autre en vue de conclure un accord sur la détermination des conditions de travail qui prévaudront pour les salariés d'une unité de négociation définie.

Les parties ne visant pas les mêmes intérêts, il est fort possible qu'en cours de négociation, elles n'arrivent pas à s'entendre sur un ou plusieurs points[3]. Dans un tel contexte, il faut admettre que le risque de conflit est souvent présent.

2. Voir Gérard Hébert, *Traité de négociation collective*, Boucherville, Gaëtan Morin Éditeur, 1992, p. 816.

3. Le syndicat cherche notamment à améliorer les conditions salariales de ses membres et à leur procurer la sécurité d'emploi, tandis que l'employeur tente surtout d'atteindre, de maintenir ou de sauvegarder la rentabilité de son entreprise.

14.2 Le déroulement de la négociation collective

C'est le Code du travail du Québec qui régit le déroulement de la négociation collective. Il en détermine les parties et les modalités de déroulement.

14.2.1 Les parties en cause

Seul un syndicat accrédité peut entreprendre des négociations collectives avec un employeur. Le syndicat constitue donc une des parties importantes dans le processus de négociation, car c'est souvent lui qui entame les démarches.

Une autre partie importante est l'employeur. Est considéré comme employeur quiconque, y compris l'État, fait exécuter un travail par un salarié. L'employeur représente généralement la force économique dont le syndicat veut obtenir des concessions.

L'État, qui est indirectement impliqué dans les négociations collectives, c'est-à-dire que sa présence n'est pas obligatoire à la table de négociation à moins qu'il soit lui-même l'employeur, fait cependant sentir son influence à différentes étapes des négociations. Le tableau 14.1 présente quelques exemples d'interventions de l'État dans le processus légal de négociation.

L'État, dans les négociations collectives, fait sentir son influence en tant qu'employeur ou en tant que législateur.

Tableau 14.1 Des exemples d'interventions de l'État dans le processus de négociation

Modes d'intervention de l'État	Articles du Code qui les justifient
Il fixe le cadre légal dans lequel doivent commencer et se dérouler toutes les négociations.	Articles 52 et 53
Advenant une mésentente en cours de négociation collective et à la demande d'une des parties, il désigne un conciliateur.	Article 54
D'office et à toutes les étapes des négociations, il peut désigner un conciliateur en cas d'impasse.	Article 55
Il fixe le moment où, légalement, le droit de grève ou de lock-out est acquis par les parties aux négociations collectives.	Article 58
Il exige d'être informé par écrit dans les 48 heures suivant le déclenchement d'une grève ou d'un lock-out.	Article 58.1
Il permet aux parties de soumettre une mésentente à l'arbitrage à condition qu'une demande écrite lui soit d'abord adressée.	Article 74
Il défère la mésentente à l'arbitrage.	Article 75
Il interdit le droit de grève à certaines catégories de salariés, comme les policiers et les pompiers municipaux.	Article 105
Il peut imposer des amendes à quiconque refuse de se conformer à une obligation ou à une interdiction imposées par le Code du travail.	Article 144

14.2.2 Les préparatifs de la négociation collective

Les préparatifs du côté du syndicat

Il serait faux de croire que le syndicat se présente à la table de négociation sans avoir, au préalable, préparé ses revendications. Au cours d'assemblées générales, il a consulté ses membres sur les demandes qu'ils aimeraient formuler et leur a fait part de celles qu'il comptait déposer.

Que ces demandes soient réalistes ou non, il n'en demeure pas moins que le syndicat se laisse souvent une marge de manœuvre. De ce fait, il n'est pas rare que certaines demandes soient exagérées de manière à laisser la place à d'éventuelles concessions.

Pour formuler ses demandes, un syndicat peut trouver de l'information auprès de diverses sources. Pour ce qui est des sources internes, il fera d'abord appel à ses membres, en s'enquérant de leurs besoins et de leurs attentes. Si une convention collective existe déjà, il peut vérifier les clauses ayant conduit à des **griefs** et appuyer sur celles-ci de nouvelles demandes. Il peut aussi regarder la situation financière générale de l'entreprise à l'égard de ses revendications salariales. En ce qui a trait aux sources externes, le syndicat peut prendre connaissance, le cas échéant, des conditions de travail qui ont été négociées dans des secteurs d'activité similaires ou comparables. Si le syndicat est affilié à une **centrale syndicale**, il peut bénéficier de l'aide et de l'expérience d'un agent syndical de cette centrale, qui l'aidera à consolider ses demandes.

Grief
Toute mésentente relative à l'interprétation ou à l'application d'une convention collective (*Code du travail du Québec*, art. 1f).

Centrale syndicale
Unité nationale « à laquelle tous les éléments syndicaux seront affiliés [...] et dont la fonction est principalement de représenter les intérêts de ses affiliés[4] ».

Les préparatifs du côté de l'employeur

Pour l'employeur, c'est souvent le gestionnaire des ressources humaines qui intervient dans le processus de préparation des négociations collectives. D'autres cadres de l'entreprise, comme le directeur des finances (pour les questions d'ordre financier) et le directeur de la production (pour les questions notamment relatives aux niveaux de production futurs et leur incidence sur l'emploi), peuvent être appelés à intervenir dans le processus de préparation. La partie patronale a également recours à des sources d'information internes. Toute information provenant des cadres de terrain strictement de niveau exécutant (les contremaîtres, les superviseurs) sera collectée et analysée lors de ces préparatifs.

Certaines démarches entreprises par la partie patronale afin de collecter de l'information ne diffèrent guère de celles qu'utilise la partie syndicale. Par exemple, si une convention collective est en vigueur dans l'entreprise, les questions soulevées par son administration peuvent fournir des pistes pour la formulation des offres patronales. Voici certaines de ces questions :

- Quels sont les problèmes provoqués par l'application de la convention collective ?
- Quelle est la nature des griefs encore en suspens, le cas échéant ?
- Quelles sont les clauses à modifier, à supprimer, à ajouter ?

Les états financiers de l'entreprise sont une importante source d'information interne pour la partie patronale. L'analyse de la rentabilité de l'entreprise devient

4. Jean Boivin et Jacques Guilbault, *Les relations patronales-syndicales au Québec*, Boucherville, Gaëtan Morin Éditeur, 1982, p. 93.

nécessaire pour connaître sa capacité réelle de donner satisfaction aux revendications d'ordre pécuniaire de ses salariés.

Quant aux sources externes d'information de l'employeur, l'examen des conventions collectives de sa branche d'activité peut aussi s'avérer un apport important selon la nature de l'information recherchée.

C'est aussi à l'étape des préparatifs que chacune des parties détermine ses stratégies et ses tactiques de négociation.

Les comités de négociation

L'importance de constituer un bon comité de négociation ne saurait être assez soulignée, car selon sa compétence et son habileté, ce comité assure la victoire ou entraîne l'échec des négociations, peu importent la valeur objective de la demande qu'il défend ou la position de force de la partie qu'il représente[5].

Ainsi, tant du côté syndical que du côté patronal, il faut former un comité de négociation qui, à la table de négociation, aura le mandat de négocier.

Du côté syndical, c'est l'assemblée générale qui choisit les membres de l'exécutif syndical qui siégeront au comité de négociation. Si le syndicat est affilié à une centrale syndicale[6], un ou plusieurs agents de négociation provenant d'une branche déterminée de cette centrale peuvent se joindre au comité et servir de porte-parole au cours des négociations.

Du côté patronal, le responsable des ressources humaines agit en tant que porte-parole. Le directeur des finances est membre du comité pour les questions financières et le directeur de l'usine ou de la production est membre pour tout ce qui touche à la production, à l'emploi, aux équipes de travail, etc. Un conseiller interne ou externe, souvent un avocat ou un conseiller en relations industrielles, peut aussi faire partie du comité patronal de négociation.

14.2.3 L'avis de rencontre

Une fois les préparatifs terminés ou sur le point de l'être, une des parties doit manifester à l'autre son intention de commencer à négocier. Ce n'est pas par téléphone ni dans un couloir de l'usine ou à la cafétéria que le représentant d'une des parties doit aviser son vis-à-vis de cette intention. Elle doit se manifester de façon formelle au moyen de l'envoi d'un avis écrit par l'association accréditée à l'employeur ou par l'employeur à l'association accréditée. Selon l'article 52 du Code du travail, cet avis doit être donné **au moins huit jours** avant la date de la première rencontre prévue. Pour être complet, l'avis doit contenir la date, l'heure et le lieu de la première rencontre.

La partie qui transmet l'avis peut l'acheminer à son destinataire par télécopieur, par messagerie, par courrier recommandé ou certifié ou par un huissier[7]. Il est essentiel pour les parties qu'un tel avis soit transmis le plus tôt possible, surtout

5. Gérard Hébert, *op. cit.*, p. 703.

6. Il peut s'agir d'une des principales centrales les plus populaires au Québec, c'est-à-dire la Confédération des syndicats nationaux (CSN), la Centrale des syndicats du Québec (CSQ) ou cette fédération que l'on reconnaît en tant que centrale syndicale, soit la Fédération des travailleurs et travailleuses du Québec (FTQ).

7. Québec, *Code du travail du Québec*, art. 52.1.

si elles appréhendent des négociations difficiles et si elles pensent recourir à des moyens de pression pendant ces négociations. En effet, **90 jours après la réception de cet avis** par la partie à laquelle il est destiné, le droit à la grève ou au lock-out est acquis[8].

L'avis est d'au moins huit jours, mais sa période d'envoi ne relève pas de la seule volonté des parties. Selon le contexte, s'il s'agit d'une nouvelle accréditation ou du renouvellement d'une convention collective, le délai diffère. Le tableau 14.2 présente les différentes possibilités concernant le délai d'avis.

Tableau 14.2 Le délai d'avis de la première rencontre en vue des négociations

Situations	Possibilités prévues par le Code du travail du Québec
Nouvelle accréditation	L'avis peut être donné en tout temps à la suite de l'obtention de l'accréditation, pourvu qu'il ne se soit pas écoulé une période de 90 jours après la date de l'obtention de l'accréditation (art. 52.2, al.2). ou Si se sont écoulés 90 jours après la date de l'obtention de l'accréditation, l'avis est réputé donné et reçu (art. 52.2, al. 2).
Renouvellement d'une convention collective	L'avis peut être donné dans les 90 jours précédant l'expiration de la convention collective* (art. 52, al. 2). ou Si un tel avis n'est pas donné, il est réputé donné et reçu à l'expiration de la convention collective (art. 52.2 al. 1). ou L'avis peut être donné selon tout autre délai prévu dans la convention collective visant à être renouvelée (art. 52, al. 2).

* S'il s'agit d'une sentence arbitrale tenant lieu de convention collective, le délai d'avis est le même, c'est-à-dire 90 jours avant l'expiration de la sentence arbitrale (*Code du travail du Québec*, art. 52, al. 3).

14.2.4 L'obligation de négocier

Une fois l'avis envoyé en conformité avec le Code du travail, « les négociations doivent commencer et se poursuivre avec diligence et bonne foi[9] ». C'est là une obligation qui s'adresse aux deux parties. L'obligation de négocier de bonne foi ne signifie pas pour les parties l'obligation de s'entendre. La portée de cette obligation implique plutôt que les parties sont tenues de chercher à conclure ensemble une convention collective. Faire preuve de mauvaise foi de la part de l'employeur, par exemple, serait de ne pas vouloir reconnaître le syndicat accrédité comme étant le représentant exclusif des salariés[10]. Il existe d'autres cas de

8. *Ibid.*, art. 58.
9. *Ibid.*, art. 53, al. 2.
10. La jurisprudence rapporte un cas dans lequel une semblable attitude d'un employeur à l'égard d'un syndicat a été dénoncée comme étant de la mauvaise foi de sa part. Voir *Royal Oak Mines Inc.* c. *Canada (Conseil des relations du travail)*, [1996], 1 R.C.S. 369.

manifestation de mauvaise foi d'une des parties dans le défaut de se présenter aux négociations, dans le refus de négocier ou encore dans le recours à toutes sortes de manœuvres injustifiées, comme le refus de soumettre des contre-propositions, afin de retarder les négociations. Il va de soi que la partie lésée peut dénoncer ces manœuvres[11].

14.3 Les tactiques et les jeux de négociation

Il n'existe pas de règles absolues encadrant le déroulement de la négociation collective, dès lors que les parties en présence se sont assises à la table de négociation. Généralement, c'est la partie syndicale qui dépose ses demandes ou ses propositions. Si elle le fait lors de la première rencontre, il y a lieu de constater le dépôt de documents et un rendez-vous est fixé pour une prochaine rencontre. Si les demandes de la partie syndicale ont été déposées en même temps que l'avis de rencontre (*voir la section 14.2.2*), on peut s'attendre à des discussions animées dès la première réunion. Cependant, la partie patronale peut décider que cette rencontre sera réservée au dépôt de ses offres ou de ses contre-propositions. La gestion du contenu de chacune des rencontres appartient aux parties, pourvu que les négociations commencent et se poursuivent de bonne foi.

Bien que nous ne soyons pas en mesure d'affirmer qu'il existe un modèle rigide de négociation que toutes les parties doivent suivre, nous pouvons avancer qu'au cours d'une négociation collective, tout peut devenir tactique et stratégie.

Par exemple, si, pour une raison quelconque, le syndicat refuse de négocier dans le « territoire » patronal (l'usine de travail) parce qu'il craint d'être en position d'infériorité, il peut exiger que les négociations se déroulent en dehors de l'entreprise. Le choix d'un terrain neutre peut constituer une stratégie visant à replacer les parties sur un pied d'égalité.

Pour donner une chance aux négociations d'aboutir et ne pas créer un climat conflictuel dès le départ, les parties peuvent choisir, dans un premier temps, de négocier à propos des clauses les plus simples.

À travers ces tactiques et stratégies, il faut donc envisager la négociation collective comme un processus à l'intérieur duquel se vivent différents moments (écoute, questionnement, exploration, tensions, crise, concessions, entente, etc.) et d'où se dégagent différentes zones. La présentation de ces zones donne une idée du déroulement d'une négociation.

14.3.1 La zone d'échange

Dans la zone d'échange, les parties partagent leurs documents, c'est-à-dire qu'elles déposent des propositions syndicales et des offres patronales.

11. Soulignons que c'est « sur une poursuite pénale en vertu du Code du travail que pourra être obtenue la sanction de l'obligation de négocier ». À propos de cette explication supplémentaire, voir Robert P. Gagnon, *Le droit du travail du Québec : pratiques et théories*, 3e éd., Cowansville, Les Éditions Yvon Blais, 1996, p. 369. Précisons que « le défaut par l'employeur de négocier avec diligence et bonne foi est sanctionné par des amendes de 100 $ à 1 000 $ pour chaque jour ou fraction de jour que dure l'infraction. Quant au défaut du syndicat de négocier de bonne foi, ce sont les dispositions pénales générales qui s'appliquent et [...] la peine sera moindre, soit une amende de 100 $ à 500 $ pour chaque jour ou fraction de jour que dure l'infraction ». Voir à ce sujet Claude Le Corre et Francis Demers, *La syndicalisation et ses conséquences : le Code du travail démystifié ; tout ce que l'employeur doit savoir*, Cowansville, Les Éditions Yvon Blais, 1998, p. 154. Voir aussi Québec, *Code du travail du Québec*, art. 141 et 144.

Du point de vue de la stratégie, personne ne dévoile son jeu. Il s'agit simplement de prendre connaissance des différents documents reçus.

Les parties fixent un rendez-vous pour une deuxième rencontre.

14.3.2 La zone d'exploration, de découverte et de questionnement

Chacune des parties essaie de déterminer les intentions de l'autre. On se questionne sur l'authenticité des positions adverses. On cherche à découvrir les stratégies de l'autre partie d'après l'énoncé d'une proposition ou d'une offre.

De chaque côté de la table, les négociateurs se dévoilent, mais leurs positions demeurent fermes.

Dans cette zone, toutes les phrases clés lancées par une partie au profit de l'autre sont notées et conservées précieusement de manière à y revenir plus tard afin de rafraîchir la mémoire de la partie adverse. Voici des exemples de phrases clés :

- Ça peut se négocier.
- Cette situation est envisageable.
- Nous retenons ce point pour étude.

Dans cette zone, la moindre concession hâtive d'une des parties sur un point fondamental ou le dévoilement maladroit d'une de ses stratégies de négociation la placeront immédiatement dans une situation de faiblesse. C'est pourquoi les négociateurs jouent leur jeu prudemment et n'osent pas trop s'avancer. N'oublions pas qu'il s'agit d'abord et avant tout d'une période d'exploration.

14.3.3 La zone d'entente possible

Dans cette zone, on crée des liens, on établit un climat propice à la discussion et on analyse la volonté réelle de l'autre partie de parvenir à une entente. Cela constitue un des moments les plus intenses des négociations.

Pour donner une chance aux négociations d'aboutir et ne pas créer un climat conflictuel dès le départ, les parties peuvent choisir, dans un premier temps, de négocier à propos des clauses les plus simples. On abordera alors les clauses non pécuniaires avant les clauses pécuniaires.

Une tactique peut consister à ne pas régler toutes les questions d'ordre non pécuniaire et à en garder certaines en vue d'un marchandage futur quand viendra le moment de négocier à propos des questions à incidence salariale.

Lorsque survient un point qui peut devenir litigieux et conduire à une discussion animée, une stratégie consisterait à l'écarter pour étudier un autre point, afin de laisser la tension retomber.

C'est aussi à l'intérieur de cette zone que les négociateurs utilisent toutes leurs stratégies afin d'essayer de deviner la position ou la préférence réelle[12] de la partie adverse dans la négociation de certaines clauses.

---

12. La position ou la préférence réelle est le point en deçà ou au-delà duquel une partie n'ira pas sans que soit préalablement déclenché un conflit de travail ou que soit révisé son mandat sur la négociation à propos de ce point.

Un habile négociateur doit donc amener son interlocuteur le plus près possible de sa zone de gain de façon que toute concession de la partie adverse se traduise par un gain pour lui. Prenons en exemple la négociation d'une clause salariale. La partie syndicale demande une augmentation salariale de 8 % (demande exagérée), elle accepterait volontiers toute offre se situant autour de 7 % (zone du gain syndical), établit sa zone de préférence réelle avec un avantage pour elle à un taux se situant entre 5 % et 6 %, mais elle appuierait une entente à un taux de 5 %. La partie patronale dépose une offre de 2 % (offre sous-évaluée), elle miserait sur toute entente pouvant être conclue à un taux de 3 % (zone du gain patronal), pourrait conclure une entente à un taux d'environ 4 % dans sa zone de préférence réelle, recherchant ainsi un avantage pour elle, mais à la suite d'une évaluation de la conjoncture économique, elle serait prête à signer une entente à un taux de 5 %. Si les parties signent une entente basée sur une augmentation de 5 %, c'est qu'elles ont bien perçu l'une et l'autre la zone de préférence réelle de la partie adverse qui pouvait conduire à une entente.

14.3.4 La zone de concessions

Lorsque certains événements bloquent le cours des négociations collectives pour une des parties, celle-ci peut être obligée de faire des concessions. Il existe d'ailleurs des périodes plus propices aux concessions en raison de certains événements qui réduisent le rapport de force d'une des parties. Considérons deux exemples.

- Si des employés sont en grève pendant la période des fêtes de Noël et que le fonds de grève est épuisé, il peut arriver que ces employés acceptent plus rapidement que leur syndicat fasse des concessions pour que les négociations reprennent.
- *La Presse* du dimanche 6 juillet 2008 rapportait que les employés de trois des plus grands hôtels du centre-ville de Montréal, suivant l'exemple de leurs collègues du Hyat Regency, avaient débrayé dans la matinée du vendredi 4 juillet 2008. Pour forcer leur employeur à faire des concessions, ils avaient quitté leur poste sans préavis, « en plein Festival de jazz et alors que la saison touristique [battait] son plein[13]. »

Notez que c'est souvent dans la zone de concessions que l'employeur dépose ce qu'on appelle une offre finale et globale. Cette offre porte habituellement sur l'ensemble des points en litige. Le syndicat doit alors accepter ou rejeter l'offre en bloc.

14.3.5 La zone sombre

Si les parties arrivent dans la zone sombre, c'est que les négociations sont dans une impasse. Souvent, les parties ne voient plus comment elles peuvent se présenter l'une en face de l'autre, car aucune d'elles ne veut faire de concessions. Elles peuvent alors recourir à une aide externe ou exercer des moyens de pression.

La figure 14.1 (*p. 452*) résume les étapes et les tactiques de la négociation collective.

---

13. Violaine Ballivy, « 1 500 syndiqués de l'hôtellerie débrayent », *La Presse*, le 6 juillet 2008, p. A5.

Figure 14.1 Les étapes et les tactiques de la négociation collective

Stades du déroulement	Tactiques	Étapes et contenus
Première séance	Information	Information : échange des demandes
Séances subséquentes	Persuasion	Exploration : demande d'explications
Cœur de la négociation	Information et persuasion	Dégagement d'une zone de contrat
Crise précédant un règlement	Coercition	Modification des préférences réelles
Entente	Coopération	Concessions et accord de principe

14.4 L'intervention d'un tiers

Nous avons mentionné en début de chapitre qu'au Québec, 80 % des conventions collectives sont approuvées à l'étape des négociations directes. Cela signifie que les parties n'ont recours ni à des tiers pour les aider à parvenir à une entente, ni à des moyens de pression tels que la grève ou le lock-out.

Les tiers, dont le rôle est de faciliter le rapprochement des parties sont :

- le conciliateur ;
- le médiateur.

Le tiers qui a l'autorité requise pour trancher si les parties demeurent dans l'impasse est :

- l'arbitre de différends.

14.4.1 Le conciliateur

Lorsque les parties se trouvent dans une impasse et qu'elles n'ont pas l'impression de pouvoir s'en sortir, l'une d'entre elles peut demander la conciliation. Elle doit adresser sa demande au ministre du Travail. Elle a alors l'obligation envers l'autre partie de l'avertir de cette démarche. À la réception de la demande, le ministre du Travail doit désigner un conciliateur[14].

Le rôle du conciliateur est de rapprocher les parties afin qu'elles puissent en arriver à la signature d'une convention collective. Le conciliateur ne vient absolument pas imposer son point de vue, ni négocier à la place des parties. Il peut convoquer des réunions, et bien que les parties soient obligées d'y assister[15], elles ne sont pas tenues de suivre ses recommandations.

À la suite de son intervention, il adresse au ministre du Travail, à sa demande[16], un rapport ne pouvant être qu'un constat d'échec ou de succès.

14.4.2 Le médiateur

Lorsque l'intervention du conciliateur se solde par un échec, il existe un autre recours pour les parties : la médiation. Le rôle du médiateur est en tous points semblable à celui du conciliateur, si ce n'est que son intervention revêt un caractère exceptionnel, car sa demande émane directement du ministre du Travail. Le passage à la médiation n'est pas automatique. En effet, c'est le ministre du Travail qui peut, « en vertu de ses pouvoirs généraux, désigner un médiateur dans des dossiers délicats de négociation qui justifient ce mode d'intervention[17] ».

De la même manière que le conciliateur, le médiateur ne négocie pas pour les parties ; il vise seulement leur rapprochement afin qu'elles parviennent à un accord[18]. À la suite de son intervention, il rédige un rapport à l'attention du ministre du Travail.

14.4.3 L'arbitre de différends

Un autre recours qui s'offre aux parties, si elles jugent que les négociations qu'elles mènent sont vouées à l'échec, réside dans l'arbitrage des différends. Il s'agit d'une intervention menée au cours d'une négociation collective par une tierce personne appelée « arbitre de différends » (ou arbitre). Son rôle consiste à trouver une solution définitive à l'objet du litige, puis à rendre une décision qui devient exécutoire pour les parties. Il s'agit d'un recours particulier en raison de ses caractéristiques et des effets qu'il produit.

Parmi les caractéristiques de l'arbitrage des différends, mentionnons qu'il est imposé à certains salariés (policiers et pompiers municipaux ou d'une régie intermunicipale[19]), qu'il peut être demandé par une seule des deux parties s'il

14. Il est intéressant de noter que le Code du travail du Québec est catégorique : le ministre doit désigner un conciliateur. Il n'a donc pas de pouvoir de discrétion pour refuser de satisfaire cette demande. Voir Québec, *Code du travail du Québec*, art. 54, al. 3.

15. Même si les parties sont tenues d'assister aux réunions convoquées par le conciliateur, il faut admettre que cette obligation, énoncée dans le Code du travail du Québec à l'article 56, peut se limiter pour une des parties à faire acte de présence. Cette réalité ressort dans l'affaire *Burke* c. *Gasoline Stations Limited*, [1972], T.T. 382.

16. Québec, *Code du travail du Québec*, art. 57.

17. Voir Robert P. Gagnon, *op. cit.*, p. 375.

18. Il faut cependant admettre que les parties trouvent plus prestigieuse l'intervention du médiateur, sans doute à cause du fait que c'est le ministre du Travail qui le dépêche et non pas elles qui en font la demande. Sur le caractère prestigieux de l'intervention du médiateur, voir Gérard Hébert, *op. cit.*, p. 787.

19. Un tel recours n'est possible qu'à la suite d'une intervention infructueuse d'un médiateur.

s'agit de la négociation d'une première convention collective[20] et qu'il est volontaire dans le cas du renouvellement d'une convention collective[21].

Par ailleurs, l'intervention d'un arbitre met fin au droit de grève ou de lock-out des parties[22] de même qu'aux démarches d'une association de salariés ayant déposé une demande d'accréditation pour l'unité de négociation pour laquelle un autre syndicat négociait avant que les parties demandent une telle intervention[23].

Enfin, la décision rendue par l'arbitre – autrement dit la sentence arbitrale – a l'effet d'une convention collective signée par les parties.

L'intervention d'un arbitre n'enlève pas automatiquement aux parties leur capacité de négocier. Le rôle de ce dernier est d'examiner les points litigieux et d'évaluer la possibilité que les parties parviennent à une entente sur ces points. L'arbitre n'a donc pas à reprendre les négociations à partir du début, car si les parties arrivent à un accord sur un des points litigieux, cet accord est tout simplement consigné à la sentence arbitrale.

Dans le cas d'une première convention collective, si l'arbitre de différends estime qu'il est improbable que les parties en arrivent à la conclusion d'un accord dans un délai raisonnable, son rôle change. Il doit alors déterminer le contenu de cette première convention collective[24].

Notons enfin que la sentence de l'arbitre lie les parties pour une durée **d'au moins un an et d'au plus trois ans**. Les parties peuvent cependant convenir d'en modifier le contenu en partie ou en tout[25].

14.5 Les moyens de pression

Si l'intervention du conciliateur et celle du médiateur n'ont pas permis aux parties de résoudre leur différend, ces dernières peuvent toujours recourir à certains moyens de pression[26]. Pour le syndicat, le moyen de pression le plus médiatisé est la grève et, pour l'employeur, le lock-out.

14.5.1 La grève

À l'article 1g), le Code du travail définit la **grève** comme étant « la cessation concertée de travail par un groupe de salariés ». Dans le secteur privé, le syndicat

---

20. En effet, dans le cas de la négociation d'une première convention collective, si une partie a demandé l'intervention d'un conciliateur et que celle-ci s'est révélée infructueuse, une partie (sans que ce soit nécessairement celle qui a demandé la conciliation) peut solliciter du ministre du Travail qu'il soumette le différend à un arbitre. Voir Québec, *Code du travail du Québec*, art. 93.1.

21. Dans le cas du renouvellement d'une convention collective, le recours à l'arbitrage ne dépend pas de la volonté d'une seule partie, mais bien de l'accord des deux.

22. Québec, *Code du travail du Québec*, art. 58.

23. *Ibid.*, art. 22, al. b.2.

24. Il doit aviser les parties de sa décision et aussi en informer le ministre du Travail. Voir Québec, *Code du travail du Québec*, art. 93.4.

25. *Ibid.*, art. 92.

26. Il ne faudrait pas croire que l'intervention du conciliateur ou du médiateur soit un préalable à l'obtention du droit de grève ou de lock-out, car ces tiers peuvent être appelés à intervenir même s'il y a un conflit de travail sous forme de grève ou de lock-out.

utilise la grève durant une période de négociation afin d'exercer une pression économique sur l'employeur. Cependant, le recours à ce moyen de pression fait apparaître des inconvénients financiers pour les deux parties :

- l'employeur voit sa production arrêtée ; ainsi, plus longue sera la grève, plus lourdes seront ses pertes financières, occasionnées par différents événements dont les effets peuvent être isolés ou combinés[27] ;
- de leur côté, les salariés en grève ne reçoivent pas de salaire pendant la grève[28].

Cependant, malgré la perte de salaire, les employés savent qu'aussi longtemps que leur mouvement de grève causera réellement un tort financier à l'employeur, ils seront en mesure de le contraindre à faire des concessions. Le syndicat peut aussi utiliser la grève comme moyen d'intimidation en laissant croire à l'employeur qu'il va forcément y recourir si ce dernier ne fait pas des concessions majeures.

N'oublions pas qu'un syndicat acquiert le droit de grève 90 jours après la réception par l'employeur de l'avis de la première rencontre en vue des négociations. Toutefois, la grève ne peut être déclarée qu'après avoir été autorisée, au cours d'un scrutin, par la majorité des membres de l'association accréditée qui appartiennent à l'unité de négociation et qui exercent leur droit de vote[29].

En vertu du Code du travail du Québec, il existe trois cas où la grève est interdite et un autre cas où la pratique d'une de ses formes est prohibée :

- la grève est interdite en toute circonstance aux policiers et aux pompiers employés par une municipalité ou une régie intermunicipale (article 105 du Code du travail) ;
- la grève est interdite à une association de salariés tant que celle-ci n'a pas été accréditée et n'y a pas acquis le droit selon la période prévue au Code du travail (article 106 du Code du travail) ;
- la grève est prohibée pendant la durée d'une convention collective[30] (article 107 du Code du travail).

La grève est interdite en toute circonstance aux policiers et aux pompiers employés par une municipalité ou une régie intermunicipale (article 105 du Code du travail).

La forme de grève prohibée est la grève perlée, ou ralentissement de travail (article 108 du Code du travail). Ainsi, nulle association de salariés ou personne agissant dans l'intérêt d'une telle association ou d'un groupe de salariés ne peut ordonner, encourager ou appuyer un ralentissement des activités destiné à limiter la production[31].

27. Parmi ces événements, mentionnons la perte de contrats, la perte de clients et la fermeture temporaire ou définitive de certaines unités de fabrication.

28. Toutefois, les syndicats se dotent d'un fonds de défense visant à compenser une portion du salaire que les salariés en grève ne reçoivent pas de l'employeur. Précisons que le montant versé aux grévistes est nettement inférieur au salaire qu'ils obtiennent normalement et que le fonds de grève n'est pas inépuisable.

29. L'inobservation de cette procédure ne rend pas illégale la grève déclenchée ; l'illégalité d'une grève ne réside que dans le non-respect de la période permise pour la déclarer.

30. Si, toutefois, la convention collective contient une clause de réouverture des négociations et que les parties s'en prévalent, cette prohibition de grève tombe, car il y a de nouveau négociation, donc risque de conflit de travail.

31. D'ailleurs, la jurisprudence admet qu'un syndicat qui incite ses membres à ne pas effectuer d'heures supplémentaires afin de ralentir la production tombe sous le coup de l'interdiction énoncée dans ce cas-ci. Voir *Gohier* c. *Syndicat canadien de la fonction publique, section locale 301*, T.T. Montréal, 500-29-001261-914. D.T.E. 93T-703.

14.5.2 Le lock-out

Le **lock-out** constitue un moyen de pression utilisé par l'employeur lorsque les négociations sont dans une impasse. L'objectif de l'employeur n'est pas de forcer le syndicat à revenir négocier, mais de le contraindre à accepter certaines conditions de travail.

Selon l'article 58 du Code du travail du Québec, le droit à la grève ou au lock-out est acquis 90 jours après la réception par la partie intéressée de l'avis de la première rencontre en vue des négociations, mais selon l'article 109, le droit à l'obtention du lock-out est subordonné à l'obtention du droit à la grève. En d'autres termes, l'employeur ne peut décréter un lock-out que si le syndicat a préalablement obtenu le droit à la grève[32].

14.5.3 Les autres moyens de pression

Comme autre moyen de pression, le syndicat peut installer des piquets de grève à l'entrée de l'entreprise. Une façon pour ses membres de dénoncer des conditions de travail qu'ils jugent inacceptables. Tant que ce moyen de pression est pacifique et poursuit strictement un objectif d'information, il est considéré comme légitime[33].

L'appel au boycottage des produits de l'employeur en vue d'accélérer une négociation collective constitue aussi un moyen de pression que peut utiliser le syndicat.

Conséquemment au recours aux piquets de grève, les employeurs se tournent vers l'**injonction** comme moyen de pression. Soulignons qu'il s'agit là d'une « mesure exceptionnelle appliquée par une cour en vue d'empêcher des dommages qui pourraient être irréparables[34] ».

Injonction
Ordonnance de la Cour supérieure ou de l'un de ses juges enjoignant à une personne, à ses officiers, représentants ou employés, de ne pas faire ou de cesser de faire ou, dans les cas qui le permettent, d'accomplir un acte ou une opération déterminé.

La figure 14.2 illustre les différents moyens de pression dont disposent les parties pendant une négociation collective.

14.6 La signature de la convention collective et le protocole de retour au travail

La finalité de la négociation collective est de permettre aux parties de conclure une convention collective de travail. Les deux prochains points que nous abordons concernent la signature de la convention collective et le retour au travail suite à un arrêt de travail par les salariés.

14.6.1 La signature de la convention collective

Si les parties négocient selon le mode clause par clause, dès qu'un accord survient, le comité de négociation syndical retourne auprès de ses membres réunis

32. Cette affirmation ne signifie aucunement que l'employeur ne puisse mettre ses employés en lock-out tant que le syndicat n'a pas exercé son droit de faire la grève. En effet, dès que le droit au lock-out est obtenu par l'employeur, il peut l'exercer quand bon lui semble, même avant que le syndicat ne décide de faire la grève.

33. Effectivement, les tribunaux considèrent comme illégitime l'installation de piquets de grève dits secondaires. Un exemple de ce fait serait de dresser des piquets aux abords des résidences des cadres de l'entreprise en grève.

34. Gérard Hébert, *op. cit.*, p. 860.

Figure 14.2 Les moyens de pression du syndicat et de l'employeur

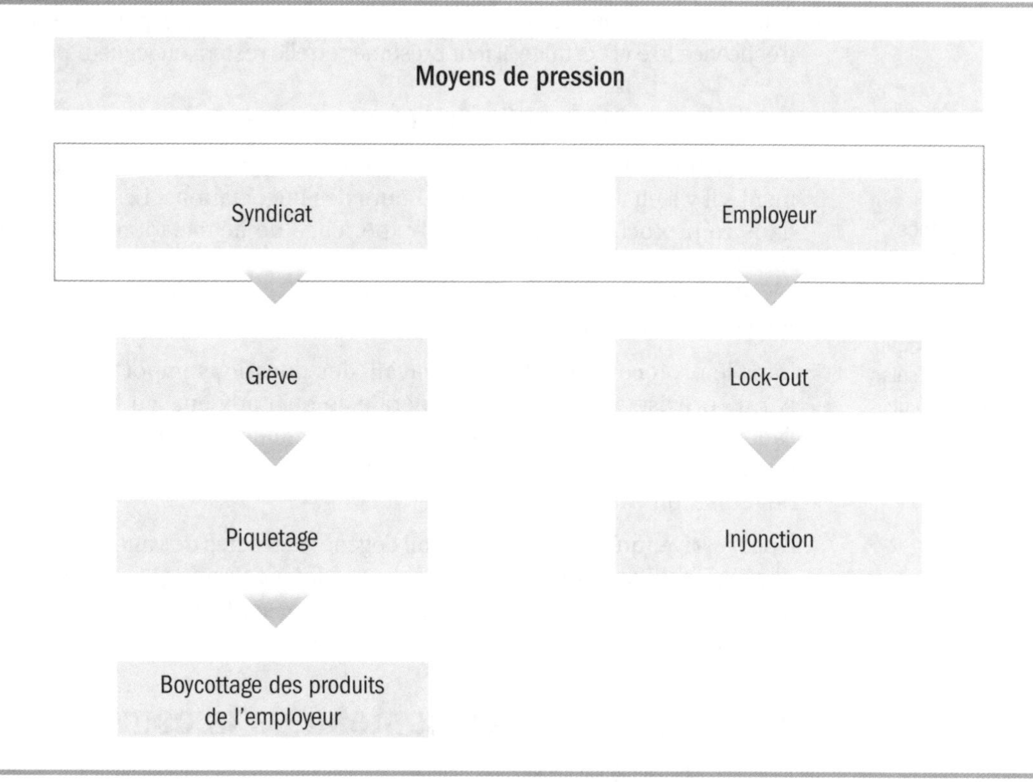

en assemblée générale pour leur rendre compte des gains qu'il a obtenus ou des concessions qu'il a dû faire. Dès qu'un accord est obtenu pour toutes les clauses, on procède alors à la signature d'un accord de principe[35].

L'accord de principe n'est pas la convention collective et ne présente donc aucun caractère officiel que l'on peut qualifier de définitif. Le comité de négociation syndical doit soumettre cet accord de principe à ses membres, lors d'une assemblée générale, pour obtenir la **ratification** de l'entente.

Ratification
Acceptation par la majorité des membres de l'association accréditée réunis en assemblée générale de l'ensemble des conditions de travail énoncées dans l'accord de principe.

Si l'accord de principe est rejeté, le comité de négociation syndical doit retourner à la table de négociations et les discussions reprennent. S'il est accepté, la convention collective est rédigée, puis signée par l'employeur et par la partie syndicale.

Une fois signée par les parties, la convention collective ne prend pas effet immédiatement. Elle doit être déposée en deux exemplaires, par les parties ou l'une d'elles selon l'entente qu'elles prennent, auprès d'un des bureaux de la Commission des relations du travail[36]. Ce n'est qu'après ce dépôt qu'elle entre en vigueur[37].

35. Si les parties négocient en vue d'une entente globale et y parviennent, on parlera aussi d'un accord de principe.

36. Québec, *Code du travail du Québec*, art. 72.

37. Ce dépôt a un effet rétroactif à la date prévue dans la convention collective pour son entrée en vigueur ou, à défaut, à la date de la signature de la convention collective.

Quant à la durée d'une convention collective, la règle générale veut qu'elle soit d'au moins un an[38]. S'il s'agit d'une première convention collective, le Code du travail du Québec impose une durée de trois ans au plus[39], et si les parties n'ont pas prévu d'échéance fixe et certaine, il faut présumer qu'elle restera en vigueur pendant un an[40].

14.6.2 Le protocole de retour au travail

Protocole de retour au travail
Entente négociée et signée par les parties - en dehors de la convention collective - qui établit les modalités selon lesquelles le retour au travail devra s'effectuer par les salariés à la suite de la signature de la convention collective.

La signature d'un **protocole de retour au travail** devient nécessaire seulement s'il y a eu arrêt de travail au cours des négociations. Les éléments contenus dans ce protocole varient selon l'expérience de négociation que vivent les parties. Il ne saurait y avoir de modèle dont elles puissent s'inspirer, mais la nécessité d'un tel protocole se fait sentir lorsqu'il s'agit de déterminer quand et dans quel ordre les salariés vont recouvrer leur emploi.

Dans le protocole de retour au travail, des questions importantes sont traitées, car il « précise aussi de façon générale ce qu'il advient, vu l'arrêt de travail, de l'ancienneté, des avantages sociaux, des vacances annuelles, des congés fériés, des autres congés (maternité, perfectionnement, activités syndicales) et des périodes de probation[41] ».

Il peut arriver qu'un conflit de travail dégénère en actes de vandalisme, en échanges de propos diffamatoires, voire même en violence physique. La négociation d'un protocole de retour au travail peut servir à passer l'éponge sur l'ensemble de ces actes; les parties renonceront alors à toutes procédures civiles et pénales.

14.7 Un aperçu du contenu de la convention collective

Une convention collective peut contenir n'importe quelle disposition relative aux conditions de travail tant et aussi longtemps qu'elle n'est pas contraire à l'ordre public ni prohibée par la loi. Ces dispositions sont généralement regroupées en différentes clauses qui, elles-mêmes, peuvent contenir un certain nombre d'articles. Une **clause** est une disposition de la convention collective qui réglemente soit les rapports entre les parties (syndicat et employeur), soit les rapports entre l'employeur et le salarié. Les principales clauses qu'on trouve dans une convention collective sont les clauses contractuelles et les clauses normatives.

Clause
Disposition de la convention collective qui réglemente les rapports entre les parties (syndicat et employeur) ou les rapports entre l'employeur et le salarié.

14.7.1 Les clauses contractuelles

Les dispositions à caractère contractuel visent les rapports entre les parties (le syndicat et l'employeur) ou la convention collective elle-même.

Les clauses contractuelles visent les rapports entre les parties et concernent la sécurité syndicale, les droits de gérance, la collaboration patronale syndicale et le règlement des griefs. Pour ce qui est des clauses ayant trait à la convention

38. Québec, *Code du travail du Québec*, art. 65, paragr. 1.
39. *Ibid.*, art. 65, paragr. 2.
40. *Ibid.*, art. 66.
41. Voir Gérard Hébert, *op. cit.*, p. 86.

collective, elles touchent au préambule de la convention collective et à la durée de cette convention collective. Nous expliquerons brièvement chacune de ces clauses.

La clause de la **sécurité syndicale** assure au syndicat certains droits et avantages qui lui permettent de remplir efficacement son rôle de représentant des salariés et d'assumer l'ensemble de ses responsabilités sans que soient mises en danger sa capacité de représentation et sa sécurité financière. Cette clause vise donc à garantir au syndicat son caractère représentatif en conservant une majorité de membres et à lui assurer des revenus permanents[42].

La clause des **droits de gérance** est une clause en vertu de laquelle le syndicat reconnaît à l'employeur certains droits qu'il peut exercer parce que justement, il est l'employeur. Remarquons qu'il ne s'agit pas de droits que le syndicat confère à l'employeur. Ce dernier possède tous les droits qu'il exerçait avant la présence du syndicat dans l'entreprise ; cependant, la convention collective vient soit les encadrer, soit les limiter.

Exemple 14.1

Dans une convention collective, il peut être reconnu à l'employeur le droit d'énoncer une politique sur la discipline en précisant quels sont les comportements déviants et quelles mesures disciplinaires sont requises pour les amender. De même, dans cette convention collective, il peut être stipulé que l'application de cette politique demeure soumise à la procédure de règlement des griefs.

La clause de la **collaboration patronale syndicale** porte sur toute forme de collaboration entre l'employeur et le syndicat dans l'entreprise afin d'anticiper des problèmes, de les résoudre le cas échéant ou d'envisager différentes occasions favorables tant à l'entreprise qu'aux salariés. Par exemple, l'employeur et les salariés peuvent collaborer à la formation d'un comité sur le harcèlement sexuel ou d'un comité sur la santé et la sécurité au travail. Ou encore, dans une clause de collaboration patronale syndicale, les parties peuvent convenir de la création d'un comité de relations de travail mandaté pour discuter de toute question relative à l'application et à l'interprétation de la convention collective et des conditions de travail et pour rechercher une entente à leur sujet.

La clause du **règlement des griefs** établit les modalités de règlement des griefs retenu par les parties. Elle prévoit notamment le mécanisme de mise en œuvre du processus allant du dépôt du grief par le salarié ou par le syndicat jusqu'à son règlement.

La clause du **préambule** de la convention collective précise à qui s'applique la convention collective, les objectifs qu'elle poursuit et le sens donné à certains termes ou expressions.

Enfin, la clause de la **durée** de la convention collective indique les dates de début et fin de la convention collective. Les modalités du renouvellement peuvent aussi y être inscrites.

---

42. Un exemple d'une clause de sécurité syndicale nous est donné par la clause d'appartenance ou d'adhésion syndicale. En vertu de cette clause, l'employeur peut, entre autres possibilités, forcer tous ses employés à devenir membres du syndicat.

14.7.2 Les clauses normatives

Dans une convention collective, les dispositions à caractère normatif sont celles qui concernent directement les salariés. Elles déterminent leurs principales conditions de travail. On y trouve l'ancienneté, l'évaluation des tâches, les salaires (ou rémunération directe), les avantages sociaux (ou rémunération indirecte) et la durée du travail.

La clause de l'ancienneté vise à protéger l'emploi des salariés selon le nombre d'années de service qu'ils ont accumulées dans une entreprise.

La clause de l'**ancienneté** vise à protéger l'emploi des salariés selon le nombre d'années de service qu'ils ont accumulées dans une entreprise. Cette clause revêt une grande importance aux yeux des salariés, car c'est elle qui détermine notamment l'ordre de priorité pour une promotion, une mutation, l'attribution des vacances et des heures supplémentaires.

De plus, en cas de mises à pied, l'employeur réfère à l'ancienneté avant de procéder.

Dans la clause de l'**évaluation des tâches**, on détermine le contenu d'un poste par l'analyse des tâches et l'énoncé des normes qui s'y rattachent. L'objectif est d'établir un système de classification des postes qui permet de faire correspondre un niveau de salaire à un poste donné.

La clause des **salaires** est souvent cruciale pendant l'étape des négociations. Pour les salariés, il s'agit de négocier leur gagne-pain, tandis que pour l'employeur, il s'agit d'atténuer le plus possible les effets des salaires sur la hausse de ses coûts de production. La négociation des salaires sert à établir une **échelle salariale** correspondant aux postes évalués et à définir les critères permettant d'accéder à un échelon supérieur.

Échelle salariale
Échelle qui renferme l'ensemble des taux horaires successifs auxquels le salarié peut accéder en fonction de critères déterminés, comme l'expérience, la scolarité ou l'ancienneté.

La négociation de la clause des **avantages sociaux** assure aux salariés l'obtention de trois catégories d'avantages sociaux:

- ceux qui procurent une sécurité financière après le travail (les régimes de retraite);
- ceux qui visent la protection physique, matérielle ou financière du salarié et, dans une certaine mesure, la protection de ses proches (les assurances collectives);
- ceux qui sont établis dans le respect de certaines normes légales socialement intégrées dans la vie des salariés (par exemple, les congés et les vacances, les congés de maladie, de maternité et parental).

Ces avantages sociaux constituent l'ensemble de la rémunération indirecte, parce qu'ils servent de compléments au salaire (rémunération directe). Selon l'entente négociée, qu'ils soient conjointement pris en charge par l'employeur et chacun de ses salariés ou uniquement imputés à l'employeur, ces avantages constituent pour ce dernier une charge financière supplémentaire directe.

La clause de la **durée du travail** permet d'établir la journée, la semaine et l'année normales de travail. Les formes que prend cette clause sont variées, puisqu'elles fixent les heures normales de travail, les primes d'équipes (pour le travail de soir ou de nuit), les primes pour les heures supplémentaires, les vacances et les congés payés[43].

43. Voir Gérard HÉBERT, *op. cit.*, p. 86.

Résumé du chapitre

Le but de la négociation collective est de permettre à deux parties de négocier afin de conclure une entente relative aux conditions de travail d'un groupe de salariés appartenant à une unité de négociation bien définie. Ces deux parties sont identifiées comme étant l'association de salariés (le syndicat) et l'employeur.

Au Québec, c'est le Code du travail du Québec qui encadre le déroulement de la négociation collective. Ainsi, il indique que le processus de négociation débute avec l'envoi par une des parties à l'autre partie, au moins huit jours avant la première rencontre, d'un avis écrit précisant la date, l'heure et le lieu de cette rencontre. Les négociations doivent alors commencer et se poursuivre de bonne foi.

Il n'existe pas de règles strictes encadrant le déroulement des séances de négociation. Généralement, le syndicat dépose ses demandes, avant que la première rencontre n'ait lieu ou au cours de cette rencontre. Ensuite, la partie patronale lui remet ses offres ou ses contre-propositions. Après l'étude des documents respectifs par les parties, les négociations commencent. Chacune des parties peut utiliser des stratégies et des tactiques, mais une pratique qui paraît convenir tant à la partie patronale qu'à la partie syndicale consiste à négocier les clauses non pécuniaires avant les clauses pécuniaires tout en se laissant une marge de manœuvre pour le marchandage.

Si aucune mésentente majeure ne survient au cours des négociations, celles-ci peuvent conduire directement à la conclusion d'une convention collective, mais si les parties font face à une impasse, différents tiers peuvent être appelés à intervenir dans leur processus de négociation. Il y a le conciliateur qui intervient à la demande d'une des parties. Cette demande doit être adressée au ministre du Travail. Une autre intervention possible est celle du médiateur, qui, à l'initiative du ministre du Travail, est dépêché pour aider les parties à régler leur différend. Le rôle du médiateur ne diffère pas de celui du conciliateur. Tous deux ont pour mandat d'essayer de rapprocher les parties afin qu'elles puissent s'entendre sur une convention collective.

L'arbitre de différends est un autre tiers qui peut intervenir au cours de la négociation collective lorsque subsiste un différend entre les parties. S'il s'agit d'une première convention collective, une des deux parties peut demander l'intervention de l'arbitre pourvu que les parties aient d'abord eu recours à un conciliateur. S'il s'agit du renouvellement d'une convention collective, les deux parties doivent donner leur accord pour qu'une telle intervention soit possible. La décision que rend l'arbitre est appelée « sentence arbitrale ». Elle tient lieu de convention collective pour les parties. Elle est exécutoire et lie les parties pour une durée d'au moins un an et d'au plus trois ans.

Pour régler leur différend, les parties peuvent aussi faire appel à certains moyens de pression. La grève, le boycottage des produits de l'employeur et l'installation de piquets de grève constituent les principaux moyens de pression utilisés par la partie syndicale. Quant à l'employeur, il peut recourir au lock-out ou, lorsque la situation l'exige – dans le cas où des piquets de grève seraient accompagnés d'actes violents ou d'actes de sabotage –, à l'injonction.

À l'issue des négociations, les parties signent un accord de principe. Avant que cet accord ne soit officiel, la partie syndicale doit le soumettre à son assemblée générale à des fins de ratification. Si l'accord de principe est accepté, la convention collective est rédigée et signée. Elle entrera en vigueur à la suite de son dépôt en deux exemplaires à l'un des bureaux de la Commission des relations du travail.

Une convention collective peut contenir n'importe quelle disposition relative aux conditions de travail qui n'est pas contraire à l'ordre public ni prohibée par la loi. Ces dispositions prennent le nom de clauses et, en général, on reconnaît deux types de clauses : les clauses contractuelles et les clauses normatives.

Une convention collective a une durée d'au moins un an, mais s'il s'agit d'une première convention collective, sa durée ne peut pas excéder trois ans.

Évaluation de la compétence

Questions de révision et application

1. « Le but d'une négociation collective est de permettre aux parties de régler leur différend au moyen de la grève, du lock-out ou de tout autre moyen de pression mis à leur disposition. » Pourquoi cet énoncé est-il inexact ?
2. Quelles sont les deux parties en présence dans les négociations collectives ?
3. Quelle importance revêt l'avis d'au moins huit jours que doit donner l'une des parties à l'autre afin que s'enclenche le processus de négociation ?
4. De quelle manière une partie peut-elle faire preuve de mauvaise foi lors du déroulement des négociations ? Fournissez un exemple.
5. Quand l'intervention d'un tiers est-elle nécessaire lors de la négociation collective ?
6. Quelles nuances faut-il établir entre l'intervention du conciliateur et celle du médiateur ?
7. Pourquoi les parties doivent-elles être certaines de ne pas pouvoir résoudre seules leur différend avant d'avoir recours à l'arbitrage ?
8. Quels sont les effets liés à l'intervention d'un arbitre de différends ?
9. Qu'est-ce que le protocole de retour au travail ?
10. Quelle distinction faut-il établir entre une clause contractuelle et une clause normative ?
11. En vous reportant à la rubrique Point de mire présentée au début du chapitre, répondez aux questions suivantes :
    a) Dans l'explication qu'il fournit aux médias, André Flobert utilise deux concepts propres aux relations collectives du travail : l'arbitrage et la médiation. Quelle signification faut-il donner à ces concepts ?
    b) En quoi l'adoption de certains moyens de pression peut-elle être néfaste à un syndicat ?

Analyse de cas

Cas 14.1

Les gars de la *shop* en ont assez !

La salle où sont réunis les 180 travailleurs de la United Steel Co. vibre sous les cris de Ben Kroche, président du syndicat de l'usine :

– Les patrons veulent nous imposer un lock-out ! Eh bien, qu'ils le fassent, leur lock-out !

Les applaudissements fusent, encourageant le président du syndicat à poursuivre sa harangue.

– Nous ne ferons pas de concession sur les clauses normatives ! Et nous ne retournerons pas à la table de négociation pour que les patrons se moquent de nous. Nous ferons venir un conciliateur, s'il le faut !

Nouvelle salve d'applaudissements.

– Et si les patrons ne veulent rien entendre et refusent de renouveler notre convention collective, ils auront une grève sur les bras ! Parce que quand les gars de la *shop* en ont assez, ils en ont assez !

– Ouais ! s'écrie l'assistance, tandis que Ben Kroche reçoit une véritable ovation en regagnant sa place.

Questions

1. Définissez les concepts suivants utilisés par Ben Kroche :
   a) lock-out ;
   b) clauses normatives ;
   c) conciliateur ;
   d) grève.
2. Les employés syndiqués de la United Steel Co. menacent de faire la grève. Dans la situation où ils se trouvent, à quelle période le droit de faire la grève leur sera-t-il accordé ?

Cas 14.2

Le retour de la taupe

Belœil, 22 h 30. Dans le stationnement du stade municipal, une Volvo est garée. En sens inverse arrive une Toyota, qui s'arrête à sa hauteur. Les deux conducteurs en sortent. Celui qui descend de la Volvo est Victor Lalande, président-directeur général de la firme Les Jus Lalande et frères inc., de Saint-Hilaire. De la Toyota descend un homme qui remet une enveloppe à Victor, qui en extirpe une feuille et deux cassettes vidéo.

– La liste est-elle complète ? demande Victor.

– Tout y est. Vous y trouverez le nom de tous les travailleurs qui ont commis des actes de vandalisme soit en y participant, soit en les ordonnant. Il y a aussi le nom de tous ceux qui ont porté des coups et occasionné des blessures à certains de vos cadres. Vous avez les dates précises, ainsi que les heures auxquelles ces méfaits ont été perpétrés. Et les images contenues dans ces cassettes vidéo vous surprendront.

Victor sourit fièrement, puis remet une épaisse enveloppe jaune à son mystérieux interlocuteur.

– Le compte y est ? demande le mystérieux individu.

– Vingt mille dollars, comme convenu, répond Lalande.

L'individu remonte dans sa voiture et quitte le stationnement.

Victor s'installe dans sa voiture et commence à examiner la liste. « Excellent travail », se dit-il.

Le lendemain matin, dans la salle du conseil d'administration, Victor est assis en compagnie de Martine

Larrivée, directrice des ressources humaines, de Geneviève Ramplin, avocate et chef du contentieux, et de Georges Sapino, chef comptable. Ils attendent l'arrivée de Benoît Brazeau, président du syndicat et d'Ernesto Zigo, vice-président du syndicat.

Ces derniers arrivent, le visage déformé par la colère.

Victor prend la parole :

– Messieurs, dit-il, à présent que la convention collective est signée, il faut penser au retour au travail. Au cours de votre grève, il y a eu du sabotage, du matériel a été endommagé et certains cadres ont reçu des coups.

Benoît lui coupe la parole :

– Nous ne sommes pas responsables de ce dont vous semblez vouloir nous accuser !

Victor fait un signe à Geneviève.

– Monsieur Brazeau, nous avons la preuve écrite que certains membres du syndicat ont participé à des actes de vandalisme, plaide l'avocate en lui montrant une liste de noms.

Benoît élève la voix :

– Cette liste a été fabriquée de toutes pièces !

La directrice des ressources humaines appuie l'avocate Ramplin. Elle montre une cassette vidéo au syndicaliste.

– Cette vidéo contient des images étonnantes, où l'on vous voit en train de saboter certaines machines de production.

– C'est du bluff !

Martine regarde le président, qui lui fait un signe de tête. Elle se lève et introduit la cassette dans un magnétoscope. On y voit Benoît et Ernesto en train de commettre des méfaits.

– Comme toutes nos caméras de surveillance ont été sabotées, ces images ont été tournées par une personne dont nous nous réservons le droit de taire le nom.

– Ces images sont truquées! riposte Ernesto.

L'avocate intervient:

– Monsieur Zigo, nous avons la preuve que c'est vous qui avez frappé deux de nos cadres. (Elle désigne une autre cassette.) Vous voulez la voir?

Tandis que Victor camoufle mal un sourire de satisfaction, Benoît et Ernesto échangent un coup d'œil inquiet.

– Je crois savoir qui est la taupe, lâche Brazeau entre ses dents, mais suffisamment fort pour que Zigo l'entende.

– Si je lui mets la main au collet... commence à menacer Ernesto.

Mais le PDG l'interrompt:

– Qu'avez-vous à nous proposer pour que nous passions l'éponge sur vos méfaits? demande-t-il aux deux syndicalistes.

– Sans oublier que nous avons perdu des commandes de l'ordre de douze millions de dollars et que les coûts liés aux actes de sabotage s'élèvent à plus de quatre millions, précise le chef comptable, Georges Sapino.

Benoît baisse les yeux.

– Nous aimerions y réfléchir, puis vous proposer une entente, dit-il.

– Nous vous donnons 24 heures. Ensuite, nous entamerons des poursuites contre le syndicat et contre les fautifs, réplique Victor.

– Tant au niveau civil qu'au niveau criminel, précise Me Ramplin.

Benoît et Ernesto quittent la salle. Le président du syndicat murmure à l'oreille de son vice-président:

– Rendez-vous ce soir à Belœil... Téléphone à notre relation et dis-lui que son prix sera le nôtre, mais il faut qu'il nous dévoile le nom de la taupe qui nous a pigeonnés.

Questions

1. Quel nom l'entente que veulent proposer Benoît Brazeau et Ernesto Zigo aux dirigeants de l'entreprise prend-elle généralement?
2. Quand la négociation d'une telle entente devient-elle nécessaire?
3. Si vous étiez à la place du président et du vice-président du syndicat, quels éléments voudriez-vous inclure dans cette entente? Dressez une liste de ces éléments et, en équipe, discutez de leur pertinence.

Glossaire

Absence en raison d'une formation Absence temporaire de l'employé en raison de sa participation à un programme de formation.

Absentéisme Retrait temporaire et épisodique de la situation de travail.

Accident du travail Événement imprévu et soudain survenant à une personne pendant son travail et entraînant une lésion professionnelle.

Accréditation syndicale Procédure par laquelle un syndicat est officiellement reconnu comme étant le représentant d'un groupe de salariés à l'égard d'un employeur, en particulier pour la négociation et l'application d'une convention collective.

Accueil Programme qui consiste à familiariser le nouvel employé avec l'organisation, sa mission, ses objectifs, ses produits, sa structure organisationnelle, les personnes-ressources, les avantages sociaux et ainsi de suite.

Activité ou opération Composante d'une tâche qui peut être observée et mesurée.

Affichage des postes Procédure qui consiste à afficher les offres d'emplois sur un babillard de l'entreprise.

Agence de placement temporaire Bureau de placement privé qui « loue » des employés supplémentaires aux entreprises qui en font la demande, ce qui évite à ces dernières de recruter du personnel qu'elles devront mettre à pied à court terme.

Agence privée Entreprise qui agit comme société-conseil ou comme courtier en placement. Elle tente de coordonner les demandes de main-d'œuvre de ses clients-employeurs avec les candidats déjà enregistrés dans ses banques de candidats.

Analyse des postes Processus qui consiste à collecter, à évaluer et à organiser les données concernant le contenu et le contexte d'un poste de travail afin d'en déterminer la finalité ainsi que les responsabilités et les exigences incombant au détenteur du poste.

Ancienneté Statut d'un employé reposant sur la durée de service de celui-ci pour l'employeur ou le service. L'ancienneté sert à déterminer l'ordre de priorité lors de promotions, de mises à pied, de vacances ou autres.

Apprentissage Changement relativement permanent dans les dispositions, les attitudes, les valeurs et les capacités d'une personne qui ne sont pas attribuables à un processus de croissance biologique.

Arbitrage de différend Mode de résolution d'une mésentente par un arbitre neutre. C'est l'étape ultime de la procédure de règlement des conditions de travail dans les secteurs n'ayant pas le droit de grève ou lorsque les parties ont renoncé au droit de grève ou de lock-out afin d'utiliser cette procédure.

Arbitrage de griefs Mode de résolution d'une mésentente par un arbitre neutre, un conseil ou un tribunal d'arbitrage. C'est l'étape ultime de la procédure de règlement des griefs quant à l'interprétation ou l'application des clauses de la convention collective.

Association de salariés Groupement de salariés constitué en syndicat professionnel, union, fraternité ou autrement et ayant pour buts l'étude, la sauvegarde et le développement des intérêts économiques, sociaux et éducatifs de ses membres, et particulièrement la négociation et l'application de conventions collectives.

Augmentation de salaire au rendement (mérite) Méthode d'augmentation de salaire qui vise à reconnaître le rendement supérieur ou le mérite d'un employé au travail selon l'atteinte d'objectifs préétablis.

Automatisation de certaines activités Remplacement par une machine d'activités auparavant effectuées par un employé.

Avantage social obligatoire Supplément salarial versé en nature plutôt qu'en espèces par l'employeur et imposé par la loi.

Boni Surplus de rémunération versé à l'employé sous forme de prime quand la norme de production est dépassée.

Bureau de placement privé Bureau privé s'occupant de recruter et de sélectionner des candidats pour un employeur, moyennant rémunération.

Bureau de placement public Réseau de centres gouvernementaux de placement et de services pour les chercheurs d'emploi et les employeurs.

Candidatures non sollicitées Personnes qui font parvenir leur curriculum vitæ ou qui se présentent aux bureaux de l'entreprise sans qu'un poste ait été annoncé.

Catégorie identifiée Catégorie désignée par règlement comme étant un groupe prioritaire en raison de la fréquence et de la gravité des lésions professionnelles.

Centrale syndicale Unité nationale « à laquelle tous les éléments syndicaux seront affiliés [...] et dont la fonction est principalement de représenter les intérêts de ses affiliés » (Boivin et Guilbault, 1982, p. 93).

Centre local d'emploi Centres de placement placés sous l'autorité du gouvernement provincial, situés dans toutes les municipalités du Québec. En général, les personnes en chômage sont inscrites à leur centre local, qui offre des services gratuits aux employeurs et aux personnes à la recherche d'un emploi.

Changements technologiques Modifications des outils utilisés pour effectuer un travail.

Charte des droits et libertés de la personne Loi votée à l'Assemblée nationale du Québec qui a comme objectif d'harmoniser les rapports des citoyens entre eux et avec leurs institutions, dans le respect de la dignité humaine.

Classe d'emplois Regroupement de postes qui comportent des niveaux de complexité semblables et auxquels on peut attribuer un salaire de base identique.

Classification canadienne des professions Publication d'Emploi et Immigration Canada depuis 1971. Elle présente les définitions détaillées des emplois de l'industrie et de la fonction publique ainsi que leurs exigences.

Clause Disposition de la convention collective qui réglemente les rapports entre les parties (syndicat et employeur) ou les rapports entre l'employeur et le salarié.

Comité d'évaluation des emplois Groupe de personnes choisies par l'organisation pour assister le Service des ressources humaines dans l'évaluation des postes.

Commission de la santé et de la sécurité du travail Organisme chargé d'appliquer plusieurs lois, dont la Loi sur la santé et la sécurité du travail.

Commission des normes du travail Organisme institué pour promouvoir et faire respecter la Loi sur les normes du travail.

Compétence Connaissance approfondie, reconnue, qui confère le droit de juger ou de décider en certaines matières (*Le Petit Robert*, 2009).

Conception des emplois Processus qui consiste à déterminer le contenu et les relations d'un poste de travail avec les autres postes en tenant compte des objectifs d'efficacité au niveau des aspects technologiques, organisationnels et humains.

Conciliateur Expert en relations du travail, nommé par le ministre du Travail du Québec, qui a pour tâche de rapprocher les parties lors d'un différend.

Conciliation Intervention d'une tierce personne - appelée conciliateur - qui, en cours de négociation collective et à la demande d'une des deux parties, a pour rôle de rapprocher les parties qui ne peuvent s'entendre sur un ou plusieurs points et se trouvent dans une impasse.

Conditions de travail Tout aspect de la situation professionnelle inscrit ou non dans une convention collective ou un contrat de travail individuel.

Congé de maladie Absence temporaire de l'employé en raison d'une incapacité d'assumer ses fonctions à la suite d'un accident ou d'une maladie.

Congédiement Renvoi d'un employé qui constitue une rupture unilatérale du lien d'emploi pour des motifs disciplinaires.

Congé parental Absence temporaire de l'employé en raison de la naissance ou de l'adoption d'un enfant.

Congé pour recyclage Absence temporaire de l'employé en raison de sa participation à un programme de recyclage.

Congé sabbatique Absence temporaire, avec ou sans solde, de l'employé pour des raisons personnelles.

Connaissances Savoir acquis par le développement des compétences, lequel est jugé nécessaire pour obtenir un rendement satisfaisant au travail.

Connaissances subjectives Dextérité, adresse, compétences et habileté mentale qu'un salarié développe chez un employeur à l'occasion de son travail.

Conservation Pratique visant à retenir les employés et à développer leur sentiment d'appartenance à l'organisation.

Contenu de la rémunération Ensemble des éléments attribués à titre collectif ou individuel en vue de rémunérer un employé.

Contrat de travail Contrat par lequel une personne, le salarié, s'oblige, pour un temps limité et moyennant rémunération, à effectuer un travail sous la direction ou le contrôle d'une autre personne, l'employeur.

Contrôle Quatrième fonction de la gestion, elle consiste en une évaluation des résultats obtenus conformément aux objectifs fixés et en l'adoption éventuelle de mesures correctives visant à revoir la planification en tout ou en partie.

Convention collective Entente écrite relative aux conditions de travail conclue entre une ou plusieurs associations accréditées et un ou plusieurs employeurs ou associations d'employeurs (*Code du travail*, L.R.Q., c. C-27).

Corbeille du gestionnaire Méthode de formation constituée d'un ensemble de documents semblables à ceux que l'employé trouve dans son poste de travail.

Counseling Appui offert à un employé qui manifeste un problème personnel ou professionnel ayant des conséquences sur son travail.

Cours programmé Découpage du contenu d'un cours en segments ou modules selon une séquence logique.

Coûts d'acquisition Coûts généralement considérés comme des investissements pour l'organisation. Ils comprennent toutes les dépenses directes et indirectes encourues par l'employeur pour acquérir et former le personnel dont il dispose.

Curriculum vitæ Document qui présente le plus fidèlement possible un résumé de la formation et des expériences de travail du candidat qui postule un emploi.

Démission Départ de l'employé en raison d'une insatisfaction liée au contenu ou au contexte du travail, lequel ne correspond plus à ses aspirations.

Départ involontaire Abandon par l'employé de son poste pour des motifs personnels qui ne sont pas liés à l'emploi.

Description de poste Document qui décrit les tâches ou les responsabilités, les méthodes utilisées, les conditions de travail et les exigences d'un poste.

Développement des compétences Ensemble de programmes comprenant diverses activités d'apprentissage visant l'acquisition des connaissances, des habiletés et des comportements qui permettront à un employé de s'adapter à son environnement de travail et de contribuer à la réalisation des objectifs de l'entreprise.

Développement des employés Occasion d'apprentissage créée afin de favoriser la croissance des employés.

Développement individuel (ou perfectionnement) Programme visant l'amélioration des compétences de l'employé dans une démarche orientée vers l'avenir.

Développement organisationnel Programme de changement planifié, touchant généralement l'ensemble de l'organisation. Il est géré par les cadres supérieurs, dont l'objectif est d'améliorer l'efficacité de l'organisation au moyen d'interventions planifiées dans les processus administratifs, lesquelles s'appuient sur les connaissances des sciences du comportement.

Différend Mésentente relative à la négociation, au renouvellement ou à la révision d'une convention collective par les parties en vertu d'une clause le permettant expressément (*Code du travail*, art. 1).

Direction Troisième fonction de la gestion, elle met l'accent sur le type de relations interpersonnelles qui s'établissent dans l'organisation entre les superviseurs et leurs employés par rapport à la supervision exercée, au développement et au maintien de la communication ainsi qu'à l'exercice du leadership.

Discipline Activité de gestion qui comprend un ensemble de mesures permettant d'assurer le respect des règles établies et des normes de comportement connues et acceptables en vue d'obtenir de l'employé une plus grande collaboration et une meilleure efficacité.

Discipline constructive Ensemble de mesures que prend une organisation pour apprendre à l'employé à se discipliner lui-même.

Discipline corrective Ensemble de mesures prises contre un employé à la suite d'une infraction pour l'amener à faire en sorte que son comportement futur corresponde aux normes établies par l'organisation.

Discipline préventive Ensemble de mesures prises par l'organisation, avant qu'une infraction ne soit commise par ses employés, pour les encourager à respecter les normes, les standards, les règlements et les politiques de travail qui les concernent.

Discrimination Distinction, exclusion ou préférence qui ont pour effet de détruire ou de compromettre le droit d'une personne à la reconnaissance et à l'exercice, en pleine égalité, de ses droits et libertés.

Discussion en groupe Méthode de formation selon laquelle les employés sont réunis afin de discuter librement d'un sujet proposé.

Dossier des réalisations Sorte de portfolio dans lequel le titulaire du poste dresse un bilan de ses réalisations et les compare avec ses objectifs.

Droit d'association Protection accordée à tous les salariés qui décident de s'associer et de participer à des activités syndicales.

Échelle de notation Méthode d'évaluation du rendement où, à l'aide d'une liste de facteurs comportant chacun une échelle, on note le degré atteint par l'employé.

Échelle graduée des comportements Méthode, semblable à l'échelle de notation, dans laquelle on évalue les facteurs en fonction des comportements et qui utilise des incidents critiques pour décrire les différents niveaux de rendement.

Échelle salariale Échelle qui renferme l'ensemble des taux horaires successifs auxquels le salarié peut accéder en fonction de critères déterminés, comme l'expérience, la scolarité ou l'ancienneté.

Efficience Rapport entre les résultats obtenus et les ressources utilisées pour les atteindre.

Emploi Groupe de postes dont les tâches et les responsabilités se ressemblent au point qu'une seule analyse de poste suffit.

Emploi atypique Emploi autre qu'un emploi salarié permanent et à temps plein.

Engagement organisationnel Degré d'énergie que déploie un employé dans une entreprise et intensité avec laquelle il adhère aux objectifs de cette entreprise.

Enquête salariale Processus de collecte, d'analyse et d'interprétation des données concernant les programmes de rémunération des autres entreprises.

Entrevue Rencontre par l'analyste d'un groupe de titulaires d'un même emploi en vue d'établir les renseignements pertinents et les caractéristiques du poste.

Entrevue de sélection Méthode de sélection. C'est une rencontre structurée entre un candidat et une ou plusieurs personnes, une conversation orientée dans le but de partager l'information et de déterminer si les compétences et caractéristiques professionnelles du candidat sont conformes aux exigences du poste offert.

Entrevue non structurée Entretien pendant lequel l'intervieweur lance l'entrevue à l'aide de quelques questions préparées et laisse les réponses et les commentaires du candidat orienter les autres questions.

Entrevue structurée Entretien pendant lequel l'intervieweur utilise une série de questions précises préparées à l'avance et qui seront posées à tous les candidats.

Équité externe Définition d'un niveau de salaire comparable à celui du marché pour des postes équivalents.

Équité individuelle Définition d'un niveau de salaire pour différents postes d'une même entreprise en fonction de l'apport relatif de chaque employé.

Équité interne Définition du niveau de salaire d'un poste en fonction de la valeur relative de son apport à l'entreprise.

Étude de cas Méthode qui consiste à présenter une situation problématique et à inviter les employés à analyser ses différents éléments en tenant compte de l'environnement et des contraintes de l'entreprise.

Étude de l'organisation du travail Analyse de la façon dont le travail devrait être fait pour atteindre les objectifs de productivité et de qualité de vie au travail. Selon le diagnostic établi, on pourra restructurer le travail d'un poste ou le réaménager si cela est nécessaire et s'avère possible.

Étude de poste Diagnostic concernant l'organisation du travail d'un poste pour décider s'il y a lieu de le restructurer ou d'en réaménager le contenu ou le contexte.

Étude des temps et mouvements Analyse de poste dont le but est d'éliminer le gaspillage d'énergie, de diminuer le contenu de travail d'un produit ou d'établir et de maintenir des standards de production.

Évaluation des postes de travail Processus qui consiste à évaluer et à comparer chacun des postes au sein d'une entreprise dans le but de leur assigner une classe de rémunération spécifique.

Évaluation du rendement Processus qui consiste à définir, pour chaque employé, le rendement attendu, à le soutenir dans l'amélioration de sa contribution aux objectifs de l'organisation et à le récompenser lorsqu'il a atteint les objectifs établis.

Évaluation narrative Méthode très simple qui consiste à rédiger un texte sur l'employé dans lequel on souligne ses forces, ses faiblesses, son potentiel et dans lequel on fait des recommandations afin qu'il améliore son rendement.

Évaluation par distribution imposée Méthode qui consiste à distribuer les notations des employés selon une courbe normale.

Évaluation par événements préétablis Méthode qui consiste, pour l'évaluateur, à indiquer dans une liste de comportements ceux qui sont adoptés ou non par l'employé.

Évaluation par incidents critiques Méthode qui consiste à colliger les événements observés relatifs au travail de l'employé qui ont eu une influence positive ou négative sur son rendement.

Évaluation par indices directs Méthode permettant de mesurer le rendement d'un employé ou d'un gestionnaire à l'aide de critères objectifs.

Évaluation par paires Méthode systématique de comparaison entre les employés. Chaque employé est comparé à chacun des autres membres de l'unité administrative sur la base de celui dont l'apport à l'entreprise est le plus grand.

Évaluation par rangement Méthode très simple de comparaison entre les employés. Il s'agit de dresser la liste des employés d'une unité administrative, du meilleur au plus faible, en ce qui concerne leur rendement au travail.

Exigence essentielle Ensemble des connaissances, des habiletés et des attitudes qui se traduisent dans des comportements observables jugés essentiels à l'exécution des tâches liées à un poste.

Exigences liées à l'individu Inventaire des traits de personnalité nécessaires ou souhaités de l'employé pour l'exécution de ses tâches.

Exigences liées à l'organisation Inventaire des conditions particulières rattachées au poste de travail dont il faut tenir compte pour que l'employé évolue normalement dans son milieu de travail.

Exigences liées au poste Inventaire des habiletés indispensables ou souhaitables de l'employé pour l'exécution de ses tâches.

Exigences reliées aux conditions de travail Particularités du contexte du travail dont il faut tenir compte pour que le candidat évolue normalement dans le milieu où il travaillera.

Expérience Nombre d'années de travail requis pour obtenir les connaissances et les habiletés qui permettront d'être efficace dans l'exercice des tâches du poste et qui ne s'acquièrent pas dans le réseau formel d'éducation.

Facteur de rémunération Facteur qui représente une contribution de l'employé au travail, dont on reconnaît qu'elle doit être rémunérée par l'organisation. Ce facteur permet de justifier les différences de salaires entre les postes.

Fidélité Un instrument de mesure est considéré comme fidèle lorsqu'il est sans défaut ou qu'il est constant malgré des conditions pouvant donner lieu à des variations dans la performance.

Fidélité d'un test Caractéristique d'un test qui concerne les résultats obtenus. Un même test qu'on fait passer à des groupes similaires doit entraîner des résultats équivalents dans tous les groupes, et ce, de façon constante.

Formation en atelier-école Méthode permettant d'offrir une formation réaliste et concrète, mais loin de la pression exercée par les activités quotidiennes.

Gestion Processus qui intègre la planification, l'organisation, la direction et le contrôle de différentes ressources nécessaires au bon fonctionnement de l'entreprise.

Gestion de la décroissance Processus par lequel le gestionnaire planifie les différentes mesures (retraites anticipées, mutations, licenciements, etc.) visant à réduire le personnel d'une unité administrative ou de l'entreprise entière, organise la mise en œuvre de ces mesures, dirige cette mise en œuvre et évalue de façon constante l'impact de ces mesures sur la motivation des travailleurs afin d'assurer la réalisation des objectifs organisationnels.

Gestion par les valeurs Mode de gestion qui vise essentiellement à intégrer la dimension humaine à la gestion, non seulement sur le plan théorique, mais aussi sur le plan des activités quotidiennes de l'entreprise. Cette gestion s'appuie sur les valeurs.

Gestion par objectifs Approche de gestion qui consiste à fixer des objectifs pour l'ensemble de l'entreprise, puis pour chacun des services et, enfin, pour chacun des individus. La GPO mesure la contribution de chaque employé au succès de l'entreprise.

Grève Cessation concertée du travail par un groupe de salariés en vue d'appuyer leurs revendications (*Code du travail*, art. 1g).

Grief Toute mésentente relative à l'interprétation ou à l'application d'une convention collective.

Groupe semi-autonome de travail Équipe de travail, sans leader formel nommé par l'entreprise, qui assume la majorité des décisions généralement déléguées à un superviseur. Le groupe reçoit un minimum de directives et doit respecter les politiques de l'entreprise, d'où l'expression « semi-autonome ».

Habiletés professionnelles Habiletés mentales et physiques acquises par la pratique et qui se manifestent dans des comportements tels que le jugement, l'initiative, la faculté d'adaptation, la promptitude d'esprit, l'exactitude, la précision, etc.

Harcèlement psychologique Conduite vexatoire se manifestant soit par des comportements, des paroles, des actes ou des gestes répétés, qui sont hostiles ou non désirés, laquelle porte atteinte à la dignité ou à l'intégrité psychologique ou physique du salarié et qui entraîne, pour celui-ci, un milieu de travail néfaste.

Incapacité État physique ou mental (maladie, handicap, alcoolisme, toxicomanie) ou état professionnel (perte du droit d'exercice lié à l'exécution du travail) plaçant l'employé dans l'impossibilité de satisfaire aux exigences professionnelles liées à son emploi.

Incidents critiques Comptes rendus de situations qui illustrent les comportements particuliers d'un employé.

Incompétence Manque de connaissances professionnelles liées à l'emploi en raison d'une formation inadéquate ou d'un changement d'affectation.

Inconduite Attitude de l'employé qui ne se conforme pas aux attentes normales de l'employeur.

Indemnité Somme d'argent versée à un salarié pour compenser certaines pertes, rembourser certains frais ou tenir compte de l'augmentation du coût de la vie.

Indicateur Variable qui permet de saisir et de représenter un concept ou une dimension de ce concept.

Injonction Ordonnance de la Cour supérieure ou de l'un de ses juges enjoignant à une personne, à ses officiers, représentants ou employés, de ne pas faire ou de cesser de faire ou, dans les cas qui le permettent, d'accomplir un acte ou une opération déterminé.

Insubordination Refus de l'employé de faire ce qu'un superviseur demande.

Intégration de l'employé Période durant laquelle le nouvel employé s'initie aux exigences et aux pratiques de son nouvel emploi.

Jeu de rôle et simulation Méthode de formation en tous points semblable à l'étude de cas, où l'on donne à l'employé la description d'une situation, mais où on lui demande de jouer le rôle d'un des personnages.

Laboratoire de sensibilisation aux phénomènes de groupe Méthode qui vise à modifier les comportements et les attitudes des employés dans l'exercice de leurs fonctions.

Lésion professionnelle Blessure ou maladie qui survient par le fait ou à l'occasion d'un accident du travail ou d'une maladie professionnelle, y compris la récidive, la rechute ou l'aggravation (*Loi sur les accidents du travail et les maladies professionnelles*, art. 2).

Licenciement Rupture définitive du lien de travail entre l'employeur et l'employé à la suite d'une décision de l'employeur.

Licenciement collectif Cessation d'emploi du fait de l'employeur, y compris une mise à pied pour une durée de six mois ou plus, qui touche au moins dix salariés d'un même établissement au cours d'une période de deux mois consécutifs.

Lock-out Refus par un employeur de fournir du travail à un groupe de salariés à son emploi en vue de les contraindre à accepter certaines conditions de travail ou de contraindre pareillement des salariés d'un autre employeur (*Code du travail*, art. 1h).

Loi sur les normes du travail Convention de base qui protège tous les salariés. Elle précise aux employeurs et aux employés leurs droits et obligations concernant le salaire de base et les conditions de travail minimales à consentir à ces derniers.

Maladie professionnelle Maladie contractée pendant le travail qui est caractéristique de ce travail ou reliée directement aux risques particuliers de ce travail.

Médiateur Personne désignée par le ministre du Travail pour proposer des solutions à un conflit de travail, ne possédant pas de pouvoir de contrainte réel.

Mesure administrative Réponse du superviseur, au nom de l'organisation, à un manquement involontaire de la part de l'employé.

Mesure disciplinaire Réponse du superviseur, au nom de l'organisation, à un manquement volontaire de la part de l'employé.

Méthode de classification par catégories Méthode d'évaluation des postes qui consiste à définir certaines classes d'emplois à l'aide de facteurs préétablis qui serviront à évaluer tous les postes d'une même famille.

Méthode de comparaison des facteurs Méthode d'évaluation des emplois qui consiste à attribuer une valeur pécuniaire aux divers facteurs et à comparer ces sommes avec les salaires des postes repères dans l'entreprise et sur le marché du travail.

Méthode de rangement hiérarchique Méthode qui consiste à ranger tous les postes d'une même famille sur la base d'un seul critère de comparaison, à savoir leurs exigences pour les titulaires.

Méthode des compétences Méthode d'évaluation des emplois qui offre une rémunération en fonction non pas du poste et de ses exigences, mais des compétences du titulaire du poste.

Méthode des points Méthode d'évaluation des emplois qui consiste à attribuer des points aux critères d'évaluation retenus et à les additionner pour obtenir le poids d'un emploi par rapport aux autres emplois.

Méthode d'évaluation par objectifs Méthode d'évaluation du rendement fondée sur le processus de direction par objectifs. Elle permet de mesurer le rendement de l'employé à partir des résultats obtenus lors de l'exécution de son travail.

Méthode du choix forcé Méthode d'évaluation du rendement qui exige de l'évaluateur qu'il choisisse entre deux affirmations celle qui se rapproche le plus du rendement fourni par l'employé.

Méthode du marché Méthode qui consiste à utiliser les résultats d'enquêtes salariales pour établir la valeur monétaire des différents postes.

Méthode du rangement Méthode d'évaluation des emplois qui consiste à classer tous les postes évalués selon une hiérarchie reflétant les exigences du poste indiquées par les résultats de l'analyse des postes.

Méthode Hay Méthode d'évaluation des emplois qui recourt à trois facteurs uniquement, soit la résolution de problèmes, le savoir-faire et la responsabilité.

Microcorporatisme Procédé de gestion adopté par la direction d'une entreprise menacée ou susceptible d'être menacée par la concurrence, lequel procédé accompagne une restructuration et implique une participation des travailleurs à l'implantation d'une nouvelle organisation du travail.

Mise à pied Perte temporaire d'un poste à cause d'une réduction des activités au sein de l'organisation.

Mobilisation Processus organisationnel mis en place pour motiver les employés.

Mode de rémunération Base de calcul de la rémunération.

Modification du comportement de la main-d'œuvre Changement de la façon habituelle d'agir dans une situation liée au travail.

Motifs de discrimination Caractéristiques personnelles d'un individu telles qu'elles sont définies à l'article 10 de la Charte des droits et libertés de la personne.

Mutation Déplacement d'un employé vers un poste équivalent, où le salaire est identique et où les responsabilités sont similaires.

Négociation collective Manière de déterminer les conditions de travail d'un groupe d'employés de façon collective, bilatérale et libre.

Népotisme Forme de corruption où des personnes profitent de leur situation pour accorder des faveurs ou des places privilégiées à leurs parents et amis, souvent sans tenir compte des capacités et de la valeur personnelle de ces derniers.

Niveau de salaire Revenu versé à chacun des groupes d'emplois dans l'entreprise.

Normes de rendement Mesures qui permettent de comparer le rendement du titulaire d'un poste avec les attentes à l'endroit de ce titulaire.

Observation Méthode par laquelle l'analyste observe directement l'employé pendant l'exécution de son travail et note chacune des tâches accomplies.

Opération ou activité Composantes d'une tâche que l'on peut observer et mesurer sans analyse des temps et des mouvements.

Organigramme prévisionnel Organigramme des postes au sein d'une unité administrative. Pour chacun des postes, on mentionne la personne qui le détient actuellement, l'âge de cette personne, son ancienneté, son potentiel et son rendement.

Organisation Deuxième fonction de la gestion, elle consiste en la coordination des différentes ressources de l'entreprise en vue de réaliser les objectifs définis.

Perfectionnement Ensemble d'activités qui ont pour but la transmission ou l'actualisation des connaissances, des habiletés et des attitudes professionnelles directement liées au travail.

Période de maraudage Période au cours de laquelle un syndicat rival peut déposer une requête en accréditation afin de déloger un syndicat déjà en place et ainsi représenter le groupe de salariés membres de ce syndicat.

Période d'intégration de l'employé Méthode comprenant les cinq étapes suivantes: la préparation des objectifs de la formation, la préparation de l'employé, les explications de la tâche par le formateur, l'expérimentation par l'employé des étapes du travail et le suivi du développement des compétences.

Piquetage Moyen de pression par lequel les employés en grève dénoncent l'employeur ou lancent des slogans de solidarité.

Plan de succession Résultat d'un processus qui consiste à identifier sous forme d'organigramme tous les postes existants au sein d'une unité administrative et à identifier un remplaçant pour chaque poste, que ce soit à court, moyen ou long terme.

Plan Hay Analyse et évaluation des postes à partir de critères de base communs à tous les postes, tels que compétences, solutions de problèmes et responsabilités.

Plan Scanlon Méthode d'augmentation des salaires à partir du calcul d'une prime basée sur la réduction des coûts de production pour l'ensemble d'une organisation. Les économies réalisées sont ensuite partagées entre les employés.

Planification Première fonction de la gestion qui consiste en l'élaboration de prévisions concernant l'avenir de l'entreprise compte tenu des forces de l'environnement externe auxquelles elle fait face. Elle consiste, de plus, en la détermination d'objectifs à atteindre et en l'élaboration des plans permettant de les réaliser.

Planification des ressources humaines Activité importante de la gestion des ressources humaines qui permet de prévoir les besoins en main-d'œuvre de l'entreprise et l'offre interne des ressources humaines de manière à ce que chaque unité administrative dispose des ressources humaines nécessaires à la réalisation de ses objectifs, et ce, au moment où elle en a besoin.

Poste Groupement de tâches ou de responsabilités qui requièrent les services d'une même personne.

Prédicteur Élément d'information permettant de prédire le succès d'un candidat dans un emploi donné, s'il est embauché.

Présélection Étape du processus où l'on réalise le premier tri qui consiste à identifier les candidats qualifiés et ceux qui ne le sont pas à l'aide de formulaires de demande d'emploi, de curriculum vitæ ou de tests de performance.

Présentation Processus de communication à sens unique où le formateur s'adresse à des employés au cours d'un exposé ou d'une conférence.

Prime Somme versée en plus du salaire de base pour récompenser le rendement d'un employé qui excède un seuil déterminé de production ou pour rembourser certains frais occasionnés par le travail, par exemple une prime de transport ou une indemnité de cessation d'emploi.

Principe de définition Principe en vertu duquel l'entreprise définit de façon précise sa vision de l'avenir et la participation de chacune des ressources à la mise en œuvre de cette vision.

Principe de l'assouplissement de l'autorité hiérarchique Principe en vertu duquel les cadres qui supervisent des employés durant une période de réorganisation de postes doivent éviter d'utiliser de façon stricte et formelle l'autorité que leur confère la structure hiérarchique.

Principe de transparence Principe en vertu duquel un individu, par la communication qu'il établit avec ses supérieurs, ses pairs ou ses employés, transmet une information pertinente, juste et vérifiable.

Principe du dégraissage proportionnel des postes hiérarchiques Principe en vertu duquel les organisations qui procèdent à des suppressions de postes tiennent compte du nombre de postes de cadres proportionnellement au nombre de postes de travailleurs non cadres et suppriment les postes en respectant cette proportion.

Prise de décision Fait d'arrêter son choix sur une option précise, laquelle permet de régler un problème ou d'apprécier une occasion d'affaires en conformité avec les objectifs et les politiques de l'organisation.

Profession ou métier Groupe d'emplois comportant des tâches de nature intellectuelle ou manuelle semblables et qui demandent des compétences semblables.

Profil d'exigences du poste Document qui présente la formation professionnelle minimale requise pour occuper un poste.

Programme d'accès à l'égalité Ensemble de mesures prises par une organisation dans le but de favoriser l'accès à l'emploi pour les personnes faisant partie des groupes historiquement victimes de discrimination.

Programme d'accueil et orientation Ensemble d'activités dont le but est d'initier le nouvel employé aux politiques, procédures et règlements de l'organisation, de le socialiser.

Programme d'aide aux employés Programme dont une entreprise se dote pour venir en aide aux employés ayant des problèmes personnels ou professionnels. Ces services sont généralement assurés à l'extérieur de l'organisation par des entreprises spécialisées et la discrétion absolue est garantie aux employés.

Promotion Affectation d'un employé à un poste de niveau hiérarchique supérieur.

Protocole de retour au travail Entente négociée et signée par les parties - en dehors de la convention collective - qui établit les modalités selon lesquelles le retour au travail devra s'effectuer par les salariés à la suite de la signature de la convention collective.

Question de type comportemental Question où l'intervieweur demande au candidat de décrire une expérience qu'il a vécue et qui met en évidence une qualité ou une habileté essentielle.

Question de type situationnel Question où l'intervieweur décrit une mise en situation : la réponse doit indiquer les intentions, les mesures à employer et le résultat attendu.

Question de vérification Question courte et directe dont le but est de vérifier les renseignements contenus dans le formulaire de demande d'emploi et ceux qui sont obtenus au moment de la vérification des références et de l'entrevue même.

Question fermée Question qui exige une réponse brève telle que « oui », « non », « beaucoup » ou « jamais ».

Questionnaire ouvert Questionnaire comportant uniquement des questions ouvertes qui permettent à l'employé de s'exprimer avec une certaine liberté.

Questionnaire structuré Questionnaire qui présente une liste des tâches ou des comportements liés aux différents aspects du travail.

Question ouverte Question qui exige une certaine élaboration de la réponse. Les questions ouvertes commencent généralement par « Expliquez-moi... », « Décrivez-moi... », « Pourquoi... », « Comment... », etc.

Rappel d'un employé Processus par lequel un employeur demande à un employé mis à pied de revenir au travail.

Ratification Acceptation par la majorité des membres de l'association accréditée réunis en assemblée générale de l'ensemble des conditions de travail énoncées dans l'accord de principe.

Réaménagement des horaires de travail Technique de réorganisation du travail qui permet aux employés de travailler selon un horaire autre que l'horaire traditionnel.

Recrutement Ensemble des activités de recherche de main-d'œuvre qui consiste à informer les candidats potentiels, à l'interne ou à l'externe, qu'un poste est vacant en vue de les inciter à offrir leurs services en posant leur candidature.

Régime de pension du Canada Régime de rentes obligatoires auquel contribuent les employeurs et les employés. Il ressemble en plusieurs points au Régime des rentes du Québec.

Régime des rentes du Québec Régime public, obligatoire et transférable de pension, financé à parts égales par les employeurs et l'employé. Il vise à assurer aux employés et aux personnes à leur charge une protection financière de base s'il y a perte de revenu à la suite de la retraite, l'invalidité ou le décès.

Régime d'intéressement Méthode d'augmentation des salaires basée sur la performance globale de l'organisation, le rendement individuel ou une combinaison de plusieurs critères.

Régimes d'incitation Méthode d'augmentation des salaires visant à encourager un rendement supérieur et la participation continue de l'employé à l'organisation.

Relevé des activités Inscription par l'employé, dans un journal de bord, à une fréquence fixe, des tâches qu'il accomplit, et ce, sur une période de quelques semaines.

Rémunération directe Paiements directs versés aux employés à la suite de l'exécution d'un travail. Elle comprend le salaire de base, les primes de rendement et les bonis d'intéressement attribués pour stimuler la productivité.

Rémunération indirecte Indemnités non monétaires consenties par l'employeur sous forme d'avantages ou de services, en vue de garantir aux employés et à leur famille une sécurité financière, si la situation d'emploi est modifiée par suite d'une maladie, d'un accident, du chômage, de la retraite ou du décès.

Rendement Contribution de l'employé aux objectifs de l'entreprise au cours de l'accomplissement de ses tâches.

Réprimande Avertissement verbal ou écrit reprochant un comportement à l'employé et lui enjoignant de corriger la situation dans un délai donné.

Réquisition de personnel Demande de main-d'œuvre émanant du directeur de l'unité administrative et adressée au Service de recrutement de l'entreprise. Le document précise généralement les exigences liées au poste et les compétences requises de la part du candidat.

Réseau de relations Ensemble des relations d'affaires, des connaissances et des amis qui peuvent fournir de l'information ou mettre en contact des candidats intéressants avec des employeurs potentiels.

Responsabilité Obligation d'effectuer certaines tâches permettant d'atteindre un résultat.

Restructuration du travail Réorganisation des tâches et de la structure de fonctionnement d'une entreprise.

Retraite Abandon par l'employé de son poste au terme de plusieurs années de service.

Rétrogradation Déplacement d'un employé vers un poste de niveau hiérarchique inférieur.

Rotation des postes Formule d'organisation du travail qui consiste à affecter périodiquement un employé à d'autres postes de travail dans le but de rompre la monotonie, d'éviter que ce ne soit toujours les mêmes personnes qui exécutent les travaux les moins recherchés ou encore de favoriser la polyvalence.

Salaire Rétribution de toute personne rémunérée faisant partie des effectifs d'une organisation. Des concepts apparentés sont le traitement d'un fonctionnaire, les honoraires d'un professionnel, la paye d'un ouvrier, les commissions d'un vendeur.

Salaire de base Taux de salaire normalement versé sur le marché pour des postes de même valeur, sans tenir compte de la contribution personnelle d'un employé. Il est appelé « de base » parce qu'il servira de référence pour calculer la contribution au régime de retraite, les cotisations syndicales, les assurances, etc.

Salarié Personne qui travaille pour un employeur et qui a droit à un salaire. Sont exclus les travailleurs domestiques, les employés de la construction, les étudiants et les cadres supérieurs (*Loi sur les normes du travail*, art. 1).

Scolarité Niveau d'instruction obtenu après un programme formel d'étude d'une discipline ou niveau de connaissances jugé équivalent.

Sélection Processus qui consiste à identifier, évaluer et choisir parmi les candidats disponibles ceux qui seront jugés qualifiés et compétents pour combler les postes et fournir un rendement satisfaisant au travail.

Service continu Durée ininterrompue pendant laquelle le salarié est lié à l'employeur par un contrat de travail, même si l'exécution du travail a été interrompue sans qu'il y ait résiliation du contrat, et période pendant laquelle se succèdent des contrats à durée déterminée sans une interruption qui, dans les circonstances, permette de conclure à un non-renouvellement de contrat.

Simulation et jeu informatisé Mise en situation interactive présentant des situations virtuelles où deux groupes d'employés prennent des décisions en fonction d'éléments connus et construisent des hypothèses en fonction d'autres éléments.

Stratégie de croissance Stratégie par laquelle les dirigeants d'une organisation se fixent des objectifs de croissance concernant les ventes à accroître, les lignes de produits à ajouter, le nombre d'employés à augmenter ou d'autres marchés à acquérir.

Stratégie de maintien Stratégie choisie par une organisation quand elle est satisfaite de la façon dont son marché réagit face à ses produits actuels et qu'elle ne juge pas nécessaire de modifier ses projets (produit/marché).

Stratégie de retrait Stratégie utilisée par une entreprise qui désire réduire ses activités pour profiter d'une occasion d'affaires générée par un autre marché ou pour faire face à une crise l'affectant dans son propre marché.

Structure salariale Échelle des salaires qui présente les taux de salaires et les écarts entre les taux, ce qui permet d'établir une hiérarchie des salaires au sein d'une famille de postes ou de l'entreprise.

Supervision Activité dans laquelle un gestionnaire, par la position hiérarchique qu'il occupe, distribue aux employés le travail à accomplir, coordonne les tâches, adopte les mesures nécessaires afin que le travail soit exécuté efficacement, guide les employés pour qu'ils atteignent les objectifs fixés et évalue périodiquement, de façon formelle ou informelle, le rendement des employés.

Suspension Mesure disciplinaire qui interdit à un employé de se présenter au travail pendant une période donnée au cours de laquelle il ne recevra pas son salaire.

Syndicat Association de salariés dont les objectifs sont de protéger et de défendre les intérêts professionnels, sociaux et économiques des travailleurs.

Système de l'apprenti Méthode selon laquelle l'employé apprend son travail avec un employé expérimenté.

Système d'information en ressources humaines Base de données utilisée pour enregistrer, stocker, analyser et récupérer des données concernant les ressources humaines d'une organisation.

Système électronique de soutien au rendement Système électronique, autonome ou relié, qui fournit de l'information, des conseils ou de l'assistance aux employés dans l'exécution de leurs tâches (*Electronic Performance Support Systems – EPSS*).

Tâche Regroupement d'activités ou d'opérations demandant un effort physique ou intellectuel et qui sont nécessaires pour atteindre un objectif.

Taux d'absentéisme Rapport entre le nombre total de jours d'absence et le nombre de jours ouvrables pendant une même période.

Taux de roulement Rapport entre le nombre d'employés qui quittent l'organisation de façon permanente pendant une période donnée, généralement un an, et le nombre moyen d'employés présents pendant cette période.

Taux encerclé Taux de salaire supérieur ou inférieur à ceux observés lors du tracé de la ligne de contrôle des salaires. Il faudra les réajuster pour les situer sur la courbe.

Test d'aptitude physique Test qui mesure la dextérité ou les habiletés de manipulation d'un candidat.

Test d'aptitudes Test qui mesure le rendement potentiel du candidat dans un domaine précis.

Test de compétence interpersonnelle Test qui mesure la capacité d'un candidat à capter dans un groupe les perceptions, les pensées, les désirs et les humeurs des autres personnes.

Test de compétence personnelle Test qui mesure la capacité d'un candidat à prendre les bonnes décisions au bon moment.

Test de performance ou de connaissances Test qui mesure les connaissances ou la compétence d'un individu.

Test de personnalité Test qui mesure les caractéristiques d'un candidat.

Test de reconnaissance Test qui consiste à exiger la présentation d'un portfolio comprenant les réalisations du candidat.

Test d'intelligence ou d'habileté cognitive Test qui évalue les capacités intellectuelles d'une personne.

Test d'intérêt professionnel Test qui mesure l'intérêt des candidats pour les activités et le milieu d'une profession en particulier.

Tests de sélection Épreuves qui portent sur les connaissances, les aptitudes, les compétences, les habiletés, la personnalité, les centres d'intérêt et les performances d'un candidat ou d'un employé et qui permettent d'évaluer son potentiel.

Tests psychométriques Épreuves qui portent sur les connaissances, les habiletés, la personnalité, les intérêts et les performances d'un candidat ou d'un employé et qui permettent d'évaluer son potentiel.

Transfert Déplacement d'un employé, parfois contre son gré, vers un autre service de l'entreprise pour qu'il exerce un poste de nature identique ou d'un niveau hiérarchique supérieur.

Travail équivalent Travail dont les tâches et les exigences sont de même niveau.

U

Unité de négociation Groupe de salariés représentés par le syndicat accrédité pour négocier une convention collective.

V

Valeur Normes, croyances ou convictions adoptées par une personne et qui influent sur la façon dont elle accomplit ses tâches quotidiennes.

Validité Un instrument de mesure est considéré comme valide lorsqu'il mesure bien ce qu'il est censé mesurer.

Validité d'un test Caractéristique d'un test qui mesure exactement ce qu'il doit mesurer.

Lexique

Français – anglais

Français	Anglais
Absentéisme	*Absenteeism*
Accident du travail	*Job accident*
Accréditation syndicale	*Union certification*
Accueil	*Employee orientation*
Activité ou opération	*Element*
Affichage de postes	*Posting*
Agence privée	*Private agency*
Analyse des postes	*Job analysis*
Ancienneté	*Seniority*
Apprentissage	*Training*
Arbitrage de différend	*Arbitration*
Arbitrage de griefs	*Grievance adjudication*
Association de salariés	*Association* ou *Union*
Augmentation de salaire au rendement (mérite)	*Merit wage increase*
Boni	*Bonus*
Bureau de placement privé	*Private employment agency*
Bureau de placement public	*Public employment agency*
Candidatures non sollicitées	*Write-ins* et *walk-ins*
Classification canadienne des professions	*National occupational classification*
Clause	*Clause*
Comité d'évaluation des emplois	*Job evaluation comittee*
Compétence	*Skill*
Conception des emplois	*Jobs design*
Conciliateur	*Conciliator*
Conciliation	*Conciliation*
Conditions de travail	*Work conditions*
Congédiement	*Discharge*
Connaissances	*Job knowledge*
Contenu de la rémunération	*Compensation*
Contrat de travail	*Contract of employment*
Contrôle	*Control*
Convention collective	*Collective agreement*
Corbeille du gestionnaire	*In-basket*
Counseling	*Counselling*
Démission	*Resignation*
Description de poste	*Job description*
Développement individuel ou perfectionnement	*Employee development*
Développement organisationnel	*Organizational development*
Différend	*Dispute*
Direction	*Direction*
Discipline	*Discipline*
Discipline constructive	*Positive discipline*
Discrimination	*Discrimination*
Discussion en groupe	*Work discussion*
Dossier des réalisations	*Portfolio*
Droit d'association	*Freedom of association*
Échelle de notation	*Graphic rating scale*
Échelle graduée des comportements	*Behaviourally anchored rating scales*
Efficience	*Efficiency*
Emploi	*Job*
Emploi atypique	*Atypical job*
Enquête salariale	*Pay survey*
Entrevue	*Interview*
Entrevue de sélection	*Job interview*
Étude de cas	*Case study*
Étude des temps et mouvements	*Time and motion study*
Évaluation des postes de travail	*Job evaluation*
Évaluation du rendement	*Performance evaluation*
Évaluation par distribution imposée	*Forced distribution*
Évaluation par incidents critiques	*Critical indicent method*
Évaluation par paires	*Pair comparison*
Évaluation par rangement	*Job ranking*
Expérience	*Experience*
Fidélité	*Reliability*
Fidélité d'un test	*Test reliability*
Formation en atelier-école	*Vestibule training*
Gestion	*Management*
Gestion par objectifs	*Management by objectives*
Grève	*Strike*
Grief	*Grievance*
Harcèlement psychologique	*Harassment*
Incidents critiques	*Critical incidents*
Incompétence	*Incompetence*
Inconduite	*Improper conduct*
Indemnité	*Allowance*
Injonction	*Injunction*
Insubordination	*Insubordination*

Jeu de rôle et simulation	*Role playing and simulation*
Jeu informatisé	*Business game*
Laboratoire de sensibilisation aux phénomènes de groupe	*Sensitivity training*
Lésion professionnelle	*Employment injury*
Licenciement	*Termination of employment ou separation*
Licenciement collectif	*Mass layoff*
Lock-out	*Lock-out*
Maladie professionnelle	*Occupational disease*
Médiateur	*Mediator*
Méthode de la classification par catégories	*Classification method of job evaluation*
Méthode de la comparaison des facteurs	*Factors comparaison method*
Méthode de rangement hiérarchique	*Ranking method*
Méthode des points	*Point system*
Méthode d'évaluation par objectifs	*Objectives evaluation system*
Méthode du marché	*Labor market method*
Méthode Hay	*Hay system*
Mise à pied	*Layoff*
Mode de rémunération	*Compensation base*
Mutation	*Transfer*
Négociation collective	*Collective bargaining*
Népotisme	*Nepotism*
Niveau de salaire	*Salary level*
Normes de rendement	*Performance standards*
Observation	*Observation*
Opération ou activité	*Element*
Organigramme prévisionnel	*Replacement chart*
Organisation	*Organisation*
Période de maraudage	*Raiding period*
Piquetage	*Picketing*
Plan de succession	*Replacement chart*
Plan Hay	*Hay system*
Plan Scanlon	*Scanlon plan*
Planification	*Planning*
Planification des ressources humaines	*Human resource planning*
Poste	*Position*
Prédicteur	*Predictor*
Présélection	*Initial screening*
Prise de décision	*Decision making*
Promotion	*Promotion*
Protocole de retour au travail	*Protocol*
Recrutement	*Recruitment*
Régime de pension du Canada	*Canada pension plan*
Régime des rentes du Québec	*Quebec pension plan*
Relevé des activités	*Dairy method*
Rendement	*Job performance*
Retraite	*Retirement*
Rétrogradation	*Demotion*
Rotation des postes	*Job rotation*
Salaire	*Salary*
Salaire de base	*Base salary*
Salarié	*Employee*
Sélection	*Selection*
Structure salariale	*Pay structure*
Supervision	*Supervision*
Suspension	*Suspension*
Syndicat	*Union*
Système d'information en ressources humaines	*Human resource information system*
Tâche	*Task*
Taux d'absentéisme	*Absenteeism rate*
Taux de roulement	*Turnover rate*
Taux encerclé	*Red circle*
Test de performance ou de connaissances	*Performance test ou knowledge*
Test de personnalité	*Psychological test*
Test de reconnaissance	*Portfolio test*
Tests de sélection	*Employment tests*
Unité de négociation	*Bargaining unit*
Valeur	*Value*
Validité	*Validity*
Validité d'un test	*Test validity*

Anglais – français

Absenteeism	Absentéisme
Absenteeism rate	Taux d'absentéisme
Allowance	Indemnité
Arbitration	Arbitrage de différend
Association ou *Union*	Association de salariés
Atypical job	Emploi atypique
Bargaining unit	Unité de négociation
Base salary	Salaire de base
Behaviourally anchored rating scales	Échelle graduée des comportements
Bonus	Boni
Business game	Jeu informatisé
Canada pension plan	Régime de pension du Canada
Case study	Étude de cas
Classification method of job evaluation	Méthode de la classification par catégories
Clause	Clause
Collective agreement	Convention collective
Collective bargaining	Négociation collective
Compensation	Contenu de la rémunération
Compensation base	Mode de rémunération
Conciliation	Conciliation
Conciliator	Conciliateur
Contract of employment	Contrat de travail
Control	Contrôle
Counselling	Counseling
Critical incidents	Incidents critiques
Critical indicent method	Évaluation par incidents critiques
Dairy method	Relevé des activités
Decision making	Prise de décision
Demotion	Rétrogradation
Direction	Direction
Discharge	Congédiement
Discipline	Discipline
Discrimination	Discrimination
Dispute	Différend
Efficiency	Efficience
Element	Activité ou opération
Employee	Salarié
Employee development	Développement individuel ou perfectionnement
Employee orientation	Accueil
Employment injury	Lésion professionnelle
Employment tests	Tests de sélection

Experience	Expérience
Factors comparaison method	Méthode de la comparaison des facteurs
Forced distribution	Évaluation par distribution imposée
Freedom of association	Droit d'association
Graphic rating scale	Échelle de notation
Grievance	Grief
Grievance adjudication	Arbitrage de griefs
Harassment	Harcèlement psychologique
Hay system	Méthode Hay ou plan Hay
Human resource information system	Système d'information en ressources humaines
Human resource planning	Planification des ressources humaines
Improper conduct	Inconduite
In-basket	Corbeille du gestionnaire
Incompetence	Incompétence
Initial screening	Présélection
Injunction	Injonction
Insubordination	Insubordination
Interview	Entrevue
Job	Emploi
Job accident	Accident du travail
Job analysis	Analyse des postes
Job description	Description de poste
Job evaluation	Évaluation des postes de travail
Job evaluation comittee	Comité d'évaluation des emplois
Job interview	Entrevue de sélection
Job knowledge	Connaissances
Job performance	Rendement
Job ranking	Évaluation par rangement
Job rotation	Rotation des postes
Jobs design	Conception des emplois
Labor market method	Méthode du marché
Layoff	Mise à pied
Lock-out	Lock-out
Management	Gestion
Management by objectives	Gestion par objectifs
Mass layoff	Licenciement collectif
Mediator	Médiateur
Merit wage increase	Augmentation de salaire au rendement (mérite)
National occupational classification	Classification canadienne des professions
Nepotism	Népotisme

Objectives evaluation system	Méthode d'évaluation par objectifs
Observation	Observation
Occupational disease	Maladie professionnelle
Organisation	Organisation
Organizational development	Développement organisationnel
Pair comparison	Évaluation par paires
Pay structure	Structure salariale
Pay survey	Enquête salariale
Performance evaluation	Évaluation du rendement
Performance standards	Normes de rendement
Performance test ou *knowledge*	Test de performance ou de connaissances
Picketing	Piquetage
Planning	Planification
Point system	Méthode des points
Portfolio	Dossier des réalisations
Portfolio test	Test de reconnaissance
Position	Poste
Positive discipline	Discipline constructive
Posting	Affichage de postes
Predictor	Prédicteur
Private agency	Agence privée
Private employment agency	Bureau de placement privé
Promotion	Promotion
Protocol	Protocole de retour au travail
Psychological test	Test de personnalité
Public employment agency	Bureau de placement public
Quebec pension plan	Régime des rentes du Québec
Raiding period	Période de maraudage
Ranking method	Méthode de rangement hiérarchique
Recruitment	Recrutement
Red circle	Taux encerclé
Reliability	Fidélité
Replacement chart	Organigramme prévisionnel ou plan de succession
Resignation	Démission
Retirement	Retraite
Role playing and simulation	Jeu de rôle et simulation
Salary	Salaire
Salary level	Niveau de salaire
Scanlon plan	Plan Scanlon
Selection	Sélection
Seniority	Ancienneté
Sensitivity training	Laboratoire de sensibilisation aux phénomènes de groupe
Skill	Compétence
Strike	Grève
Supervision	Supervision
Suspension	Suspension
Task	Tâche
Termination of employment ou *separation*	Licenciement
Test reliability	Fidélité d'un test
Test validity	Validité d'un test
Time and motion study	Étude des temps et mouvements
Training	Apprentissage
Transfer	Mutation
Turnover rate	Taux de roulement
Union	Syndicat
Union certification	Accréditation syndicale
Validity	Validité
Value	Valeur
Vestibule training	Formation en atelier-école
Work conditions	Conditions de travail
Work discussion	Discussion en groupe
Write-ins et *walk-ins*	Candidatures non sollicitées

Bibliographie

Revues en français
Gestion
La Gazette du travail
Relations industrielles
Revue française de gestion

Revues en anglais
Academy of Management Journal
Academy of Management Review
Administrative Science Quarterly
Annual Editions – Human resources
Applied Psychological Measurement
Educational & Psychological Measurement
HR Magazine
Human Resource Management
Human Resource Planning
Industrial and Labor Relations Review
Industrial Relations
Journal of Applied Psychology
Journal of Management
Journal of Occupational and Organizational Psychology
Journal of Vocational Behavior
Organizational Behavior and Human Decision Processes
Personnel
Personnel Administrator
Personnel Management
Personnel Psychology
Personnel Review
Workforce (anciennement *Personnel Journal*)

ARCHAMBAULT, Jean-Pierre. *Droit des affaires*, 4e éd., Montréal, Beauchemin/Chenelière Éducation, 2007, 528 p.

BENEDETTI, Claudio. *Introduction à la gestion des opérations : biens et services*, Chenelière/McGraw-Hill, 4e éd., 2001, 346 p.

BERNARDIN, H. John. *Human Resource Management with Premium Content Code Card*, New York, McGraw-Hill, 2010, 728 p.

BLOUIN, Rodrigue. *Vingt-cinq ans de pratique en relations industrielles au Québec*, Cowansville, Les Éditions Yvon Blais, 1990, 1 164 p.

BOISVERT, Maurice. *L'approche sociotechnique*, Montréal, Éditions Agence d'Arc, 1990, 273 p.

BOIVIN, Jean, et Jacques GUILBAULT. *Les relations patronales-syndicales au Québec*, Boucherville, Gaëtan Morin Éditeur, 1982, 309 p.

BOUDRIAU, Stéphane. *Le CV par compétences. Votre portefeuille pour l'emploi*, 2e éd., Montréal, Éditions Transcontinental, Collection Affaires Plus, 2002, 327 p.

BOURHIS, Anne. *Recrutement et sélection du personnel*, Montréal, 4e éd., Chenelière Éducation, 2006, 576 p.

BOUTEILLER, Dominique. *Former pour performer. Les enjeux du développement des compétences en entreprise*, Montréal, Éditions Gestion, Collection Racines du Savoir, 2000.

CAPPELLI, Peter. *The New Deal at Work : Managing the Market-driven Workforce*, Boston, Harvard Business School Press, 307 p.

CASCIO, Wayne F. *Managing Human Resources*, 6e éd., New York, McGraw-Hill, 2010, 752 p.

CASCIO, Wayne F., et James W. THACKER. *Managing Human Resources*, Toronto, McGraw-Hill Ryerson Limited, 1994, 702 p.

CASCIO, Wayne F., et coll. *La gestion des ressources humaines : productivité, qualité de vie au travail, profits*, Montréal, Chenelière/McGraw-Hill, 1999, 625 p.

CHICHA-PONTBRIAND, Marie-Thérèse, et Daniel CARPENTIER. *Une loi sur l'équité salariale au Québec. Rapport de consultation de la Commission des droits de la personne et recommandations*, Montréal, Commission des droits de la personne du Québec, 1992.

COMMISSION DES DROITS DE LA PERSONNE ET DES DROITS DE LA JEUNESSE. *La Charte des droits et libertés de la personne du Québec… en résumé*, Québec, 1997, 28 p.

COMMISSION DES DROITS DE LA PERSONNE ET DES DROITS DE LA JEUNESSE. *Que se passe-t-il quand vous déposez une plainte en vertu de la Charte des droits et libertés de la personne ?*, Québec, février 1991, 16 p.

DION, Suzanne, et coll. *La Gestion de la formation*, Les Publications du Québec, 2002, 98 p.

DIRECTION DU CENTRE D'ÉTUDE SUR L'EMPLOI ET LA TECHNOLOGIE (CETECH) ET DE L'INFORMATION SUR LE MARCHÉ DU TRAVAIL. *Le marché du travail au Québec : perspectives professionnelles 2008-2012*, 2008, 64 p.

DOLAN, Shimon L., et Salvador GARCIA. *La gestion par les valeurs : une nouvelle culture pour les organisations*, Montréal, Éditions Nouvelles, 1999, 293 p.

DOLAN, Shimon L., Éric GOSSELIN et Jules CARRIÈRE. *Psychologie du travail et comportement organisationnel*, 3e éd., Montréal, Gaëtan Morin/Chenelière Éducation, 2007, 512 p.

DOLAN, Shimon L., et coll. *La gestion des ressources humaines*, 3e éd., Montréal, ERPI , 2002, 713 p.

DOLAN, Shimon L., et coll. *La gestion des ressources humaines au seuil de l'an 2000*, Montréal, ERPI, 1995, 747 p.

ELGIN, Suzette Haden. *How to Disagree Without Being Disagreable : Getting Your Point Across with the Gentle Art of Verbal Self-Defense,* New York, John Wiley & Sons, 1997, 190 p.

FITZ-ENZ, Jac, et Barbara DAVISON. *How to Measure Human Resources Management*, 3e éd., New York, McGraw-Hill, 2001, 340 p.

FLIPPO, Edwin B. *Personnel Management*, 6e éd., New York, McGraw-Hill, 1984, 607 p.

GAGNON, Robert P. *Le droit du travail du Québec : pratiques et théories*, 3e éd., Cowansville, Les Éditions Yvon Blais, 1996, 682 p.

GÉRIN-LAJOIE, Jean. *Les relations du travail au Québec*, Montréal, Gaëtan Morin, 2004, 338 p.

GILES, Anthony, et Dalil MASCHINO. « L'intégration économique en Amérique du Nord et les relations industrielles », dans R. BLOUIN et Anthony GILES, *L'intégration économique en Amérique du Nord et les relations industrielles*, Sainte-Foy, Presses de l'Université Laval, 1998.

GOYETTE, R. M. « La réforme de la Loi sur les normes du travail : les points saillants », dans BARREAU DU QUÉBEC, *Développements récents en droit du travail*, Service de la formation permanente, Cowansville, Les Éditions Yvon Blais, 2003.

GUÉRIN, Gilles, et Thierry WILS. *La gestion des ressources humaines : du modèle traditionnel au modèle renouvelé*, Montréal, Les Presses de l'Université de Montréal, 1992, 276 p.

GUILLAUME, Jacques, Bernard TURGEON et Claudio BENEDETTI. *La dynamique de l'entreprise*, 3e éd., Laval, Éditions Études Vivantes, 1993, 394 p.

HÉBERT, Gérard. *Traité de négociation collective*, Boucherville, Gaëtan Morin Éditeur, 1992, 1 242 p.

HÉBERT, Gérard, et coll. *La convention collective au Québec*, Montréal, Chenelière Éduation, 2003, 432 p.

HENEMAN, H. G. III, et T. A. JUDGE. *Staffing Organizations*, Boston, McGraw-Hill, 2003.

HERZBERG, Frederic, Bernard MAUSNER et Barbara BLOCH SYNDERMAN. *The Motivation to Work*, New York, John Wiley & Sons, 1959, 157 p.

IVANCEVICH, John M. *Human Resource Management*, New York, McGraw-Hill, 2009, 672 p.

KRAUT, Alan I., et Abraham K. KORMAN. *Evolving Practices in HR Management*, San Francisco, Jossey Bass, 1999, 376 p.

LACASSE, Nicole. *Droit de l'entreprise*, 2e éd., Québec, Les Éditions Narval, 1997, 480 p.

LAINEY, Pierre, et coll. *Habiletés de supervision*, Montréal, Chenelière Éducation, 2009, 256 p.

LAPOINTE, Alain. « Nouvelle économie et gestion », dans Marcel CÔTÉ et Taïeb HAFSI, *Le management aujourd'hui : Une perspective nord-américaine*, Sainte-Foy, Presses de l'Université Laval, 2000.

LE CORRE, Claude, et Francis DEMERS. *La syndicalisation et ses conséquences : le Code du travail démystifié : tout ce que l'employeur doit savoir*, Cowansville, Les Éditions Yvon Blais, 1998, 218 p.

LOCK, E., et G. P. LATHAM. *A Theory of Goal Setting and Task Performance*, New Jersey, Englewood Cliffs, Prentice-Hall, 1990.

MALLETTE, Noël, et coll. *La gestion des relations du travail au Québec ; le cadre juridique et institutionnel*, Montréal, McGraw-Hill Éditeurs, 1990, 656 p.

MASLOW, Abraham H. « A theory of human motivation », *Psychological Review*, vol. 50, juillet 1943, p. 370-396.

MICHAELS, Ed, Helen HANDFIELD-JONES et Beth AXELROD. *The War for Talent*, Boston, Harvard Business School Press, 2001.

MILKOVICH, George T., et Ithaca J. NEWMAN. *Compensation*, 6e éd., Illinois, Homewood, BPI-Irwin, 1999, 672 p.

MILLER, Marie-Thérèse, et Bernard TURGEON. *Supervision et gestion des ressources humaines*, Saint-Laurent, McGraw-Hill, 1992, 586 p.

MINTZBERG, Henry. *Le manager au quotidien : les dix rôles du cadre*, Montréal, Éditions d'Organisation/Éditions Agence d'Arc, 1984, 220 p.

MORNELL, Pierre. *45 méthodes efficaces pour recruter avec discernement*, Repentigny, Éditions Reynald Goulet, 2001.

PARKIN, Michael, Robin BADE et Louis PHANEUF. *Introduction à la macroéconomie moderne*, Montréal, ERPI, 1992, 586 p.

PETTERSEN, Normand, et André DURIVAGE. *L'entrevue de sélection structurée. Pour améliorer la sélection du personnel*, Sainte-Foy, Presses de l'Université du Québec, 2006, 300 p.

QUÉBEC. *Charte des droits et libertés de la personne du Québec*, L.Q. 1975, c. 6 ; L.R.Q., c. C-12.

QUÉBEC. *Code civil du Québec*, L.Q. 1993.

QUÉBEC. *Code du travail du Québec*, L.R.Q., c. C-27.

QUÉBEC. *Loi sur la fête nationale*, L.R.Q., c. F-1.1.

QUÉBEC. *Loi sur la santé et la sécurité du travail*, L.R.Q., chapitre S-2.1.

QUÉBEC. *Loi sur les accidents du travail et les maladies professionnelles*, L.R.Q., c. A-3.001.

QUÉBEC. *Loi sur les normes du travail*, L.R.Q., c. N-1.1.

RUE, Leslie W., et Lloyd L. BYARS. *Supervision*, 5e éd., Chicago, Irwin, 1996, 462 p.

SCHERMERHORN, John R. Jr., et coll. *Comportement humain et organisation*, 3e éd., Saint-Laurent, ERPI, 2006.

ST-ONGE, Sylvie, et Roland THÉRIAULT. *Gestion de la rémunération. Théorie et pratique*, 2e éd., Boucherville, Gaëtan Morin, 2006, 736 p.

ST-ONGE, Sylvie, et coll. *Relever les défis de la gestion des ressources humaines*, 3e éd., Boucherville, Gaëtan Morin, 2009, 648 p.

TURGEON, Bernard, et Dominique LAMAUTE. *Le management*, 2e éd., Montréal, Chenelière Éducation, 2006, 386 p.

ULRICH, D. *Human Resource Champions*, Cambridge, Harvard Business School, 1997, 281 p.

VROOM, Victor H. *Work and Motivation*, New York, John Wiley & Sons, 1964, 331 p.

Index